In copertina: Veduta dei principali munumenti del Tibet
Centrale, XIX sec., pittura su tela. Museo Guimet.
Parigi.

En couverture: Vue des monuments les plus
importants du Tibet Central XIXe s., peinture sur toile. Musée
Guimet. Paris.

Università di Roma «LA SAPIENZA»
Dipartimento di Studi Orientali

DIMORE UMANE, SANTUARI DIVINI

Origini, sviluppo e diffusione dell'architettura tibetana

DEMEURES DES HOMMES, SANCTUAIRES DES DIEUX

Sources, développement et rayonnement de l'architecture tibétaine

il Bagatto

Università di Roma «LA SAPIENZA»
Dipartimento di Studi Orientali

DEMEURES DES HOMMES, SANCTUAIRES DES DIEUX
Sources, développement et rayonnement de l'architecture tibétaine

Editeurs: **Paola Mortari Vergara - Gilles Béguin**

ROME
Université «La Sapienza»
Palais du Rectorat
19 *Mars* - 6 *Avril*, 1987

PARIS
Musée Guimet
6 *Mai* - 13 *Juillet*, 1987

Sous le parrainage de la
UNIVERSITÀ DI ROMA «LA SAPIENZA»

Avec la collaboration de la
REUNION DES MUSÉES NATIONAUX, FRANCE

Avec le concours de:
MINISTERO PUBBLICA ISTRUZIONE - Rome
MINISTERO AFFARI ESTERI - Rome
UNESCO
PROVINCIA DI ROMA

Università di Roma «LA SAPIENZA»
Dipartimento di Studi Orientali

DIMORE UMANE, SANTUARI DIVINI
Origini, sviluppo e diffusione dell'architettura tibetana

a cura di: **Paola Mortari Vergara - Gilles Béguin**

ROMA
Università «La Sapienza»
Palazzo del Rettorato
19 *marzo* - 6 *aprile* 1987

PARIGI
Museo Guimet
6 *maggio* - 13 *luglio* 1987

Sotto il patrocinio della
UNIVERSITÀ DI ROMA «LA SAPIENZA»

Con la collaborazione della
REUNION DES MUSEES NATIONAUX, FRANCIA

Con il concorso di:
MINISTERO PUBBLICA ISTRUZIONE - Roma
MINISTERO AFFARI ESTERI - Roma
UNESCO
PROVINCIA DI ROMA

I curatori ringraziano vivamente tutti coloro che li hanno aiutati nella realizzazione di quest'opera, e più particolarmente:
Les éditeurs tiennent à remercier tous ceux qui les ont aidé dans la réalisation de cet ouvrage, plus particulièrement:

ACARYA TUBTEN JAMPA, AMCHI KUNSANG, R. BANNET, F. BARBOUX, A.M. BLONDEAU, J.P. BOISSEAU, L. BULNOIS, S. CIUFFINI, A. CLAERHOUT, H.B. COOLS, C. DEBAINE FRANCFORT, J.P. DESROCHES, P. DOLLFUS, G. DONNAY, C.H. DUFLOS, L. FEUGERE, GESHE SONAM CHANCHUB, J. GIES, M.L. GIORGI, G. GNOLI, H. HARTEL, M. HENSS, L. LANCIOTTI, D. LAUF, S.V. LEGHELS-ROMBOUTS, C.B. LEVENSON, N. LOIACONO, M. LOTH, M. MACAGIANSAR, F. MAHOT, D., MAIDAR, P. MARECHAUX, A. MASTROIANNI, P. MAUREL, D. MAZZEO, P.F. MELE, G. MOLÈ, A. MORTARI, P. MURDOCH, J.L. NOU, S. ODON, K. OMOTO, L. PATRIZI, M.L. PERONETTO VALIER, M.M. PEYRONNET, R. PIPERNO, M. PIRAZZOLI T'SERSTIVENS, M. POLICHETTI, V. REYNOLDS, P. RINALDI, G., ROGLIA, M.C. ROSELLI LORENZINI, P. ROSSELLI, D., SALMON, J. SCHOTSMANS, M.S. SLUSSER, D.L. SNELLGROVE, R.A. STEIN, D. TEUMEURBAATAR, F. TISSOT, UCHEMO LANGDUN GYANTSO, WANG YAO, D. WORY.

Siamo particolarmente riconoscenti a Mr. H. RICHARDSON per averci autorizzato a riprodurre alcune delle sue preziose fotografie dell'antico Tibet.
Nous sommes particuliérement reconnaissants à M.H. RICHARDSON de nous avoir autorisé à reproduire quelques uns de ses precieux clichés du Tibet ancien.

Noi dobbiamo egualmente citare per il loro appoggio:
Nous devons également citer pour leur aide:
ACCADEMIA DEI LINCEI, ROMA; BIBLIOTHEQUE NATIONALE, PARIS; CENTRE D'ETUDES HIMALAYENNES, C.N.R.S., MEUDON; CENTRE D'ETUDES TIBETAINES, COLLEGE DE FRANCE, PARIS; ISMEO, ROMA; INSTITUT ROYAL DU PATRIMOINE ARTISTIQUE, BRUXELLES; ISTITUTO LAMA TSONGKHAPA, POMAIA, FIRENZE; MUSEE DE L'ETHNOGRAPHIE, ANVERS; MUSEES ROYAUX D'ART ET D'HISTOIRE, BRUXELLES; MUSEO NAZIONALE D'ARTE ORIENTALE, ROMA; MUSEUM FÜR INDISCHE KUNST, BERLIN; THE NEWARK MUSEUM, NEWARK, NEW JERSEY; RIKON INSTITUT, ZÜRICH; STAD ANTWERPEN; TIBETAN BUDDHIST LEARNING CENTER, LABSUM SHEDRUB LING, WASHINGTON N.J.; VILLE DE DIGNE-LES-BAINS; VOLKERKUNDEMUSEUM DER UNIVERSITÄT, ZÜRICH.

Si ringrazia inoltre per la fattiva collaborazione:
Nous devons également remercier pour le soutien efficace:
LA DIREZIONE GENERALE DELLE RELAZIONI CULTURALI del Ministero degli Affari esteri: Min. Corrado TALIANI, Direttore Generale; Cons. Carlo UNGARO; Cons. Elisabetta KELESCIAN; Dr. Francesco ALICO; Dss.a Mara GIRACE.

PREFACE

Cet ouvrage est le fruit d'une étroite collaboration scientifique entre l'Université de Rome «La Sapienza» et la Réunion des Musées Nationaux. Nos deux institutions, attachées sous des formes complémentaires à l'étude du patrimoine culturel et à sa pérennité, ont pour mission d'encourager le renouvellement des disciplines et la recherche de nouveaux sujets d'étude.

Les vicissitudes de l'histoire et les inévitables mutations techniques font disparaître sous nos yeux les dernières cultures traditionnelles. Parmi elles, la civilisation tibétaine est sans conteste l'une des plus riches et des plus originales, l'une également des plus menacées. L'Italie et la France ont toujours apporté une contribution fondamentale à sa connaissance. Cependant, l'étude de l'architecture a toujours été plus ou moins délaissée par les tibétologues qui ne lui ont jamais accordé une réelle attention. Certains spécialistes lui déniaient même toute évolution alors que ce style particulier s'est développé durant plus de treize siècles, et que les monastères du Bouddhisme tibétain furent élevés sur une aire d'expansion plus grande que l'Europe.

Internationalement, rares sont les spécialistes d'un tel domaine. La conservation aléatoire du patrimoine tibétain durant ces dernières décennies incitait, dans nos deux pays, certains d'entre eux à mettre en commun leur documentation et leurs réflexions. Cette association a permis un progrès plus rapide des connaissances. Ainsi, cette étude qui avait été originellement conçue comme une synthèse des données encore disponibles, introduit en fait à un immense champ d'investigations, en grande partie nouveau. Ses résultats constitueront sans doute le point de départ d'un domaine inédit des études tibétaines.

Le caractère particulier de la documentation utilisée, principalement des photographies, incitait à ne pas restreinde les résultats de ce travail à un petit cercle de spécialistes. Parallélement à cette publication, une exposition permet de toucher un public plus large. Le Tibet, civilisation charnière au coeur de l'Asie, motive autant les amateurs de l'art indien que ceux des arts d'Extrême-orient. Les architectes contemporains, intéressés par les techniques et les styles traditionnels participant aux équilibres écologiques, trouveront ici des échos à leurs propres recherches.

La collaboration entre nos deux institutions permet ainsi de donner un maximum de résonance à une initiative originale qui concourt à mieux faire connaître et apprécier un aspect essentiel de la civilisation du «Pays des Neiges».

Une telle manifestation se devait d'être dédiée au Professeur Giuseppe Tucci récemment décédé qui enseigna à l'Université de Rome durant plusieurs décennies. Ses travaux sur l'histoire de l'art tibétain en font le père de cette discipline. On peut regretter qu'il nous ait été impossible d'utiliser les clichés originaux des expéditions Tucci déposés à l'Istituto Italiano per il Medio ed Estremo Oriente et en cours de classement.

Cette exposition est en grande partie née de la volonté obstinée du Professeur Luigi De Nardis, Doyen de la Faculté des Lettres et Philosophie de l'Université de Rome «La Sapienza» de 1977 à 1985, promoteur infatigable de manifestations culturelles internationales de qualité.

Cette exposition n'aurait pu voir le jour sans l'aide financière d'autres institutions: Ministère Italien de l'Instruction Publique, Ministère Italien des Affaires Etrangères, U.N.E.S.C.O. et Province de Rome. Qu'elles trouvent ici le témoignage de nos remerciements les plus chaleureux.

HUBERT LANDAIS
Directeur des
Musées de France

ANTONIO RUBERTI
Recteur de l'Université
de Rome «La Sapienza»

PREFAZIONE

Quest'opera è il risultato di una stretta collaborazione scientifica tra l'Università di Roma «La Sapienza» e la Réunion des Musées Nationaux. Le nostre due istituzioni che hanno per fine, sotto aspetti complementari, lo studio del patrimonio culturale e la sua preservazione, devono sostenere il rinnovamento delle discipline e la ricerca di nuovi campi di studio.

Le vicissitudini storiche e gli inevitabili mutamenti tecnici fanno scomparire sotto i nostri occhi le ultime culture tradizionali. Tra queste senza dubbio è la civiltà tibetana, una delle più ricche e delle più originali, ma insieme una delle più minacciate.

L'Italia e la Francia hanno da secoli apportato considerevoli contributi alla conoscenza di tale civiltà. Tuttavia lo studio dell'architettura del Tibet è stato spesso trascurato dai tibetologi, la maggior parte dei quali non lo ha mai considerato degno di attenzione. Alcuni studiosi hanno addirittura negato ogni sorta di evoluzione a questo stile particolare che, in effetti, si è sviluppato per oltre tredici secoli, mentre monasteri del buddhismo tibetano furono elevati in un'area di espansione più grande dell'Europa.

Attualmente, in campo internazionale, gli specialisti di tale materia sono molto scarsi. La conservazione aleatoria del patrimonio architettonico tibetano in questi ultimi decenni ha spinto alcuni studiosi francesi e italiani a porre in comune la loro documentazione e le loro riflessioni.

Tale collaborazione scientifica ha permesso un più rapido progresso delle conoscenze. Così quest'opera che era stata originariamente concepita come una sintesi dei dati ancora disponibili, apre invece un vasto campo di indagine in gran parte nuovo. I risultati ottenuti costituiscono il punto di partenza per una branca inedita degli studi tibetologici.

Il carattere particolare della documentazione raccolta, principalmente fotografica, ha spinto a non restringere i risultati di questa ricerca a un piccolo numero di specialisti. Parallelamente a questa pubblicazione, una esposizione consente di avvicinare un pubblico più vasto. Il Tibet, civiltà artistica-cardine, sita nel cuore dell'Asia, attira l'attenzione, sia degli amatori dell'arte indiana, sia di quelli della produzione artistica estremo-orientale.

Inoltre gli architetti contemporanei, interessati alle particolarità tecniche e alle tematiche degli stili tradizionali, anche come espressione di equilibrio ecologico, possono trovare qui spunti per le proprie ricerche.

La collaborazione tra le nostre due istituzioni permette così di dare il massimo di risonanza ad una iniziativa originale che concorre a far meglio conoscere ed apprezzare un aspetto essenziale della civiltà del «Paese delle nevi».

Una tale manifestazione viene da noi dedicata al Professor Giuseppe Tucci, recentemente scomparso, che per decenni ha insegnato nell'Ateneo romano. I suoi lavori sulla storia dell'arte tibetana ne fanno il padre di questa disciplina.

Purtroppo non è stato possibile utilizzare i cliché originali delle Spedizioni Tucci in deposito presso l'Istituto italiano per il Medio ed Estremo Oriente e in corso di classificazione.

L'attuazione di questa iniziativa è in gran parte merito dell'appassionato interessamento e della dedizione del Prof. Luigi De Nardis, Preside della Facoltà di Lettere e Filosofia della «Sapienza» dal 1977 al 1985, instancabile promotore e realizzatore di imprese internazionali culturali e scientifiche di altissima qualità.

Questa manifestazione non si sarebbe potuta portare a termine senza l'appoggio finanziario di altre istituzioni: Ministero della Pubblica Istruzione, Ministero degli Affari Esteri, UNESCO e Provincia di Roma, a cui vanno i nostri più calorosi ringraziamenti.

HUBERT LANDAIS
Direttore dei
Musei di Francia

ANTONIO RUBERTI
Rettore dell'Università
di Roma «La Sapienza»

Carta dell'itinerario della spedizione di G. Tucci nel Tibet occidentale nel 1933 (R. Astolfi da Tucci, Ghersi, 1934).
Carte montrant l'itinéraire de l'expédition de G. Tucci au Tibet occidental en 1933 (R. Astolfi d'après Tucci, Ghersi 1934).

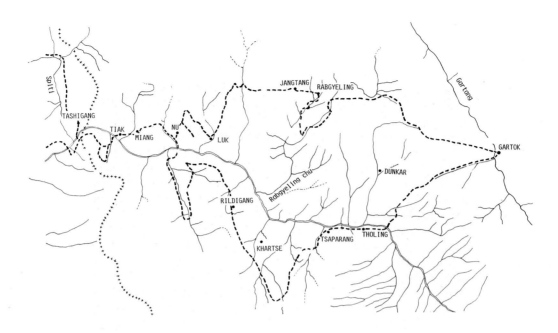

Carta dell'itinerario della spedizione di G. Tucci nel Tibet centrale nel 1948 (R. Astolfi da Tucci, 1950 [a]).
Carte montrant l'itinéraire de l'expédition de G. Tucci au Tibet central en 1948 (R. Astolfi d'apres Tucci, 1950 [a])

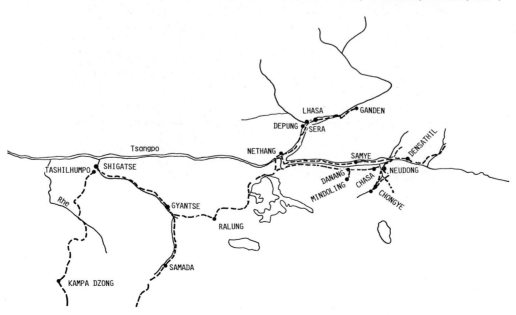

Giuseppe Tucci

HOMMAGE
A GIUSEPPE TUCCI
1894-1984

Le décès du Professeur Giuseppe Tucci prive le monde orientaliste de l'un de ses membres les plus éminents. Ses travaux fondamentaux dans le domaine de la tibétologie en font l'un des pères de cette discipline. En dédiant cette manifestation à sa mémoire, le Département des Etudes Orientales de l'Université de Rome «La Sapienza» et le musée Guimet ne font que payer un bien léger tribut à celui sans lequel un ouvrage comme celui-ci n'aurait pu voir le jour.

Né à Macerata le 5 juin 1894, Giuseppe Tucci montra dès l'adolescence des aptitudes intellectuelles exceptionnelles qui le menèrent, dès 1911, à publier un travail sur l'épigraphie romaine antique. Il fit ses études à l'Université de Rome et obtint son diplôme en 1919. Esprit curieux, il s'intéresse aux sujets les plus variés: chinois et sanskrit, philosophies et religions de l'Asie, plus particulièrement Bouddhisme mahâyana. Il séjourne en Inde de 1925 à 1930 et enseigne l'italien et le chinois à Calcutta et à Shantiniketan, université fondée et dirigée par Rabindranath Tagore.

Son intérêt pour le Bouddhisme l'amène à partir de 1929 à entreprendre huit voyages dans des pays de culture tibétaine, exploit qui reste exceptionnel. Des livres portent témoignages de ses principales missions. Ainsi, en 1931, il séjourne au Ladakh et au Tibet occidental (Indo-Tibetica, séries I et II). Accompagné d'E. Ghersi, il visite, en 1933, les sites de Tholing et de Tsaparang, le lac Manasarowar et le mont Kailâsa (Tucci-Ghersi, 1934). Il retourne dans les mêmes régions en 1935 (Tucci, 1936). La troisième série d'Indo-Tibetica est l'aboutissement de ses études sur le Tibet occidental. En 1937, il part du Sikkim et gagne Gyantse (Indo-Tibetica, série IV). En 1939, il effectue un long voyage au Tibet méridional. Les résultats de cette expédition l'aident à rédiger Tibetan Painted Scrolls. En 1948, il entre enfin à Lhasa et traverse la vallée du Yarlung (Tucci 1950 [a], 1950 [b]).

Parallèlement, il obtient en 1930 la chaire de chinois de l'Institut Oriental de l'Université de Naples et, deux ans plus tard, il enseigne les religions et les philosophies de l'Inde et de l'Extrême-Orient à la Faculté des lettres de l'Université de Rome. Cette fonction professorale qu'il assumera jusqu'à sa retraite lui permit de développer considérablement les études orientales à Rome et de créer une véritable école d'où sortiront les principaux spécialistes des générations suivantes. Jusqu'à sa mort il continua à faire partie du corps académique de l'Université de Rome «La Sapienza» comme professeur émérite.

En 1933 il eut l'idée de fonder l'Institut Italien pour le Moyen et l'Extrême-Orient (I.s.M.E.O.) dont il fut le Président de 1947 à 1978. Il en conserva ensuite le titre de «président honoraire».

En 1950, le Tibet se fermant totalement, il poursuit néanmoins ses recherches, s'intéressant aux minorités tibétaines du Nord du Népal. La culture néware de la vallée de Kâthmându retint également son attention. Il dirigea ensuite dans de nombreux pays d'Asie des expéditions où s'illustrèrent plusieurs grands spécialistes italiens. On peut ainsi citer des fouilles au Swât (Nord du Pakistan) et à Tepe Sardar (Afghanistan), un plan de restauration pour Persepolis (Iran)... En 1957, il a été le promoteur du Musée National d'Art Oriental de Rome dont les collections sont aujourd'hui de niveau international.

Une telle personnalité se devait d'être officiellement célébrée par plusieurs titres académiques et honorifiques tant en Italie qu'à l'étranger.

Il laisse une immense bibliographie. Ses travaux fondamentaux pour la connaissance de la civilisation tibétaine sont, de nos jours, encore plus précieux par la rareté de la documentation et des sources originales utilisées, aujourd'hui disparues à jamais.

OMAGGIO
A GIUSEPPE TUCCI
1894 - 1984

La scomparsa del Professore Giuseppe Tucci priva il mondo orientalistico di uno dei suoi membri più insigni. I suoi lavori fondamentali nel campo della tibetologia ne fanno uno dei padri di questa disciplina. Dedicando questa manifestazione alla sua memoria, il Dipartimento di Studi Orientali dell'Università di Roma «La Sapienza» ed il museo Guimet non offrono che un modestro tributo a colui senza il quale un'opera come questa non avrebbe potuto realizzarsi.

Nato a Macerata il 5 giugno 1894, Giuseppe Tucci dimostrò fin dall'adolescenza doti intellettuali eccezionali che lo portarono, già nel 1911, a pubblicare un lavoro sull'epigrafia romana antica. Compì i suoi studi all'Università di Roma e si laureò nel 1919. Spirito curioso, si interessa ai più disparati argomenti: cinese e sanscrito, filosofie e religioni dell'Asia, in particolare Buddhismo mahāyāna. Soggiorna in India dal 1925 al 1930 ed insegna l'italiano ed il cinese a Calcutta e a Shantiniketan, università fondata e diretta da Rabindranath Tagore.

Il suo interesse per il Buddhismo lo porta, a partire dal 1929, a compiere otto viaggi in paesi di cultura tibetana, impresa che resta eccezionale. Alcun suoi libri testimoniano delle sue principali missioni. Così, nel 1931, dopo un soggiorno nel Ladakh e nel Tibet occidentale, scrisse Indo-Tibetica, serie I e II. Insieme a E. Ghersi, visita, nel 1933, i siti di Tholing e di Tsaparang, il lago Manasarowar ed il monte Kailâsa (Tucci-Ghersi, 1934). Ritorna poi nelle stesse regioni nel 1935 (Tucci, 1936). La terza serie di *Indo-Tibetica* è il risultato conclusivo dei suoi studi sul Tibet occidentale. Nel 1937, parte dal Sikkim e si reca a Gyantse (*Indo-Tibetica*, serie IV). Nel 1939 compie un lungo viaggio nel Tibet meridionale. I dati raccolti in questa spedizione lo aiutano a redigere *Tibetan Painted Scrolls*. Nel 1948, entra finalmente a Lhasa ed attraversa la valle dello Yarlung (Tucci 1950 [a], 1950 [b]).

Parallelamente, ottiene nel 1930 la cattedra di cinese all'Istituto Universitario Orientale di Napoli e, due anni dopo, insegna religioni e filosofie dell'India e dell'Estremo Oriente alla Facoltà di Lettere dell'Università di Roma. Il magistero di professore, esercitato fino alla pensione, gli permise di sviluppare considerevolmente gli studi orientali a Roma e di creare una vera e propria scuola dalla quale usciranno i principali specialisti delle generazioni seguenti. Continuò a far parte del corpo accademico dell'Università di Roma «La Sapienza» come Professore emerito.

Nel 1933 promosse la fondazione dell'Istituto Italiano per il Medio ed Estremo Oriente (Is. M.E.O.) di cui fu Presidente dal 1947 al 1978 e successivamente conservò il titolo di «Presidente onorario».

Nel 1950 il Tibet chiuse completamente le sue frontiere, ma G. Tucci continuò ugualmente le sue ricerche interessandosi alle minoranze tibetane del nord del Nepal. Anche la cultura newari della valle di Kathmandu attirò la sua attenzione. Diresse in seguito, in numerosi paesi dell'Asia, molteplici spedizioni in cui si misero in luce parecchi grandi specialisti italiani. Si possono citare gli scavi nello Swât (Pakistan settentrionale) ed a Tepe Sardar (Afghanistan), un progetto di restauro per Persepoli (Iran)...

Nel 1957 promosse la fondazione del Museo Nazionale d'Arte Orientale di Roma le cui collezioni sono, oggi di livello internazionale.

Giustamente una simile personalità è stata ufficialmente riconosciuta con numerosi titoli accademici ed onorifici sia in Italia che all'estero.

Lascia un'immensa bibliografia. I suoi lavori, fondamentali per la conoscenza della civiltà tibetana, sono ora ancora più preziosi per la rarità della sua documentazioni e delle sue fonti originali, oggi in gran parte scomparse per sempre.

— I nomi propri più comuni, seguono la trascrizione entrata in uso.

— La trascrizione dei nomi tibetani è semplificata. Un indice, alla fine del volume, dà le equivalenze nel sistema Wylie (Wylie T.V., *A standard system of Tibetan transcription*, in: *Harward Journal of Asiatic Studies*, n. 22-1959, p. 261-267).

— I termini sanscriti seguono il sistema dell'Ecole Française d'Extême-Orient.
Le seguenti lettere presentano delle particolari equivalenze:

ṇ, ṃ, ḍ, ṭ, ḷ, ṣ = *n, m, d, t, l, s*
š = sh

— Il cinese è in pinyin.

— Il mongolo è trascritto secondo il sistema esposto in: *Etudes Mongoles,* Nanterre, 1-1970, p. 52-53.

— La menzione «fig.» seguita da numeri romani indica le illustrazioni dei testi d'introduzione.

— La menzione «fig.» seguita da numeri arabi indica le illustrazioni dei differenti capitoli.

— Le note sono situate alla fine di ogni capitolo.

— Les noms propres les plus courants suivent la transcription usuelle.

— La trascription des mots tibétains est simplifiée. Un index, en fin de volume, donne leur équivalence selon le système Wylie (Wylie T.V., «A standard system of Tibetan transcription», *Harward Journal of Asiatic Studies,* n. 22-1959, p. 261-267).

— Les termes sanskrits suivent le système de L'Ecole Française d'Extême-Orient.
Les lettres suivantes reçoivent des équivalences particulières:

ṇ, ṃ, ḍ, ṭ, ḷ, ṣ = *n, m, d, t, l, s*
š = sh

— Le chinois est en pinyin.

— Le mongol est transcrit selon le système exposé dans: *Etudes Mongoles,* Nanterre, 1-1970, p. 52-53.

— La mention «fig.» suivie de chiffres romains renvoie aux illustrations des textes d'introduction.

— La mention «fig.» suivie de chiffres arabes renvoie aux illustration des différents chapitres.

— Les notes sont placées en fin de chapitre.

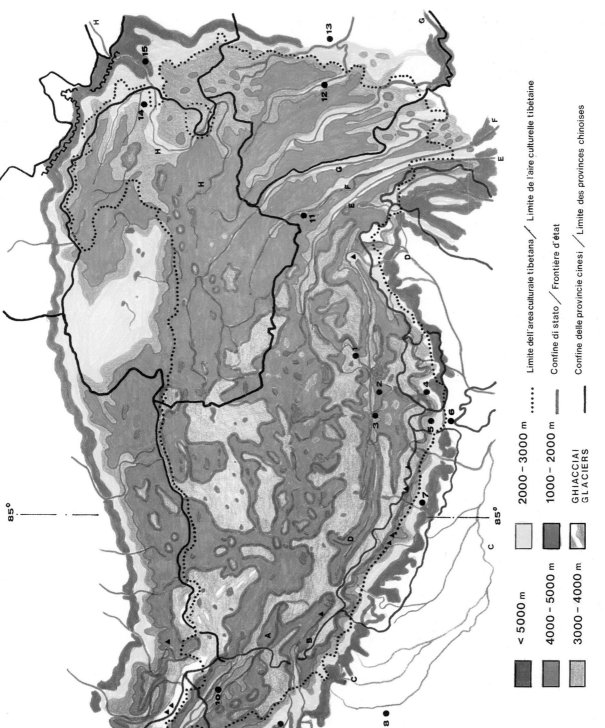

fig. 2 - Carta dell'area di cultura tibetana: A, Indo; B, Sutlej; C, Gange; D, Tsangpo / Brahmaputra; E, Salween; F, Mekong; G, Yangtse; H, Huanghe. - 1, Lhasa; 2, Gyantse; 3, Shigatse; 4, Thimbu; 5, Gangtok; 6, Darjeeling; 7, Kāthmāndu; 8, Delhi; 9, Dharmsala; 10, Leh; 11, Chamdo; 12, Tatsienlu; 13, Chengdu; 14, Sining; 15, Langzhou. (F. Meyer, R. Astolfi).

fig. 2 - Carte de l'aire de culture tibétaine: A, Indo; B, Sutlej; C, Gange; D, Tsangpo / Brahmapoutre; E, Salween; F, Mekong; G, Yangtse; H, Huanghe. - 1, Lhasa; 2, Gyantse; 3, Shigatse; 4, Thimbu; 5, Gangtok; 6, Darjeeling; 7 Kāthmāndu; 8, Delhi; 9, Dharmsala; 10, Leh; 11, Chamdo; 12, Tatsienlu; 13, Chengdu; 14, Sining; 15, Langzhou (F. Meyer, R. Astolfi).

Limite dell'area culturale tibetana / Limite de l'aire culturelle tibétaine

Confine di stato / Frontière d'état

Confine delle province cinesi / Limite des provinces chinoises

2000 – 3000 m

1000 – 2000 m

GHIACCIAI
GLACIERS

< 5000 m

4000 – 5000 m

3000 – 4000 m

fig. 7 - Lhasa, Potala, dipinto murale rappresentante il cantiere di costruzione del Jokhang (foto F. Meyer).

fig. 7 - Lhasa, Potala, peinture murale représentant le chantier de construction du Jokhang (cl. F. Meyer)

fig. 43 - Valle del Brahmaputra (Tsangpo), abitazione contadina nei pressi di Gongkar (foto F. Meyer).

fig. 43 - Vallée du Brahmaputre (Tsangpo), maison paysanne près de Gongkar (cl. F. Meyer).

fig. 59 - Tibet Orientale, tende di cotone erette in occasione di una festa collettiva dedicata ad una divinità-montagna (foto S. Karmay).

fig. 59 - Tibet Oriental, tentes en coton érigées à l'occasion d'une fête collective dédiée à une divinité-montagne (cl. S. Karmay).

fig. 70 - Bhadgaon, Tau-
madi tol, Nyâtapola,
1702 (foto F. Barboux).

fig. 70 - Bhadgaon, Tau-
madhi tol, Nyâtapola,
1702 (cl. F. Barboux).

fig. 125 - Alchi Chökor, chörten con coronamento a pañcâyatana (foto P. Mortari Vergara).

fig. 125 - Alchi Chökor, chörten avec couronnement en pañcâyatana (cl. P. Mortari Vergara).

fig. 126 - Alchi Chökor, chörten con coronamento a pañcâyatana, soffitto a «laternendecke» (foto G. Béguin).

fig. 126 - Alchi Chökor, chörten avec couronnement a pañcâyatana, plafond en «laternendecke» (cl. G. Béguin).

fig. 143 - Sakya, monastero Sud, tempio principale, veduta parziale del cortile interno (foto F. Meyer).

fig. 143 - Sakya, monastère Sud, temple principal, cour intèrieur, vue partielle (cl. F. Meyer).

fig. 144 - Sakya Monastero Sud, tempio maggiore, facciata, scala laterale con portici sovrapposti (foto F. Meyer).

fig. 144 - Sakya, monastère Sud, temple principal, façade, escalier latèral avec portiques superposès (cl. F. Meyer).

fig. 150 - Gyantse Dzong
(Tsang), veduta panora-
mica (foto F. Meyer).

fig. 150 - Gyantse Dzong
(Tsang), vue générale
(cl. F. Meyer).

fig. 156 - Pelkhor chöde,
Kumbum (foto F. Meyer).

fig. 156 - Pelhor chöde,
Kumbum (cl. F Meyer).

fig. 168 - Tiktse (Ladakh), facciata sud (foto G. Béguin) e facciata est (foto P. Mortari Vergara).

fig. 168 - Tiktse (Ladakh), façade Sud (cl. G. Béguin); façade Est (cl. P. Mortari Vergara).

fig. 175 - Leh, Ladakh, veduta panoramica, in alto il castello Lechen Pelkhar (foto C. Jest).

fig. 175 - Leh (Ladakh), vue générale; en haut le château Lechen Pelkhar (cl. C. Jest).

fig. 193 - Jokhang, particolare dei «tetti cinesi»
di rame dorato (foto F.
Meyer).

fig. 193 - Jokhang,
détail des «toits chinois»
en cuivre doré (cl. F.
Meyer).

fig. 217 - Potala, pilastri
e architravi dell'atrio del
Palazzo Bianco (restauro
dell'inizio del XX sec.)
(foto F. Meyer).

fig. 217 - Potala, piliers
en entablements du por-
che du Palais Blanc (re-
stauration au début du
XXème siècle (cl. F. Me-
yer).

fig. 221 - Monastero di Kimbum (Amdo) (foto H. Stoddard).

fig. 221 - Monastére de Kumbum (Amdo) (cl. H. Stoddard).

fig. 238 - Ngaba, veduta del villaggio (foto H. Stoddard).

fig. 238 - Ngaba, vue du village (cl. H. Stoddard).

fig. 244 - Juyong guan, Goujie ta, veduta (foto G. Béguin).
fig. 244 - Juyong guan, Goujie ta, vue générale (cl. G. Béguin).

fig. 251 - Wutai Shan (Shanxi), Tayuan si, il grande chörten (foto J.P. Desroches).

fig. 251 - Wutai Shan (Shanxi), Tayuan si, le grand chörten, (cl. J. P. Desroches).

fig. 260 - Chengde, Puning si (Tempio della pace universale), Dasheng ge (Padiglione del Grande Veicolo) 1755-56, facciata sud e facciata ovest (foto C. Debaine-Francfort).

fig. 260 - Chengde Puning si (Temple de la paix universelle), Dasheng ge (pavillon du «Grand Véhicule»), 1755-56, façade Sud et Ouest (cl. C. Debaine-Francfort).

fig. 264 - Chengde, Putuo zongcheng miao, Dahongtai (Grande terrazza rossa) (foto J.P. Desroches).

fig. 264 - Chengde, Putuo zongcheng miao, Dahongtai (Grande terrasse rouge) (cl. J.P. Desroches).

fig. 287 - Monastero di Erdeni-Zuu (provincia di Öbür qang ai, R.P.M.), tempio dei Dalailama, veduta della facciata sud, 1675 (foto E. Alexandre).

fig. 287 - Monastère de Erdeni-Zuu, (province de Öbür qang ai, R.P.M.), temple du Dalaïlama, vue de la façade Sud, 1675 (cl. E. Alexandre).

fig. 291 - Monastero di Erdeni-Zuu, Bodhi-Sub-urgan (chiamato lo Stûpa d'oro), veduta generale, 1799 (foto E. Alexandre).

fig. 291 - Monastère de Erdeni-Zuu, Bodhi-Sub-urgan (appelé le Stûpa d'or), vue générale, 1799 (cl. E. Alexandre).

fig. 296 - Paro, dzong
(foto Ch. Massonaud).

fig. 296 - Paro, dzong
(cl. Ch. Massonaud).

fig. 298 - Thimbu, Tashi
chödzong, nel 1974 dopo
il riammodernamento
(foto Ch. Massonaud).

fig. 298 - Thimbu, Tashi
chödzong, en 1974 après
sa rénovation (cl. Ch.
Massonaud).

fig. 335 - Zurigo (Svizzera), Rikon gompa (foto A. Mastroianni).

fig. 335 - Zürich (Suisse), Rikon gompa (cl. A. Mastroianni).

CENNO GEOGRAFICO E STORICO

Luciano Petech

È un ovvio assioma che la storia del Tibet è in gran parte condizionata dalla sua particolare fisionomia geografica: un vasto altipiano ad un'altezza media di 3.000-3.500 m., in cui si possono distinguere almeno quattro regioni principali: il centro (Ü-Tsang), solcato dallo Tsangpo e dai suoi affluenti, le cui vallate permettono una misura sufficiente d'agricoltura; l'est (Kham), che i profondi solchi paralleli di grandi fiumi dividono in un gran numero di distretti con difficili comunicazioni interne; il nord-est (Amdo), regione di pascoli che degrada verso il corridoio del Gansu; l'ovest (Ngari) ad un'altitudine superiore alla media, il che vi crea condizioni sfavorevoli alla formazione di centri politici non strettamente locali. Al di fuori della storia restano le pianure del nord (Changtang), aride e battute da venti violenti, in cui perfino la pastorizia incontra condizioni proibitive. Questi dati ambientali contribuiscono a spiegare perchè attraverso tutta la storia del paese il Tibet centrale fosse l'unico ad offrire le condizioni economiche necessarie e sufficienti per la coagulazione di formazioni statali solide e durature.

La critica storica oggi non ci permette di risalire più indietro del VI sec. d.C., sebbene la tradizione tibetana fornisca liste di re mitici che ci porterebbero a molti secoli più indietro. Sembra certo che nei radi gruppi nomadi e semi-nomadi che occupavano l'altipiano si crearono gradualmente dei centri di polarizzazione in forma di piccoli principati tribali, retti da un'aristocrazia proveniente almeno in parte dal nord-est. Fin dal V sec. uno di questi principi, quello di Yarlung, stava emergendo tra gli altri. Alla fine del VI sec. vi regnava Namri songtsen la cui influenza però si urtava contro quella del capo del Nghepo, a nord di Lhasa. Questo quadro prefigurava un contrasto tra valle del Kyichu e valle di Yarlung, che più tardi si allargò fino a sfociare in quella polarizzazione tra le province di Ü e di Tsang che poi accompagnò per molti secoli la storia del Tibet Centrale. Il conflitto finì con la vittoria di Namri Songtsen, che fu proclamato re (tsenpo). Gli altri capi uno dopo l'altro divennero suoi vassalli. Ebbe così origine una monarchia di tipo feudale, in cui i poteri del re erano limitati non solo dalle ampie autonomie locali della nobiltà, ma dall'influenza del grande ministro (lönpochenpo).

Al primo re seguì il figlio Songtsen gampo (c. 610-649), che fu il vero fondatore dello stato tibetano e delle sue istituzioni. La sua influenza politica si estese fino ai confini della Cina, la quale tenne conto di questa potenza crescente concedendo in matrimonio (a lui o al figlio premorto) una principessa imperiale. Con lei penetrò nel paese una certa influenza cinese, che si fece sentire nelle semplici istituzioni di cui venne dotato il nuovo stato. Sul piano religioso e culturale si affermò invece l'influsso dell'India, da cui il Tibet mutuò il suo alfabeto di 30 lettere. Di là e dall'Asia Centrale provenne anche una prima superficiale penetrazione del buddhismo. Rimase però dominante l'antica religione animistica, poi consolidata in forma di culto reale. Uno dei suoi aspetti concerne il modo di sepoltura per inumazione, tipica ed esclusiva della dinastia; i grandi tumuli delle tombe reali sorgono ancora nella valle di Yarlung. Il centro politico si spostò invece nella valle del Kyichu, dove il re costruì i pochi edifici amministrativi intorno a cui in seguito sorse la capitale Lhasa.

Dopo la morte di Songtsen gampo la monarchia subì un'eclisse, il potere effettivo venendo esercitato dai grandi ministri della famiglia Gar. Fu un periodo di brillante espansione, con l'annessione del regno di Shangshung nel Tibet occidentale (653) e con la distruzione dello stato dei Tuyuhun nell'Amdo. Poco dopo cominciavano le incursioni tibetane nel bacino del Tarim, attraversato dalla Via della Seta, la cui importanza economico-commerciale era allora grandissima. La Cina, esclusa dapprima dall'Asia Centrale (670-678), passò poi alla controffensiva (692-694) ristabilendovi il suo dominio. Questo grave insuccesso ebbe il suo contraccolpo in Tibet con la caduta dei Gar (698). Ciò non ridiede la pace al paese. La morte del re durante una spedizione nell'odierna provincia cinese dello Yunnan diede luogo a una guerra civile di vari anni, durante la quale il Tibet sentì il bisogno di un periodo di raccoglimento e di pace con la Cina; pace che venne ancora una volta suggellata dal matrimonio con una principessa cinese (710). Tuttavia le ripetute tregue furono sempre infrante.

Il Tibet estendeva ad ovest la sua influenza fino al Pamir, entrando in rapporti abbastanza cordiali con la nuova potenza asiatica del califfato arabo. Durante tutto l'VIII secolo la politica estera tibetana rivestiva dimensioni panasiatiche. Ciò è particolarmente degno di nota, in quanto la base demografica per uno sforzo simile doveva essere molto modesta, come lo è oggi.

Il regno di Thisong detsen (755-797) segna il culmine del regno tibetano. Anzitutto dal punto di vista internazionale. Essendo la

Cina indebolita dalla grave rivolta di An Lushan, nel 763 i tibetani riuscivano perfino a compiere un raid sulla capitale cinese Changan, saccheggiandola. Più importante ancora, il loro esercito si impadroniva delle città del corridoio del Gansu, isolando così le guarnigioni imperiali dell'Asia Centrale, che nei trent'anni seguenti vennero gradualmente sopraffatte. Solo gli Uiguri riuscirono a contenere l'avanzata tibetana.

Una pace conclusa nel 787 riconosceva le estese conquiste. Venne però infranta poco dopo e gradualmente la politica estera tibetana perse il controllo della situazione. La Cina riprese vigore, gli Uiguri rimasero ostili, il regno di Nan Chao al sud-est, fino allora prezioso alleato, passò all'altra parte, anche il califfato si dimostrava potenzialmente ostile. Alla fine dell'VIII sec. la situazione aveva raggiunto un punto di stallo; era sempre più dubbio se le risorse umane ed economiche del paese fossero pari al peso immane della sua politica imperialistica.

Il regno di Thisong detsen segnò una svolta decisiva in campo religioso e quindi culturale. Il re si volse decisamente verso il buddhismo e, dopo una serie di dispute fra monaci cinesi e dotti indiani (il cosiddetto concilio di Samye), fece cadere la sua scelta sul buddhismo tantrico dell'India. Un solenne editto lo proclamò religione di stato, sebbene la dinastia continuasse ad osservare il rituale antico della regalità. Fu allora che ebbe inizio, in armonica collaborazione tra traduttori (lotsawa) tibetani e maestri (pandita) indiani, l'attività di traduzione dei testi sacri buddhisti dal sanscrito e da altre lingue dell'India e dell'Asia Centrale, creando così il nucleo attorno al quale si cristallizzò nel XIV secolo il canone buddhista tibetano. La storia della monarchia dopo Thisong detsen è caratterizzata dal rapido aumento dell'influenza del clero buddhista, favorito dai re allo scopo di bilanciare il potere dell'aristocrazia. Dei monaci rivestirono i più alti uffici, e intorno all'810 uno di loro era capo effettivo del governo. La crescente tendenza clericale e pacifista si accoppiava con una decadenza militare; il Tibet non poteva più tener testa a tanti nemici. Così nell'822 fu conclusa una pace definitiva con la Cina; il testo fu inciso su una stele di pietra che esiste ancora a Lhasa. L'anno seguente si ebbe anche la pace con gli Uiguri.

Lo strapotere del clero finì col causare una reazione violenta, e nell'838 il re Repachen, convinto sostenitore del buddhismo, fu assassinato da una congiura dei nobili, che posero sul trono il fratello Langdarma, altrettanto convinto seguace della vecchia religione (il Bön) e persecutore del buddhismo. Anch'egli però assassinato, questa volta ad opera di un monaco (842); e in seguito a queste scosse la monarchia crollò. Il Tibet si divise in una serie di staterelli retti da membri dell'antica dinastia, le città dell'Asia Centrale si resero indipendenti, i territori tolti alla Cina riconobbero di nuovo l'autorità imperiale, il buddhismo scomparve quasi completamente. Così finiva la monarchia tibetana per non risorgere mai più, malgrado il ricordo sempre vivo che

essa lasciava. La tradizione monarchica si conservò soltanto all'estremo ovest, regione abitata in origine da popolazioni non tibetane; e colà durarono a lungo i regni di Guge (fino al 1630) e del Ladakh (fino al 1842).

Il periodo che segue all'842 è estremamente oscuro. Comunque avvennero profondi mutamenti nel seno dell'aristocrazia; i vecchi casati dell'epoca monarchica si estinsero o emigrarono, sostituiti da una serie di famiglie nuove. L'ordine monastico buddhista era quasi estinto; tuttavia degli avanzi erano sopravvissuti nell'Amdo, e di là si avviò un limitato ricupero nel Tibet centrale. Sono gli «antichi» (Nyingmapa), il cui buddhismo tantrico, fortemente influenzato dal sottofondo tibetano, sottolineava gli aspetti mistico-magici, in parte a sfondo sessuale. Ma il movimento decisivo per la «seconda diffusione» (chidar) della religione partì dall'ovest per iniziativa dei re di Guge, che invitarono il dotto indiano Atîsha. Questi poi estese la sua attività al Tibet centrale, dove nel 1054 morì. La scuola da lui fondata, i Kadampa, poneva l'accento principale sulla filosofia, la logica, e in parte anche sull'osservanza delle regole monastiche. Sorsero allora i primi grandi conventi, centri di attività religiosa e culturale, ma anche economica e più tardi politica. Nello stesso periodo sorsero anche altre scuole (Kagyüpa, Sakyapa, ecc.), il cui fondamento dottrinale non era sostanzialmente diverso.

Il consolidarsi del prestigio e del numero dei conventi introdusse nella società tibetana un elemento teocratico che poi divenne dominante. La nobiltà visse in simbiosi con la nuova aristocrazia dei grandi abati passando un po' in sottordine, ma non venne mai eliminata dalla scena. Fino alla metà del XX sec. il Tibet fu dominato da una élite clericale-feudale, con prevalenza del primo dei due elementi.

Ai primi del XIII sec. il Tibet, privo di ogni forma di governo centrale e senza altra difesa che le sue impervie montagne, era esposto a una possibile invasione della nuova potenza mongola fondata da Činggis Qan (Gengis Khan). Una prima incursione devastatrice ebbe luogo nel 1240. E quando quattro anni dopo il principe mongolo Köden (Godan) invitò (o meglio citò) al suo accampamento l'abate di Sakya, uno dei più ricchi e influenti conventi tibetani, in cui la carica d'abate era ereditaria, l'invito non poté essere rifiutato. Ne seguì un accordo tacito tra i due. Sebbene ambedue morissero negli anni seguenti, il rapporto così avviato continuò tra Qubilai (Khubilai), comandante delle truppe mongole in Cina e poi Gran Khan, e Phagpa, il nuovo abate, in cui i mongoli trovarono lo strumento adatto per estendere il loro controllo sul Tibet. Tuttavia il predominio di Sakya incontrò opposizioni e nel 1268 Qubilai invitò un corpo d'armata nel Tibet, vi fece eseguire un censimento, vi impiantò una rete postale e vi creò una struttura amministrativa di tipo cinese, di cui faceva parte anche l'amministratore temporale (pönchen) dei latifondi di Sakya. Phagpa fu insignito del titolo di Precettore Imperiale (dishi) e gli fu concessa un'influenza preponderante nell'ufficio (xuanzheng yuan) che a Pechino si occupava degli affari tibetani e buddhisti. Questo complicato sistema assicurava da un lato il controllo mongolo sul Tibet e dall'altro dava al Precettore Imperiale di fronte ai tibetani la figura di capo di un paese autonomo sotto l'alta sovranità imperiale. Per qualche decennio il Tibet rimase più o meno tranquillo sotto il condominio mongolo-Sakya.

La situazione cambiò col progressivo indebolirsi del regime mongolo in Cina durante la prima metà del XIV sec. L'opposizione rialzò il capo capeggiata dalla famiglia Lang, che governava uno dei tredici distretti in cui era diviso il Tibet centrale; anch'essi si appoggiarono a un monastero, quello di Phagmodu, di cui i Lang erano divenuti abati ereditari. La ribellione dell'aristocrazia di Ü contro i Sakyapa e quindi contro il prevalere della regione di Tsang scoppiò nel 1338 e in pochi anni portò al collasso della posizione degli abati di Sakya. Il loro dominio temporale si restrinse al piccolo distretto attorno al monastero; ma colà potè mantenersi indipendente, o almeno con larghissimo grado di autonomia, fino al 1959.

Changchub Gyeltsen (1302-1364), principe di Phagmodu, formalmente riconosciuto dai mongoli di Cina ormai vicini alla caduta, intraprese la ricostruzione di uno stato tibetano riallacciandosi espressamente alle memorie dell'antica monarchia, usando quindi il titolo di reggente (desi) e richiamandone in vigore le leggi. Questo ritorno alla tradizione monarchica è connesso, in una catena di causa ed effetto reciproco, al fiorire della letteratura dei terma, testi sedicenti antichi che si supponevano scoperti in caverne o altri luoghi segreti dove erano stati nascosti da maestri del passato; erano apocrifi, ma talvolta contengono percentuali notevoli di materiali risalenti all'epoca della monarchia. L'organizzazione creata dei Phagmodupa tentò di introdurre una certa dose di centralismo, dividendo il paese in distretti, ciascuno controllato da una fortezza (dzong) che serviva da centro amministrativo. I prefetti, con funzioni in origine militari ma presto anche civili, erano nominati dal sovrano; tuttavia la carica finì con diventare ereditaria, il che stravolse il sistema e portò a breve scadenza al sorgere di una nuova aristocrazia al posto dell'antica.

In queste condizioni il dominio dei Phagmodupa non potè durare, sebbene essi cercassero una legittimazione esterna ottenendo l'investitura della dinastia Ming, succeduta ai mongoli in Cina. I Ming non vollero mai intervenire militarmente nel Tibet, ma si avvalsero di un'abile diplomazia per svolgere una politica di prestigio che permetteva loro di mantenere la finzione di una certa influenza nel paese.

Una delle cause principali della rapida decadenza dei Phagmodupa fu la loro divisione in due rami, l'uno rappresentante la funzione religiosa e l'altro quella temporale; naturalmente la discordia tra i due rami li indebolì entrambi. Ai primi del XV sec. i Sakyapa ebbero una temporanea ripresa, mentre i prefetti si dimostravano sempre più riottosi. Uno di questi nuovi aristocratici, il prefetto di Rinpung, si rese indipendente e dalla sua capitale Shigatse allargò il proprio dominio a tutto lo Tsang (1435). Non potè tuttavia estendere la sua influenza all'Ü, rimasto indipendente. È con ciò il circolo si chiudeva e il Tibet ritornava alla sua antica condizione di frazionamento teocratico-aristocratico.

Nel Paese delle Nevi il fattore religioso influenzò gli sviluppi politici molto più che altrove, non per cozzo d'idee, ma per le rivalità interne nella numerosissima classe monastica, padrona di buona parte delle terre coltivabili. Effetti particolarmente profondi ebbe, sia pure a lungo termine, il movimento di riforma iniziato a Tsongkhapa (1357-1419). Dal punto di vista dottrinale la sua opera consistette soprattutto in una sistemazione delle teorie filosofiche pervenute dall'India, compiuta con rigore di metodo e coerenza logica. Dal punto di vista disciplinare il riformatore mirava soprattutto ad una epurazione della vita monastica dalle scorie penetratevi attraverso i secoli, imponendo alla sua scuola, i Gelugpa, la stretta osservanza della regola. Ciò implicava il celibato, e di conseguenza era esclusa ogni successione ereditaria alle sedi abbaziali. Il suo posto fu preso dalla teoria dell'incarnazione, del resto già in vigore presso i Karmapa. I più venerati capi della scuola non «morivano», ma semplicemente «cambiavano il corpo» con quello di un bambino, nato alcune settimane o mesi dopo e scelto dopo accurata ricerca. Altra caratteristica dei Gelugpa, che praticamente assorbirono i Kadampa, furono i grandi conventi, quali Ganden (1409), luogo di morte di Tsongkhapa, Depung (1416) e Sera (1419) nell'Ü, Tashilunpo (1447) nello Tsang, Chamdo (1437) nel Kham; vere città monastiche abitate da migliaia di monaci che vi svolgevano studi a livello universitario. Era insomma un'organizzazione solida, che aiutò i Gelugpa a superare vittoriosamente le difficoltà e le lotte dei primi due secoli.

Dal colore del loro copricapo liturgico i Gelugpa furono chiamati «Berretti Gialli»; anzi in Cina si potè parlare di una Chiesa Gialla (huangjiao). Tutte le altre sette precedenti furono poi chiamate col nome collettivo di «Berretti Rossi».

Tsongkhapa stesso non si occupò di politica, ma i suoi successori non poterono evitare di essere coinvolti nelle lotte interne della nobiltà e delle sette rosse. Queste lotte di solito non si svolgevano direttamente, ma con lo schermo e l'appoggio dei vari centri di potere esistenti. Nel corso del XV sec. il conflitto si polarizzò tra Gelugpa e Karmapa, una setta rossa che disponeva di una buona organizzazione e che godeva dell'appoggio dei principi di Rinpung. Quando questi furono soppiantati dai loro ministri, che nel 1565 si impadronirono di Shigatse, capoluogo dello Tsang, e vi fondarono un nuovo stato, i rapporti tra i nuovi sovrani e i Karmapa divennero ancora più stretti.

Per tener testa ai loro nemici i Gelugpa furono costretti a serrare i ranghi; ciò si ottenne mediante il tacito riconoscimento da parte di tutti i loro monasteri della supremazia del Gyelwa Rinpoche (o Kyabngön), abate di Depung. Il primo della serie fu un nipote di Tsongkhapa di nome Gedündub (1391-1475), alla cui morte venne impiegato per la prima volta il sistema dell'incarnazione.

Il secondo Gyelwa, Gedün Gyamtso (1475-1542), uomo di non grande rilievo ma dotato di buon senso e di tenacia, dovette affrontare una grave crisi, che nel 1498 portò perfino alla esclusione dei Gelugpa dalla grande festa di capodanno (mönlam chenmo) a Lhasa, istituita da Tsongkhapa e massima cerimonia della sua scuola. Soltanto nel 1517, approfittando di un temporaneo rafforzamento dei Phagmodupa suoi protettori, il Gyelwa riuscì a riottenere il controllo dei mönlam, ossia l'influenza preponderante a Lhasa.

Il terzo Gyelwa Sönam Gyamtso (1543-1588) si trovò invece sull'orlo del precipizio, soprattutto a causa di un rovinoso conflitto interno tra i Phagmodupa, il che gli tolse ogni speranza di appoggio da quella parte (1563). Subito dopo, la fondazione del nuovo regno di Tsang rese la situazione difficile, e quando nel 1575 le truppe di Tsang arrivarono fin quasi a Lhasa, il Gyelwa si rivolse per aiuto ai mongoli Qalqa (Khalkha), che da qualche anno conducevano scorrerie nel Tibet. Così nel 1577, su invito del loro principe Altan Qan (Khan), il Gyelwa si recò in Mongolia. Fu subito raggiunto un accordo proficuo per ambo le parti. Altan Khan si convertì al buddhismo Gelugpa, che in pochi decenni venne adottato dalla quasi totalità dei mongoli. In quell'occasione Altan Qan concesse al Gyelwa il titolo di Dalailama, esteso poi in via postuma anche ai suoi predecessori e con il quale il capo dei Gelugpa divenne noto in Cina e in Occidente. Il terzo Dalailama non ritornò più a Lhasa, e dopo lunghi giri nel Tibet orientale ritornò in Mongolia, dove morì.

Gli ecclesiastici del suo seguito trovarono il suo successore nella persona di un pronipote di Altan Qan; fu il quarto Dalailama Yönten Gyamtso (1589-1617). Questo colpo da maestro legò definitivamente le classi dirigenti mongole alla chiesa gialla. E infatti, sebbene per ora si trattasse solo di una premessa per il futuro, la notizia bastò ad ottenere diversi anni di tregua. Poi i Phagmodupa fecero un ultimo tentativo di frenare l'ascesa del Tsang; completamente battuti, perdettero perfino la loro capitale e da allora scomparvero dalla storia. In questa situazione gravida di minacce il giovane capo della chiesa morì prematuramente.

Il quinto Dalailama Lozang Gyamtso (1617-1682), il Grande Quinto ancor oggi lo chiamano i tibetani, era nato e crebbe in una famiglia di tendenza Nyingmapa, il che si riflette nella sua abbondante produzione letteraria. Era un vero uomo di stato, astuto calcolatore e buon diplomatico, ma anche un religioso onorato e rispettato in tutto il paese. Gli anni della sua giovinezza videro

l'intensificarsi dei pellegrinaggi e delle incursioni mongole. Però l'azione decisiva non venne dai Qalqa (Khalkha), ma dai Qoshot, tribù mongola occidentale che in quegli anni si era spostata nella zona del Kokonor. Il suo capo Gushri Qan, essendosi accordato col Dalailama durante un suo pellegrinaggio a Lhasa, un paio d'anni dopo invase lo Tsang facendone prigioniero il principe. Essendosi reso padrone di tutto il Tibet centrale, ne fece dono al Dalailama (1642). Questa data segna uno dei momenti decisivi della storia tibetana, con la creazione del regime teocratico destinato a perpetuarsi, con poche interruzioni, fino al 1959.

Le sette rosse perdettero ogni influenza politica, oltre a subire la confisca di vari monasteri. L'aristocrazia laica accettò il nuovo regime senza troppe difficoltà. L'amministrazione civile venne affidata a un desi. Gushri Qan riservò a sé e ai suoi successori la sovranità militare, in qualità di protettore della chiesa e del paese. Tuttavia i Qoshot, nomadi puro sangue, non si stabilirono a Lhasa ma preferirono continuare a vivere la loro vita nomade in una zona più a nord.

Infine il Dalailama conferì al suo maestro Lobsang chökyi Gyeltsen, abate di Tashilhunpo (1570-1662), il titolo di Panchen Rinpoche. I suoi successori, scelti anch'essi per incarnazione, occupano il secondo posto nella gerarchia della Setta Gialla.

Intanto il quadro internazionale, in cui era vissuto fino allora il Tibet, tendeva a mutare. Nel 1630 il regno di Guge era stato annesso al Ladakh, il quale estendeva così il suo dominio fino ai confini dello Tsang. Più importante ancora, la dinastia Ming era caduta, sostituita (1644) dalla giovane dinastia manciù, i Qing. Il Dalailama ritenne opportuno allacciare con essa rapporti cordiali e nel 1651-53 si recò in Cina, accolto con grandissimi onori. Più tardi però cominciò a sentirsi a disagio di fronte alla crescente potenza dell'impero e osservò un prudente riserbo di fronte alla grave ribellione di Wu Sangui nella Cina occidentale (1674-1681).

All'epoca del quinto Dalailama il Tibet era largamente aperto verso l'esterno. Nel 1661 la capitale tibetana veniva visitata per la prima volta da degli europei, i gesuiti Albert D'Orville e Johann Grüber. Verso la fine del secolo la città era residenza di una numerosa e ricca comunità di mercanti stranieri: indiani, mongoli, musulmani del Kashmir, e perfino armeni e russi. D'altra parte dopo la morte di Gushri Qan e la divisione dei suoi domini tra i suoi numerosi figli, l'autorità del Grande Quinto era diventata assoluta e i desi erano ormai semplici organi esecutivi del Dalailama.

Nel 1679 il Dalailama nominò reggente Sangye Gyamtso (1653-1705), ritirandosi gradualmente dalla vita attiva. Il reggente poi nascose la sua morte onde evitare traumi politici, mantenne la finzione di un suo ritiro in contemplazione e governò in tal modo per quindici anni, pur facendo ricercare ed educare segretamente il sesto Dalailama Tsangyang Gyamtso (1683-1706). Il regime di questo uomo energico e dotato di notevole talento letterario conseguì notevoli successi, quali la vittoriosa guerra col Ladakh, che fruttò l'annessione di tutto il Tibet occidentale (1684); riuscì anche a barcamenarsi nel conflitto tra la Cina e il regno degli Dsungari nella valle dell'Ili, senza prendere una posizione netta. Ma ciò suscitò i sospetti e poi l'inimicizia dell'Imperatore Kangxi, che prima lo costrinse ad ammettere la morte del Grande Quinto e poi appoggiò contro di lui le mire dell'energico Lajang Qan dei Qoshot, volte a ristabilire l'ormai svanita influenza della sua gente a Lhasa. Il reggente fu vinto e messo a morte (1705); l'anno dopo il Dalailama fu dichiarato spurio, deposto e sostituito da un fantoccio. Negli anni seguenti Lajang Qan governò il Tibet da sovrano assoluto, con l'appoggio diplomatico della Cina. Fu sotto il suo regno che giunsero a Lhasa dei missionari cappuccini italiani, che con due interruzioni vi rimasero fino al 1745, e il gesuita Ippolito Desideri, autore di una perspicace descrizione del paese e della sua religione.

Il governo di Lajang Qan aveva basi labili; e quando un bambino venne presentato e sostenuto dai principi Qoshot del Kokonor come reincarnazione del sesto Dalailama, il clero tibetano divenne sempre più ostile. Quando gli Dsungari, nel quadro della loro lotta con la Cina, inviarono un corpo d'esercito a invadere il Tibet, l'appoggio del clero fu decisivo. Lajang Qan fu deposto ed ucciso (1717) e il paese dovette subire la dura ed oppressiva occupazione dsungara.

L'imperatore reagì con decisione, e nel 1720 le sue truppe occupavano Lhasa, instaurandovi un governo composto di grandi nobili. Il pretendente del Kokonor venne posto sul seggio come VII Dalailama Kelsang Gyamtso (1708-1757), privo però di ogni potere politico.

Il governo nobiliare naufragò nelle discordie interne, il suo presidente venne assassinato (1727) e da una accanita guerra civile uscì vincitore Pholhane Sönam Tobgye (1689-1747), rappresentante della nobiltà dello Tsang. Essendo fallito il governo dell'aristocrazia, l'imperatore affidò il potere a Pholhane come sovrano laico, dandogli più tardi il titolo di wang (principe), che i tibetani compresero come «re»; era in pratica la resurrezione dell'antica monarchia in forme più moderne. Con l'appoggio della Cina, il «re» governò il paese per quasi un ventennio, conservandolo in pace e godendo di grande prestigio verso l'esterno.

Anche la monarchia di Pholhane non potè durare. Il suo regime si basava soltanto sull'appoggio della Cina e di una parte della nobiltà dello Tsang. Lui morto, il figlio e successore Gyurme Namgyel, giovane orgoglioso e privo di abilità, cominciò ad intrigare con gli Dsungari. Prima che la situazione arrivasse agli estremi, i due amban (rappresentanti imperiali), uomini di pochi scrupoli e di molto coraggio, lo attirarono nel loro ufficio e lo trucidarono; subito dopo essi perivano a loro volta, linciati dalla folla (1750).

La «monarchia» era crollata come un castello di carte. L'unica autorità presente e incontestata era il Dalailama, che all'arrivo di una commissione inviata dall'imperatore Qianlong potè ergersi di fronte ad essa come capo naturale del popolo tibetano. Anche l'esperimento monarchico era fallito; e siccome non era possibile creare un dominio diretto, l'imperatore decise di restaurare la teocrazia, creando così la struttura politica che resse il Tibet per due secoli. Il Dalailama divenne capo effettivo dello stato. L'amministrazione era affidata a un consiglio di quattro ministri (kalön), tre nobili ed uno ecclesiastico. I due amban imperiali, protetti da una piccola guarnigione a Lhasa, dovevano sorvegliare e riferire, ma non intervenire direttamente nel governo. Così il Tibet entrava in un periodo quasi coloniale; epoca sostanzialmente di pace, di stasi spirituale e in parte anche di decadenza economica. Per iniziativa cinese ma con il crescente consenso dei tibetani, il paese fu strettamente chiuso agli stranieri; unica eccezione, i mercanti kashmiri e gli artigiani nepalesi.

Alla fine del XVIII sec. i bellicosi principi di Gorkha, divenuti padroni del Nepal nel 1768-69, entrarono in conflitto col governo del Dalailama su una questione riguardante la moneta nepalese, sola a circolare nel Tibet a quell'epoca. La controversia si inasprì fino al punto che i Gorkha invasero il Tibet (1788). Ritiratisi in seguito a una promessa di tributo, poi non mantenuta, ritornarono alla carica, saccheggiando completamente il monastero di Tashilhunpo. A questo punto l'imperatore intervenne con energia. Il generale manciù Fukangga, con una marcia ammirevole per ardimento e per organizzazione logistica, arrivò in Tibet, valicò l'Himâlaya, sconfisse ripetutamente i Gorkha e concluse la pace alle porte della loro capitale Kâthmându (1792).

La disorganizzazione e corruzione del governo tibetano erano state rivelate dagli avvenimenti. Perciò l'imperatore introdusse alcune riforme, allargando la cerchia delle famiglie da cui provenivano i membri del consiglio dei ministri, abolendo la riserva di un seggio per un ecclesiastico (riserva poi reintrodotta ottant'anni dopo), e accrescendo fortemente le competenze degli amban, che ora potevano controllare direttamente tutti i rami dell'amministrazione. Ai primi del XIX sec. la dipendenza dalla Cina era completa.

Il XIX sec. fu un periodo di sonnacchiosa calma. La progressiva decadenza dall'impero ebbe i suoi riflessi nel Tibet. Siccome però nessun pericolo esterno serio lo minacciava e quindi ne era diminuito l'interesse strategico, l'efficienza del controllo cinese diminuì gradatamente. Ma non diminuirono le estorsioni, le esazioni di corvée e la corruzione che erano caratteristiche della «protezione» imperiale. D'altra parte i Dalailama dal IX al XII morirono tutti giovani senza aver il tempo di poter effettuare alcuna azione di governo. Questo fu praticamente sempre in mano ai reggenti, ecclesiastici di maggiore o minore abilità e onestà. Qualche turbolenza interna (1844, 1862, 1871) non ebbe alcuna conseguenza. Quanto agli avvenimenti esterni, si possono ricordare due conflitti di una certa importanza. Nel 1835 il raja di Jammu (poi mahârâja del Kashmir) si era impadronito del Ladakh, e il suo generale Zoravar Singh volle tentare la conquista del Tibet occidentale. Vi penetrò profondamente, ma fu vinto dal «generale inverno» più che dalle armi primitive della milizia tibetana; e perì con la maggior parte dei suoi uomini. Nel 1854, le ambizioni dei governanti nepalesi portarono a una nuova guerra, condotta alla stracca e conclusa due anni dopo con una pace che riconosceva l'extraterritorialità dei mercanti nepalesi a Lhasa, condizione di favore che durò fino a dopo il 1951. In nessuno dei due conflitti si ebbe alcun intervento cinese, militare od altro.

Questo periodo di sostanziale calma, durante la quale i tibetani si dimostrarono sempre più decisi (ancor più della Cina) a respingere l'entrata di esploratori occidentali, durò per tutto il secolo. La situazione cominciò a cambiare col XIII Dalailama Tubten Gyamtso (1876-1933). Al contrario dei suoi predecessori, egli riuscì a raggiungere e superare la maggiore età. Nel 1895 egli assunse direttamente il potere, e in lui il Tibet trovò finalmente un capo, anche se non si può certamente metterlo a paragone col Grande Quinto.

Già da qualche anno la situazione alle frontiere, specialmente a quella meridionale, si andava deteriorando. Nel 1861 il Sikkim, la cui classe dirigente era tibetana, accettò il protettorato inglese. Ciò poneva il duplice problema della delimitazione dei confini e del traffico di frontiera. L'Inghilterra ottenne dalla Cina riluttante l'autorizzazione ad inviare una missione a Lhasa, ma il progetto fu dovuto abbandonare di fronte al reciso rifiuto del governo tibetano. Anche un regolamento commerciale concordato nel 1893 tra il governo inglese dell'India e la Cina rimase lettera morta. La Cina non era più in condizioni di imporre la propria volontà al governo di Lhasa; ma le conveniva anche di lasciare ad esso la responsabilità del rigetto di ogni proposta.

In realtà il Tibet non aveva alcuna importanza economica o politica; ma si pensava a una sua supposta importanza strategica nell'accanita lotta d'influenza che in quegli anni opponeva l'Inghilterra alla Russia. Nel quadro di questa partita a scacchi (la Russia aveva un abilissimo agente a Lhasa, il Buriato buddhista Dorjeev), il viceré dell'India Lord Curzon premette per aprire rapporti diplomatici diretti con Lhasa. I tibetani fecero orecchi di mercante e un passo alla volta si arrivò all'impiego della forza. Una «missione armata» comandata dal colonnello Younghusband ebbe facilmente ragione delle medioevali truppe tibetane e il 3 agosto 1904 entrò a Lhasa. Il Dalailama era fuggito in Mongolia, e il reggente da lui nominato concluse rapidamente un accordo che apriva al commercio indiano alcuni punti alla frontiera e includeva il pagamento di una indennità di guerra.

A questo punto si inserì abilmente il governo cinese. Tagliando fuori sia il governo tibetano che quello anglo-indiano, concluse una convenzione direttamente con Londra, assumendosi il pagamento dell'indennità ma ottenendo il formale riconoscimento dell'alta sovranità sul Tibet (1906). Poco dopo il conflitto d'interessi tra le grandi potenze veniva eliminato con l'accordo anglo-russo del 1907. In conclusione, fu la Cina a ricavare il maggior frutto dalla spedizione Younghusband.

Il Dalailama era rimasto in Mongolia; poi si recò a Pechino, accolto con grandi onori, e solo alla fine del 1909 rientrava nel Potala. A questo punto il barcollante governo cinese volle acquistare prestigio a buon mercato con una politica forte in Tibet. Nel 1910 un esercito imperiale occupava Lhasa, mentre il Dalailama fuggiva di nuovo, questa volta in India. Poco dopo però scoppiava in Cina la rivoluzione e veniva proclamata la repubblica. La guarnigione di Lhasa, demoralizzata e accerchiata dai tibetani, si arrese e nel 1912 il Dalailama rientrava definitivamente nel Potala. Non ebbe tuttavia l'idea di proclamare l'indipendenza del paese, come invece aveva fatto con successo la Mongolia. *De facto* regnò come se l'alta sovranità cinese, riconosciuta *de jure* da tutte le potenze, non esistesse.

Il governo inglese dell'India cercò una soluzione convocando la conferenza tripartita di Simla (1914). Fu concluso un accordo che riconosceva un'ampia autonomia tibetana e delimitava i confini in modo favorevole all'India. Ma la Cina rifiutò la sua ratifica, riservando così ogni suo diritto per il futuro. Un tentativo di avanzata del governatore del Sichuan (Zhŭjiang) venne bloccato dalle milizie tibetane (1917-1919), con il solo risultato di indurre il Dalailama a riavvicinarsi all'Inghilterra, sebbene nei suoi ultimi anni ritornasse a una posizione equidistante.

Sotto il suo governo sempre più autocratico e conservatore il vecchio Tibet trascorse i suoi ultimi anni di sonnolenta tranquillità, come un pezzo di medioevo rimasto miracolosamente intatto. Ma con la morte del sovrano, ricco se non altro di buon senso, avvenuta nel dicembre 1933, la discesa incominciò. I reggenti, che successivamente tennero le redini del governo, cercarono e nel 1940 intronizzarono il XIV Dalailama Tendzin Gyamtso (n. 1935). Per il resto, continuarono a barcamenarsi tra Cina ed Inghilterra, che ambedue tenevano rappresentanti a Lhasa.

Il Tibet, distante dai teatri di guerra, passò indenne attraverso il secondo conflitto mondiale e ne ricavò anzi lauti guadagni con l'esportazione di lana e di altri prodotti. Ma alla fine della guerra la situazione intercontinentale mutò radicalmente. Usciva di scena l'Inghilterra e l'India ottenne l'indipendenza (1947); e il nuovo governo indiano, alle prese con problemi ben più gravi, mostrò ben scarso interesse per il Tibet. Dall'altro lato nel 1949 nasceva la Repubblica Popolare Cinese, che fin da principio dichiarò di considerare il Tibet come sua parte integrante e i tibetani come una delle cinque nazioni della Cina. Un'intensa azione di propaganda seguita da una breve azione militare, resero la situazione insostenibile. Di conseguenza il Dalailama, dichiarato maggiorenne, sancì la convenzione del 23 maggio 1951, con la quale il Tibet veniva integrato nella Repubblica Popolare Cinese. Gli affari militari, la finanza, la pubblica istruzione e lo sviluppo economico e industriale passavano sotto il controllo del governo centrale.

Le autorità cinesi cercarono dapprima di agire tramite la vecchia burocrazia e curarono soprattutto il progresso sanitario, il miglioramento dell'agricoltura e soprattutto la costruzione di grandi strade di comunicazione convergenti verso Lhasa dall'est, dal nord-est e dal nord-ovest.

L'acceleramento delle riforme e soprattutto l'impatto dell'ideologia marxista sulla tradizione tibetana causarono un crescente malcontento. La situazione divenne sempre più tesa e nel 1959 il Dalailama fuggì in India, dove tuttora risiede. La rivolta scoppiata a Lhasa ed altrove dopo la sua partenza fu presto domata, sebbene una guerriglia continuasse per qualche tempo lungo la frontiera meridionale. Il risultato di questa disperata ribellione, condannata in partenza al fallimento, fu l'emigrazione di buona parte dei monaci (specialmente quelli d'alto rango), di quasi tutta l'aristocrazia, di molti commercianti e di consistenti aliquote di contadini, che furono poi sistemati in varie località dell'India; un piccolo numero fu trasferito in altri paesi. Le riforme furono proseguite con ritmo accelerato e gradualmente il paese cambiò profondamente. Il colpo più duro alla sua antica civiltà fu inferto dalla cosidetta Rivoluzione Culturale, che in Tibet fu più violenta e durò più a lungo che in Cina, infliggendo perdite irreparabili al patrimonio artistico e culturale, con la distruzione di moltissimi templi e monasteri e con la laicizzazione dei monaci.

Solo recentemente, col profondo mutamento della situazione politica a Pechino, il governo centrale ha adottato una politica di maggior comprensione per le minoranze e di maggior rispetto per le loro credenze religiose; alcuni dei monasteri maggiori furono restaurati, in altri si permise un modesto incremento dei monaci. Ma ciò non toglie che la vecchia civiltà tibetana stia diventando rapidamente un ricordo del passato.

Formalmente il paese costituisce la Regione Autonoma del Tibet, inaugurata nel settembre 1965.

BIBLIOGRAFIA GENERALE

Sono escluse le fonti storiche tibetane e cinesi e le loro traduzioni in lingue europee; sono esclusi anche gli studi in lingua cinese e giapponese.

Geografia storica: FERRARI, 1958; WYLIE, 1962.

Cronologia: SCHUH, 1973.

Storia in generale: CARRASCO, 1959; HERRMANNS, 1949; SHAKABPA, 1967; SNELL-GROVE and RICHARDSON 1968.

Storia del periodo della monarchia (C. 600-842): BECKWITH, 1977; DEMIEVILLE, 1952; HAARH, 1969; MACONANLD, 1971; STEIN, 1961; TUCCI, 1947, 1961, 1971; URAY, 1960; YAMAGUCHI, 1969, 1970.

Storia del periodo tra la monarchia e la fondazione della teocrazia dei Dalailama (842-1642): CASSINELLI and EKVALL, 1969; PETECH, 1977; PETECH, 1983; RATCHNEVSKY, 1954; TUCCI, 1949; WYLIE, 1977.

Storia del periodo dei Dalailama e di quello contemporaneo: AHMAD, 1970; BELL, 1946; LAMB, 1960, 1966; MEHRA, 1976; PETECH, 1952-1956, 1959, 1972, 1973; RICHARDSON, 1962; SCHULEMANN, 1958.

CADRE GEOGRAPHIQUE ET HISTORIQUE

Luciano Petech

L'histoire du Tibet est évidemment conditionnée en grande partie par sa configuration géographique particulière: un vaste plateau d'une hauteur moyenne de 3000-3500m où on peut distinguer au moins quatre régions principales. Le centre (Ü-Tsang) est sillonné par le Tsangpo et par ses affluents. Les vallées y permettent une agriculture suffisante. A l'Est (Kham), les profondes vallées des grands fleuves séparent un grand nombre de districts aux communications internes difficiles. Le Nord-Est (Amdo) est une région de pâturages qui descend vers le couloir du Gansu. L'Ouest (Ngari) possède une altitude moyenne plus élevée que le reste du Tibet, ce qui y a créé des conditions défavorables pour la formation de centres politiques qui ne soient pas strictement locaux.

La plaine du Nord (Changtang), aride et battue par des vents violents, où même l'élevage rencontre des conditions difficiles, est restée hors de l'histoire. Ces données concernant le milieu contribuent à expliquer pourquoi, durant toute l'histoire du pays, le Tibet Central a été la seule région à offrir les conditions économiques nécessaires pour la création de formations étatiques solides et durables.

Aujourd'hui, la critique historique ne nous permet pas de remonter au-delà du VIème siècle après J-C, bien que la tradition tibétaine fournisse des listes de rois mythiques qui nous conduiraient de nombreux siècles en arrière. Il semble certain que dans les rares groupes de nomades et de semi-nomades qui occupaient le plateau, se créèrent progressivement des centres de polarisation sous forme de petites principautés tribales, gouvernées par une aristocratie provenant en partie du Nord-Est.

Déjà à partir du Vème siècle, un de ces princes, celui de Yarlung, commençait à se distinguer des autres.

A la fin du VIème siècle, Namri Songtsen y règnait, mais son influence se heurtait cependant à celle du chef de Nghepo, au Nord de Lhasa. Cette situation préfigure l'opposition entre la vallée du Kyichu et la vallée du Yarlung qui s'accentuera plus tard jusqu'à déboucher à une véritable polarisation entre les provinces de Ü et de Tsang durant de nombreux siècles de l'histoire du Tibet Central.

Le conflit s'acheva avec la victoire de Namri Songtsen qui fut proclamé roi (tsenpo). Les autres chefs, l'un après l'autre, devinrent ses vassaux. Ces évènements furent à l'origine d'une monarchie de type féodal, où les pouvoirs de roi étaient limités à la fois par l'ample autonomie locale de la noblesse et par l'influence du «grand ministre» (lönpochenpo).

A ce premier roi succéda son fils Songtsen Gampo (610-649 env.).

Il fut le vrai fondateur de l'état tibétain et de ses institutions. Son influence politique s'étendit jusqu'aux confins de la Chine, laquelle a tenu compte de cette puissance croissante, en lui concédant une princesse impériale en mariage (ou à son fils qui mourit avant lui). A la suite de cet hymen, une certaine influence chinoise pénétra dans le pays. Elle se fit en particulier sentir dans les institutions peu développées dont fut doté le nouvel Etat.

L'influence de l'Inde s'affermit au contraire sur le plan religieux et culturel. Le Tibet emprunta au Sous-continent son alphabet de 30 lettres. Une première pénétration du Bouddhisme vint de l'Inde et également de l'Asie centrale. L'ancienne religion animiste resta cependant prépondérante et fut affermie par la suite sous forme d'un culte royal. Une de ses caractéristiques concerne l'inhumation des rois dans des sépultures particulières, phénomène qui est spécifique à la dynastie. Les grands tumulus des tombeaux royaux s'élèvent encore dans la vallée de Yarlung. Le centre politique se déplaça cependant dans la vallée de Kyichu où le roi construisit quelques édifices administratifs autour desquels par la suite s'élèvera la capitale Lhasa.

Après la mort de Songtsen Gampo la monarchie subit une éclipse, le pouvoir effectif étant exercé par les grands ministres de la famille Gar. Ce fut une période de brillante expansion par l'annexion du royame de Zhangzhung au Tibet occidental (653) et par la destruction de l'Etat des Tuyuhun en Amdo.

Peu de temps après commencèrent les incursions tibétaines dans le bassin du Tarim traversé par la route de la Soie dont l'importance commerciale était alors très grande. La Chine, qui avait été exclue tout d'abord de l'Asie centrale (670-678), passa ensuite à la contre-offensive en y rétablissant sa domination. Cette grave défaite eut sa répercussion au Tibet par la chute des Gar (698). Cette situation ne redonna pas la paix au pays. La mort du roi au cours d'une expédition dans l'actuelle province chinoise du Yunnan provoqua une guerre civile qui dura plusieurs années. Le Tibet ressentit alors la nécéssité d'une période de paix avec la Chine. Le traité fut scellé cette fois encore par un mariage avec une princesse (710). Toutefois les trêves répétées furent sans cesse violées.

Le Tibet étendit son influence à l'Ouest jusqu'au Pamir, en établissant des rapports assez cordiaux avec la nouvelle puissance asiatique du califat arabe. Durant tout le VIIIème siècle, la politique étrangère tibétaine revêt des dimensions panasiatiques. Ce phénomène mérite d'être remarqué puisque les assises démographiques d'un tel effort furent sans doute, comme elles le sont encore aujourd'hui, très modestes.

Le règne de Thisong Detsen (755-797) marque l'apogée du royame tibétain, particulièrement d'un point de vue international. En 763, les tibétains réussirent à effectuer un raid jusqu'à la capitale chinoise Changan et à la saccager, la Chine étant alors affaiblie par la grave révolte d'An Lushan. Plus important encore, leurs armées s'emparèrent des villes du couloir du Gansu, isolant ainsi les garnisons impériales de l'Asie centrale. Celles-ci furent progressivement éliminées dans les trente années qui suivirent. Seuls les Ouigours parvinrent à contenir l'avance tibétaine.

Une paix conclue en 787 reconnaissait les territoires conquis. Elle fut pourtant violée peu de temps après, mais la politique étrangère tibétaine perdit progressivement le contrôle de la situation. La Chine reprit des forces et les Ouigours restèrent hostiles. Le royaume de Nan Chao, au Sud-Est, qui avait été jusqu'alors un allié précieux, se rangea du côté de la Chine et le califat se montra également hostile. A la fin du VIIIème siècle la situation aboutit à une impasse: les resources humaines et économiques du pays n'étaient plus à la mesure de l'ampleur de sa politique impérialiste.

Le règne de Thisong Detsen marqua un tournant décisif dans le domaine religieux et culturel. Le roi se tourna résolument vers le Bouddhisme et après une série de débats entre moines chinois et maîtres indiens, lors de ce que l'on appelle le concile de Samye, il fit tomber son choix sur le Bouddhisme tantrique de l'Inde.

Un édit solennel le proclama religion d'Etat, même si la dynastie a continué à observer l'ancien rituel royal.

Ce fut alors que commença une collaboration féconde entre les traducteurs tibétains (lotsawa), et les maîtres indiens (pandita). L'activité de traduction des textes sacrés bouddhiques, à partir du sanskrit et d'autres langues de l'Inde et de l'Asie centrale, créa ainsi le noyau autour duquel allait se cristalliser au XIVème siècle le canon bouddhiste tibétain.

Après Thisong Detsen, l'histoire de la monarchie se caractérise par la rapide augmentation de l'influence du clergé bouddhique, favorisé par les rois afin de contrebalancer le pouvoir de l'aristocratie. Des moines exercèrent les charges les plus importantes, et vers l'an 810 l'un d'eux était chef officiel du gouvernement. La croissance de ce parti clérical et pacifiste eut pour corollaire la décadence militaire et le Tibet ne pût plus tenir tête à tant d'adversaires.

La paix définitive avec la Chine fut conclue en 822 et le texte du traité fut gravé sur une stèle qui existe encore aujourd'hui a Lhasa. L'année suivante, on signa également la paix avec les Ouigours.

La très grande puissance du clergé finit par provoquer une réaction violente, et en 838 le roi Repachen, défenseur convaincu du Bouddhisme, fut assassiné dans un complot de nobles qui installèrent son frère Langdarma sur le trône. Celui-ci, sectateur convaincu de l'ancienne religion et persécuteur du Bouddhisme, périt assassiné par les mains d'un moine en 842. Après ce choc, la monarchie s'effondra.

Le Tibet se divisa en une série de petits Etats gouvernés par les membres de l'ancienne dynastie. Les villes de l'Asie centrale se rendirent indépendantes et les territoires enlevés à la Chine reconnurent à nouveau l'autorité impériale. Le Bouddhisme disparut presque complètement. Ainsi s'acheva la monarchie tibétaine pour ne plus jamais renaître, malgré le souvenir toujours vif qu'elle laissa. La tradition monarchique se maintint seulement à l'extrême Ouest, région habitée à l'origine par des populations non tibetaines, et où les royaumes de Guge (jusqu'en 1630) et du Ladakh (jusqu'en 1842) substitèrent encore longtemps.

La période qui succéda l'an 842 est extrêmement obscure. De profonds changements cependant eurent lieu. Les vieilles familles de l'époque monarchique s'éteignirent ou émigrèrent. Elles furent remplacées par une nouvelle aristocratie. La communauté monastique bouddhique avait pratiquement disparue. Toutefois de petits noyaux subsistèrent en Amdo. A partir de cette région, le Bouddhisme tantrique commença une modeste renaissance au Tibet central grâce à l'activité des «Anciens» (Nyingmapa), fortement influencés par les croyances pré-bouddhiques du Tibet. Ils soulignaient les aspects mystico-magiques du Tantrisme, en partie à connotation sexuelle. Mais l'impulsion décisive pour la 'Seconde diffusion' (Chidar) de la religion partit de l'Ouest grâce à l'initiative des rois de Guge, qui invitèrent la savant indien Atîsha. Celui-ci étendit ensuite son activité au Tibet central, où il mourut en 1054. L'école qu'il a fondée, les Kadampa, mettait l'accent principal sur la philosophie, la logique et aussi sur l'observance des règles monastiques. C'est alors que surgirent les premiers grands monastères, centres d'activité religieuse et culturelle, mais aussi économique et plus tard politique.

Dans cette même période apparurent d'autres écoles (Kagyüpa, Sakyapa, etc) dont les fondements doctrinaux n'étaient pas substantiellement différents.

Le renforcement du prestige et du nombre des monastères introduisit dans la société tibétaine un élément théocratique qui devint par la suite prépondérant. La noblesse vécut en symbiose avec la nouvelle aristocratie des grands abbés, en passant un peu au second plan. Elle ne fut toutefois jamais éliminée de la scène politique. Jusqu'au milieu du XXème siècle, le Tibet fut dominé par une élite à la fois cléricale et féodale, la prépondérance revenant au premier de ces deux éléments.

Au début du XIIIème siècle, le Tibet, privé de toute forme de gouvernement central et sans aucune autre défense que ses montagnes inaccessibles, était exposé à une invasion éventuelle de la nouvelle puissance mongole fondée par Činggis Qan Gengis Khan). Une première incursion dévastatrice eut lieu en 1240. Quatre ans plus tard, le prince mongol Köden (Godan) invita impérativement dans son campement l'abbé de Sakya, l'un des couvents tibétains les plus riches et les plus influents, où la charge d'abbé était héréditaire d'oncle à neveu. L'invitation ne put être refusée. Il s'ensuivit une entente tacite entre les deux personnages. Bien que tous les deux moururent dans les années suivantes, la relation ainsi commencée continua entre Qubilai (Khubilai), chef des troupes mongoles en Chine, et après Grand Qan (Khan), et Phagpa, le nouvel abbé en qui les Mongols trouvèrent un instrument apte à étendre leur contrôle sur le Tibet.

Toutefois la domination de Sakya rencontra des oppositions.

En 1268, Qubilai envoya un corps d'armée au Tibet, y ordonna un recensement, installa un réseau postal, et créa une structure administrative de type chinois dont fit partie l'administrateur temporel (pönchen) des grandes propriétés de Sakya. Phagpa fut honoré du titre de Précepteur Impérial (dishi) et jouit d'une influence prépondérante dans le bureau (xuanzheng yuan) qui était chargé à Pékin des affaires tibétaines et bouddhiques. Ce système compliqué assurait d'une part, le contrôle mongol sur le Tibet, et donnait de l'autre au Précepteur Impérial, face aux tibétains, l'apparence de chef d'un pays autonome sous la haute souveraineté impériale. Le Tibet resta plus ou moins pacifié pendant quelques décennies sous le double contrôle mongol et Sakyapa.

La situation changea avec l'affaiblissement progressif de la dynastie mongole en Chine pendant la première moitié du XIVème siècle. L'opposition releva la tête, guidée par la famille Lang qui gouvernait l'un des treize districts du Tibet central. Elle s'appuyait également sur un monastère, celui de Phagmodu, dont les Lang étaient les abbés héréditaires. La révolte de l'aristocratie de la province de Ü contre les Sakyapa et par conséquent contre la domination de la province de Tsang éclata en 1338. Cette situation provoqua en peu d'années

l'effondrement de la prépondérance des abbés de Sakya. Leur domination temporelle se restreignit à un petit district autour du monastère principal qui parvint à rester indépendant ou du moins largement autonome jusqu'en 1959.

Changchub Gyeltsen (1302-1364), prince de Phagmodu, reconnu officiellement par la dynastie mongole de Chine qui était désormais proche de l'effondrement, entreprit la reconstruction d'un état tibétain en se référant explicitement au souvenir de l'ancienne monarchie. Il prit donc le titre de régent (desi) et remit en vigueur les lois anciennes. Ce retour à la tradition monarchique se fit parallèlement à l'épanouissement de la littérature des terma, textes sacrés prétendument anciens, qu'on supposait découverts dans des cavernes ou dans d'autres lieux secrets où ils auraient été cachés par les maîtres du passé. Bien qu'apocryphes, ils contenaient parfois une part importante de matériaux datant de l'époque monarchique. L'organisation crée par les Phagmodupa essaya d'introduire un certain degré de centralisme. Ils divisèrent ainsi le pays en districts, chacun étant contrôlé par une forteresse (dzong) qui faisait office de centre administratif. Les préfets, dont les fonctions militaires à l'origine devinrent rapidement civiles, étaient nommés par le souverain. Toutefois cette charge devint héréditaire, ce qui bouleversa le système et aboutit à brève échéance à la naissance d'un nouvelle aristocratie qui prit la place de l'ancienne.

Dans ces conditions, la dominations des Phagmodupa ne put être maintenue bien qu'ils cherchèrent une légitimation exterieure en obtenant l'investiture de la dynastie des Ming qui avait remplacé les Mongols en Chine. Les Ming ne voulurent jamais intervenir militairement au Tibet, mais usèrent d'une habile diplomatie pour développer une politique de prestige qui leur permit de maintenir l'illusion d'une certaine influence sur le pays.

Une des causes principales de la rapide décadence des Phagmodupa fut leur division en deux branches, l'une religieuse, l'autre civile. Naturellement la discorde entre ces deux pôles les affaiblit tous les deux. Au début du XVème siècle, les Sakyapa connurent un renouveau temporaire, mais les préfets se montraient toujours plus indociles. Un de ces nouveaux aristocrates, le préfet de Rinpung, se rendit indépendant et, de sa capitale Shigatse, élargit sa domination sur tout le Tsang (1435). Toutefois, il ne put étendre son influence au Ü, resté indépendant. Le Tibet retournait ainsi à son ancienne division à la fois théocratique et aristocratique.

Au Pays des Neiges, le facteur religieux influença les développements politiques beaucoup plus qu'ailleurs. Non pas tant pour des questions doctrinales qu'en raison de rivalités au sein de l'immense classe ecclésiastique, propriétaire d'une grande partie des terres cultivables. Le mouvement de réformes commencé par Tsongkhapa (1357-1419) eut des répercussions particulièrement profondes, même si elles n'apparurent qu'à long terme. Du point de vue doctrinal, son oeuvre consista surtout à rationaliser des théories philosophiques venues de l'Inde selon un méthode rigoureuse et une grande cohérence logique. Du point de vue de la discipline, le réformateur voulut une épuration des abus introduits au cours des siècles dans la vie monastique. Il imposa à son école, les Gelugpa, l'observance stricte de la règle, ce qui impliquait le célibat et par conséquent l'impossibilité de toute succession héréditaire aux sièges abbatiaux. La théorie de l'incarnation prit le pas sur les autres formes de succession. Ce precédé d'ailleurs était déjà en vigueur chez les Karmapa. Les pontifes les plus vénérés de l'école ne mouraient pas mais prenaient comme nouveau corps celui d'un enfant né quelques semaines ou quelques mois après leur «départ»; l'enfant étant choisit après une recherche minutieuse. Une autre caractéristique des Gelugpa, qui absorèrent pratiquement les Kadampa, fut l'établissement de grands monastères comme celui de Ganden, lieu de décès de Tsonghkapa (1409), de Depung (1416), de Sera (1419) dans l'Ü, Tashilunpo (1447) dans le Tsang et Chamdo (1437) dans le Kham. Ces centres étaient de véritables villes monastiques habitées par des milliers de moines. On y effectuait des études d'un niveau universitaire. Cette solide organisation aida les Gelugpa à sortir victorieux des difficultés et des luttes des deux premiers siècles de leur histoire. Ils furent appelés 'les Bonnets jaunes' à cause de la couleur de leur coiffe liturgique. En Chine on parla même d'une «Eglise Jaune» (huangjiao). Toutes les autres écoles plus anciennes furent par la suite désignées par le nom collectif de «Bonnets rouges».

Tsongkhapa ne s'occupa pas personnellement de politique, mais ses successeurs ne purent éviter d'être mêlés aux luttes internes de la noblesse et des écoles rouges. Habituellement ces luttes n'étaient pas directes. Elles passaient par la protection et l'appui des différents centres de pouvoir existant. Au cours du XVème siècle, le conflit se cristallisa entre les Gelugpa et les Karmapa, une école rouge qui disposait d'une bonne organisation et qui jouïssait de l'appui des princes de Rinpung. Lorsque ces derniers furent supplantés par leurs ministres qui en 1565 s'emparèrent de Shigatse, chef lieu du Tsang, et y fondèrent un nouvel état, les rapports entre les nouveaux souverains et les Karmapa devinrent encore plus étroits.

Pour tenir tête aux nouveaux ennemis, les Gelugpa furent obligés de s'unir davantage. Ceci fut possible grâce à la reconnaissance tacite, de la part de tous leurs monastères, de la suprématie de Gyelwa Rinpoche (ou Kyabngön) qui était l'abbé de Depung. Le premier de la série fut un neveu de Tsongkhapa appelé Gedündub (1391-1475). A sa mort on utilisa pour la première fois le système de succession par réincarnation.

Le deuxième Gyelwa, Gedün Gyamtso (1475-1542), était un homme sans grande personnalité mais doté de tenacité et de bon sens. Il dut affronter une grave crise qui, en 1498, provoqua l'exclusion des Gelugpa de la grande fête du Nouvel An (mönlam chenmo) à Lhasa, cérémonie instituée par Tsongkhapa, et qui était la plus importante de l'école. C'est seulement en 1517, que le Gyelwa réussit à obtenir de nouveau le contrôle du mönlam, c'est à dire l'influence prépondérante à Lhasa, profitant du renforcement provisoire des Phagmodupa, ses protecteurs. Quant au troisième Gyelwa, Sönam Gyamtso (1543-1588), il se trouva au bord de la ruine, en raison d'un conflit interne aux Phagmodupa qui lui ôtait tout espoir d'obtenir un appui de ce côté (1563). Immédiatement après, la fondation du nouveau royaume de Tsang rendit sa situation encore plus difficile, et lorsque les troupes du Tsang arrivèrent presque jusqu'à Lhasa, le Gyelwa demanda l'aide des Mongols Qalqa (Khalkha) qui depuis plusieurs années déjà effectuaient des incursions au Tibet. En 1577, après avoir été invité par leur prince Altan Qan (Khan), le Gyelwa se rendit en Mongolie. Là, un accord avantageux pour les deux parties fut conclu sur-le-champ.

Altan Qan se convertit au Bouddhisme Gelugpa, et quelques dizaines d'années après, la religion bouddhique sera adoptée par presque touts les Mongols. A cette occasion, Altan Qan conféra le titre de Dalaïlama au Guelwa. Par la suite, ce titre sera étendu à titre posthume, à ses prédécesseurs. Grâce à ce titre, le chef des Gelugpa accrût sa réputation en Chine et en Occident. Le troisième Dalaïlama ne revint plus à Lhasa. Après avoir effectué de longs voyages au Tibet oriental, il retourna en Mongolie où il mourut.

Les écclésiastiques qui faisaient partie de sa suite trouvèrent son successeur en la personne de Yönten Gyamtso (1589-1617). Celui-ci était l'arrière petit fils d'Altan Qan et il devint ainsi le quatrième Dalaïlama. Ce coup de maître lia définitivement les classes dirigeantes mongoles à l'Eglise Jaune. En effet, même s'il s'agissait seulement d'une promesse sur l'avenir, la nouvelle permit d'obtenir quelques années de trêve. Les Phagmodupa tentèrent une dernière fois de freiner l'ascension du Tsang. Ils furent définitivement vaincus, perdirent même leur capitale et disparurent ainsi de l'histoire. C'est à ce moment chargé de menaces que le jeune chef mourut prématurément.

Le cinquième Dalaïlama, Lozang Gyamtso (1617-1682), «le Grand cinquième» comme disent encore aujourd'hui les Tibétains, était né et avait grand dans une famille de tendance Nyingmapa. Cette particularité apparaît nettement dans son abondante production littéraire. Ce pontife fut un véritable chef d'état, calculateur astucieux et bon diplomate. Mais il fut également un religieux honoré et respecté dans tout le pays. Durant les années de sa jeunesse, les pèlerinages et les incursions des Mongols s'intensifièrent. Le changement décisif ne fut pas l'oeuvre des Qalqa (Khalkha), mais celle des Qoshot (Khoshot), une tribu de Mongolie occidentale qui venait de s'établir dans la région du Kokonor. Son chef, Gushri Qan, après avoir obtenu l'appui du Dalaïlama durant un pèlerinage à Lhasa, envahit deux ans après le Tsang, et fit prisonnier son prince. Après avoir conquis tout le Tibet central, il l'offrit au Dalaïlama (1642). Cette date marque l'un des moments le plus importants de l'histoire du Tibet par la naissance du régime théocratique qui continuera avec peu d'interruptions jusqu'en 1959.

Les écoles rouges perdirent toute influence politique et furent dépossédées de certains monastères. L'aristocratie laïque accepta le nouveau régime sans faire trop de difficultés. L'administration civile fut confiée à un desi, mais Gushri Qan, en qualité de protecteur de l'église et du pays, réserva pour lui et ses successeurs la souveraineté militaire. Toutefois, les Qoshot qui étaient de vrais nomades ne s'installèrent pas à Lhasa et préférèrent continuer leur vie sous tente plus au Nord. Le Dalaïlama conféra le titre de Panchen Rinpoche à son maître, Lozang Chökyi Gyantsen, qui était l'abbé de Tashilhunpo (1570-1662). Ses successeurs, qui étaient choisis eux aussi par réincarnation, occupèrent la deuxième place dans la hiérarchie de la Secte Jaune.

Entre-temps, la situation internationale dans laquelle le Tibet avait vécu jusqu'alors commença à changer. En 1630, le royaume de Guge fut annexé par le Ladakh, qui étendit sa domination jusqu'aux confins du Tsang. Mais plus important encore, la dynastie des Ming fut renversée et remplacée en 1644 par la jeune dynastie mandchou, les Qing. Le Dalaïlama jugea opportun d'établir des relations amicales avec elle et, en 1651-1653, il se rendit en Chine où il fut reçu avec les plus grands honneurs. Toutefois il commença vite à se sentir mal à l'aise face à la puissance croissante de l'Empire, et garda une attitude prudente durant la grave rébellion de Wu Sangui en Chine occidentale (1674-1681).

Durant le règne du cinquième Dalaïlama, le Tibet s'ouvrit largement vers l'extérieur. En 1661, les premiers européens, les jésuites Albert d'Orville et Johann Grüber, visitèrent pour la première fois la capitale du Tibet. Vers la fin du XVIIᵉ siècle, la ville était habitée par une riche et nombreuse communauté de marchands étrangers: des Indiens, des Mongols, des Musulmans du Kashmir et même des Arméniens et de Russes. Après la mort de Gushri Qan et la division de ses territoires entre ses nombreux fils, l'autorité du «Grand cinquième» devint absolue. Les desi n'étaient plus désormais que de simples organes exécutifs du Dalaïlama.

En 1679, Sangye Gyamtso (1653-1705) fut nommé régent par le Grand cinquième qui se retira progressivement de la scène politique. Afin d'éviter des troubles politiques, le régent dissimula la mort du Dalaïlama sous l'apparence d'une retraite spirituelle. Il gouverna ainsi pendant quinze ans, tout en faisant rechercher et éduquer en secret le sixième Dalaïlama, Tsangyang Gyamtso (1683-1706). Le régime de cet homme énergique et doté d'un talent littéraire remarquable, obtint d'importants succès comme l'annexion de tout le Tibet occidental (1684). Il réussit également à tergiverser et à rester neutre dans le conflit qui opposa la Chine aux Dzungars de la vallée de Ili. Ce comportement éveilla d'abord les soupçons de l'empereur Kangxi, puis son hostilité. Il obligea tout d'abord le régent à admettre la mort du Grand Vème, puis il soutint les ambitions de l'énergique Lajang Qan, chef des Qoshot, qui voulait rétablir sur le Tibet l'influence désormais perdue par son peuple. Le régent fut vaincu et mis à mort en 1705. L'anné suivante, le Dalaïlama fut déclaré illégitime, destitué et remplacé par un fantoche. Dans les années qui suivirent, Lajang Qan gouverna le Tibet en souverain absolu avec l'appui diplomatique de la Chine. Ce fut sous son règne que des missionnaires capucins italiens et un jésuite, Ippolito Desideri, auteur d'une description perspicace du pays et de sa religion, arrivèrent à Lhasa. Le capucins y restèrent jusqu'en 1745 avec deux interruptions.

Le gouvernement de Lajang Qan avait toutefois des bases éphémères. Lorsque les princes Qoshot du Kokonor présentèrent un enfant comme réincarnation du sixième Dalaïlama, la clergé tibétain prit une attitude de plus en plus hostile.

En 1717 les Dzungars, dans le cadre de leur lutte contre la Chine, envoyèrente un corps d'armée pour envahir le Tibet, et l'appui qu'ils reçurent du clergé fut décisif. Lajang Qan fut vaincu et tué et le pays dut subir l'occupation particulièrement oppressive des Dzungars.

L'empereur réagit avec vigueur et en 1720 ses troupes occupèrent Lhasa. Il instaura un gouvernement recruté parmi les grandes familles nobles. Le prétendant du Kokonor fut mis sur le trône devenant ainsi le VIIème Dalaïlama, Kelsang Gyamtso (1708-1757), mais privé de tout pouvoir politique.

Les disputes internes, accompagnées par une guerre civile acharnée provoquèrent la chute du gouvernement nobiliaire et l'assassinat de son président en 1727. Pholhane Sönam Tobgye (1689-1747), représentant la noblesse du Tsang, fut le vainqueur de cette guerre civile. Puisque le gouvernement de l'aristocratie avait échoué, l'empereur confia le pouvoir à Pholhane comme souverain laïque. Par la suite, il lui confia le titre de wang (prince) qui pour les tibétains signifiait «roi».

C'était en effet la résurrection de l'ancienne monarchie sous une forme plus moderne. Le «roi» gouverna le pays pendant presque vingt ans en maintenant la paix avec l'appui de la Chine et en jouïssant d'un grand prestige au-delà des frontières.

Mais la monarchie de Pholhane ne pouvait pas durer. Elle n'avait pour appui que la Chine et une partie de la noblesse du Tsang. A sa mort, son fils Gyurme Namgyel lui succéda. C'était un jeune homme orgueilleux et sans habilités qui se mit à conspirer avec les Dzungars. Avant que la situation ne dégénère, les deux amban, réprésentants impériaux, des hommes sans scrupules mais très courageux, attirèrent Gyurme Namgyel dans leur bureau et le tuèrent. Ils périrent à leur tour, lynchés par la foule (1750). La 'monarchie' s'était effondrée comme un château de cartes. La seule autorité présente et incontestée était celle du Dalaïlama. Celui-ci, face à la commission envoyée par l'empereur Qianlong, se présenta comme étant le chef naturel du peuple tibétain. L'expérience monarchique ayant échoué, dans l'impossibilité de imposer une domination directe, l'empereur décida de restaurer la théocratie, en créant ainsi la structure politique qui gouverna le pays pendant des siècles. Le Dalaïlama devint officiellement chef d'état. L'administration était confiée à un conseil composé de quatre ministres (kalön), trois nobles et un moine. Les deux amban impériaux de Lhasa, protégés par une petite garnison, devaient surveiller et rapporter, mais ne pas intervenir directement dans le gouvernement du pays. Le Tibet entra ainsi dans un ère quasi coloniale. Ce fut une période essentiellement de paix, de stagnation spirituelle et aussi, en partie, de décadence économique. Sur une initiative des Chinois, mais avec le consentement croissant des Tibétains, le pays fut interdit aux étrangers, exception faite pour les marchands du Kashmir et les artisans du Népal.

A la fin du XVIIIème siècle, les belliqueux princes de Gorkha, qui étaient devenus les maîtres du Népal en 1768-69, entrèrent en conflit avec la gouvernement du Dalaïlama au sujet de la monnaie népalaise qui était la seule à circuler au Tibet à cette époque. La controverse s'aggrava au point que les Gorkha envahirent le Tibet (1788). Ils se retirèrent à la suite de la promesse d'un tribut qui ne fut pas payé. Ils attaquèrent à nouveau et saccagèrent complètement le monastère de Tashilhunpo. Ce fut alors que l'empereur intervint avec fermeté.

Le général mandchou Fukangga, par une marche et une organisation logistique admirable, arriva au Tibet, franchit l'Himâlaya, remporta la victoire sur les Gurkha et négocia la paix aux portes de leur capitale Kâthmându (1792).

La désorganisation et la corruption du gouvernement tibétain avaient été mises en lumière par les évènements. C'est pourquoi l'empereur introduisit certaines réformes. Il élargit le cercle des familles nobles où se recrutaient les membres du conseil des ministres et abolit l'attribution obligatoire d'un siège du conseil à un ecclésiastique (obligation qui sera réintroduite quatre-vingt ans plus tard). Il accrût les compétences des deux amban qui purent désormais contrôler toutes les branches de l'administration. Au début du XIXème siècle la sujétion à la Chine était totale.

Le XIXème siècle fut une période de calme somnolence. La décadence progressive de l'empire eut des répercussions au Tibet. Comme aucun danger externe sérieux ne menaçait plus le Tibet, l'intérêt stratégique et l'efficacité du contrôle chinois diminuèrent progressivement. Mais les extorsions, les corvées et la corruption qui caractérisaient la 'protection' impériale, continuèrent. D'autre part, les Dalaïlama du IXème au XIIIème, moururent tous avant d'avoir pu gouverner et le gouvernement était presque toujours dans les mains de régents, ecclésiastiques plus ou moins honnêtes et habiles.

Certains désordres internes (1844, 1862, 1871) furent sans conséquences. Quant aux évènements extérieurs, il faut rappeler deux conflits d'une certaine importance. En 1835, le râja de Jammu (qui devint mahârâja du Kashmir) s'était emparé du Ladakh. Son général Zoravar Singh voulut tenter la conquête du Tibet occidental. Il y pénétra profondément, mais, vaincu plus par le 'général hiver' que par les armes primitives de la milice tibétaine, il périt avec la plupart de ses hommes. En 1854, les ambitions des gouvernants népalais provoquèrent une nouvelle guerre menée sans énergie. Elle s'acheva deux ans après par une paix reconnaissant l'ex-territorialité des marchands népalais de Lhasa. Cette situation de faveur dura au-delà de 1951. La Chine ne fit aucune intervention militaire ou diplomatique lors de ces deux conflits.

Cette période, essentiellement calme, durant laquelle les Tibétaine se montrèrent toujours décidés (plus que la Chine) à repousser l'entrée des explorateurs occidentaux, dura pendant tout le siècle. La situation se transforma peu à peu avec le XIIIème Dalaïlama, Tubten Gyamtso (1876-1933). Contrairement à ses prédécesseurs, il parvint à attendre la majorité. En 1895, il assuma directement le pouvoir et le Tibet retrouva finalement un chef, même s'il ne parvint jamais à la renommée du Grand cinquième.

La situation aux frontières, spécialement celle du Sud, se détériorait depuis quelques années. En 1895, le Sikkim, dont la classe dirigeante était tibétaine, accepta le protectorat anglais. Cet évènement posa le double problème de la délimitation des frontières et du commerce avec l'étranger. La Chine récalcitrante autorisa l'Angleterre à envoyer une mission à Lhasa, mais le projet fut abandonné face au refus catégorique du gouvernement tibétain. Même un accord commercial signé en 1893 entre le gouvernement anglais de l'Inde et la Chine resta lettre morte. La Chine n'était plus en mesure d'imposer sa volonté au gouvernement de Lhasa. Mais elle trouvait aussi son avantage à laisser aux Tibétains la responsabilité de refuser toute proposition.

En réalité le Tibet n'avait aucune importance économique ou politique. On présumait cependant qu'il avait une importance stratégique dans la lutte d'influence acharnée qui opposait durant ces années l'Angleterre à la Russie. Dans la cadre de cette partie d'échecs (la Russie possédait un agent très habile à Lhasa, le Bouriate bouddhiste Dorjeev), le vice-roi de l'Inde, Lord Curzon, fit pression afin d'établir des relations diplomatiques directes avec Lhasa. Les tibétains firent la sourde oreille et l'Angleterre fut progressivement amenée à employer la force. Una «mission armée» commandée par le colonel Younghusband maîtrisa aisément les troupes médiévales tibétaines. Le 3 août 1904 elle pénétra à Lhasa. Le Dalaïlama avait fui en Mongolie. Le régent nommé par lui négocia rapidement un accord qui ouvrait au commerce indien certains points à la frontière et prévoyait aussi le paiement d'une indemnité de guerre.

C'est alors que le gouvernement chinois entra habilement en scène. En laissant de côté les gouvernements tibétains et anglo-indien, il conclut une convention avec Londres en se chargeant du paiement de l'indemnité, mais en obtenant ainsi la reconnaissance formelle de la haute souveraineté chinoise sur le Tibet (1906). Peu de temps après, le conflit d'intérêts qui avait opposé les grandes puissances trouva sa résolution dans un accord anglo-russe signé en 1907. Finalement, ce fut la Chine qui profita le plus de l'expédition Younghusband.

Le Dalaïlama était resté en Mongolie. Il se rendit par la suite à Pékin où il fut reçu avec tous les honneurs. Il ne retourna au Potala qu'à la fin de 1909. Le fragile gouvernement chinois voulut alors obtenir du prestige à bon marché en adoptant une politique intransigeante face au Tibet. En 1910, une armée impérale occupa Lhasa tandis que le Dalaïlama fuyait de nouveau, en Inde cette fois. Peu de temps après, la révolution éclatait en Chine, où on proclama la république. La garnison de Lhasa, démoralisée et encerclée par les tibétains, se rendit, et, en 1912, le Dalaïlama retourna définitivement au Potala. Toutefois il n'eut pas l'idée de proclamer l'indépendance du pays comme l'avait fait avec succès la Mongolie. *De facto* il régna comme si la haute souveraineté chinoise, reconnue *de jure* par toutes les puissances, n'existait pas. Le gouvernement anglais de l'Inde essaya de trouver une solution en convoquant la conférence tripartite de Simla (1914). Un accord fut paraphé, qui reconnaissait une large autonomie au Tibet et délimitait les frontières d'une manière favorable à l'Inde. Mais la Chine refusa de le ratifier, se réservant ainsi tout droit pour le futur. Une tentative d'invasion du gouverneur du Sichuan (Zhujiang)

arrêtée par la milice tibétaine (1917-1919) eut pour unique effet de pousser le Dalaïlama à se rapprocher de l'Angleterre, même si au crépuscule de sa vie il revint à une position plus neutre.

Sous un gouvernement toujours plus autocratique et conservateur, le vieux Tibet passa ses dernières années dans une somnolente tranquillité, semblable à un lambeau du Moyen-Age resté miraculeusement intact. Mais le déclin commença en 1933 avec la mort d'un souverain qui n'avait au moins pas manqué de bon sens. Les régents chargés de tenir les rênes du gouvernement cherchèrent puis intronisèrent en 1940 le XIVème Dalaïlama, Tendzin Gyamtso (né en 1935). Pour le reste, ils continuèrent à louvoyer entre la Chine et l'Angleterre qui avaient toutes deux des représentants à Lhasa. Le Tibet, loin des théâtres du conflit, passa indemne à travers la deuxième guerre mondiale. Il en tira même de grands profits grâce à l'exportation de la laine et d'autres produits. Mais à la fin de la guerre la situation internationale changea radicalement. L'Angleterre quitta la scène, l'Inde obtint l'indépendance (1947), et le nouveau gouvernement indien, aux prises avec de graves problèmes, montra bien peu d'intérêt pour le Tibet. A l'Est naissait en 1949 la République Populaire de Chine qui déclara immédiatement que le Tibet faisait partie intégrante de son territoire et qu'elle considérait les Tibétains comme étant l'une des cinq nations de la Chine. Une campagne intense de propagande suivie d'une courte opération militaire rendirent la situation insoutenable. Le Dalaïlama, qui avait été déclaré majeur, sanctionna la convention du 23 mai 1951 par laquelle le Tibet était intégré à la République populaire Chinoise.

Les affaires militaires, les finances, l'instruction publique et le développement économique et industriel passèrent sous le contrôle du gouvernement central. Les autorités chinoises essayèrent d'abord d'agir par l'entremise de la vieille bureaucratie et se soucièrent surtout du progrès sanitaire, de l'amélioration de l'agriculture et de la construction de grandes routes qui convergeraient vers Lhasa en provenance de l'Est, du Nord-Est et du Nord-Ouest.

L'accélération des réformes et surtout le choc de l'idéologie marxiste avec la tradition tibétaine provoquèrent un mécontentement croissant. La situation devint toujours plus tendue et en 1959 le Dalaïlama s'enfuit en Inde où il réside encore aujourd'hui. La révolte qui avait éclaté à Lhasa et ailleurs après son départ fut matée rapidement. Mais la guérilla continua pendant quelques temps le long de le frontière méridionale. Le résultat de cette révolte désespérée, vouée à l'échec dès le départ, fut l'émigration de la plupart des moines (spécialement ceux qui possédaient un rang élevé), de presque toute l'aristocratie, de nombreux commerçants et d'un pourcentage élevé de paysans qui furent installés par la suite en divers lieux de l'Inde. Un nombre restreint émigra dans d'autres pays. Les réformes continuèrent à un rythme accéléré et progressivement le pays changea profondément.

La Révolution Culturelle, plus violente et plus longue au Tibet qu'en Chine, porta le coup le plus dur à son ancienne civilisation, infligeant des pertes irréparables au patrimoine artistique et culturel par la destruction d'innombrables temples et monastères et par la laïcisation des moines.

Ce n'est que récemment, avec le profond changement de la situation politique à Pékin, que le gouvernement central adopta une politique de plus grande compréhension envers les minorités et un plus grand respect pour leurs croyances religieuses. Certains monastères majeurs furent restaurés. D'autres eurent l'autorisation d'augmenter légèrement le nombre de leur moines. Mais cela n'empêcha pas la vieille civilisation tibétaine de devenir rapidement un souvenir du passé. Depuis septembre 1965, le pays constitue formellement la Région Autonome du Tibet.

OUVRAGES GENERAUX

Cette bibliographie ne comprende pas les sources historiques tibétaines et chinoises, leurs traductions en langues européennes, les ouvrages en chinois et en japonais.

Geographie historique: FERRARI, 1958; WYLIE, 1962.

Chronologie: SCHUH, 1973.

Generalites sur l'histoire: CARRASCO, 1959; SHAKABPA, 1967; SNELLGROVE and H. RICHARDSON, 1968.

Epoque monarchique (C. 600-842): BECKWITH, 1977; DEMIEVILLE, 1952; HAARH, 1960; MACDONALD, 1971; STEIN, 1961; TUCCI, 1950, 1971; URAY, 1960; YAMAGUCHI, 1970.

Epoque entre la fin de la monarchie et le debut de la theocratie des Dalaïlama (842-1642): CASSINELLI and EKVALL, 1969; PETECH, 1977, 1983; RATCHNEVSKY, 1954; TUCCI, 1959; WYLIE, 1977.

Epoque des Dalaïlama et periode contemporaine: AHMAD, 1970; BELL, 1946; LAMB, 1960, 1966; MEHRA, 1976; PETECH, 1952-1956, 1959, 1972, 1973; RICHARDSON, 1962; SCHULEMANN, 1958.

ARCHITETTURA TIBETANA: CARATTERI ORIGINALI E INFLUENZE STRANIERE

Paola Mortari Vergara, Gilles Béguin

L'architettura, costituendo lo spazio umano in cui si muove ed agisce ogni società, riflette i vari e complessi aspetti dei fenomeni culturali di una civiltà.

La grande altitudine, la durezza del clima, un'organizzazione religiosa e sociale particolare hanno generato nel Tibet delle tradizioni architettoniche uniche e originali.

Il frazionamento politico del paese fino al VII sec. ed i numerosi conflitti fra differenti fazioni nelle epoche più recenti hanno in primo luogo favorito lo sviluppo di tipiche costruzioni a carattere difensivo. Gli annali degli Han posteriori (Houhan shu) riportano che le popolazioni delle marche sino-tibetane dai primi secoli della nostra era avevano per abitazioni delle torri di pietra di dieci zhang di altezza (circa 25 m.)[1]. Questa tradizione si manterrà soprattutto nelle regioni orientali (Gyarong) sino agli ultimi decenni. I testi antichi e le testimonianze di viaggiatori sottolineano il gran numero di fortezze (dzong) sparse su tutto il territorio.

La maggior parte delle costruzioni conservano un aspetto difensivo e severo. Le aperture sono rare e più numerose nelle parti alte, residenziali, i livelli inferiori ospitano stalle o magazzini. Tale contrasto sarà sfruttato anche a fini ornamentali, l'ampiezza e il numero delle finestre e degli sporti aumenta sovente col progredire dei piani.

Numerose componenti che si possono considerare autoctone si ritrovano nella maggior parte degli edifici di tutti i periodi storici. I materiali d'elezione sono terra argillosa cruda e pietra assemblati in maniere diverse, legate spesso con la stessa argilla. Tale particolarità indusse i costruttori a edificare muri portanti di notevole spessore.

L'altezza delle costruzioni costringe spesso a rastremare più o meno sensibilmente le mura esterne. Questo procedimento dona agli edifici una sagoma trapezoidale utilizzata a titolo decorativo anche nella mostra delle aperture, conferendo così una particolare unità plastica all'insieme.

Malgrado l'esistenza di foreste alle quote più basse, il legno resta un materiale prezioso in gran parte dell'altipiano tibetano. Esso è utilizzato nei sostegni interni dei piani e delle coperture. L'isolamento delle parti alte e le pavimentazioni sono realizzati con il supporto di arbusti e di ramaglie di salici e ginepri.

I tibetani non adoperano l'arco e la volta a chiave. La terrazza (yangteng, yangthog) costituisce il tipo di copertura più abituale del Tibet centrale e occidentale, date anche le scarse precipitazioni atmosferiche. Questo spazio è utilizzato quale piano supplementare per molteplici attività e consente anche il passaggio dal corpo di un edificio all'altro. Nelle regioni boscose, a più bassa altitudine, e più piovose, dei tetti a struttura lignea, con doppio spiovente molto sporgente, poggiano sulla terrazza tradizionale, oppure sono accorpati alla costruzione con soluzioni simili a quelle dell'architettura alpina.

Gli edifici hanno l'esterno molto massiccio, imbiancato a calce e possono essere aperti all'interno in cortili, spesso muniti di portici. Certe terrazze a differenti livelli sono utilizzate come cortili.

A seconda delle successive necessità, le nuove costruzioni sono giustapposte alle precedenti senza vincoli di simmetria, né in pianta, né in elevazione, però con un profondo e voluto senso del ritmo plastico e volumetrico. Questa mancanza di regolarità si riscontra anche nella disposizione funzionale e armonica, ma apparentemente arbitraria, di porte e finestre su numerose facciate.

Alcune parti strutturali, utilizzate a fini decorativi quali le estremità delle travi a vista che generano spesso una serie di modiglioni sovrapposti, le mostre delle porte, gli infissi delle finestre, i travetti multipli che formano pensiline, i fregi dell'attico (penpe) composti da fasci di arbusti posti di taglio e pareggiati alla muratura, sottolineano ulteriormente l'aspetto geometrico delle facciate. Certe componenti, come gli acroteri di vario tipo, non rivestono alcun ruolo strutturale, ma obbediscono ad una funzione simbolico-religiosa, assumendo però anche un carattere decorativo. Parte degli elementi costruttivi ed ornamentali sono di origine straniera.

Gli edifici delle epoche più tarde rivelano un gusto più pronunciato per la decorazione esterna. La sobrietà della facciata contrasta però comunque con l'opulenza degli interni, dove nella penombra le parti strutturali in legno ricoperte di colori vivaci si giustappongono alle pitture murali ed alle sculture, talvolta di misura ragguardevole.

Le principali caratteristiche dell'architettura tibetana fin qui esaminate, si ritrovano, sia negli edifici civili, sia nei templi e nei santuari, e paiono anteriori all'introduzione del Buddhismo (sec. VII)[2]. Come nella maggioranza dei paesi asiatici, questa religione, al momento della sua espansione nel Tibet, sembra infatti aver assimilato gran parte dei principi fondamentali dell'architettura autoctona.

Si può altresì constatare la perfetta integrazione delle costruzioni col paesaggio. Gli edifici per la loro disposizione e la loro asimmetria si armonizzano sovente con la forma del terreno; i loro materiali ed i loro colori non creano affatto contrasti con l'ambiente. Le loro imponenti proporzioni, pure nelle costruzioni minori e la loro verticalità partecipano della smisurata ampiezza del quadro naturale. In tutti i tempi i tibetani hanno sovente gerarchizzato gli edifici in funzione del numero di piani e sottolineato così la santità del luogo e l'importanza sociale degli occupanti. Questa eccezionale monumentalità colpisce ancor di più se si esamina la semplicità dei materiali e dei mezzi tecnici usati.

Alcune recenti teorie proposte da critici e architetti contemporanei presentano delle concordanze con tale maniera di costruire. L'impiego di materiali poco modificati, particolarmente quello della terra cruda, collocano l'architettura tibetana fra gli antecedenti delle moderne costruzioni di tipo ecologico [3]. L'asimmetria spazio-volumetrica e costruttiva della maggior parte degli edifici permette di definirli di tipo «anticlassico» [4] e si può mettere inoltre in parallelo l'organizzazione urbanistica e planimetrica non fortemente strutturata con il sistema politico poco centralizzato. L'assemblaggio delle costruzioni per giustapposizione dissonante evoca le moderne architetture di tipo organico [5].

Il Tibet per la sua posizione continentale, il suo clima semidesertico, la probabile origine di una parte della popolazione e per numerosi tratti sociali ed economici fa parte del mondo dell'Asia Interna. La maggior parte delle caratteristiche costruttive dell'architettura tibetana si possono infatti collegare ad alcune tradizioni dell'Asia Occidentale e Centrale come quelle del Bacino del Tarim [6] con cui il Tibet ha avuto degli stretti legami, anche se saltuari, soprattutto all'epoca della monarchia (VII-IX secolo). Le rovine delle costruzioni del primo millennio della nostra era nel Bacino del Tarim presentano infatti delle mura portanti a scarpa in terra cruda (adobe, pisé) (fig. I, II) e gli edifici a copertura piana, costituiti da moduli geometrici mostrano rare aperture dai contorni qualche volta trapezoidali (fig. III). Il Tibet può essersi ispirato a modelli centroasiatici anche nell'uso dei soffitti o «laternendecke» (fig. IV), di evidente valore simbolico, per coprire degli spazi quadrati come all'interno dei chörtenporta.

Lungo tutto il corso della sua storia l'architettura tibetana evidenzia inoltre una forte disposizione all'eclettismo. Questa caratteristica è documentata fin dall'epoca monarchica (Sez. V). La diffusione del Buddhismo e le conquiste militari confrontarono i tibetani a delle altre tradizioni. Certi elementi della cultura buddhista perverranno in Tibet direttamente dal sub-continente indiano. Altri, modificati nelle regioni già convertite alla dottrina di Shâkyamuni, ed assimilati dal contesto locale, daranno ancor più varietà al manufatto architettonico. Questa pluralità di origini la differenzia da altre tradizioni architettoniche buddhiste. Ciò nonostante, la quantità di componenti importati non giungerà a mutare in modo fondamentale le tradizioni autoctone. I tibetani utilizzeranno così per secoli alcuni di questi temi stranieri, talvolta già scomparsi nei paesi d'origine. Sotto questo aspetto il Tibet conserverà nelle sue opere di carpenteria parecchi elementi dell'architettura buddhista indiana in legno, documentata, ad esempio, da alcune copie scolpite in pietra dell'epoca Gupta (IV-VI sec) (Fig. V, VI).

Due regioni dell'India, il Bengala e il Bihâr, sotto il regno dei sovrani Pâla e Sena (VIII-XII sec.) (fig. VII, VIII) ed il Kashmir [7] (fig. IX, X, XI, XII) al tempo della «seconda diffusione» nell'XI sec., assumeranno un ruolo privilegiato nella trasmissione degli schemi culturali del sub-continente. Certi caratteri specifici di queste scuole regionali, quale l'impiego sistematico del mattone cotto nel Bihâr o quello della pietra da taglio kashmira, non saranno mantenuti dai tibetani. Non decoreranno mai l'esterno delle loro costruzioni con decorazioni fittamente scolpite e dipinte alla maniera indiana. Viceversa certe piante templari, utilizzate anticamente nel Tibet, trovano la loro diretta origine in India (fig. XIII, XIV, XV). Questo punto è del resto corroborato dai testi. Parecchi elementi strutturali o decorativi sono stati ugualmente improntati al mondo indiano, come le logge (fig. XVI), gli sporti lignei, le arcate trilobate oppure ornate di maschere leonine (Kîrtimukha) e di uccelli mitici (Garuda) (fig. XVII), alcuni tipi di colonne, di capitelli e di fastigi.

Dopo la scomparsa del Buddhismo in India, il Nepal diventerà agli occhi dei tibetani il paese conservatore delle antiche tradizioni buddhiste.

Ad oriente, la Cina ricoprirà il ruolo di secondo «polo civilizzatore». Le tradizioni architettoniche dell'Impero, fissate nelle caratteristiche più salienti già all'epoca neolitica e delle prime dinastie, sono radicalmente diverse da quelle del Tibet. L'architettura cinese classica [8], strettamente collegata alle concezioni confuciane di gerarchia e ordine della società, presenta delle piante simmetriche orientate sud-nord (fig. XVIII) ed è inoltre oggetto di altre speculazioni simbolico-religiose più o meno complesse legate soprattutto al taoismo. Le costruzioni sono erette sopra un podio (fig. XIX, XX), colonne di legno sostengono i tetti a spiovente, mentre i muri sono ridotti a una semplice funzione di tamponamento. Questa antinomia tra le due tradizioni ha sempre reso difficile l'integrazione di contributi cinesi nell'architettura tibetana. Ciononostante, in alcune epoche e in certe regioni del Tibet, si incontrano alcuni elementi sinizzanti, come tentativi di piante orientate e aperte verso il sud, tetti (gyaphib) di tipo cinese spesso sovrapposti alle terrazze locali, certi modelli di colonne, pilastri isolati (fig. XXI), delle mensole, delle griglie, delle balaustrate (fig. XXII, XXIII, XXIV, XXV), numerosi motivi decorativi ed anche, in periodi relativamente più tardi, dei giardini di piacere come Norbu Lingkha.

Notiamo che, nella gerarchia delle discipline, la letteratura cinese accorda un ruolo principale ai testi letterari ed ai loro nessi con l'immagine, come ne dà testimonianza la pittura di paesaggio[9]. L'architettura viene piuttosto assimilata ad un'attività utilitaria, anche se esteticamente apprezzata. I tibetani al contrario accordano ai monumenti religiosi un'importanza essenziale, conferendo loro una molteplicità di significati. Come nell'insieme delle tradizioni indiane essi sono oggetto di speculazioni mistiche. Nelle concezioni buddhiste del Mâhâyâna e del Tantrayâna l'edificio sacro corrisponde al livello più elevato, quello dello spirito del Buddha, mentre i testi religiosi sono in relazione col piano della parola e le immagini con quello del corpo[10].

L'architettura tibetana esercitò, inoltre, una considerevole influenza oltre i confini delle sue frontiere storiche e nei paesi convertiti al Buddhismo lamaista. Le popolazioni d'origine tibetana viventi nelle propaggini dell'area di espansione della loro «koinè» conservano le proprie tradizioni architettoniche: così a sud le comunità delle alte valli himâlayane del Bhutan (Sez. XV) e del Sikkim (Sez. XVI) di Dolpo e di Mustang e, ad est, alcune minoranze dello Yunnan e del Sichuan (Sez. X).

I sovrani mongoli della dinastia Yuan (1261-1368) adottarono il Buddhismo come una delle religioni ufficiali dell'impero (Sez. XI). Questa protezione imperiale si mantiene, con diverse fortune, fino alla caduta dei Manciù nel 1911 (Sez. XII-XIII). Si edificheranno delle costruzioni di stile sino-tibetano in numerose province. La conversione definitiva dei mongoli nel XVI sec. (Sez. XIV) permetterà lo sviluppo di una architettura eclettica «sino-tibeto-mongola» nel cuore dell'Asia, fino ai territori dei Buriati intorno al lago Baikal e dei Calmucchi a nord-est del Mar Caspio. In questi ultimi decenni le costruzioni realizzate dai rifugiati tibetani e la moltiplicazione in Occidente di comunità praticanti il Buddhismo Vajrayâna vedono un'ultima fioritura delle tradizioni architettoniche del «paese delle nevi» (Sez. XVII).

La bibliografia che concerne l'arte tibetana non comprende che pochi studi dedicati all'architettura; questa lacuna contrasta con la relativa abbondanza di opere consacrate ai problemi tecnici, stilistici ed iconografici della pittura e della scultura. Tale carenza si spiega con le difficoltà d'accesso al paese, con la mancanza d'interesse di gran parte dei primi viaggiatori, e per certe caratteristiche di numerosi monumenti che ne rendono difficoltosa la descrizione.

L'esterno degli edifici, infatti, spesso non offre che un'idea approssimativa dell'organizzazione interna ed a volte non esiste una corrispondenza unitaria fra i diversi livelli o addirittura all'in-

terno di un medesimo piano. Questo punto complica ulteriormente la realizzazione di piante dettagliate, poco è stato pubblicato. Le parti aggiunte secondo le necessità accrescono di più questa complessità. La fragilità di certo materiale ed i rigori del clima obbligano a dei rifacimenti regolari. La ritinteggiatura delle facciate e la riparazione delle parti danneggiate è prevista con scadenza annuale. Come in tutto il mondo buddhista, poi, i restauri più o meno completi degli edifici e della loro decorazione a fini salvifici complicano i problemi di datazione.

Ciò spiegherebbe il pregiudizio correntemente diffuso secondo cui l'architettura tibetana si sarebbe poco evoluta nel corso di quasi tredici secoli.

Inoltre un numero impressionante di monumenti storici è stato raso al suolo in Mongolia fra le due guerre mondiali, ed in Tibet durante la Rivoluzione Culturale. Cosicché nelle regioni di cultura tibetana della Repubblica Popolare Cinese, su più di tremila monasteri ne rimangono oggi in piedi solo una decina. Perciò numerosi monumenti sono oggi conosciuti solo per mezzo di vecchie fotografie che danno una documentazione spesso lacunosa e frammentaria. È possibile tuttavia discernere alcuni dei caratteri tipici di certe regioni e di certe epoche. Le influenze straniere stesse sono giunte ad ondate successive in funzione delle vicissitudini storiche. L'evoluzione delle dottrine religiose e del rituale necessitò, nel corso dei secoli, di modifiche nelle piante degli edifici e l'introduzione di nuove soluzioni iconografiche.

A nostra conoscenza, un ampio studio da un punto di vista cronologico dell'architettura tibetana non è mai stato intrapreso in modo sistematico, mentre in effetti una concezione storica dell'architettura consente di assimilare più facilmente certi dati politici, economici e religiosi, forniti dalle altre scienze umane.

Questo lavoro tenta di colmare, almeno parzialmente, tale lacuna e cerca di presentare una documentazione in parte inedita.

Lo spoglio dei fondi di fotografie in possesso di istituzioni pubbliche e l'aiuto apportato da numerosi ricercatori e viaggiatori, permettono di presentare oggi circa trecento fotografie su questo soggetto. La rarità di piante e di grafici non sempre ha consentito di fornire un complemento indispensabile alla loro comprensione, ne sono stati riprodotti, però, il maggior numero possibile.

All'inizio di quest'opera una introduzione storica permette di situare l'evoluzione dell'architettura in un contesto più generale. Un altro studio tratta della tipologia delle costruzioni, delle loro tecniche costruttive e dei rapporti tra l'architettura, la società e la religione. Un saggio riporta i differenti dati relativi ai resti protostorici. I megaliti protostorici[11] prefigurano, sia la preferenza per l'orientamento est-ovest delle costruzioni posteriori, sia l'uso generalizzato dei cumuli rituali di pietre (latse) ed una certa predilezione per l'utilizzazione di rocce di grande misura, non squadrate e sgrossate solo in parte nelle fondamenta e alla base di numerosi monumenti.

Questo lavoro non sarebbe stato immaginabile senza una parte dedicata ai testi tibetani. È difficile tuttavia stabilire un rapporto fra i monumenti conservatisi fino al XX sec. e la maggioranza dei riferimenti letterari che li riguardano. Gli archivi dei monasteri che potrebbero fornire delle sicure basi storiche non sono accessibili; sarebbe indispensabile una ricerca di testi specializzati. Per la prima volta tre fra questi sono stati esaminati. Uno di essi si riferisce alla architettura Bön, due altri mostrano degli schizzi di edifici sino-tibetani.

Egualmente è sembrato interessante l'esame dei rapporti tra le rappresentazioni di architetture tibetane nella pittura e gli edifici realmente costruiti.

Diciassette sezioni specifiche, abbondantemente illustrate, seguono questi capitoli introduttivi.

La prima tratta dell'ambiente, dei materiali e delle tecniche architettoniche (Sez. I). Segue una trattazione sull'architettura vernacolare, dato il suo tipico carattere tradizionale che la pone quasi al di fuori della storia (Sez. II). Si è cercato inoltre di sottolineare la persistenza delle tradizioni nomadi rappresentate dall'architettura mobile (Sez. III).

Antiche usanze ancestrali giustificano l'impiego di costruzioni mobili, anche presso i sedentari. Così degli elementi smontabili possono completare alcuni edifici. Nel corso delle stagioni delle tende, insieme utili e decorative, abbelliscono e rallegrano la severità di certe facciate. All'interno delle costruzioni degli elementi tessili, riccamente decorati, dissimulano i soffitti e possono ricoprire i pilastri, essi sono sostituiti nei santuari più importanti secondo un calendario liturgico.

Le Sezioni seguenti (V-X) precisano delle particolarità proprie a differenti regioni e periodi storici. Si può così proporre a grandi linee lo sviluppo evolutivo dell'architettura tibetana, malgrado le datazioni imprecise di numerosi monumenti.

È stato però necessario limitare un quadro che per la sua ampiezza rischiava di diluire un soggetto così vasto.

Non si sono perciò trattate le architetture originarie delle regioni subhimâlayane, quali Kashmir e Chamba, né delle possibili relazioni fra queste e le tradizioni montanare più occidentali dello Swât e del Nuristan. Abbiamo però dedicato un capitolo particolare ai Newari della valle di Kâthmându (Sez. IV). I loro costanti rapporti con il Tibet permettono di visualizzare meglio l'impatto ed i limiti di certe influenze straniere.

Questo primo studio non consente di risolvere tutti i problemi che pone l'architettura nel mondo tibetano. I suoi risultati confermano però la logica dei criteri scelti.

Le ricerche condotte da qualche anno sull'evoluzione della pittura e della scultura tibetana portano a delle sequenze cronologiche simili. Ci si può augurare che una nuova documentazione fotografica permetta, per ciascun'epoca, di mettere in corrispondenza più diretta le caratteristiche dell'architettura con il suo decoro monumentale scolpito e dipinto. L'ampiezza delle costruzioni, le loro differenziazioni tipologiche, il loro sviluppo evolutivo lungo l'arco di tredici secoli, impongono peraltro l'architettura tibetana come una delle grandi architetture dell'Asia.

NOTE

[1] Houhan shu 116, 11 trad. STEIN, 1957 p. 61.

[2] MORTARI VERGARA, 1976, p. 209.

[3] Des architectures de terre, GALDIERI, 1981, AGARWAL, 1981; GALDIERI, 1982.

[4] ZEVI, 1973.

[5] BENEVOLO, 1973, p. 672; DE FUSCO, 1979, p. 323-373.

[6] GROPP, 1974, HALLADE, COURTOIS, GAULIER, 1982; MAILLARD, 1983.

[7] KAK, 1933; ROWLAND, 1953; MITRA, 1971; SARASWATI, 1976.

[8] WILLETTS, 1958; BOYD, 1962; SICKMANN, SOPER, 1960; SU, 1964; PIRAZZOLI T'SERSTEVENS, 1970; Zhong guo gudai Jianzhushi, 1980.

[9] LIN, 1967; BUSH, 1971; SULLIVAN, 1974.

[10] TUCCI, 1935, p. 107; 1973 p. 113-114.

[11] TUCCI, 1948, 1973, p. 15-58; MACDONALD, 1953; AUFSCHNAITER, 1956-57; MORTARI VERGARA, 1976, p. 202-203.

fig. I - Qocho (Xinjiang), palazzo del Khan (costruzione E) (foto Grün-wedel - von Le Coq, Museum für Indische Kunst, Berlin).

fig. I - Qocho (Xinjiang), Palais du Khan (construction E) (cl. Grünwe-del - von Le Coq, Museum für Indische Kunst, Berlin).

fig. III - Niya (Xinjiang), abitazione n. XII, mostra di porta lignea (M.A. Stein 1921, fig. 56).

fig. III - Niya (Xinjiang), habitation n. XII, encadrement de porte (M.A. Stein 1921, fig. 56).

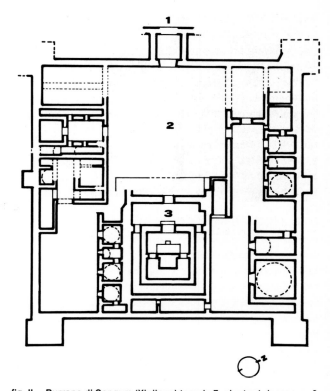

fig. II - Burrone di Sengym (Xinjiang) tempio 7, pianta: 1, ingresso; 2, cortile; 3, tempio principale (R. Astolfi da Oldenburg 1909, fig. 41).

fig. II - Ravin de Sengym (Xinjiang), temple 7, plan: 1, entrée; 2, cour; 3, temple majeur (R. Astolfi d'après Oldenburg 1909, fig 41).

fig. IV - Foladi, presso Bâmyiân (Afghanistan), soffitto a laternendec-ke, V-VI sec. (foto Ch. Massonaud).

fig. IV - Foladi, prés de Bâmyiân (Afghanistan), plafond en laternen-decke, Ve-VIe siècle (cl. Ch. Massonaud).

fig. V - Aja*ntâ* (Mahârâ*stra*), caverna 1, VI sec. (foto D.R.).

fig. V - Aja*ntâ*, Mahârâ*stra* caverne 1, VIe siècle (cl. D.R.).

fig. VI - Aja*ntâ*, caverna 2, particolare di una mostra di porta, VI sec. (foto D.R.).

fig. VI - Aja*ntâ*, caverne 2, détail d'un encadrement de porte, VIe siècle (cl. D.R.).

VII

VIII

fig. VII - Bangarh (Dinajpur), pilastro (Banerji 1933, pl. LXXXIX e).

fig. VII - Bangarh (Dinajpur), pilier (Banerji 1933, pl. LXXXIX e).

fig. VIII - Bodhgayâ) (Bihâr), mostra di porta, epoca pâla, VIII-XII sec. (Banerji 1933, pl. XCII c).

fig. VIII - Bodhgayâ (Bihâr), encadrement de porte, époque pâla, VIII-XIIè siècles (Banerji 1933, pl. XCII c).

21

fig. IX - Avantipur (Kashmir), Tempio d'Avantisvâmin, arco trifogliato, 2ª metà del IX sec. (foto L. Feugère).

fig. IX - Avantipur (Kashmir), Temple d'Avantisvâmin, arc trifolié, 2ème moitié IXe siècle (cl. L. Feugère).

fig. X - Avantipur, Tempio d'Avantisvâmin, modiglioni a testa di leone, 2ª metà del IX sec. (foto L. Feugère).

fig. X - Avantipur, Temple d'Avantisvâmin, modillons à tête de lion, 2ème moitié IXè siècle (cl.
L. Feugère).

fig. XII - Pândrenthân, tempio di Shiva, soffitto a laternendecke (foto P. Mortari Vergara).

fig. XII - Pândrenthân, temple de Shiva, plafond en laternendecke (cl. P.
Mortari Vergara).

fig. XI - Pândrentthân (Kashmir), tempio di Shiva, facciata, XII sec. (foto M. Ch. Duflos).

fig. XI - Pândrenthân (Kashmir), temple de Shiva, façade, XIIe siècle (cl. M-Ch. Duflos).

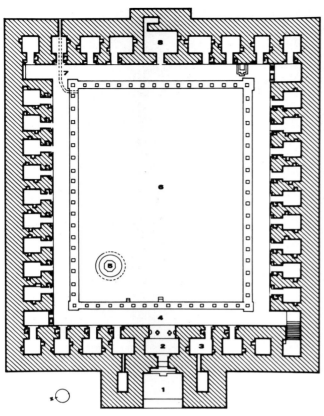

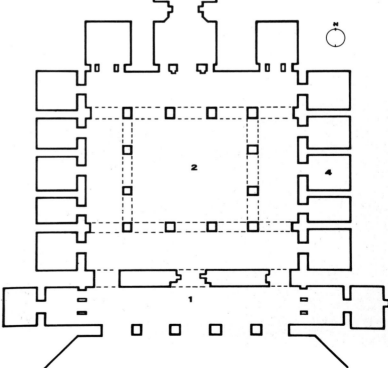

fig. XIII - Aja*ntâ*, vihâra 2, pianta: 1, pronao; 2, sala centrale; 3, cappella maggiore; 4, celle (R. Astolfi da Maillard 1983, fig. 43).

fig. XIII - Aja*ntâ*, vihâra 2, plan: 1, porche; 2, salle centrale; 3, chapelle majeure; 4, cellas (R. Astolfi d'après Maillard, 1983, fig. 43).

fig. XIV - Nâlandâ (Bihâr), vihâra 8, pianta: 1, atrio d'ingresso; 2, atrio interno; 3, celle; 4, portico; 5, fontana; 6, cortile; 7, scarico; 8, santuario (R. Astolfi da Mitra 1971, fig. 9).

fig. XIV - Nâlandâ (Bihâr), vihâra 8, plan: 1, porche d'entrée; 2, porche intérieur; 3, cellas; 4, portique; 5, fontaine; 6, cour; 7, décharge; 8, sanctuaire (R. Astolfi d'après Mitra 1971, fig. 9).

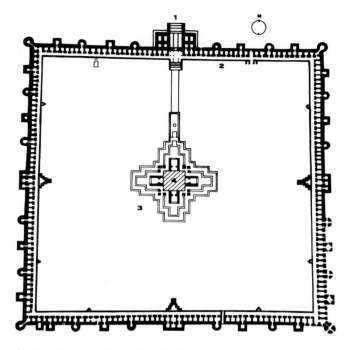

fig. XV - Antichak (Bihâr). Il mahâvihâra di Vikramashîlâ fondato nell'VIII sec., pianta: 1, ingresso; 2, celle; 3, cortile; 4, santuario; (R. Astolfi da Durrans, Knox, 1982, pag. 50).

fig. XV - Antichak (Bihâr). Le mahâvihâra de Vikramashîlâ fondé au VIIIe siècle, plan: 1, entrée; 2, cellas; 3, cour. 4, sanctuaire (R. Astolfi d'après Durrans, Knox, 1982, p. 50).

fig. XVII - Il primo sermone del Buddha, scultura in pietra, arte pâla, X-XI sec. (Calcutta, Indian Museum).

fig. XVII - Le premier sermon du Buddha, pierre, art pâla X-XIe siècle (Calcutta Indian Museum).

fig. XVI - Ellora (Mahârâstra), caverna XI, (Dothal), logge, VII-VIII sec. (foto D.R.).

fig. XVI - Ellora (Mahârâstra), caverne XI (Dothal), loggias, VIIe-VIIIe siècle (cl. D.R.).

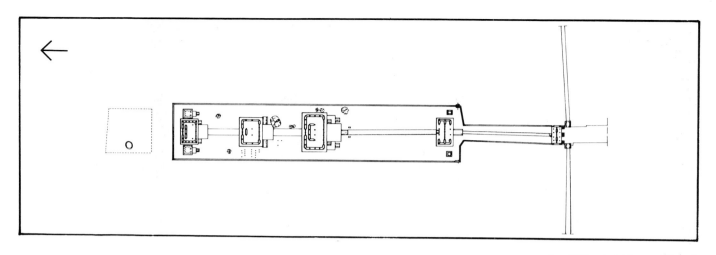

fig. XVIII - Rui Zheng (Shanxi),
Yongle gong (Palazzo di Yongle),
sec. XIII, pianta (da Wenwu 1963).

XVIII - Rui Zheng (Shanxi), Yongle
gong (Palais de Yongle), siècle
XIII, plan (D'après Wenwu, 1963).

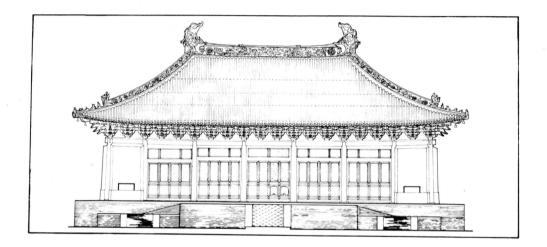

fig. XIX - Rui Zheng (Shanxi),
Yongle gong, Sanqing dian (tempio dei tre puri), facciata e sezione
(da Wenwu 1963).

fig. XIX - Rui Zheng (Shanxi),
Yongle gong, Sonqing dian (Temple des trois purs), façade et coupe (D'après Wenwu 1963).

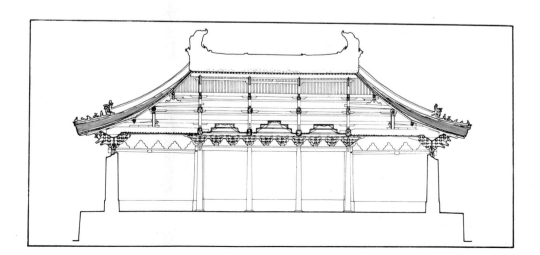

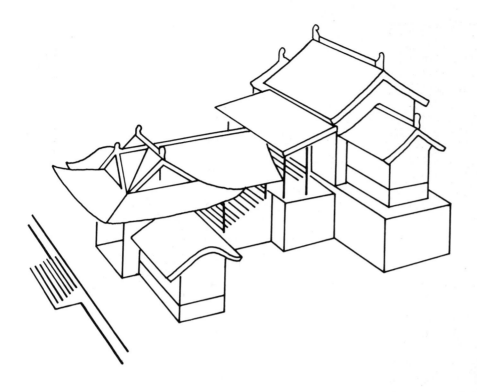

fig. XX - Anping xien (Hebei), Shengu miao, 1309, veduta prospettica e pianta: 1, ingresso; 2, pronao; 3, sala centrale; 4, cappelle laterali (R. Astolfi da Sickman, Soper 1956, fig. 26).

fig. XX - Anping xien (Hebei), Shengu miao, 1309. Vue cavalière et plan: 1, entrée; 2, pronaos; 3, salle centrale; 4, chapelles latérales (R. Astolfi d'après Sickman, Soper 1956, fig. 26).

fig. XXI - Fenghuang (Sichuan), cimitero, pilastro del 121 d.C. (Sickman, Soper 1956, fig. 243).

fig. XXI - Fenghuang (Sichuan), cimetiere, pilier, daté 121. (Sickman, A.C. Soper 1956, fig. 243).

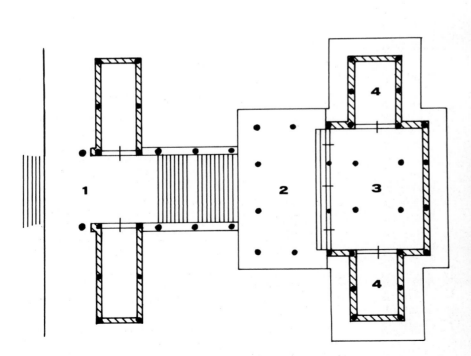

XXII

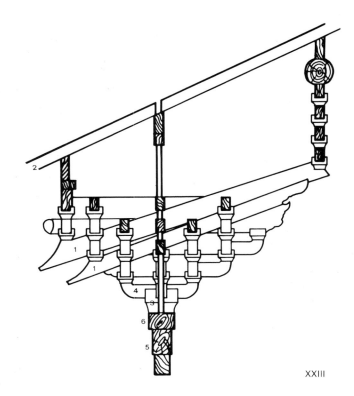

XXIII

XXIV

XXV

fig. XXII - Qufu (Shandong), Tempio del padre di Confucio, 1730, Qisheng dian (foto L. Feugère).

fig. XXII - Qufu (Shandong), Temple du père de Confucius, 1730, Qisheng dian (cl. L. Feugère).

fig. XXIII - Datong (Shanxi), Shanhua si, sistema mensolare e braccio di leva, epoca Liao, XI sec: 1, braccio di leva (ang); 2, travicello; 3, blocco portante della mensola (dou); 4, braccio di mensola (gong); 5, trave longitudinale (lane); 6, trave trasversale (pupaifang) (R. Astolfi da Pirazzoli 1973).

fig. XXIII - Datong (Shanxi), Shanhua si, encorbellement et bras de levier, époque Liao, XIe siècle. Schéma: 1, bras levier (ang); 2, chevron; 3, bloc porteur de la console (dou); 4, bras de console (gong); 5, poutre traversant le sommet des colonnes dans le sens de la longueur du bâtiment (lane); 6, poutre traversant le sommet des colonnes dans le sens de la profondeur du bâtiment (pupaifang) (R. Astolfi d'après M. Pirazzoli, 1973).

fig. XXIV - Pechino, Gugong, epoca Ming e Qing, particolari di balaustre (foto P. Mortari Vergara).

fig. XXIV - Pékin, Gugong epoques Ming et Qing, balustrades (cl. P. Mortari Vergara).

fig. XXV - Qufu (Shandong), Tempio del padre di Confucio, 1730, tipi di griglie (foto L. Feugère).

fig. XXV - Qufu (Shandong), Temple du père de Confucius, 1730, claustra (cl. L. Feugère).

L'ARCHITECTURE TIBETAINE: CARACTERES ORIGINAUX ET APPORTS ETRANGERS

Paola Mortari Vergara, Gilles Béguin

L'architecture reflète la cohérence et la complexité des phénomènes culturels d'une civilisation.

Au Tibet, un relief démesuré et un climat excessif, une organisation sociale et religieuse particulière devaient façonner des traditions originales d'architecture. L'émiettement politique du pays jusqu'au VIIème siècle et les nombreux conflits entre partis rivaux aux époques plus récentes ont toujours favorisé le développement de constructions défensives typiques. Les annales des Han postérieurs (Houhan shu) révèle que dès les premiers siècles de notre ère, les populations des marches sino-tibétaines avaient pour habitations des tours de pierre de dix «zhang» de haut (environ 25m) [1]. Cette tradition se maintiendra surtout en pays Gyarong jusqu'à ces dernières décennies. Les textes anciens et le témoignage des voyageurs soulignent le grand nombre de forteresses (dzong) sur tout le territoire. La plupart des constructions conservent un aspect défensif et sévère. Les ouvertures sont rares, plus nombreuses cependant dans les parties hautes, résidentielles; les niveaux inférieurs abritant des étables ou des magasins. Ce contraste sera même exploités à des fins ornementales, la taille des fenêtres, des loggias et des oriels augmentant avec les étages.

De nombreux caractères que l'on peut considérer comme autochtones se retrouvent dans la plupart des édifices quelque soit leur époque. Les matériaux de prédilection sont la terre crue et la pierre, assemblée en des appareils variés liés souvent par de l'argile. Cette particularité incite les maîtres d'oeuvre à fournir aux murs porteurs une épaisseur proportionnée. Ainsi la hauteur des constructions oblige à donner un fruit plus ou moins accusé aux murs extérieurs. Ce procédé prête aux bâtiments une silhouette trapézoïdale. Cette même forme est utilisée à titre décoratif, par exemple pour les encadrements des fenêtres, et procure une certaine unité plastique à l'ensemble de la construction.

Malgré l'existence de forêts dans les zones les plus basses, le bois reste un matériau rare dans la plus grande partie du plateau tibétain. Il est souvent utilisé pour les supports inférieurs des étages et de la couverture. Des branchages séchés de saule et de genévrier contribuent à l'étanchéité des parties hautes des bâtiments.

Les Tibétains ignorent l'emploi de la voûte à claveaux. La terrasse (yangteng, yangthog) constitue le type de couverture le plus habituel. Les faibles précipitations atmosphériques permettent d'utiliser cet espace comme un étage supplémentaire pour de multiples activités et autorisent aussi à passer d'un corps de bâtiment à un autre. Dans les régions boisées, à une altitude plus basse, des toits en charpentes, à double pente, largement débordants, peuvent reposer sur la terrasse traditionnelle ou bien faire corps avec le bâtiment comme dans l'architecture alpestre.

Les édifices, d'un extérieur massif, crépis à la craie peuvent abriter des cours intérieures souvent bordées de portiques. Certaines terrasses en contre-bas sont utilisées comme cour. Au fur et à mesure des besoins, de nouvelles constructions sont juxtaposées aux précédentes, sans souci de régularité, ni dans le plan, ni dans l'élévation, mais avec un sens du rythme qui donne à ces ensembles bâtis une dissymétrie voulue. Le meme phénomène se retrouve souvent dans la disposition apparemment arbitraire mais harmonieuse des portes et des fenêtres sur de nombreuses façades.

Des parties structurales utilisées à des fins décoratives telles les extrémités apparentes des solives, les poteaux d'huisserie et de fenêtre, les linteaux multipliés formant auvent, les bandeaux d'attique en tiges tassées (penpe) soulignent encore l'aspect géométrique des façades. D'autres éléments, tels des acrotères de types variés, ne jouent aucun rôle constructif mais remplissent une fonction à la fois religieuse et ornementale. D'autres composants sont d'origines étrangères. Les constructions des époques récentes révèlent un goût plus prononcé pour la décoration extérieure.

La sobriété des façades des monuments religieux contraste avec l'opulence des intérieurs. Dans la pénombre, les parties structurales en bois, couvertes de couleurs vives, se juxtaposent aux peintures murales et aux sculptures parfois de tailles considérables.

Toutes ces généralités entraînent plusieurs observations. Les principales caractéristiques de l'architecture tibétaine se retrouvent aussi bien dans les bâtiments civils que dans les édifices sacrés et paraissent antérieures à l'introduction du Bouddhisme [2]. Comme dans la plupart des pays d'Asie, cette religion, lors de son expansion, semble avoir assimilé la plupart des principes fondamentaux de l'architecture locale.

On constate la parfaite intégration des constructions au paysage. Les bâtiments, par leur étagement et leur asymétrie, épousent souvent les formes du terrain; leurs matériaux et leurs couleurs ne créent guère de constraste avec leur environnement. Leurs proportions imposantes, même pour de petites constructions, et leur verticalité participent à la démesure du cadre naturel. Les Tibétains ont hiérarchisé les édifices parfois en fonction du nombre de leurs étages et soulignent ainsi la sainteté du lieu ou l'importance sociale des occupants. Cette monumentalité est encore accentuée par la simplicité des matériaux et des moyens techniques employés.

Certains concepts discutés depuis quelques années parmi les architectes contemporains trouvent leur écho dans cette manière de bâtir. L'emploi de matériaux naturels peu modifiés, particulièrement celui de la terre crue, la place parmi les antécédents des constructions modernes de type écologique [3]. L'asymétrie de la plupart des édifices pourrait les faire définir comme «anticlassiques» si nous mettions en parallèle toute organisation spatiale non fortement structurée avec des systèmes politiques peu centralisés [4]. L'extension des bâtiments par juxtaposition n'est pas sans évoquer les théories modernes concernant les architectures de type organique [5].

Le Tibet, par sa position continentale, son climat semi-désertique, l'origine probable d'une partie de sa population et par de nombreux traits économiques et sociaux, participe au monde de la Haute Asie.

La plupart des caractères de l'architecture tibétaine se retrouve en effet dans d'autres régions d'Asie central tel le bassin de Tarim [6] avec lequel le Tibet a entretenu par intermittence des liens étroits, particulièrement à l'époque monarchique (VIIème-IXème siècle). Les ruines des constructions du premier millénaire dans cette région présentent des murs porteurs en terre crue (adobe, pisé) (fig. I, II), à fruit. Les bâtiments aux toitures plates et aux volumes géométriques ne sont animés que par de rares ouvertures au contour parfois trapézoïdal (fig. III). Le Tibet a peut être reçu d'Asie centrale l'emploi de plafonds en «lanternendecke» (fig. IV) pour couvrir des espaces carrés comme l'intérieur des chörten-portes.

A partir du VIIème siècle, la diffusion du Bouddhisme et les conquêtes militaires confrontent les Tibétains à d'autres traditions. Certains éléments de la culture bouddhique parviendront au Tibet directement du Sous-continent indien. D'autres, modifiés dans des contrées déjà converties à la doctrine de Shâkyamuni et assimilés par les contextes locaux, vont donner plus de variété encore à l'architecture tibétaine. Cette pluralité des sources la différencie des autres traditions architecturales bouddhiques. Cependant ces emprunts ne parviendront pas à changer de manière fondamentale les traditions autochtones. Les Tibétains utiliseront cependant durant des siècles certains de ces thèmes étrangers, parfois disparus dans leur pays d'origine. Sur ce point, le Tibet sera le conservatoire de plusieurs éléments de l'architecture bouddhique indienne en bois tel que nous les révèlent leurs copies taillées dans la pierre de l'époque gupta (IVème-VIème siècle) (fig. V, VI).

Deux régions de l'Inde, le Bengale et le Bihâr, sous le règne des souverains pâla et sena (VIIIème-XIIème siècle) (fig. VII, VIII) et le Kashmir [7] (fig. IX, X, XI, XII), lors de la «seconde diffusion» au XIème siècle, jouèrent un rôle prilivégié dans la transmission des schémas culturels du Sous continent. Certains caractères spécifiques à ces écoles régionales, tel l'emploi systématique de la brique cuite au Bihâr ou celui de la pierre de taille au Kashmir, ne seront pas retenus par les Tibétains. Jamais, ils ne pareront l'extérieur de leurs bâtiments d'un décor foisonnant sculpté et peint à la manière indienne. Par contre certains plans, couramment utilisés au Tibet aux époques anciennes, trouvent leurs origines directes en Inde (fig. XIII, XIV, XV). Ce point est d'ailleurs corroboré par les textes comme le démontrent certains chapitres de cet ouvrage (Section V-IX). Plusieurs éléments structuraux ou décoratifs ont également été empruntés au monde indien tels les loggias et les oriels (fig. XVI), les arcatures trilobées ou ornées de masques léonins (kîtimukha) et d'oiseaux mythiques (Garuda) (fig. XVII), certains types de colonnes, de chapiteaux et d'épis de faîtage...

Après la disparition du Bouddhisme en Inde, le Népal deviendra aux yeux des Tibétains le conservatoire des traditions bouddhiques.

La Chine joue à l'Est le rôle d'un second «pôle civilisateur». Les traditions architecturales de l'empire fixées dans ses grandes caractéristiques dès l'époque néolithique et dès les premières dynasties, sont radicalement différentes de celles du Tibet. L'architecture chinoise classique [8], étroitement liée aux conceptions confucéennes d'ordre et de hiérarchie de la société, présente des plans symétriques axés Sud-Nord (fig. XVIII). Elle fait également l'objet d'autres considérations plus ou moins complexes liées principalement au Taoïsme. Les bâtiments son élevés sur un podium (fig. XIX, XX). Des colonnes en bois supportent des toitures à pentes, les murs étant réduits à de simples cloisons. Cette antinomie fondamentale entre les traditions architecturales des deux pays a toujours rendu difficile l'intégration des éléments chinois dans les constructions tibétaines. On rencontre cependant au Tibet des tentatives de plans plus ou moins axés, ouverts vers le Sud des toitures de type chinois (en tibétain «gyaphib») souvent superposées aux terrasses locales, certains types de piliers isolés (fig. XXI), de colonnes, de consoles, de claustra, de balustrades (fig. XXII, XXIII, XXIV, XXV), de nombreux motifs décoratifs et même à des périodes relativement tardives des jardins de plaisance comme Norbu Lingkha.

Notons que dans la hiérarchie des disciplines, les lettrés chinois accordent une place primordiale aux textes littéraires et à leurs liens avec les représentations, comme en témoigne la peinture de paysage [9]. L'architecture à leurs yeux est plutôt assimilée à un art utilitaire. Les Tibétains au contraire accordent au monument religieux une importance essentielle et lui donne des significations multiples. Comme dans certaines traditions indiennes, il est l'objet de spéculations mystiques. Dans les conceptions bouddhiques du Mâhâyâna et du Tantrayâna l'édifice sacré correspond au niveau le plus élevé, celui de l'esprit du Bouddha, alors que les textes religieux sont en rapport avec le plan de la parole et les images avec celui du corps [10].

L'architecture tibétaine va exercer une influence considérable aux marches de ses frontières historiques et dans des pays convertis au Bouddhisme lamaïque. Les populations d'origine tibétaine vivant aux limites de l'aire d'expansion de leur civilisation conserveront en grande partie leurs traditions architecturales, ainsi au Sud les communautés des hautes vallées himâlayennes du Bhutan, (Section XV) du Sikkim, (Section XVI) de Dolpo et du Mustang et, à l'Est, du Yunnan et du Sichuan (Section X).

Les souverains mongols de la dynastie des Yuan (1279-1368) (Section XI) adopteront le Bouddhisme tibétain comme l'une des religions officielles de l'empire. Cette protection impériale subsistera avec des fortunes diverses jusqu'à la chute des Mandchous en 1911 (Section XII, XIII). On édifiera des bâtiments de style sino-tibétain dans de nombreuses provinces. La conversion définitive des Mongols au XVIème siècle permettra le développement d'une architecture éclectique «sino-tibéto-mongole» au coeur de l'Asie (Section XIV), jusqu'au territoire des Bouriates autour du lac Baïkal et des Kalmuks au Nord Est de la mer Caspienne. Ces dernières décennies, les constructions réalisées par les réfugiés tibétains et la multiplication en Occident des communautés pratiquant le Bouddhisme lamaïque, voient un dernier essor des traditions architecturales du Pays des Neiges (Section XVII).

La bibliographie concernant l'art tibétain ne comporte que peu d'études consacrées à l'architecture. Cette lacune s'oppose à la relative abondance des ouvrages voués aux problèmes techniques, stylistiques et iconographiques de la peinture et de la sculpture. Cette carence s'explique par la difficulté d'accès du pays, par le manque d'intérêt de la plupart des anciens voyageurs et par certaines caractéristiques de nombre de monuments qui rendent leur description difficile. Leur extérieur ne donne qu'une idée approximative de leur organisation interne et il n'existe parfois que peu de correspondances entre les divers étages d'un même édifice. Ce point complique encore l'établissement de plans côtés. Peu ont été publiés. Des parties ajoutées au fur et à mesure des besoins accroissent encore cette complexité. La fragilité de certains matériaux et les rigueurs du climat obligent à des réfections régulières. Le calendrier annuel prévoit d'ailleurs de repeindre les façades et de réparer les parties endommagées. Comme dans tout le monde bouddhique, la rénovation plus ou moins complète des édifices et de leur décor dans le but d'acquérir des mérites, complique les problèmes de datation. Ces points expliqueraient le préjugé couramment répandu qui voudrait que l'architecture tibétaine ait peu évolué durant près de treize siècles. Que dire du nombre impressionnant de monuments historiques rasés en Mongolie entre les deux guerres mondiales et au Tibet durant la Révolution Culturelle. Ainsi, en République Populaire de Chine, dans les régions de culture tibétaine, sur plus de trois mille monastères, seule une dizaine subsiste encore aujourd'hui.

De nombreux monuments ne sont plus connus que par des photographies anciennes. Cette documentation reste lacunaire. Son interprétation pose parfois des problèmes. Elle permet cependant de discerner des caractères particuliers à certaines régions et à certaines époques. Les influences étrangères elles-mêmes sont venues par vagues successives, en fonction des vicissitudes de l'histoire. La religion, dans sa complexité, nécessita au cours des siècles, des modifications dans le plan des bâtiments et l'introduction des nouveaux partis iconographiques.

A notre connaissance, l'étude d'un point de vue chronologique de l'architecture tibétaine n'a jamais été entreprise systématiquement. Une conception historique de l'architecture permet en effet d'assimiler plus aisément certaines données politiques, économiques et religieuses fournies par les autres sciences humaines. Cet ouvrage essai de combler en partie cette lacune et présente une documentation partiellement renouvelée. Le dépouillement des fonds de photographies détenus par les institutions publiques et l'aide apportée par des chercheurs et divers voyageurs permettent de présenter aujourd'hui trois cents environ clichés sur ce sujet. La rareté des plans et des graphiques n'a pas toujours permis de fournir des compléments indispensables à leur compréhension. Nous avons cependant tenu à en reproduire le plus possible.

An début de cet ouvrage, une introduction historique permet de replacer l'évolution de l'architecture dans un contexte plus général. Une autre étude traite de la typologie des constructions, de leurs techniques et des liens entre l'architecture, la société, et la religion. Un essai rassemble les diverses données consacrées aux vestiges protohistoriques.

Des mégalithes[11] préfigurent peut-être l'orientation Est-Ouest de l'architecture tibétaine, l'usage généralisé à l'époque historique des amas rituels de pierres (latse) et une certaine prédilection pour l'utilisation de roches parfois de grande taille, non taillées ou en partie dégrossies. Les bases de nombreux monuments sont sur ce point caractéristiques.

Cette entreprise n'aurait pas été envisageable sans une partie consacrée aux textes tibétains. Il est difficile cependant d'établir un rapport entre les monuments préservés jusqu'au XXème siècle et la plupart de leurs références dans la littérature. Les archives des monastèrese qui pourraient éventuellement fournir des jalons historiques ne sont pas accessibles. La recherche de textes spécialisés s'avérait indispensable. Pour la première fois, trois d'entre eux ont été dépouillés. L'un traite des architectures bön, les autres présentent des croquis d'édifices sino-tibétains. De même, il était tentant d'établir des liaisons entre les représentations des architectures tibétaines dans les peintures et les bâtiments réellement construits.

Des chapitres spécialisés, abondamment illustrés, suivent ces préliminaires. Le premier traite du milieu, des matériaux et des techniques (Section I). L'architecture domestique, hors de l'histoire, est en suite abordée (Section II). On doit souligner la pérennité des traditions nomades qui justifie l'emploi d'architectures mobiles (Section III) même chez les sédentaires. Des éléments démontables peuvent compléter les constructions. Au fil des saisons, des velums, à la fois utilitaires et décoratifs, égayent la sévérité de certaines façades. A l'intérieur des bâtiments, des éléments textiles dissimulent les plafonds et peuvent recouvrir les piliers. Dans les édifices religieux les plus importants, on les changeait suivant le calendrier liturgique.

Les sections suivantes (Sections V — XVII) précisent des particularités propres aux diverses régions ou aux diverses périodes. Les grandes lignes d'une évolution de l'architecture tibétaine se dégagent malgré la datation imprécise de nombreux monuments.

Il nous fallait cependant limiter un tel sujet qui par son ampleur risquait de se diluer. Ainsi, nous n'avons pas voulu traiter des architectures originales des régions subhimâlayennes, tels le Kashmir et le Chamba, ni de leurs liaisons possibles avec des traditions montagnardes plus occidentales du Swât et du Nuristan. Nous avons cependant consacré un chapitre particulier aux Néwars de la vallée de Kâthmându (Section IV). Leurs rapports constants avec le Tibet permettent de mieux cerner l'impact et la limite de certaines influences étrangères.

Cette première étude ne permet pas de résoudre tous les problèmes qui posent l'architecture du monde tibétain. Ces résultats attestent cependant de la logique des critères d'analyse choisis. Les recherches menées depuis quelques années sur l'évolution de la sculpture et de la peinture tibétaines aboutissent également à des séquences chronologiques. Il faut souhaiter qu'une documentation nouvelle permette pour chaque époque, de mettre en correspondance les caractéristiques des architectures et celles de leur décor monumental sculpté et peint. L'ampleur des constructions, leur différenciation typologique, leur développement sur treize siècles imposent l'architecture tibétaine comme l'une des grandes architectures d'Asie.

NOTES

[1] Houhan shu 116, 11 trad. STEIN, 1957, p. 61.
[2] MORTARI VERGARA, 1976, AGARWAL, 1981; GALDERI, 1982.
[3] Des architectures de terre, 1981, AGARWAL, 1981; GALDIERI, 1982.
[4] ZEVI, 1973.
[5] BENEVOLO, 1973, p. 672; DE FUSCO, 1979, p. 323-373.
[6] GROPP, 1974, HALLADE, COURTOIS, GAULIER, 1982; MAILLARD, 1983.
[7] KAK, 1933; ROWLAND, 1953; MITRA, 1971; SARASWATI, 1976.
[8] WILLETTS, 1958; BOYD, 1962; SICKMANN, SOPER, 1960; SU, 1964; PIRAZZOLI T'SERSTEVENS, 1970; Zhong guo gudai Jianzhushi, 1980.
[9] LIN, 1967; BUSH, 1971; SULLIVAN, 1974.
[10] TUCCI, 1935, p. 107; 1973 p. 113-114.
[11] TUCCI, 1948, 1973, p. 15-58; MACDONALD 1953; AUFSCHNAITER, 1956-57; MORTARI VERGARA 1976, p. 202-203.

ARCHITETTURA: FUNZIONI TECNICHE, SOCIALI, SIMBOLICHE E RELIGIOSE

Fernand Meyer. Corneille Jest

In questa dimora, simile sotto tutti gli aspetti ai palazzi degli dei, lassú nel cielo Tushita
Ecco l'elogio dei pilastri fatti con il miglior legno di sandalo!
All'esterno, i padiglioni quadrangolari degli dei
All'interno, il castello-sostegno del dio protettore paterno
In basso, immutabili, le pietre di supporto dei pilastri
Nate spontaneamente di materia dura, e tonde.

Canto di nozze del Tibet Centrale [1]

Nel Tibet come altrove, l'architettura ha il compito di assolvere ad un certo numero di funzioni fondamentali la cui rispettiva importanza e l'oggettivazione nella costruzione variano a seconda delle culture. Nel mondo tibetano ha specificamente funzioni di riparo e di protezione, di unità di produzione e di scambio sociale nonché di immagazzinamento; non vanno altresì dimenticate le sue importanti funzioni rituali, il suo ruolo nell'espressione di valori socio-culturali, come il prestigio e le sue numerose connotazioni simboliche meno evidenti al primo impatto. La struttura e la preponderanza di una funzione rispetto ad un'altra permettono di definire, nel mondo tibetano, una tipologia della costruzione in cui le varie categorie presentano più affinità che differenze. Possiamo quindi distinguere:

GLI EDIFICI CIVILI
— Architettura domestica:
Fissa: habitat troglodita, capanna, casa, fattoria;
Mobile: riparo improvvisato, tenda.
— Architettura nobiliare e palaziale
— Architettura militare
— Genio civile: essenzialmente i ponti. (fig. XXVI)

GLI EDIFICI RELIGIOSI
— Monumenti:
Pietre squadrate e «cairn» [2]
Steli
«Muri di preghiera» [3]
Stûpa
— Templi
— Monasteri

In effetti, questa tipologia, benché basata su differenze di morfologia e di utilizzazione, si rivela piuttosto arbitraria e poco pertinente quando, come in questo caso, occorra individuare le grandi caratteristiche materiali, tecniche, strutturali, stilistiche dell'architettura tibetana e tentare di seguirne, ogniqualvolta la documentazione lo permetta, l'evoluzione storica. Ciò dipende da un lato dalla gamma limitata dei più comuni materiali da costruzione disponibile (argilla compressa, mattoni crudi, pietra, legno) e dalla similitudine delle tecniche di trasformazione e di costruzione applicate soltanto su scale diverse ed a differenti gradi di sofisticazione, secondo una progressione continua, dalle costruzioni più modeste fino alle costruzioni più prestigiose. D'altro lato, il carattere modulare dell'architettura tibetana, che ci apparirà più avanti (Sez. II), fa sì che gli stessi elementi strutturali di base non fanno che moltiplicarsi, sia in senso orizzontale che verticale, ed aumentare di dimensione, quando si passa dagli edifici semplici, alle dimore delle famiglie nobili, ai palazzi ed ai monasteri.

Sarebbe egualmente inutile tentare di ricavare da questa tipologia delle esclusività di funzioni, quando queste, in realtà, nella maggior parte degli edifici, sono quasi sempre associate, seppure a diversi gradi di espressione.

Se la funzione difensiva è la più evidente in quella che possiamo chiamare l'architettura militare delle fortezze (dzong), è tuttavia anche riscontrabile, quasi con la medesima incidenza, in alcune costruzioni di palazzi (Potala) o di monasteri (Sakya) e, in modo attenuato, fino nelle abitazioni comuni. Infine, persino gli edifici religiosi come certi stûpa o templi hanno un ruolo difensivo, in questo caso contro aggressori non umani. Costruiti ai limiti dello spazio abitato lo proteggono contro l'arrivo di presenze malefiche e sono talvolta edificati in punti precisi che la divinazione ha riconosciuti come fonti di disgrazia per la comunità.

Anche la funzione di immagazzinamento, chiaramente molto importante in un'unità di produzione agricola, è egualmente imprescindibile per le fortezze, le dimore dell'aristocrazia, i palazzi o i monasteri, a causa dell'economia tibetana tradizionale molto poco monetarizzata.

Infine, i grandi complessi di edifici come il Potala, o le città monastiche raggruppano, in un tessuto organicamente integrato, unità con funzioni molto diverse. In effetti, il Potala era ad un tempo un palazzo (phodang) in cui risiedeva il Dalailama, un monastero (datsang) di cui era l'abate, un luogo santo a causa della presenza di questo Bodhisattva incarnato e anche dei numerosissimi santuari (lhakhang) e monumenti funerari di precedenti Dalailama (serdong) che racchiude. Era anche la sede dei maggiori organismi politici del Tibet ed un importante centro amministrativo, una scuola di funzionari religiosi (tselobda), un grosso magazzino per le provviste (materiali preziosi, derrate) della casa del Dalailama e del governo, nonché una piazzaforte (dzong), benché quest'ultima funzione sia caduta in disuso a partire dalla metà del XVIII sec.

Allo stesso modo. Una città monastica racchiude in uno stesso recinto sia edifici con funzioni strettamente religiose: santuari, sale di assemblea liturgica (dükhang), monumenti funerari di maestri defunti, ecc., sia le dimore palazziali (labrang) di gerarchi incarnati (tulku), collegi (datsang), locali per i dibattiti teologici (chöra), residenze di monaci (khangtsen), centri di gestione amministrativa ed eventualmente politica, depositi, una stamperia, ecc.. In seno ad una simile città monastica, la residenza di un gerarca incarnato (labrang) raggruppa a sua volta funzioni palazziali (entourage e servitù), religiose (cappelle, sale di preghiera), amministrative (gestione delle proprietà del gerarca) e di immagazzinamento, simile in questo ad una dimora di famiglia nobile. Succedeva d'altronde abbastanza spesso che una famiglia che avesse svolto ruoli di donatore nella fondazione di un monastero vi conservasse (come gli Huang-he-nan-qin wang a Labrang) [4] un palazzo assolutamente simile nell'aspetto esteriore alle altre costruzioni monastiche. Accade anche, ed è la norma nel Bhutan, che delle fortezze (dzong) raggruppino nelle loro mura contemporaneamente i servizi amministrativi e giudiziari della regione ed un monastero di stato.

Infine, se la funzione simbolica si esprime in modo molto sofisticato in numerosi santuari (pianta a mandala, acroteri che stanno a simboleggiare l'insegnamento del Buddha o la sua vittoria, ecc.), può anche essere percepita nella struttura stessa delle dimore umane, immagini ridotte di un cosmo inteso come centrato, disposto su più piani e orientato in direzione dei punti cardinali.

Nella presentazione che qui facciamo dell'architettura tibetana,

le tipologie architettoniche sopra enumerate vengono trattate secondo raggruppamenti variabili, determinati al contempo da una volontà di chiarezza di esposizione e dagli imperativi derivanti dalla scelta operata di trattare l'architettura tibetana entro schemi talvolta tipologici, talvolta cronologici o geografici.

Ad esempio, l'architettura domestica, della quale si può ben pensare che si è relativamente poco evoluta nel corso della storia tibetana, verrà trattata in sezioni specifiche: Sezione II per le costruzioni fisse, Sezione III per le strutture mobili.

A causa della datazione relativamente tarda degli edifici nobiliari e palazziali che è stato possibile analizzare, questi verranno trattati più dettagliatamente nella Sezione IX dedicata al Tibet dei Dalailama.

L'architettura militare sarà oggetto soltanto di un'introduzione generale; ma la continuità della sua influenza in contesti storici e geografici vari sarà ricordata in numerose occasioni, nel corso della narrazione.

Le pietre squadrate ed i megaliti, in qualche modo proto-architettura, verranno esaminati a proposito del Tibet preistorico, benché questa tradizione si sia certamente mantenuta anche in tempi successivi e occorra menzionarne un'eco nelle steli del periodo reale. Se ne parlerà anche, insieme ai «cairn» ed ai «muri di preghiera», a proposito delle rappresentazioni tibetane riguardanti l'ambiente naturale e lo spazio da ordinare e controllare (Sez. I).

Gli stûpa, come quello di Gyantse, (Sezione VII), nonché i templi ed i monasteri, a causa della loro importanza e del loro numero, delle diverse epoche di fondazione e di una relativa ricchezza della documentazione che li riguarda, verranno presentati nelle varie Sezioni cronologiche (dalla V alla IX).

Le Sezioni a schema geografico (Tibet orientale, X, Bhutan, XV e Sikkim, XVI) tratteranno naturalmente tutte le tipologie architettoniche, sia civili che religiose.

Sempre essenzialmente di architettura religiosa, quale espressione culturale più completa, si parlerà nelle sezioni consacrate ad alcuni paesi vicini: il Nepal, in quanto eventuale fonte di ispirazione per il Tibet (Sez. IV), la Cina, influenzata di rimbalzo dai propri contributi all'architettura tibetana (Sez. XI, XII e XIII), e infine la Mongolia che ha mutuato dal paese delle nevi la tipologia dei suoi edifici religiosi, mentre contemporaneamente ne riceveva il buddhismo (Sez. XIV).

Quest'introduzione all'architettura tibetana sarebbe stata incompleta se un posto non fosse stato riservato alle costruzioni contemporanee ed ai restauri (Sez. XVII) che sono il riflesso di importantissimi capovolgimenti politici, sociali, tecnologici e culturali con i quali i tibetani hanno dovuto confrontarsi da qualche decennio, sia nella loro area geografica tradizionale che nei paesi che li hanno accolti.

Trattandosi di architettura tibetana e delle sue implicazioni socio-culturali, il narratore esita sempre quando si tratta di scegliere tra l'impiego del tempo passato o presente dei verbi. In effetti, l'area di cultura tibetana ha conosciuto, da quattro decenni, importanti cambiamenti che hanno interessato in maniera radicale il suo patrimonio culturale e la sua forma di organizzazione socio-economica tradizionale. Tuttavia, le alte valli himâlayane di lingua tibetana sono sfuggite a questo fenomeno e conservano, in maniera più o meno conforme, numerose caratteristiche socio-culturali scomparse dalle regioni controllate dalla Repubblica Popolare Cinese. Per parte loro, i tibetani in esilio si sono dedicati, in ambienti a loro spesso estranei, al difficile compito di preservare il loro patrimonio culturale, nonostante gli adattamenti necessari e le inevitabili evoluzioni. Infine, nello stesso Tibet, possiamo assistere, mediante l'apporto di una politica di liberalizzazione intrapresa da alcuni anni, ad un risorgere della cultura, in particolare di quella popolare, ed ad una ripresa della vita religiosa che comporta un importante movimento di rinascita e di ricostruzione.

L'organizzazione socio-economica ed i modi di espressione culturale del Tibet tradizionale hanno conosciuto, come la sua architettura, un'evoluzione continua nel corso della storia, pur conservando un certo numero di costanti. L'analisi schematica che segue e che cercherà di dare all'architettura tibetana la sua giusta collocazione per quanto riguarda l'aspetto sociale, economico, psicologico e religioso, si riferisce essenzialmente al periodo posteriore alla seconda metà del XVIII sec., nonostante faccia anche riferimento a periodi storici anteriori.

I) L'ARCHITETTURA COME RIPARO E PROTEZIONE

Il riparo è senza dubbio la funzione più elementare di ogni tipo di architettura, che si tratti di dare un tetto a uomini, animali, provviste, oggetti sacri o divinità.

Al di fuori dell'architettura costruita, fissa o mobile, di cui parleremo ampiamente in seguito, questo ruolo è svolto in egual misura, nel mondo tibetano, da una strutturazione più o meno elaborata di ripari naturali: ripari di rocce, grotte ed abitazioni troglodite scavate nelle pareti rocciose. Le grotte di montagna occupano un posto di rilievo nella tradizione tibetana soprattutto religiosa. Rifugi ideali per asceti di cui il santo Milarepa è diventato in qualche modo l'archeotipo popolare, consentono, grazie alla loro configurazione, l'isolamento sensoriale indispensabile alle esperienze mistiche e permettono, con le loro caratteristiche, il distacco da un mondo profano respinto al di fuori e più in basso. Inoltre, nell'immaginario collettivo, le grotte sono associate alle gesta meravigliose del grande maestro del tantrismo Padmasambhava di cui conservano le tracce scolpite nella pietra e che non possono mancare da alcun itinerario di pellegrinaggio. Alcune grotte di meditazione, avendo accolto personag-

gi venerati come il re Songtsen Gampo sulla montagna Marpori a Lhasa o Künga Nyingpo a Sakya, sono state incorporate in templi e monasteri costruiti in un secondo tempo. Infine alcuni monasteri come Yerpa, ad est di Lhasa, erano interamente trogloditi.(fig. XXVII)

Ma le grotte servivano anche da abitazione domestica, permanente o soltanto durante l'inverno, soprattutto anticamente, sembra, e particolarmente in alcune regioni, come il Tibet occidentale (Tucci G., 1973b, pagg. 40-50), rimangono forse ancor oggi reminiscenze di habitat troglodita nel vocabolario riguardante la casa. Ad esempio, il termine phugpa (grotta) si ritrova in phug o bug, parole che disignano la parte più interna di una casa o il fondo di un appartamento (zimbug) ed anche nel nome del pilastro della cucina-sala comune (phugka) e del dio che gli è associato (phuglha).

L'architettura rupestre che ha svolto l'importante ruolo che sappiamo nell'India antica, in particolare quella buddhista (Bhâja II-I sec. a.C., Ajantâ II a.C. - VII d.C. ecc.), e i cui modelli si sono diffusi con gli insegnamenti del Beato in Asia Centrale e fino in Cina, sembra d'altronde ritrovarsi come una lontana eco nei santuari tibetani, senza dubbio favorita in questo dalle tradizioni indigene: cappelle immerse nell'oscurità, appena rischiarate dalla pallida luce che penetra dall'entrata, come le grotte, o stretti corridoi di circumambulazione inseriti in una muratura cieca come se ne trovano in numerosi templi del Tibet Occidentale ed a Gyantse (Sez. VI e VII). Il fatto che i tibetani si siano ispirati ad alcuni tipi di santuari rupestri dell'Asia centrale, viene provato molto chiaramente dalla grotta di Daglha Lubug vicino a Lhasa, che la tradizione fa risalire al periodo reale. È infatti scavata intorno ad un pilastro centrale sui quattro lati del quale sono stati scolpiti dei Buddha, dando così origine ad un corridoio di circumambulazione.

L'habitat deve assicurare una protezione non solo contro gli elementi naturali, essenzialmente il freddo ed il vento sull'altipiano tibetano, ma anche contro eventuali aggressori umani; quest'ultima funzione è compito essenzialmente delle costruzioni militari. L'architettura tibetana è caratterizzata dalla sua chiusura al mondo esterno con strutture massicce dalle rare aperture sull'esterno e che di conseguenza conferiscono anche alle dimore più comuni l'aspetto di fortini (fig. XXVIII) Nelle case molto modeste, talvolta, come accadeva per le tende, l'apertura del tetto per la fuoriuscita del fumo del focolare, è, insieme alla porta, l'unica fonte di luce. Per quanto riguarda gli edifici più importanti, il volume, mentre aumenta, si scava per così dire dall'interno organizzandosi in vani di diversa utilizzazione intorno a questa sorgente di luce e di calore divenuta cortile interno; rimangono quindi il più possibile chiusi verso l'esterno, tranne sulla facciata sud dove finestre più grandi o numerose si aprono al sole.

La tradizione tibetana delle costruzioni difensive è antica ed è già riportata nei testi cinesi dell'epoca Han (da -202 a +220) a proposito delle popolazioni Qiang di affinità tibetana che vivevano ai confini occidentali dell'impèro (Stein R.A. 1957a, pag. 61). Gli annuali dei Tang riferiscono a proposito del Tibet centrale del VII sec. l'esistenza di «torri di guardia ogni 100 li» e di muri di cinta (Pelliot P. 1961, pagg. 2 e 80). Ancor oggi si possono trovare nel Tibet meridionale, sia sulle alture che in piano, numerose rovine di torri, talvolta circondate da mura o collegate da muri a secco che sbarravano una valle. Torri di guardia o di difesa, sono senza dubbio più o meno antiche. La tradizione orale attribuisce una grande antichità a quelle costruite con argilla compressa e vi vede l'opera di una popolazione predinastica [5]. La costruzione di torri di abitazione e di difesa di pietra che sembra essere stata particolarmente diffusa nel Lhobrag e nel Kongpo, ad esempio quella che la tradizione fa risalire a Marpa (Sez. VII), si è conservata fino al XX sec. presso i capi locali di alcune regioni del sud-est tibetano (Sez. X). Le caratteristiche dei castelli fortificati dei capi del periodo reale (Sez. V): alta torre circondata da costruzioni massicce raggruppate alla sommità di un'altura della quale seguono il rilievo e circondate da un muro di cinta, si ritrovano nelle costruzioni militari più grandi delle epoche posteriori. Le fortezze (dzong) svolgono un ruolo militare, politico, amministrativo molto importante nel corso di tutta la storia tibetana (fig. XXIX).

Alcune caratteristiche di un'architettura difensiva appaiono anche in numerose costruzioni religiose (fig. XXX) o domestiche: edifici costruiti su alture, un'unica, stretta porta d'ingresso, poche finestre, scale ripide, talvolta ridotte ad una scala amovibile, ecc.. Questa tradizione conferisce alle costruzioni tibetane il loro caratteristico aspetto sobrio, se non addirittura austero.

Ma gli edifici non soltanto riparano l'uomo dagli elementi naturali o da eventuali nemici circoscrivendogli un «interno», sono anche un baluardo contro l'irruzione delle forze malefiche che si trovano nel mondo esterno, spazio il cui controllo è sempre problematico (fig. XXXI). Di conseguenza, le facciate delle case presentano spesso segni, talismani o effigi destinati a respingere gli spiriti maligni o le influenze nefaste che la geomanzia riconosce in questo o quell'aspetto del paesaggio.

II) L'HABITAT COME UNITÀ DI PRODUZIONE E DI VITA SOCIALE

In linea generale, nel mondo tibetano, è il nucleo familiare con il suo ridotto numero di parenti conviventi a costituire più delle stirpi e dei clan, l'unità più importante di socializzazione, di aiuto reciproco e di attività economica.

In tutta l'area di cultura tibetana si contrappongono schematicamente due modi di vita e forme di produzione complementari, talvolta associate: l'agricoltura sedentaria nelle valli e l'allevamento estensivo nelle zone alte e sull'altipiano. La natura di queste produzioni e la loro distribuzione geografica verranno trattate quando parleremo dell'ambiente naturale (Sez. I).

Contrariamente agli allevatori nomadi (drogpa, drog ngowa), gli agricoltori (rongpa, shingpa) praticano spesso un'economia mista, dedicandosi anche all'allevamento a vari livelli che possono andare da piccoli gruppi di ovini, caprini e bovini ricondotti al villaggio la sera, ad una più numerosa quantità di bestiame transumante su grandi distanze e sorvegliato da una parte della popolazione che per lunghi periodi lascia l'habitat fisso per la tenda.

A causa dei suoi rapporti con la struttura ed il ruolo del nucleo familiare, è necessario ora tratteggiare la stratificazione sociale del Tibet tradizionale ed il suo rapporto con la proprietà; stratificazione nettamente meno marcata tra i nomadi che tra i sedentari di cui soprattutto parleremo. La situazione che descriveremo riguardava, in linea generale, la gran parte dell'area di cultura tibetana con alcune eccezioni per le contrade periferiche. Accanto ai religiosi, soprattutto gli ordini monastici che formavano nel loro insieme una società parallela con la sua propria gerarchia che rifletteva più o meno quella della comunità laica, ma con maggiori possibilità di ascesa sociale, la società laica si componeva essenzialmente di due strati: la nobiltà ed i sudditi.

La nobiltà ereditaria (kudag, guerpa) era caratterizzata dal suo diritto alla proprietà «privata» (guer) di tenute, diritto che è stato tuttavia considerevolmente limitato a partire dal XVII sec. Nei territori controllati dal governo di Lhasa (circa la metà dell'area linguistica tibetana), questi appannaggi erano concessi alle famiglie nobili a nome del Dalailama, unico vero proprietario delle terre dello stato (da cui uno dei suoi titoli: Dagpo chenpo, «grande proprietario») in cambio di servizi nell'amministrazione e nell'esercito. La nobiltà poteva a sua volta concedere le terre delle sue proprietà ad agricoltori in cambio di tasse e di servizi.

Lo strato dei sudditi o della gente comune (miser, mimang) era formato dalla stragrande maggioranza della popolazione che non poteva aspirare alla proprietà della terra. L'autorità concedeva loro una terra o un reddito in natura in cambio di varie prestazioni.

I sudditi (miser) si dividevano in due grandi gruppi: gli agricoltori che pagavano le tasse (thelpa, drongpa) e la manodopera non sottoposta direttamente a tassazioni (düchung). I primi, che formavano un gruppo con uno status ed un livello economico superiori, lavoravano una terra ereditaria concessa in possedimento da un'autorità governativa, religiosa o nobiliare. Avevano l'obbligo di fornire in cambio prestazioni in natura (essenzialmente prodotti agricoli) e servizi (lavoro obbligatorio, trasporto....). La manodopera düchung comprendeva due categorie, nell'ordine, di livello economico e status sempre più bassi e di crescente mobilità. La prima disponèva di un piccolo appezzamento di terra ereditario (ma che poteva venire ripreso in qualunque momento) in cambio di lavori per il concedente: governo, nobile, monastero o agricoltore che pagava le tasse. La seconda, alla quale non venivano concesse terre, comprendeva i sudditi che avevano lasciato la loro terra d'origine, talvolta senza l'autorizzazione del loro padrone. Formavano una manodopera (braccianti, pastori, servitori nelle case.) sempre bene accolta e retribuita essenzialmente in natura. Alcuni erano estremamente poveri e letteralmente asserviti da famiglie di agricoltori che pagavano le tasse. La maggior parte degli artigiani itineranti erano considerati düchung [6].

Le istituzioni religiose che hanno beneficiato di dotazioni di proprietà, con fittavoli e manodopera, da parte delle autorità laiche a partire dal periodo reale (fin dall'VIII sec.), erano esentati dal pagamento di tasse e dai servizi obbligatori.

L'appartenenza ad uno di questi strati sociali fortemente endogami: nobiltà, agricoltori che pagavano le tasse o düchung, era determinata dalla nascita. Esisteva anche, in fondo alla scala sociale, una classe di persone prive di status o esclusi (yawa, pango) il cui contatto era considerato infetto. Inversamente, veniva talvolta riconosciuto, pare soprattutto nell'ambiente rurale, uno strato patrilineare di status più elevato di quello della nobiltà, quello dei religiosi tantrici (ngagpa) (Aziz B.N. 1978, pag. 53).

Le grandi linee di questa stratificazione sociale si ritrovavano anche al di fuori dei territori controllati da Lhasa, quando un re o un capo ereditario veniva considerato il solo vero proprietario delle terre. Così avveniva in alcuni piccoli stati semi indipendenti del Tibet orientale, nel Ladakh e nel Lo (Mustang, Nepal) ad esempio. Si distinguevano allora, dall'alto in basso nella scala sociale: le famiglie reali o i capi ereditari strettamente legati alla nobiltà, poi i sudditi (mimang, miser): agricoltori che pagavano le tasse e manodopera che disponeva o no di un piccolo appezzamento di terra, infine uno o più strati considerati impuri [7].

In altre comunità periferiche, di lingua e cultura tibetana, come certe alte valli himalayane relativamente isolate (Limi, Dolpo, Humla....), la stratificazione sociale rimane profonda e determina anche delle regole di commensalità e di matrimonio, ma senza che la terra venga distribuita secondo il precedente schema feudale fatto di incastri successivi all'interno di una piramide.

Lo strato che ha qui lo status ed il livello economico più elevati è quello delle famiglie autoctone più antiche (drongpa, schimi). Possiedono le più grandi superfici di terra e forniscono in genere i religiosi ed i capi del villaggio. Viene subito dopo un gruppo di famiglie originatesi dalla scissione delle precedenti o da stirpi di origine estranea alla comunità. Infine abbiamo uno strato che comprende a Dolpo, le famiglie di fabbri; altrove (Limi, Humla), le persone isolate (soprattutto donne) che non hanno potuto, o voluto, sposarsi. Per questo gruppo, l'insufficienza o

l'assenza di proprietà fondiaria, rende necessario il fornire lavoro agli strati superiori in cambio di una retribuzione in natura. In fondo alla scala sociale possiamo trovare, come a Dolpo o tra i Nyinba di Humla, uno strato di esclusi, senza terre, spesso servitori in case ricche [8]. I villaggi qui non sono quindi possedimenti concessi da un proprietario esterno alla comunità e i nuclei familiari dispongono liberamente delle loro proprietà: abitazioni, terre, bestiame, nonché di luoghi per l'accampamento nella zona dei pascoli. Questi ultimi sono in genere proprietà comune del villaggio.

Infine, in certe popolazioni dell'area di cultura tibetana, come gli Sherpa del Nepal, la stratificazione sociale è molto meno marcata, nonostante esista ugualmente una certa gerachia nella quale i membri dei clan patrilineari discendenti dai primi immigrati hanno lo status più elevato.

Il nucleo familiare e la casa

L'importanza dell'abitazione familiare (khang, khyim, thabka), come unità sociale, traspare costantemente nel vocabolario. I laici vengono designati con il termine generico khyimpa, «coloro che hanno il compito di occuparsi di una casa». L'unità familiare è un «nido domestico» (khyimtshang), un «nido di uomini» (mitshang) o, come a Dolpo, un «focolare» (thabka). Egualmente, l'uno o l'altro degli sposi può essere designato con il temine khyimthab: «casa-focolare». Infine il termine metaforico molto concreto düchung, letteralmente «piccolo fumo», che designa, come abbiamo visto, la classe delle famiglie modeste, non direttamente legate a delle terre, le mette all'opposto dell'ideale tibetano delle grandi unità familiari più ricche che dividono lo stesso «nido» (mitshang che) quali si ritrovano soprattutto tra gli agricoltori proprietari e fittavoli sottomessi a tassazione (drongpa, thelpa) (Aziz B.N. 1978, pag. 107).

Il termine di nucleo familiare che usiamo qui rimanda in effetti, nel contesto tibetano, non soltanto all'edificio di residenza propriamente detto (khang, khyim) con i suoi occupanti, ma anche ai campi (shing) che vi sono uniti; questo insieme costituisce la proprietà (khangshing, shika). Abbiamo visto che quest'ultima, nella gran parte dell'area tibetana, veniva assegnata da un'autorità governativa (talvolta un re o un capo ereditario), religiosa o nobiliare in cambio di tasse in natura e servizi. L'esistenza del nucleo familiare come unità di produzione e di tassazione è testimoniata fin dal periodo reale (VII-IX sec.) (Bogoslovskij, V.A. 1972). Per questo fatto veniva spesso presa come unità di censimento.

Integrità e continuità del nucleo familiare

Molteplici fattori hanno contribuito, tra i fittavoli, a dare alla famiglia valori di integrità e continuità. Le autorità che possedevano le terre, quando esistevano, traevano vantaggio dallo statu quo, una volta fissato l'ammontare delle tasse sulla base dell'estensione e della qualità delle terre concesse ad ogni nucleo familiare, in una situazione spesso complessa e che presentava numerose particolarità locali dovute alla natura stessa del sistema di concessione, senza dimenticare la cronica mancanza di manodopera. Una casa rimaneva dunque costretta a questi obblighi di tasse e servizi anche se il numero dei suoi occupanti veniva a diminuire (decessi, sterilità) o perdeva la sua forza lavoro (vecchiaia). Le terre erano inalienabili e non potevano venire abbandonate dai fittavoli senza autorizzazione: si può capire, di conseguenza la costante preoccupazione, in seno al nucleo familiare di raccogliere sufficiente manodopera (trattenendo in casa una figlia in età da marito, ad esempio) e di assicurarsi un erede: genero o figlio adottivo se necessario, che avrebbe rilevato a tempo debito la proprietà e i suoi obblighi.
Anche i fittavoli ricavavano benefici da questa stabilità. Il possedimento infatti era trasmissibile ereditariamente e non poteva essere ripreso da colui che lo dava in concessione fintanto che venivano saldati i servizi e le imposte in natura. Ciò è già stipulato in modo molto chiaro nell'editto di Gyantse del 1440 (Tucci G. 1949, pag. 666, e pag. 745).
A causa del suo rapporto con la terra si comprende che quest'unità di residenza che è il nucleo familiare svolgeva un ruolo molto più importante tra gli agricoltori con un possedimento in concessione che non tra i düchung non direttamente legati a terre e obblighi, o tra i commercianti; costoro tendevano di più alla famiglia mononucleare e ad una maggiore mobilità. Il fatto che la dimensione del nucleo familiare esprima la gerarchia sociale appare molto chiaramente nei termini che designano i primi tre strati tra i Nyinba (Levine N. 1977).
Sono, dall'alto in basso della scala socio-economica: «quelli del villaggio» (drongpa, grandi nuclei familiari poliandrici), «le piccole case» (khangchung, formatesi dalla scissione delle precedenti) e «le annesse» (zur, che ospitano donne sole, non sposate e senza terre).

La casa e la vita sociale

Numerosi elementi sociali, soprattutto tra gli agricoltori proprietari o fittavoli, ma anche tra i nobili, trovano la loro ragione di essere nel grandissimo valore attribuito al nucleo familiare del quale vanno al contempo assicurate la forza produttiva, l'integrità patrimoniale e la continuità. Gli individui non hanno che un'esistenza effimera, mentre la proprietà, in mancanza di stirpe o di clan, è un elemento durevole.

Il nome della casa (drongming)
Più importante del nome personale, che precede, è l'elemento che dà all'individuo la sua collocazione. Appartiene a tutti coloro che dividono una stessa residenza per nascita, matrimonio o adozione, e che perderebbero questo nome lasciandola.

Eredità
In linea generale, le regole relative all'eredità tendono al mantenimento dell'integrità del patrimonio. Le figlie non ereditano, fatta eccezione per una parte dei beni mobili che ricevono in dote alle nozze con talvolta un piccolo appezzamento di terra. Esiste un solo erede, il più delle volte il figlio maggiore, (talvolta il più giovane, come tra gli Sherpa), almeno per la casa e la proprietà avita (shika). Agli altri figli non resta che intraprendere la carriera religiosa o tentare l'avventura del commercio se vogliono rendersi indipendenti; ciò è possibile a condizione di non intaccare il patrimonio.

Il nucleo familiare come gruppo di manodopera
Agli imperativi di indivisibilità del patrimonio viene ad aggiungersi il vantaggio per un nucleo familiare di ricavare un sovrappiù di manodopera che consente non solo di garantire il sostentamento della famiglia e di poter pagare le tasse in natura e in servizi, ma anche di accrescerne la ricchezza mediante i due soli modi possibili: il commercio e l'allevamento (fig. XXXII). L'indivisibilità delle terre ed il bisogno di manodopera che sembrerebbe cozzare con l'usanza di introdurre in un nucleo familiare una sola nuora ogni generazione (tranne in caso di sterilità della prima), sono invece le principali ragioni dei matrimoni poliandrici, frequenti soprattutto tra gli agricoltori proprietari o i fittavoli. Parecchi fratelli hanno una stessa sposa in comune, ma è il maggiore, capo della casa, che viene considerato il padre di tutti i figli. Una famiglia di questo tipo, qualora riesca a conservare la sua unità mano a mano che i fratelli più giovani vengono integrati nel matrimonio del maggiore, esprime allora l'ideale tibetano di armonia delle grandi case prospere grazie ad un'abbondante manodopera adulta che permette di diversificare le attività. In occasione della nascita del primo figlio maschio, garanzia di continuità per la famiglia, il padre assume pienamente il ruolo di capo della casa ed i nonni vanno ad occupare la «piccola casa» (khangchung): vano di abitazione, costruzione annessa o capanna nei pascoli.

La casa e il matrimonio
L'importanza del nucleo familiare appare molto chiaramente in

occasione del matrimonio. Le figlie prendono il nome di casa della loro nuova residenza ed accade la stessa cosa allo sposo, se una famiglia prende un genero in assenza di erede maschio o a causa d'incapacità di quest'ultimo; tradizione questa che testimonia il primato del principio di residenza sulla filiazione. Allo stesso modo, entrare in una casa come nuora o genero, significa perdere la protezione degli dei della casa d'origine e sollecitare quella delle divinità della nuova dimora. A Dolpo (Nepal) ad esempio, la nuora (o il genero) diventa chöpa (buddhista) o bonpo [9] a seconda della tradizione religiosa della casa che la accoglie. Si tratta qui non delle convinzioni degli occupanti, ma di una particolare natura religiosa emanata dall'edificio stesso. Attraverso tutta l'area di cultura tibetana, una parte dei rituali del matrimonio hanno appunto lo scopo di assicurare questo delicato passaggio da una residenza all'altra, che si tratti di prendere una nuora o, talvolta, un genero.

Un'altra qualità legata al nucleo familiare e condivisa in una specie di osmosi da coloro (esseri umani ed alcuni animali) che ne fanno parte, è lo yang che potremmo tradurre con «essenza di prosperità». Si trova talvolta in una speciale stanza della casa (yangkhang) sotto forma di un vaso (pieno di semi e di altri prodotti simboleggianti le ricchezze della famiglia) e di una freccia ornata di nastri (dadar). In occasione del matrimonio, lo yang è l'oggetto il cui compito è quello di evitare che la sposa porti via con sé una parte della prosperità della casa.

Occorre anche ricordare il posto privilegiato occupato da alcune parti della casa (soprattutto quella dello sposo) nei canti di matrimonio, la cui funzione è quella di evocare, sotto forma di domande e risposte, l'ordine dell'universo, dell'ambiente naturale e degli uomini, nonché di esaltare con elogi il prestigio delle famiglie, dei partecipanti, della casa o di un qualche oggetto che intervenga nella cerimonia. Mano a mano che la sposa entra nella sua nuova dimora, un maestro di cerimonie (tashipa, mopön) fa successivamente l'elogio della porta, delle scale, del focolare, del pilastro ecc. che adorna con bianche sciarpe di saluto. Nel corso di questi canti di matrimonio gli elementi architettonici possono fungere da metafore che esprimono alcuni valori socialmente desiderabili. Ad esempio, a Dingri, il maestro di cerimonie canta le seguenti strofe davanti al pilastro principale della casa dello sposo di cui indica le varie parti con una sciarpa di saluto [10]:

«L'elogio del pilastro [11]:
Fusto, capitello e collarino [12], tutti e tre,
Arco bianco, arco rosso, arco stesso, tutti e tre,
Assicurano la compattezza del pilastro immutabile,
Una pietra posta come base del pilastro,
Offriamo una pietra immutabile come base.
Poiché questo pilastro è di legno di sandalo
Deve essere dritto

Una tale drittezza è necessaria
Ed è proprio essa che abbiamo.

Poiché il capitello è un tesoro
Deve essere pieno
Una tale pienezza è necessaria
Ed è proprio essa che abbiamo.

Poiché il collarino è fatto di perle
Deve essere eccellente
Una tale eccellenza è necessaria
Ed è proprio essa che abbiamo.

Poiché il copritrave è un pezzo di seta
Deve essere morbido
Una tale morbidezza è necessaria
Ed è proprio essa che abbiamo.

Le teste del trave simili a un governante
devono contenere (le tensioni dell'edificio)
Una tale contenzione è necessaria
Ed è proprio essa che abbiamo.

Poiché la base del trave [13] è la cerchia di sudditi
Deve essere un sostegno
Un tale sostegno è necessario
Ed è proprio esso che abbiamo.

I correnti [14], simili a gioielli
Devono essere riuniti
Una tale unione è necessaria
Ed è proprio essa che abbiamo.

L'apertura del tetto, simile al cielo
Deve essere ampia
Una tale ampiezza è necessaria
Ed è proprio essa che abbiamo.

Le finestre, né grandi né piccole,
Devono essere uguali
Una tale uguaglianza è necessaria
Ed è proprio essa che abbiamo.

Le relazioni tra case

I nuclei familiari si iscrivono in reti di rapporti che si estendono al villaggio ed anche al di là, indipendentemente dai legami di parentela o di cameratismo (gruppi di età) che uniscono gli individui. Tutti i membri di una casa, o per nascita o per matrimonio, sono automaticamente integrati in queste relazioni che sopravvivono loro. Questi legami tra nuclei familiari, fondati sulla reciprocità, vengono chiamati ganye nei villaggi del Tibet Centrale, come ad esempio a Dingri (Aziz B.N. 1978, pag. 187). Hanno un ruolo economico ed intervengono nella risoluzione di conflitti o in occasione delle cerimonie del ciclo di vita. Simili raggruppamenti di nuclei familiari, indipendenti dai legami di parentela ed aventi le stesse funzioni, esistono anche nel Ladakh sotto il nome di phapün (Brauen M. 1980, pag. 23).

Infine, sono sempre le case che costituiscono l'unità di base dei sistemi di reciproco aiuto nel villaggio o dei gruppi di quartiere [15].

La costruzione come metafora

Se fosse ancora necessario insistere sul posto di primaria importanza occupato dalle costruzioni nelle concezioni sociali dei tibetani, basterebbe ricordare la frequenza delle metafore attinte dall'architettura per descrivere legami di parentela o di filiazione. Abbiamo già visto l'impiego del termine «pilastro» per designare gli occupanti di una casa. Allo stesso modo, varie forme di poligamia vengono chiamate, tra l'altro, cham ma dung «correnti su trave» (Aziz B.N. 1978, pag. 139) ed il termine «trave» (dung) indica anche la discendenza patrilineare [16]. Metafore di intelaiatura sono applicate alla filiazione spirituale di una scuola religiosa o nella descrizione di una grande famiglia (Stein R.A. 1981, pag. 89). Infine, il termine chamdal «corrente-travicello» si applica sia al legame fratello-sorella che alla copertura in legno che forma il soffitto.

Per quanto si riferisce al paese i quattro ministri del consiglio (kalön) venivano spesso chiamati «i quattro pilastri» (kawa shi) del Tibet, mentre certi elementi architettonici possono anche servire da metafore per varie parti del corpo (Meyer F. 1981, pag. 116).

Tra gli allevatori nomadi, come vedremo in seguito a proposito dell'architettura mobile (Sez. III), il nucleo familiare accolto dalla tenda con la ristretta cerchia di parenti che ospita, costituisce ugualmente l'unità di produzione e di socializzazione più importante, autosufficiente e qui largamente autonoma.

La casa nobile

Come le famiglie di agricoltori proprietari o di fittavoli, le casate nobili dovevano contemporaneamente badare a conservare l'integrità del patrimonio e assicurare la loro continuità nel tempo. Le più influenti o le più ambiziose di esse avevano poi interesse a moltiplicare i matrimoni dettati dalle strategie di potere. È dunque la nobiltà che presentava le forme di matrimonio più varie: monogamia, poligamia o poliandria.

Il livello socio-economico delle famiglie nobili che abitavano nelle città, soprattutto Lhasa, vicine agli organi del potere centrale, era nettamente superiore a quello della nobiltà rurale (fig. XXXIII) ma, in effetti, sulle 210 famiglie nobili ufficialmente rico-

nosciute, soltanto 34 hanno esercitato un reale potere politico tra la metà del XIX e quella del XX sec. (Petech L. 1973, pag. 19). Nonostante l'appartenenza alla nobiltà sia determinata dalla nascita e che all'inizio del secolo alcune famiglie pretendessero ancora di essere le dirette discendenti di un lontano antenato prestigioso, il fondamento della continuità delle famiglie nobili sembra essere stata la proprietà piuttosto che la stirpe (op. cit. pag. 18).

Oltre ad una residenza cittadina, ogni famiglia aristocratica possedeva anche delle dimore sulle sue proprietà (shika) che potevano essere distribuite in varie regioni. Erano sedi degli intendenti (chagdzö) e degli amministratori (shinyer) incaricati di riscuotere le tasse per le terre date in concessione e della gestione diretta di un'altra parte della proprietà grazie alla manodopera dei düchung (fig. XXXIV). Le case nobili con i loro lontani possedimenti, formavano quindi delle entità sociali e funzionali più complesse dei nuclei familiari contadini. Oltre alla famiglia vera e propria, l'edificio nobiliare ospitava tutta una cerchia di impiegati (intendente, amministratori, cappellano, agente commerciale....) e di domestici. La loro condizione e le implicazioni socio-economiche richiedevano da parte delle case nobili una maggiore differenziazione nella funzione di alcune parti dell'edificio: sale di ricevimento, cappelle, archivi, biblioteca, camere per gli ospiti, appartamenti estivi e invernali, alloggi per il personale, cucine ecc.... (vedi Sez. IX).

Gli istituti religiosi

I religiosi, in grandissima parte buddhisti [17] monaci e suore o religiosi sposati, costituivano circa il 12-15% della popolazione totale del Tibet. Il numero degli istituti religiosi era considerevole ed un censimento ordinato nel 1663 dal V Dalailama ne calcola quasi 1800 soltanto sui territori controllati dal suo governo (Tucci G. 1949, pag. 69). La cifra ufficiale fornita dalle autorità cinesi nel 1960, certamente per tutte le regioni di cultura tibetana allora integrate alla nazione, è di 2469 monasteri con 110.000 occupanti (Henss M. 1981, pag. 258, n. 44). Le istituzioni religiose avevano anche un peso economico notevole poiché, nel 1917, il 42% del reddito nazionale tibetano andava alla Chiesa, contro il 37% al governo ed il 21% alla nobiltà, senza dimenticare che il governo devolveva loro una gran parte del suo reddito sotto forma di donazioni in occasione di alcune feste (Carrasco P. 1959, pag. 86). Al di fuori delle loro funzioni rituali e d'insegnamento, le istituzioni religiose avevano implicazioni politiche, sociali ed economiche estremamente varie.

Al livello più elementare abbiamo un piccolo tempio (lhakhang) ridotto ad una semplice cella, sotto la sorveglianza di un guardiano (könyer) e mantenuto dalle donazioni dei fedeli, o grazie al prodotto di un piccolo appezzamento di terra annesso (lha-shing). Se si tratta di un tempio di villaggio, come se ne incontrano spesso nelle alte valli himâlayane, coloro che ne hanno cura occasionalmente, durante le feste, sono alcuni religiosi sposati, appartenenti alla comunità contadina, che hanno ereditato per via paterna l'idoneità alle funzioni religiose [18]. Alcuni piccoli villaggi del Tibet, come ad esempio Dingri, erano interamente costituiti da famiglie contadine di cui alcuni membri praticavano i rituali domestici nei vicini agglomerati. Questi villaggi di specialisti del rituale (serkhyim gönpa), fittavoli che non rivendicavano discendenze religiose, si organizzavano intorno ad un piccolo tempio, luogo di riunione in occasione delle feste (Aziz B. 1978, pag. 76). Altrove, comunità di religiosi buddhisti nyingmapa o kagyüpa (wöngön), ma anche bönpo, si riunivano regolarmente nei loro templi per le attività liturgiche comunitarie, pur vivendo con le loro famiglie in case individuali costruite nelle vicinanze.

Alcune fondazioni monastiche (de) si limitavano a pochi discepoli che vivevano in eremi molto rudimentali intorno alla capanna di un maestro. Dipendevano allora interamente dalle donazioni volontarie dei fedeli e per la maggior parte, i monasteri si trovavano d'altronde in prossimità dei villaggi, al massimo a qualche ora di cammino. Alcuni maestri rifiutavano una sede stabile, ma altre fondazioni si sviluppavano grazie a doni che consistevano talvolta in proprietà comprendenti sudditi.

La maggior parte delle fondazioni religiose del Tibet antico (periodo monarchico, sec. VII-IX e inizio della seconda diffusione del buddhismo nell'XI sec.), che sono state conservate al loro stato originario, mostrano che si trattava di piccole comunità monastiche raggruppate intorno ad una cappella, che avevano ricevuto da un potente signore delle proprietà destinate ad assicurare l'attività religiosa e la sussistenza dei monaci (Sez. V e VI). In seguito, con la crescente penetrazione del buddhismo in tutti gli strati della società, i monasteri tenderanno a diventare organismi socio-economici sempre più complessi.

Fino al XVI secolo soprattutto, certe fondazioni monastiche, alcune delle quali furono il punto di partenza di scuole religiose, erano appannaggio di famiglie nobili particolari che conservavano nella loro discendenza, sia la direzione spirituale che il potere temporale sull'insieme delle proprietà avite, ingrandite con donazioni ripetute, con l'incorporazione di altre proprietà e talvolta mediante l'uso delle armi, o per investimenti. Alcune di queste scuole religiose hanno conosciuto un considerevole sviluppo, come ad esempio la scuola dei Sakyapa, legata senza interruzioni, con alterne vicende, alla famiglia aristocratica dei Khön, a partire dalla sua fondazione nel 1073 fino ad epoca moderna.

Questi grandi monasteri fondatori (densa) formavano, è chiaro, delle entità socio-economiche molto complesse. Vi era la comunità dei monaci con la sua propria gerarchia interna e le sue possibilità di ascesa a cariche religiose o amministrative, che rifletteva tuttavia, più o meno, la stratificazione della società laica. Una gran parte dei monaci (l'80% a Sakya) poteva provenire da reclutamenti obbligatori tra i sudditi del monastero. La popolazione monastica variava spesso durante l'anno: assenza per questue, pellegrinaggi, rituali domestici, periodi trascorsi con la famiglia, riscossione delle tasse, missioni ufficiali in filiali ecc. La vita materiale della comunità religiosa era garantita dai ricavati in natura delle proprietà che le erano assegnate, dalle questue e dai doni, spesso consistenti in occasione delle feste, che spettavano all'amministrazione temporale, al gerarca, alla sua famiglia ed alle personalità più in vista. I monaci avevano generalmente bisogno di un reddito personale assicurato da un appezzamento di terra familiare o dai servizi religiosi praticati su richiesta dei laici. Alcuni monaci riuscivano ad arricchirsi, specialmente in occasione di missioni ufficiali. Al disopra della comunità monastica, gli aspetti temporali e spirituali dell'autorità fondatrice ereditaria potevano essere riuniti nella stessa persona, come a Sakya a partire dal XVIII sec., o esercitati da due collaterali, come nel monastero di Mindoling. Nel primo caso il gerarca delegava il potere temporale sui suoi sudditi ad una specie di ministro e la gestione dei ricavati materiali della comunità monastica ad un intendente in capo. La responsabilità dell'insegnamento religioso era affidata a degli abati. Di conseguenza, accanto ai santuari, alle sale di assemblea ed alle abitazioni dei monaci, questi grandi monasteri comprendevano anche la residenza del gerarca e della sua eventuale famiglia (labrang), nonché, all'occorrenza, il palazzo (phodang) dei suoi collaterali, senza dimenticare gli uffici dei funzionari religiosi e laici, la sede dei magistrati di giustizia ecc... La casa del gerarca comprendeva a sua volta un numero più o meno consistente di funzionari di alto rango: intendente, capocameriere, cameriere, responsabile delle offerte religiose, capo delle cucine....

Un'altra forma di trasmissione del potere religioso e temporale alla sommità delle istituzioni monastiche è quella dei lignaggi d'incarnazioni (tulku). In questo caso alla morte del gerarca segue la ricerca della sua reincarnazione nella persona di un bambino piccolo. Questo tipo di successione ha le stesse implicazioni religiose, economiche e talvolta politiche del precedente. Era seguito dalla scuola Karmapa e si è soprattutto diffuso a partire dal XVI sec. con lo sviluppo e quindi la supremazia dei Gelugpa. Evitava che i poteri, più o meno estesi, legati all'istituzione, restassero tra le mani di una stessa famiglia.

Le grandi città monastiche (chöde, ling), soprattutto quelle dei Gelugpa fondate a partire dal XV sec. formavano i complessi architettonici più elaborati. Per il fatto che ospitavano parecchie migliaia di monaci, questi complessi ricevevano un aiuto molto attivo dal governo che ne era spesso proprietario (fig. XXXV). Integravano in un tessuto sociale ed economico complesso delle unità delle funzioni molto diversificate (sezione VII, VIII, IX).

Tutti questi vari tipi di istituzioni religiose, dalle più semplici alle più complesse, erano in genere rappresentati in una data regione ed avevano con la popolazione legami religiosi, sociali ed economici molto diversi l'uno dall'altro.

III) ABITAZIONE E MAGAZZINO

Il Tibet è stato caratterizzato fino al 1959 da un'economia di sostentamento quasi autarchica a livello familiare. Su scala nazionale gli scambi erano determinati più dalla struttura sociale (intimamente legata alla proprietà fondiaria) che dalla domanda di un'economia di mercato. In pratica, le esigenze dello Stato, come anche quelle delle autorità religiose e aristocratiche, erano coperte da prelevamenti di beni in natura o dalla forza-lavoro necessaria a produrli. La maggior parte delle rimunerazioni o spese di funzionamento erano assicurate sotto forma di ricavati in natura e di servizi ottenuti da concessioni di terre. Le tasse pagate in natura rappresentavano almeno il 41% dei redditi del governo nel 1917 (Carrasco P. 1959, pag. 86). Il governo si procurava in questo modo tutto ciò di cui i suoi vari servizi potevano aver bisogno, grazie talvolta ad una certa specializzazione dei villaggi: granaglie, carne secca, burro, olio, tè, sale, pelli, cuoio, lana, tessuti, tende, sacche e corde di pelo di yak, travi, combustibile, carta, oro, ferro, polvere da sparo, incenso, fieno, bambù ecc....

Inoltre, non è possibile ottenere sull'altipiano tibetano più di una raccolta all'anno, e la macellazione massiccia degli animali deve essere fatta in autunno, quando sono più grassi, prima della penuria invernale di pascoli. Le autorità che concedevano terre in possedimento immagazzinavano spesso per sicurezza la parte di raccolto necessario alla semina dell'anno seguente. Ciò spiega l'importanza dell'immagazzinamento, favorito dal clima freddo e secco, sia a livello delle case contadine che nelle dimore nobili, i monasteri, le fortezze e gli edifici amministrativi ed i palazzi.

IV) L'ARCHITETTURA COME ESPRESSIONE E SIMBOLO DI VALORI SOCIO-CULTURALI

Nell'area di cultura tibetana, la costruzione ed il suo impiego non rispecchiano soltanto le necessità imposte dall'ambiente naturale e dal sistema di produzione. Con il suo sviluppo su tre dimensioni, l'habitat esprime e rende comprensibile, quindi contribuisce a perpetuare, i valori culturali che organizzano lo spazio sociale e geografico, valori condivisi da tutti coloro che

lo occupano. Infine, questo ambiente tecnicamente efficace, deve anche essere idoneo alle necessarie relazioni che l'uomo ha con le potenze invisibili, ostili o amiche, ed alla messa in opera dei mezzi che conducono alla salvezza, come sono proposti dalla religione costituita.

Abbiamo già abbozzato le grandi linee dello spazio sociale e parleremo più avanti dell'ambiente naturale e delle rappresentazioni tibetane legate allo spazio geografico ed al sito abitato (Sez. I). Diciamo qui soltanto che l'architettura tibetana si inscrive orizzontalmente in uno spazio quadrato ed orientato in direzione dei punti cardinali, stratificato in altezza e centrato da un asse verticale che collega i vari piani del mondo (Meyer F. 1983 a).

L'habitat è idealmente quadrato o quadrangolare come è indicato dall'appellativo dushi che gli viene regolarmente associato nei canti di matrimonio [19] ed il modulo-tipo degli architetti tibetani è definito come «4 colonne, 8 travi» [20].

Al contrario della iurta mongola rotonda, la tenda tibetana è anch'essa quadrangolare come la maggior parte delle tombe degli antichi re del Tibet, assimilate a delle «tende dell'anima» in un manoscritto di Dunhuang (Macdonald A. 1971, pag. 222).

La pianta dell'habitat riprende così, su scala ridotta, la configurazione della terra spesso designata con la metafora poetica dushi, «la quadrangolare», nella letteratura tibetana (Stein R. 1981, pag. 230), espressione questa che può anche applicarsi, in modo più ristretto, al sito abitato (Jest C. 1975, pag. 46). Lo spazio è strettamente orientato secondo i punti cardinali ed il riferimento ad essi è una costante tra le popolazioni tibetane, sia nella vita quotidiana che nella toponimia, i canti, la poesia o i rituali. È particolarmente importante per l'architettura, non soltanto a causa di considerazioni climatiche, ma anche a causa di prescrizioni rituali [21] o dettate dalla geomanzia (Sez. I).

Questi spazi a incastri — casa, sito abitato.... — si iscrivono ciascuno nell'opposizione tra l'interno e l'esterno. E il primo termine di questo binomio che viene recepito come positivo; testimone di ciò, in maniera più generale, è il termine nangpa, «quelli dell'interno», che designa i buddhisti in opposizione a tutti gli altri che vengono così relegati all'esterno. Quest'opposizione è particolarmente significativa per quanto riguarda l'habitat. Così il termine nang, «interno», può assumere il significato di casa e l'espressione nangmi, «la gente dell'interno» designa i membri di uno stesso nucleo familiare. Inversamente khang, «casa», può essere l'equivalente di interno nella letteratura buddhista (Das S.C. 1902b, pag. 138). Questa opposizione tra interno ed esterno è visibilmente molto notevole nell'architettura religiosa o palaziale, tanto è forte il contrasto tra l'austerità delle facciate e l'estrema ricchezza delle decorazioni dell'interno. La valorizzazione dell'intimità domestica, minacciata dagli indispensabili contatti e scambi con il mondo esterno, appare chiaramente in questa formula recitativa in occasione del nuovo anno nel Ladakh e che accompagna il saluto rivolto al luogo dove è deposta la chiave: «Mantieni i segreti della casa all'interno e fa' entrare le notizie dal di fuori» (Brauen M. 1980, pag. 104).

I tibetani si raffigurano il mondo formato da tre piani: in alto, il piano degli dei (lha); in basso, quello blu scuro o nero delle delle divinità del sottosuolo (lu) ed in mezzo lo spazio giallo degli spiriti tsen e degli uomini. Allo stesso modo l'habitat tibetano comporta idealmente tre livelli che si iscrivono in un'altra opposizione generale, quella dell'alto e del basso. Non è necessario ricordare qui l'estrema valorizzazione della nozione di altezza nel mondo tibetano, nozione che può applicarsi su scale diverse fino a diventare convenzionale. Ad esempio l'alto è associato al puro, al sacro, alla potenza ecc. In realtà le case tibetane presentano spesso tre livelli: un pianterreno (ogkhang, «stanze del basso»), un primo piano (barkhang, «stanze di mezzo») ed un secondo piano (teng, «il sopra»), semplice terrazza o sommaria costruzione intorno ad uno spazio aperto. Schematicamente il pianterreno serve come riparo per gli animali e rimessa per gli attrezzi agricoli. Il primo piano è quello per le provviste e comprende anche la stanza principale con il focolare (thabtsang), centro della vita familiare. Vi si trova anche la cappella domestica (chökhang) se il terzo piano non è costruito. Altrimenti si trova a quest'ultimo piano (Sez. II). La corrispondenza con i tre piani del mondo è talvolta espressa molto chiaramente, come ad esempio a Tichurong (a sud di Dolpo nel Nepal) dove vi sono tre luoghi di culto in ogni casa: per le divinità del sottosuolo al pianterreno, per gli spiriti tsen al primo piano e per il «dio (della stirpe) maschile» (pholha) sul tetto-terrazza (Jest C. 1975, pag. 78, n. 105).

Questo livello intermedio è proprio quello degli uomini poiché è essenzialmente occupato dalla stanza del focolare, vero e proprio cuore nel nucleo familiare, dove la famiglia si riunisce, mangia, dorme e riceve. Il fatto che corrisponda anche a quello degli spiriti ambivalenti tsen è evidente nel Ladakh dove un fregio rosso tracciato al primo piano delle case ha il compito di allontanarli.

Infine, se il terzo livello è costruito, comporta la cappella domestica consacrata alle divinità della religione costituita. Se si riduce ad una semplice terrazza presenta almeno una piccola struttura che serve da supporto ad alcuni dei della religione popolare ed un focolare di fumigazione.

Uno schema simile organizza l'habitat mobile, la tenda, secondo una disposizione su piani che è qui più simbolica che reale (Sez. III).

Allo stesso modo, alcuni tra i templi più prestigiosi del Tibet, come quello di Samye o il Jokhang di Lhasa sono sempre menzionati dalla letteratura tibetana come se avessero tre livelli: «alto, basso e intermedio» anche se ciò non corrisponde esattamente alla reale configurazione dell'edificio [22].

L'idea di totalità e di altezza assoluta viene resa di frequente con il numero 9, multiplo di 3 moltiplicato per se stesso [23]. È per questo che ai castelli degli antichi re sono spesso attribuiti dalla tradizione 9 piani. Il concetto di potenza che comportano le costruzioni a 9 piani è già presente in un testo tibetano di Dunhuang (VIII-IX sec.; Stein R.A. 1957a, pag. 73, n. 59). È lo stesso cliché che la tradizione popolare attribuisce, ancor oggi, alle numerose rovine di fortezze disseminate su di una gran parte dell'area di cultura tibetana. In compenso, il palazzo di Leh, costruito all'inizio del XVII sec., ha effettivamente nove livelli (Jest C. and Sanday J. 1982). Nelle leggende originarie riguardanti il primo re del Tibet, il cielo dal quale proviene e la montagna sulla quale scende, hanno talvolta nove, talvolta sette o tredici piani (Stein R.A. 1981, pag. 22; Macdonald A. 1971, pag. 207). Il numero 13 occupa un posto importante nella religione bön ed è anche il numero dei cieli del buddhismo. ciò spiega come la tradizione tibetana, desiderosa di sottolineare il significato celeste o cosmico del palazzo del Dalailama, attribuisca alla sua parte centrale a volte nove, a volte tredici piani, fatto questo che in entrambi i casi non corrisponde alla realtà architettonica (Sez. IX).

L'altezza dell'habitat esprime anche la gerarchia sociale. Ad esempio a Lo Mantang, capitale dell'antico reame di Lo (Mustang, Nepal), l'edificio più alto è un tempio buddhista di circa sei piani, il palazzo d'inverno ne ha cinque. La nobiltà ereditaria ha diritto a case di tre livelli, mentre le case dei sudditi non possono avere più di due piani, altezza dei muri di cinta della città. (Peissel M. 1970, pagg. 144 e 151). Quando un Lama di Dolpo vuole impiegare una metafora a proposito della stratificazione su piani dello spazio, di cui quella della casa appare come un caso particolare, afferma: «Esattamente come esistono una parte alta, una media ed una bassa della valle, vi sono stirpi elevate, medie e inferiori» (Jest C. 1975, pag. 247). Lontano verso ovest, nel Ladakh, questa corrispondenza è chiaramente sottolineata nella tradizione orale che ricorda come il re, venendo un tempo in visita da uno dei suoi sudditi, accedesse direttamente al tetto-terrazza servendosi di una scala appoggiata per quest'occasione contro il muro (Kaplanian P. 1981, pag. 238).

I piani dell'abitazione sono, ad immagine di quelli del mondo, attraversati da un asse verticale che li collega: scale o tronchi intagliati che vanno da un piano all'altro passando per una botola aperta nel soffitto. Sembra che un tempo, come è ancora testimoniato dalle costruzioni più rudimentali, questo passaggio avvenisse attraverso l'apertura del soffitto destinata alla fuoriuscita del fumo ed all'entrata della luce (Stein R.A. 1975b, pag, 170). Attualmente queste due aperture sono distinte ma molto simili per quanto riguarda la loro concezione architettonica (Sez. II) ed una traccia della loro identità anteriore può essere riscontrata a Dolpo, e senza dubbio altrove, dove il termine namkhung, «foro del cielo», che indica la botola di accesso alla terrazza è quello che viene attribuito altrove al foro per il fumo. Le altre denominazioni di quest'ultimo [24] implicano egualmente l'idea di luce e di comunicazione con il cielo (op. cit. pag. 54). L'associazione della scala con il cielo è chiaramente espressa nei canti nuziali che le attribuiscono, come ad esso, tredici scalini (Tucci G. 1966 pag. 52, n. 104). Queste implicazioni cosmologiche sembrano aver perso molto del loro peso nella coscienza collettiva. Tuttavia, l'idea di una comunicazione con il cielo mediante il foro per il fumo e la luce è ancora molto presente tra le popolazioni tibetane da Gyelthang allo Yunnan. In effetti, in occasione dei rituali di invocazione della fortuna (yanglen), si ritiene che questa provenga da 'Jang Khaba Ho ed entri nel foro per il fumo posto sul tetto (Corlin C. pag. 89). Si comprende quindi meglio perché questa apertura possa anche chiamarsi namyang, «fortuna del cielo» [25].

Le possibilità di comunicazione tra il mondo intermedio degli uomini e le religioni celesti o sotterranee comportano anche il rischio di intrusione di potenze pericolose che è bene talvolta prevenire con rituali destinati a «chiudere le porte del cielo e della terra» (sago namgo gag) (fig. XXXVI).

L'abitazione è imperniata, in maniera più simbolica che reale, intorno ad un pilastro, quello della sala comune posto vicino al focolare al primo piano. Occupa un posto privilegiato nei rituali domestici di cui parleremo più avanti e ricopre una carica simbolica particolarissima ricordata con insistenza specialmente nei canti nuziali. Questo pilastro principale viene raramente percepito coscientemente nella sua dimensione cosmica, come avviene a Gyelthang, dove non soltanto è posto al centro geografico dello spazio domestico, ma dove i canti del nuovo anno lo descrivono come un sostegno del mondo (Corlin C. 1980, pag. 91). Tuttavia, il fatto che appaia idealmente costituito da 13 elementi sovrapposti, gli ultimi dei quali sono il sole e la luna, in un canto di nozze di Gyantse (Tucci G. 1966, pag. 54) e che i più bei pilastri del Potala presentano anch'essi tredici fasce di legno scolpito (Sez. IX), mostrano che il simbolismo cosmico inerente a questo elemento architettonico non si è del tutto cancellato.

Nell'abitazione così centrata, all'opposizione radicale tra il dentro ed il fuori viene ad aggiungersi il gradiente continuo tra il centro e la periferia che organizza più dettagliatamente lo spazio domestico, specialmente nelle sue implicazioni sociali. Il pilastro forma insieme al focolare un asse che separa la sala comune-cucina in due parti: a sinistra, in generale, e verso il fondo, vicino alle dispense, l'ambiente riservato alle donne ed alla preparazione dei pasti; a destra, vicino alle finestre, quello degli uomini e dei contatti sociali [26]. La sala comune, contrariamente alle dispense, è uno spazio aperto alle persone che non fanno parte della famiglia: visitatori o invitati. Nel pensiero tibetano il concetto di centro è intimamente connesso a quello di al-

tezza e di preminenza. Salire, significa idealmente avvicinarsi al centro ed elevarsi nella gerarchia dei valori (Meyer F. 1983b, pagg. 45-46). Questo concetto, ampliato dalla concretizzazione architettonica delle esperienze tantriche, è evidente negli stûpa più completi come il Kumbum di Gyantse (Sez. VII) in cui il devoto, dopo aver salito i piani dell'edificio identificandosi con le varie e numerose manifestazioni dell'Assoluto che vi sono rappresentate, lo raggiunge nel santuario estremo posto alla sommità ed al centro. Il riferimento all'altezza associata all'allontanamento si trova alla base del protocollo che regola l'assegnazione dei posti per i convitati nella sala comune. La discesa nella gerarchia sociale e nella scala dei legami familiari si traduce con la diminuzione progressiva dell'altezza della sedia (talvolta soltanto mediante lo spessore di un tappeto) e l'allontanamento dal centro di organizzazione, vale a dire il pilastro principale ed il focolare che gli è associato. I convitati più modesti stanno quindi vicino alla porta, ai limiti dello spazio domestico, mentre quelli che sono considerati troppo impuri sono relegati all'esterno della dimora esattamente come le loro case sono relegate in periferia o al difuori delle città e dei villaggi.

V) UN'ARCHITETTURA RICETTACOLO DEL SACRO

Le costruzioni religiose

Su tutta l'area di diffusione del buddhismo tibetano, le costruzioni religiose, essenzialmente stûpa e templi sono considerate ricettacoli o supporti (ten) del piano dello Spirito di Buddha [27]. Gli edifici, in quanto tali, sono dunque sacralizzati e questo carattere viene ancora accresciuto dal fatto che ospitano, spesso in gran numero, i supporti del piano del Corpo, cioè le statue e le immagini, nonché i ricettacoli del piano della Parola ossia i testi religiosi. Come le statue e gli stûpa di ogni dimensione, gli edifici religiosi acquistano il loro carattere sacro a causa dei numerosi oggetti rituali di consacrazione (zungshug) posti in vari luoghi della loro struttura (pilastri, acroteri, ecc....) e soprattutto in occasione della cerimonia della consacrazione finale (rabne). Ci si aspetterebbero dunque regole precise che fissino le proporzioni degli edifici religiosi, come quelle che regolano l'iconografia o l'edificazione degli stûpa. Sembra che in pratica nulla di tutto ciò accada, nonostante vengano menzionati dei numeri definiti di «spanne di Buddha» che dovrebbero fissare la lunghezza del lato della pianta di base teoricamente quadrata dei templi (Thubten Legshay Gyatsho 1979, pag. 35). Sembra d'altronde che l'antico simbolismo mistico dei templi dalle piante centrate e rigorosamente strutturate a mandala, molto evidente a Samye, nello Jokhang e nelle costruzioni del Tibet Occidentale degli inizi della seconda diffusione del buddhismo (Sez. V e

VI) si sia progressivamente smorzato.

Tuttavia, come lo stûpa, il tempio stesso è già un oggetto di venerazione per i fedeli. Il monastero nel suo insieme qualunque siano le sue dimensioni, viene sempre considerato uno spazio sacro poiché raccoglie i «tre gioielli» che ogni buddhista prende come rifugio: il Buddha, la Legge religiosa e la Comunità dei monaci. I grandi monasteri, come luoghi santi, sono così circoscritti da un sentiero di circoambulazione rituale segnato da numerosi stûpa, muri di pietre scolpite, cairn, bandiere di preghiera, focolari di fumigazione ecc.

Gli edifici ed i complessi religiosi rispecchiano, nella loro struttura interna e nella loro sistemazione, le attività particolari suscettibili di svolgervisi: liturgia, esperienze mistiche e studio della dogmatica, la cui rispettiva importanza varia molto a seconda delle scuole e dei luoghi. Tuttavia, la tipologia di base degli edifici religiosi, adattata alle funzioni che svolgono, è valida per tutte le tendenze del buddhismo e senza dubbio anche per il bön organizzato.

Benché alcune costruzioni religiose, la cui appartenenza si evidenzia spesso meno per la struttura architettonica che per le decorazioni (colore rosso o giallo, acroteri ecc....), siano particolarmente destinate ad assolvere a funzioni rituali, queste ultime non sono totalmente assenti dalla casa laica come vedremo più avanti. D'altronde, l'aspetto esterno delle abitazioni di religiosi sposati o quello delle residenze di monaci (khangtsen) nei monasteri, è generalmente molto simile a quello delle case dei villaggi o delle città. L'organizzazione interna delle residenze monastiche in celle limitate ad uno o pochi individui è invece molto diversa.

Le attività liturgiche e rituali [28] sono di due tipi: collettive e private; le seconde si svolgono nelle case o nelle celle dei religiosi che dispongono tutti almeno di un piccolo altare. Nei villaggi, la liturgia collettiva può ridursi a riunioni episodiche, per lo più festive di coloro che hanno la cura di un piccolo tempio costituito semplicemente da una cella (lhakhang): sala ipostila con alcuni pilastri che prende luce dalla porta e che ospita sul fondo un altare provvisto di statue [29] (fig. XXXVII).

Il culto collettivo quotidiano delle comunità monastiche si svolge nella sala d'assemblea (dükhang), centro religioso, e spesso geografico, del monastero. Nei grandi complessi monastici Gelugpa, i culti minori si svolgono nelle sale d'assemblea dei collegi (datsang) mentre l'insieme delle comunità si riunisce almeno una volta al giorno, nella sala di riunione principale (dükhang chenmo, tsogchen) per gli atti liturgici maggiori.

Le sale di assemblea, le cui dimensioni sono in funzione del numero di religiosi che vi si riuniscono, possono essere semplicemente formate da uno sviluppo anteriore della cella su alcune campate, in cui la luce proviene da un lucernario. La sala di assemblea principale (dükhang chenmo, tshogchen) delle città monastiche è una vasta sala ipostila illuminata da un lucernario e che può talvolta accogliere parecchie migliaia di monaci (fig. XXXVIII). Occupa la maggior parte di un prestigioso edificio, il tsuglagkhang, cuore e settore alto del monastero. Questa sala d'assemblea è spesso separata dalla cella principale (ditsangkhang), di dimensioni molto più piccole e molto più scura, con la quale comunica per mezzo di una grande porta situata sul fondo (bug). Cappelle secondarie, in particolare quelle consacrate alle divinità protettrici (gönkhang), nonché dispense circondano la sala di assemblea ed occupano i piani del tsuglagkhang la cui parte alta (utse) comporta spesso una sala dei mandala o un appartamento riservato ai grandi maestri religiosi: di essi si sa che occupano, nel buddhismo tibetano, un posto addirittura più elevato di quello dei Buddha.

Inoltre, templi e cappelle di varie dimensioni, consacrate in particolare a l'una o all'altra figura del pantheon buddhista o ospitanti le reliquie e gli stûpa funerari di grandi maestri religiosi, sono disseminati in seno all'agglomerato formato dai collegi, le residenze dei monaci e le dimore dei gerarchi religiosi.

In genere i laici non assistono alla liturgia che si svolge nelle sale di assemblea. Il loro dovere di fedeli consiste, da un lato nel sostenere materialmente la comunità dei monaci e dall'altro nel venerare e moltiplicare i ricettacoli dei piani del Corpo, della Parola e dello Spirito di Buddha. In cambio, la liturgia monastica ha come fine ultimo il bene di tutte le creature. Il culto reso dai laici comporta dunque essenzialmente la circumambulazione e la visita dei santuari dove il devoto si inchina o si prosterna davanti agli oggetti di devozione che venera mediante l'offerta di sciarpe di saluto o di denaro ed alimentando le lampade a burro. Ciò spiega l'esiguità dei santuari che non devono mai accogliere una gran folla di fedeli, poiché essi compiono la loro visita in fila indiana, sotto l'occhio vigile dei sacrestani, i giorni di maggiore influenza. La circoambulazione, questa pratica di devozione così fondamentale per il buddhismo, determina spesso alcuni aspetti dell'architettura dei templi. Può trattarsi di un circuito (korlam) esterno, talvolta coperto da una galleria con una fila di mulini di preghiera, o di un corridoio di circoambulazione interno (korkhang) che è spesso un oscuro budello inserito nella muratura stessa della cella principale. Questa ultima disposizione, che ricorda prototipi indiani e dell'Asia Centrale, si osserva soprattutto nell'architettura antica fino al XV sec. (Sez. V, VI, VII). La circoambulazione può anche compiersi intorno alle statue più sacre, come il Jowo del Jokhang ad esempio, servendosi di uno spazio il cui carattere esiguo ed oscuro, che ricorda gli analoghi passaggi degli antichi santuari rupestri, si ritrova ancora in alcune costruzioni recenti, nonostante le loro vaste proporzioni [30].

Nei monasteri, alcune attività rituali collettive, in particolare in occasione delle grandi feste del calendario religioso, si svolgono all'aperto in spazi esterni attrezzati a questo scopo. Si tratta essenzialmente di danze mascherate, a volte di sermoni, che si svolgono nei cortili (khyam, chamra) dei collegi o davanti alla sala d'assemblea principale, in un grande cortile pavimentato (dochal), circondato sui tre restanti lati da due piani di portici dove si ammassa la folla di religiosi e di laici venuti a partecipare in qualità di spettatori (fig. XXXIX). In occasione di alcune feste, immense tele, realizzate con ricami applicati (göku) e rappresentanti dei Buddha o dei Bodhisattva, vengono esposte alla venerazione generale sulla facciata di un grande edificio (Potala), o sul pendio di una collina (Labrang, Kumbum). In alcuni casi, come a Tashilhunpo o a Gyantse, un edificio, che sembra derivato dalle antiche torri di cinta, era appositamente destinato a questo scopo.

Lo studio della dogmatica, particolarmente importante nei monasteri Gelugpa, viene anch'esso effettuato in due modi: individuale e collettivo. Lo studio individuale o a piccoli gruppi, consacrato in gran parte alla memorizzazione dei testi, sotto la guida di un insegnante privato o di un maestro, si svolge nelle celle dei monaci o sul tetto-terrazza delle loro residenze. Le attività universitarie collettive, consistenti in letture e spiegazioni dei testi, nonché in dibattiti retorici ed in esami pubblici, non hanno luogo nelle sale di assemblea.

Si svolgono in genere all'aperto in luoghi specifici che possono variare a seconda delle stagioni, in particolare il cortile antistante alla sala di assemblea [31] e, tra i Gelugpa, uno spazio circondato da un muro e spesso alberato, il chöda.

Alcune prescrizioni della regola monastica (dulwa), di origine indiana, riguardano la sistemazione e la disposizione degli edifici. Benché queste prescrizioni, alcune delle quali sono molto dettagliate, siano spesso illustrate all'entrata degli edifici conventuali, non sembrano essere state più molto seguite nel Tibet a partire dal XII-XIII sec.

Si continua tuttavia a ritrovare la disposizione prescritta dalla regola monastica (celle intorno ad uno spazio quadrato con il santuario in fondo) nella pianta dei grandi cortili circondati da portici che avvolgono su tre lati una fila di piccole stanze (shagkhor) dove possono alloggiare dei monaci, o che, più spesso servono da dispense o da rimesse. Queste ultime sono talvolta sostituite da cappelle secondarie. Bisogna tuttavia ricordare che anche questa disposizione si iscrive in una logica di sviluppo proprio del linguaggio architettonico tibetano del quale l'habitat domestico permette di seguire le tappe.

La pratica degli esercizi mistici (nyendub), particolarmente importante tra i Nyingmapa e le scuole ad essi collegate, come le Kagyüpa, si svolge, dopo una preparazione dogmatica e liturgica più o meno lunga, in locali particolari (dubda). Ma soprattutto, trattandosi di esperienze essenzialmente personali, è nella solitudine o talvolta nel severissimo isolamento delle celle mu-

rate o delle grotte che devono essere portate a compimento. Accanto a numerosi eremiti che vivono soli sulla montagna (rithöpa), esistevano gruppi di eremi, e la maggior parte dei monasteri, anche Gelugpa, comprendevano, annesse sulle alture, delle celle di meditazione e di realizzazione (tshamkhang, dubkhang) disponibili per un isolamento temporaneo o definitivo.

L'abitazione domestica come spazio rituale

La casa è uno degli ambienti privilegiati in cui si sono mantenute, in maniera più o meno smorzata a seconda delle regioni, alcune rappresentazioni e pratiche della religione popolare che vi convivono con le manifestazioni della religione costituita: il buddhismo, talvolta il bön.

Il buddhismo è presente nelle case laiche sotto forma di un oratorio la cui importanza dipende dal livello socio-economico. Le dimore nobili avevano sempre una grande cappella-biblioteca di cui si occupava un cappellano che risiedeva sul luogo ed assunto dal padrone di casa presso un monastero delle vicinanze. Poiché era generalmente la stanza più riccamente decorata, serviva anche da camera per gli invitati di riguardo. E qui che gruppi di religiosi venivano spesso a leggere dei testi o a praticare rituali su richiesta della famiglia. Un'altra stanza era consacrata generalmente alle divinità protettrici (gönkhang).

Nelle case comuni, c'è una piccola cappella all'ultimo piano. Qui non vi sono cappellani, è un adulto della famiglia che ogni giorno brucia un po' d'incenso, alimenta la lampada a burro e cambia l'acqua presentata in offerta su di un altare sul quale si trovano immagini e testi religiosi. Nelle case più povere, è in fondo alla cucina-stanza comune, al posto d'onore vicino al focolare che una piccola mensola con modesti oggetti di devozione serve da altare rudimentale. In questa stessa stanza officiano i pochi religiosi di cui la famiglia può, occasionalmente, offrirsi i servizi [32].

Accanto a queste manifestazioni della religione costituita, alcune parti della casa vengono considerate abitate da potenze invisibili, la natura e gli attributi delle quali, variabili a seconda delle regioni, sono più o meno chiaramente formulati. Vegliano sulla prosperità del nucleo familiare a patto di non venire offese e di ricevere delle offerte.

I tetti presentano da una a quattro costruzioni cubiche in muratura o in legno, poste generalmente al centro o agli angoli e chiamate diversamente a seconda delle regioni: lhatho, tsenkhang, posse o sekhar (fig. XL). La loro struttura è uniforme e simile a quella delle piccole costruzioni votive (lhatho, lutho) dedicate alle divinità locali ed edificate nei pressi del sito abitato. Comprende un ricettacolo interno e dei rami ornati di nastri multicolori o di ciuffi di lana nonché lance e spade di legno e piccole bandiere recanti il disegno del «cavallo del vento», fattore di vitalità [33]. Queste costruzioni sono dei «castelli», delle «case» o dei «segnali-altezza» (tho, mtho) che fanno da sostegno a divinità la cui identità, benché variabile, è omogenea da un'estremità all'altra dell'area di cultura tibetana. Si tratta essenzialmente di dei chiamati pholha o phalha, «dei (della stirpe) maschile» il cui carattere clanico, anche attenuato, si è mantenuto soltanto in regioni periferiche, mentre altrove sono stati sempre più legati alla residenza. Rimane tuttavia il fatto che sono soprattutto dei protettori degli uomini, poiché questi ultimi sono spesso gli esclusivi officianti del rituale di fumigazione (sang) che viene compiuto sui tetti delle case. A questo scopo un focolare di fumigazione (sangkhang, sangbum, sangthab) viene talvolta costruito sulla terrazza. Nelle case più modeste viene usata una semplice pietra piatta. Il carattere maschile ed esterno all'habitat oppone il pholha al phuglha, «dio della caverna», «dio del fondo (della casa)», che risiede nel pilastro principale della sala comune e che sembra particolarmente legato alle donne della casa. Nel Tibet orientale viene ancora chiamato molha, «dio delle donne» e sono esse ad offrirgli «la fumigazione del focolare» (thabsang). Questo dio risiede, in maniera più o meno concreta, nella parte alta del pilastro principale che viene talvolta chiamato «pilastro del fondo» (phugka). È strettamente associato al focolare (thab), sede anch'esso di una divinità (thablha) più o meno autonoma. L'uno o l'altro possono anche essere chiamati khyimlha, «dio della casa» ed, in quanto dei legati in particolare alla dimora ed alle donne, hanno soprattutto il compito di assicurare il benessere generale della famiglia, l'abbondanza di cibo e la fertilità del bestiame; disposizione benefica che può essere sempre rimessa in discussione a causa di una contaminazione.

A proposito dei rituali del matrimonio abbiamo già ricordato lo yang, altra potenza invisibile, intimamente legata all'abitazione, ma che non viene considerata una divinità. Questa essenza di prosperità può avere per supporto (ten, yangshi) una struttura contenente granaglie, materie preziose e soprattutto una freccia guarnita di nastri (dadar), talvolta conservata in una piccola stanza chiusa accessibile ai soli membri della famiglia (yangkhang) (Djamiang Norbu 1981, pag. 47; Corlin C. 1980, pag. 89). Lo yang, effimero e sempre pronto a sfuggire è, in quanto potenziale apportatore di ricchezza, intimamente associato (Corlin C. op. cit.) e spesso confuso, con gli dei del sottosuolo e del mondo acquatico (lu). Poiché questi sono, in generale, i guardiani e i dispensatori di ricchezze, un ricettacolo (vaso pieno di granaglie e materie preziose) è loro spesso consacrato nelle dispense (bangwa, dzö) della casa. Viene talvolta anche menzionato un «dio delle dispense» (bangdzö lha).

Rituali propiziatori, regolatori o occasionali, in particolare in occasione delle feste per il nuovo anno, riguardano le parti della casa sedi di divinità autonome o di potenze astratte (fig. XLI). Infine, uno stendardo allungato (darchog), fissato per il lungo ad un palo e con stampati disegni e formule destinati, come le bandiere dei «cavalli del vento» ad accrescere la vitalità, la fortuna e la potenza del nucleo familiare, viene spesso infisso sul tetto. Un altro, più elaborato (jodar) viene posto dalle famiglie agiate in mezzo al cortile che precede la casa. Questi stendardi vengono rinnovati per il nuovo anno o in casi di disgrazie (fig. XLII).

Tali concezioni, derivate dalla religione popolare, non sono tuttavia del tutto assenti dalle costruzioni religiose, anche le più prestigiose. Ad esempio, i «castelli-sostegno» (tenkhar) di divinità che contrassegnano gli angoli del tetto delle case laiche hanno il loro equivalente nel Jokhang di Lhasa in quattro costruzioni cubiche (chog) aventi la stessa disposizione. Come nell'abitazione domestica, un focolare di fumigazione ed uno stendardo (darchog) incorniciano qui il lucernario. Inoltre, nell'ala che fiancheggia a sud la grande porta d'ingresso, tre stanze sono consacrate all'«essenza di prosperità» (yang) e vi sono «tesori» di metalli e di pietre preziose nascosti nelle cappelle delle divinità del sottosuolo ed in altri luoghi per propiziarsi la ricchezza ed allontanare le sventure [34]. Più in generale, sono i cilindri neri (thug), che, in quanto sedi di dei protettori posti agli angoli del tetto degli edifici religiosi, sono l'equivalente dei «castelli-sostegno» di divinità delle case laiche.

Infine, in occasione di un trasloco in una nuova casa, i laici trasferiscono anche le divinità domestiche. Nel Kham, per trasferire il phuglha («dio dell'interno»), si portano via i ramoscelli, le pietre preziose, la freccia ornata di nastri ecc.... che costituivano il suo antico supporto in cima al pilastro principale. Un religioso effettua poi un rituale allo scopo di «far risiedere stabilmente» (tenshug) il dio (Tucci G. 1966, pag. 191). Le concezioni che stanno alla base di questo rituale, ed anche l'espressione «far risiedere stabilmente» si ritrovano identiche nelle cerimonie di consacrazione (rabne) delle statue, dipinti, stupa o templi, in occasione delle quali occorre far dimorare la divinità, manifestazione della Conoscenza Sublimata (yeshepa), nell'oggetto da consacrare. Nel Ladakh, il rituale di installazione del phalha in un nuovo ricettacolo (lhatho) si chiama d'altronde rabne (Kaplanian P. 1981, pag. 143); ciò sta a dimostrare, una volta di più, quanto lo spazio domestico e la costruzione in generale, siano egualmente spazi religiosi.

NOTE

1 Testo tibetano in Tucci, 1966, pagg. 33 e 34.

2 Tib. lhatho, latse, ladze: cumuli di pietre o costruzioni cubiche che indicano generalmente le alture o delle asperità del terreno.

3 Tib. mani, mandang: muri a secco sui quali sono state scolpite delle divinità del pantheon buddhista o delle formule esoteriche, in particolare quella del Bodhisattva Avalokitesvara, donde il loro nome. Sono eretti lungo sentieri molto frequentati.

4 Nakane, 1982, pag. 27.

5 Gli abitanti di Dingri parlano di «castelli dei Mön» (mönkhar) caratterizzati da una pianta quadrata di 8-10 metri di lato, grande spessore dei muri (delle stesse dimensioni dello spazio interno) alti da 2 a 3 piani e leggermente a scarpa; infine una copertura fatta di pietre piatte accatastate dalla periferia verso il centro. La popolazione prendeva la terra accumulata in queste costruzioni per fertilizzare i campi e vi trovava talvolta armi antiche o agate (zi). Nel Ladakh, alcune rovine sono anch'esse considerate «castelli dei Mön» (Francke, 1905).

6 Per maggiori dettagli vedere: Carrasco, 1959, Cassinelli and Ekvall, 1969, Aziz, 1978, Dargyay, 1982 e Goldstein, 1971.

7 Carrasco, 1959, pagg. 141-151; Brauen, 1980, pag. 15; Peissel, 1970, pag. 153.

8 Levine, 1977, Goldstein M.C. 1974, Jest C. 1975.

9 Il termine bön-po si applica qui ai seguaci del sistema religioso tibetano Bön che si è costituito a contatto del Buddhismo ed in opposizione ad esso. Va distinto, nonostante vi si accosti, dal termine bön-po nella sua accezione in epoca reale e pre-buddhista.

10 Il testo tibetano è stato pubblicato da Aziz B.N. a pag. 123 del suo articolo «On Translating Oral Traditions: Ceremonial Wedding Poetry from Dingri», in: Soundings in Tibetan Civilization, Ed. Aziz B.N. and Kapstein M., pagg. 115-132, New-Delhi, 1985. Ci dissociamo nettamente dalla traduzione proposta dall'autore.

11 Poiché i supporti verticali dell'architettura tibetana sono di legno, sarebbe più esatto parlare di palo. Tuttavia preferiamo impiegare più elegantemente il termine pilastro. Per le sue varie parti si veda la sezione I.

12 Il termine thengwa, «ghirlanda», indica in generale il fregio di piccoli cerchi disegnati o scolpiti in una gola che separa il fusto dal capitello (vedere anche Tucci, 1966, annessi pag. II). Tuttavia, tenuto conto qui del suo posto nella enumerazione delle parti del pilastro, sembra indicare, in alcuni canti nuziali, anche nel Ladakh (Brauen 1980, pag. 103), la fila di travicelli posati sui correnti.

13 Il termine dungsham qui impiegato sembra essere un sinonimo del più corrente dungden.

14 L'espressione annotata lcam shag bu rende forse lcam dral bu: correnti (e) travicelli.

15 Questi gruppi, menzionati per Lo Mantang, capitale del Mustang nel Nepal (Peissel, 1970 pag. 151) e per il Ladakh dove vengono chiamati «gruppi di 10», chutsog (Brauen, 1980, pag. 29) svolgono un ruolo soprattutto in occasione di attività festive.

16 E interessante notare che si tratta in questo caso della forma onorifica rigrü, «filiazione mediante le ossa, clan». Dung può anche essere la forma onorifica di ossa come nel termine kudung che designa i resti funebri di grandi personaggi. E forse l'immagine delle travi, che formano l'ossatura di un edificio come le ossa sostengono il corpo, che ha portato all'associazione dei due termini?

17 Per un'introduzione generale alle religioni del Tibet: buddhismo, bön e religione popolare: Tucci, 1973a, Blondeau, 1976.

18 Per alcune scuole del buddhismo tibetano, come ad esempio i Nyingmapa ed i Sakyapa, le prescrizioni del codice monastico (vinaya) del buddhismo primitivo riguardanti l'ordinazione non devono essere necessariamente seguite ed il postulante pronuncia i voti sulla via dell'Illuminazione o dei Tantra che non richiedono il celibato. Invece tra i Gelugpa il celibato fa parte dei voti di ordinazione.

19 Tucci, 1966, pag. 34, Brauen, 1980, pag. 48, Corlin, 1980, pag. 90.

20 ka bzhi gdung brgyad.

21 Particolarmente per l'assimilazione del tempio ad una struttura cosmica a forma di mandala la cui apertura è idealmente orientata ad est.

22 Ad esempio il Jokhang presenta realmente 4 livelli costruiti.

23 Francke, 1923, pag. 21. Anche in Cina il cielo ha nove piani come la montagna centrale Kunlun (Granet, 1968, pagg. 291 e 294).

24 «Foro del bianco» o «foro delle stelle» (karkhung) e «spazio aperto sul cielo» (namthong, namyang). Secondo il dizionario Bod rgya tshig mdzod chen mo, Pechino 1985 in 3 volumi, pagg. 1538 e 1539, il «foro del cielo» sta ad indicare l'apertura per la luce o il foro per la fuoriuscita del fumo, mentre il termine namgo, «porta del cielo» designa la botola che permette il passaggio da un piano all'altro. Quest'apertura è generalmente assente quando la casa è ricoperta da un tetto spiovente come tra gli Sherpa o nel Bhutan.

25 L'ortografia gnam-gyang è fornita dal dizionario di Desgodins citato da Stein, 1975b, pag. 54. In realtà, nei dizionari moderni il legame tra l'apertura del tetto e l'essenza di prosperità (gyang) si perde, a favore di gnam-yangs, «vasta (apertura) sul cielo», slittamento favorito dall'omofonia dei due termini.

26 Per un'analisi dettagliata delle divisioni sociali dello spazio domestico, vedere Dollfus, 1986.

27 Se vi è un generale consenso nel ritenere gli stûpa ricettacoli dello Spirito di Buddha, non è così per i templi che spesso non vengono menzionati tra i 3 tipi di ricettacoli (ten sum). Tuttavia Tucci, considera i templi come ricettacoli dello spirito (1973a, pagg. 30 e 165) mentre Bo-dong Pan-chen li colloca tra quelli del corpo (Jackson D.P. and J.A. 1984, pag. 25, nota 1).

28 A questo proposito vedere Tucci, 1973a pagg. 154-167 e Blondeau, 1976 pagg. 291-301.

29 Per la descrizione di questi edifici, vedere Jest, 1981.

30 Come ad esempio il passaggio di circoambulazione che si trova all'altezza del piedistallo della statua colossale di Maitreya nel Champa lhakhang di Tashilhunpo fondato nel 1914.

31 Il nome di uno dei gradi teologici dei Gelugpa, Dorampa, deriva d'altronde dal nome di questo cortile (dochal) dove avviene l'esame che permette di ottenerlo (Nakane, 1982, pag. 35).

32 Questi vari tipi di oratori domestici si ritrovano anche nelle tende dei nomadi (sezione III).

33 Per una descrizione dettagliata vedere Tucci, 1966, pagg. 188-189 e Brauen, 1980.

34 Catalogo-guida del tempio, del V Dalailama (Lha-ldan sprul-pa'i gtsug-lag-khang gi dkar-chag shel-dkar me-long) e Shakabpa W.D. (Lha-ldan rva-sa 'phrul-snang gtsug-lag-khang gi dkar-chag) New-Delhi 1982.

XXVI

XXVIII

XXIX

XXVII

fig. XXVI - Ponte nel Bhutan (foto C. Jest).

fig. XXVI - Pont au Bhutan (cl. C. Jest).

fig. XXVII - Sogpo (Tibet centrale), monastero rupestre (foto P. Auf-schnaiter, Völkerkundemuseum der Universität Zürich).

fig. XXVII - Sogpo (Tibet central), monastère rupestre (cl. P. Auf-schnaiter, Völkerkundemuseum der Universität, Zürich).

fig. XXVIII - Dingri (Tibet meridionale), villaggio fortificato (foto F. Meyer).

fig. XXVIII - Dingri (Tibet meridional), hameau fortifié (cl. F. Meyer).

fig. XXIX - Valle del Nyangchu (Tsang), rovine di un'antica fortezza (foto F. Meyer).

fig. XXIX - Vallée du Nyangchu (Tsang), ruines d'une ancienne for-teresse (cl. F. Meyer).

XXX

XXXII

XXXIII

XXXI

fig. XXX - Shelkar, rovine della fortezza e del monastero dominanti l'antico villaggio (foto F. Meyer).

fig. XXX .- Shelkar, ruines de la forteresse et du monastère dominant l'ancien village des sujets (cl. F. Meyer).

fig. XXXI - Vallée de Tarap (Népal), chörten-porte marquant l'entrée d'un village (cl. C. Jest).

fig. XXXI - Valle di Tarap (Nepal), chörten-porta che indica l'entrata di un villaggio (foto C. Jest).

fig. XXXII - Valle di Tsum (Nepal), area di battitura nei pressi di una casa (foto F. Meyer).

fig. XXXII - Vallée de Tsum (Népal), aire de battage près d'une maison (cl. F. Meyer).

fig. XXXIII - Lhasa, nobile vestito a festa, circondato dal suo seguito, davanti alla sua casa (foto H. Richardson).

fig. XXXIII - Lhasa, noble en habit de fête, entouré de sa suite, devant sa résidence (cl. H. Richardson).

XXXIV

fig. XXXIV - Intendente davanti dalla dimora rurale di una famiglia nobile, sede dell'amministrazione della proprietà (foto H. Richardson).

fig. XXXIV - Intendant devant la demeure rurale d'une famille noble, siège de l'administration du domaine (cl. H. Richardson).

fig. XXXV - Tashilhunpo, città monastica (foto F. Meyer).

fig. XXXV - Tashilhunpo, cité monastique (cl. F. Meyer).

fig. XXXVI - Insieme di elementi rituali destinati a «chiudere la porta del cielo e la porta della terra» (foto P. Dollfus).

fig. XXXVI - Assemblage rituel destiné à «fermer la porte du ciel et la porte de la terre» (cl. P. Dollfus).

fig. XXXVII - Nyethang (Tibet centrale) una delle celle del tempio (foto F. Meyer).

fig. XXXVII - Nyethang (Tibet central), une des cella du temple (cl. F. Meyer).

XXXVI

XXXV

XXXVII

XXXVIII

XXXIX

XL

XLI

fig. XXXVIII - Lhasa, Jokhang, illuminazione zenitale (foto F. Meyer).

fig. XXXVIII - Lhasa, Jokhang, éclairage zénithal (cl. F. Meyer).

fig. XXXIX - Tashilhunpo, il grande cortile che precede la sala di assemblea principale del monastero (foto F. Meyer).

fig. XXXIX - Tashilhunpo, la grande cour précédant le hall d'assemblée principale du monastère (cl. F. Meyer).

fig. XL - Tibet meridionale, costruzione cubica, sede di divinità, sul tetto-terrazza di una casa (foto C. Jest).

fig. XL - Tibet méridional, construction cubique, siège de divinité sur le toit-terrasse d'une maison (cl. C. Jest).

fig. XLI - Regione di Dolpo (Nepal), rituale di propiziazione sulla terrazza di una casa (foto C. Jest).

fig. XLI - Région de Dolpo (Népal), rituel de propitiation sur la terrasse d'une maison (cl. C. Jest).

fig. XLII - Bandiere all'ingresso di una costruzione religiosa (foto H. Richardson).

fig. XLII - Bannières érigées a l'entrée d'une construction religieuse (cl. H. Richardson).

XLII

ARCHITECTURE: FONCTIONS TECHNIQUES, SOCIALES, SYMBOLIQUES ET RELIGIEUSES

Fernard Meyer, Corneille Jest

*Dans cette demeure, semblable en tous points aux palais
des dieux de Tushita là-haut
Voici l'éloge des piliers faits du meilleur bois de santal!
Dehors ce sont les pavillons quadrangulaires des dieux
Dedans, le château-support du dieu protecteur paternel
En-bas, immuables, les pierres de soutien des piliers
Nées spontanément de matière dure, et rondes.*

Chant de mariage du Tibet Central [1]

Au Tibet comme ailleurs, l'architecture est destinée à remplir un certain nombre de fonctions fondamentales dont l'importance respective et l'expression dans le bâti varient selon les cultures. Dans le monde tibétain, elle assure tout particulièrement des fonctions d'abri et de protection, d'unité de production et d'échange social ainsi que de stockage, sans oublier ses importantes fonctions rituelles, son rôle dans l'expression de valeurs socio-culturelles comme le prestige et ses nombreuses connotations symboliques moins apparentes au premier coup d'oeil. La structure et la prépondérance de l'une ou l'autre de ces fonctions permettent de définir, en milieu tibétain, une typologie du bâti dont les différentes catégories présentent entre elles plus de continuités que de divergences. On pourrait distinguer ainsi:

LES EDIFICES CIVILS

— Architecture domestique:
Fixe: habitat troglodyte, hutte, maison, ferme.
Mobile: abri temporaine, tente.
— Architecture nobiliaire et palatiale.
— Architecture militaire.
— Génie civil: essentiellement les ponts. (fig. XXVI)

LES EDIFICES RELIGIEUX

— Monuments:
Pierres dressées et cairns [2]
Stèles
«Murs de prière» [3]
Stûpa
— Temples
— Monastères

En fait, cette typologie, bien que reposant sur des différences de morphologie et d'usage, se révèle assez arbitraire et peu pertinente s'il s'agit, comme c'est le cas ici, de dégager les grandes caractéristiques matérielles, techniques, structurales, enfin stylistiques de l'architecture tibétaine; et d'essayer d'en suivre, chaque fois que la documentation le permet, l'évolution historique. Ceci est dû, d'une part, à la variété limitée des matériaux de construction disponibles les plus courants (pisé, briques crues, pierre, bois) et à l'ubiquité des techniques de transformation et de construction appliquées seulement à des échelles différentes et à divers degrés de sophistication selon une progression continue, depuis les constructions les plus modestes jusqu'aux bâtiments les plus prestigieux. D'autre part, le caractère modulaire de l'architecture tibétaine, qui nous apparaîtra plus loin (section II), fait que les mêmes éléments structurels de base ne font que se multiplier, tant dans le sens horizontal que vertical, et gagner en taille lorsque l'on passe des bâtiments simples aux demeures des familles nobles, aux palais et aux monastères.

Il serai vain également de chercher à déduire de cette typologie des exclusivités de fonctions, alors que celles-ci sont en fait presque toujours associées dans la plupart des bâtiments, à des degrés divers d'expression il est vrai.

Si la fonction défensive est la plus évidente dans ce que l'on peut appeler l'architecture militaire des forteresses (dzong) on la retrouve néanmoins, avec à peine moins de prégnance, dans certaines constructions palatiales (Potala) ou monastiques (Sakya) et, comme en écho affaibli, jusque dans les habitations ordinaires. Enfin, même les constructions religieuses, comme certains stûpa ou temples, ont un rôle défensif, dans ce cas contre des agresseurs non humains. Edifiés aux limites de l'espace habité ils le protègent contre l'intrusion de forces maléfiques et sont parfois élevés en des points précis que la divination aura reconnus comme sources d'infortune pour la communauté.

De même, la fonction de stockage, dont on imagine aisément qu'elle occupe une place importante dans une unité de production agricole, est tout aussi impérative pour les forteresses, les demeures de l'aristocratie, les palais ou les monastères, du fait d'une économie tibétaine traditionnelle très peu monétarisée.

Enfin, les grands ensembles de bâtiments, comme le Potala ou les cités monastiques, regroupent, en un tissu organiquement intégré, des unités aux fonctions très diverses. En effet, le Potala était tout à la fois un palais (phodang) où résidait le Dalaïlama, un monastère (datsang) dont il était l'abbé, un lieu saint par la présence de ce Bodhisattva incarné et aussi du fait de très nombreux sanctuaires (lhakhang) et monuments funéraires d'anciens Dalaïlama (serdong) qu'il renferme. Il était aussi le siège des plus hautes instances politiques du Tibet et un important centre administratif, une école de fonctionnaires religieux (tselobda), un vaste magasin abritant les réserves (matières précieuses, denrées) de la maison du Dalaïlama et du gouvernement, ainsi qu'une place forte (dzong), bien que cette dernière fonction soit tombée en désuétude depuis le milieu du 18ème siècle.

De même, une cité monastique comprend dans une même enceinte, aussi bien des bâtiments à usage strictement religieux: sanctuaires, salles d'assemblée liturgique (dükhang), monuments funéraires de maîtres défunts, etc..., que les demeures palatiales (labrang) de hiérarques incarnés (tulku), des collèges (datsang), des aires de disputation théologique (chöra), des résidences de moines (khangtsen), des centres de gestion administrative et, éventuellement, politique, des entrepôts, une imprimerie, etc... Au sein d'une telle cité monastique, la résidence d'un hiérarque incarné (labrang) regroupe elle-même des fonctions palatiales (entourage et domesticité), religieuses (chapelles, salles de prière), administratives (gestion des propriétés du hiérarque) et de stockage, semblable, en cela, à une demeure de famille noble. Il arrivait d'ailleurs, assez souvent, qu'une telle famille, ayant joué le rôle de donateur dans la fondation d'un monastère, y conserve (comme les Huang-he-nan-qin wang à Labrang) [4] un palais, dont l'aspect extérieur ne différait en rien des autres constructions monastiques. Il se trouve également, comme c'est la règle au Buthan, que des forteresses (dzong) rassemblent dans leurs murs, à la fois les services administratifs et judiciaires de la région, et un monastère d'Etat.

Enfin, si la fonction symbolique s'exprime, avec une sophistication toute particulière, dans nombre de sanctuaires (plan en mandala, acrotères symbolisant l'enseignement du Bouddha ou la victoire de celui-ci, etc...), elle peut se lire encore dans la structure même des demeures humaines,

images en réduction d'un cosmos perçu comme centré, étagé, et orienté aux points cardinaux.

Dans la présentation qui est faite ici de l'architecture tibétaine, les types architecturaux précédemment énumérés sont abordés selon des regroupements variables, déterminés à la fois par une volonté de clarté dans l'exposé et par les impératifs découlant du choix qui a été fait de traiter l'architecture tibétaine dans des cadres tantôt typologiques, tantôt chronologiques ou géographiques.

Ainsi, l'architecture domestique, dont on a tout lieu de penser qu'elle a relativement peu évolué au cours de l'histoire tibétaine, sera abordée dans des sections spécifiques: section II pour les constructions fixes, section III pour les structures mobiles.

En raison de la datation relativement tardive des édifices nobiliaires et palatiaux qu'il a été possible d'analyser, ils seront traités dans la section IX consacrée au Tibet des Dalaïlama.

L'architecture militaire ne fera l'objet, ci-dessous, que d'une introduction générale; mais la pérennité de son influence dans des contextes historiques et géographiques divers sera évoquée à de nombreuses reprises par la suite.

Les pierres dressées et mégalithes, proto-architecture en quelque sorte, seront examinés à propos du Tibet préhistorique, bien que cette tradition se soit certainement poursuivie au-delà et qu'il faille en évoquer l'écho dans les stèles de l'époque royale. Il en sera également question, avec les cairns et les «murs de prières», à propos des représentations tibétaines concernant le milieu naturel et l'espace à ordonner et à maîtriser (section I).

Les stûpa (tel celui de Gyantse, section VII), ainsi que les temples et monastères, seront, du fait de leur importance et de leur nombre, de leurs époques de fondation différentes et d'une relative richesse de la documentation les concernant, présentés dans les diverses sections chronologiques (V à IX).

Les sections à cadre géographique (Tibet Oriental X, Bhutan XV et Sikkim XVI) traiteront, bien entendu, de tous les types architecturaux, tant civils que religieux.

C'est encore essentiellement d'architecture religieuse, comme expression culturelle la plus aboutie, dont il sera question dans les sections consacrées à certains pays voisins: le Népal en tant que source éventuelle d'inspiration pour le Tibet (section IV), la Chine influencée en retour de ses propres contributions à l'architecture tibétaine (sections XI, XII, XIII), enfin la Mongolie qui a emprunté au Pays des neiges la typologie de ses édifices religieux en même temps qu'elle en recevait le Bouddhisme (section XIV).

Cette introduction à l'architecture tibétaine aurait été incomplète, si une place n'avait pas été réservée aux constructions contemporaines et restaurations (section XVII) qui sont le reflet des très importants bouleversements politiques, sociaux, technologiques et culturels auxquels les Tibétains ont dû faire face depuis quelques décennies, aussi bien dans leur aire géographique traditionnelle que dans les pays d'accueil.

S'agissant d'architecture tibétaine et de ses implications socio-culturelles, le narrateur hésite constamment entre l'emploi des temps présent ou passé des verbes. L'aire de culture tibétaine a en effet connu, depuis 4 décennies, de très importants changements qui ont radicalement atteint son patrimoine culturel et sa forme d'organisation socio-économique traditionnelle. Néanmoins, les hautes vallées himâlayennes de langue et de culture tibétaines ont échappé à ce phénomène et conservent, de façon plus ou moins conforme, nombre de traits socio-culturels qui ont disparu des régions contrôlées par la République Populaire de Chine. De leur côté, les Tibétains en exil se sont attachés, dans des environnements souvent étrangers, à la difficile préservation de leur héritage culturel, malgré les nécessaires adaptations et les évolutions inévitables. Enfin, au Tibet même, on assiste, à la faveur d'une politique de libéralisation engagée depuis quelques années, à une renaissance de la culture, notamment populaire, et à une reprise de la vie religieuse entraînant un important mouvement de restauration et de reconstruction.

L'organisation socio-économique et les modes d'expression culturelle du Tibet traditionnel ont, comme son architecture, évolué constamment au cours de l'histoire, tout en restant marqués par un certain nombre de constantes. L'analyse schématique qui suit, et qui va tenter de situer l'architecture tibétaine dans ses dimensions sociale, économique, psychologique et religieuse, vaut essentiellement, dans son ensemble, pour la période postérieure à la seconde moitié du 18ème siècle, bien qu'elle fasse également appel à des références historiques antérieures.

I) L'ARCHITECTURE COMME ABRI ET PROTECTION

L'abri est sans doute la fonction la plus élémentaire de toute architecture, qu'il s'agisse de mettre à couvert des hommes, des animaux, des réserves, des objets sacrés ou des divinités.

En dehors de l'architecture construite, fixe ou mobile, dont il sera amplement question plus loin, cette fonction est également assurée, dans le monde tibétain, par l'aménagement, plus ou moins élaboré, d'abris naturels: surplombs de rochers, grottes et habitations troglodytes creusées dans les falaises. Les grottes de montagne occupent une place considérable dans la tradition tibétaine, surtout religieuse. Retraites idéales des ascètes, dont le saint Milarepa

est devenu en quelque sorte l'archétype populaire; elles offrent, grâce à leur configuration, l'isolation sensorielle indispensable aux expériences mystiques, et permettent, par leur situation, le détachement d'un monde profane rejeté dehors et plus bas. Les grottes sont, de plus, associées, dans l'imaginaire collectif, aux exploits merveilleux du grand maître tantrique Padmasambhava dont elles conservent les traces marquées dans la pierre et qui ne sauraient manquer à aucun itinéraire de pélerinage. Certaines grottes de méditation, ayant abrité des personnages vénérés comme le roi Songtsen Gampo sur la montagne Marpori à Lhasa ou Künga Nyingpo à Sakya, ont été intégrées dans des temples et monastères contruits ultérieurement. Enfin, quelques monastères comme Yerpa, à l'Est de Lhasa, étaient entièrement troglodytes (fig. XXVII).

Mais les grottes servaient aussi d'habitat domestique, permanent ou pendant l'hiver, surtout à date ancienne semble-t-il et particulièrement dans certaines régions comme le Tibet occidental (Tucci G. 1973b, p. 40-50). Il reste peut-être, encore aujourdhui des réminiscences d'habitat troglodyte dans le vocabulaire touchant la maison. Ainsi le terme phugpa (grotte) se retrouve dans phug ou bug désignant la partie la plus intérieure d'une maison ou le fond d'un appartement (zimbug) et également dans le nom du pilier de la cuisine-salle commune (phugka) et du dieu qui lui est associé (phuglha).

L'architecture rupestre, qui a joué le rôle important que l'on sait dans l'Inde ancienne, notamment bouddhique (Bhâjâ 2ème — 1er siècle av. J.C., Aja*ntâ* 2ème siècle av. J.C. — 7ème siècle etc...), et dont les modèles se sont propagés avec l'enseignement du Bienheureux en Asie centrale jusqu'en Chine, semble par ailleurs, se retrouver, comme en lointain écho, dans les sanctuaires tibétains, favorisée sans doute en cela par les traditions indigènes: chapelles plongées, pour la plupart, dans l'obscurité, et ne recevant une pâle lumière que par leur entrée telles des grottes; ou étroits passages de circumambulation inclus dans une maçonnerie aveugle comme il s'en trouve dans de nombreux temples du Tibet occidental et à Gyantse (section VI e VII). Le fait que les Tibétains se soient inspirés de certains types de sanctuaires rupestres d'Asie Centrale, est très clairement attesté par la grotte de Daglha Lubug, près de Lhasa, que la tradition fait remonter à l'époque royale. Son fond est en effet creusé autour d'un noyau central, laissé en place, et sur les 4 côtés duquel ont été sculptés des Bouddhas, dégageant ainsi un passage de circumambulation.

L'habitation doit assurer une protection, non seulement contre les éléments naturels: essentiellement le froid et le vent sur le plateau tibétain, mais également contre d'éventuels agresseurs humains; cette dernière fonction étant tout particulièrement dévolue aux constructions militaires. L'architecture tibétaine se caractérise par sa fermeture sur le monde extérieur, avec des constructions massives aux rares percements externes, prenant ainsi, même pour les plus ordinaires, des allures de fortin (fig. XXVIII). Dans les maisons très modestes, il se peut qu'à l'instar des tentes, l'ouverture du toit, laissant s'échapper la fumée du foyer, soit l'unique accès de lumière hormis la porte. Pour les bâtiments plus importants, le volume, tout en s'amplifiant, se creuse pour ainsi dire de l'intérieur, s'organisant en pièces à usages divers autour de cet accès de lumière et de chaleur devenu cour intérieure. Ils restent ainsi fermés le plus possible vers l'extérieur, sauf en façade Sud où des fenêtres, plus grandes ou plus nombreuses, s'ouvrent au soleil.

La tradition tibétaine des constructions défensives est ancienne et déjà signalée dans les textes chinois dès l'époque Han (-202 à +220) à propos des population Qiang, d'affinité tibétaine, vivant aux confins occidentaux de l'empire (Stein R.A. 1957a, p. 61). Les annales des Tang mentionnent, pour le Tibet central du 7ème siècle, l'existence de «tours de garde tous les 100 li» et de murs d'enceinte (Pelliot P. 1961, p. 2 et 80). On trouve, encore aujourd'hui, au Tibet méridional, tant sur les hauteurs qu'en terrain plat, de nombreuses ruines de tours parfois entourées de murailles ou reliées par des murs en pierres sèches barrant une vallée. Tours de gué ou de défense, elles sont sans-doute plus ou moins anciennes. La tradition orale crédite d'une grande antiquité celles qui sont construites en pisé et y voit l'oeuvre d'une population pré-dynastique [5]. La construction de tours d'habitation et de défense en pierres, qui semble avoir été particulièrement répandue au Lhobrag et au Kongpo, ainsi par exemple celle que la tradition fait remonter à Marpa (section VII), s'est maintenue jusqu'au 20ème siècle chez les chefs locaux de certaines régions du Sud-Est tibétain (section X). Les caractéristiques des châteaux fortifiés des chefs de l'époque royale (section V): haute tour entourée de constructions massives agglomérées au sommet d'une éminence en suivant son relief et entourées d'un mur d'enceinte, se retrouvent dans les constructions militaires plus vastes des époques ultérieures. Les forteresses (dzong) jouent un rôle militaire, politique, administratif et économique très important tout au long de l'histoire tibétaine (fig. XXIX).

Certaines caractéristiques d'une architecture défensive sont apparentes, également, dans bien des constructions religieuses (fig. XXX) ou domestiques: édifices élevés sur les hauteurs, porte d'accès unique et étroite, fenêtres limitées aux étages, escaliers raides parfois réduits à une échelle mobile, etc... Cette tradition confère aux constructions tibétaines leur aspect extérieur sobre, sinon austère, caractéristique.

Mais les bâtiments n'abritent pas seulement l'homme contre les éléments naturels ou contre d'éventuels ennemis en lui circonscrivant un «intérieur». Ils sont aussi un rempart contre l'irruption des forces maléfiques qui hantent le monde du dehors, espace dont la maîtrise est toujours problématique (fig. XXXI). Ainsi, les façades des maisons portent souvent des signes, talismans ou effigies, destinés à repousser les mauvais esprits ou les influences néfastes que la géomancie reconnaît dans tel ou tel élément du paysage.

II) L'HABITAT COMME UNITE DE PRODUCTION ET DE VIE SOCIALE

De manière générale, dans le monde tibétain, c'est la maisonnée, avec son groupe de parenté réduite, qui forme, plus que les lignages ou les clans, l'unité la plus importante de socialisation, d'entraide et d'activité économique.

Sur toute l'aire de culture tibétaine on peut opposer schématiquement 2 modes de vie et formes de production complémentaires, parfois associées: l'agriculture sédentaire dans les vallées et l'élevage extensif en altitude et sur le haut-plateau. La nature de ces productions et leur distribution géographique seront abordées à propos du milieu naturel (section I).

Contrairement aux éleveurs nomades (drogpa, drog ngowa), les agriculeurs (rongpa, shingpa) pratiquent souvent une économie mixte associant l'élevage à des degrés divers, allant de petits troupeaux d'ovins, de caprins et de bovins ramenés le soir au village, à un cheptel plus nombreux transhumant sur de grandes distances sous la garde d'une partie de la population qui quitte l'habitat fixe pour la tente pendant des périodes prolongées.

En raison de ses rapports avec la structure et le rôle de la maisonnée, il faut esquisser à présent la stratification sociale du Tibet traditionnel et son rapport à la propriété; stratification nettement moins marquée chez les nomades que chez les sédentaires dont il sera surtout question ici. La situation que nous allons décrire valait, dans ses lignes générales, pour la plus grande partie de l'aire de culture tibétaine avec quelques exceptions pour les contrées périphériques. A côté des religieux, surtout les ordres monastiques, qui formaient dans leur ensemble une société parallèle avec sa propre hiérarchie reflétant plus ou moins celle de la communauté laïque, mais avec des possibilités d'ascension sociale plus grandes, la société laïque se composait, pour l'essentiel, de deux strates: la noblesse et les sujets.

La noblesse héréditaire (kudag, guerpa) se caractérisait par ses droits à la propriété «privée» (guer) de domaines, droits qui ont d'ailleurs été considérablement limités depuis le 17ème siècle. Dans les territoires contrôlés par le gouvernement de Lhasa (environ la moitié de l'aire linguistique tibétaine), ces apanages étaient concédés aux familles nobles au nom du Dalaïlama, seul véritable propriétaire des terres de l'Etat (d'où un de ses titres: Dagpo chenpo, «Grand Propriétaire»), en échange de services dans l'administration et l'armée. La noblesse pouvait, à son tour, concéder les terres de ses domaines à des agriculteurs en retour de taxes et services.

La strate des sujets ou gens du commun (miser, mimang) était formée par la très grande majorité de la population qui ne pouvait pas prétendre à la propriété de la terre. La sujétion allait à l'autorité qui allouait une terre ou un revenu en nature, en échange de diverses prestations.

Les sujets (miser) se répartissaient en 2 grands groupes: les agriculteurs payeurs de taxes (thelpa, drongpa) et la main d'oeuvre non soumise directement à taxation (düchung). Les premiers, qui formaient un groupe de statut et de niveau économique supérieurs, exploitaient un domaine héréditaire concédé en tenure par une autorité gouvernementale, religieuse ou nobiliaire. Il avaient pour obligation de fournir en retour des prestations en nature (essentiellement des produits agricoles) et des services (travail obligatoire, transports...). La main d'oeuvre düchung comprenait 2 catégories, dans l'ordre, de niveau économique et de statut de plus en plus bas et de mobilité croissante. La première disposait d'une petite parcelle de terre héréditaire (mais susceptible d'être reprise à tout moment) à charge de travaux au profit du concédant: gouvernement, noble, monastère ou agriculteur payeur de taxes. La seconde, qui n'avait pas d'allocation de terre, comprenait les sujets ayant quitté leur domaine d'origine, parfois sans l'autorisation de leur maître. Ils formaient une main-d'oeuvre (ouvriers agricoles, bergers, serviteurs de maison...) toujours bienvenue et rétribuée essentiellement en nature. Certains étaient extrêmement pauvres et littéralement asservis par des familles d'agriculteurs payeurs de taxes. La plupart des artisans itinérants étaient considérés comme düchung [6].

Les institutions religieuses, qui ont bénéficié de dotations en domaines, avec tenanciers et main-d'oeuvre, de la part des autorités laïques dès l'époque royale (à partir du 8ème siècle), étaient exemptées de taxes et de services obligatoires.

L'appartenance à l'une de ces strates sociales fortement endogames: noblesse, agriculteurs payeurs de taxes ou düchung, était déterminée par la naissance. On distinguait également, tout au bas de l'échelle sociale, une classe de hors-statuts ou exclus (yawa, pango) dont le contact était considéré comme polluant. A l'inverse, on reconnaissait parfois, surtout en milieu rural semble-t-il, une strate patrilinéaire de statut plus élevé que la noblesse, celle des religieux tantristes (ngagpa) (Aziz B.N. 1978, p. 53).

Les grandes lignes de cette stratification sociale se retrouvent également en-dehors des territoires contrôlés par Lhasa, lorsqu'un roi ou un chef héréditaire était considéré comme l'ultime propriétaire des terres. Il en était ainsi dans certains petits états semi-indépendants du Tibet oriental, au Ladakh et à Lo (Mustang, Népal) par exemple. On distinguait alors, de haut en bas de l'échelle sociale: les familles royales ou les chefs héréditaires aux liens étroits avec la noblesse, puis les sujets (mimang, miser): agriculteurs payeurs de taxe et main d'oeuvre disposant ou non d'une parcelle de terre, enfin une ou plusieurs strates considérées comme impures [7].

Dans d'autres communautés périphériques, de langue et culture tibétaines, comme certaines hautes vallées himâlayennes relativement isolées (Limi, Dolpo, Humla...), la stratification sociale reste marquée et détermine également des règles de commensalité et de mariage, mais sans que la terre soit distribuée selon le schéma féodal précédant fait d'emboîtements successifs à l'intérieur d'une pyramide. La strate, qui a le statut et le niveau économique les plus élevés, est ici celle des familles autochtones les plus anciennes (drongpa, shimi). Elles possèdent les plus grandes surfaces de terre et fournissent en général les religieux et chefs de village. Suit un groupe formé des familles nées de l'éclatement des précédentes ou de lignées d'origine étrangère à la communauté. Enfin vient une strate comprenant, à Dolpo, les familles de forgerons ou assimilés; ailleurs (Limi, Humla), les petites maisonnées de personnes isolées (surtout des femmes) qui n'ont pas pû, ou voulu, établir des liens de mariage. Pour ce groupe, l'insuffisance ou l'absence de propriété foncière, nécessite de fournir du travail pour les strates supérieures en échange d'une rétribution en nature. Tout en bas de l'échelle sociale on peut trouver, comme à Dolpo ou chez les Nyinba de Humla, une strate d'exclus, sans terres, souvent serviteurs des maisons aisées [8]. Les villages ne sont donc pas ici des tenures concédées par un propriétaire externe à la communauté et les maisonnées disposent librement de leurs possessions: habitation, terres, cheptel, ainsi que d'emplacements de campement dans la zone des pâturages. Ces derniers sont en général la propriété commune du village.

Enfin, dans certaines populations de l'aire de culture tibétaine, comme les Sherpa du Népal, la stratification sociale est nettement moins marquée, ce qui n'exclut pas une certaine hiérarchie dans laquelle les membres des clans patrilinéaires descendant des premiers immigrants ont le statut le plus élevé.

La maisonnée

L'importance de la maisonnée (khang, khyim, thabka), comme unité sociale et de parenté, transparaît constamment dans le vocabulaire. C'est ainsi que les laïcs sont désignés par le terme général de khyimpa «ceux qui ont la charge d'une maison». L'unité familiale est un «nid domestique» (khyimtsang), un «nid d'hommes» (mitsang) ou, comme à Dolpo, un «foyer» (thabka). De même, l'un ou l'autre des époux peut-être désigné par le terme khyimthab: «maison-foyer». Enfin, le terme très concrètement imagé düchung, litt. «petite fumée», qui désigne, comme nous l'avons vu, la classe des familles modestes non directement liées à des terres, les oppose à l'idéal tibétain des grandes unités familiales plus prospères partageant le même «nid» (mitsang che) telles qu'elles se rencontrent surtout chez les agriculteurs propriétaires et les tenanciers de terres soumis à taxation (drongpa, thelpa) (Aziz B.N. 1978, p. 107).

Le terme de maisonnée, que nous employons ici, renvoie en effet, dans le contexte tibétain, non seulement au bâtiment de résidence proprement dit (khang, khyim) avec ses occupants, mais également aux champs (shing) qui y sont rattachés; l'ensemble constituant le domaine (khangshing, shika). Nous avons vu que ce dernier était, pour la plus grande partie de l'aire tibétaine, concédé en tenure par une autorité gouvernementale (parfois un roi ou un chef héréditaire), religieuse ou nobiliaire, à charge de taxes en nature et services. La maisonnée comme unité de production et de taxation est attestée dès l'époque royale (7ème-9ème siècle) (Bogoslovskij, V.A. 1972). Elle était de ce fait souvent prise comme unité de recensement.

Intégrité et pérennité de la maisonnée

Plusieurs facteurs ont contribué, chez les tenanciers de terres, à investir la maisonnée de valeurs d'intégrité et de pérennité. Les autorités propriétaires, lorsqu'il y en avait, trouvaient avantage au statu quo, une fois fixé le montant des redevances en fonction de la surface et de la qualité des terres concédées à chaque maisonnée, dans une situation souvent complexe et présentant de nombreuses particularités locales dûes à la nature même du système de tenure, sans oublier le manque chronique de main-d'oeuvre. Une maison restait de ce fait astreinte à ses obligations en taxes et services même si venait à diminuer le nombre de ses occupants (décès, stérilité) ou leur force de travail (vieillesse). Les terres étant inaliénables et ne pouvant être abandonnées par les tenanciers sans autorisation, on conçoit la préoccupation constante, au sein des maisonnées, de réunir une main-d'oeuvre suffisante (en retenant une fille en âge de se marier par exemple) et de s'assurer un héritier, gendre ou fils adoptif si nécessaire, qui reprendrait, en temps voulu, le domaine et ses obligations.

Les tenanciers trouvaient également un bénéfice dans cette stabilité. La tenure (khangshing) était en effet transmissible héréditairement et ne pouvait être reprise par le concédant aussi longtemps que les redevances en nature et services étaient acquitées.

Du fait de ses rapports à la terre, on comprend que ce groupe de parenté et de résidence, qu'est la maisonnée, jouait un rôle bien plus important chez les agriculteurs en charge d'un domaine (drongpa, thelpa) que chez les düchung non directement attachés à des terres et à leurs obligations ou chez les commerçants; ceux-ci ayant tendance à la famille nucléaire et à une plus grande mobilité. Le fait que la taille des maisonnées exprime une hiérarchie sociale apparaît très clairement dans les termes qui désignent les trois premières strates chez les Nyinba (Levine N. 1977). Ce sont, en descendant dans l'échelle socio-économique: «ceux du village» (drongpa, grandes maisonnées polyandres), «les petites maisons» (khangchung, nées par scission des précédentes) et «les annexes» (zur, abritant des femmes seules, non mariées et sans terres).

La maison et la vie sociale

De nombreux traits sociaux, surtout chez les agriculteurs propriétaires ou tenanciers de terres, mais également chez les nobles, trouvent leur raison d'être dans la survalorisation de la maisonnée dont il faut assurer à la fois la force productive, l'intégrité du patrimoine et la continuité. Les individus n'ont qu'une existence éphémère, alors que le domaine, à défaut de lignage ou de clan, se maintient dans la durée.

Le nom de maison (drongming)

Plus important que le nom personnel qu'il précède, c'est lui qui situe un individu. Il s'attache à tous ceux qui partagent une même résidence par naissance, mariage ou adoption, et qui perdraient ce nom s'ils venaient à la quitter.

Maisonnée et héritage

De manière générale, les règles d'héritage tendent à la préservation de l'intégrité du patrimoine. Les filles n'héritent pas, à l'exception d'une partie des biens meubles qu'elles reçoivent en dot à leur mariage avec, parfois, une petite parcelle de terre. Il n'y a qu'un seul héritier, le fils aîné le plus souvent. Il reste aux cadets d'entreprendre une carrière religieuse ou de tenter l'aventure commerciale s'ils veulent se rendre indépendants; ce qui est possible à condition de ne pas entamer le patrimoine.

La maisonnée comme groupe de main-d'oeuvre

Aux impératifs d'indivision du patrimoine s'ajoute l'avantage qu'il y a, pour une maisonnée, à dégager un surplus de main-d'oeuvre qui permet, non seulement d'assurer la subsistance de la famille et d'honorer les redevances en nature et en services, mais aussi d'accroître sa richesse grâce aux deux seuls moyens accessibles: le commerce et l'élevage (fig. XXXII). L'indivisibilité des terres, et le besoin de main-d'oeuvre qui se heurte à la coutume de n'introduire dans une maisonnée qu'une belle-fille à chaque génération (sauf en cas de stérilité de la première), sont les principales justifications des mariages polyandres, fréquents surtout chez les agriculteurs propriétaires ou tenanciers de terres. Plusieurs frères partagent une même épouse, mais c'est l'aîné, chef de maison, qui est considéré comme étant le père de tous les enfants. Une telle famille, si elle arrive à préserver son unité au fur et à mesure de l'intégration des cadets dans le mariage de l'aîné, exprime alors l'idéal tibétain d'harmonie des grandes maisons prospères grâce à une main-d'oeuvre abondante permettant de diversifier les activités. Lors de la naissance du premier enfant mâle, gage de continuité pour la maisonnée, le père assume pleinement le rôle de chef de maison et les grands-parents vont occuper la «petite maison» (khangchung): pièce d'habitation, construction annexe ou abri des pâturages.

La maison et le mariage

L'importance de la maisonnée apparaît aussi très nettement à l'occasion du mariage. Les filles prennent le nom de maison de leur nouvelle résidence et il en va de même pour le marié si une famille prend un gendre, en l'absence d'héritier masculin ou en raison de l'incapacité de ce dernier; tradition qui témoigne de la primauté du principe de résidence sur la filiation. De même, entrer dans une maison comme belle-fille ou gendre, c'est perdre la protection des dieux de la maison d'origine et solliciter celle des divinités de sa nouvelle demeure. A Dolpo (Népal) par exemple, la bru (ou le gendre) devient chöpa (bouddhiste) ou bönpo [9] selon la tradition religieuse de la maison qui l'accueille. Il s'agit ici moins des convictions des occupants que d'une sorte de nature religieuse diffuse du bâtiment lui-même. A travers toute l'aire de culture tibétaine, une partie des rituels du mariage ont justement pour but d'assurer ce délicat passage d'une résidence à une autre, qu'il

s'agisse de prendre un belle-fille ou, parfois, un gendre.

Une autre qualité liée à la maisonnée, et partagée en une sorte d'osmose par ceux (êtres humains et certains animaux) qui en font partie, est le yang que l'on pourrait traduire par «essence de prospérité». Il a parfois son siège dans une pièce spéciale de la maison (yangkhang) sous forme d'un vase (rempli de grains et d'autres produits résumant les richesses de la famille) et d'une flèche enrubannée (dadar). Lors du mariage, le yang est l'objet de mesures visant à éviter que la mariée n'entraîne à sa suite une partie de la prospérité de la maison.

Il faut aussi évoquer la place privilégiée occupée par certaines parties de la maison, (surtout celle de l'époux), dans les chants de mariage dont la fonction principale est de rappeler, sous forme de questions-réponses, l'ordre de l'univers, de l'environnement naturel et des hommes; ainsi que d'exalter, par des éloges, l'excellence des familles, des participants, de la maison ou de tel ou tel objet intervenant dans la cérémonie. En même temps que la mariée progresse dans sa nouvelle demeure, un maître de cérémonie (tashipa, mopön) chante successivement l'éloge de la porte, de l'escalier, du foyer, du pilier etc... qu'il orne d'écharpes blanches de salutation. Au cours de ces chants de mariage les éléments d'architecture peuvent servir de métaphores exprimant certaines valeurs socialement désirables. Ainsi par exemple à Dingri, le maître de cérémonie chante les strophes suivantes devant le pilier principal de la maison du marié dont il désigne les différentes parties avec une écharpe de salutation [10];

«L'éloge du pilier [11]:
Fût, chapiteau et gorgeron [12], les trois,
Arc blanc, arc rouge, arc même, les trois,
Assurent la cohésion du pilier immuable
Une pierre placée comme base du pilier,
Offrons une pierre immuable comme base

Ce pilier étant en bois de santal
Doit être droit.
Une telle rectitude est nécessaire,
Et c'est bien elle que nous avons.

Le chapiteau étant un trésor,
Doit être replet.
Une telle réplétion est nécessaire,
Et c'est bien elle que nous avons.

Le gorgeron étant fait de perles,
Doit être excellent.
Une telle excellence est nécessaire,
Et c'est bien elle que nous avons.

Le couvre-poutre étant une pièce de soie,
doit être doux.
Une telle douceur est nécessaire,
Et c'est bien elle que nous avons.

Les têtes de poutre semblables au chef,
Doivent contenir (les tensions du bâtiment).
Une telle contention est nécessaire,
Et c'est bien elle que nous avons.

La base de poutre [13] étant l'entourage de sujets,
Doit être un soutien.
Un tel soutien est nécessaire,
Et c'est bien lui que nous avons.

Les solives [14], semblables à des joyaux
Doivent être rassemblées.
Un tel rassemblement est nécessaire,
Et c'est bien lui que nous avons.

L'ouverture du toit, semblable au ciel
Doit être ample.
Une telle amplitude est nécessaire,
Et c'est bien elle que nous avons.

Les fenêtres, ni grandes ni petites
Doivent être égales.
Une telle égalité est nécessaire,
Et c'est bien elle que nous avons.

Les relations entre maisons

Les maisonnées s'inscrivent dans des réseaux de relations
s'étendant au village et au-delà, indépendamment des liens de
parenté ou de camaraderie (groupes d'âge) unissant les
individus. Tous les membres d'une maison, que ce soit par
naissance ou par mariage, sont automatiquement intégrés dans
ces relations qui leur survivent. Ces réseaux inter-maisonnées,
fondés sur la réciprocité, sont appelés ganye dans les villages
du Tibet central, comme par exemple à Dingri (Aziz B.N. 1978, p.
187). Ils ont un rôle économique et interviennent dans la
résolution des conflits ou lors des cérémonies du cycle de vie.
De tels groupements de maisonnées, indépendants des liens
de parenté et remplissant sensiblement les mêmes fonctions,
existent aussi au Ladakh sous le nom de phapün (Brauen M.
1980, p. 23).
Enfin, ce sont également les maisons qui constituent l'unité de
base des systèmes d'entraide villageoise ou des groupes de
quartier [15].

Le bati comme métaphore

S'il fallait encore insister sur la place de premier plan occupée
par le bâti dans les conceptions sociales des tibétains, il
suffirait de rappeler la fréquence des métaphores empruntant à
l'architecture pour décrire des liens de parenté ou de filiation.
Nous avons déjà vu l'emploi du terme pilier pour désigner les
occupants d'une maison. De même, diverses formes de
polygamie sont appelées, entre-autres, cham ma dung «solives
sur poutre» (Aziz B.N. 1978 p. 139) et le terme «poutre» (dung)
désigne également la descendance patrilinéaire [16]. Des
métaphores de charpente sont appliquées de même à la
filiation spirituelle d'une école religieuse ou dans la description
d'une grande famille (Stein R.A. 1981 p. 89). Enfin, le terme
chamdal, «solive-lambourde», s'applique aussi bien aux liens
frère-soeur qu'à la couverture en bois formant plafond.
A l'échelle du pays, les 4 ministres du conseil (kalön) étaient
souvent appellés «les 4 piliers» (kawa shi) du Tibet, alors que
certains éléments d'architecture servent également de
métaphores pour diverses partie du corps (Meyer F. 1981, p.
116).
Chez les éleveurs nomades, comme nous le verrons plus loin à
propos de l'architecture mobile (section III), la «maisonnée», la
tente avec le groupe de parenté restreinte qu'elle abrite,
constitue également l'unité de production et de socialisation la
plus importante, autosuffisante, et ici largement autonome.

La maison noble

Comme les maisonnées d'agriculteurs propriétaires ou tenants
de domaines, les maison nobles devaient tout à la fois veiller à
préserver l'intégrité du patrimoine et assurer leur continuité
dans le temps. Les plus influentes ou les plus ambitieuses
d'entre elles avaient, de plus, intérêt à multiplier les alliances
matrimoniales dictées par les stratégies de pouvoir. C'est donc
la noblesse qui présentait les formes de mariage les plus
diverses: monogamie, polygynie ou polyandrie.
Le niveau socio-économique des familles nobles établies dans
les cités, surtout Lhasa, à proximité des organes du pouvoir
central, était nettement plus élevé que celui de la noblesse
rurale (fig. XXXIII). En fait, sur les 210 familles nobles, environ,
officiellement reconnues, seules 34 ont exercé un pouvoir
politique réel entre le milieu du 19ème et celui du 20ème siècle
(Petech L. 1973, p. 19). Bien que l'appartenance à la noblesse fût
déterminée par la naissance et qu'au début du siècle certaines
familles prétendissent encore descendre d'un lontain ancêtre
prestigieux, le fondement de la continuité des familles nobles
semble avoir été le domaine plutôt que le lignage (op. cit., p.
18).

Outre une résidence citadine, chaque famille aristocratique possédait aussi des manoirs sur ses domaines (shika) qui pouvaient être répartis dans diverses régions. Ils étaient le siège des intendants (chagdzö) et administrateurs (shinyer) chargés de la collecte des taxes pour les terres concédées en tenure et de l'exploitation directe d'une autre partie du domaine grâce à la main-d'oeuvre des düchung (fig. XXXIV). Les maisons nobles, avec notamment leurs extensions lointaines, formaient donc des entités sociales et fonctionnelles plus complexes que les maisonnées paysannes. En plus de la famille proprement dite, le bâtiment nobiliaire abritait tout un entourage d'employés (intendant, administrateurs, chapelain, agent commercial...) et de serviteurs de maison. Leur statut et les enjeux socio-économiques exigeaient des maisons nobles une plus grande spécialisation dans la fonction de certaines parties du bâtiment: salles de réception, chapelles, archives, bibliothèque, chambres d'hôtes, appartements d'été et d'hiver, logement pour le personnel, cuisines etc. (voir section IX).

Les établissements religieux

Les religieux, en très grande majorité bouddhistes [17], moines et nonnes ou religieux mariés, représentaient environ 12 à 15% de la population totale du Tibet. Le nombre des établissements religieux était considérable et un recensement ordonné en 1663 par le 5ème Dalaïlama en dénombre près de 1800 rien que sur les territoires contrôlés par son gouvernement (Tucci G. 1949, p. 69). Le chiffre officiel avancé par les autorités chinoises en 1960, sans doute pour toutes les régions de culture tibétaine alors intégrées à la nation, est de 2469 monastères avec 110.000 occupants (Henss M. 1981, p. 258, n. 44). Les institutions religieuses avaient également un poids économique considérable puisque en 1917, 42% du revenu national tibétain allait à l'Eglise, contre 37% au gouvernement et 21% à la noblesse; sans oublier que le gouvernement lui reversait une grande partie de son revenu sous forme de donations lors de certaines fêtes (Carrasco P. 1959, p. 86).
En-dehors de leurs fonctions rituelles et d'enseignement, les établissements religieux avaient des implications politiques, sociales et économiques extrêmement variées.
Au niveau le plus élémentaire il s'agit d'un petit temple (lhakhang) réduit à une simple cella, placé sous la surveillance d'un gardien (könyer) et entretenu par les donations des fidèles ou grâce au produit d'une parcelle de terre qui lui est attachée (lhashing). Si c'est un temple de village, comme on en rencontre fréquemment dans les hautes vallées himâlayennes, ses desservants occasionnels, lors de fêtes, sont quelques religieux mariés de la communauté paysanne, ayant hérité par

filiation paternelle l'aptitude à la fonction religieuse [18]. Certains petits villages du Tibet étaient, comme à Dingri par exemple, entièrement constitués de familles paysannes dont certains membres pratiquaient les rituels domestiques dans les agglomérations voisines. Ces villages de spécialistes du rituel (serkhyim gönpa), tenanciers de terres et ne se réclamant pas de lignages religieux, s'organisaient autour d'un petit temple, lieu de réunion à l'occasion des fêtes (Aziz B.N. 1978, p. 76). Ailleurs, des communautés de religieux bouddhistes nyingmapa ou kagyüpa (wöngön), mais également bönpo, se rassemblaient régulièrement dans leur temple, pour les activités liturgiques communautaires, tout en vivant avec leurs familles dans des maison individuelles contruites à proximité.
Certaines fondations monastiques (de) se limitaient à quelques disciples vivant dans des ermitages très rudimentaires autour de la cabane d'un maître. Elles dépendaient alors entièrement des donations volontaires des fidèles et la plupart des monastères se trouvaient d'ailleurs à proximité des villages, à quelques heures de marche au maximun. Certains maîtres se refusaient à un établissement durable, mais d'autres fondations se développpaient avec l'afflux de dons, consistant parfois en domaines comprenant des sujets.
La majorité des fondations religieuses du Tibet ancien (époque royale et début de la seconde diffusion du bouddhisme au 10ème - 11ème siècles), qui ont été conservées dans leur état d'origine, montrent qu'il s'agissait de petites communautés monastiques regroupées autour d'une chapelle et ayant reçu, d'un puissant patron, des domaines destinés à assurer l'activité religieuse et la subsistance des moines (section V et VI). Par la suite, avec la pénétration croissante du bouddhisme dans toutes les couches de la société, les monastères auront tendance à devenir des organismes socio-économiques de plus en plus complexes.
Jusqu'au 16ème siècle surtout, certaines fondations monastiques, dont quelques-unes furent le point de départ d'écoles religieuses, étaient le fait de familles nobles particulières, conservant dans leur lignée, à la fois la direction spirituelle et le pouvoir temporel sur l'ensemble des domaines ancestraux agrandis par des donations répétées, l'incorporation d'autres domaines, parfois par la force des armes, et les investissements. Certaines de ces écoles religieuses ont connu un développement considérable, établissant de nombreuses filiales à travers toute l'aire de culture tibétaine, comme ce fut le cas par exemple de l'école Sakyapa, liée sans interruption, avec des fortunes diverses, à la famille aristocratique des Khön, depuis sa fondation en 1073 jusqu'à l'époque moderne.
Ces grands monastères fondateurs (densa) formaient, bien entendu, des entités socio-économiques très complexes. Il y

avait la communauté des moines avec sa propre hiérarchie interne et ses possibilités d'ascension à des charges religieuses ou administratives, bien qu'elle reflétât, plus ou moins, la stratification de la société laïque. Une grande partie des moines (80% à Sakya) pouvait provenir de recrutements obligatoires parmi les sujets du monastère. La population monastique était souvent fluctuante en cours d'année: absence pour quêtes, pélerinages, rituels domestiques, séjours dans la famille, collecte des taxes, missions officielles dans des filiales etc... La vie matérielle de la communauté religieuse était assurée par les revenus en nature des domaines qui lui étaient affectés, des quêtes et des dons, souvent importants à l'occasion des fêtes, auxquels étaient tenus l'administration temporelle, le hiérarque, sa famille et les personnalités les plus en vue. Les moines avaient généralement besoin d'un revenu personnel assuré par une parcelle de terre familiale ou grâce aux services religieux pratiqués à la demande des laïcs. Certains moines réussissaient à s'enrichir, notamment à l'occasion de missions officielles. Au-dessus de la communauté monastique, les aspects spirituels et temporels de l'autorité fondatrice héréditaire pouvaient être réunis dans la même personne, comme à Sakya à partir du 18ème siècle, ou exercés par deux collatéraux, ce qui était le cas du monastère de Mindoling. Dans le premier cas, le hiérarque déléguait le pouvoir temporel sur ses sujets à une sorte de ministre et la gestion des revenus matériels de la communauté monastique à un intendant en chef. La responsabilité de l'enseignement religieux était laissée à des abbés. De ce fait, à côté des sanctuaires, salles d'assemblée et habitations de moines, ces grands monastères abritaient également la résidence du hiérarque et de son éventuelle famille (labrang), ainsi que, le cas échéant, le palais (phodang) de ses collatéraux, sans oublier les bureaux des fonctionnaires religieux et laïcs, le siège des magistrats de justice etc... La maison du hiérarque comprenait, elle-même, un nombre plus ou moins important de fonctionnaires de haut rang: intendant, maître d'hôtel, valet de chambre, responsable des offrandes religieuses, chef des cuisines.

Une autre forme de transmission du pouvoir religieux et temporel à la tête d'institutions monastiques est celle des lignées d'incarnations (tulku). Dans ce cas, le décès du hiérarque est suivi de la recherche de sa réincarnation en la personne d'un petit enfant. Ce type de succession a les mêmes implications religieuses, économiques et parfois politiques que le précédent. Il avait déjà cours à la tête de l'école Karmapa et s'est surtout répandu à partir du 16ème siècle avec l'essor, puis la suprématie des gelugpa. Il évitait que les pouvoirs, plus ou moins étendus, liés à l'institution, ne restent entre les mains d'une même famille.

Ce sont les grandes cités monastiques (chöde, ling), surtout celles des gelugpa fondées à partir du 15ème siècle, qui formaient les ensembles architecturaux les plus élaborés. Abritant plusieurs milliers de moines, ces établissements recevaient un soutien très actif du gouvernement qui en était souvent propriétaire (fig. XXXV). Ils intégraient en un tissu social et économique complexe des unités aux fonctions très diversifiées (sections VII, VIII, IX).

Tous ces divers types d'établissements religieux, des plus simples aux complexes, étaient en général représentés dans une région donnée, entretenant avec la population des liens religieux, sociaux et économiques très différents de l'un à l'autre.

III) HABITATION ET ENTREPOT

Le Tibet a présenté, jusqu'en 1959, les caractéristiques d'une économie de subsistance quasi-autarcique au niveau familial. A l'échelle du pays, les échanges étaient davantage déterminés par la structure sociale (intimement liée à la propriété foncière) que par les demandes d'une économie de marché. Pratiquement, l'ensemble des besoins de l'Etat, de même que ceux des autorités religieuses et aristocratiques, étaient couverts par des prélèvements de biens en nature ou de la force de travail nécessaire à les produire. La plupart des rémunération ou frais de fonctionnement étaient assurés sous forme de revenus en nature et services tirés de concessions de terres. Les taxes acquitées en nature représentaient au moins 41% des revenus du gouvernement en 1917 (Carrasco P. 1959, p. 86). Il se procurait de la sorte tout ce dont ses divers services pouvaient avoir besoin, grâce, parfois, à une certaine spécialisation des villages: grains, viande sèchée, beurre, huile, thé, sel, peaux, cuir, laine, tissus, tentes, sacs et cordes en poil de yak, poutres, combustibles, papier, or, fer, poudre à fusil, bâton d'encens, foin, bambous, etc...

De plus, il n'est possible d'obtenir sur le haut-plateau tibétain qu'une récolte par an et l'abattage massif des animaux doit se faire à l'automne, lorsqu'ils sont le plus gras, avant la pénurie hivernale de pâturages. Les autorités, qui concédaient des terres en tenure, stockaient souvent, par sécurité, la part de récolte nécessaire aux semailles de l'année suivante. Ceci explique l'importance du stockage, favorisé par le climat froid et sec, tant au niveau des maisons paysannes, que dans les demeures nobles, les monastères, les forteresses et bâtiments administratifs ou les palais.

IV) L'ARCHITECTURE COMME EXPRESSION ET SYMBOLE DES VALEURS SOCIO-CULTURELLES

Dans l'aire de culture tibétaine, le cadre bâti et son usage ne reflètent pas seulement les contraintes du milieu naturel et du système de production. Par son développement en 3 dimensions, l'habitation exprime et rend lisible, donc contribue à perpétuer, les valeurs culturelles qui organisent l'espace social aussi bien que physique, valeurs partagées par tous ceux qui l'occupent. Enfin, en tant que milieu techniquement efficace, il doit également être adapté aux nécessaires relations que l'homme entretient avec les puissances invisibles, hostiles ou propices, et à la mise en oeuvre des moyens conduisant au salut tels qu'ils sont proposés par la religion constituée.

Nous avons déjà esquissé les grandes lignes de l'espace social et il sera question plus loin du milieu naturel et des représentations tibétaines liées à l'espace géographique et au site habité (section I). Disons seulement ici que l'architecture tibétaine s'inscrit dans un espace physique perçu comme étant quadrangulaire et orienté aux points cardinaux dans son extension horizontale, stratifié en hauteur et centré par un axe vertical qui relie les divers étages du monde (Meyer F. 1983a).

L'habitation est idéalement carrée ou quadrangulaire comme l'indique l'épithète dushi qui lui est régulièrement associé dans les chants de mariage [19] et le module-type des architectes tibétains défini comme «4 colonnes, 8 poutres» [20].

En contraste avec la yourte mongole ronde, la tente tibétaine est, elle aussi, quadrangulaire; comme le sont la plupart des tombes des anciens rois du Tibet, assimilées à des «tentes de l'âme» dans un manuscrit de Dunhuang (Macdonald A. 1971, p. 222).

Le plan de l'habitation reprend ainsi, à une échelle plus réduite, la configuration de la terre souvent désignée par la métaphore poétique dushi, la «quadrangulaire», dans la littérature tibétaine (Stein R.A. 1981, p. 230); expression qui peut également s'appliquer, de façon plus restreinte, au site habité (Jest C. 1975, p. 46). L'espace est strictement orienté par rapport aux points cardinaux et la référence aux orients est constante chez les populations tibétaines, tant dans la vie quotidienne que dans la toponymie, les chants, la poésie ou les rituels. Elle est particulièrement importante pour l'architecture, non seulement en raison de considérations climatiques, mais également du fait de prescriptions rituelles [21] ou dictées par la géomancie (section I).

Ces espaces emboîtés: maison, site habité..., s'inscrivent chacun dans l'opposition entre l'intérieur et l'extérieur. C'est le premier terme de cette dualité qui est perçu comme positif ainsi qu'en témoigne, de façon plus générale, le terme nangpa,

«ceux de l'intérieur», désignant les bouddhistes par opposition à tous les autres qui sont ainsi assignés à l'extérieur. Cette opposition est particulièrement signifiante pour l'habitation. Ainsi le terme nang, «intérieur», peut prendre le sens de maison et l'expression nangmi, «les gens de l'intérieur», désigne les membres d'une même maisonnée. A l'inverse khang, «maison», peut être l'équivalent d'interne, intérieur, dans la littérature bouddhique (Das S.C. 1902b, p. 138). Cette opposition entre l'intérieur et l'extérieur est visuellement très frappante dans l'architecture religieuse ou palatiale, tant le contraste est marqué entre l'austérité des façades et l'extrême richesse du décor intérieur. La valorisation de l'intimité domestique, menacée par les indispensables contacts et échanges avec le monde extérieur, apparaît bien dans cette formule récitée lors du nouvel an au Ladakh et qui accompagne la salutation adressée à l'endroit où est déposée la clé: «Garde les secrets de la maison à l'intérieur et fais entrer les nouvelle du dehors» (Brauen M. 1980, p. 104).

Les Tibétains se représentent le monde comme formé de 3 étages: en haut, l'étage blanc des dieux (lha); en bas, celui, bleu-sombre ou noir, des divinités du sous-sol (lu), et au milieu, l'espace jaune des esprits tsen et des hommes. De même, l'habitation tibétaine comporte idéalement 3 niveaux qui s'inscrivent dans une autre opposition générale, celle du haut et du bas. Il n'est pas nécessaire de rappeler ici la survalorisation de la notion de hauteur dans le monde tibétain, notion qui peut s'appliquer à diverses échelles jusqu'à devenir fictive. Ainsi le haut est associé au pur, au sacré, à la puissance etc... De fait, les maisons tibétaines présentent souvent trois niveaux: un rez-de-chaussée (ogkhang, «pièces du bas»), un 1er étage (barkhang, «pièces du milieu») et un 2ème étage (teng, «le dessus»), simple terrasse ou partiellement construit autour d'un espace ouvert. Schématiquement, le rez-de-chaussée sert d'abri pour les animaux et de remise pour les instruments agricoles. Le 1er étage est celui des réserves et de la pièce principale comprenant le foyer (thabtsang), centre de la vie familiale. Il abrite également la chapelle domestique (chökhang) si le 3ème étage n'est pas construit. Sinon elle occupe ce dernier étage (section II). Les correspondances avec le triple étagement du monde sont parfois très clairement exprimées, comme par exemple à Tichurong (au sud de Dolpo au Nepal) où il y a trois lieux de culte dans chaque maison: pour les divinités du sous-sol au rez-de-chaussée, pour les esprits tsen au 1er étage et pour le «dieu (de la lignée) masculine» (pholha) sur le toit-terrasse (Jest C. 1975, p. 78, n. 105).

Le niveau intermédiaire est bien celui des hommes puisqu'il est essentiellement occupé par la pièce du foyer, véritable coeur de la maisonnée, où la famille se réunit, mange, dort et reçoit. Le fait qu'il corresponde aussi à celui des esprits ambivalents tsen est manifeste au Ladakh où une frise rouge tracée au 1er étage des maison est destinée à les éloigner.

Enfin, si le troisième niveau est construit, il comporte la chapelle domestique consacrée aux divinités de la religion constituée. S'il se réduit à une simple terrasse, il présente, au moins, une petite structure servant de support à certains dieux de la religion populaire, et un foyer de fumigation.

Un schéma semblable organise l'habitation mobile, la tente, selon un étagement qui est ici plus symbolique que réel.

De même, certains des temples les plus prestigieux du Tibet, comme celui de Samye ou le Jokhang de Lhasa, sont toujours mentionnés dans la littérature tibétaine comme ayant 3 niveaux: «du haut, du bas et du milieu», même si cela ne correspond pas, exactement, à l'étagement réel du bâtiment [22].

L'idée de totalité et de hauteur absolue est fréquemment rendue par le chiffre 9, multiple de 3 par lui-même [23]. C'est ainsi que les châteaux des anciens rois sont souvent crédités, par la tradition, de 9 étages. La notion de puissance impliquée par les constructions à 9 étages est déjà présente dans un texte tibétain de Dunhuang (8ème-9ème siècles; Stein R.A. 1957a, p. 73, n. 59). C'est ce même cliché que la tradition populaire applique, encore aujourd'hui, aux nombreuses ruines de forteresses répandues sur une grande partie de l'aire de culture tibétaine. Par contre le palais de Leh, construit au début du 17ème siècle, comprend, effectivement, 9 niveaux (Jest C. and Sanday J. 1982). Dans les légendes d'origine du premier roi du Tibet, le ciel dont il vient, et la montagne sur laquelle il descend, ont tantôt 9, tantôt 7 ou 13 étages (Stein R.A. 1981, p. 22; Macdonald A. 1971, p. 207). Le chiffre 13 occupe une place importante dans la religion bön et c'est aussi le nombre des ciels du bouddhisme. Ceci explique que la tradition tibétaine, désireuse de souligner la signification céleste ou cosmique du palais du Dalaïlama, attribue à sa partie centrale tantôt 9, tantôt 13 étages; ce qui, dans les deux cas, ne correspond pas à la réalité architecturale (section IX).

Le hauteur de l'habitation exprime également la hiérarchie sociale. Ainsi à Lo Mantang, capitale de l'ancien royaume de Lo (Mustang, Nepal), le bâtiment le plus haut est un temple bouddhique d'environ 6 étages, et le palais d'hiver en a 5. La noblesse héréditaire a droit à des maisons de 3 niveaux alors que les habitations des sujets ne peuvent dépasser deux étages, hauteur des murs d'enceinte de la cité (Peissel M. 1970, pp. 144 et 151). Lorsqu'un lama de Dolpo veut employer une métaphore à propos de la stratification sociale, c'est à l'étagement de l'espace, dont celui de la maison apparaît comme un cas particulier, qu'il emprunte son image: «Tout comme il y a un haut, un milieu et un bas de la vallée, il y a des lignées élevées, moyennes et inférieures» (Jest C. 1975, p. 247). Loin vers l'Ouest, au Ladakh, cette correspondance est

clairement soulignée dans la tradition orale qui rappelle que le roi, venant autrefois visiter l'un de ses sujets, accédait directement au toit-terrasse par une échelle placée, à cette occasion, contre le mur (Kaplanian P. 1981, p. 238).

Les étages de l'habitation sont, à l'image de ceux du monde, traversés par un axe vertical qui les relie: échelles ou rondins entaillés passant d'un étage à l'autre par une trappe ouverte dans le plafond. Il semble qu'autrefois, comme en témoignent encore les constructions les plus rudimentaires, ce passage se faisait par l'ouverture du plafond destinée à évacuer la fumée du foyer et à laisser entrer la lumière (Stein R.A. 1957b, p. 170). Actuellement ces 2 ouvertures sont distinctes mais très semblables dans leur conception architecturale (section II) et une trace de leur identité antérieure peut être relevée à Dolpo où le terme namkhung, «trou du ciel», qui désigne la trappe d'accès à la terrasse, est celui qui s'applique ailleurs au trou de fumée. Les autres dénominations de ce dernier [24] impliquent également l'idée de lumière et de communication avec le ciel (op. cit. p. 54). L'association de l'échelle avec le ciel est nettement exprimée dans les chants de mariage qui la créditent, comme lui, de 13 gradins (Tucci G. 1966 p. 52, n. 104). Ces implications cosmologiques semblent avoir perdu beaucoup de leur prégnance dans la conscience collective. Néanmoins, l'idée d'une communication avec le ciel par le trou de fumée et de lumière est encore très présente chez les populations tibétaines de Gyelthang au Yunnan. En effet, lors des rituels d'appel de l'essence de prospérité (yanglen), celle-ci est censée venir de 'Jang Kha-ba Ho et rentrer par le trou de fumée du toit (Corlin C. 1980, p. 89). De ce fait on comprend mieux pourquoi cette ouverture peut également s'appeler namyang, «essence de prospérité du ciel» [25]

Les possibilités de communication entre le monde intermédiaire des hommes et les régions célestes ou souterraines, comportent aussi le risque d'intrusion de puissances dangereuses, qu'il convient parfois de prévenir par des rituels destinés à «fermer les portes du ciel et de la terre» (sago namgo gag) (fig. XXXVI).

L'habitation est centrée, de façon plus symbolique que réelle, par un pilier, celui de la salle commune, placé près du foyer, généralement au premier étage. Il occupe une place privilégiée dans les rituels domestiques dont il sera question plus loin et il est investi d'une charge symbolique toute particulière rappelée avec insistance, dans les chants de mariage notamment. Ce pilier «principal» est rarement perçu consciemment dans sa dimension cosmique, comme c'est le cas à Gyelthang, où il est, non seulement placé au centre géométrique de l'espace domestique, mais où les chants de nouvel an le décrivent comme un support du monde (Corlin C. 1980, p. 91). Néanmoins, le fait qu'il apparaît comme idéalement constitué de 13 éléments superposés, les derniers étant le soleil et la lune, dans un chant de mariage de Gyantse (Tucci G. 1966, p. 54), et que les plus beaux piliers du Potala sont censés présenter également 13 registres de menuiseries (section IX), montre que le symbolisme cosmique, attaché à cet élément d'architecture, ne s'est pas totalement estompé.

L'habitation étant ainsi centrée, l'oppositon radicale entre le dedans et le dehors, se double d'un gradient continu, entre le centre et la périphérie, qui va structurer plus finement l'espace domestique, notamment dans ses implications sociales. Le pilier détermine, avec le foyer, un axe qui sépare la salle commune-cuisine en deux parties: à main gauche en général et vers le fond, près des réserves, le domaine des femmes et de la préparation de la nourriture; à main droite, près des fenêtres, celui des hommes et des contacts sociaux [26]. La salle commune, contrairement aux réserves, est un espace ouvert aux personnes extérieures à la famille: visiteurs ou invités. Dans la pensée tibétaine, la notion de centre est intimement associée à celle de hauteur et de prééminence. Monter, c'est idéalement se rapprocher du centre et s'élever dans la hiérachie des valeurs (Meyer F. 1983b, p. 45-46). Cette notion, amplifiée par la concrétisation architecturale des expériences tantriques, est manifeste dans les stûpa les plus développés comme le Kumbum de Gyantse (section VII) où le dévôt, après avoir gravi les étages du bâtiment en s'identifiant aux nombreuses et diverses manifestations de l'Absolu qui y sont représentées, atteint celui-ci dans le sanctuaire ultime placé au sommet et à l'aplomb du centre. La référence à la hauteur, combinée à l'eloignement, se trouve à la base du protocole qui régit l'attribution des places aux convives dans la salle commune. La descente dans la hiérarchie sociale et dans l'échelle des liens familiaux se traduit par la diminution progressive de la hauteur du siège (parfois seulement de l'épaisseur d'un tapis) et l'éloignement par rapport aux centres d'organisation, c'est-à-dire le pilier principal et le foyer qui lui est associé. Les convives les plus humbles se retrouvent ainsi près de la porte, aux frontières de l'espace domestique, alors que ceux qui sont considérés par trop impurs sont relégués à l'extérieur de la demeure, tout comme leurs maisons sont rejetées en périphérie ou hors des cités et des villages.

V) UNE ARCHITECTURE RECEPTACLE DU SACRE

Les constructions religieuses

Sur toute l'aire de diffusion du bouddhisme tibétain, les constructions religieuses, essentiellement stûpa et temples, sont considérées comme étant les réceptacles ou supports (ten) du plan de l'Esprit de Bouddha [27]. Les bâtiments, en tant que tels, sont donc sacralisés et ce caractère est encore accru du fait qu'ils abritent, souvent en grand nombre, les supports du plan du Corps que sont les statues et images, ainsi que les réceptacles du plan de la Parole que sont les textes religieux. Comme les statues ou les stûpa de toutes tailles, les bâtiments religieux acquièrent leur caractère sacré par les nombreux dépôts de consécration (zungshug) placés en divers endroits de leur structure (piliers, acrotères etc...) et surtout lors de la cérémonie de consécration finale (rabne). On s'attendrait donc à des règles précises fixant les proportions des bâtiments religieux à l'instar de celles qui régissent l'iconographie ou l'édification des stûpa. Il semble qu'il n'en soit rien en pratique malgré la mention de nombres déterminés d'«empans de Bouddha», censés fixer la longueur du côté du plan de base, théoriquement carré, des temples (Thubten Legshay Gyatsho 1979, p. 35). Il apparaît par ailleurs, que l'ancien symbolisme mystique des temples aux plans centrés et rigoureusement structurés en mandala, très apparent au Jokhang de Lhasa et dans les constructions du Tibet occidental des débuts de la seconde diffusion du bouddhisme (section V et VI), s'est progressivement estompé.

Il reste, qu'à l'image du stûpa, le temple lui-même est déjà un objet de vénération pour les fidèles. Le monastère dans son ensemble, quelle que soit sa taille, est également considéré comme un espace sacré puisqu'il rassemble les «3 joyaux» que chaque bouddhiste prend pour refuge: le Bouddha, la Loi religieuse et la Communauté des moines. Les grands monastères, tels des lieux saints, sont ainsi circonscrits par un chemin de circumambulation rituelle balisé par de nombreux stûpa, murs de pierres gravées, cairns, drapeaux de prières, foyers à fumigation etc...

Les édifices et ensembles religieux reflètent, dans leur structure interne et leur ordonnance, les activités spécifiques susceptibles de s'y dérouler: liturgie, expériences mystiques et étude de la dogmatique, dont l'importance respective est très variable selon les écoles et les lieux. Néanmoins, la typologie de base des bâtiments religieux, adaptée aux fonctions qu'ils remplissent, est valable pour toutes les tendances du bouddhisme et sans doute également pour le bön organisé.

Bien que certaines constructions religieuses, dont l'apparence se singularise souvent moins par le vocabulaire architectural que par le décor (couleur rouge ou jaune, acrotères etc...), soient particulièrement destinées à remplir des fonctions rituelles, ces dernières ne sont pas totalement absentes de la maison laïque comme il apparaîtra plus loin. Par ailleurs, l'aspect extérieur des habitations de religieux mariés, ou celui des résidences de moines (khangtsen) dans les monastères, est généralement très semblable à celui des maisons villageoises ou urbaines. L'organisation interne des résidences monastiques en cellules restreintes à un ou quelques individus est par contre très différente.

Les activités liturgiques et rituelles [28] sont de 2 types: collectives et privées; les secondes se déroulant dans les maisons ou les cellules des religieux dont chacune dispose, au-moins, d'un petit autel. Dans les villages, la liturgie collective peut se réduire à des réunions épisodiques, le plus souvent festives, des desservants d'un petit temple constitué simplement d'une cella (lhakhang): salle hypostile à quelques piliers recevant son éclairage par la porte et abritant dans le fond un autel pourvu de statues [29] (fig. XXXVII).

Le culte collectif quoditien des communautés monastiques se déroule dans la salle d'assemblée (dükhang), centre religieux, et souvent géographique, du monastère. Pour les grands ensembles monastiques gelugpa, les cultes mineurs se déroulent dans les salles d'assemblée des collèges (datsang), alors que l'ensemble de la communauté se réunit, au-moins une fois par jour, dans le hall d'assemblée principal (dükhang chenmo, tsogchen) pour les actes liturgiques majeurs.

Les salles d'assemblée, dont la taille est fonction du nombre de religieux qui s'y réunissent, peuvent être simplement formées par un développement antérieur de la cella sur quelques travées recevant la lumière par une ouverture zénithale bordée d'un lanterneau. Le hall d'assemblée principal (dükhang chenmo, tsogchen) des cités monastiques, est une vaste salle hypostile éclairée à travers une ouverture zénitale et pouvant parfois recevoir plusieurs milliers de moines (fig. XXXVIII). Elle occupe la plus grande partie d'un édifice prestigieux, le tsuglagkhang, coeur et haut-lieu du monastère. Cette salle d'assemblée est souvent séparée de la cella principale (ditsangkhang), de taille beaucoup plus réduite et nettement plus sombre, avec laquelle elle communique par une grande porte située dans son fond (bug). Des chapelles secondaires, notamment celles qui sont consacrées aux divinités protectrices (gönkhang), ainsi que des réserves, entourent la salle d'assemblée et occupent les étages du tsuglagkhang dont la partie haute (utse) comporte souvent une salle des mandala ou un appartement réservé aux grands maîtres religieux dont on sait qu'ils occupent, dans le bouddhisme tibétain, une place plus éminente même que celle des représentations matérielles des Bouddhas.

Par ailleurs, des temples et chapelles de taille variable, consacrés particulièrement à l'une ou l'autre figure du panthéon bouddhique, ou abritant les reliques et les stûpa funéraires de grands maîtres religieux, sont dispersés au sein de l'agglomération formée par les collèges, les résidences de moines et les demeures de hiérarques religieux.

En règle générale, les laïcs n'assistent pas à la liturgie qui se déroule dans les salles d'assemblée. Leur devoir de fidèle consiste d'une part, à soutenir matériellement la communauté des moines et d'autre part, à vénérer et à multiplier les réceptacles des plans du Corps, de la Parole et de l'Esprit de Bouddha. En retour, la liturgie monastique est ultimement dédiée au bien de toutes les créatures. Le culte rendu par les laïcs comporte donc essentiellement la circumambulation et la visite des sanctuaires où le dévôt s'incline ou se prosterne devant les objets de dévotion qu'il vénère par l'offrande d'écharpes de salutation ou d'argent et en alimentant les lampes à beurre. Ceci explique l'exiguïté des sanctuaires qui n'ont jamais à contenir une grande foule de fidèles, car ceux-ci accomplissent leur visite en file indienne sous l'oeil vigilant des sacristains les jours de grande affluence. La circumambulation, cette pratique de dévotion si fondamentale pour le bouddhisme, commande souvent certains traits de l'architecture des temples. Il peut s'agir d'un circuit (korlam) extérieur, parfois abrité par une galerie comportant une rangée de moulins à prières, ou d'un couloir de circumambulation interne (korkhang) qui est souvent un boyau obscur engagé dans la maçonnerie même de la cella principale. Ce dernier agencement, qui rappelle des prototypes indiens et d'Asie Centrale, s'observe surtout dans l'architecure ancienne jusqu'au 15ème siècle (section V, VI et VII). La circumambulation peut aussi se faire autour des statues les plus sacrées elles-mêmes, comme le Jowo du Jokhang par exemple, en empruntant un espace dont le caractère exigu et obscur, évoquant les passages équivalents des anciens sanctuaires rupestres, se retrouve encore dans certaines constructions récentes ayant pourtant de vastes proportions [30].

Dans les monastères, certaines activités rituelles collectives, notamment lors des grandes fêtes du calendrier religieux, se déroulent à l'air libre dans des espaces extérieurs aménagés à cet effet. Il s'agit essentiellement de danses masquées, parfois de sermons, qui ont lieu dans les cours (khyam, chamra) des collèges ou devant la salle d'assemblée principale, dans une grande cour dallée (dochal), entourée sur les 3 côtés restants par 2 étages de portiques où s'entasse la foule des religieux et des laïcs venus participer en spectateurs (fig. XXXIX). Lors de certaines fêtes, d'immenses toiles, réalisées en broderie d'application (göku) et représentant des Buddhas ou des Bodhisattvas, sont exposées à la vénération générale sur la façade d'un grand bâtiment (Potala), ou à flanc de colline (Labrang, Kumbum). Dans certains cas, comme à Tashilhunpo ou à Gyantse, un édifice, qui semble dériver des anciennes tours d'enceinte, était spécialement destiné à cet usage.

L'étude de la dogmatique, particulièrement importante dans les monastères gelugpa, se présente également sous 2 modalités: individuelle et collective. L'étude individuelle ou par petits groupes, consacrée pour une grande part à la mémorisation des textes sous la direction d'un répétiteur ou d'un maître, a pour cadre les cellules des moines ou le toit-terrasse de leurs résidences. Les activités universitaires collectives, consistant en lectures et explications de textes ainsi qu'en débats rhétoriques et en examens publics, n'ont pas lieu dans les salles d'assemblée. Elles se déroulent en général à l'air libre, dans des lieux spécifiques qui peuvent varier selon les saisons, notamment dans la cour qui précède la salle d'assemblée [31] et, chez les gelugpa, dans un espace entouré d'un mur et fréquemment planté d'arbres, le chöra.

Certaines prescriptions de la règle monastique (dulwa), d'origine indienne, concernent l'aménagement et la disposition des bâtiments. Bien que ces prescriptions, dont certaines sont très détaillées, soient souvent illustrées à l'entrée des bâtiments conventuels, elles semblent ne plus avoir été très suivies au Tibet dès le 12ème-13ème siècle (voir dans le présent ouvrage la contribution de M me E. De Rossi Filibeck). On continue néanmoins de retrouver la disposition prescrite par la règle monastique (cellules autour d'un espace carré avec le sanctuaire au fond) dans le plan des grandes cours entourées de portiques abritant sur 3 côtés une rangée de petites pièces (shagkhor) qui peuvent loger des moines ou, plus souvent, servir de réserves ou de remises. Ces dernières sont parfois remplacées par des chapelles secondaires. Il faut toutefois rappeler que cette disposition s'incrit également dans une logique de développement propre au langage architectural tibétain dont l'habitation domestique permet de suivre les étapes, (section II).

La pratique des exercices mystiques (nyendub), particulièrement importante chez les Nyingmapa et les écoles qui s'y rattachent, comme les Kagyüpa, a lieu, après une préparation dogmatique et liturgique plus ou moins longue, dans des établissements spéciaux (dubda). Mais surtout, s'agissant d'expériences essentiellement personnelles, c'est dans la solitude ou, parfois, dans l'isolement très sévère des cellules murées ou des grottes, qu'elles doivent être menées à leur terme. A côté de nombreux ermites vivant seuls dans la montagne (rithöpa), il y avait des regroupements d'ermitages et la plupart des monastères, même gelugpa, comprenaient, en annexe sur les hauteurs, des cellules de méditation et de réalisation (tshamkhang, dubkhang) disponibles pour un isolement temporaire ou définitif.

L'habitation domestique comme espace rituel

La maison est un des cadres privilégiés où se sont maintenues, de façon plus ou moins estompée selon les régions, certaines représentations et pratiques de la religion populaire qui y voisinent avec les manifestations de la religion constituée: le bouddhisme, parfois le bön.

Le bouddhisme est présent dans les maisons laïques sous forme d'un oratoire dont l'importance dépend du niveau socio-économique. Les demeures nobles comprenaient toujours une grande chapelle-bibliothèque desservie par un chapelain résidant sur place et engagé par le maître de maison dans un monastère du voisinage. Etant généralement la pièce la plus richement décorée, elle servait également de chambre pour les invités de marque. C'est ici que des groupes de religieux venaient fréquemment lire des textes ou pratiquer des rituels à la demande de la famille. Une autre pièce était en général consacrée aux divinités protectrices (gönkhang).

Dans les maisons ordinaires, une petite chapelle se trouve au dernier étage. Ici il n'y a pas de chapelain. C'est un adulte de la famille qui vient, tous les jours, brûler un peu d'encens, alimenter la lampe à beurre et remplacer l'eau présentée en offrande sur un autel pourvu de quelques images et textes religieux. Dans les maison les plus pauvres, c'est au fond de la cuisine-pièce commune, à la place d'honneur près du foyer, qu'une petite étagère avec de modestes objets de piété sert d'autel rudimentaire. Dans cette même pièce officient les quelques religieux dont la famille peut, occasionnellement, s'offrir les services [32].

A côté de ces manifestations de la religion constituée, certaines parties de la maison sont perçues comme étant habitées par des puissances invisibles, dont la nature et les attributs, variables selon les régions, sont plus ou moins clairement formulés. Elles contribuent à la prospérité de la maisonnée sous réserve de ne pas être offensées et de recevoir des offrandes.

Les toits comportent de 1 à 4 constructions cubiques en maçonnerie ou en bois, placées généralement au milieu ou aux angles, et appelées différemment selon les régions: lhatho, tsenkhang, posse ou sekhar (fig. XL). Leur structure est uniforme et semblable à celle des petites constructions votives (lhatho, lutho) dédiées aux divinités locales et édifiées près du site habité. Elle comprend un réceptacle interne et des branchages munis de rubans multicolores ou de touffes de laine ainsi que des lances ou des épées de bois et des fanions marqués par le dessin du «cheval du vent», agent de vitalité [33]. Ces constructions sont des «châteaux», des «maisons» ou des «bornes-éminences» (tho, mtho), servant de support à des divinités dont l'identité, bien que variable, est cohérente d'une extrémité à l'autre de l'aire de culture tibétaine. Il s'agit essentiellement de dieux appelés pholha ou phalha, «dieux (de la lignée) masculine» dont le caractère clanique, souvent dégradé, ne s'est conservé, semble-t-il, que dans des régions périphériques; alors qu'ailleurs ils ont été liés de plus en plus à la résidence. Il reste néanmoins que ce sont surtout des dieux protecteurs des hommes, ces derniers étant généralement les officiants exclusifs du rituel de fumigation (sang) qui leur est, entre autres, dédié sur le toit des maisons. A cet effet, un foyer de fumigation (sangkhang, sangbum, sangthab) est parfois érigé sur la terrasse. Dans les maisons les plus modestes, une simple pierre plate fait l'usage. Le caractère masculin et extérieur à l'habitation, oppose le pholha au phuglha, «dieu de la caverne», «dieu du fond (de la maison)», résidant dans le pilier principal de la salle commune et qui semble particulièrement lié aux femmes de la maisonnée. Au Tibet oriental on l'appelle encore molha, «dieu des femmes», et ce sont elles qui lui offrent la «fumigation du foyer» (thabsang). Ce dieu réside, de manière plus ou moins concrète, dans la partie haute du pilier principal, lequel est parfois aussi appellé «pilier du fond» (phugka). Il est intimement associé au foyer (thab), siège lui aussi d'une divinité (thablha) plus ou moins autonome. L'un ou l'autre peut encore être appelé khyimlha, «dieu de la maison», et en tant que dieux particulièrement liés à la résidence et aux femmes, ils ont la charge, notamment, du bien-être général de la famille, de la profusion des nourritures et de la fertilité du cheptel; disposition bénéfique qui est toujours susceptible d'être remise en cause par une pollution.

A propos des rituels du mariage, nous avons déjà évoqué le yang, autre puissance invisible intimement liée à l'habitation, sans être toutefois perçue comme une divinité. Cette essence de prospérité peut avoir pour support (ten, yangshi) une structure contenant des grains, des matières précieuses et surtout une flèche enrubannée (dadar) parfois préservée dans une petite pièce close accessible aux seuls membres de la famille (yangkhang) (Djamiang Norbu 1981, p. 47; Corlin C. 1980, p. 89). Le yang, labile et toujours prêt à s'échapper, est, en tant que potentiel de richesse, intimement associé (Corlin C. op. cit), et souvent confondu, avec les dieux du sous-sol et du monde aquatique (lu). Ceux-ci étant, de manière générale, les gardiens et dispensateurs des richesses; un réceptacle (vase rempli de grains et de matières précieuses) leur est fréquemment consacré dans les réserves (bangwa, dzö) de la maison. Il est parfois également fait mention d'un «dieu des réserves» (bangdzö lha).

Des rituels de propitiation, réguliers ou occasionnels, notamment lors des fêtes du nouvel an, concernent les parties de la maison qui sont le siège de divinités autonomes ou de puissances abstraites (fig. XLI).

Enfin, une bannière allongée (darchog), fixée par son grand côté à un mât et imprimée de dessins et de formules destinés, dans le même esprit que les fanions des «chevaux du vent», à accroître la vitalité, la fortune, les mérites, et la puissance de la maisonnée, est souvent érigée sur le toit. Une autre, plus élaborée (jodar), est dressée par les familles aisées au milieu de la cour qui précède la maison. Les bannières sont renouvelées pour la nouvelle année ou en cas d'infortune (fig. XLII).

Ces conceptions, qui relèvent de la religion populaire, ne sont pas pour autant totalement absentes des constructions religieuses, même les plus prestigieuses. Ainsi, les «châteaux-support» (tenkhar) de divinités qui marquent les angles du toit des maisons laïques ont leur équivalent au Jokhang de Lhasa dans 4 constructions cubiques (chog) ayant la même disposition. Comme pour l'habitation domestique, un foyer de fumigation et une bannière (darchog) couronnent ici le lanterneau. De plus, dans l'aile qui borde, au Sud, la grande porte d'entrée, 3 pièces sont consacrées à l'«essence de prospérité» (yang); de même qu'il y a des «trésors» de métaux et de pierres précieuses cachées dans les chapelles des divinités du sous-sol et en d'autres lieux pour susciter la richesse et éloigner les calamités [34]. Plus généralement, ce sont les cylindres faits avec des poils de yak noirs (thug), qui, en tant que sièges de dieux protecteurs placés aux angles du toit des bâtiments religieux, sont l'équivalent des «châteaux-support» de divinités des maisons laïques.

Enfin, lors du déménagement dans une nouvelle maison, les laïcs transfèrent également les divinités domestiques. Au Kham, pour transférer le phuglha («dieu de l'intérieur»), on emporte les rameaux, pierres précieuses, flèche enrubannée etc...qui constituaient son ancien support en haut du pilier principal. Un religieux pratique ensuite un rituel dans le but de «faire résider à demeure» (tenshug) le dieu (Tucci G. 1966, p. 191). Les conceptions qui sont à la base de ce rituel, et même l'expression «faire résider à demeure», se retrouvent à l'identique dans les cérémonies de consécration (rabne) des statues, peintures, stûpa ou temples lors desquelles il s'agit de faire résider la divinité, manifestation de la Connaissance Sublimée (yeshepa), dans l'objet à consacrer. Au Ladakh, le rituel d'installation du phalha, dans un nouveau réceptacle (lhatho), s'appelle d'ailleurs rabne (Kaplanian P. 1981, p. 143); ce qui montre, une fois de plus, combien l'espace domestique et le cadre bâti en général, sont également des espaces religieux.

1 Texte tibétain dans Tucci G. 1966, pp. 33 et 34.

2 Tib. lhatho, latse, ladze: tas de pierres ou constructions cubiques marquant généralement les hauteurs ou des accidents de terrain.

3 Tib. mani, mandang: murs en pierres sèches sur lesquelles on été gravées des divinités du panthéon bouddhique ou des formules ésotériques, en particulier celle du Bodhisattva Avalokiteśvara, d'où leur nom. Il sont élevés le long de chemins très fréquentés.

4 Nakane Ch. 1982, p. 27.

5 Les habitants de Dingri parlent de «châteaux des Mön» (mönkhar) caractérisés par un plan carré de 8 à 10 m. de côté, la grande épaisseur des murs (de même dimension que l'espace intérieur), hauts de 2 à 3 étages et présentant un léger fruit; enfin une couverture faite de pierres plates empilées de la périphérie vers le centre. La population prélevait la terre accumulée dans ces constructions pour fertiliser les champs et y trouvait parfois des armes anciennes ou des agates (zi). Au Ladakh, certaines ruines sont également considérées comme des «châteaux des Mön» (Francke A.H. 1905).

6 Pour plus de détails voir: Carrasco P. 1959, Cassinelli C. and Ekvall R.B. 1969, Aziz B.N. 1978, Dargyay E.K. 1982 et Goldstein M.C. 1971.

7 Carrasco P. 1959, pp. 141-151; Brauen M. 1980, p. 15; Peissel M. 1970, p. 153.

8 Levine N. 1977, Goldstein M.C. 1974, Jest C. 1975.

9 Le terme bön-po s'applique ici aux sectateurs du système religieux tibétain bön qui s'est constitué au contact du bouddhisme et par opposition à celui-ci. Il faut le distinguer, bien qu'il s'y rattache, du terme bön-po tel qu'il était en usage à l'époque royale et pré-bouddhique.

10 Le texte tibétain a été édité par Aziz B.N. à la page 123 de son article «On Translating Oral Traditions: Ceremonial Wedding Poetry from Dingri», in: Soundings in Tibetan Civilization, Ed. Aziz B.N. and Kapstein M. pp. 115-132, New-Delhi, 1985. Nous nous écartons nettement de la traduction proposée par l'auteur.

11 Les supports verticaux de l'architecture tibétaine étant en bois, il faudrait parler plus justement de poteau. Néanmoins nous préférons l'emploi, plus élégant, du terme pilier. Pour ses différentes parties voir section I.

12 Le terme thengwa, «guirlande», désigne en général la frise de petits cercles dessinés ou sculptés dans une gorge séparant le fût du chapiteau (voir aussi Tucci G. 1966, annexes p. II). Toutefois, compte-tenu de sa place ici dans l'énumération des parties du pilier, il semble désigner, dans certains chants de mariage, au Ladakh également (Brauen M. 1980 p. 103), la rangée de lambourdes posées sur les solives.

13 Le terme dungsham, employé ici, semble être synonyme de dungden plus courant.

14 L'expression notée lcam shag bu rend peut-être lcam dral bu: solives (et) lambourdes.

15 Ces groupes, mentionnés pour Lo Mantang, capitale du Mustang au Nepal (Peissel M. 1970, p. 151) et pour le Ladakh où on les appelle «groupes de 10», chutsog (Brauen M. 1980, p. 29) jouent surtout un rôle lors d'activités festives.

16 Il est intéressant de noter qu'il s'agit dans ce cas de la forme honorifique de rigrü, «filiation par les os, clan». Dung peut aussi être l'honorifique d'os comme dans le terme kudung désignant les restes funéraires de grands personnages. Est-ce l'image des poutres, formant l'ossature d'un bâtiment comme les os charpentent le corps, qui a poussé à l'association des deux termes?

17 Pour une introduction générale aux religions du Tibet: bouddhisme, bön et religion populaire: Tucci G. 1973a, Blondeau A.M. 1976.

18 Pour certaines écoles du bouddhisme tibétain, comme par exemple les nyingmapa et les sakyapa, les prescriptions du code monastique (vinaya) du bouddhisme primitif, concernant l'ordination, ne doivent pas être nécessairement suivies et le postulant prononce directement les voeux d'engagement sur la voie de l'Eveil ou des tantra qui ne supposent pas le célibat. Chez les gelugpa par contre, le célibat fait partie des voeux d'ordination.

19 Tucci G. 1966, p. 34; Brauen M. 1980, p. 48, Corlin C.; 1980, p. 90.

20 ka bzhi gdung brgyad

21 Notamment par l'assimilation du temple à une structure cosmique en mandala dont l'ouverture est idéalement orientée à l'Est.

22 Le Jokhang, par exemple, présente en fait 4 niveaux construits.

23 Francke A.H. 1923, p. 21. En Chine également, le ciel a 9 étages, ainsi que la montagne centrale Kunlun (Granet G. 1968, pp. 291 et 294).

24 «Trou du blanc» ou «trou des étoiles» (karkhung) et «espace ouvert sur le ciel» (namthong, namyang). D'après le dictionnaire Bod rgya tshig mdzod chen mo, Pékin 1985, en 3 volumes, pp. 1538 et 1539, le «trou du ciel» désigne le puit de lumière ou le trou de fumée alors que le terme namgo, «porte du ciel», s'applique à la trappe permettant le passage d'un étage à l'autre. Cette ouverture est généralement absente lorsque la maison est couverte d'un toit en pente comme chez les Sherpa ou au Bhoutan.

25 L'orthographe gnam-gyang est donnée par le dictionnaire de Desgodins cité par Stein R.A. 1957b, p. 54. En fait, dans les dictionnaires modernes, comme celui qui est mentionné à la note (46), le lien entre l'ouverture du toit et l'essence de prospérité (gyang) est perdu au profit de gnam-yangs, «vaste (ouverture) au ciel», glissement favorisé par l'homophonie des 2 termes.

26 Pour une analyse détaillée des divisions sociales de l'espace domestique, voir Dollfus P. 1986.

27 S'il y a un consensus général pour voir dans les stûpa des réceptacles de l'Esprit de Bouddha, il n'en va pas de même pour les temples qui, souvent, ne sont pas mentionnés parmi les 3 types de réceptacles (ten sum). Toutefois Tucci G. considère les temples comme des réceptacles de l'Esprit (1973a, pp. 30 et 165) alors que Bo-dong Pan-chen les classe parmi ceux du Corps (Jackson D.P. and J.A. 1984, p. 25, note 1).

28 A ce sujet, voir Tucci G. 1973a, pp. 154-167 et Blondeau A.M. 1976, pp. 291-301.

29 Pour la description de tels bâtiments, voir Jest C.1981.

30 Comme par exemple le passage de circumambulation qui se trouve à hauteur du piédestal de la statue géante de Maitreya au Champa lhakhang de Tashilhunpo fondé en 1914.

31 Un des grades théologiques des gelugpa, celui de Dorampa, dérive d'ailleurs du nom de cette cour (dochal) où a lieu l'examen qui permet de l'obtenir (Nakane Ch. 1982, p. 35).

32 Ces différents types d'oratoires domestiques se retrouvent également dans les tentes des nomades (section III).

33 Pour une description détaillée voir Tucci G. 1966, pp. 188-189 et Brauen M. 1980.

34 Inventaire-guide du temple par le 5ème Dalaïlama: Lha-ldan sprul-pa'i gtsug-lag-khang gi dkar-chag shel-dkar me-long) et shakabpa W.D. (Lha-ldan rva-sa 'phrul-snang gtsug-lag-khang gi dkar-chag), New-Delhi 1982.

IL PERIODO PREISTORICO

Heather Stoddard

Numerosi siti megalitici, di data indeterminata, comprendenti «cromlechs, menhir ed allineamenti di pietre»[1] vengono segnalati nel Tibet nelle narrazioni degli esploratori occidentali della prima metà di questo secolo. Jacques Bacot per primo descrive, nel 1908, un megalite, scoperto nel Kham, ad est dell'altipiano. In seguito, ritrovamenti più importanti sono stati segnalati nella regione di Yarlung e verso ovest, lungo la strada dei pellegrinaggi del monte Kailash e fino al Ladakh all'estremo ovest. Ipotesi riguardanti la datazione, il significato e l'identità dei costruttori di questi megaliti hanno provocato discussioni nel mondo scientifico senza tuttavia raggiungere una conclusione soddisfacente, poiché le rare ricerche condotte sul posto furono troppo circoscritte e l'ostilità della popolazione rendeva impossibile qualunque scavo sistematico. Alcuni luoghi erano stati recuperati dal clero e consacrati al culto delle divinità protettrici ed ai guardiani del suolo, dei autoctoni integrati nel buddhismo tibetano. Tuttavia, nella maggior parte dei casi, la popolazione li considerava formazioni naturali, «spontanee», «esistenti da sempre» oppure creazioni di esseri soprannaturali come le dakini; talvolta ignorava persino la loro esistenza. Nel novero dei resoconti più interessanti pubblicati finora, Georges de Roerich fornisce la descrizione dettagliata di siti importanti, in particolare quello di Doring (lett. Pietra Lunga), nella regione dei Grandi Laghi a circa 48 chilometri a sud del grande lago salato Pangong Tshotsa (fig. XLIII, XLIV). Comprende diciotto file di pietre in posizione eretta, parallele, tutte con orientamento est-ovest. La sua estremità occidentale termina con un cromlech o circolo di pietre in mezzo al quale si trovano un altare, o tavola grossolana di pietra e un menhir centrale alto 2 metri e 75 centimetri. All'estremità orientale del monumento, innalzata su lastre di pietra, si trova una grande freccia, anch'essa di pietra, con la punta rivolta verso l'allineamento. Roerich ha paragonato questo sito a quello di Carnac in Bretagna, e lo collega ad un culto preistorico del sole[2].

Giuseppe Tucci, da parte sua, riscontra un parallelo tra i monumenti megalitici, le grotte abitate, isolate o raggruppate in città troglodite, e le tombe costruite a partire da grandi lastre di pietra, di cui aveva esaminato numerosi esemplari nel Tibet occidentale[3]. Peter Aufschnaiter, invece, scoprì tombe interessantissime e lastre gigantesche nei dintorni di Lhasa, durante l'escavazione di un canale d'irrigazione[4].

Alexander Macdonald fu il primo ad intraprendere, nel 1953, una critica di queste fonti[5]. Venne alla conclusione che la datazione è del tutto azzardata attirando l'attenzione sulla pratica descritta da A.H. Franke e ancora diffusa all'inizio del secolo nel Tibet occidentale, anche se in via di estinzione, di erigere «lunghe pietre» al lato della strada per commemorare i defunti[6].

Dopo una compilazione sistematica di tutte le informazioni disponibili fino al 1973, Tucci mette in guardia contro qualsiasi interpretazione affrettata, considerato lo stadio molto elementare delle ricerche[7].

Emergono tuttavia due elementi scaturiti dall'insieme delle osservazioni ed utili al nostro studio:

1. L'orientamento costante est-ovest degli allineamenti di pietre e delle tombe che rispecchia, secondo Roerich e Tucci, credenze legate al culto del sole. Questa «proto-architettura» preannuncerebbe quindi l'orientamento est-ovest dell'architettura tibetana dell'epoca storica.

2. Questo secondo punto è meno sicuro. L'aspetto megalitico, l'impiego di grandi blocchi di pietra, si ritrova nelle steli commemorative del periodo monarchico (Sez. V) e nelle fondamenta monumentali di numerose costruzioni che si possono osservare ancora oggi.

UN VILLAGGIO PREISTORICO

A partire dagli anni cinquanta, i rari resoconti cinesi riguardanti il periodo preistorico dell'altipiano tibetano non fanno cenno dei megaliti, ma si concentrano essenzialmente su di una quarantina di siti paleo e neolitici, localizzati nel Changthang da nord-ovest verso est, che indicano la presenza umana da almeno cinquantamila anni. Il loro interesse riguarda soprattutto le tecniche impiegate nella costruzione delle case e degli utensili. Infatti, nel 1977, è stato scoperto un villaggio neolitico la cui superficie supera l'ettaro, composto da «parecchie decine» di case di tre tipi diversi, di età compresa tra 4.700 e 4.400 anni, a Karub, vicino a Chamdo, nel cuore dell'antico Kham.

Cito *in extenso* la descrizione delle case riportata da Zhang Senshui nel suo articolo «Il Tibet preistorico»:

«A giudicare dalle fondamenta di parecchie decine di case scoperte, possiamo affermare che queste erano di almeno tre tipi. 1) Abitazione per metà sotterranea: interrata per circa 50 cm., il suo ingresso dà a sud. Al centro della fossa si trova il focolare il cui fondo è coperto di sassi, l'apertura è costruita con pietre rettangolari. Vicino al muro nord delle fondamenta della casa n° 4, sono stati scoperti dei pezzi di legno bruciato e dei fori bene allineati destinati ad accoglierli. Si tratta chiaramente di costruzioni di mura di terra con armatura di legno. 2) Abitazione a livello: le sue fondamenta sono a fior di terra. Il modo in cui è stata costruita si suppone sia simile a quello del tipo semiinfossato. 3) Abitazione di pietre: i muri sono costruiti da un impasto di terra e sassi. Vi si osserva un'ala di muro di un metro e spessa 25-30 cm. si tratta di un nuovo tipo di costruzione neolitica scoperto per la prima volta in Cina»[8].

Gli scavi hanno anche rilevato vasellame e sculture di raffinata esecuzione, alcuni dei quali vengono definiti «rarissimi». Attendiamo con grande interesse uno studio dettagliato di questo villaggio, ed anche ricerche approfondite sui siti preistorici e le tombe di epoca monarchica dello Yarlung, che dovrebbero fornire delucidazioni in merito all'antica società tibetana e alla sua architettura.

NOTE

[1] ROERICH, 1930, p. 33.
[2] ROERICH, 1931, p. 235.
[3] TUCCI, 1973, p. 49 sq.
[4] HARRER 1955, p. 172, 256.
[5] MACDONALD 1953.
[6] MACDONALD 1953, p. 65 n. 1.
[7] TUCCI, 1973, p. 56-58.
[8] ZHANG, 1981, p. 64.

BIBLIOGRAFIA GENERALE

AUFSCHNAITER, 1956; BACOT, 1909; DAI, 1972; FRANCKE, s.d.; GENNA, 1956; HARRER, 1955; MACDONALD, 1953; ROERICH, 1930, 1931.

fig. XLIII - Doring (sud-ovest del lago Pangong), veduta del complesso megalitico (Roerich 1933, fig. XLIV).

fig. XLIII - Doring (Sud-Ouest du lac Pangong), panorama du complexe mégalithique (Roerich, 1933, fig. XLIV).

fig. XLIV - Doring (sud-ovest del lago Pangong), pianta (R. Astolfi da Roerich 1931).

fig. XLIV - Doring (Sud-Ouest du lac Pangong), plan (R. Astolfi d'après Roerich, 1931).

L'EPOQUE PREHISTORIQUE

Heather Stoddard

De nombreux sites mégalithiques, de date indeterminée, comportant «cromlechs, menhirs et alignements de pierres»[1] sont signalés au Tibet dans les récits des explorateurs occidentaux de la première moitié de ce siècle. Jacques Bacot est le premier décrire, en 1908, un mégalithe, découvert au Kham, à l'est du haut plateau. Par la suite des trouvailles plus importantes ont été signalées dans la région de Yarlung et vers l'ouest, le long de la route des pèlerinages du mont Kailash, et jusqu'au Ladakh à l'estrème ouest. Des hypothèses concernant la datation, la signification et l'identité des bâtisseurs de ces mégalithes ont soulevé des discussions dans la monde scientifique, sans aboutir toutefois à une conclusion satisfaisante, car les rares investigations entreprises sur place furent trop ponctuelles, et l'hostilité de la population empêchait toute fouille systématique. Certains lieux avaient été récuperés par le clergé et dédiés aux culte des divinités protectrices et aux gardiens du sol, dieux autochtones integrés au bouddhisme tibétain. Cependant, dans la plupart des cas, la population locale les considérait comme des formations naturelles «spontanées», «existant depuis toujours», ou des créations d'êtres surnaturels comme les dakini; parfois elle ignorait jusqu'à leur existence.

Au nombre des compte rendus les plus interessants publiés jusqu'ici, George de Roerich fournit la description détaillée de sites importants, notamment celui de Doring (lit. Longue Pierre), dans la région des Grand Lacs, à quelque quarante-huit kilomètres au sud du grand lac salé Pangong Tshotsa (fig. XLIII, XLIV). Il comporte dix-huit rangées de pierres posées droites, en ligne parallèle, toutes orientées est-ouest. Son extremité occidentale se termine par un cromlech ou cercle de pierres au milieu duquel se trouvent un autel, ou table grossière de pierre, et un menhir central de 2 m. 75 cm. de hauteur. A l'extrémité orientale du monument se trouve dressée sur des dalles de pierre une grande flèche, également en pierre, dont la pointe est tournée vers l'alignement. Roerich a comparé le site à celui de Carnac en Bretagne, et le relie à un culte du soleil préhistorique[2].

Giuseppe Tucci dégage, quant à lui, un parallèle entre les monuments mégalithiques, les grottes habitées - isolées ou en cité troglodyte, et les tombeaux contruits à partir de grandes dalles de pierre, dont il avait examiné de nombreux exemples au Tibet occidental[3]. Peter Aufschnaiter, pour sa part, découvrit de très intéressants tombeaux et des dalles géantes aux alentours de Lhasa, lors du creusement d'un canal d'irrigation[4].

Alexander Macdonald fut le premier à entreprendre, en 1953, une critique de ces sources[5]. Il en conclut que la datation est entièrement hazardeuse, attirant l'attention sur la pratique toujours en vigueur au début du siècle et décrite par A.H. Franke au Tibet occidentale, quoique en voie de disparition, d'ériger des «longues pierres» à côté des routes en commemoration des morts[6]. Après une compilation systématique des toutes les informations disponibles jusqu'en 1973, Tucci met en garde contre toute interprétation hative, vu le stade très élémentaire des recherches[7].

Nous dégagerons néanmoins ici deux éléments tirés de l'ensemble des observations et utiles à notre étude:

1. L'orientation EST-OUEST constante des alignements de pierres et des tombeaux, traduisant, selon Roerich et Tucci des croyances liées au culte du soleil. Cette «proto-architecture» annoncerait ainsi l'orientation est-ouest de l'architecture tibétaine de l'époque historique.

2. Ce deuxième point est moins sûr. L'aspect mégalithique, l'utilisation de grands blocs de pierre, peut-être retrouvé dans les stèles commémoratives de l'époque royale et dans les fondations monumentales de nombreuses constructions encore observables aujourd'hui.

UN VILLAGE PRÉHISTORIQUE

Depuis les années cinquante, les rares compte-rendus chinois concernant la période préhistorique du haut plateau tibétain ne font pas mention des mégalithes, mais se concentrent essentiellement sur une quarantaine de sites paléo- et neolithiques, localisés à travers le Changthang du nord-ouest vers l'est, indiquant la présence humaine depuis au moins 50.000 années. Leur intérêt concerne sourtout les techniques d'outillage et la construction des maisons. En effet, on a découvert, en 1977, un village néolithique, dont la superficie dépasse un hectare, composé de «plusieurs dizaines» de maisons de trois types différents, datées des environs de -4.700 et -4.400 années, à Karub, près de Chamdo, au coeur de l'ancien Kham.

Je cite *in extenso* la description des maisons donnée par Zhang Senshui dans son article «Le Tibet préhistorique»:

> «A en juger par les fondations de plusieurs dizaines de maisons découvertes, on peut affirmer que celle-ci étaient au moins de trois types: 1) habitation à demi souterraine. Profonde de 50 cm. environ, elle a son entrée donnant sur le sud. Au centre de la caverne est installé le foyer dont le fond est couvert de galets et la porte construite en pierres rectangulaires. Près du mur nord des fondations de la maison n° 4, on a découvert des tronçons des bois brûlés et des trous bien alignés destinés à les recevoir. Il s'agit manifestement de constructions de murs de terre avec armature en bois. 2) habitation au sol. Elle a ses fondations à fleur de sol. La façon de la construire est supposée semblable à celle de la demi-caverne. 3) habitation de pierres. Ces murs sont une maçonnerie faite de terre mêlée à des cailloux. On y remarque un pan de mur d'un mètre et épais de 25 à 30 cm. Il s'agit d'un nouveau type de construction néolitique découvert pour la première fois en Chine»[8].

Les fouilles ont également révélées des poteries et des sculptures d'un travail raffiné et dont certaines sont qualifiées de «rarissimes». Nous attendons avec grand intérêt une étude détaillée de ce village, ainsi que des recherches approfondies sur les sites préhistoriques et les tombeaux de l'époque royale du Yarlung, que devraient apporter des éclaircissements sur l'ancienne société tibétaine et son architecture.

NOTES

[1] ROERICH, 1930, p.33.
[2] ROERICH, 1931, p.235.
[3] TUCCI, 1973, p.49 sq.
[4] HARRER 1955, p.172, 256.
[5] MACDONALD 1953, p.?
[6] MACDONALD 1953, p.65 n.1.
[7] TUCCI, 1973, p.56-58.
[8] ZHANG 1981, p.64.

OUVRAGES GENERAUX

AUFSCHNAITER, 1956; BACOT, 1909; DAI, 1972; FRANCKE, s.d.; GENNA, 1956; HARRER, 1955; MACDONALD, 1953; ROERICH, 1930, 1931.

ARCHITETTURA
E PITTURA TIBETANA

Anne Chayet

Le rappresentazioni di architetture sono apparse relativamente presto nella storia della pittura tibetana, dapprima come elemento decorativo o ritmante la narrazione, poi come sfondo di scene, prima di diventare il centro stesso della composizione. Qualunque siano le influenze straniere che hanno lasciato un segno su questi primi tentativi di integrazione tra architettura e pittura, la causa più diretta del suo sviluppo è senza dubbio il fatto che in Cina delle «pitture di architetture» esistevano già, in quanto tali, da moltissimo tempo. Dunhuang ne fornisce molteplici prove con l'architettura ideale dei grandi Paradisi Tang [1] e le rappresentazioni dall'aspetto più realistico come quella del celebre paesaggio del Wutai shan, che vi appaiono a più riprese [2]. D'altronde, dall'inizio del IX sec., c'erano, specialmente nel Wutai shan, la cui fama si era già molto diffusa in Asia Centrale, dei pittori che eseguivano rappresentazioni, senza dubbio molto ripetitive, del posto e dei luoghi santi, per i numerosi pellegrini. Il monaco giapponese Ennin ricevette in dono una di queste pitture al momento di lasciare la montagna sacra. Così, non soltanto il culto che vi veniva celebrato, ma l'immagine stessa del luogo vennero largamente diffusi.

Rimane ancora da stabilire quale fosse la fedeltà di tali immagini al loro modello, e quale potesse essere l'influenza reale che esse avevano nelle regioni in cui venivano esportate, in particolare dal punto di vista dell'architettura. La pittura tibetana aiuta a rispondere, almeno in parte, a queste domande.

L'elemento architettonico vi appare dunque inizialmente limitato ad un ruolo decorativo: troni a più piani e pilastri del baldacchino della divinità che figurava al centro della composizione; ma anche, talvolta, architetture più elaborate attorno a questa divinità [3]; elementi che sottolineavano e ritmavano le varie sequenze di un dipinto narrativo [4], il cui ruolo è messo particolarmente in evidenza dalle pitture murali del monastero di Tabo (Spiti X-XI sec., Sez. VI) [5]; o ancora piccole architetture associate ad elementi del paesaggio che servono da sfondo agli episodi delle pitture narrative in registri [6].

Questa utilizzazione dell'architettura, o almeno delle rappresentazioni di architetture, come elemento di puntualizzazione dello sfondo di dipinti (troni, baldacchini addobbati, ecc) è rimasta fino ai nostri giorni, mentre le rappresentazioni dei Paradisi buddhisti mostravano, al centro del dipinto, architetture rilevanti, ma ideali e si moltiplicavano, nelle pitture narrative, le architetture integrate ad un paesaggio, attorno ad un personaggio centrale, e la cui distribuzione nello spazio, d'altronde, teneva presente un'innegabile influenza della pittura cinese.

Ma, trattando dei rapporti tra la pittura e l'architettura, dobbiamo puntare l'attenzione soprattutto sui dipinti in cui l'architettura è il cuore ed il soggetto della composizione. Non si tratta più allora della rappresentazione di edifici anonimi, ma di monumenti ben definiti, come accade per le pitture murali del Potala, che descrivono le tappe della sua costruzione, per quelle del Jokhang di Lhasa, di Jonang, di Samye, o più recentemente per quelle della cappella del Palazzo reale di Gangtok nel Sikkim, che rappresentano i più celebri luoghi santi del Tibet. È anche il caso delle pitture mobili sullo stesso tema, alcune delle quali si trovano in collezioni occidentali [7], la cui diffusione fu molto ampia ai loro tempi, dato che se ne trovavano in ogni monastero del mondo lamaista.

La fedeltà di questi dipinti al loro modello può essere discussa. In effetti bisognerebbe confrontarli sistematicamente alle fotografie dei monumenti rappresentati (fotografie già antiche o recenti, nei limiti in cui essi si siano conservati), ma anche alle pitture murali rappresentanti lo stesso soggetto; tutto questo prima di confrontarli con la cronologia dei lavori di costruzione e di restauro, tratta dalla lettura dei Karchag (catalogo o registro) dei monasteri, dalle guide (dalle descrizioni spesso molto vaghe) e dalle numerose opere storiche contenenti informazioni a questo riguardo.

Senza andare a cercare sui testi la lunghissima cronologia dei lavori effettuati sul sito di Samye, bisogna tuttavia notare, riguardo a questo unico esempio, fino a che punto ne sono variate le rappresentazioni. Il recinto, circolare nella realtà, come provano numerose fotografie, è così rappresentato la maggior parte delle volte (fig. XLV-XLVI) [8]; non è raffigurato affatto nel dipinto conservato nel Museo Guimet di Parigi («Il Potala e i principali monumenti della regione di Lhasa»), (fig. in copertina), ma è anche vero che Samye non ne è la «figura» principale; infine, simboleggiando il cakravāla, le montagne che delimitano il mondo, esso assume talvolta la forma di una linea spezzata che si richiude a cerchio [9] (fig. XLVII). In tutti i dipinti, la costruzione centrale, l'Utse, è circondata da una struttura quadrangolare, alta un solo piano, con delle aperture verso l'esterno ed un loggiato verso l'interno. Tutte le rappresentazioni pongono parimenti in risalto, sebbene in modi diversi, i tre livelli tradizionali del padiglione centrale. La sua caratteristica copertura è tuttavia raffigurata con importanti varianti. Nella realtà, almeno nella realtà di questo secolo, certificata dalla fotografia (Sez. V), la copertura dell'Utse è un triplice tetto a padiglione che, posto sensibilmente arretrato, copre il quarto livello apparente dell'edificio. Questo tetto è in lieve pendenza e le sue linee di displuvio mostrano sul fianco dei gocciolatoi un leggero rialzo, almeno nella parte inferiore. La parte mediana ha sugli angoli quattro piccoli belvedere o pinnacoli, coperti da un tetto a padiglione. La parte superiore termina con una cuspide a forma di stûpa. Alcune rappresentazioni di Samye, che si accostano più al progetto che alla «vista» reale [10] (fig. XLV), rappresentano questa copertura con un carattere cinese molto più pronunciato, pendenza e rialzo più accentuati, che presuppongono l'esistenza di un'intelaiatura molto sofisticata, il che non sembra essere stato il caso di Samye, almeno nel suo ultimo aspetto. Inoltre la sua copertura è generalmente raffigurata come doppia [11], e non tripla come è in realtà. Altrove, la copertura superiore poggia su arcate poste al livello dei belvedere [12], il che sembra essere una pura fantasia del pittore. Infine gli angoli del tetto sono, su alcune pitture [13], sovraccarichi di motivi decorativi: musi di makara, campanelle, ecc., mentre su altre [14] e sulle ultime fotografie dell'Utse questa decorazione è inesistente o ridotta alle sole campanelle sugli angoli. Altre differenze, riguardo alla forma e all'ornamentazione delle aperture, alle proporzioni della facciata e dei portici ed ancora al numero ed alla disposizione degli edifici secondari, potranno essere utilmente studiati allo stesso modo.

L'immagine dei grandi monasteri del Tibet, più o meno schematizzata, era dunque largamente diffusa. Se ne trovarono ancora, all'inizio del secolo, nei monasteri di Chengde (Hebei), e più recentemente nel Yongle gong di Pechino o nei monasteri della Mongolia interna. La diffusione della loro immagine era sicuramente un motivo di accrescimento della venerazione dedicata a quei luoghi santi, ma ne rendeva anche familiare l'aspetto a gente che non li avrebbe mai conosciuti direttamente. Se ne può dedurre che questi dipinti stimolarono l'estro dei costruttori, aiutarono la diffusione di determinate tradizioni architettoniche e servirono infine qualche volta da modello per nuove costruzioni. Tutto ciò è stato spesso comprovato dalle origini e lungo tutta la storia tibetana. Un esempio molto preciso, e particolarmente clamoroso, nel XVIII sec., conferma quella che si può largamente considerare una tradizione. Dal 1755 al 1780, l'Imperatore Qianlong della dinastia Qing edificò intorno al Palazzo d'estate costruito a Chengde dal suo avo Kangxi, dieci templi ispirati a diversi edifici celebri della Cina, dell'Asia centrale e del Tibet (Sez. XIII). Dei templi «tibetani» di Qianlong, uno imitava il Potala, un altro Samye, un altro ancora Tashilhumpo. All'Imperatore non mancavano consiglieri che conoscessero bene il Tibet, e quindi i suoi principali luoghi santi e monasteri; c'erano anche, intorno a Cangkya Rolpe dorje, il «Grande Lama» di Pechino, legato a lui da vincoli di amicizia, dei religiosi tibetani, esperti di architettura, che potevano aiutare con i loro consigli i costruttori di nuovi templi. Dobbiamo però riconoscere che la somiglianza di questi templi con i loro modelli è talvolta molto vaga e che la stessa loro tecnica costruttiva è spesso all'opposto [15], come se ci si fosse più richiamati ad una ispirazione di ordine stilistico che alla rigorosa applicazione dei dettami architettonici tibetani. Se i monumenti tibetani stessi, Potala, Samye, Tashilhumpo, non sono serviti da modello, attraverso una copia fedele, anche se in scala ridotta, agli edifici di Chengde, tuttavia questi ultimi non sono frutto dell'immaginazione degli architetti di Qianlong: la pittura è stata il modello di collegamento tra i templi tibetani e quelli di Chengde.

Le pitture tibetane, in particolare le pitture il cui tema centrale è la riproduzione di un monumento, sono essenzialmente costruite secondo i principi della prospettiva isometrica ed assonometrica, utilizzati tradizionalmente anche dalla pittura cinese. Questo tipo di prospettiva, sostenuta in Cina da una lunga tradizione colta, non consente la rappresentazione delle deformazioni ottiche, la cui presa in esame ha per l'appunto dato origine in Occidente alla prospettiva convergente post-rinascimentale. Il punto di vista vi è posto molto al di sopra del soggetto, come nella nostra prospettiva dall'alto, ma, al contrario di quanto avviene per essa, le proporzioni degli edifici rappresentati non sono influenzate dalla distanza. Vale a dire che di una struttura cubica si vedono tre lati: la facciata principale, una delle facciate laterali e la copertura, tutto in un vigoroso parallelismo; e che lo spigolo di questo cubo ha dimensioni costanti, mentre, in un sistema prospettico convergente, i due spigoli posteriori sarebbero più corti, assottigliandosi le dimensioni secondo un'unica linea di fuga per l'insieme della composizione. Inoltre, ponendosi deliberatamente al di sopra del soggetto, come una fenice in volo tra le nuvole, l'osservatore — il pittore — vede e riproduce tutti gli elementi degni di rilievo del paesaggio, e quindi tutte le costruzioni, senza curarsi del loro volume e delle loro reciproche posizioni, il che non sarebbe appunto consentito all'artista che applicasse i principi della prospettiva all'europea, che gli consentirebbe di rappresentare solo ciò che vede realmente dal suo punto di vista.

Una piccola costruzione, posta, rispetto all'osservatore, dietro un edificio più grande, non viene rappresentata dall'artista europeo, perché sfugge al suo sguardo, ma viene invece raffigurata dall'artista cinese o tibetano, rispettando generalmente la differenza di scala, ponendola, per renderla in qualche modo visibile, al di sopra della costruzione più grande che quindi non la nasconde più. Di un villaggio situato in pianura, la pittura europea non mostrerebbe che la facciata delle prime case, oltre, eventualmente, la parte superiore di quelle poste posteriormente, mentre la pittura cinese o tibetana raffigura tutti gli edifici, nella loro interezza e senza sovrapposizioni, disposti in più piani gli uni sopra gli altri. L'uso della prospettiva isometrica ed assonometrica crea dunque nel dipinto un effetto di rilievo che non ha alcun legame con la realtà del luogo.

Applicando questo effetto ascendente, la pittura ha rappresentato gli edifici del monastero di Samye, posti in realtà in pianura, gli uni sopra gli altri, come se fossero posti sul pendio di una collina. Allo stesso modo le rappresentazioni del Potala mostrano gli edifici del villaggio di Shöl, anch'essi situati in pianura ai piedi delle rupe del Marpori, gli uni sopra agli altri, il che ha il paradossale effetto di diminuire proporzionalmente il rilievo del Potala, le cui scarpate, in realtà, dominano il villaggio (Sez. IX). Inoltre, pitture murali e mobili, lungi dal riprodurre il colore grigio della roccia su cui poggia il Palazzo, pongono l'insieme delle costruzioni così sovrapposte su di uno sfondo verde poco aderente all'aspetto reale del luogo. È molto strano notare che i costruttori dei templi «tibetani» di Qianlong hanno riprodotto fedelmente questa interpretazione della realtà, senza fare il minimo sforzo per tradurne gli effetti «perversi» che tuttavia conoscevano bene, quanto gli autori tibetani dei dipinti, come se avessero voluto presentare questi dipinti come la prova tangibile della conformità delle loro realizzazioni.

Così, il Puning si di Chengde, «copia» del tempio di Samye, fu edificato sul pendio di una collina, comportando imponenti lavori di terrazzamento, sebbene si sappia che Samye è costruito in pianura, e che, sebbene i dintorni di Chengde siano gradevolmente accidentati, vi si poteva tuttavia ancora trovare, al tempo della costruzione del Puning si, un vasto terreno pianeggiante, sul quale Qianlong, qualche anno dopo, edificò, del resto un altro tempio. Tutti gli edifici del Puning si sono dunque disposti su più piani lungo una china, come sembrano esserlo gli edifici di Samye nelle pitture, ad anche la linea spezzata del recinto, come è talvolta rappresentata vi viene ripresa attraverso il sottile gioco delle balaustre delle terrazze laterali e delle loro scale d'accesso, sottolineate con ceramica gialla.

Era impossibile ricostruire l'eccezionale sito del Potala e dell'imponente rupe del Marpori, e quindi l'imperatore Qianlong non vi provò affatto. Si accontentò di riprodurre a Chengde ciò che le pitture mostravano: una massiccia struttura quadrangolare, intonacata di rosso, che spicca su di una collina verde disseminata di bianche costruzioni su più livelli. Così è il Potala di Chengde (Sez. XIII): su di una collina verdeggiante sono disposti a ripiani piccoli edifici bianchi, immagini non solo delle costruzioni minori, poste, a Lhasa, alla base o ai lati dell'edificio principale, ma anche degli edifici del villaggio posto ai suoi piedi; l'insieme è sormontato da un'enorme costruzione terrazzata, la cui parte principale è intonacata di rosso e sulla cui cima sono costruiti alcuni padiglioni dai tetti lucenti di tegole smaltate. Anche l'esecuzione dei particolari rivela una sommaria interpretazione della rappresentazione pittorica (una semplice fascia di intonaco rosso, sulla parte superiore dei muri, simboleggia il cornicione delle costruzioni tibetane, composto di un insieme di rami secchi, pigiati, tagliati a filo dal muro e colorati con un intonaco rosso bruno), quando non si tratta di una trasposizione deliberata (le incorniciature delle finestre e delle porte in ceramica smaltata).

Se la prospettiva convergente non appare che molto timidamente e tardivamente nella pittura tibetana, ed in particolare nella pittura di architetture, ciò non significa che non vi fossero state disposte delle convergenze, e da lunghissimo tempo, senza dubbio per proseguire ancora l'esempio dei Paradisi Tang di Dunhuang e diverse correnti rappresentate nell'Asia centrale. In epoca più recente, soprattutto le pitture narrative e quelle di architetture, sono costruite secondo uno schema simile, sebbene meno facilmente leggibile. Da un lato e dall'altro dell'asse centrale della composizione, vengono organizzati fasci di convergenze, utilizzando una fila di alberi, di nuvole, di montagne, la falda di un tetto, l'angolo di un muro, con lo scopo di riportare lo sguardo verso l'asse in un movimento complessivamente ascendente (fig. XLVIII). Il recinto a forma di linea spezzata di Samye, a causa dei suoi numerosi angoli, è un esempio particolarmente compiuto di questa disposizione.

Ma da entrambi i lati dell'asse centrale si producono allo stesso modo delle divergenze, il cui effetto è chiaramente opposto. Le convergenze e le divergenze non intervengono né simultaneamente, né allo stesso livello della composizione, se accade loro talvolta di essere complementari, sono bilanciate dalle componenti orizzontali e verticali dell'insieme. Dal contrasto tra queste linee e dal contrasto tra le linee ed i volumi raffigurati, nascono l'equilibrio della composizione e nello stesso tempo la sua dinamica interna. Un movimento a ventaglio apre il recinto nella parte bassa dei dipinti che rappresentano Samye, e lo richiude in alto allo stesso modo in cui l'occhio si apre e lo sguardo coglie l'oggetto.

L'oggetto, in questo caso architettonico (fig. XLIX), è posto al centro della composizione, come lo sarebbe l'immagine di una divinità. Lo sguardo, continuamente riportato, dai margini del dipinto o dagli episodi che esso narra, verso l'asse centrale, quello della divinità o quello del tempio, segue i tratti della composizione e le linee di forza in un movimento il cui risultato è innanzitutto quello di integrare l'architettura allo scenario — quindi, alla natura — che la contiene. L'oggetto architettonico è quindi in qualche modo annullato nell'asse centrale che lo divide, ma anche lo trascende, riaccostandolo allo schema iconometrico della rappresentazione del Buddha, e conseguentemente al Buddha stesso da cui riprende le proporzioni, come anche alle raffigurazioni più antiche della disposizione del mondo.

L'architettura e la pittura di architetture nel Tibet si impegnano dunque nel mettere in evidenza quella che noi chiamiamo «linea di fuga», e che qui è irresistibilmente attratta verso le sommità, come per meglio esprimere la finalità dell'oggetto rappresentato, e saremo tentati di dire dell'opera. Ma nello stesso tempo esse pongono molta attenzione, l'abbiamo visto prima, all'equilibrio necessario tra le componenti orizzontali e verticali. La pittura dà un'idea fedele, sebbene spesso molto schematica, della realtà dell'architettura tibetana, con i suoi muri possenti fortemente a scarpa, talvolta ravvivati da fasce verticali colorate, con le sue forti linee orizzontali formate da file di piccole finestre e da cornicioni rossi al livello dei tetti a terrazza. La città monastica di Depung (Sez. IX), come anche la maggior parte dei villaggi situati sul pendio del colle, costituisce un esempio tipico di questa organizzazione sottolineata dalla diminuzione del numero delle costruzioni a mano a mano che ci si avvicina al punto culminante dell'insieme. Le vigorose componenti orizzontali, finestre e cornicioni, spiccano in modo particolare sui muri bianchi di Depung. La sistemazione in piani degli edifici lungo il pendio e la contemporanea diminuzione del loro numero provocano sui lati dell'insieme un effetto di «scala» abbastanza simile a quello del recinto di Samye e che la pittura ha ben inteso sottolineare [16] (fig. L).

Sopra al monastero di Depung, la montagna si incava in una vallata profonda, come un triangolo posto sulla punta, che si contrappone alla struttura inversa dell'insieme costruito, posto alla sua base. Non si tratta più allora di un gioco di tratti e di linee di forza, destinato ad animare il dipinto riaccostandolo ad uno schema iconometrico da cui trae il suo significato, ma della presa in considerazione dei volumi e delle linee della natura stessa, naturalmente assimilati alla loro rappresentazione, poiché i principi di questa pittura rifiutano di prendere atto delle deformazioni ottiche dovute alla imperfezione della percezione umana.

La rupe del Marpori eleva così una convergenza naturale bilan-

ciata dalle componenti orizzontali della facciata del Potala e sottolineata dalla rastremazione a linea spezzata delle costruzioni laterali, da una parte e dall'altra della struttura centrale del Phodang marpo. Nello stesso tempo, alla base dell'edificio, si apre un angolo formato dalla linea spezzata delle scale, dai parapetti bordati di scuro, che si allontanano dall'asse centrale andando a tagliare le linee convergenti del profilo delle costruzioni (fig. LI). Sono nuovamente le linee dello schema iconometrico della rappresentazione del Buddha, origine di ogni rappresentazione (fig. LII).

Ma in modo più pratico, le linee spezzate, che danno vita ad un effetto di profondità, e le linee di fuga dall'effetto ascendente, sostenute dalla solidità delle componenti orizzontali, permettono all'architettura di integrarsi perfettamente alla natura circostante, esattamente nello stesso modo in cui la rappresentazione di un'architettura si integra alla sua scenografia, attraverso il controllo costante del contrasto tra gli elementi della composizione.

E la ragione della forza espressiva dell'architettura tibetana, in rapporto non solo alla natura ma anche al concetto superiore da cui essa deriva. In questo modo Depung si inscrive tra le linee della montagna e non è semplicemente posato su di essa, ed il Potala sorge dalla roccia su cui poggia. Così la raffigurazione simbolica (fig. LIII) dei primi propagatori del buddhismo nel Tibet e fondatori di Samye [17] rappresenta un triplice fior di loto (Padmasambhava), che porta una spada ritta (il re Tisong Detsen) e sorgente da un lago (Shântarakshita) racchiuso da un recinto circolare in linea spezzata, il tutto iscritto in un triangolo, come il profilo di Samye, quello di Depung o quello del Potala, nella pittura come nella realtà.

NOTE

[1] Ad esempio nelle grotte 172 e 217 (numerazione dell'Istituto di Dunhuang).

[2] Il più celebre è il «panorama» della grotta 61, il più antico quello della grotta 159 datata 824.

[3] Manoscritto della Prajñâpâramitâ, Tibet centrale o occidentale, XV° sec., M.82.42.5, Los Angeles County Museum of Art, riprodotto da P. Pal, 1983, pag. 67.

[4] Copertina di un manoscritto della Prajñâpâramitâ, Tibet centrale o occidentale, XV sec., M.71.1.48, Los Angeles County Museum of Art, riprodotto da Pal, 1983, pag. 68.

[5] Ad esempio un episodio della vita di Norzang, Klimburg-Salter 1982, pag. 161.

[6] Numerosi esempi, specialmente nel «Milarepa», Tibet occidentale, XV sec., M.81.90.2, Los Angeles County Museum of Art, riprodotto da Pal, 1983, pagg. 83 e 149. Notiamo che gli esempi citati si riferiscono a pezzi provenienti o fortemente influenzati dal Tibet occidentale.

[7] Ad esempio «Le Potala et les principaux monuments de la région de Lhasa», MG. 21248, museo Guimet, Parigi; «Le monastère de bSam-yas», n° 20271, Museo di Newark, U.S.A.

[8] Affresco della cappella del Palazzo di Gangtok, riprodotto da R.A. Stein, 1981, pag. 115; affresco di Samye, Jigme ecc., 1981, pagg. 240-241; dipinto conservato nel museo di Etnografia di Anversa, riprodotto da Henss, 1981, pl. 40.

[9] Dipinto del museo di Newark; affresco del Kumbum di Jonang, attribuito da G. Tucci al restauro del 1621 e pubblicato a sua cura, 1949, pagg. 191-193 e fig. 55.

[10] Affresco di Jonang.

[11] Dipinto di Newark, ad esempio.

[12] Museo di Etnografia di Anversa.

[13] Affresco di Samye.

[14] Affresco di Jonang, dipinto di Newark.

[15] Vedere l'approfondimento di questo argomento, in A. Chayet, 1985.

[16] Bruxelles, Musei Reali di Arte e Storia, Ver. 349.

[17] Questa rappresentazione simbolica, il cui modello è dovuto a Sakya Pandita, è chiamata domtsen dampa.

BIBLIOGRAFIA GENERALE

CHAYET, 1985; HENSS, 1981; JIGME, 1981; PAL, 1983; STEIN, 1981; TUCCI, 1949; KLIMBURG-SALTER, 1982.

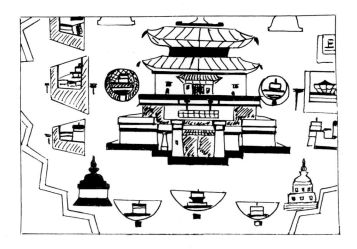

fig. XLV - Jonang, particolare di un affresco rappresentate il monastero di Samye (A. Chayet da Tucci, 1973).

fig. XLV - Jonang, détail de fresque représentant le monastère de Samye (A. Chayet d'après Tucci, 1973).

fig. XLVI - Pittura rappresentante Samye, Museo d'Etnografia, Anversa (foto Ville d'Anvers).

fig. XLVI - Peinture représentant Samye, Musée d'Ethnographie, Anvers (cl. Ville d'Anvers).

fig. XLVII - Pittura rappresentante Samye, Newark Museum (foto Newark Museum).

fig. XLVII - Peinture représentant Samye, the Newark Museum (cl. Newark, Museum).

fig. XLVIII - Schema delle direttrici compositive e delle linee di forza d'una pittura narrativa (A. Chayet).

fig. XLVIII - Schéma montrant les lignes de composition et les lignes de force d'une peinture narrative (A. Chayet).

XLIX

fig. XLIX - Samye, schema delle direttrici compositive e delle linee di forza (A. Chayet).

fig. XLIX - Samye, schéma montrant les lignes de composition et les lignes de force (A. Chayet).

fig. L - Pittura rappresentante il Monastero di Depung, Musées royaux d'Art et d'Histoire, Bruxelles (foto Institut Royal du Patrimoine Artistique, Bruxelles).

fig. L - Peinture représentant le monastère de Depung, Musées royaux d'Art d'Histoire, Bruxelles (cl. Institut Royal du Patrimoine Artistique, Bruxelles).

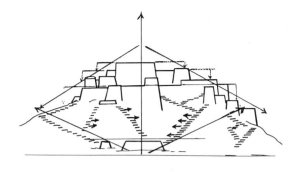

fig. LI - Potala, schema delle linee di forza (A. Chayet).

fig. LI - Potala, schéma des lignes de force (A. Chayet).

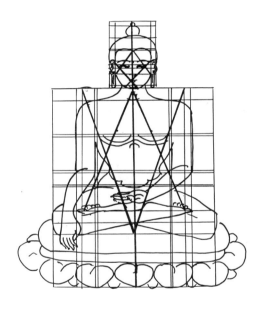

fig. LII - Schema iconometrico della figura del Buddha (A. Chayet).

fig. LII - Schéma iconométrique de la représentation du Buddha (A. Chayet).

fig. LIII - Domtsön dampa, figurazione simbolica del monastero di Samye (A. Chayet).

fig. LIII - Domtsön dampa, figuration symbolique du monastère de Samye (A. Chayet).

ARCHITECTURE
ET PEINTURE TIBETAINE

Anne Chayet

Les représentations d'architectures sont apparues relativement tôt dans l'histoire de la peinture tibétaine, d'abord comme élément décoratif ou rythmant la narration, puis comme fond de décor, avant de devenir le centre même de la composition. Quelles que soient les influences étrangères qui ont marqué ces premières tentatives d'intégration de l'architecture à la peinture, la raison la plus directe de son développement est sans doute qu'en Chine des «peintures d'architectures» existaient déjà en tant que telles depuis fort longtemps. Dunhuang en apporte de multiples preuves avec l'architecture idéale des grands Paradis Tang [1] et les représentations d'apparence plus réaliste, comme celle du célèbre site du Wutai shan, qui y apparaissent à plusieurs reprises [2]. Par ailleurs, dès le début du IXème siècle, il y avait, notamment au Wutai shan, dont la réputation était déjà très répandue en Haute Asie, des peintres qui exécutaient pour les nombreux pèlerins des représentations, sans doute fort répétitives, du site et de ses lieux saints. Le moine japonais Ennin reçut en cadeau l'une de ces peintures lorsqu'il quitta la montagne sacrée. Ainsi, non seulement le culte qui y était célébré, mais l'image même du site se trouvaient largement diffusés.

Il reste à déterminer quelle était la fidélité de telles images par rapport à leur modèle, et quelle pouvait être l'influence réelle qu'elles exerçaient dans les régions où elles étaient emportées, en particulier du point de vue de l'architecture. La peinture tibétaine aide à répondre, au moins partiellement, à ces questions.

L'élément architectural y apparaît donc d'abord limité à un rôle décoratif: trônes étagés et piliers du dais de la divinité figurant au centre de la composition; mais aussi, parfois, architecture plus construite autour de cette divinité [3]; éléments ponctuant et rythmant les séquences d'une peinture narrative [4], dont le rôle est mis particulièrement en évidence par les peintures murales du monastère de Tabo (Spiti, X-XIe siècle) (Section VI) [5]; ou bien encore petites architectures associées à des éléments de paysage et servant de décor aux épisodes des peintures narratives en registres [6].

Cette utilisation de l'architecture — du moins de représentations d'architectures — comme élément de ponctuation du décor de la peinture (trônes, niches ornées, etc.) s'est maintenue jusqu'à nos jours, tandis que les représentations des Paradis bouddhiques montraient, au centre de la peinture, des architectures importantes, mais idéales, et que se multipliaient, dans les peintures narratives, les architectures intégrées à un paysage, autour d'un personnage central, et dont la répartition prenait par ailleurs en compte une indéniable influence de la peinture chinoise.

Mais, s'agissant des rapports de la peinture et de l'architecture, ce sont surtout les peintures où l'architecture forme le centre et le sujet de la composition qui doivent retenir l'attention. Il ne s'agit plus dès lors de la représentation d'édifices anonymes, mais de monuments bien définis, ainsi qu'il en est des peintures murales du Potala, retraçant les étapes de sa construction, de celle du Jokhang de Lhasa, de Jonang, de Samye, ou plus récemment de la chapelle du Palais royal de Gangtok au Sikkim, qui représentent les lieux saints les plus célèbres du Tibet. C'est aussi le cas des peintures mobiles du même thème, dont certaines se trouvent dans des collection occidentales [7], et dont la diffusion fut très large, en leur temps, puisqu'on en trouvait dans tous les monastères du monde lamaïque.

La fidélité de ces peintures à leur modèle peut être discutée. En fait, il faudrait les recenser et les comparer systématiquement aux photographies des monuments représentés (photographies déjà anciennes, ou récentes dans la mesure où ils ont subsisté), mais aussi aux peintures murales du même sujet; avant de les confronter à la chronologie des travaux de construction et de restauration, tirée de la lecture des Karchag (catalogue ou registre) des monastère, des guides (aux descriptions souvent bien vagues) et des nombreux ouvrages historiques contenant des informations sur ce point.

Sans chercher dans les textes la très longue chronologie des travaux effectués sur le site de Samye, il faut noter cependant, sur cet unique exemple, à quel point les représentations en ont varié. L'enceinte, circulaire dans la réalité, ainsi que le prouvent de nombreuses photographies, est ainsi représentée le plus souvent (fig. XLV-XLVI) [8]; elle n'est pas représentée du tout sur la peinture conservée au musée Guimet à Paris (fig. en couvertine) («Le Potala et les principaux monuments de la région de Lhasa»), il est vrai que Samye n'y est nullement la «figure» centrale; enfin, symbolisant le cakravâla, les montagnes qui bornent le monde, elle affecte parfois la forme d'une ligne brisée refermée en cercle [9] (fig. XLVII). Sur toutes les peintures, le bâtiment central, le Utse, est entouré d'une structure quadrangulaire redentée, haute d'un seul étage, qui ouvre par des baies sur l'extérieur et par une galerie sur l'intérieur. Toutes les représentations marquent également, quoique de diverses façon, les trois niveaux traditionnels du pavillon central. La toiture caractéristique en est toutefois figurée avec d'importantes variantes. Dans la réalité, du moins dans la réalité de ce siècle, attestée par la photographie, la toiture de l'Utse (Section V) est une triple toiture en pavillon, couvrant la quatrième niveau apparent du bâtiment, niveau établi sensiblement en retrait. Ce toit a une faible pente, et ses arêtiers accusent à l'abord des rives d'égout un très léger relèvement, au moins dans sa partie inférieure. La partie médiane porte à ses angles quatre petits belvédères ou clochetons, coiffés d'une toiture en pavillon. La partie supérieure s'achève par un amortissement en forme de stûpa. Certaines représentations de Samye, qui tiennent du plan plus que de la «vue» réaliste [10], (fig. XLV) représentent cette toiture avec un caractère chinois beaucoup plus prononcé, pente et relevé plus accusés, supposant l'existence d'un appareil de charpente très sophistiqué, ce qui ne semble pas avoir été le cas de Samye, du moins dans son dernier état. En outre, la toiture en est en général représentée comme double [11], et non triple, ce qu'elle est en réalité. Ailleurs, la toiture supérieure repose sur des arcatures situées au niveau des belvédères [12], ce qui paraît être une simple fantaisie du peintre. Enfin, les angles du toit sont, sur certaines peintures [13], suchargés de motifs décoratifs: gueules de makara, clochettes, etc., tandis que sur d'autres [14] et sur les dernières photographies du Utse ce décor est inexistant ou réduit aux seules clochettes d'angle. D'autres divergences, ayant trait à la forme et à l'ornementation des baies, aux proportions de la façade et des porches et plus encore au nombre ou à la disposition des bâtiments secondaires, pourraient être étudiées utilement de la même façon.

L'image des grands monastères du Tibet, plus ou moins schématisée, était donc très largement diffusée. Il s'en trouvait encore, au début du siècle, dans les monastères de Chengde (Hebei), et à date plus récente encore au Yongle gong de Pékin ou dans les monastères de Mongolie intérieure. La diffusion de leur image était de toute évidence un facteur d'accroissement de la vénération qui était portée à ces lieux saints, mais aussi en rendait l'aspect familier à des gens qui ne les connaîtraient jamais. On peut en déduire que ces peintures stimulèrent l'inspiraton des constructeurs, aidèrent à la diffusion de

certaines traditions architecturales, servirent enfin parfois de modèle à des constructions neuves. Le fait a été souvent attesté, dès les origines et tout au long de l'histoire tibétaine. Au XVIIIe siècle, un exemple très précis, et particulièrement éclatant, vient confirmer ce qu'on peut considérer dans une large mesure comme une tradition.

De 1755 à 1780, l'Empereur Qianlong des Qing édifia autour du Palais d'été construit à Chengde par son aïeul Kangxi, dix temples inspirés de divers édifices célèbres de Chine, d'Asie Centrale et du Tibet (Section XIII). Des temples «tibétains» de Qianlong, l'un voulait imiter le Potala, un autre Samye, un autre encore Tashilhumpo. L'Empereur ne manquait pas de conseillers qui connaissaient bien le Tibet, et par conséquent ses principaux lieux saints et monastères; il y avait aussi, autour de Cangkya Rolpe dorje, le «Grand Lama» de Pékin, auquel l'attachaient des llens d'amitié, des religieux tibétains, instruits des questions d'architecture, et qui pouvaient aider de leurs conseils les bâtisseurs des nouveaux temples. Mais il faut bien reconnaître que la ressemblance de ces temples à leurs modèles est parfois assez vague et que la technique même de construction en est souvent à l'opposé [15], comme s'il avait été fait davantage appel à une inspiration d'ordre stylistique qu'à la stricte application de normes architecturales tibétaines. Si les monuments tibétains eux-mêmes, Potala, Samye, Tashilunpo n'ont pas servi directement de modèle, par une copie fidèle ou au moins une réduction, aux édifices de Chengde, ceux-ci ne sont cependant pas sortis de l'imagination des architectes de Qianlong: entre les temples tibétains et les temples de Chengde, la peinture a servi de modèle de relais.

Les peintures tibétaines, en particulier les peintures dont le thème central est la représentation d'un monument, sont construites essentiellement selon les principes de la perspective isométrique et axonométrique, traditionnellement utilisée également par la peinture chinoise. Ce type de perspective, défendue en Chine par une longue tradition lettrée, interdit la représentation des déformations optiques, dont la prise en compte a précisément donné naissance en Occident à la perspective convergente post-renaissante. Le regard y est placé très haut au-dessus du sujet, à la manière de notre perspective cavalière, mais, contrairement à ce qui se passe pour celle-ci, les proportions des édifices représentés ne sont pas affectées par l'éloignement. C'est-à-dire que d'une structure cubique, on voit trois côtés: la façade principale, une des façades latérales et la couverture, le tout dans un parallélisme rigoureux; et que l'arête de ce cube est constante alors que dans un système de perspective convergente, les deux arêtes visibles sur l'arrière seraient plus courtes, les dimensions s'amenuisant selon une ligne de fuite unique pour l'ensemble de la composition. En outre, se plaçant délibérément très au-dessus du sujet, à la manière du phénix volant dans les nuages, l'observateur — le peintre — voit et représente tous les éléments saillants du paysage, et donc toutes les constructions, sans souci de leur volume et de leurs positions réciproques, ce qui serait précisément interdit à l'artiste appliquant les principes de la perspective à l'européenne, qui ne représente que ce qu'il voit réellement, à sa hauteur.

Un petit bâtiment, situé, par rapport à l'observateur, derrière un bâtiment plus grand, n'est pas représenté par l'artiste européen, parce qu'il échappe à son regard, mais il est figuré par l'artiste chinois ou tibétain, en respectant en général la différence d'échelle, et en le plaçant, pour le rendre visible en quelque sorte, au-dessus de la construcion plus grande qui ne le masque donc plus. D'un village situé en terrain plat, la peinture européenne ne montrerait que la façade des premières maisons, puis éventuellement la partie supérieure de celles qui émergeraient derriere, tandis que la peinture chinoise ou tibétaine représente tous les bâtiments, dans leur totalité et sans chevauchement, étagés les uns au-dessus des autres. L'usage de la perspective isométrique et axonométrique crée donc dans la peinture un effet de relief, sans aucun lien avec la réalité du site.

En application de cet effet ascendant, la peinture a représenté les bâtiments du monastère de Samye, situés en fait sur un terrain plat, les uns au-dessus des autres, comme si l'ensemble était disposé au flanc d'une colline. De même les représentations du Potala montrent les bâtiments du village du Shöl, pourtant implantés également en terrain plat au pied du rocher du Marpori, les uns au-dessus des autres, ce qui a pour effet paradoxal de diminuer d'autant le relief du Potala dont les escarpements réels le dominent (fig. en couverture). De plus, peintures murales et peintures mobiles, loin de reproduire la teinte grise du rocher sur lequel repose le Palais, placent l'ensemble des constructions ainsi étagées sur un fond vert peu conforme à l'aspect du site.

De façon très curieuse, les constructeurs des temples «tibétains» de Qianlong ont reproduit avec fidélité cette interprétation de la réalité, sans faire le moindre effort pour en traduire les effets «pervers» qu'ils connaissaient portant aussi bien que les auteurs tibétains des peintures, comme s'ils avaient voulu pouvoir présenter ces peintures comme la preuve tangible de la conformité de leurs réalisations.

Ainsi le Puning si de Chengde, «copie» du temple de Samye, fut édifié au flanc d'une colline, ce qui nécessita d'importants terrassements, alors qu'on sait que Samye est construit en terrain plat, et que, si les environs de Chengde sont agréablement accidentés, il s'y trouvait cependant encore lors de la construction du Puning si, un vaste terrain plat, où

Qianlong édifia du reste un autre temple quelques années plus tard. Tous les bâtiments du Puning si sont donc étagés sur une pente, comme les bâtiments de Samye semblent l'être sur les peintures, et même le trait en ligne brisée de l'enceinte, telle qu'elle est parfois représentée, y est repris par le jeu subtil des balustrades des terrasses latérales et de leurs escaliers d'accès, soulignés de céramique jaune.

Il était impossible de reconstituer le site exceptionnel du Potala et de l'imposant rocher du Marpori. Aussi l'Empereur Qianlong ne s'y essaya pas. On se contenta de reproduire à Chengde ce que montraient précisément les peintures: une massive structure quadrangulaire, crépie de rouge, se détachant sur une colline verte parsemée de constructions blanches étagées. Tel est le Potala de Chengde: (Section XIII) sur une colline verdoyante s'étagent de petits bâtiments blancs, images non seulement des constructions mineures situées, à Lhasa, à la base ou sur les côtés de l'édifice principal, mais aussi des bâtiments du village situé à son pied; l'ensemble est surmonté par une énorme construction en terrasse, dont la partie centrale est crépie de rouge et au sommet de laquelle sont élevés quelques pavillons aux brillantes toitures de tuiles vernissées. L'exécution des détails révèle, elle aussi, une interprétation sommaire de la représentation picturale (une simple bande de crépi rouge, en haut des murs, figure la corniche des constructions tibétaines, faites d'une accumulation de branches sèches, tassées, coupées, à l'aplomb du mur et colorées par un enduit brun rouge), quand il ne s'agit pas d'une traduction délibérée (les encadrements de fenêtres et de portes en céramique vernissée).

Si la perspective convergente n'a fait qu'une très timide et très tardive apparition dans la peintures tibétaine, et en particulier dans la peinture d'architectures, cela ne signifie pas que des convergences n'y aient pas été organisées, et de très longue date, sans doute pour suivre encore l'exemple des Paradis Tang de Dunhuang et divers courants représentés en Asie centrale. A époque plus récente, les peintures narratives et les peintures d'architectures surtout, sont construites selon une disposition semblable, quoique moins aisément lisible. De part et d'autre de l'axe central de la composition, s'organisent des faisceaux de convergences, utilisant une ligne d'arbres, de nuages, de montagnes, la pente d'un toit, l'angle d'un mur, afin de reporter le regard vers l'axe en un mouvement globalement ascendant (fig. XLVIII). L'enceinte en ligne brisée de Samye, par les résultantes de ses nombreux angles, est un exemple particulièrement achevé de cette disposition.

Mais de part et d'autre de l'axe central se produisent également des divergences dont l'effet est évidemment à l'inverse. Convergences et divergences n'interviennent ni simultanément, ni au même niveau de la composition, s'il leur arrive parfois d'être complémentaires, et sont balancées par les composantes horizontales et verticales de l'ensemble. Du contraste entre ces lignes, et du contraste entre les lignes et les volumes représentés, naît l'équilibre de la composition en même temps que sa dynamique interne. Un mouvement d'éventail ouvre l'enceinte au bas des peintures représentant Samye et la referme en haut, ainsi que l'oeil s'ouvre et que le regard saisit l'objet.

L'objet, ici architectural (fig. XLIX), est placé au centre de la composition, comme le serait la figuration d'une divinité. Le regard, sans cesse reporté des marges de la peinture, ou des épisodes qu'elle narre, vers l'axe central, celui de la divinité comme celui du temple, suit les traits de la composition et les lignes de force en un mouvement dont le résultat est d'abord l'intégration de l'architecture au décor — donc à la nature — qui la porte. L'objet architectural est alors, en quelque sorte, anéanti dans l'axe central qui le divise, mais aussi le transcende en le rapprochant du schéma iconométrique de la représentation du Buddha, et par conséquent du Buddha lui-même dont il tient ses mesures, aussi bien que des figurations plus anciennes de la disposition du monde.

L'architecture et la peinture d'architectures au Tibet s'attachent donc à la mise en évidence de ce que nous appelons «ligne de fuite», et qui est ici irrésistiblement attiré vers les sommets, comme pour mieux exprimer la finalité même de l'objet représenté, et on serait tenté de dire de l'oeuvre. Mais dans le même temps elles font grand cas, on l'a vu plus haut, de l'équilibre nécessaire entre les composantes horizontales et verticales. La peinture rend compte fidèlement, quoique souvent de façon très schématique, de la réalité de l'architecture tibétaine, avec ses murs puissants au fruit accusé, parfois rehaussés de bandes colorées verticales, et ses horizontales fortes composées de rangs de petites fenêtres et de corniches rouges au niveau des toits en terrasse. La cité monastique de Depung, (section IX), de même que la plupart des villages situés à flanc de coteau, constitue un exemple typique de cette organisation que souligne la diminution du nombre des constructions vers le point culminant de l'ensemble. Les vigoureuses composantes horizontales, fenêtres et corniches, sont particulièrement visibles sur les murs blancs de Depung. L'étagement des bâtiments au long de la pente et la diminution concomitante de leur nombre déterminent sur les côtés de l'ensemble un effet «d'escalier» assez proche de celui de l'enceinte de Samye, et que la peinture a bien entendu souligné [16] (fig. L).

Au-dessus du monastère de Depung, la montagne se creuse en une vallée profonde, comme un triangle placé sur la pointe, qui s'oppose à la structure inverse de l'ensemble construit, placé à sa base.

Il ne s'agit plus dès lors d'un jeu de traits et de lignes de forces, destiné à animer la peinture en la rapprochant d'un schéma iconométrique dont elle tire sa signification, mais de la prise en compte des volumes et des lignes de la nature même, assimilés logiquement à leur représentation, puisque le principe de cette peinture rejette le constat des déformations optiques dues à l'imperfection de la perception humaine. Le rocher du Marpori élève ainsi une convergence naturelle que balancent les composantes horizontales de la façade du Potala, et que soulignent les décrochements en ligne brisée des constructions latérales, de part et d'autre de la structure centrale du Phodang marpo. En même temps, à la base de l'édifice, s'ouvre un angle formé par la ligne brisée des escaliers, aux rambardes bordées de brun, divergeant de l'axe central et venant couper les lignes convergentes de la silhouette des bâtiments (fig. LI). Ce sont à nouveau les lignes du schéma iconométriques de la représentation du Buddha, source de toute représentaton (fig. LII).

Mais d'une façon plus pratique, les lignes brisées, génératrices d'un effet de profondeur, et les lignes de fuite à l'effet ascendant, soutenues par la solidité des composantes horizontales, permettent l'intégration parfaite de l'architecture à la nature qui l'environne et, exactement de la même façon, de la représentation d'une architecture au décor qui la porte, par le constatant contrôle du contraste entre les éléments de la composition.

C'est la raison de la force expressive de l'architecture tibétaine, rapportée non seulement à la nature mais aussi au concept supérieur dont elle émane. Ainsi Drepung s'inscrit dans les lignes de la montagne et n'est pas seulement posé sur elle, ainsi le Potala jaillit du rocher auquel il s'appuie. Ainsi la figuration symbolique des premiers propagateurs du Bouddhisme au Tibet et fondateurs de Samye [17] représénte-t-elle un lotus triple (Padmasambhava), portant un glaive dressé (le roi Trisong detsen) et jaillissant d'un lac (Shântarakṣita) clos d'une enceinte circulaire en ligne brisée, ensemble qui s'inscrit dans un triangle, (fig. LIII), comme la silhouette de Samye, celle de Depung ou celle du Potala, dans la peinture comme dans la réalité.

NOTES

[1] Par exemple dans les grottes 172 et 217 (numérotation de l'Institut de Dunhuang).

[2] La plus célèbre est le «panorama» de la grotte 61, la plus ancienne celle de la grotte 159 datée 824.

[3] Manuscrit de la Prajñâpâramitâ, Tibet central ou occidental, XVe s., M.82.42.5, Los Angeles County Museum of Art, reproduit par P. Pal, 1983, p. 67.

4 Couverture d'un manuscrit de la Prajñâpâramitâ, Tibet central ou occidental, XVe s., M.71.1.48, Los Angeles County Museum of Art, reproduit par P. Pal, 1983, p. 68.

5 Par exemple un épisode de la vie de Nor-bzang, reproduit dans le catalogue de l'exposition «The Silk Road and the Diamond Path» 1982, p. 161.

6 Nombreux exemples, notamment dans le «Milarepa», Tibet occidental, XVe s., M.81.90.2, Los Angeles County Museum of Art, reproduit par P. Pal, 1983, p. 83 et 149. Notons que les exemple cités font référence à des pièces provenant du Tibet occidental ou fortement influencées par le Tibet occidental.

7 Par exemple «Le Potala et les principaux monuments de la région de Lhasa», MG. 21248, musé Guimet, Paris; «Le Potala», Ver. 349, Musée Royaux d'Art et d'Histoire, Bruxelles; «Le monastère de bSam-yas», n° 20271, musée de Newark, U.S.A.

8 Fresque de la chapelle du Palais de Gangtok, reproduite par R.A. Stein, 1981, p. 115; fresque de Samye, reproduite par Ngapo Ngawang Jigne etc., 1981, p. 240-241; peinteure conservée au musée d'Ethnographie d'Anvers, reproduite par M. Henss, 1981, pl. 40.

9 Peinture du musée de Newark; fresque du Kumbum de Jonang attribuée par G. Tucci à la restauration de 1621 et publiée par ses soins, 1949, p. 191-193 et fig. 55.

10 Fresque de Jonang.

11 Peinture de Newark, par exemple.

12 Musée d'Ethnographie d'Anvers.

13 Fresque de Samye.

14 Fresque de Jonang, peinture de Newark.

15 Voir développement de ce sujet, A. Chayet, 1985.

16 Bruxelles, Musées Royaux d'Art et d'Histoire, Ver. 349.

17 Cette représentation symbolique, dont le modéle est dû à Sakya Pandita, est appelée domtsön dampa.

OUVRAGES GENERAUX

CHAYET, 1985; HENSS, 1981; JIGME, 1981; PAL, 1983; STEIN, 1981; TUCCI, 1949; KLIMBURG-SALTER, 1982.

A PROPOSITO DI UN DOCUMENTO TIBETANO (PELLIOT 933) PROVENIENTE DA DUNHUANG

Paola Mortari Vergara

Vorremmo attirare di nuovo l'attenzione su un disegno conservato a Parigi nella Biblioteca Nazionale, Mn. Pelliot tibetain 933. Il dipinto frammentario su carta (0,30 × 0,48 m) trovato nel deposito di Dunhuang da P. Pelliot, rappresenta un complesso templare e monastico buddhista in pianura, circondato da un paesaggio montagnoso, con iscrizioni in tibetano (fig. LIV). Di già pubblicato a diverse riprese[1] questo disegno pone vari problemi. Come giustamente affermano Y. Imaeda e Wou Chi-yu[2] le montagne ed il paesaggio trattati con mano più abile, con tratto più spesso e scuro, con il tipico gusto della modulazione e della linea e con una particolare visione prospettica dall'alto correlata a molteplici punti di fuga, sono d'ispirazione, e forse di mano, cinese e si ritrovano frequentemente nella pittura cinese di epoca Tang (618-907). Al contrario gli edifici resi con un inchiostro più chiaro, con un tratto uniforme, con una rudimentale prospettiva ribaltata, che unisce ad una visione dall'alto, elementi in prospettiva frontale, sembrano essere della stessa mano che ha tracciato la scritta in tibetano.

Sulle montagne, come segnala A. Macdonald[3], è visibile la parola shar (oriente). Meno chiara è l'iscrizione al centro del cortile del monastero in cui è ben riconoscibile il termine «casa di monaci» (dge 'dun gyi gnas khang). Acharya Jampa Thubten dell'Istituto Lama Tsongkhapa di Pomaia propone di interpretare il resto della scritta, non ben decifrabile, comé un riferimento a costruzioni ove i monaci tenevano le statue delle divinità e facevano offerte. Nonostante queste scarse notizie che non permettono di localizzare il monastero, e le incertezze della resa prospettica, il dipinto fornisce ugualmente una interessante documentazione relativa all'eclettismo architettonico buddhista. Il monastero è costituito infatti da una «cinta delle mura abitate» di antica ispirazione indiana, la cui presenza è verificabile nel Tibet dall'epoca monarchica (Samye) e documentata in Cina dagli affreschi della grotta 61 (Pelliot 117) della stessa Dunhuang, raffiguranti diverse costruzioni del Wutai shan, la montagna sacra dedicata a Manjushrî e datati al 980-995 circa[4]. Presenta inoltre degli elementi sinici nel portale d'ingresso con colonnato portante e con una copertura dalle linee di gronda ascendenti, nella tipologia edilizia della pagoda sita al centro del cortile e nei due padiglioni con podio e copertura a spioventi che la fian-cheggiano. Quest'ultima pianificazione è documentata nella più antica architettura buddhista estremo orientale in Corea e in Giappone (Asuka ji, a Nara 596). Essa aggiunge un secondo asse direzionale ortogonale a quello d'ingresso dando alla pagoda il valore di centro del complesso, di axis mundi, e assegnandole in pieno il significato del suo prototipo indiano, lo stûpa. Tale disposizione non è documentata in epoche posteriori ai Tang. Certamente non estremo-orientale, ma centro-asiatica e più probabilmente tibetana è la mancanza di simmetria e di assialità nell'intero complesso. Il portale d'ingresso, infatti, è decentrato, e blocchi di probabili abitazioni monacali e servizi si dispongono irregolarmente all'interno della cinta e soprattutto presentano una copertura piana estranea all'ambito sinico. La resa del fondo della cinta, poi, se fosse in una prospettiva ribaltata e capovolta avrebbe tutte le caratteristiche (fascia alla sommità e aperture trapezoidali) delle cinte templari abitate del Tibet, ma è molto difficile essere sicuri di tale interpretazione data l'insufficienza della resa prospettica.

Gli stûpa, disseminati nella campagna intorno al monastero, a pianta quadrata e poligonale con copertura a spioventi presentano la stessa tipologia delle più antiche pagode cinesi, come quelle quadrate dello Shentong si nello Shandong (544 d.C.) o quella sepolcrale ottagonale di Jingcang a Huishan si sul monte Sung nell'Henan della metà del sec. VIII[5].

È perciò possibile, per gli elementi architettonici riportati, dare un approssimativa datazione al complesso poiché, presenta caratteristiche dell'architettura buddhista antica che si è sviluppata nell'arco dei sec. VI-X. Data la scritta è plausibile invece l'ipotesi che il dipinto sia stato realizzato a Dunhuang al periodo dell'occupazione tibetana (789-848). La collocazione del monastero è ancora più ardua, ma, data la preponderanza di elementi cinesi, si può pensare ad una zona d'interferenza sino-centro asiatica e tibetana, forse proprio alla stessa Dunhuang. Questo reperto rimane comunque il primo disegno presumibilmente tibetano di architettura, realizzato con intenti esplicativi, giunto fino a noi.

NOTE

[1] Trésors d'Orient, 1973, p. 134 N° 351; Dieux et Démons de l'Himâlaya, 1977,
p. 66-67, fig. 2.
[2] Dieux et Démons de l'Himâya, 1977, p. 66
[3] Dieux et Démons de l'Himâlaya, 1977, p. 66
[4] MORTARI VERGARA, Le cinte templari abitate, in corso di pubblicazione.
[5] SICKMAN, SOPER, 1956, fig. 246, 256.

fig. LIV - Monastero in un paesaggio, pittura su carta, proveniente da Dunhuang, Parigi Biblioteca Nazionale (cl. B.N.).

fig. LIV - Monastère dans un paysage, peinture sur papier, provenant de Dunhuang, Paris, Bibliothèque Nationale (cl. B.N.).

A PROPOS D'UN DOCUMENT TIBETAIN (PELLIOT 933) PROVENANT DE DUNHUANG

Paola Mortari Vergara

Nous aimerions attirer à nouveau l'attention sur un dessin du fonds Pelliot (Pelliot tibétain 933), provenant du dépôt de Dunhuang et conservé à la Bibliothèque Nationale de Paris (fig. LIV). Ce document, déjà publié à plusieurs reprises [1], pose un problème de provenance et de fonction.

Ce dessin fragmentaire sur papier (0.30 × 0.48), éxécuté à l'encre noire et par endroits rehaussé de couleurs, représente un complexe de monuments bouddhiques dans une plaine bordée de chaînes de montagnes. La feuille porte deux inscriptions en tibétain. Y. Imaeda et Wou Chi-yu [2] remarquent que les éléments paysagés suggérès par un trait sombre, épais et modulé par endroits ont été exécutés par une main particulière, à la manière chinoise.

La perspective plongeante liée à des points de vue multiples, se retrouve fréquemment dans la peinture chinoise de l'époque Tang (618-907). Les édifices, dessinés par des traits uniformes tracés avec une encre plus claire, sont visiblement d'une autre main. Les bâtiments vus du haut sont représentés d'une manière naïve, certaines parties étant traitées selon une perspective frontale et d'autres étant rabattues afin de présenter les caractéristiques principales des façades. On peut supposer que la main qui a dessiné les architectures ait également tracé les inscriptions en tibétain. Sur les montagnes, comme le note A. Macdonald [3], le mot «shar» (orient) est bien lisible. L'inscription, au centre de la cour du monastère, est en partie obscure. On reconnaît le terme «maison des moines» (dge'dun gyi gnas khang). Acharya Jampa Thubten, de l'Institut Lama Tsonkhapa à Pomaia, propose d'interpréter le reste de l'inscription comme une référence à des bâtiments où les moines conservaient des statues de divinités et faisaient des offrandes.

Ce document fournit de rares renseignements concernant l'architecture bouddhique de cette époque. Le monastère est entouré d'une enceinte quadrangulaire qui, derrière un mur massif, abrite une série de pièces. Ce type d'«enceintes habitées» est d'inspiration indienne. On trouve son utilisation à Samye, au Tibet, à l'époque monarchique. Il est aussi attesté en Chine sur les peintures murales de la grotte 61 de Dunhuang (Pelliot 117), vers 980-995, qui représentent les principales constructions du Wutai shan, la montagne sacrée dédiée à Manjushrî [4].

Sur le dessin de la Bibliothèque Nationale, le monastère présente également des éléments chinois. Sur le portail d'entrée, des colonnes supportent une toiture aux pentes recourbées. La pagode au centre de la cour, et les deux pavillons qui la flanquent, élevés sur des podiums et couverts par des toitures à pentes, sont caractéristiques de l'architecture chinoise. La position de ces trois bâtiments dans la cour se retrouve dans plusieurs sites bouddhiques anciens d'Extrême-Orient, en Corée et au Japon (Asuka ji à Nara 596).

La porte monumentale et la pagode, située au centre du complexe privilégient une axe principal. Un second axe, orthogonal au premier, est constitué par l'alignement des trois édifices majeurs. Cette disposition n'est plus documentée après la chute des Tang. On remarque toutefois que le porche d'entrée est reporté sur le côté et que l'intérieur de l'enceinte, comprenant à droite une enfilade de cours secondaires, ne présente pas la symétrie rigoureuse que l'on attendrait d'un vrai temple chinois. Cette disposition plus libre nous paraît plutôt se rapprocher des usages centraux-asiatiques et tibétains. Il en est de même des toitures plates des bâtiments secondaires. La partie droite du mur arrière qui sépare la grande cour d'un verger, présente une curieuse particularité. Le dessin retourné, cette partie de l'enceinte, représentée comme les autres côtés (le faît du mur tourné vers l'intérieur de la cour et la base vers l'extérieur), possède, sous cet angle, certaines caractéristiques des constructions tibétaines comme la présence d'un bandeau d'attique et des ouvertures trapézoïdales. Néanmoins, la porte sur la droite et un élément supplémentaire au-dessus de l'ensemble évoquant une toiture débordant des deux côtés, restreignent considérablement cette dernière hypothése.

Les stûpa, à base carré ou polygonale, desséminés dans la campagne autour du monastère, sont de même type que les plus anciennes pagodes chinoises. Citons par exemple les pagodes de plan carré de Shentong si (544) dans le Shandong ou la pagode funéraire à base octogonale de Jingcang, (milieu du VIIIème siècle) à Huishan si, sur le mont Sung, dans le Henan [5].

L'inscription en tibétain laisse supposer que ce dessin a été réalisé à Dunhuang durant l'occupation tibétaine (789-848). Des éléments architecturaux confirment cette hypothèse.

Plusieurs édifices se rattachent en effet à la tradition bouddhique des Sui et des Tang, mais ils sont juxtaposés à des bâtiments appartenant à une culture différente, peut-être tibétaine. Il n'est cependant pas possible d'identifier ce monastère et même de savoir si ce dessin représente des constructions ayant réellement existées; il reste cependant la plus ancienne representation d'architecture de main tibétaine.

NOTES

[1] Trésors d'Orient, 1973 p. 134 N° 351; Dieux et Démons de l'Himâlaya, 1977, p. 66-67, fig. 2.
[2] Dieux et Demons de l'Himalâya, 1977, p. 66
[3] Dieux et Demons de L'Himalâya, 1977, p. 66
[4] MORTARI VERGARA, Le cinte templari abitate, sous presse.
[5] SICKMAN SOPER 1956, fig. 246, 256.

L'ORGANIZZAZIONE DELLO SPAZIO SECONDO UN TESTO TIBETANO DEL XII SECOLO

Samten G. Karmay

I testi tibetani sull'architettura sono rari, soprattutto quelli concernenti le abitazioni laiche. Durante la mia missione di ricerca del CNR in India, settembre-ottobre 1983, il mio collega Lopon Tenzin Namdak, durante una conversazione, mi ha ricordato l'esistenza di un passo dedicato alla «casa comune» in un testo intitolato *g. Yung drung las rnam par dag pa'i rgyud* composto di 210 pagine in 20 capitoli[1]. Si tratta di una raccolta dedicata agli insegnamenti bönpo in generale.

La stesura di questo testo è stata basata su di un manoscritto originario di Dolpo del nord-ovest del Nepal, ma non è riportata la data di pubblicazione. Il Bönpo Monastic Centre di Dolanji, Himachal Pradesh, India del Nord, sta preparando un'altra edizione del medesimo testo. Si tratta della riproduzione di una edizione xilografica proveniente da Trochen nel Gyarong (Tibet orientale).

L'opera è considerata molto importante dai Bönpo ed è perciò situata all'inizio del loro canone (Kanjur)[2].

È considerata un terma, cioè un testo nascosto da un maestro durante l'epoca reale tibetana (VII-IX sec. d.C.) e «scoperto» più tardi da un tertön predestinato. In questo caso il tertön è Gyermi nyiö. Secondo il colofone dell'opera, egli ha trasmesso il testo dopo la scoperta a Matön Sidzin[3] nato, secondo la cronologia bönpo, nel 1092. È grazie allo studio di A.M. Blondeau che noi conosciamo ora un po' meglio questo personaggio[4] che ha avuto un ruolo considerevole nella affermazione della tradizione religiosa eclettica.

Il passaggio dedicato alla organizzazione spaziale dell'abitazione si trova al capitolo 10, ma non si tratta di una «casa comune»: è indicata come «palazzo del prete» (Shengyi phodang), il che suggerisce una posizione sociale elevata. In questo testo viene espressa una particolare concezione dell'architettura tibetana.

Per organizzare lo spazio, da un lato viene tirata una freccia per determinare la lunghezza di una facciata e dall'altro vengono infissi i quattro pali che hanno lo scopo di stabilire gli orientamenti. Queste indicazioni si riferiscono di fatto ad un'antica pratica precedente, applicata quando fu fondato il primo monastero tibetano di Samye. Secondo una versione del *sBabzhed,* opera storica, il re Thisong Detsen (regno 755-779) avrebbe tirato una freccia per segnare i limiti dell'area e tracciare il muro di cinta del monastero[5]. Si sarebbero anche piantati quattro «pali di stû-

pa» con lo scopo di uccidere i demoni[6]. Ma mi sembra che questi quattro piali siano stati dapprima posizionati per segnare gli orientamenti giacché i Quattro stûpa non sarebbero stati eretti che dopo il completamento della costruzione dell'insieme degli edifici del monastero, nei luoghi in cui i quattro pali erano stati piantati[7] (i quattro stûpa e la maggior parte degli altri edifici a Samye sono stati distrutti dai Cinesi durante la Rivoluzione Culturale).

L'organizzazione dello spazio è accordata agli orientamenti cosmici e contemporaneamente si fonda su determinate credenze: da una parte alcune porte sono orientate a seconda dei luoghi destinati alle diverse divinità come quello della dea della terra situato a sud-est, quello di Nöjin a nord e quello di Sinpo a sud-ovest; d'altra parte, la divisione dello spazio è concepita alla maniera di un *mandala.* Ciò spiega perché la costruzione abbia sempre una pianta quadrata. La divisione spaziale e l'orientamento della casa, di cui stiamo trattando in queste pagine, si ritrovano ancora ai nostri giorni nella costruzione delle case in alcune regioni del Tibet.

Sappiamo che la maggior parte delle case tibetane, soprattutto nel Tibet orientale, sono divise in tre livelli, il che le rende caratteristiche in rapporto a quelle dei popoli vicini. Il piano terra dà ricovero al bestiame, il primo piano serve da abitazione e il granaio è principalmente destinato al fieno. Tuttavia, nel nostro testo, lo spazio abitato dagli uomini è situato al piano terra. Ciò si riferisce senza dubbio a determinate abitazioni del Tibet centrale e occidentale e, forse, ci dà una indicazione sulla origine geografica del testo stesso. La cappella si trova a sud-ovest e la cucina ad ovest. Inoltre nel nostro testo, la cappella, descritta dettagliatamente, è concepita separata dalla casa principale ed è ad un solo piano. La sola indicazione che abbiamo riguardo alle dimensioni di questo palazzo è che la cappella ha al suo interno ventinove pilastri.

In questo luogo adatto e di auspici favorevoli,
Un prete devoto,
Fissa una data opportuna favorevole (per la costruzione)
Un uomo forte, tenendo un arco, lancia una freccia[8],

5. Per stabilire la lunghezza di un lato (sul terreno),
Si piantano quattro pali (ai quattro angoli) per fissare senza errori le quattro direzioni intermedie,
Poi si traccia un cerchio intorno ad essi come simbolo delle quattro compassioni (fig. LV, *a*)
Partendo da ogni direzione intermedia,
Si tracciano delle linee verso l'interno. (fig. LV, *b*)

10. Si piantano quattro pali per fissare senza errori le quattro direzioni cardinali.
Sono i limiti del palazzo dello Shen.
Attorno a questo luogo,
Si tracciano quattro linee che uniscono i quattro punti cardinali e i quattro punti intermedi, (fig. LV, *c*)
Quindi ogni lato deve essere diviso in tre parti.

15. Da qui si tracciano quattro linee (due verticali e due orizzontali), che delimiteranno nove riquadri. (fig. LV, *d*)
I riquadri dell'est, del nord-est e del sud-ovest,
Saranno lasciati senza essere divisi da tracce di linee,
Ma (i riquadri) del nord e del nord-ovest,
Verranno segnati da una linea, da ovest ad est, che li divida in due parti (fig. LV, *e*)

20. Nel riquadro del nord,
Si custodiscono l'aratro, le macine e il combustibile.
La porta di questo si apre verso sud.
Di là si adempirà all'accumulo dei meriti.
La parte nord del riquadro di nord-ovest

25. È il granaio.
La sua porta dà verso sud-est.
Di là la dea della terra, Tanma, apporterà la sua essenza.
La metà ovest del riquadro di nord-ovest
È la cucina.

30. La porta di questa guarda dall'ovest all'est
Di là si avrà il beneficio della chiarezza.
La metà sud del compartimento dell'ovest
È la tesoreria.
La porta di questa guarda da sud a nord.

35. Di là la figlia del Nöjin, Dogzangma,
Concederà la facoltà della ricchezza.
Nel riquadro di sud-ovest,
Affinché sia chiusa la porta dei demoni,
Verrà costruito il palazzo degli dei, Yungdung köleg...

40. La casa degli dei guarda ad est.
Di là il sole e la luna, figli degli dei danno la loro luce.
Il terzo del riquadro del sud
si lascia ad est.
I due terzi che restano ad ovest

45. sono per il vestibolo del palazzo degli dei in cui i monaci praticano le virtù.
Il terzo del lato dell'est,
(è per l'ingresso) al palazzo dello Shen, e la porta guarda a sud.
I due terzi del riquadro di sud-est.
saranno situati a sud

50. per gli ospiti e per coloro che dipendono (dalla famiglia),
la porta dà verso ovest.
Di là, la benevolenza darà accesso a questo riquadro.
(Il riquadro) dell'est e un terzo (del riquadro) di sud est sono riuniti.
È la grande stanza,

55. il deposito degli utensili.
La porta di questa
Dà ad ovest partendo da sud-ovest.
Di là si vedrà il cammino dell'Essere Svastika.
(il riquadro) di nord-est è la stanza di riunione dei laici...

60. Essa ha due porte, una dà a sud e l'altra ad ovest.
La parte centrale
è per gli animali domestici (fig. LV, *f*).

(f. 66a, 5) mtshan (66b, 1) ldan bkra shis sa gnas su /
dad 'dun ldan pa'i gshen rab kyis /
phun sum 'tshogs (tshogs) pa'i dus dzung la /
ver hrim gyad kyi shugs tshad la /
5.   ngos cig phyogs kyi chang bzung nas /
phyogs mtshams ma nor phur bzhi gdab /
thugs rje bzhi ldan mu khyud bkod /
de yi phyogs shig bzhi cha ni /
zur nas nang du bod (dgod) par bya /
10. phyogs mtshams ma nor phur bzhi gdab /
gshen rab pho brang gzhal yas tshad /
de ltar bkod pa'i sa skor la /
phyogs mtshams thig bzhi gdab par bya /
de nas phyogs rer gsum gsum bgos /
15. thig bzhi gdab pas ling tse dgu /
shar dang byang shar lho nub gsum /
gshag thig mi gdab sor bzhag la /
byang dang (67a, 1) byang nub phyed ma ru /
nub dang shar du thig gdab gshag /
20. byang phyogs byang gi gling skor na /
shing lcags ran dang zhugs shing mdzod /
de yi mdzod sgo lho ru bstan /
bsod nams tshogs rnams rdzogs par 'gyur /
byang nub gling gi byang phyogs cha /
25. gshen gyi spyad rkyen 'bru bcud mdzod /
mdzod sgo lho shar lho ru bstan /
lha mo brtan mas bcud ster 'gyur /
byang nub nub kyi phyed cha bsdom /
gshen rab khrims sde g. yo (g. yos) spyod mdzod /
30. mdzod sgo nub nas shar du lta /
gsal ba'i mdangs kyis byin phebs 'gyur /
nub kyi phed cha lho yi gling /
gshen gyi rin chen gter gyi mdzod /
mdzod sgo lho nas byang du bstan /
35. gnod sbyin bo (bu) mo mdog (67b, 1) bzang mas /
rin chen gter gyi dngos grub ster /
lho nub mtshams kyi gling skor la /
rag sha srin po ('i) sgo bcad phyir /
g. yung drung bkod legs gsas mkhar bzhengs / ...
40. (69a, 3) lha yi gzhal yas shar du lta (blta) / ...
lha sras nyi zlas mdangs ster 'gyur /
(69a, 1) de nas lho yi gling skor gyi /
sum cha shar du bcad par bya /
sum gnyis nub tu lus pa la /

45. smad khyams tshangs pa'i dge spyod sar (sa) /
sum cha shar du bcad pa ni /
gshen gyi pho brang sgo lhor bltas (blta) /
(69a, 4) lho shar gling gi sum gnyis ni /
lho yi phyogs su bkod pa ni /
50. gnas med skyabs dang rten gnas te /
sgo ni mtshams nas nub tu bstan /
thugs rje stobs kyis gnas (69b, 1) bzang thob /
shar dang lho shar sum cha bsres /
gshen gyi pho brang phyi khyams te /
55. gshen rab bon gyi ka rtsa (ca) ste /
phyi khyams de yi sgo phyogs kyang /
lho nub mtshams nas nub tu bstan /
g. yung drung sems dpa'i lam mthong 'gyur /
byang shar khyim pa'i sgrub tshogs sar / ...
60. (69b, 4) sgo snyis lho dang nub tu blta /
dbus dang byang gi phyed cha ni /
rta dang khyu mchog rkang 'gros mdzod /

NOTE

[1] (Bönpo Monastic Centre, Dolanji, Himachal Pradesh).
[2] P. Kvaerne, «The Canon of the Tibetan Bonpos», *Indo-Iranian Journal* Vol. XVI, parte I, 1974.
[3] F. 210a, 4. Cf. S.G. Karmay, *The Treasury of Good Sayings: A Tibetan History of Bon*, London Oriental Series, Vol. 26, London 1972, pp. 156-60, 167-68.
[4] «Religioni tibetane», *Annuaire de l'Ecole Pratique des Hautes Etudes*, V sezione, Tomo XCI, 1982-83, pp. 128-29.
[5] dPa'-bo gTsug-lag 'phreng-ba (1504-1566), *mKhas pa'i dga' ston* Part Ja, Satapitaka Series, Vol. 9 (*Bhota-pitaka* Vol. 4), New Delhi 1962, p. 46 (f. 9la, 6).
[6] *ibid.*, p. 46 (f. 9la, 6).
[7] *ibid.*, p. 48 (f. 96b, 4); Cf. R.A. Stein, *Une chronique ancienne de bSam-yas: sBa-bžed*, Paris 1961, 31, 1.2; p. 42, 11.2-10.
[8] Nella lingua di Shang-shung, *ver* significa «freccia» così che *hrum* «l'arco», E. Haarh, «The Zhang-zhung language», *Acta jutlandica-XL: 1, Skrifter fra aarhus universitet*, 1968.

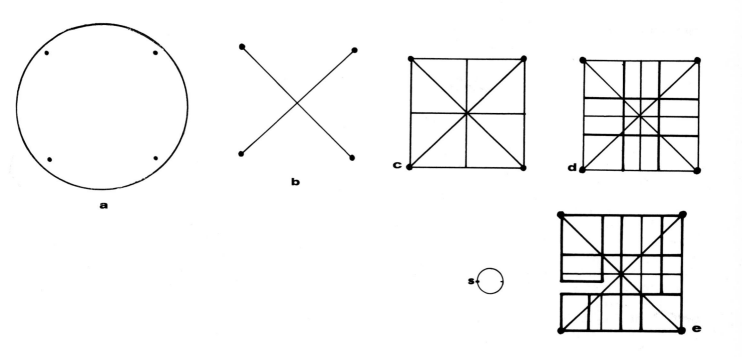

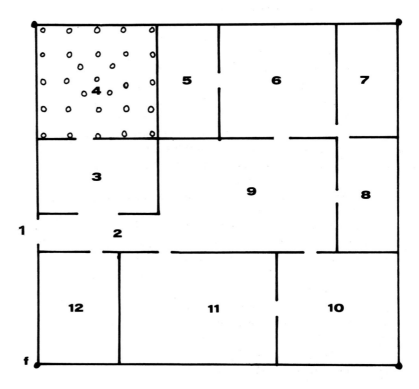

fig. LV - Il palazzo dello Shen (Shengyi pho-dang): *a - e*, disegni schematici delle tappe della costruzione; *f*, pianta: 1, porta d'ingresso; 2, corridoio d'ingresso; 3, vestibolo della cappella; 4, cappella dei sûtra (per i monaci); 5, tesoro; 6, cucina; 7, magazzino per granaglie; 8, magazzino per il combustibile, gli utensili, l'aratro, le macine; 9, cortile per i cavalli ed il bestiame; 10, cappella dei tantra (per lo Shen); 11, grande sala e magazzino; 12, stanza per gli ospiti e i familiari (S. Karmay, R. Astolfi).

fig. LV - Le Palais du Shen (Shengyi pho-dang): *a - e*, schémas des étapes de construction; *f*, plan: 1, porte d'entrée; 2, entrée; 3, vestibule de la chapelle; 4, chapelle des sûtra (pour les moines); 5, trésor; 6, cuisine; 7, réserve de grain; 8, dépôt de combustible, outils, charrue, meules; 9, cour de chevaux et du bétail; 10, chapelle des tantra (pour le Shen); 11, grande salle et réserve; 12, chambre pour hôtes et familieurs (S. Karmay, R. Astolfi).

L'ORGANISATION DE L'ESPACE
SELON UN TEXTE TIBETAIN DU XIIème SIECLE

Samten G. Karmay

Les textes tibétains sur l'architecture sont rares, surtout en ce qui concerne l'habitat laïc. Pendant ma mission de recherche du CNRS en Inde, octobre-septembre, 1983, mon collègue, Lopon Tenzin Namdak, m'a rappelé, au cours d'une conversation, l'existence d'un passage consacré à la «maison ordinaire» dans un texte intitulé *g. Yung drung las rnam par dag pa'i rgyud* comprenant 20 chapitres en 210 folios [1]. Il s'agit d'un corpus consacré aux enseignements bönpo en général.

L'édition de ce texte a été basée sur un manuscrit provenant de Dolpo au nord-ouest du Nepal, mais il ne porte pas de date de parution. Le Bönpo Monastic Centre à Dolanji, Himachal Pradesh, Inde du Nord, prépare actuellement une autre édition xylographie provenant de Trochen au Gyarong (Tibet oriental).

L'ouvrage est considéré comme très important par les Bönpo et est de ce fait placé au début de leur canon (Kanjour) [2]. Il est considéré comme un *terma*, c'est-à-dire un texte caché par un maître à l'époque royale tibétaine (VIIe-IXe siècles ap. J.C.) et «decouvert» plus tard par un *tertön* prédestiné. Dans le cas présent, le *tertön* est Gyermi nyiö. Selon le colophon de l'ouvrage, il a transmis le texte après sa découverte à Matön Sidzin, [3] né en 1092 d'après la chronologie bönpo. Grâce à l'étude de A.M. Blondeau, nous connaissons maintenant un peu mieux ce personnage [4]. Il a joué un rôle considérable dans l'établissement de la tradition religieuse éclectique.

Le passage consacré à l'organisation spatiale de l'habitat se trouve au chapitre 10, mais il ne s'agit pas d'une «maison ordinaire»: elle est désignée comme «palais du prête» (Shengyi phodang), ce qui suggère une position sociale elevée.

Une certaine conception de l'architecture tibétaine s'exprime dans ce texte.

Afin d'organiser l'espace, il y est question: d'une part, du tir d'une flèche pour déterminer la longeur d'un côté et d'autre part, l'implantation des quatre premiers pieux qui ont pour but de marquer les orientations. Ces notions reflètent en fait une pratique ancienne déjà appliquée lorsque fut fondé le premier monastère tibétain de Samye. Selon une version du *sBabzhed*, ouvrage historique, le roi Thisong Detsen (règne: 755-797) aurait tiré une flèche pour marquer la délimitation de l'espace et tracer le mur d'enceinte du monastère. [5] On aurait aussi planté quatre «pieux de *stûpa*» afin de supprimer les démons. [6] Mais il

me semble que ces quatre pieux ont d'abord été mis en place pour marquer les orientations, car les quatre *stûpa* n'aurait été érigés qu'après l'achèvement de la construction de l'ensemble des edifices du monastère aux endroits où les quatre pieux avaient été plantés [7] (Les quatre *Stûpa* ont été détruit et la plupart des autres edifices à Samye ont été saccagés par les Chinois pendant la Révolution Culturelle).

L'organisation de l'espace est adaptée aux orientations cosmiques en même temps qu'elle est fondée sur certaines croyances. D'une part, certaines portes sont orientées selon les quartiers de diverses divinités comme celui de la déesse de la terre qui se trouve au sud-ouest; d'autre part, la division de l'espace est conçue à la manière d'un *mandala*. Ceci explique pourquoi la maison se presente toujours sur un plan carré. La division spatiale et les orientations de la maison dont il est question dans ce texte se retrouvent encore de nos jours dans la construction de maisons de certaines régions du Tibet.

Nous savons que la plupart des maisons tibétaines sont divisées en trois niveaux, surtout au Tibet oriental, ce qui caracterise par rapport aux habitations des peuples voisins. Le rez-de-chaussée abrite le betail, le premier étage sert d'habitation et le grenier est surtout réservé au foin.

Cependant, dans notre texte, l'espace habité par les homme se trouve au rez-de-chaussée. Cela correspond sans doute à certaines maisons du Tibet central ou de l'ouest et nous fournit peut-être une indication sur l'origine géographique du texte lui-même. La chapelle se trouve au sud-ouest et la cuisine à l'ouest. De plus, dans notre texte, la chapelle, décrite en détail, est conçue comme détachée de la maison principale et presente un étage. Signalons seulement qu'elle contient vingt-neuf piliers ce qui est la seule indication de dimension pour ce palais.

TRADUCTION DU TEXTE TIBETAIN.

Dans un lieu auspicieux et covenable,
Un prêtre dévoué,
Arrête une date propice favorable (pour la
construction),
Un homme fort, tenant un arc tire un flèche, [8]
5.   Pour délimiter la longeur d'un côté (sur le terrain),
On plante quatre pieux (aux quatre coins) pour
déterminer sans erreur les quatre directions
intermédiaires,
Puis on circonscrit un cercle autor d'eux comme
symbole des quatre compassions (fig. LVa).
A partir de chaque direction intermédiaire,
On trace des lignes vers l'interieur (fig. LVb)
10. On plante quatre pieux pour déterminer sans erreur
les quatre directions cardinaux.
C'est la mesure du palais du Shen.
Autour d'un tel lieu,
On trace quatre lignes reliant les quatre points
cardinaux et les quatre points intermédiaires (fig.
LVc).
Puis chaque côté doit être divisé en trois parties.
15. On y trace quatre lignes (c.à.d. deux horizontales et
deux verticales), il y aura neuf compartiments (fig.
LVd).
Les compartiments de l'est, du nord-est et du sud-
ouest,
On les laisse sans être divisé par le trace des
lignes,
Mais (les compartiments) du nord et du nord-ouest,
On y trace une ligne de l'ouest à l'est en les
coupant en deux parties (fig. LVe).
20. Dans le compartiment du nord,
On garde la charrue, les meules et le combustible.
La porte de celui-ci donne au sud.
Par là, l'accumulation du mérite sera accompli.
La partie nord du compartiment du nord-ouest
25. est le grenier.
La porte de celle-ci donne au sud-est.
Par là, la déesse de la terre, Tenma, apportera son
essence.
La moitié ouest du compartiment du nord-ouest est
la cuisine.
30. La porte de celle-ci donne de l'ouest vers l'est.
Par là, on aura le bienfait de la clarté.
La moitié sud du compartiment de l'ouest est le
trésorerie.
La porte de celle-ci donne du sud vers le nord.

35. Par là, la fille du Nöjin, Dogzangma,
Accordera le pouvoir de la richesse.
Dans le compartiment de sud-ouest,
Pour que la porte des démons soit fermée,
On construira les palais des dieux, Yungdung
köleg...
40. La maison des dieux regarde vers l'est.
Par là, le soleil et la lune, fils des dieux, donnent
leur lumière.
Le tiers du compartiment du sud
on le laisse à l'est.
Les deux tiers qui restent à l'ouest
45. sont pour le vestibule du palais des dieux où les
moines pratiquent les vertus.
Les tiers du côté de l'est,
(est pour l'entrée) au palais du Shen, et la porte
regarde vers le sud.
Les deux tiers du compartiment du sud-est, seront
placés au sud
50. pour les hôtes et pour ceux qui sont dépendants
(de la famille),
La porte donne à l'ouest.
Par là, la bienveillance donnera accés à ce
compartiment.
(Le compartiment) de l'est et un tiers (du
compartiment) du sud-est sont confondus.
C'est la grande salle,
55. le dépôt des objets utilitaires.
La porte de celle-ci
Donne à l'ouest à partir du sud-ouest.
Par là, on verra le chemin de l'Etre Eternel.
(Le compartiment) du nord-est et la salle de reunion
des laïques...
60. Elle a deux portes, l'une donne au sud et l'autre à
l'ouest.
La partie du centre est pour les animaux
domestiques (fig. LVf).

(f. 66a, 5) mtshan (66b, 1) ldan bkra shis sa gnas su/
dad 'dun ldan pa'i gshen rab kyis/
phun sum 'tshogs (tshogs) pa'i dus dzung la/
ver hrim gyad kyi shugs tshad la/
5.   ngos cig phyogs kyi chang bzung nas/
phyogs mtshams ma nor phur bzhi gdab/
thugs rje bzhi ldan mu khyud bkod/
de yi phyogs shig bzhi cha ni/
zur nas nang du bod (dgod) par bya/
10.   phyogs mtshams ma nor phur bzhi gdab/
gshen rab pho brang gzhal yas tshad/
de ltar bkod pa'i sa skor la/
phyogs mtshams thig bzhi gdab par bya/
de nas phyogs rer gsum gsum bgos/
15.   thig bzhi gdab pas ling tse dgu/
shar dang byang shar lho nub gsum/
gshag thig mi gdab sor bzhag la/
byang dang (67a, 1) byang nub phyed ma ru/
nub dang shar du thig gdab gshag/
20.   byang phyogs byang gi gling skor na/
shing lcags ran dang zhugs shing mdzod/
de yi mdzod sgo lho ru bstan/
bsod nams tshogs rnams rdzogs par 'gyur/
byang nub gling gi byang phyogs cha/
25.   gshen gyi spyad rkyen 'bru bcud mdzod/
mdzod sgo lho shar lho ru bstan/
lha mo brtan mas bcud ster 'gyur/
byang nub nub kyi phyed cha bsdom/
gshen rab khrims sde g. yo (g. yos) spyod mdzod/
30.   mdzod sgo nub nas shar du lta/
gsal ba'i mdangs kyis byin phebs 'gyur/
nub kyi phed cha lho yi gling/
gshen gyi rin chen gter gyi mdzod/
mdzod sgo lho nas byang du bstan/
35.   gnod sbyin bo (bu) mo mdog (67b, 1) bzang mas/
rin chen gter gyi dngos grub ster/
lho nub mtshams kyi gling skor la/
rag sha srin po ('i) sgo bcad phyir/
g. yung drung bkod legs gsas mkhar bzhengs/...
40.   (69a, 3) lha yi gzhal yas shar du lta (blta)/...
lha sras nyi zlas mdangs ster 'gyur/
(69a, 1) de nas lho yi gling skor gyi/
sum cha shar du bcad par bya/
sum gnyis nub tu lus pa la/

45.   smad khyams tshangs pa'i dge spyod sar (sa)/
sum cha shar du bcad pa ni/
gshen gyi pho brang sgo lhor bltas (blta)/
(69a, 4) lho shar gling gi sum gnyis ni/
lho yi phyogs su bkod pa ni/
50.   gnas med skyabs dang rten gnas te/
sgo ni mtshams nas nub tu bstan/
thugs rje stobs kyis gnas (69b, 1) bzang thob/
shar dang lho shar sum cha bsres/
gshen gyi pho brang phyi khyams te/
55.   gshen rab bon gyi ka rtsa (ca) ste/
phyi khyams de yi sgo phyogs kyang/
lho nub mtshams nas nub tu bstan/
g. yung drung sems dpa'i lam mthong 'gyur/
byang shar khyim pa'i sgrub tshogs sar/...
60.   (69b, 4) sgo snyis lho dang nub tu blta/
dbus dang byang gi phyed cha ni/
rta dang khyu mchog rkang 'gros mdzod/

NOTES

[1] (Bönpo Monastic Centre, Dolanji, Himachal Pradesh).
[2] P. Kvaerne, «The Canon of the Tibetan Bonpos», *Indo-Iranian Journal* Vol. XVI, part I, 1974.
[3] f. 210a, 4. Cf. S.G. Karmay, *The Treasury of Good Sayings: A Tibetan History of Bon*, London Oriental Series, Vol. 26, London 1972, pp. 156-60, 167-68.
[4] «Religions tibétaines», *Annuaire de l'Ecole Pratique des Hautes Etudes*, Ve section, Tome XCI, 1982-83, pp. 128-29.
[5] dPa'-bo gTsug-lag 'phreng-ba (1504-1566), *mKhas pa'i dga' ston*, Part Ja, Satapitaka Series, Vol. 9 (*Bhota-pitaka* Vol. 4), New Delhi 1962, p. 46 (f. 9la, 6).
[6] *ibid.*, p. 46 (f. 9la, 6).
[7] *ibid.*, p. 48 (f. 96b, 4); Cf. R.A. Stein, *Une chronique ancienne de bSam-yas: sBa-bžed*, Paris 1961, 31, 1.2; p. 42, 11.2-10.
[8] Dans la langue de Shang-shung, *ver* signifie «fleche» tandis que *hrum* «l'arc», E. Haarh, «The Zhang-zhung language», *Acta jutlandica-XL: 1, Skrifter fra aarhus universitet*, 1968.

ALCUNE ILLUSTRAZIONI RIGUARDANTI LE REGOLE D'ARCHITETTURA NEI TESTI TIBETANI DEL VINAYA

Elena De Rossi Filibeck

FONTI

Nella vasta produzione letteraria tibetana di testi d'arte iconografici e iconometrici è alquanto raro[1] trovare riprodotti disegni di case o di templi come quelli mostrati nelle fig. LVI e LVII[2].

Essi sono tratti da due brevi testi: il primo è intitolato: *rGya dkar nag rgya ser ka smi ra bal bod hor gyi yi ge dang dpe ris rnam grang mang ba/bzhugs so/* la-29a, e mostra lettere di diversi alfabeti insieme alla translitterazione tibetana e numerosi Disegni. Questo testo edito a Pechino si trova catalogato anche in TAUBE[3], che dà una precisa descrizione del contenuto, qui riassunta brevemente: Alfabeti vari, (margine yi ge) la-16a; Disegni riguardanti gli insegnamenti del Vinaya, (margine 'dul ris) 16a-21b; Disegni di alcune posizioni yoga secondo le leggi di Naropa, (margine na ro) 22a-24a; disegni di strumenti usati in medicina, (margine dpyad dpe) 24b-28a; Note musicali, (margine dung) 28a-29a.

Il secondo intitolato: *bstan pa'i nang mdzod 'dul ba lung sde bzhi / mdo rtsa mtshan 'grel / mtsho tika sogs las byung ba'i so thar bslab gzhi'i dgag sgrub gnang mtshams / nye mkho'i dbyibs tshad bcas phyag len mthong rgyun ltar dpe ris su bkod pa nyes ltung mun pa 'joms pa'i zla 'od ces bya ba bzhugs so/* la-9a, «Forme, misure ed esercizi necessari, illustrati da disegni, secondo alcuni testi tibetani», è opera di Thubten Gyamtso, tredicesimo Dalailama (1876-1933) e si trova incluso nel suo sungbum, quinto volume (pod lnga pa), capitolo dzi, margine 'dul ris[4].

Il contenuto di quest'ultimo testo è pressoché identico a quello della sezione 'dul ris 16b-21b del primo testo citato), con la sola differenza che qui i disegni sono illustrati da didascalie scritte direttamente vicino al disegno al quale si riferiscono e che disegni e didascalie sono assai più chiari.

Dal breve esame del contenuto traspare chiaramente lo scopo didattico di entrambi i testi, che non sono quindi dedicati specificamente all'argomento architettonico, ma sembrano piuttosto scritti per insegnare, mediante l'esempio grafico, materie varie che concorrevano alla formazione culturale dei monaci.

Leggiamo in Tucci[5] «...le stesse discipline che potrebbero chiamarsi profane, come l'astrologia, l'iconometria e perfino le regole per la costruzione dei templi, degli stûpa e delle case furono anch'esse studiate dai monaci perchè la cultura era unicamente nelle loro mani».

I due testi di cui ci occupiamo, oltre a mostrarci come gli edifici venivano disegnati nelle xilografie e ad indicarci l'uso di alcuni termini, in una accezione diversa da quella inclusa nei dizionari, ci indicano anche le fonti alle quali i maestri attingevano e le loro citazioni per impartire nozioni d'architettura.

ARCHITETTURA E TESTI

Conviene qui ricordare che l'argomento architettonico, da un punto di vista sia tecnico sia descrittivo, è trattato in testi di vario genere, alcuni dei quali, come rilevato da TUCCI[6], di carattere ritualistico.

L'argomento architettonico, generalmente templare, si trova trattato anche in quei testi nel titolo dei quali compaiono i termini sorig (bzo rig) e shentsül (bzhengs tshul)[7]; tuttavia le indicazioni sull'arte del costruire non sono da ricercare soltanto in questo genere di testi. Vediamo due esempi.

Nella vasta opera enciclopedica di Bodong lama Chogle Namgyel, un capitolo del secondo volume[8] riguarda l'architettura dei templi: in realtà l'autore si limita a citare i rituali da compiere prima e dopo la costruzione degli edifici e ad indicare il luogo opportuno per la costruzione senza entrare in spiegazioni tecniche. Misure e proporzioni sono invece chiaramente indicati in una serie di descrizioni di cappelle in un'opera dell'Abate del Labrang Tashikyil in Amdo, il Rongta Losang damchö gyamtso (1857-1915)[9].

Tornando a considerare il contenuto dei testi qui presi in esame, notiamo che il commento ai disegni si avvale di citazioni tratte da una medesima fonte per entrambi i testi, vale a dire del testo base del Vinaya-sûtra[10].

Quello che è interessante notare è che le stesse citazioni si ritrovano anche in un'opera di Gedundub, il primo Dalailama (1391-1475), dedicata al Vinaya[11].

Il fatto quindi che le stesse citazioni tratte dal Vinaya siano riprese da autori diversi per descrivere, sia pure in modo teorico, alcuni particolari architettonici quali la disposizione delle case, la descrizione di alcuni suoi elementi porta ad includere nel genere di testi che riguardano l'architettura anche quella larga parte della letteratura tibetana costituita dai commentari al Vinaya [12].

Il limite della presente nota non permette di affrontare, nemmeno parzialmente, una ricerca di queste fonti; tuttavia, varrà come esempio menzionare le opere di un ben noto vinayâdhara, il Kunkhyen Tshonawa [13] che consistono in due voluminosi commentari al Vinaya, nel primo dei quali [14] si trova in effetti una breve sezione dedicata alla costruzione delle case.

Tutto ciò è ben spiegabile se si pensa all'importanza che ebbe l'nsegnamento del Vinaya nel Buddhismo tibetano e a come le regole derivate dai testi indiani fossero oggetto di studio e di commento per dare norme di comportamento adeguato anche per le più piccole azioni durante la vita quotidiana dei monaci [15].

DESCRIZIONE DEI DISEGNI CONTENUTI NEI TESTI GYANAG DULRI (18A-A) FIG. LVI, E TENPE DULRI (3B-5B) FIG. LVII.

Come è ben visibile nella fig. LVI, i disegni del testo Gyanag dulri sono contrassegnati rispettivamente dalle lettere alfabetiche ja, nya, ta, tha, da, na, pa, pha, ad ognuna delle quali corrisponde un breve commento di ciascun disegno nelle pagine 20b-21a del testo.

I disegni indicati dalle lettere ja, nya, ta mostrano diversi tipi di pongkhang (spong khang) ovvero case di monaci, di dimensioni grandi, medie e piccole; tra le file delle case è ben evidenziato lo spazio lasciato libero per il passaggio, chiamato sangdö (srang gdod) [16].

Il termine pongkhang è la contrazione di una espressione più lunga e letteralmente si può tradurre come casa di meditazione o di ritiro, e quindi abitazioni dei monaci all'interno di un monastero [17].

I disegni delle case dei monaci sono raffigurati anche nel testo Tenpe dulri 3a, fig. LVII.

Il disegno indicato dalla lettera tha (vedi fig. LVI, testo Gyanag dulri) mostra un edificio circondato da un muro. Per ben capire la breve didascalia che l'accompagna e l'ancora più breve commento [18] è utile confrontare il disegno e le didascalie corrispondenti, nel testo Tenpe dulri (fig. LVII, 3a ultimo disegno della pagina), nonché il commento del primo Dalailama [19].

Alla luce di questo confronto possiamo dire che il disegno, in entrambi i testi, raffigura un tempio sul quale è possibile elevare altri due piani, per necessità di spazio; ai lati e di fronte al tempio corre un muro al ridosso del quale si trova una serie di abitazioni per i monaci, costruite all'esterno del tempio qualora lo spazio ricavato dalla costruzione dei piani superiori non fosse sufficiente.

L'ultimo disegno della pagnia 18a, fig. LVI (Gyanag dulri), accanto al disegno indicato dalla lettera tha, mostra le dobu (gdos bu), ovvero palle di cotone o di altro materiale leggero che servono a svegliare il monaco se cadesse addormentato durante lo studio e la meditazione.

Nel testo Gyanag dulri, fig. LVI, il disegno indicato dalla lettera da mostra il tempio principale in un monastero, il cosiddetto dritsangkhang (dri gtsang khang) [20] situato al centro di un lato del perimetro quadrato indicato con il termine drushisangwa (gru bzhi bzang ba). Sugli altri lati del perimetro si trovano le abitazioni dei monaci che possono anche essere disposte sullo stesso lato del tempio principale come si può anche vedere nell'ultimo disegno della pagina 4a, fig. LVII del testo Tenpe dulri dove sono anche indicati tre passaggi o khyam (khyams) mentre il gokhang (sgo khang) si trova sul lato posto di fronte al tempio principale [21].

I disegni indicati dalla lettera na, fig. LVI, testo Gyanag dulri e i disegni della seconda metà della pagina 5a, fig. LVII, testo Tenpe dulri, mostrano una finestra e una porta le cui didascalie scritte al lato danno i nomi di alcuni loro elementi.

Nel disegno della finestra, kharkhung (skar khung) sono indicati i due elementi che servono a chiuderla: il namser (gnam zer) [22] che letteralmente significa chiodo del cielo, è una sbarra verticale e il treten ('phred gtan) è un elemento che chiude orizzontalmente la finestra.

A proposito della finestra leggiamo nel commentario del primo Dalailama [23]:

«La finestra deve essere aperta all'altezza dei due terzi della misura dell'intera parete, perchè se viene aperta troppo in alto l'illuminazione sarebbe scarsa e se posta troppo in basso potrebbe costituire un varco per i ladri; si usa porre una rete che copre lo spazio aperto della finestra.».

Gli elementi della porta messi in rilievo dai disegni sono i goleg (sgo glegs) [24] piccole travi, a volte finemente decorate, e il lasung (lag bzung) maniglia della porta; il gancio chiamato khorten ('khor gtan) dentro al quale va inserito come fermo il bastone detto yugukamka (dbyug gu skam kha) costituisce la chiusura interna della porta.

Sulla parte esterna della porta, oltre ai goleg, sono ben visibili i due battenti circolari, detti yangmi (yang mig) al centro dei quali pendono striscie di cuoio, i kowedumbu (ko ba'i dum bu). La porta ha anche un altro fermo detto goten (sgo gtan).

I disegni dalla lettera pa, fig. LVI, testo Gyanag dulri, mostrano due edifici che nel disegno corrispondente del testo Tenpe dulri, fig. LVII, primo disegno delle pagine 4b-5a, fanno parte di un solo complesso monastico: il primo è un dritsangkhang che può essere costruito a sette piani collegati da rampe di scale, temke (them skas), protette dalla balaustra detta lanke (lan kan), e circondato da un muro di cinta dal perimetro quadrato; l'altro è un silkhang (bsil khang) che è caratterizzato da un padiglione o da una torretta posti sul tetto dell'edificio stesso.

Il disegno fig. LVII, 4b-4a, mostra l'andirivieni degli inservienti, lekyile (las kyi slas), intorno al muro di cinta in occasione del rabne (rab gnas) e cioè della consacrazione del tempio [25].

Ed infine, il disegno indicato dalla lettera pha, fig. LVI, testo Gyanag dulri, e il secondo disegno della pagina 5b, fig. LVII, testo Tenpe dulri, mostrano un cortile, il khorkyikhyam ('khor kyi khyams), recintato da un muro nel quale sono ben visibili le aperture delle finestre la cui funzione è spiegata dalla didascalia. I due cerchi al centro (fig. LVII) disegnano in maniera schematica due stagni o piccoli laghetti. Nella didascalia leggiamo: «Questo è il disegno di un cortile dove la frescura è assicurata da tre elementi: la copertura del tetto del portico, la ventilazione delle finestre, e il laghetto.» [26].

TRASCRIZIONE DELLE DIDASCALIE AI DISEGNI IN GYANAG DULRI, (18a-b)

tha   mi shong na ste du khang mo che bya'o yang na yang thog tu'o//
gnyid bro na gdos bu gdags bar bya'o zhes pa nas de la btags pa'i tha gu 'jus te bcag par bya'o zhes pa'i dpe ris/

na   gnam gzer/
'phred gtan/
lag bzung/
yang mig

pa   lan kan/
rtsig mang rim pa bdun no/
rkang rten seng ge'i khri gru bzhi bya'o zhes pa'i dpe ris rgya nag skad du ya rtse/

pha   nas 'di ni rdos 'brug so'i bar phyi'o/

TRASCRIZIONE DEL COMMENTO AI DISEGNI DI GYANAG DULRI (20b-21a)

ja   spong khang brtsegs par bya'o/

nya   lnga 'am drug gi'o zhes pa'i dpe ris 'di spong khang che ba'o/

gnas khang gnyis kyi bar du srang gdod zhes pa'i dpe ris spong khang chung ba'o/

ta   spong khang 'bring ba'i dpe ris so/

tha   phyi rol du spong khang chen po 'am gnas khang tsad dag kyang ngo/

da   gtsug lag khang bya'o ngos gcig gi dbus su dri gtsang khang bya ba nyid dam gru bzhi bzang ba nyid do 'khyams gsum pa yang ngo zhes pa'i dpe ris so//

na   gnas khang gi sgo go'o do sgo glegs gzhug go lag bzung dang/
yang mig dang ko ba'i dum bu dag go zhes pa nas/
dbyug gu skam kha can yang ngo zhes pa rnams kyi dpe ris so//

pa   las gi slas 'gro ba dang 'ong ba'i gzhir gtsug lag khang rab tu gnas par bya'o zhes pa nas/
de la de'i 'dom gang byas pa nyid na byas nyid do zhes pa'i dpe'o//

pha   'khor gyi 'khyams bya'o gang zag gi gtsug lag khang yo byad dang bcas pa yang ngo zhes pa'i dpe ris so//

TRASCRIZIONE DELLE DIDASCALIE AI DISEGNI DI TENPE DULRI

3a   spong khang gcig nas gsum par chung ngu'i dpe'o//
spong khang bzhi nas dgu bar 'bring gi dpe'o//
spong khang brtsigs par bya'o//
gnas khang gnyis kyi bar du spong gdod do//
lnga 'am drug gi'o//
zhes pa'i spong khang che 'bring chung gsum gyi dpe ris/
bcu nas bcu gnyis bar spong khang chen po'i dpe'o //
bsam gtan pa'i gtsug lag khang gi dpe ste/
phyi rol tu spong khang chen po'am/
gnas khang gi tsad dag kyang ngo//
zhes so//
yang na thog go/
zhes pa'i dpe/
mi shong na steng du khang mo che bya'o//
zhes pa'i dpe'o//

101

4a   dbus su dri gtsang khang dang/
    glo gnyis su gnas khang gnyis yod pa'i gnas khang
    gnyis yod pa'i gnas khang gsum pa can gyi dpe/

4b   pha'i dri gtsang khang bdun brtsegs kyi dpe/
    ngos gsum la gnas khang gsum re yod pa'i khyams
    gsum pa can gyi dpe//
    skye bo mang po'i bsod nams gsog pa'i slad du
    bzhengs pa'i gtsug lag khang ngos gcig gi dbus su dri
    gtsang khang dang/
    ngos gzhan gsum du gnas khang gsum re yod pa'i
    khyams bzhi pa can gru bzhi pa'i dpe ste/
    las gi blas 'ong ba/

5a   dang 'gro ba dang ldan pa'i gzhir gtsug lag khang rab
    tu gnas par bya'o/
    zhes dang gtsug lag khang bya'o//
    ngos gcig gi dbus su dri gtsang khang bya ba nyid
    do//
    de'i mdun du sgo khang ngo//
    gru bzhi bzang ba nyid do//
    zhes so//
    pha'i bsil khang bdun brtsegs kyi dpe//
    dbyug gu skam kha/
    sgo gtan/
    sgo glegs yang mig 'khor gtan lag bzung/
    'phred gtan gnam gzer/

5b   skye bo mang po 'du ba'i 'gro 'ong gi rgyun lugs
    dang/
    rang dbang du gtam zer ba thos pa'i klag cor/
    glang po che sogs kyi sgra dang/
    rdza rnga sogs nyug red chung ba'i bar thos bsam
    'phel ba'i phyir brtsigs pa'i gtsug lag khang gi dpe/
    pha'i gtsug lag khang lnga brtsegs dyi dpe/
    steng g.yogs pa'i bsil grib/
    rlung bser bu'i dri ngad/
    chu'i rdzing bu'i ngad de bsil ba'i rkyen gsum dang
    ldan pa'i 'khor khyams kyi dpe

TRASCRIZIONE DAL TESTO del PRIMO DALAILAMA (vedi nota 11)

Mongs pa spong ba'i ting ge 'dzin bsgom pa'i khang pa brtsig
par bya'o/
rnam pa ji 'dra ba rtsig ce na/

g. yas g. yon gyi gnas khang gnyis kyi bar du srang gdod par
bya'o//
ngos re la lnga 'am drug pa gnas khang bcu pa 'am bcu gnyis pa
brtsig cing bar du srang gdod par bya'o//
sgo glegs sgra mi snyan pa mi 'byung ba dang/
drang ba'i thabs lag bzung dang yang mig kyang bya'o//
mthos na snang ba mi gsal la dmas na chom rkun pa sogs 'jug
pas rtsig pa'i gong du sum cha bor bar skar khung phyi rub la
nang yangs pa yang bzang ngo//
skar khung der dra ba dang/
sgo glegs dang 'phred gtan dang gnam gzer dang/
'khor gtan dang/
dbyug gu skam kha nye bar gzhag go/
dge slong dag mang bas spong khang du mi shong na gnas
khang gi steng du khang mo che bya'o//
...de ltar byas kyang mi shong na spong khang gi phyi rol tu
spong khang chen po 'am gnas khang gi tshar dag kyang bya'o/
gnas khang thams la sgo'i byang thad du sgo gzhan gdod par mi
bya'o/
spong khang la sgo khang bya'o/
spong khang de'i nye 'khor gyi phyed du sa phug sogs kyang
bya'o//

NOTE

[1] Un disegno architettonico riprodotto in xilografia e ben conosciuto è quello
che si trova nel testo dPal ldan 'bras spungs kyi mchod rten kyi bkod bu lugs
ltar bris la-4b, capitolo ja, vol. I del songbum del Longrdol lama (blama Klong
rdol), (Tohoku 419-424), su cui vedi A. MACDONALD. Le Dhanyakataka de Ma
lungs guru, in BEFEO vol. 57, 1970, pp. 169-213.
[2] Fig. LVI corrisponde ai disegni del primo testo citato, da ora abbreviato in
Gyanag dulri e fig. LVI ai disegni del secondo testo, abbreviato da ora in Tenpe
dulri.
[3] Vedi M. TAUBE, Tibetische Handschriften und Blochdrucke, vol. 1-4, Wiesbaden 1966, vol. 4, n. di catalogo 2436, pp. 1087-88; secondo questo autore il testo fu composto dal lCang lung Arya Pandita Ngag dbang blo bzang bstan pa'i
rgyal mtshan, all'inizio del 19° secolo. Di questo personaggio esiste una biografia scritta dal Chonge hosan trinle nangyel Chos rje Blo bzang 'phrin las
rnam rgyal, (vedi L. CHANDRA), Materials for a History of Tibetan Literature,
New Delhi 1963, n. 44 pp. 14-15. Nel colofone del testo (21b) si dice soltanto che
questo fu scritto da un Yongs 'dzin, termine che indica un titolo riservato al
precettore del Dalailama. È bene notare che la prima parte del testo (1-16 marg.
yi-ge) è stata esaminata da diversi studiosi; su questo e per una bibliografia
sull'argomento v. MIYOKO NAKANO, The rgya dkar nag rgya ser ka smi ra bal
bod hor gyi yi ge dang dpe ris rnam grang mang ba and same remarks on the
'phags-pa script. In: Indo-Asian Studies Part. III, 1971 pag. 1-19.
[4] Questo stesso capitolo si trova pubblicato in una collezione di testi dedicati
al Vinaya e stampato a New Delhi (senza titolo, senza data) pp. 561-579; questa
informazione mi è stata data gentilmente da Thubten Jampa della comunità di
Pomaia.

5 G. TUCCI, La Letteratura del Tibet, in V. PISANI-D.P. MISHRA, Le Letterature dell'India, Milano 1970, pp. 535.

6 G. TUCCI, Indo-Tibetica, Roma 1933, vol. I pp. 14, 15, 19.

7 Nel campo dell'architettura questi due termini si riferiscono al thugs rten o piano spirituale del Buddha, vale a dire il tempio.

8 Vedi Encyclopedia Tibetica, The Collected Works of Bo don Pan chen Phyogs las rnam rgyal, New Delhi 1969, vol. 2°, pp. 215-392.

9 Thig gi lag len du ma gsal bar bshad pa bzo rig mdzes pa'i kha rgyan, pp. 102-3 dell'edizione pubblicata in India, New Delhi (senza data); sul suo autore vedi Z. YAMAGUCHI, Catalogue of the Toyo Bunko Collection of Tibetan works on history, n. 513-3058/21, Tokyo 1970.

10 Nel colofone del testo Gyanag dulri (21b) la fonte del commento ai disegni è la seguente: 'Dul gzhung rgya mtsho'i snying po mdo rtsa mentre nel testo Tenpe dulri le fonti sono indicate nel titolo stesso, e tra queste è citata l'opera mDo rtsa mtshan 'grel, commentario al testo base del Vinaya. È probabile che queste fonti si riferiscano alle opere di Yon tan 'od (Gunaprabha), vedi T.S. SU-ZUKI, The Tibetan Tripitaka, Tokio 1962, n. 5619, 5624, che sono costantemente citate dagli autori tibetani. Il mDo rtsa si trova anche citato, tra altre opere, a proposito di un termine architettonico, il rta bab nel dizionario di Chos kyi grags pa, brTsan pa'i brda dag ming tshig gsal ba, Pechino 1957, p. 343. Sul rta bab, semplice pietra o anche portale presso il quale bisogna scendere da cavallo, prima di accedere al tempio, vedi anche le opere già citate di Bo don blama, vol. 2° p. 267, e di Rong tha Blo bzang dam chos rgya mtsho, p. 6.

11 Legs par gsungs pa'i dam pa'i chos 'dul ba mtha dag si snying po'i don legs par bshad pa rin po che'i phreng ba, la-476a, Spiegazioni essenziali sul Vinaya, vol. 2° del gsung 'bum del primo Dalailama, 316 a-b.

12 Cfr. anche T.L. GYATSO, Gateway to the temple, Kathmandu 1979, pp. 35-36. È ben noto che le regole per la costruzione degli stûpa indiani si trovano nei testi del Vinaya, vedi ad esempio A. BAREAU, La construction et le culte des stupas d'après les Vinayapitaka, BEFEO 1969 pp. 229-274; sull'origine culturale indiana delle nozioni d'architettura in Tibet, vedi ancora G. TUCCI, Indo-Tibetica, vol. I, p. 15.

13 Sul Kun mkhyen mTsho sna ba alias Shes rab bzang po vedi G. ROERICH, The Blue Annals, p. 82 e Z. YAMAGUCHI, op. cit. n. 371-2664/60; le sue opere sono catalogate in M. TACHIKAWA, A catologue of the United States Library of Congress Collection of Tibetan Literature in microfiche, Tokyo 1983, p. 216, n. 1670.

14 'Dul ba mdo rtsa'i rnam bshad nyi ma 'od zer legs bshad lung gi rgya mtsho, vol. Ka (la I-423a), 231a-240a.

15 G. TUCCI-W. HEISSIG, Les religions du Tibet et de la Mongolie, Paris 1973, p. 150.

16 Questo termine è probabilmente sinonimo di srang nang, sangnang. C. DAS, Tibetan English Dictionnary, p. 1287.

17 spong ba'i ting ge 'dzin bsgom pa'i khang pa, cfr. più avanti la trascrizione del commento del primo Dalailama.

18 Vedi la trascrizione del commento a tha (18b e 20b)

19 Vedi nota 11, op. cit. 316b.

20 cfr. il dizionario di Chos kyi grags pa, op. cit. p. 409.

21 Vedi anche T.L. GYATSO, op. cit. p. 35.

22 Sull'uso e il significato della parola gnam, cielo, nella terminologia riguardante l'architettura vedi R.A. STEIN, Architecture et pensée religieuse en Extrême Orient, in Arts Asiatiques, 3, 1957, p. 182.

23 Vedi la trascrizione del commento del primo Dalailama.

24 Questi elementi della porta sono ben visibili nelle splendide foto n. 154 e 161 nel Ngapo N. Jigmei etc., «Le Tibet», Edition du Fanal, Paris 1982.

25 Vedi la didascalia 4b-5a nel testo Tempe dulri.

26 Vedi la didascalia 5b del testo Tempe dulri.

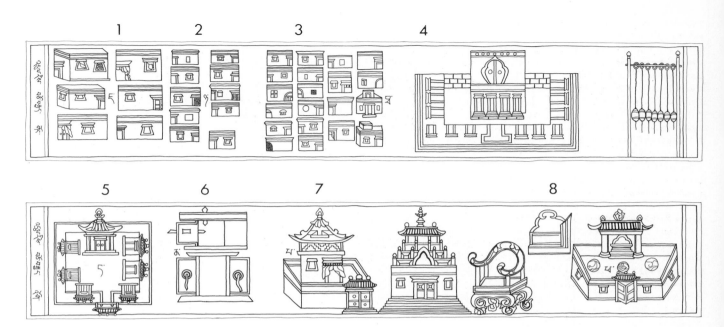

fig. LVI - Disegni dal testo Gyanag dulri (18 - b): 1, lettera ja; 2, lettera nya; 3, lettera ta; 4, lettera tha; 5, lettera da; 6, lettera na; 7, lettera pa; 8, lettera pha (E. De Rossi Filibeck, K. Cipollitti).

fig. LVI - Dessins d'apres le texte Gyanag dulri (18 - b): 1, lettre ja; 2, lettre nya; 3, lettre ta; 4, lettre tha; 5, lettre da; 6, lettre na; 7, lettre pa; 8, lettre pha (E. de Rossi Filibeck, K. Cipollitti).

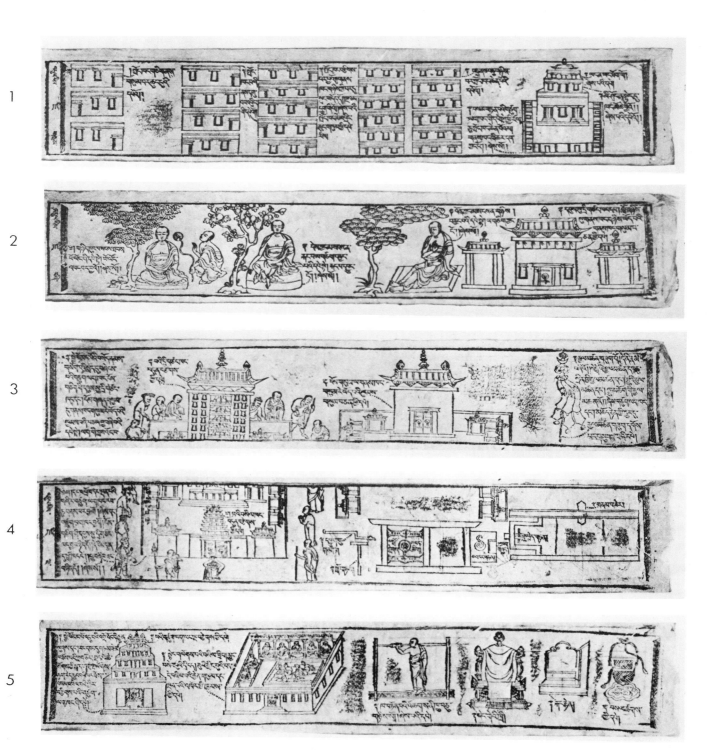

fig. LVII - Disegni del testo Tempe dulri: 1, pag. 3b; 2, pag. 4a; 3, pag. 4b; 4, pag. 5a; 5, pag. 5b (foto Acarya Thubten Jampa, Istituto Lama Tsongkhapa, Pomaia).

fig. LVII - Dessins du texte Tempe dulri (pag. 3b - 5b): 1, pag. 3b; 2, pag. 4a; 3, pag. 4b; 4, pag. 5a; 5, pag. 5b (cl. Acarya Thubten Jampa, Institut Lama Tsongkhapa, Pomaia).

QUELQUES ILLUSTRATIONS CONCERNANT LES PRESCRIPTIONS ARCHITECTURALES DANS LES TEXTES TIBETAINS DU VINAYA

Elena De Rossi Filibeck

SOURCES

Au milieu de la vaste production littéraire tibétaine de textes d'art iconographiques et iconométriques,il est assez rare[1] de trouver des reproductions de plans de maisons et de temples tels qu'ils apparaissent dans les fig. LVI et LVII[2].

Ces plans figurent respectivement dans deux textes. L'un est intitulé: *rGya dkar nag rgya ser ka smi ra bal bod hor gyi yi ge dang dpe ris rnam grang mang ba bzhugs so* la-29a. Il s'agit de lettres d'alphabets divers avec la trascription tibétaine et plusieurs dessins (édités à Pékin) et catalogués aussi par M. TAUBE[3] qui donnent une description détaillées de son contenu résumé ici brièvement: alphabets divers (marge yi ge) la-16a; dessins concernant l'enseignement du vinaya (marge 'dul ris) 16b-21b; dessins reproduisant des positions de yoga selon les commandements de Naropa (marge na ro) 22a-24a; dessins d'instruments utilisés en médicine (marge dpyad dpe) 24b-28a; notes musicales (marge dung) 28a-29a.

L'autre intitulé: *bstan pa'i nang mdzod 'dul ba lung sde bzhi / mdo rtsa mtshan 'grel / mtsho tika sogs las byung ba'i so thar bslab gzhi'i dgag sgrub gnang mtshams / nye mkho'i dbyibs tshad bcas phyag len mthong rgyun ltar dpe ris su bkod pa nyes ltung mun pa 'joms pa'i zla 'od ces bya ba bzhugs so* / la-9a, est l'oeuvre de Thubtem Gyamtso, treizième Dalaïlama (1876-1933) et se trouve inclus dans son sungbum, cinquième volume (pod lnga pa), chapitre dzi, marge 'dul ris[4]. On peut traduire le titre: «Formes. mesures et exercises nécessaires illustrés par les dessins, conformément aux textes btsan pa'i...etc.».

Le contenu de ce dernier texte est presque identique à celui de la section 'dul ris 16b-21b du premier texte cité, avec une seule différence: les dessins sont expliqués par de légendes écrites directement à côté du dessin auquel elles se réfèrent. Cependant, dessins et légendes sont dans ce deuxième texte beaucoup plus clairs.

L'examen de ces deux textes fait ressortir leur but didactique: ils ne sont donc pas dédiés spécifiquement au thème de l'architecture, mais ils semblent avoir été écrits plutôt pour enseigner, avec des dessins à l'appui, des sujets divers qui concouraient à la formation culturelle des moines.

Nous lisons en Tucci[5] «...le stesse discipline che potrebbero chiamarsi profane come l'astrologia, l'iconometria e perfino le regole per la costruzione dei templi, degli stûpa e delle case furono anch'esse studiate dai monaci perchè la cultura era unicamente nelle loro mani,»

Les textes en question non seulement montrent la façon de dessiner les bâtiments sur les xylographes et indiquent l'emploi de certains termes avec une acception différente de celle inclue dans les dictionnaires, mais ils peuvent en outre orienter une recherche qui se proposerait d'identifier les sources auxquelles les maîtres puisaient les citations utiles pour l'enseignement des critères de construction des maisons et de temples.

ARCHITECTURE ET TEXTES

Il convient de rappeler, à ce propos, que le thème de l'architecture, d'un point de vue descriptif ou technique, est traité dans des textes de genres variés, dont quelques uns comme l'a relevé G. TUCCI — sont de caractère ritualiste[6].

Des principes d'architecture, concernant généralement les temples, sont traités aussi dans les textes dans le titre des quels figurent les termes sorig (bzo rig) et shentü (bzhengs tshul)[7]: toutefois les indications sur l'art de construire ne doivent pas être recherchées uniquement parmi les textes de ce type. Voici deux exemples.

D'une part on peut voir dans le vaste ouvrage encyclopédique de Bodong lama Chogle Namgyel, un chapitre du deuxième volume [8] concernant l'architecture des temples. En fait l'auteur se limite à citer les rituels à accomplir avant ou après la construction des bâtiments et à indiquer les modalités pour la recherche de l'endroit opportun sans entrer dans des explications techniques.

A l'opposé, mesures et proportions sont clairement indiquées dans l'ouvrage du supérieur de Labrang en Amdo Tashikyil, le Rongta losag damchö gyamtso (1857-1915), qui offre la description de plusieurs chapelles [9].

En revenant aux textes objets de cette note, on peut noter que le commentaire des dessins se sert d'une série de citations tirées d'une même source pour les deux textes, à savoir le Vinaya-sûtra [10].

Il est intéressant d'observer que les mêmes citations se retrouvent également dans un ouvrage de Gedundub, le premier Dalaïlama (1391-1475), consacré au Vinaya [11]. Car le fait de voir des extraits du Vinaya repris par divers auteurs pour illustrer, bien que d'une façon théorique et descriptive, quelques détails architectoniques, tels que, par exemple, la disposition et la composition des maisons, peut amener à inclure, parmi les textes concernant l'architecture cette large partie de la littérature tibétaine constituée par les commentaires du Vinaya [12].

Les limites de la présente note ne permettent pas d'aborder, même pas partiellement, une recherche à partir de ces sources. Cependant, on peut citer à titre d'exemple les ouvrages d'un vinayâdhara bien connu, le Kunkhyen Tshonawa [13]. Le premier des deux volumes de commentaires de cet auteur [14] comprend en effet une brève section dédiée à la construction des maisons.

Ce point est symptomatique si l'on pense à l'importance que l'enseignement du Vinaya a eu dans le bouddhisme tibétain et au fait que les règles dérivées des textes indiens étaient objet d'étude et de commentaires afin d'élaborer un code de conduite applicable même aux plus petites actions de la vie quotidienne des moines [15].

DESCRIPTION DES DESSINS DU TEXTE GYANAG DULRI (18A-B) FIG. LVI, ET DU TEXTE TENPE DULRI (3A-5B) FIG. LVII.

Dans le texte Gyanag dulri chaque dessin est marqué par les lettres de l'alphabet suivantes: ja, nya, ta, tha, da, na, pa, pha. A chaque lettre correspond le commentaire d'un des dessins aux pages 20b-21a du texte.

Les dessins marqués par les lettres ja, nya, ta, montrent des types divers de pongkhang (spong khang), c'est à dire des maisons de moines, ayant des dimensions grandes, moyennes et petites et parmi les rangées de ces habitations, le passage appelé sangdö (srang gdod) [16].

Le terme pongkhang est la contraction d'une expression que l'on peut traduire à la lettre par maison de méditation ou de retraite [17].

Les dessins des maisons figurent aussi dans le texte Tenpe dulri 3a (fig. LVII).

Le dessin marqué par la lettre tha (fig. LVI, texte Gyanag dulri) montre un bâtiment entouré par un mur. Pour une correcte interprétation de la courte légende qui accompagne ce dessin et de son encore plus court commentaire [18], il est utile de se référer aux passages correspondants dans le texte Tenpe dulri 3a, fig. LVII, dernier dessin de la page, et aussi au commentaire du premier Dalaïlama [19].

A la lumière de cette confrontation on peut dire qu'il s'agit du dessin d'un temple, conçu pour permettre la construction éventuel de deux étages ultérieurs, si un supplementaire élargissement était nécessaire. Tout au long du mur se trouvent les maisons des moines, qui ont des dimensions d'habitation normale.

Le dernier dessin de la page 18a, fig. LVI, texte Gyanag dulri, dessin a côté du dessin marqué par la lettre tha, montre les dobu (dgos bu), balles de coton qui servaient à réveiller les moines qui s'endormaient pendant l'étude ou la méditation,

Le dessin indiqué par la lettre da, fig. LVI, texte Gyanag dulri, montre le temple principal d'un monastère, le dritsangkhang (dri gtsang khang) [20] situé au centre d'un côté du périmètre, appelé drushisangwa (gru bzhi bzang ba). Sur les autres côtés du périmetre se trouvent les demeures des moines; celles-ci peuvent être disposées sur le même côté du temple principal, comme on peut le voir dans le dernier dessin de la page 4a dans le texte Tenpe dulri, fig. LVII: dans ce cas il y aura trois passages, kyam (khyams) alors que le gokhang (sgo khang) est toujours situé sur le côté opposé ou temple principal [21].

Les dessins marqués par la lettre na, fig. LVI texte Gyanag dulri, et ceux de la page 5a, fig. LVII texte Tenpe dulri, dernier dessin de la page, montrent une fenêtre et une porte, dont les légendes écrites latèralement fournissent quelques indications. Sur le dessin de la fenêtre sont indiqués les deux éléments necéssaires pour la fermature: namser (gnam zer) [22], barre verticale, et le treten ('phred gtan) qui ferme horizontalement la fenêtre, kharkung (skar khung). Voici le commentaire du premier Dalaïlama [23]: «La fenêtre doit être ouverte à la hauteur des deux tiers de sa paroi car si celle-ci est placée trop haut, la lumière ne peut pas être adéquate et si celle-ci est placée trop bas, elle peut former un accès plus facile aux voleurs; il est habituel de poser un grillage dans l'espace ouvert de la fenêtre».

Les éléments de la porte mis en relief par le dessin sont les goleg (sgo glegs) [24] , des petites poutres, parfois decorées, et le lasung (lag bzung), poignée de la porte. Du côté interne de la porte est visible un croc appelé khorten ('khor gtan) auquel doit être attaché un bâton appelé yugukamka (dbyug gu skam kha) nécessaire pour le bloquer.

Sur le côté extérieur de la porte, en plus des goleg sont bien visibles deux battants circulaires yangmi (yang mig), au centre desquels sont suspendues des lanières kowedumbu (ko ba'i dum bu). La porte a encore un autre blocage dit goten (sgo gtan).

Les dessins marqués par la lettre pa, fig. LVI, texte Gyanag dulri, montrent deux bâtiments qui dans la fig. LVII, premier dessin de la page 4b-5a, font partie d'un même ensemble monastique: l'un est un dritsangkhang qui peut être construit à sept étages reliés par des escalier, temke (them skas) limité par une balustrade, lanke (lan kan), et entourés d'un mur de forme carrée; l'autre est un silkhang (bsil khang) à savoir un pavillon posé sur le toit d'un édifice. Le dessin fig. LVII, 4b-5a, montre le va et vient des serfs (gens) lekyile (las kyi slas) autour d'un temple lors de sa consécration [25].

Enfin, le dessin marqué par la lettre pha, fig. LVI, texte Gyanag dulri, et le deuxième dessin de la page 5b, (fig.LVII), texte Tenpe dulri, montrent une cour, khorkyikyam ('khor kyi khyams), ceinte par un mur dans lequel les fenêtres sont bien visibles. Leur fonction est illustrée par la légende à côté du dessin. Les deux cercles au milieu indiquent de façon schématique des étangs ou des petits lacs, comme il apparaît clairement dans le dessin à la page 5b, fig. LVII; voici son commentaire: «Celui-ci est le dessin d'une cour où la fraîcheur est assurés par trois élements: la couverture du toit, la ventilation et l'étang d'eau» [26].

TRANSCRIPTION DES LEGENDES DES DESSINS DU GYANAG DULRI

tha   mi shong na ste du khang mo che bya'o yang na yang thog tu'o//
gnyid bro na gdos bu gdags bar bya'o zhes pa nas de la btags pa'i tha gu 'jus te bcag par bya'o zhes pa'i dpe ris/

na   gnam gzer/
'phred gtan/
lag bzung/
yang mig

pa   lan kan/
rtsig mang rim pa bdun no/
rkang rten seng ge'i khri gru bzhi bya'o zhes pa'i dpe ris rgya nag skad du ya rtse/

pha   nas 'di ni rdos 'brug so'i bar phyi'o/

TRANSCRIPTION DE COMMENTAIRE DES DESSINS DU GYANAG DULRI

ja   spong khang brtsegs par bya'o/

nya   lnga 'am drug gi'o zhes pa'i dpe ris 'di spong khang che ba'o/
gnas khang gnyis kyi bar du srang gdod zhes pa'i dpe ris spong khang chung ba'o/

ta   spong khang 'bring ba'i dpe ris so/

tha   phyi rol du spong khang chen po 'am gnas khang tsad dag kyang ngo/

da   gtsug lag khang bya'o ngos gcig gi dbus su dri gtsang khang bya ba nyid dam gru bzhi bzang ba nyid do 'khyams gsum pa yang ngo zhes pa'i dpe ris so//

na   gnas khang gi sgo go'o do sgo glegs gzhug go lag bzung dang/
yang mig dang ko ba'i dum bu dag go zhes pa nas/
dbyug gu skam kha can yang ngo zhes pa rnams kyi dpe ris so//

pa   las gi slas 'gro ba dang 'ong ba'i gzhir gtsug lag khang rab tu gnas par bya'o zhes pa nas/
de la de'i 'dom gang byas pa nyid na byas nyid do zhes pa'i dpe'o//

pha   'khor gyi 'khyams bya'o gang zag gi gtsug lag khang yo byad dang bcas pa yang ngo zhes pa'i dpe ris so//

TRANSCRIPTION DES LEGENDES DES DESSINS DU TENPE DULRI

3a   spong khang gcig nas gsum par chung ngu'i dpe'o//
spong khang bzhi nas dgu bar 'bring gi dpe'o//
spong khang brtsigs par bya'o//

gnas khang gnyis kyi bar du spong gdod do//
lnga 'am drug gi'o//
zhes pa'i spong khang che 'bring chung gsum gyi dpe
ris/
bcu nas bcu gnyis bar spong khang chen po'i
dpe'o //
bsam gtan pa'i gtsug lag khang gi dpe ste/
phyi rol tu spong khang chen po'am/
gnas khang gi tsad dag kyang ngo//
zhes so//
yang na thog go/
zhes pa'i dpe/
mi shong na steng du khang mo che bya'o//
zhes pa'i dpe'o//

4a dbus su dri gtsang khang dang/
    glo gnyis su gnas khang gnyis yod pa'i gnas khang
    gnyis yod pa'i gnas khang gsum pa can gyi dpe/

4b pha'i dri gtsang khang bdun brtsegs kyi dpe/
    ngos gsum la gnas khang gsum re yod pa'i khyams
    gsum pa can gyi dpe//
    skye bo mang po'i bsod nams gsog pa'i slad du
    bzhengs pa'i gtsug lag khang ngos gcig gi dbus su dri
    gtsang khang dang/
    ngos gzhan gsum du gnas khang gsum re yod pa'i
    khyams bzhi pa can gru bzhi pa'i dpe ste/
    las gi blas 'ong ba/

5a dang 'gro ba dang ldan pa'i gzhir gtsug lag khang rab
    tu gnas par bya'o/
    zhes dang gtsug lag khang bya'o//
    ngos gcig gi dbus su dri gtsang khang bya ba nyid
    do//
    de'i mdun du sgo khang ngo//
    gru bzhi bzang ba nyid do//
    zhes so//
    pha'i bsil khang bdun brtsegs kyi dpe//
    dbyug gu skam kha/
    sgo gtan/
    sgo glegs yang mig 'khor gtan lag bzung/
    'phred gtan gnam gzer/

5b skye bo mang po 'du ba'i 'gro 'ong gi rgyun lugs
    dang/
    rang dbang du gtam zer ba thos pa'i klag cor/
    glang po che sogs kyi sgra dang/
    rdza rnga sogs nyug red chung ba'i bar thos bsam
    'phel ba'i phyir brtsigs pa'i gtsug lag khang gi dpe/

pha'i gtsug lag khang lnga brtsegs dyi dpe/
steng g.yogs pa'i bsil grib/
rlung bser bu'i dri ngad/
chu'i rdzing bu'i ngad de bsil ba'i rkyen gsum dang
ldan pa'i 'khor khyams kyi dpe

TRANCRIPTION DU TEXTE DU PRIMIER DALAÏLAMA (voir n. 11)

Mongs pa spong ba'i ting ge 'dzin bsgom pa'i khang pa brtsig
par bya'o/
rnam pa ji 'dra ba rtsig ce na/
g. yas g. yon gyi gnas khang gnyis kyi bar du srang gdod par
bya'o//
ngos re la lnga 'am drug pa gnas khang bcu pa 'am bcu gnyis pa
brtsig cing bar du srang gdod par bya'o/
sgo glegs sgra mi snyan pa mi 'byung ba dang/
drang ba'i thabs lag bzung dang yang mig kyang bya'o/
mthos na snang ba mi gsal la dmas na chom rkun pa sogs 'jug
pas rtsig pa'i gong du sum cha bor bar skar khung phyi rub la
nang yangs pa yang bzang ngo//
skar khung der dra ba dang/
sgo glegs dang 'phred gtan dang gnam gzer dang/
'khor gtan dang/
dbyug gu skam kha nye bar gzhag go/
dge slong dag mang bas spong khang du mi shong na gnas
khang gi steng du khang mo che bya'o//
...de ltar byas kyang mi shong na spong khang gi phyi rol tu
spong khang chen po 'am gnas khang gi tshar dag kyang bya'o/
gnas khang thams la sgo'i byang thad du sgo gzhan gdod par mi
bya'o/
spong khang la sgo khang bya'o/
spong khang de'i nye 'khor gyi phyed du sa phug sogs kyang
bya'o//

NOTES

[1] Un dessin architectonique bien connu et reproduit en xilographie est celui qui se trouve dans le texte dPal ldan 'bras spungs kyi mchod rten kyi bkod bu lugs ltar bris la-4b, chapitre ja, vol. I sungbum de Longrdol lama (Klong rdol bla ma), Tohoku 419-424. Sur ce point cfr. A. MACDONALD, Le Dhanyakataka de Ma lungs guru, in BEFEO vol. 57, 1970, pp. 169-213.

[2] Le fig. LVI correspond aux dessins du premier texte cité, désormais abrégé en Gyanag dulri, et le fig. LVII aux dessins du deuxième texte cité abrégé désormais en Tenpe dulri.

[3] Voir M. TAUBE, Tibetische Handschriften und Blockdrucke, vol. 1-4. Wiesbaden 1966, vol. 4, n. de catalogue 2436, pp. 1087-88. Selon cet auteur le texte a été composé par lCang lung Arya Pandita Ngagwang Losang tenpe gyeltsen (Ngag dbang blo bzang bstan pa'i rgyal mtshan) au début du XIXème sècle. Sur ce personage, il existe une biographie écrite par Chorje Losang trinle namgyel (Chos rje Blo bzang 'phrin las rnam rgyal), cfr. L. CHANDRA Materials for a history of Tibetan Literature, 2, New Delhi 1963, n. 44. p. 14-15. Dans le colophone (21b) on dit seulement que le texte a été écrit par un Yongzin (Yongs 'dzin), titre réservé au précepteurs du Dalaïlama. La première partie de ce texte (1-16 marge yi-ge) à été examiné par de nombreux specialists. Sur ce sujet et pour sa bibliographie MIYOKO NAKANO, The rgya dkar nag rgya ser ka smi ra bal bod hor gyi yi ge dang dpe ris rnam grang mang ba and same remarks on the 'phags-pa script. In: Indo-Asian Studies part III, 1971, pag. 1-19.

[4] Le même chapitre se trouve aussi dans une collection de textes dédiés au Vinaya et publié a New Delhi (sans titre, sans date) pp. 561-579; je dois cette information a l'amabilité de Thubten Jampa de la communauté de Pomaia.

[5] G.TUCCI, La Letteratura del Tibet, in V, PISANI-D.P.MISHRA, Le Letterature dell'India, Milano 1970, PP. 535.

[6] G. TUCCI, indo-Tibetica, Roma 1933, vol. I, pp. 14, 15, 19.

[7] Ces termes font références dans le domaine de l'architecture au thugrten (thugs rten) le niveau spirituel de Buddha, c'est à dire le temple.

[8] Voir Encyclopedia Tibetica, The Collected Works of Bo don Pan chen Phyogs las rnam rgyal, New Delhi 1969, vol. II, pp. 215-392.

[9] Thig gi lag len du ma gsal bar bshad pa bzo rig mdzes pa'i kha rgyan, p. 102 et ss. de l'edition publiée en Inde, New Delhi (sans date); sur son auteur vois Z. YAMAGUGHI, Catalogue of the Toyo Bunko Collection of Tibetan works on history, 513-3858-21, Tokyo 1970.

[10] Dans le colophon de Gyanag dulri (21b) la source indiquée du commentaire aux dessins est la suivante: «'Dul gzhung rgya mtsho'i snying po mdo rtsa, tandis que dans le Tenpe dulri les sources sont indiqués dans le titre même, et parmi celles-ci est cité le mDo rtsa mtshan 'grel, commentaire au texte de base du Vinaya. Il est possible que ces sources se référent aux ouvrages de Yon tan 'od (Gunaprabha), voir TS. SUZUKI, the Tibetan Tripitaka, Tokyo 1962, n. 5619, 5624, cités constamment par les auteurs tibétains. Le mDo rtsa est encore cité, parmi d'autre sources, au sujet d'un terme architectonique, le rta bab, simple pierre ou bien portail posé à une certaine distance du temple pour indiquer le lieu où il est nécessaire de descendre de cheval et de poursuivre à pieds; voir le Dictionnaire de Chos kyi grags pa, brTsan pa'i brda dag ming tshig gsal ba, Pekin 1957, p. 343.
Sur le rta bab voir aussi les textes de Bo don blama, p. 267, vol. II, et de Rong tha Blo bzang dam chos rgya mtsho, p. 6, déjà cités.

[11] Legs par gsungs pa'i dam pa'i chos 'dul ba mtha dag gi snying po'i don legs par bshad pa rin po che'i phreng ba, la-476a, Explications essentielles sur le Vinaya, vol. II du sungbum du premier Dalaïlama, 316 a-b.

[12] Cfr. aussi T.L. GYATSO, Gateway to the temple, Kathmandu 1979, pp. 35-36. Il est bien connu que les règles pour la construction des stûpa indiens se trouvent dans les textes du Vinaya, voir par exemple A. BAREAU, la construction et le culte des stupa d'après le Vinayapitaka, in BEFEO 1969, pp.

229-274; sur l'origine culturelle indienne des bases de l'architecture au Tibet, voir encore TUCCI, op. cit. note 6.

[13] Sur le Kun mkhyen mTsho sna ba alias Shes rab bzang po voir G. ROERICH, The Blue ANNALS, p. 83 et Z.TACHIKAWA, A Catalogue of the United States Library of Congress collection of Tibetan Literature in microfiche, Tokyo 1983, p. 216 n. 1670.

[14] 'Dul ba mdo rtsa'i rnam bshad nyi ma 'od zer legs bshad lung gi rgya mtsho vol. ka (la-423a), 231a-240a.

[15] G. TUCCI-W. HEISSIG, Les religions du Tibet et de la Mongolie, Paris 1973, p. 150.

[16] Cet terme est vraisemblablement synonyme de sangnang (srang nang), voir C. DAS, Tibetan English Dictionary, p. 1287.

[17] spong ba'i ting ge 'dzin bsgom pa'i khang pa, cfr. le commentaire du premier Dalaïlama.

[18] Voir le commentaire a tha (18b et 20b).

[19] Voir note 11, op. cit. 316b.

[20] Cf. le dictionnaire de Chos kyi grags pa, op. cit. p. 409.

[21] Voir aussi T.L. GYATSO, op. cit. p. 35.

[22] Sur l'emploi et la signification du mot gnam, ciel, dans les termes faisent références à des éléments architectoniques, voir R.A. STEIN, Architecture et pensée religieuse en Extrême Orient, in Ars Asiatiques, 3, 1957, p. 182.

[23] Voir la transcription du texte du premier Dalaïlama.

[24] voir ces éléments de la porte dans les très belles photos n. 154, 161 en Ngapo N. JIGMEI etc. Le Tibet, Edition du Fanal, Paris 1982.

[25] Voir la légende 4b-5a fig. 2, texte Tenpe dulri.

[26] Voir la légende 5b, texte Tenpe dulri.

fig. LVIII - Carta dell'area d'espansione dell'architettura tibetana tradizionale: 1, confini di stato; 2, confini regionali; 3, limiti della cultura tibetana (P. Mortari Verg
ra, R. Astolfi).

fig. LVIII - Carte de l'aire du rayonnement de l'architecture tibétaine tradictionelle: 1, limites d'état; 2, limites de régions; 3, limites de la culture tibétaine (P. Mor
ri Vergara, R. Astolfi).

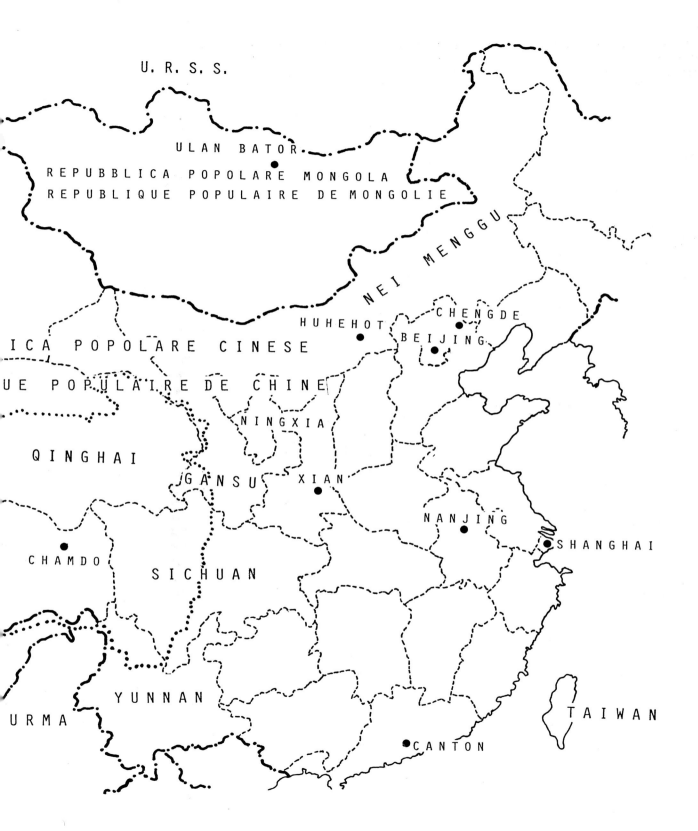

SEZIONE I

AMBIENTE, MATERIALI E TECNICHE

Fernand Meyer, Corneille Jest

I) L'AMBIENTE NATURALE

L'ambiente naturale influisce sull'architettura attraverso molteplici fattori: le condizioni climatiche (escursione termica, vento, precipitazioni...), la reperibilità di materiali adatti alla costruzione, il metodo di produzione economica che esso condiziona e le rappresentazioni culturali condivise dagli uomini che vi abitano.

1) Le grandi zone ecologiche

fig. 1, 2

fig. 3

Sarà quindi meglio, prima di tutto, descrivere rapidamente le grandi zone ecologiche (Chang D.H.S. 1981) che costituiscono l'area di cultura tibetana: vedremo che questa, nonostante copra vaste regioni monomorfe, comprende in realtà paesaggi più vari di quelli evocati dal cliché «altipiano freddo e inospitale» generalmente applicato.

Esaminando un profilo Sud-Nord dell'altipiano tibetano: vediamo che la catena dell'Himâlaya ferma una grandissima parte delle nubi monsoniche provenienti, d'estate, dall'Oceano Indiano. Il monsone raggiunge tuttavia alcune vallate meridionali del Tibet attraverso delle brecce dell'Himâlaya centrale (Kyirong o Chumbi ad esempio) e soprattutto risale le valli che segnano profondamente l'altipiano a sud-est (Brahmaputra, Saluen, Mékong), secondo una direzione sud-nord, per poi esaurirsi rapidamente sull'altipiano stesso. Queste regioni, dove le precipitazioni raggiungono 500-1000 mm di pioggia all'anno, sono caratterizzate da una disposizione verticale di foreste tropicali per le zone che si trovano a sud dell'ansa del Brahmaputra, e da foreste subtropicali sormontate da zone alpine nelle alte valli di cultura tibetana del versante sud dell'Himâlaya (regione Sherpa, Sikkim, Buthan) e per l'insieme del sud-est tibetano (Kongpo, Dagpo, Powo, Kham e sud dell'Amdo).

A nord-est, l'antica regione dell'Amdo, attualmente incorporata alla provincia del Qinghai presenta rilievi più arrotondati (altitudine 4000-4500 m) ed è caratterizzata, nella sua parte occidentale, da fredde praterie in quota che ricevono 400-700 mm di pioggia all'anno.

L'altipiano tibetano propriamente detto presenta un'altitudine media di 4500 m, con dei fondovalle, tuttavia, che scendono a sud fino a circa 3500 m (Lhasa 3730 m). Il suo clima a carattere continentale è determinato da una zona di alte pressioni, le frange settentrionali del monsone d'estate, ed i venti dell'ovest d'inverno.

Le vallate meridionali dell'altipiano che raggruppano la gran parte della popolazione del Tibet Centrale e sono la culla della sua storia, si trovano nella zona riparata dalle piogge, a nord dell'Himâlaya. Di conseguenza non ricevono che 300-500 mm di pioggia all'anno e poca neve, ossia soltanto il 10% delle precipitazioni che interessano il versante sud; sono in compenso esposte al caldo «effetto Föhn» dei venti provenienti da ovest in inverno. La temperatura media qui è di 10-16°, nel mese più caldo. La media annua di 9° a Lhasa (Monaco 7, 4°) non deve nascondere né le grosse escursioni termiche tra il giorno e la notte, causate da un intenso irraggiamento solare diurno (la latitudine è quella dell'Africa del Nord), né il vento che soffia a raffiche, portando nugoli di polvere e di sabbia. I campi coltivati, situati necessariamente in zone irrigue, occupano il fondo delle valli dove crescono anche gli unici alberi di queste regioni, salici e pioppi, vicino ai fiumi o lungo i canali d'irrigazione.

A nord della catena del Transhimâlaya, limite settentrionale del bacino del Brahmaputra, si estende l'«Altipiano del Nord» (Changthang), dal rilievo meno accentuato ma con un'altitudine media più elevata (4500-5200 m). Le deboli precipitazioni (100-300 mm all'anno) e le temperature più fredde (6-7 mesi di gelo continuo), sotto l'effetto combinato dell'altitudine e della posizione settentrionale, non consentono più l'agricoltura. Soltanto la frangia sud della steppa rada che si alterna a piante cespugliose, è percorsa da allevatori nomadi. L'aridità aumenta a mano a mano che ci si dirige verso la parte occidentale del Tibet (meno di 90 mm di pioggia all'anno) dove, ad un'altitudine compresa tra i 3000 ed i 4300 m, con punte di 5700 m, cresce soltanto una vegetazione desertica. La siccità, da qualche secolo a questa parte, sembra d'altronde essere aumentata, comportando l'abbandono di antichi agglomerati molto distanti gli uni dagli altri. I villaggi di agricoltori sono adesso rari, tranne, più ad ovest, nel Ladakh e nello Zangskar. Alcuni gruppi di allevatori conducono in queste regioni un'esistenza nomade.

Nonostante la limitatissima varietà delle risorse, imposta da un ambiente ecologico molto rigido, le popolazioni tibetane riescono a coprire i loro fabbisogni principali grazie alla combinazione dell'agricoltura delle valli e dell'allevamento estensivo delle steppe ad alta quota. Queste due forme di produzione condizionano due tipi di vita, nomade e sedentaria, estremamente diverse. Come abbiamo già ricordato, gli agricoltori praticano spesso, su varia scala, l'allevamento, che può arrivare fino al nomadismo di una parte della popolazione per almeno parecchi mesi all'anno. I gruppi di agricoltori vivono nelle valli meridionali ed orientali dell'altipiano tibetano. Parecchi mantengono rapporti di scambio con i nomadi, quando questi ultimi discendono verso le regioni più clementi, alla fine dell'autunno. Alcune popolazioni di agricoltori delle alte valli himâlayane o del sud-est hanno anch'esse contatti con gruppi non tibetani che vivono ad un'altitudine più bassa. Si procurano un complemento di risorse, talvolta indispensabile alla loro sopravvivenza, svolgendo un ruolo di intermediari negli scambi di prodotti tra il mondo della lana e del sale a nord e quello delle granaglie a sud.

Le terre coltivabili producono essenzialmente una varietà di orzo (Hordeum hexastichum vulgare) che può occupare i campi più alti fino ad un massimo di 4700 m. Tostato e macinato, quest'orzo è l'alimento base dei tibetani sedentari. I piselli, il grano, il grano saraceno e la mostarda sono colture secondarie più sensibili all'altitudine ma che possono entrare in rotazioni con l'orzo. Piccoli appezzamenti di terre, riparati da muretti nelle vicinanze delle case, producono alcuni ortaggi: rape e ravanelli. Sul versante sud dell'Himâlaya ed a sud-est del Tibet, la coltura del mais, del miglio ed anche del riso (Sikkim, Buthan) diventa possibile. Va anche ricordata l'introduzione a partire dalla fine del XVIII sec., della patata, in Himâlaya ed in seguito nel Tibet. Sull'altipiano tibetano, la frutta è un raro lusso; cresce soprattutto in alcune regioni del sud-est: noci, albicocche, pesche, pere, mele e uva.

Le risorse delle popolazioni nomadi ed il loro metodo di produzione verranno esaminati a proposito dell'architettura mobile (Sezione III).

2) Le rappresentazioni tibetane dell'ambiente naturale

Come lo spazio, il paesaggio è visto essenzialmente come disposto secondo una gerarchia che valorizza sempre l'altezza, la montagna, puro luogo degli dei e degli eremiti. I luoghi abitati, di conseguenza, anche se in maniera più ideale che reale, sorgono intorno a montagne che sono gli dei del territorio, dei guerrieri protettori legati alle origini del popolo e che ricevono culti collettivi. In basso, la valle (lung) è caratterizzata dalla presenza di un fiume e dall'attività umana.

fig. 4   I colori, associati dalla tradizione tibetana ai tre piani del mondo: bianco per gli dei in alto, giallo per gli uomini e gli spiriti tsen al centro, blu per le divinità del sottosuolo e delle acque, sembrano essere stati ispirati dalle tinte stesse dei paesaggi dell'altipiano dove alcune vette bianche di neve sovrastano i colori fulvi della terra e delle rocce mescolati al giallo della steppa, in contrasto con il profondo blu dei laghi, in basso.

Sia nella tradizione popolare che nella letteratura scritta, il paesaggio è idealmente disposto su fasce orizzontali, sempre espresse secondo una progressione decrescente e caratterizzate da animali-tipo, come altrettante zone ecologiche.

La gerarchia sociale si iscrive nella stratificazione del paesaggio esattamente come corrisponde a quella dello spazio astratto o dello spazio costruito. Così un canto nuziale evoca successivamente delle offerte di fumigazione alle divinità dei tre piani del mondo, dei punti cardinali, del castello, del villaggio ed infine della casa (Francke A.H. 1923, pag. 62). Altri canti evocano, dall'alto in basso: il cielo, le vette innevate, l'abitazione del maestro religioso, il castello del capo ed infine la casa (Tucci G. 1966, pag. 68, Brauen M. 1980, pag. 54). Il castello del capo domina il villaggio come egli regna sui suoi abitanti. Ma è a sua volta sottomesso alla Legge Religiosa di cui il maestro spirituale è depositario. Un testo di geomanzia stipula che le regioni alte, medie e basse delle montagne sono rispettivamente luoghi per i più anziani, gli adulti ed i giovani e che è necessario che la posizione delle aree funerarie sia in funzione dell'età e dello status della stirpe. Poiché, se, ad esempio, il campo funerario delle persone anziane fosse collocato più in basso di quello dei giovani, sarebbero questi ultimi a morire [1]. Costruire un edificio su di un'altura vuol dire dominare, in ogni senso di questa parola. Ad esempio, al tempo delle lotte tra province dello Ü e dello Tsang, il principe di Tsang che sosteneva i Karmapa contro i Gelugpa fece costruire, all'inizio del XVII° sec., un monastero Karmapa in un luogo sovrastante Tashilhunpo. Gli diede un nome evocatore, «Vincitore di Tashilhunpo».

Quest'ordine del mondo e della società è costantemente percepibile nel paesaggio tibetano in cui le comunità umane si stabiliscono sui terrazzi non coltivabili delle valli, al disopra dei campi irrigati e dei corsi d'acqua, dominio delle divinità acquatiche del sottosuolo. Sopra al villaggio si elevano gli edifici religiosi: tempio o monastero ed i «supporti» (lhato) degli dei «di lassù» posti sulle cime vicine. E se il villaggio è dominato da un castello, questo, a sua volta, ha delle cappelle ai piani più alti. Quando l'agglomerato è collocato su di un terreno pianeggiante, nel fondo di una larga vallata, gli edifici religiosi o le dimore nobili che ne costituiscono il centro dominano in genere le altre case per altezza e mole. I palazzi dei capi religiosi possono dominare i templi, sia per quanto riguarda le dimensioni che la posizione, in quanto la tradizione tibetana assegna al maestro spirituale un posto preminente, al disopra dei supporti materiali del sacro.

Inoltre, gli elementi del paesaggio tibetano sono la dimora di ogni genere di divinità, lungamente enumerate nei rituali di fumigazione; si ritiene che ognuna di esse abbia un suo habitat preferito. L'uomo, sfruttando e strutturando l'ambiente naturale, in particolare in occasione della costruzione di un edificio, deve stare attento a non ferire o irritare queste numerose divinità che dividono con lui il sito abitato. Prima di tutto dovrà, come vedremo più avanti, «dominare il suolo» (sadul) prima di scavare le fondamenta. Inoltre, alcune configurazioni del paesaggio hanno di per sé effetti benefici o nocivi e devono essere esaminate (sache) al momento della scelta di un sito di costruzione.

II) I MATERIALI DA COSTRUZIONE

La varietà di materiali da costruzione di base è limitata: terra, pietra e legno, generalmente reperibili nelle vicinanze del cantiere.

La terra, ad alto contenuto di argilla, proviene generalmente dallo stesso luogo di costruzione o da un terrazzo non coltivabile nelle vicinanze. Si tratta quindi di un materiale molto economico e facile da procurarsi che non richiede particolari competenze tecniche nei suoi molteplici impieghi: costruzione di muri di argilla compressa, fabbricazione di mattoni crudi, preparazione della malta per murature, realizzazione dei pavimenti e delle coperture a terrazza, preparazione dell'intonaco esterno ed interno.

Le pietre provengono in generale dal letto dei fiumi o da smottamenti. Sembra che non vengano mai estratte dalle cave. Questo materiale, quasi sempre reperibile nelle vicinanze, necessita tuttavia di molta manodopera per il suo trasporto fino al cantiere e di una certa abilità tecnica nella costruzione, variabile a seconda dei tipi di attrezzature e dell'altezza degli edifici. Succede che le pietre provengano da lontano, quando si tratta di grosse costruzioni per le quali occorrono numerosissimi ciottoli, blocchi particolarmente voluminosi o lastre. Le pietre sono diversamente impiegate in funzione della forma e delle dimensioni: ciottoli e sassi per la costruzione delle fondamenta ed eventualmente per quella dei basamenti dei muri; blocchi squadrati o no per le scale esterne, le lastre come basi di pilastri e per la pavimentazione, le pietre piatte per le tettoie ed i tetti.

Il legno, nel Tibet Centrale ed Occidentale, è l'elemento che crea più problemi nell'architettura tradizionale. È un materiale da costruzione raro e caro il cui impiego necessita di una manodopera specializzata. Il solo legno reperibile sul luogo è quello di salice (changma) e di pioppo (yarpa), alberi questi che crescono soltanto, ed in numero limitato, lungo i corsi d'acqua ed i canali d'irrigazione. Per questo motivo i nobili ed i monasteri curavano dei boschetti di salici (changling) nelle vicinanze. Nelle costruzioni modeste l'impiego del legno è quindi ridotto al minimo indispensabile: pochi pilastri, scale di pietra, finestre piccole con talvolta un solo architrave ecc.

Tuttavia, anche per le famiglie più agiate, il tipo di legno grezzo disponibile impone dei limiti all'architettura. In effetti, i salici ed i pioppi del Tibet raggiungono raramente grandi dimensioni e ciò limita la sezione e la lunghezza del legno squadrato, tanto più che i tronchi, specialmente quelli dei salici. non sono assolutamente rettilinei. Il pioppo è quindi preferibilmente impiegato per le stanze più lunghe e vedremo che gli artigiani del legno ricorrono a svariate tecniche per ovviare ad alcuni di questi inconvenienti. La lunghezza ridotta del legno squadrato rende necessaria tuttavia una portata relativamente modesta per i correnti e le travi. Ogni trave poggia su due pilastri o pali vicini o è posta testa a testa con le altre travi che costituiscono l'architrave, incastrata nei muri alle due estremità (fig. 33). Per questo motivo l'intercolunnio (kadag) degli edifici tibetani supera raramente i 2-4 metri.

fig. 6

Quando si trattava di grandi costruzioni, poiché il legno disponibile localmente, salice o pioppo, era insufficiente, occorreva farne arrivare da altre regioni. Altri prodotti come il ginepro (shugpa), il larice o il pino (thangshing), provenivano da regioni più lontane: il Kashmir o le valli himâlayane vicine per il Tibet Occidentale; le provincie tibetane di Kongpo, Dagpo o Lhoka, nonché il Buthan, il Sikkim ed altre regioni di frontiera dell'Himâlaya per il Tibet Centrale. Anche la valle di Radeng a nord di Lhasa era conosciuta per i suoi ginepri. I sudditi delle regioni boschive del sud e del sud-est del Tibet dovevano d'altronde pagare una parte delle tasse sotto forma di legna per il riscaldamento e per le costruzioni. Il trasporto del legno squadrato avveniva allora a dorso di yak o di mulo e ciò limitava le dimensioni dei pezzi anche quando provenivano da belle foreste. I pezzi molto lunghi e di grande sezione potevano venire trasportati soltanto se sospesi a pertiche sostenute da ogni lato da lunghe file di portatori. Il loro impiego era dunque necessariamente limitato: sostenevano, sotto forma di «lunghi pilastri» (karing), i lucernari delle sale di assemblea. Nelle regioni di cultura tibetana del versante sud dell'Himâlaya ed a sud-est dell'altipiano tibetano, il legno è invece un materiale molto diffuso, anche se adesso il disboscamento è diventato un problema di rilievo in parecchi luoghi.

La parte occupata dal legno nelle costruzioni è quindi estremamente variabile in funzione del quadro ecologico ed a seconda del livello socio-economico del proprietario.

Come minimo è impiegato per i supporti verticali interni, la costruzione dei pavimenti e delle coperture, gli infissi e i battenti delle porte, gli architravi o i riquadri delle finestre e le imposte.

Nelle costruzioni più ricche del Tibet Centrale il legno viene inoltre impiegato per i supporti verticali esterni, i claustra delle finestre e la costruzione di balconi o di loggette, i cornicioni posti al livello delle travi, la decorazione delle facciate: beccatelli, fregi e tettoie, e per la costruzione delle strutture complesse che sorreggono i tetti «alla cinese».

Infine, nelle contrade più umide del sud e del sud est, il legno viene anche impiegato per l'orditura dei tetti e la loro copertura di assi, la costruzione di muri: sovrapposizione di tronchi [2] o pilastri portanti che incorniciano tramezzi di legno esterni o interni, nonché nella realizzazione di impianti.

Oltre alla terra, alle pietre ed al legno, altri materiali, più costosi o finemente operati, possono venire impiegati in aggiunta nelle costruzioni di prestigio, palazzi e templi:

— il rame dei «tetti alla cinese», fastigi, medaglioni del cornicione di attici, e acroteri;
— il ferro battuto e ornato delle balaustre;
— i mattoni e le tegole smaltate dei rivestimenti dei muri e delle coperture, soprattutto nel Tibet Orientale;
— le vetrate e la lamiera di zinco (tettoie e coperture di lucernari) da una sessantina di anni.

III) LE CATEGORIE DI LAVORATORI E LA MANODOPERA DELL'EDIFICIO [3]

Il numero delle categorie di lavoratori che prendono parte alla costruzione di un edificio ed il loro livello tecnico variano molto a seconda della vastità dei progetti.

Per la costruzione di una modesta casa contadina nel Tibet Centrale ed Occidentale, la famiglia interessata ricorre ad un artigiano per la realizzazione delle strutture in legno che vanno sagomate e regolate: la porta e il suo vano, gli infissi delle finestre e le loro imposte, gli eventuali pali di sostegno interni e le travi che questi sostengono. Il carpentiere (shingsowa) è un contadino del villaggio o di una località vicina che per lo più esercita questa specialità soltanto quando non è occupato con la semina o con la mietitura. Fornisce il legno ed in genere anche i pezzi già tagliati e misurati.

Nelle alte valli dell'Himâlaya Occidentale, i pezzi di falegnameria o i buoni artigiani del legno vengono spesso dalle contrade non tibetane del sud (Khosla R. 1979, pag. 119). Nelle regioni tibetane orientali, che sono a contatto di popolazioni cinesi, sembra si ricorra spesso ad artigiani cinesi per la realizzazione dei tramezzi.

Per le costruzioni in pietra di più di un piano si assumono uno o più muratori (tsigpön) che sovrintendono al cantiere e sgrossano le grandi pietre poste agli angoli dei muri.

Tutta la manodopera non qualificata viene fornita dalla famiglia che costruisce l'abitazione con il concorso del suo gruppo di reciproco aiuto.

fig. 7

Per i progetti più ambiziosi si ricorre ad un maggior numero di artigiani (sole) ed il lavoro viene organizzato secondo una struttura fortemente gerarchizzata. Il capo-squadra (uchenmo) è, sembra, sempre un carpentiere-falegname [4], e ciò sta a dimostrare il posto preminente della lavorazione del legno come criterio di qualità di un edificio. Svolge il ruolo di architetto poiché elabora il progetto generale con l'approvazione del committente, traccia la pianta al suolo (sabta), stabilisce le dimensioni (thigtse) degli elementi architettonici e disegna i dettagli dell'insieme della costruzione. Ma, oltretutto, svolge egli stesso un ruolo molto attivo nella realizzazione dei pezzi di falegnameria più complessi. Sotto al caposquadra vi sono tre categorie: del legno (shingsowa), della pietra (dosowa) e degli intonaci (shalsowa) dirette ciascuna da uno o più mastri (uchen) o capi mastri (uchung). Il capo falegname (possono esservene parecchi) ha ai suoi ordini degli «artigiani comuni del legno» (shingso kyüma) e, al disotto di questi degli aiutanti non qualificati (lagyog). La struttura gerarchica è la stessa per i muratori.

Gli artigiani incaricati degli intonaci lavorano sotto la direzione di un «capo degli intonaci» (shalpön). Si dividono in due gruppi: quelli che fanno i rivestimenti in agglomerato di pietra (arka) dei pavimenti e delle terrazze e quelli che applicano l'intonaco ai muri (lagshal).

Una volta terminati i muri maestri, il tetto e le fondamenta, altre categorie quali gli artigiani del rame (sangsowa), i pittori (lhadiwa) o i fabbricanti di oggetti in ferro battuto (chagsowa), intervengono per la decorazione dei tetti, dei muri e delle porte.

Nei grandi cantieri, il committente forniva i materiali da costruzione tramite il suo tesoriere, dopo che il caposquadra aveva stabilito le quantità necessarie. Si aspettava generalmente che l'insieme dei materiali fosse completo prima di iniziare un cantiere.

Quando si trattava di committenti privati (nobile o monasteri), il caposquadra e gli artigiani qualificati erano nutriti e retribuiti a giornata, generalmente in natura. Ricevevano inoltre dei doni in occasione delle feste che costellavano le tappe della costruzione. La manodopera non qualificata era fornita dal committente che ricorreva al lavoro obbligatorio dei sudditi delle sue proprietà (ulmi).

Quando era il governo ad aprire un cantiere, esso disponeva non solo della forza-lavoro dei suoi sudditi, ma anche del lavoro obbligatorio degli artigiani qualificati reclutati nei suoi «ateliers» (sokhang) che esso controllava.

Spesso, e soprattutto anticamente, artigiani stranieri venivano impiegati nel Tibet per costruzioni religiose importanti. Il governo tibetano, ma anche autorità regionali semi-indipendenti come i gerarchi Sakyapa, avevano a disposizione degli artigiani: pittori, sarti, calzolai, orefici, falegnami, muratori ecc... che, in quanto sudditi (generalmente düchung), avevamo l'obbligo di fornire un certo numero di giorni di lavoro durante l'anno in cambio di una riduzione di tasse. Nella gerarchia degli artigiani i pittori, gli orefici, gli artisti che lavoravano il

,bronzo e quelli che lavoravano il rame venivano prima dei falegnami, erano molto ricercati, soprattutto da parte dei committenti privati.

A partire dal V° Dalailama (XVII° sec.), gli artigiani di Lhasa venivano reclutati dal governo in «ateliers» (sokhang) controllati da funzionari che trasmettevano gli ordini, fornivano le materie prime e tenevano i conti. Alla testa di questi ateliers [5] si trovavano dei capi e dei capomastri. I primi avevano il grado più basso dell'amministrazione governativa e potevano portarne le insegne (cappello e orecchino). Gli artigiani di Lhasa, di cui circa 500 muratori, avevano l'obbligo di lavorare tre mesi all'anno per il governo sotto pena di multa. Ricevevano soltanto il cibo, il salario era simbolico (Ronge V. 1982, pag. 154).

Vi era anche, a Sakya, un funzionario «capo degli edifici» (khangpön) il cui compito era la manutenzione degli immobili del governo e del gerarca, dei monasteri, dei due palazzi della famiglia del principe e dei piccoli santuari. Doveva in particolare occuparsi della loro imbiancatura annuale (Cassinelli C.W. and Ekvall R.B. 1969, pag. 122). A Lhasa queste cariche spettavano a due funzionari laici ed uno religioso per i templi e gli immobili del governo ed a tre funzionari religiosi per il Potala. Avevano l'incarico di fare un giro d'ispezione quotidiano degli edifici (Bell C. 1931, pag. 178).

IV) LE TAPPE DELLA COSTRUZIONE E LE TECNICHE IMPIEGATE

1) Principi generali

fig. 8

In tutta l'area di cultura tibetana, con qualche eccezione per le regioni limitrofe del sud e dell'est, la struttura architettonica sviluppa uno stesso modello di base costituito da una copertura piatta (thog) e da quattro muri portanti posti ad angolo retto. La copertura è di terra battuta sopra uno strato di rami posti orizzontalmente su dei tronchi le cui estremità sono incastrate nella parte alta dei muri. Poiché la lunghezza di uno dei lati è limitata da quella dei correnti, l'unico modo di aumentare lo spazio interno in questa direzione è di collocare un appoggio intermedio, trave sostenuta da un palo, su cui poggeranno le estremità libere dei correnti. Ciò si può ripetere ogniqualvolta il bisogno di spazio lo richieda. Ma per accrescere lo spazio nella direzione perpendicolare occorre anche collocare dei pali allineati con le travi a causa della loro limitata lunghezza e allo scopo di distribuire il carico della copertura.

Il modulo elementare, ingrandito o no, può essere moltiplicato, sia in senso verticale [6] che orizzontale e lo si ritrova in tutti i tipi di edifici tibetani qualunque sia la loro dimensione o la loro ricchezza di decorazioni. Questi principi di costruzione, nonché i materiali di base impiegati, accostano l'architettura tibetana a quella delle civiltà dell'antico Medio Oriente, tradizione ripresa dalla Persia achemenide che, a sua volta, ha influenzato l'India e l'Asia Centrale. La somiglianza sorprendente della casa rurale tibetana con l'habitat tradizionale del Caucaso, sia per quanto riguarda l'aspetto esterno che la struttura interna, illustra queste affinità occidentali dell'architettura del Tibet [7]. Questa è organizzata secondo gli stessi principi nel corso di una storia che non ha conosciuto né cambiamenti nei materiali da costruzione di base, né innovazioni nelle tecniche impiegate.

2) Scelta del luogo e integrazione al sito

Le famiglie non avevano molta scelta per quanto riguardava l'ubicazione delle loro case. L'habitat tibetano, in effetti, è generalmente raggruppato e si costruiva all'interno dei limiti del villaggio o, quanto meno, nelle vicinanze.

Prima della costruzione di una casa comune su di un luogo nuovo, le precauzioni di ordine geomantico sono in genere semplici e poco numerose. Si chiede ad un astrologo o ad un religioso di controllare mediante divinazione se il sito non è contaminato o se non è la residenza di divinità del suolo: lu o sadag che potrebbero essere irritati o offesi dai lavori di costruzione. Se la risposta è positiva bisogna o scegliere un altro luogo oppure fare dei rituali di purificazione del sito o incitare la divinità a cambiare residenza.

In occasione della costruzione di edifici più importanti, soprattutto templi e monasteri, la geomanzia, «esame del suolo» (sa tagche), impone le sue regole complesse che tengono conto dei tratti generali e delle caratteristiche particolari del luogo. La tradizione tibetana accosta la geomanzia al porthangtsi o nagtsi, termini che designano l'insieme delle scienze divinatorie che le sarebbero giunte dalla Cina. Ma se la geomanzia tibetana ha delle concezioni di chiara origine cinese, come i «4 protettori degli orienti» o il sistema delle corrispondenze tra il ciclo dei dodici animali, gli elementi e le direzioni dello spazio, attinge tuttavia anche a fonti indiane, come ad esempio «l'esame del rettile» (toche tagpa). I testi tibetani di geomanzia sono ancora poco conosciuti a causa dell'impiego di termini tecnici che non figurano nei dizionari normali e dell'oscurità delle metafore e delle immagini alle quali fanno riferimento [8].

L'«esame del sito» (sache) deve in teoria tenere conto di alcuni criteri che hanno una validità generale e di altri che variano a seconda degli individui. Il sito ideale è composto da un'alta montagna sul retro, numerose colline e la confluenza di due fiumi provenienti da destra e da sinistra nonché da un terreno erboso e con alberi, anteriormente; un fondovalle a forma di mani incrociate e, al centro, un'altura simile ad un mucchio di granaglie (f. 104a e 108b) [9]. Il cielo deve apparire come un cerchio e l'orizzonte stagliarsi su creste massicce, non aguzze, segnando così i «raggi della ruota del cielo» (f. 105a). È bene che un sito sia delimitato dai «4 pilastri della terra» [10]: uno spazio aperto ad est, un'altura a sud, un elemento tondeggiante ad ovest ed un paesaggio (di montagne) simile ad un tendaggio a nord. La prosperità è assicurata dalla presenza e l'integrità dei «4 protettori della terra» [11]: ad est la tigre chiara [12] sotto forma di una ruota o di una formazione rocciosa di colore pallido; a sud il drago blu di turchese, un corso d'acqua; ad ovest l'uccello rosso, terre o rocce rosse; a nord la tartaruga, scisti erosi o una massa rocciosa [13]. Se si presentano irregolarità naturali, quali ad esempio uno scivolamento di terreno che taglia la strada ad est o una cascata che interrompe il corso del fiume a sud, esse hanno, al contrario, una influenza nefasta. Allo stesso modo, la presenza di una delle «4 grandi lampade» [14], come ad esempio una roccia forata che somigli ad una finestra («lampada di roccia») o il cielo che si insinua ad uncino tra due montagne («lampada del cielo»), è apportatrice di disgrazie.

I testi che parlano della fondazione di edifici religiosi citano sempre i segni augurali che sono stati individuati nel paesaggio e che hanno giustificato la scelta del sito.

fig. 9

La presenza nel paesaggio di elementi potenzialmente nefasti, di per sé o soltanto per la loro speciale ubicazione, deve essere neutralizzata prendendo alcune misure. Così, se sotto il sito di costruzione il terreno è scosceso, vi saranno degli ostacoli nel buon andamento del cantiere. Allo scopo di prevenirli occorre o piantare un albero in questa direzione o erigervi un «muro di preghiere» o uno stûpa contenente piccoli calchi votivi (tsatsa) (f. 105b-106a). Nel caso in cui gli elementi nefasti del paesaggio siano rappresentati da un crepaccio (potenziale causa di rovina per la famiglia) o da una montagna che, al disopra delle altre, sembri spiare continuamente la casa (causa di rovesci di fortuna), bisogna prelevarvi un po' di terra o delle pietre che si includono nelle fondazioni del muro che sta loro di fronte.

L'influenza di alcuni elementi del paesaggio può essere fausta o al contrario deleteria a seconda del segno animale dell'anno di nascita della persona interessata [15]. Così, ad esempio, degli alberi che crescano ad est del luogo di residenza sono nefasti per i nati negli anni del cane, del drago, del bue o della pecora. Sono al contrario benefici per la vitalità per i nati negli anni della tigre o della lepre. Per neutralizzare quest'influenza, quando questa è pericolosa, bisogna piantare in uno degli alberi un chiodo ricavato da un ferro di coltello [16].

Integrati al sito, l'edificio e le sue divisioni interne devono poi essere correttamente orientati. La porta dei templi, a immagine dei mandala, si apre idealmente ad est e, in linea generale, l'orientamento preferito per le costruzioni è ad est, direzione fausta, a sud-est o a sud. La «geomanzia dello spazio interno» [17] distingue anch'essa «4 protettori della casa»: la soglia, tigre pallida ad est; la sala d'acqua (chura), drago blu di turchese a sud; il focolare, uccello rosso ad ovest ed il mulino a mano, tartaruga a nord. Il pilastro centrale (kyilka) è il «collegamento d'oro» del centro. Un informatore spiegava la disposizione interna ideale facendo riferimento ai quattro punti cardinali: la cappella deve essere orientata ad est, direzione fausta per eccellenza, i servizi a sud dove risiede il dio del fuoco ed infine, le provviste, affinché siano inesauribili devono essere collocate a nord, residenza del dio delle ricchezze. Per finire, è interessante notare due raccomandazioni che compaiono nei testi di geomanzia e che si ritrovano nella realtà: «il fondo della casa» (khyimphug) deve essere immerso nell'oscurità altrimenti «le ricchezze non si formano» ed è di buon augurio che il livello del suolo dietro la porta di accesso sia più alto che aldifuori (f. 109b). Naturalmente in molti casi queste disposizioni ideali dell'abitazione non sono state rispettate a causa della configurazione del terreno, di usanze locali o di una libera scelta individuale.

3) L'apertura del cantiere

Una stagione per costruire

Sull'altipiano tibetano il continuo gelo invernale impedisce qualunque costruzione. In primavera, non appena la terra si riscalda, bisogna immediatamente arare e seminare affinché le colture giungano a maturazione prima del ritorno del freddo. Per questo motivo, la costruzione di una normale casa contadina, per cui occorrono in media 2-4 mesi, deve compiersi tra giugno e settembre, dopo la semina e prima del raccolto. A causa di una manodopera che nel Tibet è sempre stata scarsa, anche le autorità che avevano a disposizione, per i loro cantieri, il lavoro obbligatorio dei sudditi, dovevano tener conto degli imperativi del calendario agricolo per non intralciare le attività economiche di base.

La presa di possesso del suolo

Prima di scavare le fondamenta occorre, durante i giorni propizi stabiliti dall'astrologia, purificare il suolo (sajang) ottenere il consenso delle divinità che lo abitano (salang), esaminare la terra del posto (satag), proteggerlo (sasung) e assumerne il controllo (sadul) per renderlo adatto alla costruzione, tramite un complesso di rituali (sachog) più o meno elaborati a seconda dell'importanza del cantiere e spesso compiuti dal clero buddhista. Prima della costruzione di una casa comune questi rituali si riassumono, nella maggior parte dei casi, in fumigazioni e libagioni (serkyem) offerte alle divinità sotterranee (lu) ed ai «proprietari del suolo».

fig. 10

Un rituale più complesso, che la tradizione tibetana riallaccia ai tantra, consiste nell'«esaminare il rettile» (toche tagpa). Si traccia al centro della futura costruzione un quadrato orientato in direzione dei punti cardinali. I suoi lati sono formati da nove segmenti che misurano una spanna. Ognuno di essi, a sua volta, può essere diviso in dieci frazioni, per un totale di novanta unità. Questa suddivisione, effettuata con una funicella impegnata di farina o di gesso, fissa i punti di riferimento che permettono di tracciare, all'interno del quadrato, la sagoma del «proprietario del suolo», metà uomo, metà serpente. Una volta tracciata la sagoma del «rettile», le si offrono dei calchi di pasta di farina e le si chiede l'autorizzazione di scavare la terra. Poi, sotto il gomito destro della figura, solo posto dove non esiste il rischio di ferire il «proprietario del suolo», si scava una buca di una spanna di lato e profonda un cubito e mezzo [18].

La terra estratta viene esaminata (satag) alla ricerca di «corpi estranei» (zugngu) da cui si traggono dei presagi e che si eliminano. Una parte di questa terra viene sparsa su tutta la superficie del futuro edificio in segno di consenso del «proprietario del suolo». Si possono anche ottenere delle profezie sull'avvenire riempiendo d'acqua la buca che è stata appena scavata. Se penetra rapidamente è segno che il «proprietario» è affamato. La famiglia che verrà a stabilirsi avrà la sua stessa sorte [19]. La buca viene poi riempita con la terra che ne è stata estratta, non senza che vi sia stato prima deposto un «vaso dei succhi della terra» [20] contenente piccoli rotoli coperti di formule esoteriche e di campioni di ricchezze: vari tipi di cibo, di granaglie, di tessuti, di seta, le cinque specie di materie preziose ecc. Se la terra con cui si è riempita la buca raggiunge il livello del suolo, è buon segno. Se ve ne è in eccesso è presagio di ricchezza futura, mentre se è troppo scarsa indica alterne fortune [21].

Le cerimonie religiose che precedono l'apertura dei grandi cantieri possono durare parecchi giorni. Ecco ad

122

esempio la lista di quelle praticate nel 1645 in occasione della fondazione del Potala [22] : il 26° giorno del terzo mese vi furono una offerta di fumigazione alle otto specie di divinità, spiriti e demoni, un rituale di espulsione delle forze demoniache (to) ed il disegno al suolo del mandala di Phurpa; il 28° giorno fu quello del «tracciato del rettile» ed il 29° giorno fu consacrato alla danza mascherato di Phurpa destinata a «domare il suolo» (sadul).

Il tracciato sul terreno e le fondazioni

Sembra che il tracciato sul terreno (sabta, sathig) sia il solo progetto realizzato dai caposquadra tibetani dopo che si sono accordati con i committenti sulle dimensioni degli spazi interni (valutati in numero di pilastri), i loro generi ed il numero di piani, servendosi di uno schizzo disegnato su carta o su di una lavagna. L'estrema semplicità dei metodi che verrebbero quindi impiegati nella concezione dei progetti architettonici tibetani lascia perplessi quando ci si riferisce a dei grandi complessi, come ad esempio il Potala, tanto essa contrasta con il potente effetto di equilibrio delle masse e delle linee dato da questi edifici, le cui parti appaiono perfettamente integrate al tutto. Questo effetto è certamente in gran parte legato al carattere modulare dell'architettura tibetana che le consente uno sviluppo organico sia in senso orizzontale che verticale. Tuttavia, se consideriamo i vari corpi di edificio del Potala di cui quasi tutti quelli che oggi lo costituiscono si stavano già formando all'inizio del XVIII sec. sulla Montagna Rossa, è difficile credere che non si iscrivessero in un progetto d'insieme elaborato prima delle fondazioni e che un tale progetto abbia potuto fare a meno di supporti materiali: piante disegnate o plastici. Sapendo che la maggior parte dei caposquadra tibetani sono anche falegnami e scultori su legno, è piuttosto strano che non abbiano istintivamente pensato a servirsi di plastici di legno per elaborare i loro progetti. Bisogna tuttavia riconoscere che negli insiemi architettonici comprendenti parecchi corpi di edificio esiste un forte contrasto tra l'effetto di armoniosa integrazione delle strutture esterne e l'aspetto di disordinato labirinto dei passaggi interni con i loro frequenti cambiamenti d'asse e di livello, l'insufficienza di illuminazione e di ventilazione. Sembra che la giustapposizione degli edifici, caratterizzati da un'innegabile maestria dei giochi di volumi all'esterno, non si accompagni ad un'integrazione funzionale equivalente delle strutture interne nelle quali i raccordi sono realizzati in modo empirico nel corso della costruzione; ciò potrebbe in effetti rispecchiare l'assenza di un supporto che consenta una preventiva ideazione dettagliata del progetto architettonico.

Ciò si può forse ricollegare al fatto che finora nessun testo tibetano di architettura ci è giunto. E evidente che le opere, anche illustrate, che trattano delle regole monastiche riguardanti la struttura e la disposizione degli edifici religiosi non possono essere considerati testi tecnici di architettura. Sono d'altronde poco conosciuti dagli esperti ed in ogni caso basta osservare le costruzioni religiose per rendersi conto che le prescrizioni di questi testi non sono applicate. Può darsi che gli archivi del Potala o dei grandi monasteri, ammesso che esistano ancora, chiariranno quest'aspetto meglio di quanto non lo abbiano fatto finora la letteratura storica, gli inventari-guide (karchag) o le biografie.

La pianta sul terreno (sabta), che in un primo momento prende in considerazione soltanto i muri, viene tracciata con l'aiuto di fili tesi da un piolo (phurba) ad un altro. I fili, che sono spesso intrisi di gesso, talvolta di farina, lasciano il segno sul terreno [23]. L'usanza, specialmente a Dolpo e a Dingri, vuole che la pianta sul terreno venga prima tracciata servendosi di un corno di antilope (tsö) che ha il potere di scacciare gli spiriti malefici, iniziando dalla direzione dello spazio associata all'anno in corso. In alcune regioni, senza dubbio nel Tibet Orientale, la pianta sul terreno verrebbe tracciata servendosi di una tartaruga di ferro (Hummel S. Von, 1963-64, pag. 63).

4) Le tecniche di costruzione

Le fondazioni (mang) si limitano ai muri (tsigshi, tsigmang), e dove questi sorgeranno si scavano delle trincee la cui profondità e larghezza variano a seconda della natura del terreno e l'altezza dell'edificio. Di conseguenza gli edifici tibetani non hanno intercapedini nel sottosuolo. Le fondazioni sono sempre di pietra fino a circa una spanna al disotto del livello del suolo, qualunque sia il materiale dei muri. I tre primi colpi di zappa dovranno essere dati in un giorno propizio, in un luogo situato nella direzione fissata dal calcolo astrologico e da una persona il cui anno di nascita sia in armonia con questa direzione.

Più semplicemente, si sceglie preferibilmente, per dare inizio ai lavori, un giovedì ed una persona nata in un anno del maiale (Friedl W. 1983, pag. 40). Gli scavi vengono fatti servendosi di zappe (togtse) e di badili (khyem) ad una profondità di 50-150 cm, in modo da raggiungere il «cuore della terra» (sa'i nyingpo), oltre lo strato di terra friabile («terra nera»). Se il terreno è umido o l'edificio sarà di parecchi piani si scava fino ad una profondità di 2-3 m. La larghezza degli scavi è di una volta e mezzo lo spessore della base dei muri. Si possono collocare dei vasi, di terra o di rame, pieni di materie preziose (terchen gyi bumpa) ai quattro angoli delle fondamenta ed in uno scavo effettuato al centro, se ciò non è già stato fatto al momento dei rituali di presa di possesso del suolo. Il fondo degli scavi è ricoperto di lastre (doleb, lebcha) sulle quali vengono sparse tre dita di malta di terra (sabol) e che vengono poi pressate mediante pietre piatte speciali (singdo, «pietra di getto»), che gli operai lasciano cadere parecchie decine di volte dopo averle sollevate al disopra delle loro teste. Si pigiano le pietre delle fondamenta (mangdo), insistendo particolarmente sugli angoli e lo stesso processo si ripete per ogni strato, formato, se possibile di lastre. Alcuni grandi edifici, costruiti su di un terreno in piano o leggermente in pendenza, sono edificati su di un basamento (degcha, peden) alto 1-3 cubiti, di terra riportata o di muratura, talvolta visibile dall'esterno. Pietre di fondamenta vengono anche collocate nei posti previsti (kakhung) per gli eventuali pilastri del pianoterra. Nelle regioni tibetane dell'Himâlaya Occidentale sembra vi sia l'abitudine di non scavare fondazioni quando gli edifici si elevano su di uno strato roccioso (Khosla R. 1979, pag. 116).

I muri

Nelle costruzioni tibetane i muri sono portanti e non hanno praticamente mai una funzione di tamponamento di una struttura portante di legno, come avviene di regola nell'architettura cinese. Nell'architettura tibetana i muri sono essenzialmente sottoposti ad un carico verticale dovuto in gran parte al peso dei materiali da costruzione stessi. La resistenza di questi muri dipende unicamente dal loro spessore e dal materiale impiegato. L'argilla compressa ed i mattoni crudi tendono in effetti a schiacciarsi sotto un peso troppo gravoso. Per questo motivo la base del muro ha uno spessore maggiore e viene costruita in pietra, materiale resistente, ma pesante e relativamente difficile da utilizzare. La pietra viene quindi spesso sostituita con argilla compressa o mattoni crudi nelle parti alte che sopportano carichi meno pesanti. L'utilizzazione di materiali diversi nella costruzione dei muri di uno stesso edificio è abbastanza diffusa e può talvolta assumere un carattere sistematico come a Kyirong, dove le fondazioni sono di pietra, la struttura del muro posteriore e dei pignoni, di mattoni crudi, mentre la facciata è di legno (Brauen M. 1983, pag. 44). Si possono anche incontrare murature miste che alternano strati di mattoni e strati di pietre e pietrisco.

Dato il debole grado di coesione della malta di terra degli apparecchi murari grossolanamente costruiti a causa delle dimensioni molto varie delle pietre, il carico verticale tende a provocare un'eversione dei muri nella

fig. 11

loro parte inferiore quando oltrepassano una certa altezza, fatto questo testimoniato dai numerosi contrafforti e scarpe che si possono vedere nel Tibet [24]. L'eversione può essere evitata dando un'inclinazione ai muri. Questa viene ottenuta riducendo progressivamente il loro spessore, dal basso in alto, pur mantenendo l'appiombo della parte interna: ciò conferisce alla maggior parte degli edifici tibetani il loro disegno caratteristico a piramide tronca.

L'inclinazione dei muri, che è in media di 3-5°, dà loro una maggiore resistenza ai terremoti, frequenti nel Tibet, o ad un eventuale cedimento delle fondazioni. Insieme all'inclinazione dei muri, si osserva, soprattutto negli edifici antichi, come ad esempio il santuario di Shalu (inizio del XIV sec.), una dimensione degli strati di pietra al livello degli angoli tale da inclinare i muri verso l'interno e contrastare così la loro tendenza all'ever-

fig. 12
fig. 13, 14

sione, particolarmente forte a questo livello [25]. Allo stesso scopo l'edificio viene talvolta cinto con rinforzi in legno. Questa tecnica, osservata soprattutto nel Ladakh, assicurata anch'essa una maggiore resistenza ai terremoti e consente di ridurre lo spessore dei muri. Sembra che alcuni strati di grosse pietre, posti alla base dei muri del Potala, siano stati legati con una catena o con grappe di bronzo fuso [26]. Infine, in alcune regioni del Tibet Orientale i muri portanti sono interamente di legno e possono essere foderati da una parete esterna in muratura. Vi si trovano anche dei muri formati da una muratura di ripieno in una struttura portante di legno (Sez. X).

La costruzione in pisé (argilla compressa: gyang)

I tibetani considerano questa tecnica di costruzione la più antica, la più semplice e la più economica. L'argilla compressa tuttavia resiste male alle intemperie. Viene usata in tutta l'area di cultura tibetana, particolarmente nelle zone aride del centro e dell'ovest, ma anche in alcune regioni più umide del versante sud dell'Himâlaya come il Buthan (Sez. XV). La tecnica impiegata per la sua fabbricazione è identica a quella che era in uso in Occidente. Della terra argillosa viene colata tra due pannelli (gyangshing) posti verticalmente su due chiavi e fissati su dei cunei mediante corde o traverse.

fig. 15

I cunei determinano la larghezza del muro che è in media di 50-90 cm. I pannelli, alti circa 1 m, sono formati da tavole o da un intreccio di rami di salice su supporti orizzontali (Khosla R.1979, pag. 117). Quasi sempre i giunti dei pannelli ed i fori di chiave rimangono visibili, mancando un rivestimento.

fig. 16

La costruzione di mattoni crudi (saphag)

I mattoni sono sempre fabbricati vicino al cantiere, con un fango di terra argillosa (dambag) lavorata con i piedi in modo da formare un miscuglio omogeneo al quale possono venire aggiunti sterco, ghiaia, erba o paglia d'orzo tagliuzzata. Questo impasto viene poi trasportato sul luogo di fabbricazione dei mattoni. Le loro dimensioni medie, che non rispondono a nessuno standard, sono all'incirca di 35 × 18 × 16 cm. Sono fabbricati in stampi (bagde, bagshing) molto semplici fatti con quattro tavolette fissate tra di loro per mezzo di chiavette di legno. Dopo tre giorni di essicatura in piano vengono ancora lasciati indurire verticalmente per una settimana, infine i bordi vengono pareggiati con un grande coltello. L'architettura tibetana non utilizza mattoni cotti, benché, in alcune costruzioni religiose del Tibet Orientale, molto influenzate dalla Cina (in particolare il monastero di Kumbum), vengano impiegati i mattoni smaltati (chingbui sophag), di chiara fabbricazione cinese, per il rivestimento dei muri (gyangdeb).

fig. 17

Il primo strato è sempre formato di mattoni posti in piano, di punta e tenuti insieme da una malta di terra. Il giunto di letto ha uno spessore di circa un dito ed i mattoni dello strato successivo sono posti in piano su due file a riquadri. Gli strati di mattoni si alternano così più o meno regolarmente.

fig. 18

Nei muri più spessi, gli strati sono formati da due file di mattoni, l'uno a riquadri, l'altro di punta, a ordini alterni. Accade anche che delle costruzioni comuni siano interamente fabbricate con due letti paralleli.

La costruzione di pietra

La pietra, materiale nobile, viene impiegata, ogniqualvolta è reperibile nelle vicinanze ed i mezzi finanziari e la manodopera lo permettono. Quasi sempre, nelle costruzioni comuni, le pietre di uno stesso apparecchio murario hanno dimensioni molto variabili e non sono tagliate su misura ad eccezione, forse, delle pietre d'angolo (zurdo). Per i grandi edifici vengono utilizzati i blocchi di pietra (dedo) del letto dei fiumi. Vengono tagliati con cunei di ferro che si impiegano anche per sgrossare le grosse pietre da costruzione. A volte il rivestimento murario viene spianato con lo scalpello.

In linea generale, gli strati sono formati da pietre ineguali. I giunti di letto vengono allora pareggiati servendosi di un gran numero di pietre più piccole che sono anche inserite nei giunti montanti. L'insieme è legato da una malta di terra mista talvolta a sabbia. Alcuni muri sono formati da due pareti in muratura con un riempimento di terra e di pietrisco.

fig. 19, 20

Quando l'opera muraria è di qualità, due tipi di strati si alternano regolarmente. Uno è formato da due o più file di pietre, più o meno quadrangolari (dochen, phodo), e disposte orizzontalmente esattamente sopra i giunti. L'altro è costituito da pietre piatte (doleb, modo) poste in modo da stare a cavallo dei giunti dello strato sottostante; lo spazio rimasto libero da un lato e dall'altro viene riempito con piccole pietre (dochung). Le pietre più massicce sono sempre poste agli angoli dove assumono spesso una disposizione alterna per il lungo e largo. Come nelle fondazioni, ogni strato è pigiato mediante «pietre di getto» (singdo) speciali, che i manovali, in piedi sui muri, lasciano cadere più volte di seguito dopo averle alzate al disopra della testa. A mano a mano che i muri diventano più alti, le «pietre di getto» sono sempre meno pesanti ed il loro impiego meno frequente. Questo tipo di esecuzione rende necessario lavorare all'unisono e gli operai accordano i movimenti al ritmo dei canti. Uno di essi evoca appunto l'alternarsi dei corsi grandi e piccoli della struttura muraria:

«Le grosse pietre sono i nodi del muro
I sassi sono la matassa della treccia» [27].

Per le costruzioni accurate, l'allineamento dei muri è assicurato grazie a fili tesi, e si controlla la loro verticalità mediante un filo avente all'estremità una massa di ferro o di rame. Lo spessore dei muri di pietra, molto variabile, è compreso in genere tra i 40 e i 150 cm. Arriverebbe a 3 m e mezzo per la sala di assemblea del grande tempio di Sakya e persino a 5 m alla base del Potala. I giunti vengono quasi sempre lasciati incavati.
I muri di mattoni crudi ed il tipo di apparecchio formato da corsi di pietre dal rivestimento spianato in alternanza con corsi di pietre piatte, con i giunti riempiti di sassi e schegge, si osservano già in costruzioni del X sec. nel Tibet Occidentale dove alcuni blocchi di pietra squadrati sono lunghi più di 1 m e spessi più di 50 cm (Tucci G. 197 3b, pag.76,77).

fig. 21

Sembra tuttavia che gli apparecchi formati da corsi molto regolari in pietre calibrate, quali si possono vedere nei grandi monasteri Gelugpa nei dintorni di Lhasa, non siano anteriori al XVIII sec., se le confrontiamo con la muratura del Potala che non presenta ancora una simile regolarità.
La costruzione dei muri non richiede grossi ponteggi esterni poiché, come vedremo, i pavimenti dei piani sono costruiti man mano permettendo così di continuare il lavoro di muratura dall'interno.
Ricordiamo anche i rari esempi di capanne costruite con zolle erbose (pangphub, kyangkhang) o, presso alcuni mendicanti-netturbini di Lhasa, con corna di yak.
I muri di cinta dei recinti per animali (chugra), delle aree di battitura (yulsa) o di tessitura (balra), generalmente a secco, sono anch'essi costruiti con argilla compressa o mattoni crudi, più raramente in muratura di pietra, talvolta, presso gli allevatori, con zolle erbose. I grandi muri di cinta e le recinzioni di fortezze sono in genere costruiti in muratura di pietra. Quando seguono una pendenza, il loro bordo superiore, che rimane spesso orizzontale, presenta per questo motivo una successione di dentelli (taso, «denti di cavallo») che hanno l'aspetto di una rampa di gradini. Lo stesso accade per alcuni muri posti al disopra di una porta.

fig. 22

Le aperture sulla facciata

Le porte

fig. 23

La loro struttura è identica, sia che siano collocate nei muri di cinta, come ingressi dell'edificio o all'interno.
Gli infissi (rushi) della porta, fabbricati in precedenza dal falegname, sono sistemati e puntellati dall'interno, fin dall'inizio della costruzione del muro di facciata. Gli infissi delle porte più semplici sono formati da una soglia (mathem) e da un architrave (yathem) che oltrepassano da entrambi i lati i pali verticali e sono fissati al muro. Le aperture delle porte comuni sono piccole: 170 × 90 cm circa. La soglia è sempre posta al disopra del

livello del suolo e, fatta eccezione per alcune costruzioni religiose o palazziali, l'architrave è così basso che un adulto dovendo passare per la porta è costretto a curvarsi. Questa disposizione ha il compito di impedire agli spettri di entrare in casa (Shakabpa 1976, pag.76). Anche nei grandi edifici le porte hanno raramente più di due battenti costituiti da tavole assemblate e fissate da ferramenti (goshen). I battenti girano su cardini verticali posti in piccoli incavi scavati in pezzi di legno o di pietra sulle facce interne della soglia e dell'architrave.

Al disopra di quest'ultimo si trovano in genere dei modiglioni, il cui numero e la complessità della disposizione aumentano insieme alla ricchezza degli edifici, soprattutto a quanto sembra, dopo il XVI sec.

fig. 24, 25

In contrasto con le mostre delle porte derivanti da modelli indiani ed ornate di una ricca decorazione scolpita, in particolare di numerose figure antropomorfe, che guarniscono le parti più antiche del Jokhang o i templi dell'inizio della seconda diffusione del buddhismo nel Tibet (Sez. V-VII), le porte di Shalu, 1320 circa, colpiscono per il loro aspetto massiccio e sobrio. Questo riflette forse, anche a questo livello, l'importante influenza cinese comprovata dai tetti. È interessante notare che l'equivalente dei modiglioni massicci che sormontano le porte di Shalu si può ritrovare ancor oggi in modeste case contadine del Tibet Centrale, sotto forma di alcuni blocchi di legno inseriti al disopra degli infissi. Ciò dimostra, anche se a proposito di un elemento decorativo, l'ubiquità e la continuità dello schema di base dell'architettura tibetana.

A Shalu la mostra delle porte si riduce ad una larga cornice che sembra formata da tronchi scolpiti a volte con un sobrio motivo di foglie di loto e sdoppiata in un'altra cornice a livello dell'entrata principale. Bisogna notare qui la forma trapezoidale di queste porte, aspetto che non si ritrova più ulteriormente. La loro mostra dipinta mette in risalto l'architrave con una forma a lettera greca *pi* che ricorda dei modelli indiani di epoca Gupta e riprende la decorazione scolpita di alcune antiche porte del Jokhang di Lhasa in cui le estremità laterali dell'architrave che sporgono al di fuori sono sostenute da leoni accucciati (Sez. V). La forma di questa mostra di-

fig. 26

pinta generalmente in seguito di colore nero, si è conservata fino ad oggi per le porte ed anche per le finestre nel Tibet Occidentale, accanto alle molto più diffuse incorniciature trapezoidali. A Gyantse, un secolo dopo Shalu, come anche a Sakya, le larghe cornici delle mostre di porta, non operate e limitate a tre, sono dei prodotti di falegnameria di cui unicamente quello centrale ha mantenuto un profilo arrotondato. I modiglioni massicci che sormontano le porte di Shalu sono sostituiti da protomi di leoni a Gyantse. A Sakya le protomi di leone sono poste al disopra dei modiglioni. È a partire dal XVI-XVII sec. che le mostre delle porte presentano nuovamente una decorazione più accurata con motivi geometrici o vegetali stilizzati che corrono in fasce concentriche intorno all'apertura. Quando queste porte tardive sono ornate con protomi di leoni, queste sono poste in nicchie al disopra di una complessa modanatura (Sez. IX).

Le porte esterne sono in genere sormontate da una tettoia (yab, dayab) che può ridursi a qualche pietra piatta

fig. 27

(yampa, chuyam) fissata nel muro. Quando la tettoia è più sviluppata, è sostenuta da una o più file di beccatelli, a questi possono a loro volta poggiare su di una trave decorativa (dung, ngomshing), sorretta da mensole fissate nel muro da una parte e dall'altra dell'apertura: si giunge così a pensiline di porta molto elaborate quali si incontrano a partire dal XVI-XVII sec. (Sez. IX).

Le finestre

Le finestre hanno dimensioni molto variabili che vanno da strette feritoie a larghe aperture. Queste dimensioni, come anche il numero delle finestre stesse, aumentano generalmente a seconda dei piani in uno stesso edificio variando con il livello socio-economico e a seconda delle epoche. Sembra in effetti che le grandi aperture siano state relativamente rare prima del XVII sec. D'altronde, le finestre sono più importanti, più grandi e numerose, nell'ambiente urbano, soprattutto da quando il vetro per finestre, la cui introduzione nel Tibet risale all'inizio del XX sec., ha cessato di essere un materiale di gran lusso riservato a pochi privilegiati.

fig. 28

Gli infissi prefabbricati delle finestre, la cui forma è simile a quella delle porte, completati da montanti e traverse, sono collocati nello spessore dei muri, quando questi arrivano all'altezza delle aperture previste. Nel

fig. 29

caso di costruzioni in terra può accadere che gli infissi non vengano collocati e montati se non dopo l'edificazione dei muri. Allo scopo di raggiungere il livello della facciata, gli infissi delle finestre sono sovrastati da un pezzo di legno trasversale (ngomshing) fissato nel muro alle due estremità. Le finestre sono in genere sormontate da una piccola tettoia (chukheb) coperta da pietre piatte e sostenuta da una doppia fila di beccatelli il cui assemblaggio è identico a quello dei battenti di porta. Una tendina formata da parecchie fasce colorate di cotone vi è spesso agganciata per proteggere il legno dai raggi del sole.

Gli edifici presentano talvolta alla base delle aperture verticali e strette come delle feritoie aventi una funzione di aerazione (lungdö karkhung).

Un pannello di legno può chiudere la parte bassa delle finestre. La loro parte alta viene o lasciata aperta o chiusa da listelli. Delle griglie di legno (thama), talvolta ridotte a poche sbarre verticali (tagtha), chiudono in genere le aperture del pianoterra. Altrove le finestre possono essere chiuse con carta oleata tesa su di una cornice di legno o un claustra finemente operato, associato o no a imposte interne.

Con l'aumento della larghezza delle aperture abbiamo, sia una moltiplicazione dei montanti verticali degli infissi, sia la sostituzione di questi con un sistema di pali sostenenti una trave incastrata nel muro alle estremità. Queste grandi aperture (rabsal) possono presentare un balcone in muratura sostenuto dai correnti del piano inferiore in aggetto sulla facciata. Una struttura di claustra di legno con imposte interne chiude le aperture delle grandi finestre, in genere nello spessore del muro. Una leggera armatura di legno può collegare la ringhiera del balcone alla tettoia o al balcone sottostante. Permette di appendere delle tende di pelo di yak che hanno il compito di proteggere dal sole. La struttura di claustra di legno che si può vedere al palazzo di Leh (inizio del XVII sec.) e che è montata su di una base di balcone che si trasforma così in loggetta di tipo arabo, è un'eccezione e rappresenta, sia nella struttura che nella decorazione, un elemento mutuato dal vicino Kashmir.

E tuttavia molto probabile che le aperture associate a stretti balconi, nonché le loggette, che ritmano sempre più le facciate dei grandi edifici del Tibet Centrale a partire dal XVII sec. (Sez. IX), risalgano a modelli che sono stati inizialmente sviluppati nelle regioni più occidentali dell'area di cultura tibetana (Sez. VI, VIII). I claustra di legno del Tibet Centrale sono invece di chiara ispirazione cinese.

I pilastri ed il pavimento

I pilastri (kawa), che sarebbe più esatto chiamare pali visto che sono quasi sempre di legno, hanno, come i pavimenti, una struttura di base molto semplice che rimane costante indipendentemente dalla natura o la ricchezza degli edifici. Le differenze riguardano soprattutto le decorazioni dipinte o scolpite e la modanatura della trabeazione. Nella sua forma più rudimentale il pilastro è formato da un fusto che può ridursi ad un semplice tronco scortecciato. Quando si tratta di un pezzo di legno squadrato il fusto è talvolta separato mediante un collarino dalla sua estremità superiore rigonfia che forma un capitello (de)[28]. Il carico della trave è trasmesso al pilastro (fig. 33) da un supporto di trabeazione (shu «arco»), struttura di legno intermedia di forma trapezoidale il cui lato più corto poggia sul pilastro. Le travi (dung), talvolta semplici tronchi scortecciati, sostengono i correnti (cham) che sorreggono i travicelli costituiti da bacchette di salice poste l'una a fianco dell'altra (dalma) o, più raramente, piccole tavole destinate a sostenere il pavimento del piano superiore. Questa struttura è identica all'ordine classico comune alle architetture dell'India e della Asia Centrale. Si discosta invece dall'ordinamento delle mensole sovrapposte quale è stato fissato dalla tradizione cinese più antica che non comportava supporti di trabeazione posti tra pilastri e travi.

Nelle costruzioni tibetane, i pilastri, a sezione tonda, quadrata o ottagonale, non sono fissati al suolo e poggiano semplicemente su pietre piatte (kaden, kateg). Poiché i più bei pezzi di legno sono destinati alla realizzazione delle travi, i pilastri a largo fusto degli atrii d'ingresso sono spesso composti (kapung). Negli edifici antichi, come Gyantse (inizio del XV sec.), ed anche fino a due secoli dopo, nel palazzo di Leh, questi pilastri composti sono formati da un fascio di fusti scortecciati tenuti insieme da anelli metallici (kashen). Alcuni fusti dei pilastri dell'atrio di Gyantse sono costituiti da più elementi sovrapposti e ciò, trattandosi di un complesso architettonico così prestigioso, dimostra ampiamente la scarsità di legno nel Tibet Centrale. Questa scarsità non è forse l'unica ragione di questo tipo di assemblaggio che conferisce al pilastro un aspetto polistilo, che

fig. 30

128

può essere stato ricercato anche per motivi puramente estetici. A partire dal XVII sec., sembra che i pilastri composti siano quasi sempre formati da pezzi di legno lavorati, applicati, incollandoli, intorno ad un nocciolo e tenuti fermi da anelli metallici.

L'altezza dei pilastri è molto varia e non sembra siano state fissate dimensioni standard.

Nelle case comuni le dimensioni dei pilastri rappresentano l'altezza sotto soffitto meno quelle della trave e del supporto di trabeazione (shu), vale a dire in media: 1,4-1,6 m al piano terra dove i pilastri sono piuttosto rari e 1,9-2 m al livello del piano di abitazione. Il loro diametro va dai 30 ai 40 cm circa. Al momento della costruzione i pilastri delle abitazioni modeste sono generalmente sistemati sovrapponendo progressivamente i pezzi dell'ossatura.

Negli edifici più importanti l'altezza sotto soffitto è maggiore (mediamente circa 5 m) [29], ma è parzialmente occupata da strutture lignee sovrapposte alla trabeazione che consentono così di sopraelevare la copertura, nonostante la lunghezza limitata dei pezzi di legno con cui sono costruiti i pilastri. Nelle costruzioni realizzate in un passato recente, le dimensioni del pilastro costituirebbero in media i 2/3 dell'altezza sotto soffitto. I pilastri delle gallerie e dei portici sono decisamente più corti e non superano i 2 m. I pali che, in una sala, sostengono il pavimento del piano superiore vengono chiamati «pilastri corti» (kathung) mentre quelli che salgono su due piani, generalmente per sostenere un lucernario, sono conosciuti come «pilastri lunghi» (karing).

fig. 31

I pilastri hanno sempre una forma leggermente a tronco di cono. Il fusto è separato dal capitello, tagliato nello stesso pezzo di legno, da una rastremazione in fondo alla quale è dipinta o scolpita una fila di perle (theng gor, «la ghirlanda in cerchio»). Questo collarino, chiamato anche karma, «stelle», è sormontato da un motivo di petali di loto (pema) che forma in genere la parte inferiore del capitello la cui parte superiore, quadrata, è occupata su ogni faccia da un motivo geometrico dipinto chiamato «l'ardesia» [30]. Sotto il collarino, la parte alta del fusto presenta un motivo di fogliame appeso o a «naso di cane» (khyina).

Il supporto di trabeazione è generalmente formato da due parti distinte. La più piccola, chiamata «arco corto» (shuthung o benlog) pioggia sul capitello. E sormontata da una parte che la oltrepassa in lunghezza e che è chiamata «arco lungo» (shuring).

Le travi stanno in genere tra due tavole leggermente sporgenti: «il supporto di trave» (dungden) in basso ed il «copritrave» (dungkheb) in alto. Tra la trave ed i correnti possono esservi parecchie fasce di raccordo in legno (shingtseg); tali elementi verranno esaminati, come anche le decorazioni scolpite e dipinte delle travi e dei supporti di trabeazione, a proposito delle costruzioni posteriori al XVI sec. in cui raggiungono il massimo del loro sviluppo (Sez. IX).

fig. 32

La struttura interna di legno, fatta eccezione per il pavimento, viene, in un primo tempo, assemblata con precisione all'esterno dell'edificio (sadig). Si inizia con i pilastri ed i supporti di trabeazione. La parte alta della struttura è montata in posizione rovesciata, vale a dire modanatura in basso e travi in alto. Poi l'assemblaggio viene completato dai pilastri che sono anch'essi montati a rovescio dando così luogo alla battuta: «il fondo del pilastro vede il sole una volta» [31]. Tutte le parti vengono allora contrassegnate con dei numeri prima di essere smontate.

Quando la muratura arriva all'altezza della trave, i posti dove andranno i pilastri vengono definiti mediante una quadrettatura di linee che partono dai muri. L'intercolunnio, che è lo stesso, sia in senso longitudinale che trasversale, supera raramente i 2-4 m. Le trabeazioni principali sono sempre perpendicolari all'asse d'entrata formando così delle campate (kadag) trasversali che conferiscono alle sale ipostile tibetane un aspetto molto diverso dalle costruzioni occidentali in cui le campate sono parallele a quest'asse. Contrariamente alle strutture cinesi, i pilastri propriamente detti non sono uniti da raccordi, tranne nei rarissimi casi in cui salgono su più piani, come ad esempio nella cappella funeraria del V Panchenlama a Tashilhunpo (1737). I due tipi di costruzione, tibetano e cinese, coesistono talvolta negli edifici religiosi del Tibet Orientale. Occupano allora piani diversi. A volte, per assicurare una maggiore stabilità, si fissano nel muro delle traverse che si incastrano perpendicolarmente nei supporti di trabeazione.

fig. 33

Al momento del montaggio della struttura interna, assemblata senza cavi metallici, ogni pilastro è mantenuto in posizione verticale da quattro puntelli (kadom) fissati da una corda.

Le estremità di tutti i pezzi di legno orizzontali che costituiscono la trabeazione (vedere Sez. IX) sono incastrate nei muri dove poggiano su dei supporti di legno (dungden) lunghi due cubiti.

I correnti (cham), in genere semplici tronchi scortecciati di 20-30 cm di diametro, sono disposti perpendicolarmente alle travi o alle trabeazioni, ogni 30-60 cm circa. Le estremità delle due file di correnti che poggiano sulla stessa trave non sono collocate testa a testa, ma intercalate (Sez. IX). Al livello dei muri, le estremità dei correnti sono incastrate nella muratura dove, talvolta, soprattutto sembra nel Ladakh, poggiano su di una struttura di sostegno in legno che cinge l'edificio. I correnti si prolungano in aggetto sulla facciata soltanto se servono come base ad un balcone. Le loro estremità (chamtse, chamne) sporgono oltre le travi, intorno alle fonti di luce praticate nei soffitti e lungo il bordo libero delle gallerie ed egli atrii.

In entrambi i casi si tratta quasi sempre di pezzi di legno applicati che entrano a far parte delle modanature della trabeazione. I correnti non sono in genere decorati e vengono dipinti di un blu scuro a base di azzurrite.

Al disopra dei correnti, la fila di travicelli (dalma, tingril) è formata da piccoli tronchi o da bacchette, talvolta da piccole tavole, poste una a fianco dell'altra e che poggiano alle estremità su due correnti vicini. I travicelli sono in genere perpendicolari ai correnti, ma possono anche essere disposti di sbieco con le estremità tagliate a ugnatura in modo da formare sul soffitto un disegno di capriate (churi). Sono in genere dipinte con un colore arancione a base di minio. In alcuni templi del Tibet Occidentale, ad esempio ad Alchi, Basgo o Tsaparang (Sez. VI, VIII), lo spazio tra i correnti è ricoperto di tavolette la cui decorazione dipinta richiama i motivi di vari pezzi di stoffa tesi sul soffitto. Nei templi e monasteri più tardivi, soprattutto nel Potala ed a Tashilhunpo, il soffitto può essere davvero tappezzato di tessuto (namyol), in genere broccato di seta. Infine, può talvolta essere rivestito di cassettoni (nampang), vicini ai modelli indiani nei templi antichi, come nel Jokhang o a Tsaparang, oppure chiaramente influenzato dalla tradizione cinese negli edifici più recenti.

I pavimenti e la copertura

Nelle case comuni, è il terreno di costruzione livellato o un riporto di terra battuta che costituisce il pavimento del piano terra. Nelle costruzioni più importanti, in particolare quelle religiose, è formato o dalla muratura del basamento, o da terra battuta ricoperta da un rivestimento in agglomerato di pietra o, più raramente, da una lastricatura di pietre piatte.

fig. 34

I pavimenti dei piani e la copertura a terrazzo vengono realizzati con lo stesso procedimento. Si poggiano piccole pietre piatte (daldo) o uno strato vegetale, spesso della caragana sui travicelli per evitare che il legno marcisca a contatto dello spesso fango (thogsa) sparso sull'impiantito. Dopo aver ricoperto il fango con uno strato di terra asciutta, gli operai, in fila, calpestano il suolo per pigiare bene il tutto, procedimento questo che può anche essere eseguito con un battitoio di legno.

Lo strato di terra che ha uno spessore di quattro dita può venire in seguito ricoperto con un rivestimento in agglomerato di pietra (arka). Se il pavimento rimane di terra battuta il suo spessore è di 10-35 cm. L'insieme del procedimento di costruzione si ripete identico per ogni piano non appena il pavimento è asciutto. Al livello del

fig. 35

tetto-terrazza è ricoperto con un rivestimento d'argilla ed è costruito leggermente in pendenza per lo scolo dell'acqua negli scarichi. Lo strato di terra può qui raggiungere uno spessore di 50 cm e talvolta, nel Ladakh, è ricoperto con una pavimentazione di mattoni crudi (Pommaret-Imaeda F. 1980, pag. 250).

Nelle residenze di nobili o negli edifici religiosi, il pavimento di terra battuta è generalmente ricoperto con un rivestimento in agglomerato di pietra (arka) [32]. La materia prima è un minerale friabile e «grasso» chiamato arka che, per i tibetani, non è né una pietra né una terra, ma l'«essenza delle pietre». Sopra la terra battuta si stende prima di tutto uno strato di quattro dita del tipo di arka più grossolano che «ha le dimensioni di un astragalo di pecora». Al livello delle terrazze è a questo strato che si dà la pendenza necessaria allo scolo dell'acqua piovana. Viene pigiato con una pietra rotonda ed appiattita fissata ad un manico verticale (bogdo) [33].

Gli operai, in riga, si spostano insieme avanti o di lato sotto la direzione di un capo (arpön) che dirige la spruzzatura dell'acqua che viene eseguita aiutandosi poi con piccole scope di bambù. A questo stadio, le pietre devono essere pigiate e livellate ma non schiacciate. Lo strato successivo è costituito da frammenti «un po' più grandi di chicchi d'orzo». Dopo essere stato ben pigiato, viene sfregato con pietre ruvide aventi all'incirca le dimensioni di un mattone. Il rivestimento di arka deve avere lo spessore di un dito, in quanto la rifinitura dei pavimenti interni è più accurata di quella delle terrazze.

Nelle regioni boschive del Sud e dell'Est, ma anche in alcune rare stanze delle dimore nobili del Tibet Centrale, il pavimento è di parquet.

Nel Tibet Centrale ed Occidentale, nonché nelle aride vallate himalayane, la copertura degli edifici è dunque assicurata da un tetto-terrazza che poggia su dei muri portanti e la cui struttura è identica a quella degli impianti e dei pavimenti interni [34]. Questa terrazza presenta una leggera pendenza che convoglia l'acqua piovana in scarichi di legno (wa, ojo, baga), posti in aggetto sulla facciata, alla base del parapetto che circonda il tetto. In alcuni grandi edifici l'acqua piovana viene eliminata tramite tubi di scarico, esterni o interni.

Il bordo del tetto-terrazza ha un parapetto che si trova in genere sul prolungamento dei muri, talvolta, come nel Ladakh, leggermente a strapiombo. Nelle case comuni, questo parapetto è costituito, almeno in parte, da una provvista di materiale combustibile ammucchiato: rami, sterco di yak essiccato o zolle di torba, tenuti fermi da pietre bianche o da scisti. Questo bordo che corona le case comuni ed il cui colore scuro spicca sui muri bianchi o beige, diventa una cornice scura puramente decorativa (penpe) che corre sulla facciata al livello del parapetto delle costruzioni religiose, nobiliari o palazziali. Questo cornicione, che ha l'aspetto di una bordura a spazzola, è generalmente realizzata ammucchiando gli steli di una pianta arbustiva di montagna molto comune ed abitualmente utilizzata come combustibile: la Potentilla fructicosa [35]. La messa in opera di questo materiale verrà esaminata più dettagliatamente a proposito dell'architettura tardiva (Sez. IX). Questa cornice decorativa, la cui natura vegetale richiama tuttavia la funzione utilitaria iniziale (provvista di combustibile), è diventata in molti casi una semplice fascia di colore scuro, applicata alla parte alta dei muri tra due cornici incavate o due cordoni (Sez. II).

Nel Tibet Orientale questa fascia è talvolta realizzata mediante un rivestimento di mattoni smaltati. In teoria, soltanto gli edifici di natura religiosa, avevano diritto ad un cornicione vegetale, gli altri dovevano accontentarsi di una «finta bordura» (pedzün). Il colmareccio dei parapetti («schiena di pesce» nyagyab, pushu) è formato da una base convessa di creta rivestita da una copertura in agglomerato di pietra (arka) su tre strati, come per i pavimenti, pigiata con un battitoio di legno. Il colmareccio dei parapetti è fiancheggiato da ciascun lato da un gocciolatoio di tegole (yampa) fissate nella creta.

Le terrazze degli edifici religiosi ed i loro parapetti hanno degli acroteri (chödze) fatti in genere di rame martellato e dorato: la ruota della Legge Religiosa con a lato due gazzelle (chökhor ridag phomo) che ricorda il primo sermone di Buddha a Benares, degli «stendardi di vittoria» (gyeltsen) e dei pinnacoli (dzöden, gandzira) con i loro depositi di consacrazione, nonché dei cilindri neri di crine di yak (thug), supporti delle divinità protettrici.

Nelle regioni di cultura tibetana situate in squarci della catena himâlayana o sul suo versante sud e che godono di conseguenza di una maggiore piovosità, le case sono ricoperte da tetti a due spioventi. A Kyirong (Tibet) ma anche nel Nepal, presso gli Sherpa ed altre popolazioni «bothia» delle alte valli, la casa non ha più terrazza. Dei pali interni sostengono l'arcareccio di colmo le cui estremità, come anche gli altri arcarecci del tetto, poggiano sui muri pignoni. La copertura è di assicelle, fermate da pietre, o di tegole. Questo sistema di copertura è comune ad altre popolazioni himâlayane vicine non tibetane.

Più ad est, nella valle di Chumbi (Tibet) e nel Buthan (Sez. XV) ritroviamo la terrazza dell'abitazione tibetana, ma sormontata da una copertura in leggera pendenza che poggia su sostegni di mattoni crudi e pali. Le capriate dell'ossatura, che comprendono due arcarecci assemblati con tre monaci, ricordano il sistema di costruzione dei tetti cinesi che si ritrova anche in numerosi edifici del Tibet Orientale. Il tetto, ricoperto di assicelle, fermate da pietre, è molto sopraelevato dalla terrazza che conserva di conseguenza la funzione di area di lavoro e di immagazzinamento che ha nel Tibet.

Alcuni edifici religiosi sono interamente ricoperti da tetti «alla cinese» (gyaphib) che hanno quasi sempre due spioventi che sormontano dei pignoni nella parte superiore, completata inferiormente da due spioventi laterali che nascono sotto i pignoni. Gli orli incurvati sono rialzati agli angoli. È il tipo di copertura chiamato xieshanding nella tradizione cinese che lo conosce almeno dall'epoca dei Tang. Il ruolo più decorativo che strutturale dei tetti «alla cinese» nell'architettura tibetana è evidente nei casi, più frequenti, in cui ricoprono soltanto dei padiglioni posti sulle tradizionali coperture a terrazza. Anche per queste coperture il tipo più diffuso è lo xie-

fig. 36

fig. 37

fig. 38

fig. 39

fig. 40

shanding. Ma si incontrano anche tetti a quattro o sei falde sormontate da un coronamento centrale.

La tradizione tibetana ha sostituito, in quasi tutti i casi, delle placche di rame dorato alle tegole smaltate delle coperture cinesi (Sez. IX). Qualche eccezione come il tempio di Shalu (Sez. VII) o il «ponte turchese» di Lhasa, si incontrano nel Tibet Centrale. Tali coperture sono molto più frequenti nel Tibet Orientale, specialmente nel monastero di Kumbum, dove l'influenza cinese fu molto forte (Sez. X).

5) Gli intonaci

E soprattutto ai muri di argilla compressa o di mattoni crudi che viene applicato un intonaco (debshal, logshal, tsiggyang) esterno. Le pareti interne delle case comuni non sono regolarmente rivestite con un intonaco. Questo, all'occorrenza, viene preparato ed applicato come il rivestimento esterno: uno spesso fango di terra, preferibilmente argillosa, mischiata talvolta a paglia triturata, viene applicato e spianato a mano e ciò consente, eventualmente, di imprimergli un motivo ad arco di circonferenza sulle facciate (fig. 36). Quando si applicano due strati, il secondo può venir tinto con ocra (Pommaret-Imaeda F. 1980, pag.253).

Alcune stanze, come la cappella o una sala di ricevimento, possono essere rivestite con un intonaco di rifinitura sul quale andrà dipinta una decorazione.

I rivestimenti delle costruzioni religiose, nobiliari o palazziali, richiedono tecniche più elaborate comprendenti numerose tappe.

Le facciate delle abitazioni domestiche o delle costruzioni difensive conservano spesso il colore dei materiali che sono stati impiegati, terra o pietra. Possono anche essere imbiancate come le costruzioni religiose o palazziali. Queste ultime vengono anche dipinte di rosso (specialmente i templi di divinità protettrici) o di giallo.

Il pigmento bianco (sakar, kartsi) impiegato per imbiancare è gesso e sicuramente anche caolino [36] che vengono estratti dalle grotte. Il pigmento più puro proviene dal distretto di Rinpung sulla riva sud del Brahmaputra tra Lhasa e Shigatse. E' molto ricercato per la pittura delle thangka e viene utilizzato per imbiancare unicamente le bordure bianche delle parti alte del Potala dopo essere stato mescolato con acqua e latte [37]. In questo caso la pittura viene applicata con una coda di yak da un operaio che è stato calato dal tetto con una navicella.

fig. 41
In genere, il bianco comune per grandi edifici viene versato lungo i muri dalla terrazza. Poiché questo procedimento viene ripetuto almeno una volta all'anno, in primavera, il bianco finisce per formare un intonaco irregolare che nasconde talvolta l'apparecchio dei muri e conferisce loro un bello sfondo che attira la luce. L'imbiancatura può essere eseguita con una palla di stoffa maneggiata per mezzo di corde da due operai che stanno uno sul tetto-terrazza e l'altro ai piedi del muro.

Il pigmento rosso o giallo impiegato per verniciare è ocra naturale (tsag) schiacciata e mescolata con acqua e latte. I muri pitturati di nero, come il recinto del grande tempio di Sakya che ha ricevuto il colore della divinità protettrice principale [38], rappresentano delle eccezioni. Il pigmento nero era tradizionalmente ottenuto dalla fuliggine. Le facciate di alcune case, in particolare quelle dei villaggi aventi dei legami con il monastero di Sakya, presentano delle triplici fasce verticali in cui si alternano il rosso, il bianco ed il blu, colori associati ai tre Bodhisattva protettori del Tibet.

Ad eccezione delle costruzioni più modeste, le finestre ed alcune porte, specialmente quelle dei muri di cinta, presentano dei riquadri chiamati nagchug o nagtsi, in genere di forma trapezoidale, realizzati con intonaco e dipinti di nero. Il miglior rivestimento è ottenuto con la più fine varietà di arka impiegata con la tecnica sopra descritta a proposito della realizzazione di coperture di pavimento e terrazze. Questo rivestimento, spesso 1-2 cm viene poi dipinto di nero (fig. 21, 22) con olio di mostarda nel quale sono stati fatti bollire resina di Shorea robusta (pökar) e inchiostro ottenuto da fuliggine.

6) Feste e cerimonie di costruzione e di consacrazione

Il lavoro del cantiere è costellato di feste e di cerimonie di costruzione (artön) di cui il numero e la vastità dipendono dal progetto e che erano, tradizionalmente, altrettante forme di retribuzione parziale dei lavoratori.

Nel giorno propizio, fissato dall'astrologia per il tracciato della pianta sul terreno ed il primo colpo di badile, ha luogo una «festa di fondazione» o «festa dell'inizio» (dzugtön). Questo giorno, completamente o in parte festivo, è consacrato a offerte di fumigazioni e festeggiamenti offerti dal committente.

Una volta collocati gli infissi della porta, una sciarpa di saluto, il «pezzo di seta della porta» (godar) viene attaccata all'architrave che viene anche unto con burro. In quest'occasione si sospende il lavoro ed a tutti viene offerta della birra.

Una volta che l'intelaiatura di una sala è stata montata all'esterno dell'edificio, delle sciarpe di saluto, «i pezzi di seta dei pilastri» (kadar) vengono attaccate ad ogni palo ed a volte anche questi vengono unti con burro. E' nuovamente l'occasione per una distribuzione di birra ed i capo-falegnami sono anch'essi onorati con un «pezzo di seta dei pilastri».

Negli spazi all'interno dalle varie parti della trabeazione (Sez. IX), vengono collocati dei depositi di consacrazione (zungshug).

Ogni volta che l'impiantito ed il pavimento che esso sostiene sono stati sistemati, ha luogo una «festa del piano» (thogtön) accompagnata da una distribuzione generale di tè e di birra.

Un giorno non lavorativo, con presentazione di regali e festeggiamenti vari, segna la metà del lavoro del cantiere (bartön).

Infine, una festa simile a quella dell'inizio e della metà dei lavori ma su scala maggiore, conclude le attività di costruzione. E' nel corso di questa «festa di liberazione» (doltön) che i regali distribuiti ai lavoratori sono più importanti.

Durante la costruzione di case comuni, le feste di cantiere sono molto meno numerose e molto più modeste.

Tuttavia la padrona di casa raramente si sottrae al compito di preparare della birra per la distribuzione generale che accompagna la posa degli infissi della porta e quella del pilastro principale.

Quando una costruzione religiosa è terminata, il rituale di consacrazione (rabne), simile a quello praticato per le statue o i dipinti, ha lo scopo di far penetrare e risiedere la manifestazione della Conoscenza Sublimata nel supporto, inerte fino a queso momento, che è la costruzione. Anche le grandi case laiche sono oggetto di un rituale di consacrazione. Nelle abitazioni modeste sembra che l'equivalente delle cerimonie di consacrazione sia rappresentato dai rituali popolari che accompagnano la costruzione del focolare e l'edificazione dei supporti di divinità.

NOTE DELLA SEZIONE I

[1] Confronta testo alla nota (8) f., 105a, 106a.

[2] Questa tecnica di costruzione che ricorda l'isba siberiana si incontra nel Kham Orientale.

[3] La maggior parte dei dati presentati nelle pagine seguenti sono stati raccolti presso architetti ed aritigiani del Tibet Centrale. Omettono naturalmente molte particolarità locali e si limitano a descrivere una situazione generale media.

[4] Per quanto riguarda la lavorazione del legno, sono gli stessi artigiani che realizzano sia le grandi strutture dell'ossatura sia degli elementi (porte finestre, decorazione scolpita) che, per noi, rientrerebbero di più nel campo della falegnameria. E meglio perciò definirli falegnami.

[5] Questi gruppi non condividevano necessariamente uno stesso luogo di lavoro permanente. Non si trattava di vere e proprie gilde in quanto il reclutamento era obbligatorio e questi «ateliers» non erano associazioni di mutuo soccorso. Servivano invece come centri di apprendistato.

[6] La stessa parola thog può indicare la copertura di una stanza, il piano o il tetto di un edificio. Se si vuole precisare che si tratta proprio di quest'ultimo, che è a terrazzo, lo si chiama «il sopra» (teng) o l'«ancora sopra» (yangteng). Si incontra anche la parola yangthog.

[7] Stein R.A. 1957b, pag. 170 e Hummel S. Von 1963/64, pag. 88.

[8] L'essenziale degli elementi di geomanzia che presentiamo è tratto da un testo intitolato Ri-chos mtshams kyi zhal-gdams las sadphyad rin-chen kun 'dus. Si trova nel volume dza-ka, capitolo ba (f. 103) di una collezione delle tradizioni bka'-brgyud e rdzogs-chen compilata da La-dvags khrid-dpon 'krul-zhig pad-ma chos-rgyal (1876-1958): dKar rnying gi skyes-chen du-ma'i phyag-mdzod kyi gdamsngag gnad bsdus nyer-mkho rin-po-che'i gter-mdzod rtsib-ri'i par-ma. Si veda anche Thubten Legshay Gyatsho 1979, pag. 29.

133

[9] Come suggerito da Chayet A. (1985, pag. 100), questa descrizione del sito ideale corrisponde al modo in cui la pittura tibetana colloca generalmente gli elementi architettonici nel paesaggio. Addossato ad una montagna orlata di nuvole, l'edificio si iscrive in uno spazio a forma di V rovesciata limitato da altre due alture che si trovano in primo piano.

[10] sa yi ka-ba rnam bzhi, riferimento nota (21) f. 104b.

[11] sa yi srung bzhi, f. 105a.

[12] stag skya-bo. Shakabpa W.D. (1976, pag. 78) parla di un rgya-stag khra-bo.

[13] Questi quattro animali sono rappresentati su le facce di tegole di gronda in Cina fin dall'epoca degli Han, ma con un'organizzazione spaziale diversa: il drago verde (qinglong) ad est, la tigre bianca (baihu) ad ovest, l'uccello rosso (zhuque) a sud e la tartaruga con il serpente (xuanwu) a nord (Zhongguo gudai jianzhushi. n. ed. 1982, pag. 42).

[14] sgron-chen bzhi (f. 105a). La parola sgron, «lampada» è qui usata in un particolare senso tecnico che sembra essere quello di giochi di luce nefasti su degli elementi del paesaggio. In realtà i testi descrivono sei tipi di sgron e non soltanto quattro.

[15] Come in Cina, ogni anno è posto sotto il segno di uno dei dodici animali che costituiscono un ciclo. Hanno delle corrispondenze con le direzioni dello spazio e gli elementi; questi ultimi hanno tra di loro rapporti di affinità o di opposizione.

[16] Cfr. nota 21 f. 106b. Il ferro neutralizza l'influenza nefasta dell'elemento legno in quanto è il suo elemento nemico. Lo stesso vale quando una terra o delle rocce rosse nel Sud, elemento fuoco, mettono in pericolo la vitalità di coloro che sono nati in un anno uccello o scimmia. In questo caso bisogna seppellirvi un vaso contenente nove tipi di acqua, elemento nemico del fuoco.

[17] nang gi sa-dpyad.

[18] L'illustrazione presentata da Thubten Legshay Gyatsho (1979, pag. 31) non corrisponde esattamente al testo che l'accompagna.

[19] Ciò può anche avere una ragione pratica e tecnica in quanto un terreno poco permeabile all'acqua garantisce altresì una maggiore stabilità alla costruzione.

[20] sa-bcud bum-pa.

[21] Il fatto che la terra per il riempimento sia in eccesso implica, da un punto di vista pratico e tecnico, che il terreno dal quale è stata prelevata è molto compatto e consentirà di costruire solide fondamenta. Si veda anche Thubten Legshay Gyatsho 1979, pag. 30.

[22] Biografia del V° Dalailama: Sa-hor gyi ban-de ngag-dbang blo-bzang rgya-mtsho'i'di snang 'krul-pa'i rol-rtsad rtogs-brjod kyi tshul du bkod-pa du-ku-la'i gos-bzang (Vol. ka, fig. 126 a e b).

[23] Questo procedimento, che permette di tracciare al suolo le grandi linee (tshang-thig) delle fondamenta, è molto simile a quello utilizzato dai pittori per fissare i riferimenti iconografici.

[24] I muri hanno una tendenza minore a crollare verso l'interno dell'edificio a causa della resistenza opposta dall'intelaiatura dei soffitti ad ogni piano.

[25] È senza dubbio a quest'aspetto che si riferisce l'espressione tibetana «angoli di muro tesi come archi» (rtsig-zur md'a ltar 'drangs-pa).

[26] Cang-tao-yon, rTse Po-ta-la, Lhasa 1982, pag. 15. Secondo uno dei nostri informatori, alcune steli (doring) sono state fissate anch'esse con bronzo (tho) fuso.

[27] rdo-chen rtsig-pa rtsig yod / rdo-chung lhas-ma lhas yod. Un canto di costruzione è anche stato annotato da Tucci G. 1966, pag. 22.

[28] Questo termine indica abitualmente il moggio. Viene anche applicato agli elementi cubici che fanno parte della struttura delle mensole alla cinese nonché alla parte cubica (in sanscrito harmika) che sovrasta la cupola degli stûpa.

[29] Secondo uno dei nostri informatori, l'altezza media sarebbe tre volte la distanza tra le estremità dei due bracci stesi ('dom).

[30] Questo motivo formato da una cornice contenente spesso una iscrizione in scrittura lantsa ricorda nella forma le lastre di ardesia (san-ta) adoperate nel Tibet per scrivere dei messaggi.

[31] ka-ba'i rkub nyi-ma thengs gcig mthong.

[32] ar-ka termine probabilmente non originario del Tibet indica contemporaneamente un tipo di pietra ed il rivestimento in agglomerato di questo minerale. Bisogna osservare che il termine ar-las viene applicato in maniera limitata alle tecniche che consentono di realizzare questo rivestimento, ma anche il significato allargato di «lavori di costruzione», in particolare quelli di muratura.

[33] Il nome di questa pietra dipenderebbe dalla sua somiglianza con il cappello rotondo, chiamato bog-do (termine di origine mongola), di alcuni funzionari laici.

[34] Il tetto piatto delle case tibetane è una caratteristica già segnalata negli annali dei Tang (Pelliot P. 1961, pagg. 2 e 80).

[35] Quest'arbusto, citato nei testi con il nome di spen-ma dkar-po, sembra essere normalmente chiamato pétoma shing. Secondo Hummel S. Von (1963/64, pag. 87), la bordura a spazzola si chiamerebbe anche su-ru. Questo termine può forse essere una deformazione di su-lu che designa una varietà di rododendro di piccole dimensioni (Rhododendron lepidotum) che viene impiegato come combustibile e talvolta utilizzato per realizzare le bordure dei tetti.

[36] Non si tratta mai di calce. Questo pigmento viene anche utilizzato per preparare l'appretto e per dipingere le thangka.

[37] Il latte viene aggiunto nell'imbiancatura per evitare, grazie alle sue materie grasse, lo sbiadimento ad opera della pioggia.

[38] Krodha Acala (Khro-bo Mi g.yo-ba).

BIBLIOGRAFIA GENERALE

KHOSLA, 1079; POMMARET-IMAEDA, 1980; VILLETTE, 1984; DENWOOD, 1980.

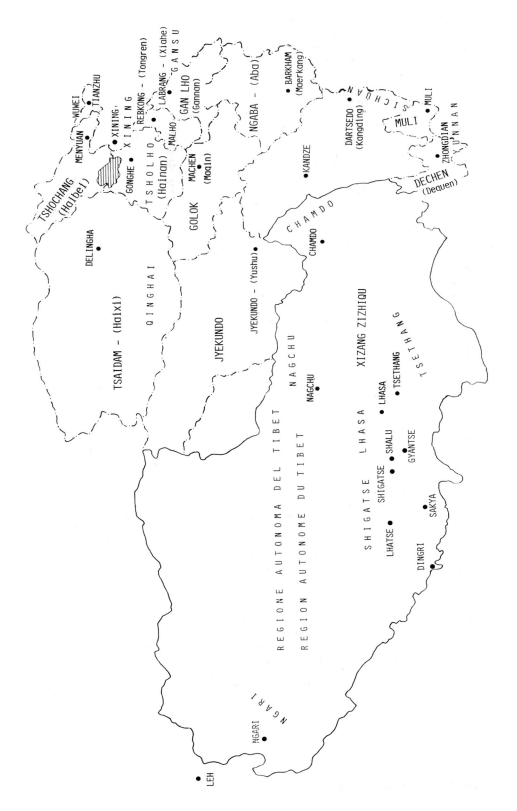

fig. 1 - Carta delle divisioni amministrative attuali dell'altipiano tibetano nella Republica Popolare Cinese (H. Stoddard, R. Astolfi).

fig. 1 - Carte montrant les divisions administratives actuelles du haut plateau tibétain en République Populaire de Chine (H. Stoddard, R. Astolfi).

135

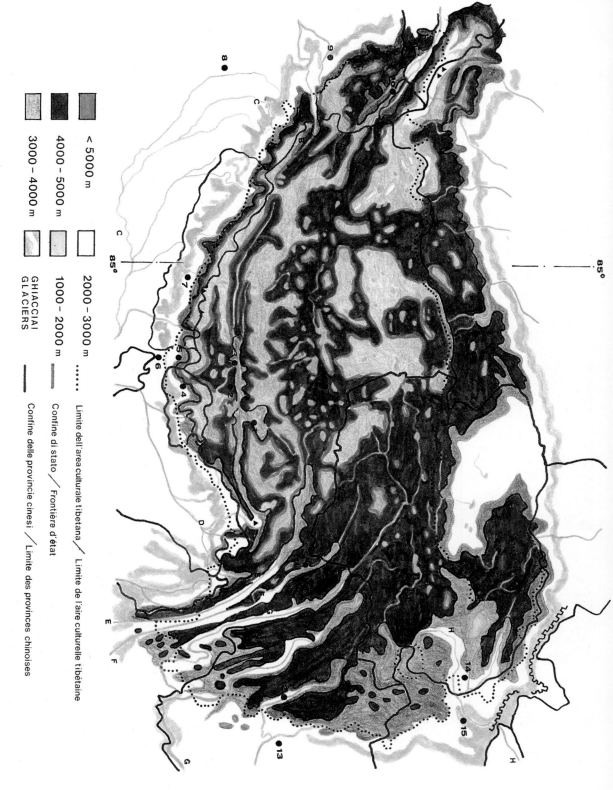

fig. 2 - Carta dell'area di cultura tibetana: A, Indo, Indus; B, Sutlej; C, Gange; D, Tsangpo / Brahmaputra; E, Salween; F, Mekong; G, Yangtse; H, Huanghe. -
1, Lhasa; 2, Gyantse; 3, Shigatse; 4, Thimbu; 5, Gangtok; 6, Darjeeling; 7, Kâthmându; 8, Delhi; 9, Dharmasala; 10, Leh; 11, Chamdo; 12, Tatsienlu; 13, Chengdu; 14, Sining; 15, Langzhou. (F. Meyer, R. Astolfi).

fig. 2 - Carte de l'aire de culture tibétaine: A, Indo, Indus; B, Sutlej; C, Gange; D, Tsangpo / Brahmapoutre; E, Salween; F, Mekong; G, Yangtse; H, Haun-
ghe. -1, Lhasa; 2, Gyantse; 3, Shigatse; 4, Thimbu; 5, Gangtok; 6, Darjeeling; 7 Kâthmându; 8, Delhi; 9, Dharmasala; 10, Leh; 11, Chamdo; 12, Tatsienlu; 13,
Chengdu; 14, Sining; 15, Langzhou (F. Meyer, R. Astolfi).

GHIACCIAI
GLACIERS

3000 - 4000 m
4000 - 5000 m
< 5000 m

1000 - 2000 m
2000 - 3000 m

Limite dell'area culturale tibetana / Limite de l'aire culturelle tibétaine

Confine di stato / Frontière d'état

Confine delle provincie cinesi / Limite des provinces chinoises

136

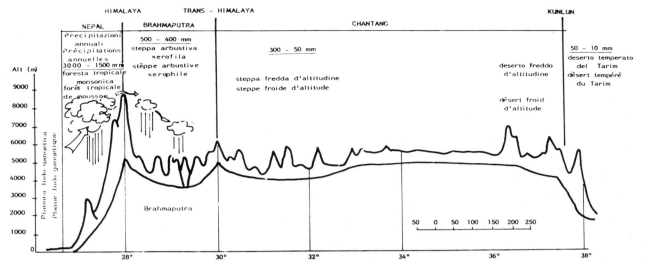

HIMALAYA   TRANS - HIMALAYA   CHANTANG   KUNLUN

NEPAL   BRAHMAPUTRA

Precipitazioni
annuali
Précipitations
annuelles
3000 - 1500 mm
foresta tropicale
monsonica
forêt tropicale
de mousson

500 - 400 mm
steppa arbustiva
xerofila
stêppe arbustive
xerophile

300 - 50 mm

steppa fredda d'altitudine
steppe froide d'altitude

50 - 10 mm
deserto temperato
del Tarim
désert tempéré
du Tarim

deserto freddo
d'altitudine

désert froid
d'altitude

Alt (m)

9000
8000
7000
6000
5000
4000
3000
2000
1000
0

Pianura Indo-gangetica
Plaine Indo gangétique

Brahmaputra

50   0   50 100 150 200 250

28°   30°   32°   34°   36°   38°

fig. 3 - Profilo sud-nord attraverso l'altipiano tibetano, longitudine 85° Est (F. Meyer, R. Astolfi da Chang 1981).

fig. 3 - Profil Sud-Nord à travers le plateau tibétain, longitude 85° Est (F. Meyer, R. Astolfi d'après Chang 1981).

4

fig. 4 - Il Yamdrog Tso (Tibet centrale) (foto F. Meyer).

fig. 4 - Le Yamdrog Tso (Tibet central) (cl. F. Meyer).

fig. 5 - Villaggio nelle vicinanze di Dingri (Tibet meridionale) (F. Meyer).

fig. 5 - Village près de Dingri (Tibet méridional) (cl. F. Meyer).

fig. 6 - Legna tagliata trasportata a dorso d'asino in Tibet (foto P. Auf-schnaiter, Völkerkundemuseum der Universität Zürich).

fig. 6 - Bois débité transporté à dos d'âne au Tibet (cl. P. Aufschnaiter, Völkerkundemuseum der Universität Zürich).

6

5

fig. 7 - Lhasa, Potala, dipinto murale rappresentante il cantiere di costruzione del Jokhang (foto F. Meyer).

fig. 7 - Lhasa, Potala, peinture murale représentant le chantier de construction du Jokhang (F. Meyer).

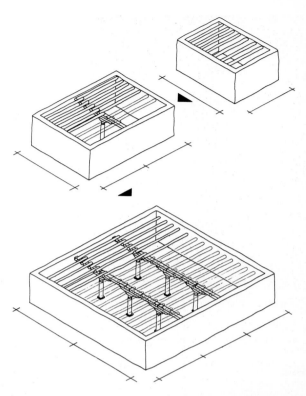

fig. 8 - Estensione del modulo elementare dell'architettura tibetana (F. Meyer, O. Villette).

fig. 8 - Extension du module élémentaire de l'architecture tibétaine (F. Meyer, O. Villette).

fig. 9 - Amuleto e pietra recante incisa una formula esoterica appesi sulla facciata di una casa (foto C. Jest).

fig. 9 - Charme magique et pierre gravée d'une formule ésotérique accrochés sur la façade d'une maison (cl. C. Jest).

fig. 10 - Disegno del «proprietario del suolo» tracciato al centro del posto in cui sorgerà la futura costruzione (Amchi Kunsang).

fig. 10 - Dessin du «propriétaire du sol» tracé au centre de l'emplacement de la future construction (Amchi Kunsang).

fig. 11 - Tashilhunpo, residenza di monaci (foto F. Meyer).

fig. 11 - Tashilhunpo, résidence de moines (cl. F. Meyer).

fig. 14 - Palazzo di Leh (Ladakh) rinforzo in legno nella muratura, XVII sec. (foto C. Jest).

fig. 14 - Palais de Leh (Ladakh), bois de chaînage apparent dans la maçonnerie, XVIIe siècle (cl. C. Jest).

fig. 12 - Monastero di Shalu, file di pietre rialzate agli angoli dei muri (foto F. Meyer).

fig. 12 - Monastére de Shalu, relèvement des assises de pierres au niveau des angles des murs (cl. F. Meyer).

fig. 13 - Ladakh, armatura di rinforzo in legno in una muratura in pietra (O. Villette).

fig. 13 - Ladakh, chaînage de bois dans une maçonnerie en pierre (O. Villette).

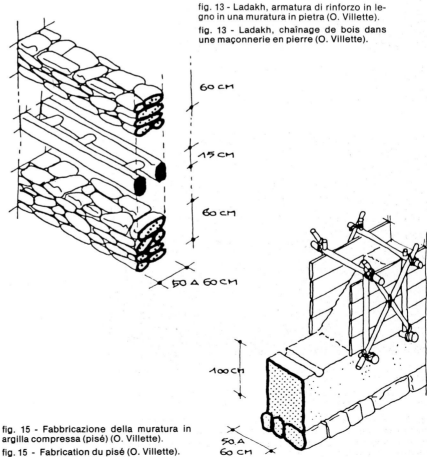

fig. 15 - Fabbricazione della muratura in argilla compressa (pisé) (O. Villette).

fig. 15 - Fabrication du pisé (O. Villette).

139

fig. 16 - Leh (Ladakh) il forte Namgyel Tsemo, XVI sec. (foto C. Jest).

fig. 16 - Leh (Ladakh) le fortin Namgyel Tsemo, XVIe siècle, (cl. C. Jest).

fig. 17 - Fabbricazione di mattoni crudi mediante uno stampo di legno (foto F. Meyer).

fig. 17 - Confection de briques crues à l'aide d'un moule en bois (cl. F. Meyer).

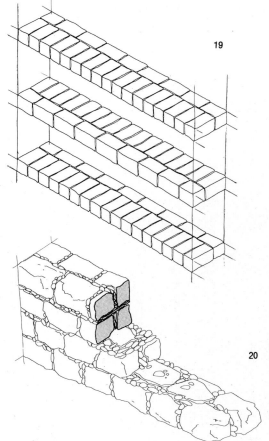

fig. 19 - Lhasa, Potala, muratura (foto F. Meyer).

fig. 19 - Lhasa, Potala, maçonnerie (cl. F. Meyer).

fig. 20 - Struttura muraria che alterna le file di ciottoli con pietre piatte e schegge (O. Villette, F. Meyer).

fig. 20 - Appareil faisant alterner les assises de moellons avec des pierres plates et des éclats (O. Villette, F. Meyer).

fig. 18 - Tipo di muratura in mattoni crudi (O. Villette).

fig. 18 - Type de maçonnerie en brique crue (O. Villette).

fig. 21 - Monastero di Depung (pressi di Lhasa), muratura (foto F. Meyer).

fig. 21 - Monastère de Depung près de Lhasa, appareil de maçonnerie (cl. F. Meyer).

fig. 22 - Shigatse, porta aperta nel muro di cinta di un'antica casa nôbiliare (foto F. Meyer).

fig. 22 - Shigatse, porte ouverte dans le mur d'enceinte d'une ancienne demeure nobiliaire (cl. F. Meyer).

fig. 23 - Dintorni di Latse porta di un'abitazione contadina (foto F. Meyer).

fig. 23 - Environs de Latse, porte d'une habitation paysanne (cl. F. Meyer).

fig. 24 - Monastero di Shalu, porta principale, inizio del XIV sec.; il portico è un'aggiunta successiva (foto F. Meyer).

fig. 24 - Monastère de Shalu, porte principale, début du XIVe siècle. Le porche est une addition ultérieure (cl. F. Meyer).

fig. 25 - Monastero di Shalu, porta di una cappella laterale (foto F. Meyer).

fig. 25 - Monastère de Shalu, porte d'une chapelle latérale (cl. F. Meyer).

fig. 26 - Sakya, monastero Nord, porta (XV-XVI sec.?) di una delle antiche residenze dei gerarchi Sakyapa (Shithog Labrang) (foto F. Meyer).

fig. 26 - Sakya, monastère Nord, porte (XVe - XVIe siècle?) d'une des anciennes résidences des hiérarques sakyapa (Shithog Labrang) (cl. F. Meyer).

fig. 27 - Gyantse, tettoia di porta (foto F. Meyer).

fig. 27 - Gyantse, auvent de porte (cl. F. Meyer).

fig. 28 - Varianti nelle dimensioni e nella disposizione delle aperture sulla facciata: 1, Palazzo di Leh (Ladakh); 2, Skui (Ladakh); 3, Rumbach (Ladakh); 4, Punakha (Bhutan); 5, Pangboche (Khumbu, Nepal) (O. Villette).

fig. 28 - Variantes dans la taille et la disposition des ouvertures en façade, schéma: 1, Palais de Leh (Ladakh); 2, Skui (Ladakh); 3, Rumbach (Ladakh); 4, Punakha (Bhutan); 5, Pangboche (Khumbu, Nepal) (O. Villette).

fig. 29 - Palazzo di Leh, (Ladakh), finestra, grande apertura con balcone in muratura e loggetta, XVII sec. (foto C. Jest).

fig. 29 - Palais de Leh, (Ladakh), fenêtre, grande baie avec balcon en maçonnerie, et logette, XVIIe siècle (cl. C. Jest).

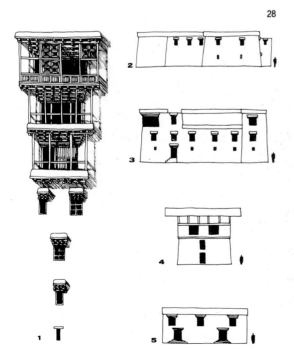

fig. 30 - Gyantse, città monastica, pilastri compositi dell'atrio est, inizio del XV sec. (foto F. Meyer).

fig. 30 - Gyantse, cité monastique, piliers composés du porche Est (début du XVe siècle), (cl. F. Meyer).

fig. 31 - Gyantse, il Grande Tempio, pilastro dell'atrio (foto F. Meyer).

fig. 31 - Gyantse, Grand Temple, pilier du porche (cl. F. Meyer).

fig. 32 - Assemblaggio delle travi, dei supporti di trabeazione e dei pilastri all'esterno dell'edificio (foto O. Villette).

fig. 32 - Ajustement des poutres, des soutiens d'entablement et des piliers à l'extérieur du bâtiment (cl. O. Villette).

fig. 33 - Pilastro sostenuto da quattro puntelli durante il montaggio della struttura interna. L'estremità della trave è infissa nel muro con un supporto di legno (foto O. Villette).

fig. 33 - Pilier maintenu en place par 4 étais lors du montage de la charpente interne. L'extrémité de la poutre est engagée dans le mur où elle repose sur un support de bois (cl. O. Villette).

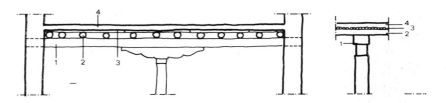

fig. 34 - Soffitto e pavimento dei piani o del tetto-terrazza schema: 1, travi; 2, correnti; 3, correntini; 4, terra battuta (O. Villette).

fig. 34 - Plafond et sol des étages ou du toit-terrasse, schéma: 1, poutres; 2, solives; 3, lambourdes; 4, terre battue (O. Villette).

fig. 35 - Lhasa, Potala, cortile interno circondato da una galleria al disopra della grande sala del Palazzo Bianco (foto F. Meyer).

fig. 35 - Lhasa, Potala, cour intérieure entourée d'une galerie au-dessus
de la grande salle du Palais Blanc (cl. F. Meyer).

fig. 36 - Riserva di sterco essiccato di yak che forma un parapetto intorno al tetto-terrazza (foto F. Meyer).

fig. 36 - Réserve de bouses de yak séchées formant parapet autour du
toit-terrasse (cl. F. Meyer).

fig. 37 - Leh, Ladakh, Gompa Soma, tetto a terrazza. A sinistra, una parte
del cornicione è una «falsa bordura»: muratura dipinta di colore scuro tra
due gocciolatoi (foto C. Jest).

fig. 37 - Leh, Ladakh, Gompa Soma, toit-terrasse. A gauche, une partie
du bandeau est une «fausse bordure»: maçonnerie peinte d'une couleur
sombre entre 2 larmiers (cl. C. Jest).

fig. 38 - Particolare di un cornicione vegetale (foto F. Meyer).

fig. 38 - Détail d'un bandeau d'attique végétal (cl. F. Meyer).

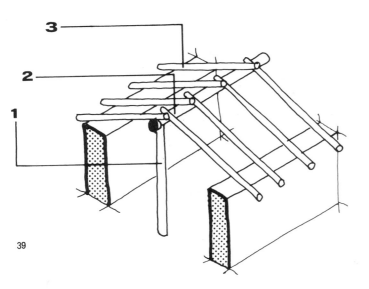

39

40

fig. 39 - Orditura del tetto delle case sherpa (Nepal), schema: 1, palo; 2, arcareccio; 3, correntini (O. Villette)

fig. 39 - Charpente de la toiture des maisons sherpa (Népal), schéma: 1, poteau; 2, panne; 3, chevron (O. Villette)

fig. 40 - Orditura di tetto butanese, schema: 1, tirante; 2, arcareccio inferiore, 3, piccolo tirante, 4, arcareccio, 5, correntini, 6 arcareccio di colmo (O. Villette).

fig. 40 - Charpente de toiture bhutanaise, schéma: 1, entrait; 2, panne sa-
blière; 3, petit entrait; 4, panne; 5, chevron; 6, panne faitière (O. Villette).

fig. 41 - Imbiancatura di una facciata (foto F. Meyer).
fig. 41 - Badigeonnage d'une façade (cl. F. Meyer).

SECTION I

MILIEUX, MATERIAUX, ET TECHNIQUES

Fernand Meyer, Corneille Jest

I) LE MILIEU NATUREL

Le milieu naturel influence l'architecture par le biais de plusieurs facteurs: les conditions climatiques (amplitude thermique, vent, précipitations...), la disponibilité des matériaux aptes à la construction, le mode de production économique qu'il conditionne et les représentations culturelles le concernant, partagées par les hommes qui l'habitent.

1) Les grandes zones écologiques

Il convient donc tout d'abord, de décrire rapidement les grandes zones écologiques (Chang D.H.S. 1981) qui constituent l'aire de culture tibétaine et nous verrons que celle-ci, bien que couvrant de vastes régions monomorphes, comprend en fait des paysages plus variés que ceux qui sont évoqués par le cliché d'un «haut-plateau froid et inhospitalier» généralement appliqué au Tibet.

fig. 1, 2

fig. 3

Comme le montre un profil Sud-Nord du plateau tibétain, la chaîne himâlayenne arrête une très grande partie des nuages de mousson qui proviennent, en été, de l'Océan Indien. La mousson atteint toutefois certaines vallées méridionales du Tibet par des trouées de l'Himâlaya central (Kyirong ou Chumbi par exemple) et surtout, elle remonte les vallées qui entaillent profondément le plateau tibétain au Sud-Est (Brahmapoutre, Salouen, Mékong), selon une direction Sud-Nord, pour s'épuiser rapidement sur le plateau lui-même. Ces régions, où les précipitations atteignent 500 à 1000mm de pluie par an, sont caractérisées par un étagement vertical de forêts tropicales pour les contrées qui se trouvent au Sud du coude du Brahmapoutre, et de forêts subtropicales surmontées de zones alpines dans les hautes vallées de culture tibétaine du flanc Sud de l'Himâlaya (région Sherpa, Sikkim, Buthan) et pour l'ensemble du Sud-Est tibétain (Kongpo, Dagpo, Powo, Kham et Sud de l'Amdo). Au Nord-Est, l'ancienne région de l'Amdo, actuellement incorporée à la province du Qinghai, présente un relief plus arrondi (alt. 4000-4500m) et se caractérise, dans sa partie occidentale, par des prairies froides d'altitude recevant 400 à 700mm de pluie par an.

Le plateau tibétain proprement dit présente une altitude moyenne de 4500m, avec toutefois des fonds de vallée descendant, au Sud, jusqu'à environ 3500m (Lhasa 3730m). Son climat, de caractère continental, est déterminé par une zone de haute pression, les franges Nord de la mousson en été et les vents d'Ouest en hiver.

Les vallées méridionales du plateau, qui rassemblent l'essentiel de la population du Tibet Central et sont le berceau de son histoire, se trouvent dans la zone d'ombre des pluies, au Nord de l'Himâlaya. De ce fait elles ne reçoivent que 300 à 500mm de pluie par an et peu de neige, soit seulement 10% des précipitations qui touchent le versant Sud. Elles sont, par contre, exposées à l'effet de foehn réchauffant des vents descendant d'Ouest en hiver. La température moyenne y est de 10 à 16° pour le mois le plus chaud. La moyenne annuelle de 9° à Lhasa (Munich 7,4°) ne doit pas masquer, ni les écarts importants de température entre le jour et la nuit, du fait d'un rayonnement solaire diurne intense (la latitude est celle de l'Afrique du Nord), ni le vent qui souffle en raffales, entraînant des tourbillons de poussière et de sable. Les champs cultivés, nécessairement situés dans des zones irrigables, occupent le fond des vallées où poussent également les seuls arbres de ces régions, saules et peupliers, près des rivières ou le long des canaux d'irrigation.

Au Nord de la chaîne du Transhimâlaya, limite septentrionale du bassin du Brahmapoutre, s'étend le «Plateau du Nord» (Changthang), au relief moins accusé, mais à l'altitude moyenne plus élevée (4500-5200m). Les faibles précipitations (100-300mm par an) et des températures plus froides (6 à 7 mois de gel continu), sous l'effet conjugué de l'altitude et de la situation septentrionale, ne permettent plus l'agriculture. Seule la frange Sud de la steppe clairsemée, alternant avec des plantes en coussinet, est parcourue par des éleveurs nomades.

L'aridité augmente à mesure que l'on se dirige vers l'Ouest du Tibet (moins de 90mm de pluie par an) où, à une altitude comprise entre 3000 et 4300m, avec des sommets à 5700m, ne pousse plus qu'une végétation désertique. La sècherese semble d'ailleurs s'être accentuée depuis quelques siècles, entraînant l'abandon d'anciens centres de peuplement, très éloignés les uns des autres. Les villages d'agriculteurs sont à présent rares sauf, plus à l'ouest, au Ladakh et au Zanskar. Quelques groupes d'éleveurs nomadisent également dans ces régions.

Malgré la variété extrêmement limitée des ressources, imposée par des environnements écologiques très contraignants, les populations tibétaines parviennent à couvrir leurs besoins fondamentaux, grâce à la complémentarité de l'agriculture des vallées et de l'élevage extensif des steppes d'altitude. Ces 2 formes de production conditionnent 2 modes de vie, nomade et sédentaire, extrêmement différents. Comme cela a déjà été évoqué, les agriculteurs associent souvent l'élevage à des degrés divers, pouvant aller jusqu'au nomadisme d'une partie de la population pendant, au moins, plusieurs mois par an. Les groupes d'agriculteurs sont établis dans les vallées méridionales et orientales du plateau tibétain. Beaucoup entretiennent des relations d'échange avec les nomades, lorsque ceux-ci descendent vers les régions plus clémentes, à la fin de l'automne. Certaines populations agricoles des hautes vallées himâlayennes ou du Sud-Est entrent également en contact avec des groupes non tibétains habitant à plus basse altitude. Ils se procurent un complément de ressources, parfois indispensable à leur survie, en jouant un rôle d'intermédiaire dans les échanges de produits entre le monde de la laine et du sel au Nord, et celui des grains au Sud.

Les terres cultivables produisent essentiellement de l'orge à 6 rangs et grain nu (Hordeum hexastichum vulgare) qui peut occuper les champs les plus hauts jusqu'à un maximum de 4700m. Grillé et moulu en farine, cet orge est l'aliment de base des tibétains sédentaires. Les pois, le blé, le sarrasin et la moutarde sont des cultures secondaires plus sensibles à l'altitude, mais pouvant entrer dans des cycles de rotation avec l'orge. De petites parcelles, abritées par des murets à proximité des maisons, produisent quelques légumes: navets et radis. Sur le versant Sud de l'Himâlaya et au Sud-Est du Tibet, la culture du maïs, du millet et même du riz (Sikkim. Buthan) devient possible. Il faut aussi signaler l'introduction, depuis la fin du 18ème siècle, de la pomme de terre en Himâlaya, puis au Tibet. Sur le plateau tibétain, les fruits sont des denrées de luxe rares, produites dans certaines régions du Sud-Est: noix, abricots, pêches, poires, pommes et raisin.

Les ressources des populations nomades et leur mode de production seront envisagés à propos de l'architecture mobile (section III).

2) Les représentations tibétaines de l'environnement naturel

A l'instar de l'espace, le paysage est essentiellement perçu comme étagé selon une hiérarchie qui valorise toujours la hauteur, la montagne, domaine pur des dieux et des ermites. Les sites habités sont ainsi centrés, de manière plus idéale que réelle, par des montagnes qui sont les dieux du terroir, dieux guerriers protecteurs liés aux origines du peuplement et qui reçoivent des cultes collectifs. En bas, la vallée (lung) est caractérisée par la présence d'une rivière et par l'activité humaine.

Les couleurs, associées par la tradition tibétaine aux 3 étages du monde: blanc pour les dieux en haut, jaune pour les hommes et les esprits tsen au milieu, bleu pour les divinités du sous-sol et des eaux, semblent avoir

147

fig. 4

été inspirées par les teintes mêmes des paysages du haut-plateau où, quelques sommets blancs de neige dominent les couleurs fauves de la terre et des roches mêlées au jaune de la steppe, s'opposant à leur tour, en bas, au bleu profond des lacs.

Tant dans la tradition populaire que dans la littérature écrite, le paysage est idéalement étagé en bandes horizontales, toujours énoncées selon une progression descendante et caractérisées par des animaux-types comme autant de niches écologiques.

La hiérarchie sociale s'inscrit dans la stratification du paysage, tout comme elle répond à celle de l'espace abstrait ou de l'espace bâti. Ainsi un chant de mariage évoque, successivement, des offrandes de fumigation aux divinités des 3 étages du monde, des points cardinaux, du château, du village et enfin de la maison (Francke A.H. 1923 p. 62). D'autres chants évoquent de haut en bas: le ciel, les sommets enneigés, l'habitation du maître religieux, le château du chef, puis la maison (Tucci G. 1966 p. 68, Brauen M. 1980 p. 54). Le château du chef domine le village comme il reigne sur ses habitants. Mais il est, à son tour, soumis à la Loi Religieuse dont le maître spirituel est dépositaire. Un texte de géomancie stipule que les régions sommitales, moyennes et basses des montagnes sont respectivement des lieux pour les aînés, les adultes et les jeunes et qu'il est nécessaire que la situation des aires funéraires soit fonction de l'âge et du statut de la lignée. Car si, par exemple, le champ funéraire des personnes âgées était situé plus bas que celui des jeunes, ce seraient ces derniers qui mourraient [1]. Elever un bâtiment sur une hauteur, c'est dominer dans tous les sens du terme. Ainsi, lors des affrontements entre les provinces de Ü et du Tsang, le prince de Tsang, qui soutenait les karmapa contre les gelugpa, fit construire, au début du 17ème siècle, un monastère karmapa en un lieu surplombant Tashilhunpo. Il lui donna un nom évocateur «Vainqueur de Tashilhunpo».

Cet ordre du monde et de la société est constamment lisible dans le paysage tibétain, où les communautés humaines s'établissent sur les terrasses non cultivables des vallées, au-dessus des champs irrigués et des cours d'eau, domaine des divinités aquatiques du sous-sol. Au-dessus du village s'élèvent les bâtiments religieux: temple ou monastère et les «supports» (lhato) des dieux d'en-haut, placés sur les sommets voisins. Et si le village est dominé par un château, celui-ci abrite, à son tour, des chapelles dans ses étages les plus hauts. Lorsque l'agglomération est située sur un terrain plat, dans le fond d'une large vallée, les bâtiments religieux ou les demeures nobles qui en forment le centre dominent en général les autres maisons par leur hauteur et leur masse. Si les palais des hiérarques religieux peuvent dominer les temples par leur taille ou leur situation, c'est que la tradition tibétaine accorde au maître spirituel une place prééminente, au-dessus des supports matériels du sacré.

fig. 5

De plus, les éléments du paysage tibétain sont la demeure de toutes sortes de divinités, longuement énumérées lors des rituels de fumigation, et dont chacune est censée avoir un habitat préférentiel. L'homme, en aménageant et en exploitant le milieu naturel, en particulier lors de la construction d'un bâtiment, doit veiller à ne pas blesser ou irriter ces nombreux numina qui partagent avec lui le site habité. Il lui faudra donc, tout d'abord, comme nous le verrons plus loin, «maîtriser le sol» (sadul) avant de creuser les fondations. De plus, certaines configurations du paysage ont, en tant que telles, des effets bénéfiques ou nocifs et doivent être examinées (sache) lors du choix d'un site de construction.

II) LES MATERIAUX DE CONSTRUCTION

La variété des matériaux de construction de base est limitée: terre, pierre et bois, disponibles généralement à proximité du chantier.

La terre, de préférence riche en argile, provient habituellement du lieu de construction lui-même ou d'une terrasse non cultivable proche. Il s'agit donc d'un matériau très économique et facile à obtenir qui ne demande pas de compétences techniques particulières dans ses emplois qui sont multiples: construction de murs en pisé, fabrication de briques crues, préparation du mortier de maçonnerie, réalisation des sols et de la couverture en terrasse, préparation des enduits extérieurs ou intérieurs.

Les pierres proviennent, en général, du lit des rivières ou d'éboulements. Elles ne sont jamais, semble-t-il, extraites de carrières. Ce matériau, presque toujours disponible à proximité, nécessite cependant beaucoup de main-d'oeuvre pour son transport jusqu'au chantier et une certaine dextérité technique dans la construction, variable selon les types d'appareil et la hauteur des bâtiments. Il arrive que les pierres proviennent de sites éloignés lorsqu'il s'agit de vastes constructions pour lesquelles on nécessite un très grand nombre de moellons, des blocs particulièrement volumineux ou des dalles. Les pierres sont diversement employées en fonction de leur taille et de leur forme: les moellons, cailloux et galets pour la construction des fondations, éventuellement celle des soubassements et des murs; les blocs taillés ou non pour les escaliers extérieurs, les dalles comme bases de piliers et pavement, les lauses pour les auvents et les toitures.

Le bois est, au Tibet central et occidental, le principal élément contraignant de l'architecture traditionnelle: matériau de construction rare et cher, dont l'emploi nécessite un main-d'oeuvre spécialisée. Le seul bois disponible localement est celui des saules (changma) et des peupliers (yarpa) qui ne poussent, en nombre restreint, que le long des cours d'eau et des canaux d'irrigation. C'est une des raisons pour lesquelles, les nobles et les monastères entretenaient des bosquets de saules (changling) à proximité. Dans les constructions modestes, l'usage du bois est donc réduit au strict minimum: peu de piliers, escaliers en pierre, fenêtres de petite taille ne comprenant parfois qu'un linteau etc..

Toutefois, même pour les commanditaires plus aisés, le type de bois brut disponible impose ses contraintes à l'architecture. En effet, les saules et les peupliers du Tibet atteignent rarement de grandes tailles, ce qui limite la section et la longueur des bois équarris, d'autant plus que les troncs, notamment ceux des saules, sont loin d'être rectilignes. Le peuplier est donc employé de préférence pour les pièces les plus longues et nous verrons que les artisans du bois ont recours à diverses techniques pour pallier certains de ces inconvénients. La longueur réduite du bois d'équarrissage impose néanmoins une portée relativement faible aux solives et aux poutres. Chaque poutre repose sur deux piliers (poteaux) voisins où elle se place bout à bout avec les autres poutres constituant l'architrave engagée dans les murs à ses 2 extrémités (fig. 33). De ce fait l'entrecolonnement (kadag) des bâtiments tibétains est généralement compris entre 2 et 4 mètres.

fig. 6

Pour de grands projets, le bois disponible localement: saule ou peuplier, étant insuffisant, il fallait en faire venir d'ailleurs. Le genévrier (shugpa), le mélèze ou le pin (thangshing), provenaient des régions plus lointaines: le Kashmir ou les vallées himâlayennes voisines pour le Tibet occidental; les provinces tibétaines de Kongpo, Dagpo ou Lhoka, ainsi que le Buthan, le Sikkim et d'autres régions frontalières de l'Himâlaya pour le Tibet central. La vallée de Radeng au Nord de Lhasa était également connue pour ses genévriers. Les sujets des régions boisées du Sud et du Sud-Est du Tibet devaient d'ailleurs acquitter une partie de leurs taxes sous forme de bois de chauffe et de construction. Le transport du bois équarri se faisait alors à dos de yak ou d'âne ce qui limitait la taille des pièces, même lorsqu'elles provenaient de belles forêts. Les pièces très longues et de grande section ne pouvaient être transportées que suspendues à des perches, soutenues, de chaque côté, par de longues files de porteurs. Elles étaient donc nécessairement d'un emploi limité, sous forme de «piliers longs» (karing) soutenant les lanterneaux des salles d'assemblée. Dans les régions de culture tibétaine du versant Sud de l'Himâlaya, et au Sud-Est du plateau tibétain, le bois est par contre un matériau très répandu, encore que la déforestation soit devenue aujourd'hui un problème important en de nombreux endroits.

La part prise par le bois dans les contructions, est donc extrêmement variable en fonction du cadre écologique et selon le niveau socio-économique du commanditaire.

Au minimum, il est employé pour les supports verticaux internes, la construction des planchers et des couvertures, les huisseries et vantaux de portes, les linteaux ou encadrements de fenêtres et les volets.

Dans les contructions plus riches du Tibet central, le bois est employé en outre pour les supports verticaux en hors-oeuvre et les claustras des fenêtres; pour la réalisation de balcons ou de logettes, des entablements placés entre poutres et solives, et du décor des façades: corbeaux, frises et auvents; ainsi que pour la construction des charpentes intriquées soutenant les toits «à la chinoise».

Enfin, dans les contrées plus humides du Sud et du Sud-Est, le bois est également mis en oeuvre dans la charpente des toits et leur couverture en bardeaux, la construction de murs: superposition de rondins [2] ou poteaux porteurs encadrant des cloisons en bois externes ou internes, ainsi que dans la réalisation de parquets.

En-dehors de la terre, des moellons et du bois, d'autres matériaux, plus coûteux ou finement ouvragés, peuvent être employés en complément dans les constructions de prestige, palais et temples:
— le cuivre doré des «toits à la chinoise», des épis de faîtage, des médaillons du bandeau d'attique et des acrotères,
— le fer battu et incrusté des portes,
— la pierre blanche de carrière des balustrades,
— les briques et tuiles vernissées des revêtements de mur et des toitures, surtout au Tibet oriental,
— le verre de vitre et la tôle de zinc (auvents et couvertures des lanterneaux) depuis une soixantaine d'années.

III) LES CORPS DE METIER ET LA MAIN-D'OEUVRE DU BATIMENT [3]

Le nombre des corps de métier intervenant dans la construction d'un bâtiment et leur niveau technique sont très variables en fonction de l'ampleur des projets.

Lors de la construction d'une maison paysanne modeste au Tibet central et occidental, la famille concernée ne fait appel à un artisan que pour la réalisation des structures en bois qui demandent à être façonnées et ajustées: la porte et son encadrement, les huisseries des fenêtres et leurs volets, les éventuels poteaux intérieurs et les poutres qu'ils soutiennent. Le charpentier (shingsowa) est un paysan du village ou d'une localité voisine qui, le plus souvent, n'exerce cette spécialité que lorsqu'il n'est pas occupé par les semailles ou les moissons. Il fournit le bois et livre en général les pièces déjà taillées aux mesures.

Dans les hautes vallées de l'Himâlaya occidental, les pièces de menuiserie ou les bons artisans du bois viennent souvent des contrées non tibétaines du Sud (Khosla R. 1979, p. 119). Dans les régions tibétaines orientales, qui sont au contact de populations chinoises, il semble que l'on fasse souvent appel à des artisans chinois pour la menuiserie des cloisons.

Pour les constructions en pierre dépassant un étage, on engage également un ou plusiers maçons (tsigpön) qui supervisent le chantier et ébauchent les gros moellons placés aux angles des murs.

Toute la main d'oeuvre non qualifiée est fournie par la famille qui construit l'habitation avec le concours de son groupe d'entraide.

fig. 7

Pour les projets plus ambitieux, il est fait appel à un plus grand nombre d'artisans (sole) et le travail est organisé selon une structure fortement hiérarchisée. Le maître d'oeuvre (uchenmo) est, semble-t-il, toujours un charpentier-menuisier [4], ce qui montre la place prééminente du travail du bois comme critère de qualité d'un bâtiment. Il joue le rôle d'architecte puisqu'il élabore le projet général avec l'approbation du commanditaire, trace le plan au sol (sabta), fixe les dimensions (thigtse) des éléments architecturaux et dessine les détails de l'ensemble de la construction. Mais de plus, il prend lui-même une part très active dans la réalisation des pièces de menuiserie les plus complexes.

Sous le maître d'oeuvre interviennent 3 corps de métier: du bois (shingsowa), de la pierre (dosowa) et des enduits (shalsowa), dirigés chacun par un ou plusieurs maîtres (uchen) ou contre-maîtres (uchung). Le maître menuisier (il peut y en avoir plusieurs) a sous ses ordres des «artisans ordinaires du bois» (shingso kyüma) et, en-dessous de ceux-ci, des aides non qualifiés (lagyog). La structure hiérarchique est sensiblement la même pour les maçons.

Les artisans chargés des enduits travaillent sous la direction d'un «chef des enduits» (shalpön). Ils se répartissent en 2 groupes selon qu'il réalisent les chapes en aggloméré de pierres (arka) des sols et des terrasses, ou qu'ils appliquent les enduits des murs (logshal).

Une fois le gros-oeuvre terminé, d'autres corps de métier, comme les artisans du cuivre (sangsowa), les peintres (lhadiwa) ou les ferronniers d'art (chagsowa), interviennent pour la décoration des toits, des murs et des portes.

Sur les grands chantiers, le commanditaire fournissait les matériaux de construction par l'intermédiaire de son trésorier, une fois que les quantités nécessaires avaient été fixées par le maître d'oeuvre. On attendait en général que l'ensemble des matériaux soit réuni avant de commencer les travaux.

Lorsqu'il s'agissait de commanditaires privés (nobles ou monastères), le maître d'oeuvre et les artisans qualifiés étaient nourris et rénumérés à la journée, généralement en nature. Ils recevaient en plus des cadeaux à l'occasion des fêtes qui jalonnaient les étapes de la construction. La main-d'oeuvre non qualifiée était fournie par le commanditaire qui faisait appel au travail obligatoire des sujets de ses domaines (ulmi).

Lorsque c'était le gouvernement qui ouvrait un chantier, il disposait, non seulement de la force de travail de ses sujets, mais également du travail obligatoire des artisans qualifiés enrôlés dans des «ateliers» (sokhang) qu'il contrôlait.

Fréquemment, et surtout à date ancienne, des artisans étrangers étaient employés au Tibet pour des constructions religieuses importantes.

Le gouvernement tibétain, mais également des autorités régionales semi-indépendantes comme les hiérarques Sakyapa, avaient à leur disposition des artisans: peintres, tailleurs, bottiers, orfèvres, menuisiers, maçons etc... qui, en tant que sujets (généralement de statut düchung), étaient tenus de fournir un certain nombre de jours de travail dans l'année, en échange d'une réduction des taxes. Dans la hiérarchie des artisans, les peintres, les orfèvres, les bronziers et les ouvriers du cuivre venaient avant les menuisiers et les maçons. Toutefois, les maîtres d'oeuvre renommés, en général menuisiers, étaient l'objet de beaucoup de sollicitations, surtout de la part des commanditaires privés.

Depuis le 5ème Dalaïlama (17ème siècle) les artisans de Lhasa étaient enrôlés par le gouvernement en «ateliers» (sokhang) contrôlés par des fonctionnaires qui transmettaient les ordres, fournissaient les matières premières et tenaient les comptes. A la tête de ces ateliers [5] se trouvaient des maîtres et des contre-maîtres. Les premiers avaient le grade le plus bas de l'administration gouvernementale et pouvaient en porter les insignes (chapeau et boucle d'oreille). Les artisans de Lhasa, dont environ 500 maçons, étaient tenus de travailler 3 mois par an pour le gouvernement sous peine d'amende. Ils ne recevaient alors que la nourriture, le salaire étant symbolique (Ronge V. 1982, p. 154).

Il y avait aussi à Sakya un fonctionnaire «chef des bâtiments» (khangpön) qui était en charge de l'entretien des immeubles du gouvernement et du hiérarque, des monastères, des 2 palais de la famille princière et des petits sanctuaires. Il devait notamment organiser leur badigeonnage annuel (Cassinelli C.W. and Ekvall R.B. 1969, p. 122). A Lhasa, ces charges étaient dévolues à 2 fonctionnaires laïcs et 1 religieux pour les temples et immeubles du gouvernement ainsi qu'à 3 fonctionnaires religieux pour le Potala. Ils étaient censés faire une tournée d'inspection quotidienne des bâtiments (Bell Ch. 1931, p. 178).

IV) LES ETAPES DE LA CONSTRUCTION ET LES TECHNIQUES MISES EN OEUVRE

fig. 8

1) Principes généraux

Sur toute l'aire de culture tibétaine, avec quelques exceptions pour les régions limitrophes du Sud et de l'Est, la structure architecturale développe un même module de base formé d'une couverture plate (thog) et de 4 murs porteurs placés à angle droit. La couverture est réalisée en terre battue pardessus une assise de branches posées perpendiculairement sur des rondins dont les extrémités sont engagées dans la partie haute des murs. La longueur d'un des côtés étant limitée par celle des solives, le seul moyen d'accroître l'espace intérieur, dans cette direction, est de placer un appui intermédiaire, poutre soutenue par un poteau, sur lequel viendront reposer les extrémités libres des solives. Ceci peut être répété autant de fois que le besoin d'espace le demande. Mais, pour accroître l'espace dans la direction perpendiculaire, il faut également mettre en place des poteaux dans l'alignement des poutres, du fait de leur longueur limitée, et afin de répartir la charge de la couverture.

Le module élémentaire, agrandi ou non, peut être multiplié, tant dans le sens vertical [6] qu'horizontal, et on le retrouve dans tous les types de bâtiments tibétains, quelle que soit leur taille ou leur richesse décorative. Ces principes de construction, ainsi que les matériaux de base employés, rattachent l'architecture tibétaine à celle des civilisations du Moyen-Orient ancien, tradition reprise par la Perse achéménide qui, à son tour, a influencé l'Inde et l'Asie centrale. L'étonnante ressemblance de la maison rurale tibétaine avec l'habitation traditionelle du Caucase, tant dans son aspect extérieur, que dans sa structure interne, illustre ces affinités occidentales de l'architecture du Tibet [7]. Celle-ci est organisée selon les mêmes principes tout au long d'une histoire qui n'a connu ni changements dans les matériaux de construction de base, ni innovations dans les techniques employées.

2) Choix du lieu et intégration au site

Les familles ordinaires n'avaient pas grand choix quant aux emplacements de leurs maisons. L'habitat tibétain est en effet généralement groupé, et on construisait à l'intérieur des limites du village ou, du moins, à proximité.

Avant la construction d'une maison ordinaire sur un nouvel emplacement, les précautions d'ordre géomantique sont généralement simples et peu nombreuses. On demande à un astrologue ou à un religieux, de vérifier par divination si le site n'est pas entaché d'une pollution ou s'il n'est pas la résidence d'une divinité du sol: lu ou sadag, que l'on pourrait irriter ou blesser par les travaux de construction. Si la réponse est positive, il faut, soit choisir un autre emplacement, soit faire des rituels de purification du site ou inciter l'éventuelle divinité à changer de lieu de résidence.

Lors de la construction de bâtiments plus importants, surtout temples et monastères, la géomancie, «examen du sol» (sa tagche, sache), impose ses règles complexes qui prennent en compte les traits généraux et les caractéristiques particulières du site. La tradition tibétaine rattache la géomancie au porthangtsi ou nagtsi, termes qui désignent l'ensemble des sciences divinatoires qui lui seraient parvenues de Chine. Mais si la géomancie tibétaine comprend certaines conceptions, dont l'origine chinoise est évidente, comme les «4 protecteurs des orients» ou le système des correspondances entre le cycle des 12 animaux, les éléments et les directions de l'espace; elle puise également à des sources indiennes ainsi qu'en témoigne «l'examen du reptile» (toche tagpa). Les textes tibétains de géomancie sont encore mal connus du fait de l'emploi de termes techniques ne figurant pas dans les dictionnaires usuels et de l'obscurité des métaphores et des images auxquelles ils font référence [8].

«L'examen du sol» doit théoriquement prendre en compte certains critères ayant une validité générale et d'autres, qui sont variables selon les individus. Le site idéal comprend une haute montagne vers l'arrière; de nombreuses collines et le confluent de 2 rivières venant de droite et de gauche, ainsi qu'un marais herbeux et des arbres au devant; un bas de vallée semblable à des mains croisées; et au centre, une éminence pareille à un tas de grains (f. 104a et 108b) [9]. Le ciel doit apparaître comme un cercle et l'horizon se découper sur des crêtes massives, non éffilées, marquant les «rayons de la roue du ciel» (f. 105a). Il est bon qu'un site soit borné par les «4 piliers de la terre» [10] : un espace ouvert à l'Est, une éminence au Sud, un arrondi à l'Ouest et un paysage (de montagnes) semblable à un rideau au Nord. De même, la prospérité est assurée par la présence et l'intégrité des «4 protecteurs de la terre» [11] : à l'Est le tigre clair [12] sous l'aspect d'une route ou d'une formation rocheuse de couleur pâle; au Sud le dragon bleu de turquoise, un cours d'eau; à l'Ouest l'oiseau rouge, des terres ou des rochers rouges; au Nord la tortue barbue, des schistes ravinés ou une masse rocheuse [13]. S'ils présentent des accidents naturels comme un glissement de terrain qui coupe la route à l'Est ou une chute qui interrompt le cours de la rivière au Sud, ils ont, au contraire, une influence néfaste. De même, la présence dans l'environnement d'une des «4 grandes lampes» [14], comme par exemple un rocher percé qui ressemble à une fenêtre («lampe de rocher») ou le ciel qui s'insinue en croc entre 2 montagnes («lampe du ciel»), est à l'origine d'infortunes.

Les textes relatant la fondation d'édifices religieux mentionnent toujours les marques de bon augure qui ont

fig. 9

été identifiées dans le paysage et qui ont justifié le choix du site. La présence, dans le paysage, d'éléments potentiellement néfastes, par leur nature même ou uniquement par leur situation, et dont la liste est longue, doit être neutralisée par la prise de certaines mesures. Ainsi, si le terrain est escarpé sous le site de construction, il y aura des obstacles au bon déroulement du chantier. Afin de les prévenir il faut, soit planter un arbre dans cette direction, soit y ériger un «mur de prières» ou un stûpa contenant de petits moulages votifs (tsatsa) (f. 105b-106a). Dans le cas où les éléments néfastes du paysage sont une crevasse (cause potentielle de ruine pour la famille) ou une montagne qui, par dessus d'autres, semble épier en permanence la maison (cause de revers de fortune), il faut y prélever un peu de terre ou des pierres que l'on inclut dans les fondations du mur qui leur fait face.

L'influence de certains éléments du paysage peut être faste, ou au contraire, délétère, selon le signe animal de l'année de naissance de la personne concernée [15]. Ainsi par exemple, des arbres qui poussent à l'Est du lieu de résidence sont néfastes pour ceux qui sont nés les années du chien, du dragon, du boeuf ou du mouton. Ils sont au contraire bénéfiques pour la vitalité de ceux qui sont d'une année du tigre ou du lièvre. Pour neutraliser cette influence, lorsqu'elle est dangereuse, il faut planter dans l'un des arbres un clou forgé dans du fer de couteau [16].

Intégrés au site, le bâtiment et ses divisions internes doivent de plus être correctement orientés. La porte des temples, à l'image des mandala, s'ouvre idéalement à l'Est et, de manière générale, l'orientation préférentielle des constructions est à l'Est, direction faste, au Sud-Est ou au Sud. La «géomancie de l'espace intérieur» [17] distingue également «4 protecteurs de la maison»: le seuil, tigre pâle à l'Est; la salle d'eau (chura), dragon bleu de turquoise au Sud; le foyer, oiseau rouge à l'Ouest et le moulin à main, tortue au Nord. Le pilier central (kyilka) est le «lien en or» du milieu (f. 109b). Un informateur justifiait la disposition intérieure idéale par référence à des divinités associées aux 4 orients: la chapelle doit être orientée à l'Est, direction faste par excellence, les toilettes au Sud où se trouve la bouche du dieu des morts, le foyer à l'Ouest où réside le dieu du feu et enfin, les réserves, afin d'être inépuisables, doivent être situées au Nord, domaine du dieu des richesses. Enfin, il est intéressant de relever 2 recommandations figurant dans les textes de géomancie et qui sont en accord avec la réalité généralement observée: le «fond de la maison» (khyimphug) doit être plongé dans l'obscurité, sinon «les richesses ne se forment pas», et il est de bon augure que le niveau du sol derrière la porte d'accès soit plus élevé qu'au dehors (f. 109b). Il est bien sûr de nombreux cas où ces dispositions idéales de l'habitation n'ont pas été respectées du fait de la configuration du terrain, de coutumes locales ou d'un libre choix individuel.

3) L'ouverture du chantier

Une saison pour construire

Sur le haut-plateau tibétain, le gel hivernal continu empêche toute construction. Au printemps, dès que la terre se réchauffe, il faut immédiatement labourer et ensemencer, afin que les cultures arrivent à maturité avant le retour du froid. De ce fait, la construction d'une maison paysanne ordinaire, qui prend en moyenne de 2 à 4 mois, doit se dérouler entre juin et septembre, après les semailles et avant la récolte. En raison d'une main-d'oeuvre qui a toujours été restreinte au Tibet, même les autorités ayant à disposition, pour leurs chantiers, le travail obligatoire des sujets, devaient tenir compte des impératifs du calendrier agricole afin de ne pas perturber les activités économiques de base.

La prise de possession du sol

Avant de creuser les fondations il faut, lors de jours fastes déterminés par l'astrologie, purifier le sol (sajang), obtenir l'assentiment des divinités qui l'habitent (salang), examiner la terre de l'emplacement (satag), le protéger (sasung) et le maîtriser (sadul) afin de le rendre apte à la construction, par un ensemble de rituels (sachog), plus ou moins élaborés selon l'importance du chantier, et fréquemment accompli par le clergé bouddhique. Avant la construction d'une maison ordinaire, ces rituels se résument, dans la plupart des cas, à des fumigations et des libations (serkyem) offertes aux divinités souterraines (lu) et aux «propriétaires du sol».

fig. 10 Un rituel plus complexe, que la tradition tibétaine rattache aux tantra, consiste à «examiner le reptile» (toche tagpa). On trace, au centre de la future construction, un carré orienté aux points cardinaux. Ses côtés sont formés de 9 segments mesurant 1 empan. Chacun peut, à son tour, être divisé en 10 fractions, ce qui fait 90 unités. Ce quadrillage, réalisé à l'aide d'une cordelette imprégnée de farine ou de craie, fixe les repères qui permettent de tracer, à l'intérieur du carré, la silhouette du «propriétaire du sol», moitié homme, moitié serpent. Lorsque la silhouette du «reptile» a été tracée, on lui offre des moulages en pâte de farine et on lui demande l'autorisation de creuser la terre. Puis, sous le coude droit de la silhouette, seul endroit où il n'y a pas de risque de blesser le «propriétaire du sol», on creuse un trou ayant 1 empan de côté et 1 coudée 1/2 de profondeur [18]. La terre extraite est examinée (satag) à la recherche de «corps étrangers» (zugngu) dont on tire des présages et que l'on élimine. Un peu de cette terre est répandue sur toute la surface du futur bâtiment en signe d'assentiment du «propriétaire du sol». On peut aussi obtenir des présages sur l'avenir en remplissant d'eau le trou qui vient d'être creusé. Si elle s'infiltre rapidement, c'est signe que le «propriétaire du sol» est affamé. Il en sera de même pour la famille qui viendra s'y établir [19]. Le trou est ensuite comblé avec la terre qui en a été extraite, non sans y avoir déposé auparavant un «vase des sucs de la terre» [20] contenant de petits rouleaux couverts de formules ésotériques et des échantillons de richesses: différentes sortes de nourriture, de grains, de tissus, de soie, les 5 espèces de matières précieuses etc... Si la terre, dont on a comblé le trou, atteint le niveau du sol, c'est un bon présage. Si elle est en excès cela doit être interprété comme un signe de richesse future, alors qu'un remplissage insuffisant annonce une fortune inconstante [21]. Les cérémonies religieuses précédant l'ouverture des grands chantiers peuvent s'étaler sur plusieurs jours. A titre d'exemple, voici la liste de celles qui ont été pratiquées en 1645 lors de la fondation du Potala [22]: au 26ème jour du 3ème mois eurent lieu une offrande de fumigation aux 8 espèces de divinités, esprits et démons, un rituel d'expulsion des forces démoniaques (to) et le dessin au sol du mandala de Phurpa; le 28ème jour fut celui du «tracé du reptile» et le 29ème jour fut consacré à la danse masquée de Phurpa destinée à «dompter le sol» (sadul).

Le tracé au sol et les fondations

Il semblerait que la tracé au sol (sabta, sathig) soit le seul plan réalisé par les maîtres d'oeuvre tibétains après qu'ils se sont mis d'accord avec leurs commanditaires sur la taille des espaces intérieurs (évaluée en nombre de piliers), leurs types et le nombre d'étages, en se servant d'une esquisse dessinée sur du papier ou une ardoise. L'extrême simplicité des méthodes, qui seraient ainsi mises en oeuvre dans la conception des projets architecturaux tibétains, laisse perplexe s'agissant de grands ensembles, comme le Potala par exemple, tant elle contraste avec le puissant effet d'équilibre des masses et des lignes, dégagé par ces bâtiments, dont les parties apparaissent parfaitement intégrées au tout. Cet effet est certainement lié, dans une grande mesure, au caractère modulaire de l'architecture tibétaine qui lui permet un développement organique, à la fois dans le sens horizontal et vertical. Néanmoins, si l'on considère les différents corps de bâtiments du Potala, dont la quasi totalité de ceux qui le constituent aujourd'hui, s'organisaient déjà au début du 18ème siècle sur la Montagne Rouge, il est difficile de croire qu'ils ne s'inscrivent pas dans un projet d'ensemble élaboré dès avant les fondations et qu'un tel projet ait pu se passer d'un support matériel: plan ou maquette. Lorsque l'on sait que la plupart des maîtres d'oeuvre tibétains sont aussi menuisiers et sculpteurs sur bois, on s'étonne qu'ils n'aient pas été, très naturellement, portés à se servir de maquettes en bois pour élaborer leurs projets. Il faut avouer, néanmoins, que pour les ensembles architecturaux réunissant plusieurs corps de bâtiments, il y a un contraste frappant entre l'effet d'intégration harmonieuse dégagé par les structures extérieures, et l'allure de labyrinthe anarchique des passages de circulation interne avec leurs fréquents changements d'axe et de niveau, leur manque d'éclairage et de ventilation. Il semble que la juxtaposition des bâtiments, avec une incontestable maîtrise des jeux de volume en façade, ne s'est pas accompagnée d'une intégration fonctionnelle équivalente des structures internes dont les raccordements sont réalisés de façon empirique en cours de construction; ce qui pourrait bien refléter l'absence d'un support permettant la conception détaillée préalable de l'architecture en projet.

Peut-être faut-il rapprocher cela du fait que, jusqu'à présent, aucun ouvrage tibétain d'architecture n'est parvenu jusqu'à nous. Il est évident que les textes, même illustrés, qui traitent du règlement monastique concernant la structure et la disposition des édifices religieux, ne peuvent être considérés comme des ouvrages techniques d'architecture. Ils sont d'ailleurs mal connus par les hommes de l'art et, en tout cas, l'observation des constructions religieuses montre, que les prescriptions de ces textes ne sont pas mises en pratique. Il se peut, que les archives du Potala ou des grands monastères, si tant est qu'elles existent encore, apporteront plus de lumière, à ce sujet, que ne l'ont fait, jusqu'à présent, la littérature historique, les inventaires-guides (karchag) ou les biographies.

Le plan au sol (sabta), qui dans un premier temps ne prend en compte que les murs, est tracé à l'aide de fils tendus d'un pieu (phurba) à un autre. Les fils sont souvent imprégnés de craie, parfois de farine. Claqués contre le sol, ils y laissent leur marque [23]. La coutume, notamment à Dolpo et Dingri, veut que le plan au sol soit d'abord tracé à l'aide d'une corne d'antilope (tsö), celle-ci ayant la propriété de chasser les mauvais esprits, et en commençant dans la direction de l'espace associée à l'année en cours. Dans certaines régions, sans doute au Tibet Oriental, le plan au sol serait tracé à l'aide d'une tortue en fer (Hummel S. Von 1963/64, p. 63).

4) Les techniques de construction

Les fondations (mang) se limitent aux murs (tsigshi, tsigmang), à l'emplacement desquels on creuse des tranchées dont la profondeur et la largeur varient selon la nature du terrain et la hauteur de l'édifice. De ce fait, les bâtiments tibétains ne présentent pas d'espace en sous-sol. Les fondations sont toujours réalisées en pierre jusqu'à environ 1 empan au-dessus du niveau du sol; quel que soit le matériau des murs. Les 3 premiers coups de houe devraient être donnés un jour faste, à un endroit situé dans la direction fixée par le calcul astrologique et par une personne dont l'année de naissance est en harmonie avec cette direction. Plus simplement, on choisit de préférence, pour ouvrir les travaux, un jeudi et une personne née une année du porc (Friedl W. 1983, p. 40). Les tranchées sont creusées à l'aide de houes (togtse) et de pelles (khyem) à une profondeur de 50 à 150cm, de manière à atteindre le «coeur de la terre» (sái nyingpo), au-delà de la couche de sol meuble («terre noire»). Si le terrain est humide ou si le bâtiment doit avoir plusieurs étages on creuse jusqu'à 2 à 3m de profondeur. La largeur des tranchées est 1 fois 1/2 l'épaisseur de la base des murs. On peut placer des vases, en terre ou en cuivre, remplis de matières précieuses (terchen gyi bumpa) aux 4 angles des fondations et dans une excavation creusée au centre, si cela n'a pas déjà été fait lors des rituels de prise de possession du sol. Le fond des tranchées est couvert de dalles (doleb, lebcha) jointives sur lesquelles on répand 3 travers de doigt de mortier de terre (sabol). Elles sont ensuite tassées à l'aide de pierres plates spécialement choisies (singdo, «pierre de jet»), que les ouvriers laissent tomber, plusieurs dizaines de fois, après les avoir élevées au-dessus de leurs têtes. On tasse les pierres de fondation (mangdo), parfois déjà le fond de la tranchée, en insistant tout particulièrement sur les angles, et le même processus est repris pour chaque assise, formée si possible de dalles. Certains grands édifices, construits en terrain plat ou légèrement pentu, sont élevés sur un soubassement (degcha, peden) en remblais de terre ou en maçonnerie, haut de 1 à 3 coudées, et parfois visible de l'extérieur. Des pierres de fondation sont également posées aux emplacements prévus (kakhung) pour les éventuels piliers du rez-de-chaussée. Dans les régions tibétaines de l'Himâlaya occidental il semblerait habituel de ne pas creuser de fondations lorsque les édifices s'élèvent sur une assise rocheuse (Khosla R. 1979, p. 116).

Les murs

Dans les construction tibétaines, les murs sont porteurs et n'ont pratiquement jamais un rôle de remplissage dans une ossature porteuse en bois, comme c'est fréquemment le cas dans l'architecture chinoise. Ils sont essentiellement soumis à une charge verticale due, en grande partie, au poids des matériaux de construction eux-mêmes. La résistance de ces murs est uniquement fonction de leur épaisseur et du matériau employé. Le pisé et la brique crue ont tendance à s'écraser sous un poids trop important. De ce fait, il est de règle que la base des murs ait une épaisseur plus grande et soit construite en pierre, matériau résistant, mais lourd et relativement difficile à mettre en oeuvre. La pierre est donc fréquemment remplacée par du pisé ou des briques crues dans les parties hautes qui supportent des charges moindres. La mise en oeuvre de matériaux différents dans la construction des murs d'un même édifice est assez répandue, et peut parfois prendre un caractère systématique, comme pour les maisons de Kyirong dont les fondations sont en pierre, la maçonnerie du mur arrière et des pignons est en brique crue, et la façade est essentiellement réalisée en bois (Brauen M. 1983, p. 44). On peut également rencontrer des appareils mixtes alternant des assises de briques avec des couches de pierres et de cailloutis.

Etant donné le faible degré de cohésion du mortier de terre et un appareil grossièrement assisé du fait de pierres aux dimensions très inégales, la charge verticale a tendance à provoquer une éversion des murs à leur partie inférieure lorsqu'ils dépassent une certaine hauteur, comme en témoignent les nombreux contreforts et talus que l'on peut voir au Tibet [24]. L'éversion peut être prévenue en donnant du fruit aux murs.

fig. 11

Celui-ci est obtenu par une réduction progressive de leur épaisseur, de bas en haut, tout en conservant l'aplomb de la face interne; ce qui donne à la plupart des bâtiments tibétains leur silhouette caractéristique en pyramide tronquée. Le fruit des murs, qui est en moyenne de 3 à 5°, leur confère une plus grande résistance aux tremblements de terre, fréquents au Tibet, ou à un éventuel relâchement des fondations. Accompagnant le fruit des murs, on observe, surtout pour les édifices anciens, comme par exemple le sanctuaire de Shalu (début du 14ème siècle), une plus grande hauteur des assises de pierre au niveau des angles, de manière à verser les murs vers l'intérieur et contrecarrer de la sorte leur tendance à l'éversion,

fig. 12
fig. 13, 14

particulièrement marquée à ce niveau [25]. Dans le même but, il arrive que l'édifice soit ceinturé par des chaînages de bois. Cette technique, qui a surtout été observée au Ladakh, assure, elle aussi, une plus grande résistance aux tremblements de terre et permet de réduire l'épaisseur des murs. Il semblerait que certaines assises de gros moellons, situées à la base des murs du Potala, aient été liées par un chaînage ou des agrafes de bronze fondu [26]. Enfin, dans quelques régions du Tibet oriental, les murs porteurs sont entièrement réalisés en bois et peuvent être doublés d'une paroi externe en maçonnerie. On y rencontre également des murs formés d'une maçonnerie de remplissage dans une ossature porteuse en bois (section X).

La construction en pisé (gyang)

Les tibétains considèrent cette technique de construction comme la plus ancienne, la plus simple et la moins onéreuse. Le pisé, par contre, résiste mal aux intempéries. Il est en usage sur toute l'aire de culture tibétaine, tout particulièrement dans les zones arides du centre et de l'Ouest, mais aussi dans certaines régions plus humides du versant Sud de l'Himâlaya comme le Buthan (section XV). La technique employée pour sa mise en oeuvre est identique à celle qui était en usage en Occident. De la terre argileuse est humidifiée et longuement travaillée en pâte très épaisse à l'aide des pieds, en y mêlant parfois du gravier.

fig. 15

Elle est ensuite coulée entre 2 banches (gyangshing) posées de champ sur 2 clefs et serrées sur des cales à l'aide de cordes ou de traverses. Les cales fixent la largeur du mur qui est habituellement de 50 à 90cm. Les banches, qui font environ 1m de haut, sont constituées de planches ou d'un canevas de branches de saule sur des supports horizontaux (Khosla R. 1979, p. 117). Le plus souvent, les joints des banchées et les trous de

fig. 16

clef restent apparents en l'absence de revêtement.

La construction en brique crue (saphag)

Les briques sont toujours fabriquées près du chantier, à partir d'une boue de terre argileuse (dambag) travaillée à l'aide des pieds en un mélange homogène, dans lequel on peut intégrer du gravier, de l'herbe ou de la paille d'orge hachée et de la bouse. Cette boue est ensuite transportée sur le lieu de fabrication des briques. Leur taille moyenne, qui ne répond à aucune standardisation, est environ de 35 × 18 × 16cm. Elles *fig. 17* sont fabriquées dans des moules (bagde, bagshing) très simples, faits de 4 planchettes fixées entre elles par des clavettes en bois. Après 3 jours de sèchage sur la face, on les laisse encore durcir 1 semaine sur champ, puis leurs bords sont égalisés à l'aide d'un grand couteau. L'architecture tibétaine n'emploie pas la brique cuite, bien que dans certaines constructions religieuses du Tibet oriental, très influencées par la Chine (en particulier au monastère de Kumbum), il soit fait grand usage de briques vernissées (chingbui sophag), de fabrication vraisemblablement chinoise, dans le revêtement des murs (gyangdeb).

La première assise est toujours formée de briques posées à plat en boutisses et liées par un mortier de terre. Le joint de lit a une épaisseur d'un travers de doigt environ, et les briques de l'assise suivante sont posées à *fig. 18* plat sur 2 rangs en carreaux. Les assises de briques alternent ainsi plus ou moins régulièrement. Pour les murs plus épais, les assises sont formées de 2 rangées de briques, l'une en carreaux, l'autre en boutisses, l'ordre alternant d'une assise à l'autre. Il arrive aussi que des constructions ordinaires soient entièrement montées en 2 lits palallèles.

La construction en pierre

La pierre, matériau noble, est employée chaque fois qu'elle est disponible à proximité et que les moyens financiers et la main-d'oeuvre le permettent. Le plus souvent, dans les constructions ordinaires, les pierres d'un même appareil ont des dimensions très variables et ne sont pas retaillées, à l'exception, éventuellement, des pierres d'angle (zurdo). Pour les grands bâtiments, on utilise les blocs de pierre (dedo) des lits de rivière. Ils sont fendus à l'aide de coins en fer que l'on emploie également pour ébaucher les moellons. Il arrive que le parement soit dressé au ciseau.

De manière générale, les assises sont constituées de moellons inégaux. Les joints de lit sont alors égalisés à l'aide d'un grand nombre de pierres plus petites qui sont également insérées dans les joints montants. L'ensemble est lié par un mortier de terre, parfois mêlé de sable. Certains murs sont constitués par 2 parois de maçonnerie avec une fourrure de terre et de cailloutis.

fig. 19, 20 Lorsque l'appareil est de qualité, 2 types d'assises alternent régulièrement. L'une est formée de 2 ou plusieurs rangées de moellons, grossièrement quadrangulaires (dochen, phodo), et disposés, horizontalement, en plein-sur-joint. L'autre, est constituée de pierres plates (doleb, modo) posées de façon à chevaucher les joints de l'assise sous-jacente, l'espace laissé libre de part et d'autre étant comblé à l'aide de petites pierres (dochung). Les pierres les plus massives sont toujours placées aux angles où elles prennent souvent une disposition en besace. Comme pour les fondations, chaque assise est tassée à l'aide de «pierres de jet» (singdo), spécialement choisies, que les manoeuvres, debout sur les murs, laissent tomber, plusieurs fois de suite, après les avoir élevées au-dessus de leurs têtes. Au fur et à mesure que les murs gagnent en hauteur, les «pierres de jet» sont de moins en moins lourdes et leur emploi moins fréquent. Tasser les murs de cette manière nécessite de travailler à l'unisson et les ouvriers accordent leurs mouvements au rythme des chants. L'un d'entre eux évoque justement l'alternance des assises massives et étroites de l'appareil:

> «Les gros moellons sont les noeuds du mur
> Les cailloux sont l'écheveau de la tresse» [27]

Lors des constructions soignées, on assure l'alignement des murs grâce à des fils tendus, et leur verticalité est vérifiée à l'aide d'un fil lesté d'une masse en fer ou en cuivre. L'épaisseur des murs en pierre, très variable, se situe généralement entre 40 et 150cm. Elle atteindrait 3m50 pour la salle d'assemblée du grand temple de Sakya et même 5m à la base du Potala. Les joints sont pratiquement toujours laissés en creux.

fig. 21

Les murs de brique crue et le type d'appareil formé d'assises en moellons au parement dressé, alternant avec des assises en pierres plates, les joints étant remplis de cailloux et d'éclats, s'observent déjà dans des constructions du 10ème siècle au Tibet occidental où certains blocs de pierre équarris dépassent 1m de long et 50cm d'épaisseur (Tucci G. 1973b, p. 76, 77). Il semble toutefois que les appareils formés d'assises très régulières en moellons calibrés, tels qu'on peut les voir dans les grands monastères gelugpa des environs de Lhasa, ne soient pas antérieurs au 18ème siècle, si on les compare à la maçonnerie du Potala qui ne présente pas encore une telle régularité.

L'édification des murs ne nécessite pas d'échaffaudage extérieur important puisque, comme nous allons le voir, les sols des étages sont mis en place au fur et à mesure, ce qui permet de poursuivre le travail de maçonnerie à partir de l'intérieur.

Pour mémoire, citons les rares exemples de huttes construites en mottes de gazon (pangphub, kyangkhang) ou, chez certains mendiants-éboueurs de Lhasa, en cornes de yak.

fig. 22

Les murs de clôture des enclos à animaux (chugra), des aires de battage (yulsa) ou de tissage (balra), généralement en pierre sèche, sont aussi construits en pisé ou en brique crue, plus rarement en maçonnerie de pierre, et parfois, chez les éleveurs, en mottes de gazon. Les grands murs de clôture et les enceintes des forteresses sont habituellement construits en maçonnerie de pierre. Lorsqu'ils suivent une pente, leur bord supérieur, qui reste souvent horizontal, présente de ce fait une succession de redents (taso, «dents de cheval) ayant l'aspect d'une volée de gradins. Il en va de même lorsqu'un mur s'élève au-dessus d'une porte.

Les ouvertures en façade

Les portes

Leur structure est identique, qu'elles soient situées dans des murs de clôture, en entrée de bâtiment ou à l'intérieur.

fig. 23

L'huisserie (rushi) de la porte, préfabriquée par le menuisier, est mise en place, et étayée de l'intérieur, dès le début de la construction du mur de façade. Les huisseries de porte les plus simples sont formées d'un seuil (mathem) et d'un linteau (yathem) qui, dépassant de chaque côté les poteaux verticaux, sont scellés dans le mur. Les baies des portes ordinaires sont de petite taille: 170 × 90cm environ. Le seuil est toujours placé au-dessus du niveau du sol et, en dehors de quelques constructions religieuses ou palatiales, le linteau est suffisamment bas pour qu'un adulte, qui s'engage dans la porte, soit obligé de se baisser. Cette disposition est censée empêcher les revenants de pénétrer dans les maisons (Shakabpa 1976, p. 76). Même dans les grands édifices, les portes ont rarement plus de 2 vantaux qui sont, en général, réalisés en planches assemblées et fixées par des ferrures (goshen). Les vantaux tournent sur des pivots verticaux reçus dans des logettes, creusées dans des pièces de bois ou des pierres, et situées sur les faces internes du seuil et du linteau.

Au-dessus de ce dernier se trouvent en général des modillons, dont le nombre et la complexité de disposition augmentent avec la richesse des bâtiments, surtout après le 16ème siècle semble-t-il. Il en va de même pour les bandeaux concentriques des montants et du linteau qui forment une embrasure peu profonde autour des portes élaborées. Après les embrasures de porte dérivant de modèles indiens et chargées d'un riche décor sculpté, notamment de nombreuses figures anthropomorphes, qui ornent les parties les plus anciennes du Jokhang ou les temples du début de la seconde diffusion du bouddhisme au Tibet (section V à VII), les portes de Shalu, vers 1320, sont frappantes par leur aspect massif et sobre. Celui-ci reflète peut-être,

fig. 24, 25

à ce niveau également, l'importante influence chinoise attestée par les toitures. Il est intéressant de noter, que l'équivalent des modillons massifs qui surmontent les portes de Shalu, peut être observé encore aujourd'hui, dans une modeste maison paysanne du Tibet central, sous la forme de quelques blocs de bois insérés au-dessus de l'huisserie (fig. 22). Ceci illustre, à propos d'un élément décoratif il est vrai, l'ubiquité et la permanence du vocabulaire de base de l'architecture tibétaine.

A Shalu, l'embrasure des portes se réduit à un large bandeau qui semble formé de rondins, parfois sculpté d'un sobre motif de feuilles de lotus et dédoublé dans un cadre au niveau de l'entrée principale. Il faut noter ici la forme trapézoïdale de ces portes, aspect qui n'est plus retrouvé ultérieurement. Elles sont prises dans un encadrement peint accusant le linteau et dont la forme, en lettre grecque *pi*, évoque des modèles indiens d'époque gupta et la disposition du décor sculpté de certaines portes anciennes du Jokhang de Lhasa, où les extrémités latérales du linteau en débord sont soutenues par des lions dressés. La forme de cet encadrement peint, généralement de couleur noire par la suite, s'est conservée jusqu'à aujourd'hui pour les portes (fig. 21), et même pour les fenêtres au Tibet occidental, à côté des encadrements trapézoïdaux beaucoup plus courants. A Gyantse, 1 siècle après Shalu, ainsi qu'à Sakya, les larges bandes des embrasures de porte, non ouvragées et limitées à 3, sont des pièces de menuiserie dont seule, celle du milieu, a conservé un profil arrondi. Les modillons massifs qui surmontent les portes de Shalu sont remplacés par des protomes de lions à Gyantse. A Sakya, les protomes de lions sont placés au-dessus des modillons.

fig. 26

C'est à partir du 16ème-17ème siècle, que les embrasures de porte acquièrent, à nouveau, une décoration plus fouillée avec des motifs géométriques ou végétaux stylisés qui courent en bandes concentriques autour de la baie. Lorsque ces portes tardives sont ornées de protomes de lions, ceux-ci sont placés dans des niches au-dessus d'une modénature complexe (section IX).

Les portes extérieures sont généralement surmontées d'un auvent (yab, dayab) qui peut se réduire à quelques lauses (yampa, chuyam) fixées dans le mur. Lorsque l'auvent est plus développé, il est soutenu par une ou plusieurs rangées de corbeaux. Ceux-ci peuvent, à leur tour, reposer sur une poutre décorative (dung, ngomshing) qui est supportée par des consoles fixées dans le mur, de part et d'autre de la baie; et on aboutit ainsi aux auvents de porte très élaborés, tels qu'on les rencontre à partir du 16ème-17ème siècle (section IX).

fig. 27

Les fenêtres

Les baies des fenêtres ont des dimensions très variables, allant d'étroites meurtrières à de larges ouvertures. Leur taille et leur nombre augmentent, en général, avec les étages dans un même bâtiment, avec le niveau socio-économique des constructions, et dans la chronologie. Il semble, en effet, que les grandes baies aient été relativement rares avant le 17ème siècle. Par ailleurs, les fenêtres sont plus importantes, en taille et en nombre, en milieu urbain; surtout depuis que le verre de vitre, dont l'introduction au Tibet remonte au début du 20ème siècle, a cessé d'être un matériau de grand luxe réservé à de rares privilégiés.

fig. 28

L'huisserie préfabriquée des fenêtres, dont la forme est semblable à celle des portes, complétée d'un meneau, est installée dans l'épaisseur des murs, lorsque ceux-ci arrivent à hauteur des percements prévus. Lors de contructions en terre, il se peut que les huisseries ne soient mises en place et ajustées qu'après l'érection des murs. Afin de rattraper le niveau de la façade, l'huisserie de la fenêtre est surmontée d'une pièce de bois transversale (ngomshing) scellée dans le mur à ses 2 extrémités. Elle est généralement surmontée d'un petit auvent (chukheb) couvert de lauses et soutenu par une double rangée de corbeaux dont l'assemblage est identique à celui des auvents de porte. Un petit rideau de coton, formé de plusieurs bandes colorées, y est souvent accroché, protégeant ainsi le bois du rayonnement solaire.

fig. 29

Les édifices comportent parfois, à leur base, des percements, verticaux et étroits comme des meurtrières, ayant un rôle d'aération (lungdö karkhung).

Un panneau de bois peut venir clore la partie basse des fenêtres. Leur partie haute est soit laissée ouverte, soit fermée par un lattis. Des claustras de bois (thama), se réduisant parfois à quelques barreaux verticaux (tagtha), ferment généralement les baies du rez-de-chaussée. Ailleurs les fenêtres peuvent être obturées par du papier huilé tendu sur un cadre en bois ou une claustra finement ouvragée, associée ou non à des volets intérieurs.

Avec l'accroissement de la largeur des baies on a, soit une multiplication des montants verticaux de l'huisserie, soit le remplacement de celle-ci par un système de poteaux soutenant une poutre engagée, par ses extrémités, dans le mur. Ces grandes baies (rabsal) peuvent présenter un balcon en maçonnerie supporté par les solives de l'étage inférieur en saillie sur la façade. Une structure en claustra de bois, doublée de volets intérieurs, ferme les baies des grandes fenêtres, généralement dans l'épaisseur du mur. Une armature légère en bois peut réunir le garde-corps du balcon à l'auvent ou au balcon sus-jacent. Elle permet de suspendre des rideaux en poil de yak destinés à couper le soleil. La structure en claustra de bois, que l'on peut voir au palais de Leh (début du 17ème siècle), et qui est montée sur un socle de balcon qu'elle transforme en logette type moucharabieh, est une exception qui représente, dans sa structure comme dans son décor, un emprunt au Cachemire voisin.

Il est néanmoins très probable, que les baies associées à d'étroits balcons, de même que les logettes, qui rythment de plus en plus les façades des grands bâtiments du Tibet Central à partir du 17ème siècle (section IX), remontent à des modèles qui ont d'abord été développés dans les régions les plus occidentales de l'aire de culture tibétaine. Les claustras de bois du Tibet central sont, par contre, d'inspiration nettement chinoise.

Les piliers et le plancher

Les piliers (kawa), il faudrait en fait parler de poteaux puisqu'ils sont presque toujours en bois, ont, comme les planchers, une structure de base très simple qui reste constante quelle que soit la nature ou la richesse des bâtiments. Les différences tiennent uniquement à la profusion du décor peint ou sculpté et à la modénature de l'entablement.

Sous sa forme la plus rudimentaire, le pilier est formé d'un fût qui peut se réduire à un simple rondin écorcé. Lorsque c'est une pièce de bois équarri, un gorgeron sépare le fût de son extrémité supérieure renflée formant le chapiteau (de)[28]. La charge de la poutre est transmise au pilier par un soutien d'entablement (shu, «arc»), pièce de bois intermédiaire de forme trapézoïdale, dont le petit côté repose sur le pilier (fig. 33). Les poutres (dung), parfois de simples rondins écorcés, soutiennent les solives (cham) qui reçoivent les lambourdes: baguettes de saule (dalma) placées côte à côte ou, plus rarement, planchettes, destinées à recevoir le sol de l'étage supérieur. Cette structure est identique à l'ordre classique commun aux architectures de l'Inde et de l'Asie centrale. Elle s'écarte, par contre, de l'ordonnancement des supports verticaux, tel qu'il a été fixé par la tradition chinoise, et qui ne comprend pas de soutien d'entablement placé entre pilier et poutre.

Dans les constructions tibétaines, les piliers, de section ronde, carrée ou octogonale, ne sont pas ancrés dans le sol et reposent simplement sur des pierres plates (kaden, kateg). Comme les plus belles pièces de bois sont destinées à la réalisation des poutres, les piliers à large fût des porches d'entrée sont souvent composés (kapung). Dans les bâtimens anciens, tels Gyantse (début du 15ème siècle), et même encore 2 siècles plus tard au palais de Leh, ces piliers composés sont formés d'un faisceau de fûts écorcés maintenus par des bagues métalliques (kashen). Certains rondins de piliers du porche de Gyantse ont été placés bout à bout, ce qui, pour un ensemble architectural aussi prestigieux que celui-ci, en dit long sur la pénurie de bois au Tibet central. Celle-ci n'est peut-être pas la seule justification de ce type d'assemblage donnant au pilier un aspect fasciculé, qui a pu être recherché pour des raisons purement esthétiques. A partir du 17ème siècle, il semble que les piliers composés soient presque toujours formés de pièces de bois façonnées, rapportées par collage autour d'un noyau et maintenues en place par des bagues métalliques.

La hauteur des piliers est très variable et il ne semble pas que des dimensions standard aient été fixées. Dans les maisons ordinaires, la taille des piliers représente la hauteur sous plafond moins celles de la poutre et du soutien d'entablement (shu), soit, le plus souvent, 1,4 à 1,6 m au niveau de l'étage d'habitation. Leur diamètre va de 30 à 40cm environ. Au moment de la construction, les piliers des habitations modestes sont

fig. 30

160

généralement mis en place par empilement successif des pièces de la charpente.

Dans les bâtiments plus importants, la hauteur sous plafond est plus grande (environ 5m en moyenne) [29]. Mais elle est partiellement occupée par une modénature en menuiserie qui forme l'entablement des poutres, ce qui permet de surélever le couvrement, malgré la longueur limitée des pièces de bois dont on fait les piliers. Pour les constructions réalisées dans un passé récent, la taille du pilier représenterait, en moyenne, les 2/3 de la hauteur sous plafond. Les piliers des galeries et des portiques sont nettement plus courts et ne dépassent pas 2m. Les poteaux qui, dans une salle, soutiennent le sol de l'étage supérieur, sont appelés «piliers courts» (kathung); alors que ceux qui montent sur 2 étages, généralement pour supporter un lanterneau, sont connus comme «piliers longs» (karing).

fig. 31

Les piliers vont toujours en s'amincissant vers le haut. Le fût est séparé du chapiteau, taillé dans la même pièce de bois, par une striction au fond de laquelle est peinte ou sculptée une rangée de perles (theng gor, «la guirlande en cercle»). Ce gorgeron, également appelé karma, «étoiles», est surmonté par un motif en pétales de lotus (pemce) qui forme généralement la partie inférieure du chapiteau, dont la partie supérieure, carrée, est occupée, sur chacune de ses faces, par un motif géométrique peint appelé «l'ardoise» [30]. Sous le gorgeron, la partie haute du fût présente un motif en feuillage suspendu (shinglo) ou en «nez de chien» (khyina).

Le soutien d'entablement est généralement formé de 2 parties distinctes. La plus petite, appelée «arc court» (shuthung ou benlog), repose sur le chapiteau. Elle est surmontée d'une partie qui la dépasse en longueur et qui est appelé «arc long» (shuring). La poutre est habituellement prise entre 2 planches qui la débordent légèrement: le «support de poutre» (dungden) en-bas, et le «couvre-poutre» (dungkheb) en-haut. Entre la poutre et les solives il peut y avoir plusieurs registres de modénatures en menuiserie (shingtseg). Ils seront examinés, ainsi que le décor peint et sculpté des poutres et des soutiens d'entablement, à propos des constructions postérieures au 16ème siècle où ils atteignent leur plus grand développement (section IX).

fig. 32

La structure interne en bois, à l'exclusion du plancher, est, dans un premier temps, assemblée avec précision à l'extérieur du bâtiment (sadig). On commence par les piliers et les soutiens d'entablement. La partie haute de la structure est ajustée en position renversée, c'est-à-dire, modénature en-bas et poutres en-haut. Puis l'assemblage est complété par les piliers qui sont donc, également, montés à l'envers, ce qui est matière à plaisanterie: «le cul du pilier voit le soleil une fois» [31]. Toutes les parties sont alors repérées par des chiffres avant d'être démontées.

Lorsque la maçonnerie arrive à hauteur de poutre, les emplacements des piliers sont repérés par un quadrillage de lignes partant des murs. L'entrecolonnement, qui est le même, tant dans le sens longitudinal que transversal, est, généralement, de 2 à 4m. Les entablements principaux sont toujours perpendiculaires à l'axe d'entrée, ce qui délimite des travées (kadag) transversales, donnant aux salles hypostiles tibétaines une allure très différente des constructions occidentales où les travées sont parallèles à cet axe. Contrairement aux charpentes chinoises, les piliers proprement dits ne sont pas reliés par des entremises, sauf dans les cas, très rares, où ils montent sur plusieurs étages, comme par exemple dans la chapelle funéraire du 5ème Panchenlama à Tashilhunpo (1737). Les 2 types de bâti, tibétain et chinois, coexistent parfois dans les édifices religieux du Tibet oriental. Ils occupent alors des étages différents. Il arrive que, pour assurer un surcroît de stabilité, des traverses fixées dans le mur viennent s'encastrer perpendiculairement dans les soutiens d'entablement.

fig. 33

Lors du montage de la charpente interne, assemblée sans liens métalliques, chaque pilier est maintenu en position verticale par 4 étais (kadom) fixés par une corde. Les extrémités de toutes les pièces de bois horizontales constituant l'entablement (voir section IX) sont engagées dans les murs où elles reposent sur des supports en bois (dungden) de 2 coudées de long.

Les solives (cham), généralement de simples rondins écorcés de 20 à 30cm de diamètre, sont disposées perpendiculairement aux poutres ou aux entablements, tous les 30 à 60cm environ. Les extrémités des 2 rangées de solives, qui reposent sur la même poutre, ne sont pas placées bout à bout, mais intercalées (section IX). Au niveau des murs, les extrémités des solives sont engagées dans la maçonnerie où il arrive, surtout au Ladakh semble-t-il, qu'elles reposent sur un chaînage de bois qui ceinture le bâtiment. Les solives se prolongent en surplomb sur la façade, uniquement lorsqu'elles servent de base à un balcon. Leurs extrémités (chamtse, chamne) sont également censées déborder les poutres autour des accès de lumière ménagés dans les plafonds, et le long du bord libre des galeries et des porches. Dans les 2 cas, il s'agit en fait, le plus souvent, de pièces de bois rapportées qui entrent dans le jeu des modénatures de l'entablement. Les solives ne sont habituellement pas décorées et reçoivent une peinture bleu sombre à base d'azurite.

Au-dessus des solives, la rangée des lambourdes (dalma, tingril) est formée de buchettes ou de baguettes, parfois de petites planches, placées côté à côté et reposant, par leurs extrémités, sur 2 solives voisines (fig. 30). Les lambourdes sont en général perpendiculaires aux solives, mais elles peuvent également être disposées en biais avec leurs extrémités taillées en biseau, formant au plafond un dessin de chevrons (churi). Elles reçoivent habituellement une peinture orange à base de minium. Dans certains temples anciens du Tibet occidental comme à Alchi, Basgo ou Tsaparang, l'espace entre les solives est recouvert de planchettes dont le décor peint évoque les motifs de différentes pièces de tissu tendues au plafond. Dans les temples et monastères plus tardifs, surtout au Potala et à Tashilhunpo, le plafond peut être réellement tendu de tissu (namyol), généralement en soie. Enfin, il arrive qu'il soit doublé de caissons (nampang), proches de modèles indiens dans les temples anciens comme le Jokhang ou à Tsaparang, nettement influencés par la tradition chinoise dans les édifices plus récents.

Les sols et la couverture

Dans les maisons ordinaires, c'est le terrain de construction nivelé ou un remblais de terre battue qui constitue le sol du rez-de-chaussée. Dans les contructions plus importantes, notamment religieuses, il est formé, soit par la maçonnerie du soubassement, soit par de la terre battue recouverte d'une chape en aggloméré de pierres ou, plus rarement, par un dallage de pierres plates.

fig. 34

Le sol des étages et la couverture en terrasse sont réalisés selon le même procédé. On pose de petites pierres plates (daldo) ou une couche végétale, souvent du Caragana, sur les lambourdes, pour éviter que le bois ne pourrise au contact de la boue épaisse (thogsa) répandue sur le plancher. Après avoir recouvert la boue d'une couche de terre sèche, les manoeuvres, placés en ligne, piétinent le sol afin de le tasser, ce qui peut également se faire à l'aide d'un battoir en bois. La couche de terre a une épaisseur de 4 travers de doigt si elle est ensuite recouverte d'une chape en aggloméré de pierres (arka). Si le sol reste en terre battue, son épaisseur est de 10 à 35cm. L'ensemble du processus de construction est repris à l'identique, d'étage en étage, dès que le sol est sec. Au niveau du toit-terrasse, il est couvert d'un revêtement d'argile et reçoit une légère pente pour l'évacuation de l'eau de pluie vers des dégorgeoirs (fig. 37). La couche de terre peut atteindre ici 50cm d'épaisseur et il arrive, au Ladakh, qu'elle soit recouverte d'un pavement de briques crues (Pommaret-Imaeda F. 1980, p. 250).

Dans les résidences de nobles ou les bâtiments religieux, le sol en terre battue est généralement recouvert d'une chape en aggloméré de pierres (arka) [32]. La matière première est un minéral friable et «gras», appelé arka, qui, pour les tibétains, n'est ni une pierre, ni une terre, mais «l'essence des pierres». Par dessus la terre battue, on étend d'abord une couche de 4 travers de doigt du type d'arka le plus grossier «qui a la taille d'un

fig. 35

astragale de mouton». Au-niveau des terrasses, c'est cette couche qui reçoit le relief devant permettre l'évacuation de l'eau de pluie. Elle est tassée à l'aide d'une pierre de forme ronde et aplatie, fixée à un manche vertical (bogdo) [33]. Les ouvriers, placés en ligne, se déplacent ensemble, vers l'avant ou sur le côté, sous la direction d'un chef (arpön) qui dirige l'aspersion d'eau se faisant à l'aide de petits balais en bambou. A ce stade, les pierres doivent être tassées et nivelées mais non écrasées. La couche suivante est constituée de fragments «un peu plus grands que des grains d'orge» destinés à remplir les interstices de la couche précédente. La dernière couche est faite d'une poudre d'arka «un peu plus grossière que de la farine d'orge». Après avoir été bien tassée, elle est frottée à l'aide de pierres rugueuses de la taille d'une brique environ. La chape d'arka doit être entamée sur 1 épaisseur de doigt, la finition des sols intérieurs étant plus soignée que celle des terrasses.

Dans les régions boisées du Sud et de l'Est, mais également dans quelques rares pièces des demeures nobles du Tibet central, le sol est réalisé en parquet.

Au Tibet central et occidental, ainsi que dans les vallées himâlayennes arides, la couverture des bâtiments est donc assurée par un toit-terrasse reposant sur des murs porteurs et dont la structure est identique à celle des planchers et des sols intérieurs [34] . Cette terrasse présente une légère pente entraînant l'eau de pluie vers des dégorgeoirs en bois (wa, ojo, baga), placés en saillie sur la façade, à la base du parapet entourant le toit. Sur certains grands bâtiments, l'eau de pluie est évacuée par des tuyaux de descente, externes ou internes.

fig. 36

Le pourtour du toit-terrasse présente un parapet qui se trouve généralement dans le prolongement des murs, parfois, comme au Ladakh, en léger surplomb. Sur les maisons ordinaires, ce parapet est constitué, au-moins partiellement, d'une réserve de combustibles entassés: branchages, bouse de yak séchée ou mottes de tourbe, maintenus en place à l'aide de pierres blanches ou de schistes. Cette bordure qui couronne les maisons ordinaires, et dont la couleur foncée tranche sur les murs blancs ou beiges, devient un bandeau sombre purement décoratif (penpe) qui court en façade au niveau du parapet des contructions religieuses, nobiliaires ou palatiales. Ce bandeau d'attique, ayant l'aspect d'une bordure en brosse, est généralement réalisé en entassant les tiges d'une plante arbustive d'altitude très commune et couramment utilisée comme combustible: Potentilla fructicosa [35] . La mise en oeuvre de ce matériau sera envisagée plus particulièrement à propos de l'architecture tardive (section IX). Ce bandeau décoratif, dont la matière végétale rappelle toutefois sa fonction utilitaire initiale (réserve de combustible), a évolué dans de nombreux cas vers une simple bande de couleur sombre appliquée à la partie haute des murs entre 2 larmiers ou 2 cordons (section II fig. 15). Au Tibet oriental, cette bande est parfois rendue par un revêtement de briques vernissées . En théorie, seuls les bâtiments de nature religieuse avaient droit à un bandeau d'attique végétal, les autres devant se contenter d'une «fausse bordure» (pedzün). Le faîte des parapets («dos de poisson» nyagyab, pushu) est formé d'une base convexe de glaise recouverte d'une chape en aggloméré de pierres (arka) sur 3 couches, comme pour les sols, tassée à l'aide d'un battoir en bois. Le faîte des parapets est bordé de chaque côté par un larmier en lauses (yampa) fixées dans la glaise.

fig. 37

fig. 38

Les terrasses des bâtiments religieux et leurs parapets reçoivent des acrotères (chödze), généralement réalisés en cuivre martelé et doré: la roue de la Loi Religieuse flanquée de 2 gazelles (chökhor ridag phomo) rappelant le premier sermon du Buddha à Bénarès, des «bannières de victoire» (gyeltsen) et des pinacles (dzöden, gandzira) avec leurs dépôts de consécration, ainsi que des cylindres noirs en crin de yak (thug), supports des divinités protectrices.

Dans les régions de culture tibétaine situées dans des trouées de la chaîne himâlayenne ou sur son flanc Sud, et bénéficiant de ce fait d'une plus grande pluviosité, les maisons sont couvertes de toits à 2 versants. A Kyirong (Tibet), mais également au Népal, chez les Sherpa et d'autres populations «bothia» des hautes vallées, la maison n'a plus de terrasse. Des poteaux intérieurs supportent la panne faîtière dont les extrémités, ainsi que les autres pannes de la toiture, reposent sur les murs pignons. La couverture est constituée de bardeaux, calés par des pierres, ou de lauses. Ce système de toiture est partagé par d'autres populations himâlayennnes voisines non tibétaines. Plus à l'Est, dans la vallée de Chumbi (Tibet) et au Bhutan (section XV), on retrouve la terrasse de l'habitation tibétaine, mais elle est surmontée par une toiture à faible pente reposant sur des bornes en brique crue et des poteaux. Les fermes de charpente, comprenant 2 entraits assemblés avec 3 poinçons, évoquent le système constructif des toits chinois que l'on retrouve également dans de nombreux bâtiments du Tibet oriental. La toiture, couverte de bardeaux calés par des pierres, est largement décollée de la terrasse qui conserve, de la sorte, la fonction d'aire de travail et de stockage qu'elle a au Tibet.

fig. 39

fig. 40

Certains bâtiments religieux sont entièrement couverts par des toitures «à la chinoise» (gyaphib) qui ont, le plus souvent, 2 pentes encadrant des pignons dans leur partie supérieure, complétées en-dessous par 2 versants latéraux naissant sous les pignons. Les rives incurvées sont relevées aux angles. C'est le type de toiture appelé xieshanding dans la tradition chinoise qui le connaît, au-moins, depuis les Tang. Le rôle, plus décoratif que structurel, des toits «à la chinoise» dans l'architecture tibétaine, est manifeste dans les cas, les

163

plus fréquents, où ils ne recouvrent que des pavillons posés sur les traditionnelles couvertures en terrasse. Pour ces toitures, c'est également le type xieshanding qui est le plus courant. Mais on rencontre également des toits a 4 ou 6 pans couronnés par un amortissement central.

La tradition tibétaine a substitué, dans presque tous les cas, des plaques de cuivre doré aux tuiles vernissées des toitures chinoises (section IX). Quelques exceptions, comme le monastère de Shalu (section VII) ou le «pont de turquoise» de Lhasa, se rencontrent au Tibet central. Elles sont beaucoup plus fréquentes dans les régions du Tibet oriental, notamment au monastère de Kumbum, où l'influence chinoise fut très marquée (section X).

5) Les enduits

Ce sont essentiellement les murs en pisé ou brique crue qui sont susceptibles de recevoir un enduit (debshal, logshal, tsiggyang) externe. Les parois intérieures des maisons ordinaires ne sont pas systématiquement recouvertes d'un enduit. Celui-ci, le cas échéant, est préparé et appliqué comme le revêtement extérieur. Une boue épaisse de terre, de préférence argileuse, parfois mêlée de paille hachée, est appliquée et lissée à la main, ce qui permet, éventuellement, de lui imprimer un motif en arcs de cercle pour les façades (fig. 36). Lorsque 2 couches sont appliquées, la seconde peut être teintée par de l'ocre (Pommaret-Imaeda F. 1980, p. 253). Certaines pièces, comme la chapelle ou une salle de réception, sont susceptibles d'être couvertes d'un enduit de finition destiné à recevoir un décor peint.

Les revêtements des constructions religieuses, nobiliaires ou palatiales, requièrent des techniques plus élaborées comportant plusieurs étapes.

Les façades des habitations domestiques ou des constructions défensives conservent souvent la couleur des matériaux qui ont été mis en oeuvre: terre ou pierre. Elles peuvent aussi recevoir un badigeon de couleur blanche, comme les constructions religieuses ou palatiales. Ces dernières sont également peintes en rouge (notamment les temples de divinités protectrices) ou en jaune.

Le pigment blanc (sakar, kartsi), utilisé pour les badigeons, est de la craie et sans-doute, également, du kaolin [36], qui sont extraits de grottes. Le pigment le plus pur provient du district de Rinpung sur la rive Sud du Brahmapoutre entre Lhasa et Shigatse. Il est très recherché pour la peinture des thangkas et n'est utilisé en badigeon que pour les bordures blanches des parties hautes du Potala après avoir été mélangé à de l'eau et du lait [37]. La peinture est, dans ce cas précis, appliquée à l'aide d'une queue de yak par un ouvrier qui a été descendu dans une nacelle depuis le toit. De manière générale, les badigeons ordinaires des grands bâtiments sont versés le long des murs depuis la terrasse. Comme ce procédé est répété au-moins une fois par an, au printemps, le badigeon finit par former un enduit irrégulier qui cache parfois l'appareil des murs et leur confère une belle texture accrochant la lumière. Le badigeonnage peut aussi se faire au moyen d'une boule de tissu manipulée à l'aide de cordes par 2 ouvriers se tenant respectivement sur le toit-terrasse et au pied du mur.

fig. 41

Le pigment rouge ou jaune employé en badigeon est de l'ocre naturelle (tsag) écrasée et mélangée à de l'eau et du lait. Les murs badigeonnés de noir, comme l'enceinte du grand temple de Sakya qui a reçu la couleur de la divinité protectrice principale [38], sont exceptionnels. Le pigment noir était traditionnellement obtenu à partir de suie. Les façades de certaines maisons, notamment celles des villages ayant des liens avec le monastère de Sakya, présentent des bandes verticales triples où alternent le rouge, le blanc et le bleu, couleurs associées aux 3 Bodhisattvas protecteurs du Tibet.

A l'exception des constructions les plus modestes, les fenêtres et certaines portes, notamment celles des murs de clôture, présentent des encadrements appelés *nagchug* ou *nagtsi*, de forme généralement trapézoïdale, formés par un revêtement peint en noir (fig. 21 et 22). Le meilleur revêtement est obtenu avec la variété d'arka la plus fine, mise en oeuvre selon la technique qui a été décrite plus haut à propos de la réalisation des chapes de sol et de terrasse. Ce cadre, épais de 1 à 2 cm est ensuite peint en noir à l'aide d'huile de moutarde dans laquelle on a fait bouillir de la résine de Shorea robusta (pökar) et de l'encre à base de suie.

6) Fêtes et cérémonies de construction et de consécration

Le déroulement du chantier est jalonné de fêtes et de cérémonies de construction (artön) dont le nombre et l'ampleur sont à l'échelle du projet. Elles étaient, traditionnellement, autant de formes de rétribution partielle des travailleurs.

Au jour faste, fixé par l'astrologie pour le tracé du plan au sol et le premier coup de houe, a lieu une «fête de fondation» ou «fête de début» (dzugtön). Ce jour, chômé en totalité on en partie, est consacré à des offrandes de fumigations et à des réjouissances offertes par le commanditaire.

Lorsque l'huisserie de la porte est mise en place, une écharpe de salutation, la «pièce de soie de la porte» (godar) est accrochée au linteau qui reçoit également une onction de beurre. A cette occasion on suspend le travail et tout le monde est gratifié d'une distribution de bière.

Une fois que la charpente d'une salle a été ajustée à l'extérieur du bâtiment, et que ses différents éléments ont été repérés par des numéros (sadig), il y a une distribution de bière de bonne qualité appelé, pour l'occasion, sachang.

Lorsque l'ensemble de la charpente d'une salle a été mis en place, des écharpes de salutation, les «pièces de soie des piliers» (kadar), sont accrochées à chaque poteau. Il arrive que ceux-ci reçoivent également des onctions de beurre. C'est à nouveau l'occasion d'une distribution de bière et les maîtres menuisiers sont, eux aussi, honorés d'une «pièce de soie des piliers». Les espaces limités par les différentes parties de l'entablement (section IX), reçoivent des dépôts de consécration (zungshug).

Chaque fois que le plancher et le sol qu'il supporte ont été établis, a lieu une «fête de l'étage» (thogtön) accompagnée d'une distribution générale de thé et de bière.

Un jour chômé, avec présentation de cadeaux et réjouissances diverses, marque le milieu de l'avancement du chantier (bartön). Enfin, une fête similaire à celle du début et du milieu des travaux, mais à une plus grande échelle, clôt les activités de construction. C'est au cours de cette «fête de libération» (doltön), que les cadeaux distribués aux travailleurs, en fonction de leur statut, sont les plus importants.

Lors de la construction de maisons ordinaires, les fêtes de chantier sont bien moins nombreuses et beaucoup plus modestes. Néanmoins la maîtresse de maison manque rarement de préparer de la bière pour la distribution générale qui accompagne la pose de l'huisserie de la porte et celle du pilier principal.

Lorsqu'une construction religieuse est terminée, le rituel de consécration (rabne), semblable à celui qui est pratiqué pour les statues ou les peintures, a pour but de faire pénétrer et résider la manifestation de la Connaissance Sublimée dans le support, inerte jusque-là, qu'est le bâti. Les grandes maisons laïques sont, elles aussi, l'objet d'un rituel de consécration. Pour les habitations modestes, il semble qu'il faille voir l'équivalent des cérémonies de consécration dans les rituels populaires entourant la construction du foyer et l'édification des supports de divinités.

[1] Ref. du texte à la note (8), f. 105a, 106a.

[2] Cette technique de construction évoquant l'isba sibérienne se rencontre au Kham Oriental.

[3] La plupart des données présentées dans les pages qui suivent ont été recueillies auprès d'architectes et d'artisans du Tibet central. Elles omettent, certainement, bien des particularités locales et ne peuvent prétendre qu'à décrire une situation générale moyenne.

[4] En ce qui concerne le travail du bois, ce sont les mêmes artisans qui réalisent les grandes structures de la charpente et les éléments (portes, fenêtres, décor sculpté) qui relèveraient, pour nous, plutôt de la menuiserie. Nous les apellerons désormais menuisiers.

[5] Ces groupes ne partageaient pas nécessairement un même lieu de travail permanent. Il ne s'agissait pas véritablement de guildes puisque le recrutement était obligatoire et que ces «ateliers» n'étaient pas des associations de secours mutuel. Par contre, ils servaient de cadre à l'apprentissage.

[6] Le même terme *thog* peut désigner le couvrement d'une pièce, l'étage, ou la couverture d'un bâtiment. Si on veut préciser qu'il s'agit bien de cette dernière, qui est en terrasse, on l'appelle «le dessus» (*teng*) ou «le sur-dessus» (*yangteng*). On rencontre aussi le terme *yangthog*.

[7] Stein R.A. 1957b, p. 170 et Hummel S. Von 1963/64, p. 88.

[8] L'essentiel des éléments de géomancie que nous présentons ici est tiré d'un texte intitulé *Ri-chos mtshams kyi zhal-gdams las sa-dphyad rin-chen kun 'dus*. Il se trouve au vol. *dza-ka*, chap. *ba* (f. 103) d'une collection des traditions *bká-brgyud* et *rdzogs-chen* compilée par La-dvags khrid-dpon 'krul-zhig pad-ma chos-rgyal (1876-1958): *dKar rnying gi skyes-chen du-ma'i phyag-mdzod kyi gdams-ngag gnad bsdus nyer-mkho rin-po-che'i gter-mdzod rtsib-ri'i par-ma*. Voir également Thubten Legshay Gyatsho 1979, p. 29.

[9] Comme cela a été suggéré par Chayet A. (1985, p. 100), cette description du site idéal correspond à la manière dont la peinture tibétaine place généralement les éléments architecturaux dans le paysage. Adossé à une montagne ourlée de nuages, l'édifice s'incrit dans l'espace en V renversé limité par 2 autres éminences se trouvant au premier plan.

[10] *sa yi ka-ba rnam bzhi*, ref. note (8) f. 104b.

[11] *sa yi srung bzhi*, f. 105a.

[12] *stag skya-bo*. Shakabpa W. D. (1976, p. 78) mentionne un *rgya-stag khra-bo*.

[13] Ces 4 animaux sont représentés sur des embouts de tuile en Chine dès l'époque des Han, mais avec une organisation spaciale différente: le dragon vert (*qinglong*) à l'Est, le tigre blanc (*baihu*) à l'Ouest, l'oiseau rouge (*zhuque*) au Sud et la tortue avec le serpent (*xuanwu*) au Nord (Ancient Chinese Architecture, ouvrage collectif de l'Académie Chinoise d'Architecture, Hong-Kong et Pékin 1982, p. 42).

[14] *sgron-chen bzhi* (f. 105a). Le terme *sgron*, «lampe», est pris ici dans un sens technique particulier qui semble être celui de jeux de lumière néfastes sur des éléments du paysage. En fait, les textes décrivent 6 types de *sgron* et non pas seulement 4.

[15] Comme en chine, chaque année est placée sous le signe d'un des 12 animaux constituant un cycle. Ils ont des correspondances avec les directions de l'espace et les éléments, ces derniers ayant entre eux des rapports d'affinité ou d'opposition.

[16] Ref. note (28) f. 106b. Le fer neutralise l'influence néfaste de l'élément bois puisqu'il est son élément ennemi. Il en va de même lorsqu'une terre ou des rochers rouges au Sud, élément feu, mettent en danger la vitalité de ceux qui sont nés une année oiseau ou singe. Dans ce cas il faut y ensevelir un vase contenant 9 sortes d'eaux, élément ennemi du feu.

[17] *nang gi sa-dpyad*.

[18] L'illustration présentée par Thubten Legshay Gyatsho (1979, p. 31) ne correspond pas exactement au texte qui l'accompagne.

[19] Ceci peut aussi avoir un aspect très pragmatique dans la mesure où un sol peu perméable à l'eau assure également une plus grande stabilité à la construction.

[20] *sa-bcud bum-pa*.

[21] Le fait que la terre de remplissage soit en excès suppose, d'un point de vue pragmatique, que le sol, où elle a été prélevée, est très compact et permettra d'établir des fondations solides. Voir également Thubten Legshay Gyatsho 1979, p. 30.

[22] Biographie du 5ème Dalaïlama: *Sa-hor gyi ban-de ngag-dbang blo-bzang rgya-mthso'i 'di snang 'khrul-pa'i rol-rtsad rtogs-brjod kyi tshul du bkod-pa du-ku-la'i gos-bzang* (Vol. ka, f. 126 a et b).

[23] Ce procédé, permettant de marquer au sol les grandes lignes (*tshangthig*) des fondations, est très semblable à celui qui est utilisé par les peintres pour fixer les repères iconographiques.

[24] Les murs ont moins tendance à crouler vers l'intérieur du bâtiment à cause de la résistance opposée par la charpente des plafonds à chaque étage.

[25] C'est sans-doute à cet aspect que se réfère l'expression tibétaine «des angles de murs bandés comme des arcs» (*rtsig-zur md'a ltar 'drangs-pa*).

[26] Cang-tao-yon, *rTse Po-ta-la*, Lhasa 1982, p. 15. D'après l'un de nos informateurs, certaines stèles (*doring*) auraient également été scellées par du bronze (*tho*) fondu.

[27] *rdo-chen rtsig-pa rtsig yod / rdo-chung lhas-ma lhas yod*. Un chant de construction a également été noté par Tucci G. 1966, p. 22.

[28] Ce terme désigne couramment le boisseau. Il s'applique aussi aux plots de bois qui entrent dans la structure des consoles à la chinoise, ainsi qu'à la partie cubique (en sanskrit *harmika*) qui surmonte le dôme des stûpa.

²⁹ Pour l'un de nos informateurs, la hauteur moyenne serait de 3 fois la distance entre les extrémités des 2 bras étendus (*'dom*).

³⁰ Ce motif, formé d'un cadre contenant souvent une inscription en écriture *lantsa*, évoque par sa forme les ardoises (*sam-ta*) dont on se servait, au Tibet, pour rédiger des notes.

³¹ *ka-ba'i rkub nyi-ma thengs gcig mthong.*

³² *ar-ka*, nom qui semble d'origine étrangère au Tibet, désigne à la fois un type de pierre et la chape en aggloméré de ce minéral. Il faut noter que le terme *ar-las* s'applique de manière restreinte aux techniques qui permettent de réaliser cette chape, mais il a également le sens large de «travaux de construction», notamment ceux de maçonnerie.

³³ Cette pierre porterait ce nom du fait de sa ressemblance avec le chapeau rond, appellé *bog-do* (terme d'origine mongole), de certains fonctionnaires laïcs.

³⁴ Le toit plat des maisons tibétaines est une caractéristique qui est déjà notée dans les annales des Tang (Pelliot P. 1961, pp. 2 et 80).

³⁵ Cet arbuste, mentionné dans les textes sous le nom de *spen-ma dkar-po*, semble être appellé couramment *pema shing*. D'après Hummel S. Von (1963/64, p. 87), la bordure en brosse s'appellerait aussi *su-ru*. Peut-être faut-il voir dans ce terme une déformation de *su-lu* désignant une variété de rhododendron de petite taille (Rhododendron lepidotum) qui sert de combustible et qui est parfois employée pour la confection des bordures de toit.

³⁶ Il ne s'agit jamais de chaux. Ce pigment est également utilisé dans la préparation de l'apprêt et pour la peinture des thangkas.

³⁷ Le lait est ajouté aux badigeons pour éviter, grâce à ses matières grasses, le délavement par les eaux de pluie.

³⁸ Krodha Acala (Khro-bo Mi g.yo-ba).

OUVRAGES GENERAUX

KHOSLA, 1979; POMMARET-IMAEDA, 1980; VILLETTE, 1984; DENWOOD, 1980.

SEZIONE II

L'ARCHITETTURA VERNACOLARE

Fernand Meyer, Corneille Jest

L'architettura vernacolare presenta, nell'insieme dell'area culturale tibetana, differenze regionali molto più marcate dell'architettura religiosa. Quest'ultima è infatti caratterizzata, almeno per i complessi importanti, da una certa uniformità che sembra essersi accentuata con il passare degli anni, e dovuta agli imperativi rituali e simbolici, ma anche alla diffusione di alcuni modelli prestigiosi ed al proliferare, talvolta a distanza considerevole, di grandi istituti religiosi sotto forma di filiali. Ma sta soprattutto a significare una generale tendenza all'uniformità culturale sotto l'effetto della preponderanza religiosa e della centralizzazione politica esercitata dai Gelugpa a partire dal XVII° sec.

Le grandi varianti regionali dell'architettura vernacolare corrispondono alle zone ecologiche che costituiscono l'area di cultura tibetana (Sezione I). Possiamo distinguerne schematicamente tre (Denwood P.T. 1980):

— Una zona dal clima arido e freddo che comprende il Tibet Centrale ed Occidentale, nonché le vallate dell'Himalaya Occidentale situate a nord della linea spartiacque (Ladakh, Zangskar, Lahul, Humla, Dolpo, Lo....). Qui le case hanno grossi muri in muratura o in argilla compressa e dei tetti-terrazzo. L'impiego del legno è qui ridotto al minimo.

— Una zona più umida e meno fredda, sottoposta all'influenza del monsone, che comprende le alte vallate del versante Sud dell'Himalaya Orientale (Rolwaling, Solu-Khumbu, Sikkim, Buthan...), alcune valli meridionali del Tibet (Kyirong, Chumbi) e le sue province del Sud-Est (Lhoka, Kongpo, Dagpo....). Qui il legno svolge un ruolo importante nella costruzione delle case che sono coperte da un tetto a spioventi.

— La zona che corrisponde al Tibet Orientale presenta una maggiore diversità ecologica e culturale, a causa di rilievi molto marcati che favoriscono un relativo isolamento di entità territoriali con una lunga tradizione di relativa indipendenza politica. In queste regioni si incontrano i due tipi di costruzioni precedenti nonché dei tipi locali alcuni dei quali si riaccostano alle costruzioni cinesi.

fig. 42

In questa sezione tratteremo soltanto l'architettura vernacolare delle regioni aride. Le dimore mobili, le abitazioni dei monaci ed i palazzi dei gerarchi religiosi verranno studiati nella parte dedicata all'architettura storica (Sez. V-IX). Infine, altri tipi regionali di case saranno illustrati nelle sezioni a carattere geografico: Tibet Orientale (X), Buthan (XV) e Sikkim (XVI).

fig. 43

Nonostante la varietà degli stili regionali ancora molto scarsamente conosciuti, l'architettura vernacolare esprime, in tutta l'area di cultura tibetana, uno stesso insieme di valori e di rappresentazioni particolari (si veda l'introduzione).

Si osserva per di più una grande diversità delle abitazioni, sia per quanto riguarda le loro dimensioni che la loro disposizione, in una data regione o all'interno di una stessa località. Questa diversità riflette non soltanto differenze socio-economiche; esprime anche la grande libertà di espressione delle scelte individuali che caratterizzava d'altronde altri campi della vita sociale e culturale del Tibet tradizionale. Tuttavia questa varietà morfologica è pur sempre il risultato della moltiplicazione e di varie combinazioni spaziali di uno stesso modulo di base.

I) ALCUNE MODALITÀ DI ESPRESSIONE DEL LINGUAGGIO ARCHITETTONICO VERNACOLARE

Ancor oggi, l'architettura vernacolare tibetana è caratterizzata da una documentazione molto lacunosa. Nonostante dei viaggiatori del passato abbiano lasciato descrizioni generali di case, sembra che nessuno di essi ne abbia tracciato le piante. La ricostituzione della disposizione delle abitazioni sulla base di ricordi di profughi, tentata da E. Dargyay (1982), è piuttosto deludente. Bisogna di contro segnalare alcuni studi pubblicati di recente in Cina nel quadro del censimento del patrimonio architettonico[1]. I dati più precisi di cui attualmente disponiamo riguardano dunque regioni himâlayane, di cultura tibetana, che sono state accessibili ai ricercatori in un passato recente[2].

Gli esempi qui presentati non possono essere considerati tipici in quanto la loro variabilità, anche da un punto di vista locale, è molto grande. La loro scelta e l'ordine di presentazione hanno unicamente lo scopo di illustrare l'ubiquità degli schemi architettonici di base e la logica che sottende, senza fratture, tutta la gamma delle costruzioni, dalle più modeste alle più complesse.

fig. 44

Esempio 1: *la casa di una famiglia di sudditi senza terre (düchung) nel Tibet tradizionale*

Questa casa non è stata esaminata, ma la sua pianta-tipo e la sua descrizione ci sono state fornite da un architetto del Tibet Centrale. I sudditi senza terra formavano in generale soltanto piccole famiglie nucleari (si veda l'introduzione). Una casa di questo tipo poteva anche ospitare un uomo o una donna (phorang, morang) che vivevano soli, separati dalla loro famiglia originaria.

Costruita in argilla compressa o in mattoni crudi, raramente con zolle erbose, la casa forma un semplice rettangolo (all'incirca 4 × 6 m) diviso in due stanze di diverse dimensioni da un muro divisorio. La porta dà direttamente nella cucina-sala comune (thabtsang, thabsa)[3] che comunica con una piccola stanza che serve da dispensa (dzö, nyertsang). Il soffitto della cucina ha una trave maestra sostenuta da un palo leggermente scentrato. Le aperture sono collocate sulla facciata Sud: una piccola finestra per la cucina ed un abbaino di aerazione per la dispensa. Una scala collocata contro la casa porta al tetto-terrazza. Quest'ultimo presenta un'apertura, al disopra del focolare della cucina, destinata alla fuoriuscita del fumo. Per evitare che l'acqua della terrazza scoli verso l'interno, il foro per il fumo (dükhung) è ricoperto con un vaso di terra capovolto a cui è stato tolto il fondo che viene chiuso con una pietra piatta in caso di pioggia. La provvista di combustibile — sterco di yak essiccato e zolle d'erba ricoperte da fascine di pemashing (Potentilla fruticosa) disposte sul bordo della terrazza, funge da parapetto e protegge i muri dalla pioggia. Agli angoli del tetto, piccole costruzioni cubiche, di mattoni crudi o zolle erbose, sono sedi di divinità della religione popolare.

Alcune famiglie di sudditi senza terre possedevano qualche pecora o capra che venivano chiuse la sera in un recinto situato davanti alla casa.

fig. 45

Esempio 2: *una casa della valle di Tarap a Dolpo (Nord-Ovest del Nepal).* Rilievo eseguito da C. Jest nel 1960-61 (Jest C. 1975 pag. 78 e 1981 pag. 230).

Quest'abitazione, costruita nel 1936, fa parte di un gruppo di case chiamato Kagar (alt. circa 4000m) ed appartiene ad un religioso Nyingmapa sposato, capo di un nucleo familiare dello strato socio-economico superiore delle famiglie originarie della valle, la «gente del luogo» (shimi). La popolazione di Dolpo si considera di etnia tibetana. Nulla, nella struttura di questa casa, che ospita quattro adulti e cinque bambini, la differenzia da un'abitazione laica, se non il posto importante riservato alla cappella.

Quest'abitazione occupa uno spazio di terreno di 9,50 × 7,50 m, è costruita su di una terrazza alluvionale e presenta due livelli costruiti[4], più il tetto-terrazza. I muri, spessi circa 45 cm, sono costruiti con pietre diseguali saldate con malta di terra e sostituite nelle parti alte con mattoni seccati al sole e argilla compressa. Presentano un'inclinazione di circa 5°.

La casa è preceduta da un cortile rettangolare di 50 m^2 circondato da un muro a secco. Funge da recinto per i cavalli e le pecore. La porta d'ingresso, posta sulla facciata sud-ovest, dà accesso al pianoterra, «abitazione di sotto» (ogkhang), suddiviso in quattro stanze da muri divisori. Una di esse è riservata all'immagazzinamento del sale (tsakhang)[5], mentre le altre tre servono da ovile (ra) o da ripostigli per i basti di yak, i gioghi o gli aratri.

Si accede al primo piano, il «piano intermedio» (barthog), tramite un tronco provvisto di intaccature, incastrato in una botola del soffitto della prima stanza. Attraverso un'anticamera si accede alla cappella (chökhang) o alla cucina-sala comune, il «nido del focolare» (thabtsang). Questa è il centro della vita domestica dove la famiglia si riunisce, mangia, dorme e riceve. D'estate, e persino talvolta d'inverno, una parte degli abitanti dorme sul tetto-terrazza. Un palo sostiene il soffitto della cappella ed un altro forma con il focolare della cucina un asse importante per la divisione dello spazio domestico (si veda l'introduzione). Un tramezzo disposto di fronte alla porta della cucina forma uno schermo e determina così un passaggio a zig-zag. Una dispensa contenente il grano e le ricchezze del nucleo familiare (dukhang, norkhang, dzöphug) è attigua alla cucina. Le uniche finestre della costruzione si trovano al primo piano: sulla facciata sud-ovest per la cappella e su quella sud-est per la cucina dalla quale si ha così la vista sul luogo santo di Ribo Bumpa. Delle aperture praticate nella terrazza (karkhung) lasciano entrare un po' di luce al livello della cappella e della cucina. L'apertura di quest'ultima serve anche come foro per la fuoriuscita del fumo (dükhung).

Un tronco scortecciato provvisto di intaccature permette l'accesso al tetto-terrazza (teng) per mezzo di una botola (namkhung) aperta nella copertura dell'anticamera. La terrazza è circondata da un parapetto in muratura (khangpä) sul quale vengono ammucchiati rami di salice e di ginepro, provvista di legno che protegge anche il muro dalle infiltrazioni d'acqua.

Il retro della terrazza è occupato da una tettoia addossata al muro sotto la quale ripararsi d'estate. Nell'angolo nord, la tettoia è sormontata da una piccola costruzione cubica, santuario della divinità *tsen* e da un palo che porta una bandiera stampata.

fig. 46

Esempio 3: *una casa della vallata di Nyishang (Manang, Nord del Nepal).* Rilievo effettuato da P. Maréchaux nel 1977 (Maréchaux P. 1981).

La valle di Manang è abitata da una popolazione di lingua tibetana. Nonostante sia situata a nord della linea spartiacque dell'Himâlaya (massiccio dell'Annupurnâ), è meno arida e meno fredda di Dolpo. Dei boschi di ginepro e di pino ne occupano i versanti.

La casa descritta fa parte del villaggio di Pisang (3550m). Costruita su tre livelli, con pietre grezze saldate da una malta di terra, occupa una superficie di terreno di 11 × 13m sul pendio di un versante della valle. La porta d'ingresso, collocata sulla facciata ovest, si apre su di uno spazio antistante una stalla ed un ovile che sono stati scavati sulla pendenza del terreno. Lo spazio che funge da cortile presenta una copertura ad U sostenuta da pali ed aperta ad ovest, dove il muro è abbassato in maniera da lasciar entrare il massimo di luce e di caldo. Un tronco con intaccature posto contro un angolo della copertura zenitale del cortile, permette di salire al primo piano che è il livello di abitazione. La parte anteriore di questo è occupata da uno spazio ipostilo. Il suo lato nord serve da cappella [6], illuminata dalle uniche due finestre dell'edificio. Il lato est forma una galleria nella quale si trova un focolare esterno utilizzato d'estate. Questa galleria precede una dispensa a nord e la sala comune a sud. Quest'ultima riceve luce dalla porta, da una piccola finestra del muro ovest e da un'apertura del soffitto posta al disopra del focolare. A questo livello la casa sporge posteriormente oltre il pianoterra e poggia sulla parte alta della pendenza del terreno. Il lato sud della U è lasciato a terrazza scoperta da cui si sale al secondo piano vicino al posto in cui è collocata la bandiera (darchog).

La parte posteriore del terzo livello è occupata da una grande tettoia sostenuta dalla sopraelevazione del muro di fondo e dei muri laterali nonché da una serie di pali. Questo spazio coperto serve come dispensa per il foraggio e come riparo per coloro che vanno a dormirci d'estate.

fig. 47

Esempio 4: *una casa di Charu vicino a Leh (alt. 3500m, Ladakh, zona ecologica arida del Tibet Occidentale).* Rilievo effettuato da P. Murdoch (Murdoch P. 1981)

Quest'abitazione, orientata a sud, è stata costruita nel 1976 su tre livelli. La pietra è stata impiegata per il pianoterra, i mattoni crudi per gli altri piani. Ospita una coppia con tre figli.

L'accesso al pianoterra ed al piano di abitazione avviene tramite due ingressi diversi [7]. Due porte si aprono sulle stalle del pianoterra rischiarate da alcuni abbaini. A questo livello si trova anche una dispensa. Una porta situata sul retro della casa permette di togliere le lettiere degli animali ed il concime umano raccolto nello spazio situato sotto i servizi del primo piano. Occorre notare la disposizione dei muri divisori, che suddividono lo spazio soltanto parzialmente, e la presenza di numerosi pali.

Si accede alla porta del piano di abitazione tramite una scala dritta, di pietra, il cui pianerottolo a strapiombo è sostenuto da un palo. Un corridoio porta ad un'anticamera che disimpegna una stanza, i servizi e la cucina. I servizi consistono semplicemente in un foro nel terreno. Dopo l'uso, un po' di terra viene sparsa sulle materie fecali raccolte al piano di sotto.

La cucina presenta due piccole aperture di aerazione praticate nella terrazza. La luce entra abbondantemente dalle finestre della facciata sud. Dalla cucina si accede alla dispensa e di qui ad una seconda camera.

Una scala appoggiata contro un muro dell'anticamera permette di accedere alla terrazza il cui angolo nord-est è occupato dalla cappella, coperta anch'essa da un tetto piatto.

fig. 48

Esempio 5: *una casa del villaggio di Choglamsar, valle dell'Indo, vicino a Leh (alt. 3500m, Ladakh, zona ecologica arida del Tibet Occidentale).* Rilievo effettuato da O. Villette nel 1981.

Quest'abitazione, in cui la base dei muri è di pietra e le parti alte di mattoni crudi, è stata costruita tre generazioni fa. Parzialmente interrata nella pendenza del terreno, con facciata a sud-ovest, ospita un nucleo familiare di nove persone che possiedono circa 12 ettari di terra, 11 vacche, 5 asini ed alcune capre. L'edificio è preceduto da un cortile, delimitato da un muretto e da uno spazio coperto la cui parte posteriore, isolata da un muro, serve da ovile. Quest'ultimo dà su di un corridoio che disimpegna le stalle e le dispense. Porta anche al vano dove si accumula il concime umano sotto i servizi dei piani. Il pianoterra è illuminato soltanto da alcuni abbaini collocati sulla facciata sud-ovest e nord-ovest. Alcune dispense, di grano ad ovest e d'orzo a nord, sono silos alimentati dall'alto. La dispensa di foraggio dell'angolo est sale su due piani. Può essere svuotata da un'apertura situata al livello delle stalle. Il pianoterra è stranamente costruito intorno ad un corpo pieno, costituito senza dubbio da un'irregolarità del terreno (un grosso masso?) e di riporto. Questa particolarità conferisce certamente una grande stabilità a tutto l'edificio, tanto più che la parte posteriore della costruzione è parzialmente interrata nel pendio. Una stanza triangolare, la cui unica apertura è un abbaino sul davanti, sembra trovarsi in mezzo alla parte occidentale del primo piano. L'autore del rilievo non ha potuto ottenere altre precisazioni in proposito.

Come nella casa precedente, si accede al piano di abitazione tramite una scala dritta di pietra, che parte dal cortile e costeggia la facciata sud-ovest. Anche qui il pianerottolo sovrasta la porta del pianoterra. Un lungo corridoio, sovrapposto a quello del piano sottostante, conduce alla cucina d'inverno ed alle dispense che si trovano sul fondo dell'edificio. A destra del corridoio si trovano in successione una camera, un piccolo spazio da dove parte la scala di pietra che porta alla terrazza, ed i servizi. Un tramezzo li separa dal vano di scarico dei servizi del piano superiore. La cucina d'inverno, con i suoi 50 m^2 ed i quattro pilastri, tutti diversi, è la stanza più spaziosa dell'edificio, è ben illuminata da finestre a sud-ovest, ed aerata da due aperture praticate sul soffitto. Inoltre, la stufa è provvista di un tubo che esce anch'esso dalla terrazza[8].

La cucina dà accesso a due dispense sul suo lato ovest. Una è per le provviste di carne secca e funge anche da camera da letto d'inverno. L'altra, dove si conserva la farina d'orzo tostata (tsampa), comunicava un tempo, mediante una botola, con un silos per il grano collocato al disotto e che non viene più usato. Ospita anche, in un angolo, un cubo in muratura, dimora di una divinità del sottosuolo legata alle ricchezze ed alla fertilità (si veda l'introduzione). A nord, la cucina dà su di un'altra dispensa che porta ad un locale in cui viene preparata e conservata la birra. Un'apertura nel soffitto consente la fuoriuscita del fumo del piccolo focolare che può occasionalmente essere acceso in questa stanza. Il fondo di questa è aperto su di un silos per orzo, riempito da una porta della facciata nord-est che viene poi murata. Una porta siffatta consente ugualmente di rifornire la dispensa per il foraggio dell'angolo est il cui riempimento è completato attraverso una botola praticata nella terrazza.

Il terzo livello è costruito solo parzialmente e ciò gli conferisce l'aspetto di una terrazza che sostiene dei padiglioni disposti irregolarmente. I quattro locali, cucina d'estate ad ovest, camera a sud, servizi ad est e cappella a nord-est, si sovrappongono ognuno ad una stanza del piano sottostante. I servizi, dal soffitto basso, sono costruiti in modo piuttosto grossolano, mentre la cappella è leggermente sopraelevata rispetto alle altre stanze del piano. Vi si accede per mezzo di alcuni gradini. La parte posteriore del terrazzo è circondata da un parapetto di rami ammucchiati. A sud-ovest, il parapetto, leggermente a strapiombo sulla facciata, è invece fatto di muratura con mattoni crudi. Allo stesso modo, i tetti piatti delle costruzioni a padiglione della terrazza sono delimitati da una bordura di rami che, al disopra della cucina d'estate, è sovrapposta ad una muratura.

fig. 49

Esempio 6: *un'abitazione di Lhasa (3730m, Regione Autonoma del Tibet) secondo la pianta pubblicata da Liu Dunzhen 1980, pag. 331* [1]

Lo status socio-economico e le dimensioni della famiglia che occupava un tempo quest'abitazione non sono menzionati dall'autore del rilievo. Si trattava probabilmente della casa di una grande famiglia agiata. Costruita su due livelli — il primo di pietra, il secondo di mattoni crudi — è caratterizzata dalla presenza di un cortile interno (khyam) al centro dell'edificio. Il fondo del cortile è occupato da due livelli di gallerie di legno tramite le quali le stanze principali, situate sul retro, ricevono la luce. Si entra nell'edificio tramite una porta collocata sulla facciata sud. Si apre su di un vestibolo che porta al cortile interno che a sua volta disimpegna le stanze del pianoterra. Da questo vestibolo parte una scala che porta al primo piano. A questo livello si può circolare attraverso delle stanze poste in fila (parte sud-ovest) o attraverso la galleria che circonda i lati est e nord del cortile interno, la quale passa anche per uno spazio scoperto, a terrazza della copertura del pianoterra. I servizi, situati nelle parti est ed ovest dell'edificio, si trovano al disopra di locali sanitari svuotati da aperture a livello del pianoterra. Una scala, vicino ai servizi del lato est, permette di accedere al tetto-terrazza per mezzo di un'apertura sormontata da un lucernario. La terrazza è circondata da un parapetto in muratura.

fig. 50, 51

Bisogna qui osservare la pianta quadrata molto rigorosa, benché parzialmente asimmetrica, che sembra essere stata concepita a partire da un modulo quadrato avente per unità di lunghezza una distanza di 2m tra i supporti verticali [9]. Altre case urbane sono più piccole, ma la maggior parte presentano un cortile interno, mentre, in un contesto rurale, il cortile precede in genere l'abitazione.

II) LA SINTASSI DI QUESTO LINGUAGGIO ARCHITETTONICO

L'analisi degli esempi precedenti dimostra, con un'evidenza che s'impone di primo acchito, che una medesima logica, nonostante le differenze di dimensioni e di luogo, regola le diverse disposizioni delle unità architettoniche elementari, costituendo in tal modo un filo conduttore che consente di passare, senza soluzione di continuità, dal più semplice al più complesso, come se si trattasse dello sviluppo organico di una stessa struttura seguita nel tempo.

Quando l'abitazione comporta due livelli costruiti, il pianoterra ospita gli animali, le rimesse e le dispense meno importanti. Costituisce una zona cuscinetto tra la terra ed il piano d'abitazione che beneficia così del calore animale. Gli usi ai quali le varie stanze del pianoterra sono destinate richiedono un minimo di aperture sul davanti. Inoltre permettono, quando l'edificio supera certe dimensioni, di moltiplicare il numero di muri divisori o di contrafforti interni, e ciò conferisce una maggiore stabilità all'insieme della costruzione; soprattutto quando le fondazioni sono poco profonde o inesistenti, come avviene per alcuni edifici eretti su di una base rocciosa. La pianta di questo livello è spesso irregolare, in quanto si adatta molto liberamente alla configurazione del terreno, come possiamo vedere dalla casa di Choglamsar (es. 5). Questa caratteristica si ritrova anche, su scala molto maggiore, per il livello più basso del palazzo di Leh. Generalmente i muri divisori si sovrappongono a quelli del piano sottostante (es. 2: Dolpo).

Ma il loro numero tende a diminuire ai piani superiori dove vengono sostituiti da sistemi di pilastri e di travi (es. 5: Choglamsar ed es. 6: Lhasa). Si può tuttavia anche osservare il contrario (es. 4: Charu). I pilastri dei vari piani sono generalmente posti su di una stessa verticale (es. 3: Nyishang).

Ad ogni livello, la copertura del piano sottostante può essere costruita completamente o in parte, formando, in quest'ultimo caso, delle porzioni di terrazza. La superficie costruita è in genere decrescente dal basso verso l'alto secondo un profilo a gradini che si eleva posteriormente (es. 3: Nyishang).

Questa disposizione permette di ricavare delle terrazze esposte ai raggi del sole e protette dal freddo vento del nord. La disposizione a scala, che si ritrova in numerosi edifici religiosi o nobiliari, è ancora rafforzata quando la loro struttura (a piani) segue la pendenza del terreno sul quale sono edificati.

La casa di Nyishang (es. 3) dà un'idea di questa disposizione che si ritrova su scala molto maggiore nel Potala. Ricorda il tessuto paesano di alcune comunità nord-himalayane, stabilite su ripidi pendii, dove le aree di lavoro e di riposo che precedono le abitazioni sono i tetti-terrazza delle case sottostanti. In questi villaggi si passa dunque di terrazza in terrazza, funzione che queste mantengono nei grandi edifici.

Quando le dimensioni delle case aumentano, queste hanno la tendenza a restare chiuse sull'esterno e ciò impone loro di scavarsi all'interno, in qualche modo, intorno ad un'apertura zenitale, fonte di luce e calore. A Dolpo (es. 2), l'apertura più importante praticata nella terrazza è quella dell'angolo sud. La sua funzione qui non è tanto quella di illuminare le stanze di passaggio del piano terra e del primo piano, quanto permettere l'accesso al tetto. Lo stesso vale per il piccolo cortile interno posto al primo piano della casa di Charu (es. 4). L'analisi dei termini che designano le varie aperture del tetto destinate al passaggio della luce, del fumo o degli uomini, mostra quanto siano concettualmente vicine e talvolta confuse (si veda l'introduzione). A Nyishang (es. 3), l'apertura zenitale più importante disimpegna anche il pianoterra. Sempre in posizione eccentrica, a causa delle dimensioni insufficienti dell'edificio, la sua disposizione è qui combinata con il principio di struttura a gradini rivolta verso i raggi del sole e continua a svolgere una funzione di passaggio tra i vari livelli. Vediamo che in questo edificio si passa attraverso terrazze scoperte, come abbiamo già notato per la casa di Lhasa (es. 6). Questa caratteristica si ritrova di frequente negli edifici religiosi o palazziali. Il numero dei pali della casa di Nyishang (es. 3) rispecchia la relativa abbondanza di legno nella regione. Ma la loro distribuzione intorno ad un'apertura centrale è anche un accenno dai cortili interni degli edifici religiosi o palazziali dell'altipiano tibetano, circondati da portici su parecchi livelli. Le dimensioni della casa di Lhasa (es. 6) sono sufficientemente grandi da consentire all'apertura zenitale (gyathong, khyamthong, thongkhung, namyang) di occuparne il centro. Il cortile (khyam), così disimpegnato al pianoterra, e le gallerie che lo fiancheggiano su due lati al primo piano, costituiscono delle aree di passaggio ma anche delle zone riparate dal vento ed esposte al sole. Un simile spazio interno, aperto, ma molto più vasto e circondato da gallerie su parecchi piani, occupa il centro del Palazzo Rosso del Potala dove ricopre una vasta sala (Sez. IX). In realtà, in numerosi edifici, le aperture zenitali non sovrastano veri e propri cortili interni, ma sale, di cui costituiscono talvolta l'unica fonte di luce. È lo stesso per le sale di assemblea dei templi (dükhang), la cui concezione sembra d'altronde derivare da cortili interni circondati da cappelle, a giudicare dal Potala o dall'evoluzione del Jokhang.

Bisogna notare che il livello del cortile interno della residenza di Lhasa (es. 6) è leggermente più basso di quello degli edifici che lo circondano, senza dubbio per ovviare ad un possibile accumulo di acqua nel caso di forti piogge. Questa caratteristica si ritrova anche nel Potala ed in altri grandi edifici.

Le terrazze costituiscono un'importante estensione dello spazio domestico. Sono aree di essiccazione e d'immagazzinamento, di lavoro e di riposo. D'inverno, nelle regioni in cui il manto nevoso è durevole, sono le uniche superfici disimpegnate dove sia possibile svolgere un'attività all'aperto. Le terrazze possono anche fungere da aree di danza in occasione di feste familiari. Infine, i membri del nucleo familiare vi dormono, soprattutto d'estate. Per questo motivo, le terrazze hanno spesso un riparo, in quanto il parapetto vegetale o in muratura che le circonda, non protegge sufficientemente dal vento. Quello della casa di Tarap (es. 1) è semplicemente una piccola tettoia addossata al muro posteriore conformemente al principio dei gradini esposti ai raggi solari. Ritroviamo questa tettoia, più sviluppata, a Nyishang (es. 3), dove occupa tutta la larghezza dell'edificio. Se questo riparo è chiuso da un muro, diventa una stanza supplementare a cui si può accedere dalla terrazza (es. 4: Charu). Poiché si tratta della parte più alta della casa, serve in genere da cappella. A volte parecchie stanze vengono costruite sulla terrazza (es. 5: Choglamsar) ed in questo caso, una di esse, a causa della sua posizione relativamente indipendente dal resto dell'abitazione, può servire da «piccola casa» (khangchung) per gli anziani genitori o un parente. È senza dubbio a questo uso che era destinata la stanza che occupa l'angolo nord-est della dimora di Lhasa (es. 6) con la piccola terrazza che la precede, a meno che non sia servita da cappella. Come abbiamo visto, le tre stanze della casa di Choglamsar (es. 5) che hanno l'aspetto di padiglioni edificati sulla terrazza, si sovrappongono a locali del piano sottostante. Questa loro caratteristica, nonché la loro disposizione irregolare, li accomuna ai padiglioni dai tetti dorati che sovrastano la terrazza del Palazzo Rosso del Potala (Sez. IX).

Talvolta, d'estate, al disopra di una parte della terrazza viene stesa una tenda di tela (chayab). Si può quindi immaginare la facilità con la quale si è operato il passaggio, nel corso della storia, dal tetto cinese che copre l'insieme di un edificio, al tetto «alla cinese» dell'architettura tibetana, semplicemente poggiato su di una parte della terrazza che costituisce di fatto la vera e propria copertura.

Ritorniamo al riparo (yab) sostenuto da tre muri a ferro di cavallo sulla terrazza della casa di Tarap (es. 2). Lo possiamo ritrovare in più piccolo al disopra dei fori per la fuoriuscita del fumo, che protegge dalla pioggia, nel Tibet Orientale. Diventando lucernario, assolve normalmente la stessa funzione al disopra delle aperture di accesso alle terrazze, come possiamo vedere nell'angolo sud-est della dimora di Lhasa (es. 6). Se è più estesa, questa tettoia, chiamata allora sengyab, forma talvolta una specie di periscopio destinato a trasmettere la luce ad una stanza che si trova immediatamente al disotto della terrazza. Quando l'apertura zenitale delle sale è notevole, è sovrastata da un bordo che serviva un tempo ad appendere i tendaggi di cotone o di pelo di yak che potevano ricoprirla.

In tutte le abitazioni che abbiamo ora esaminato, fatta eccezione per la più rudimentale, una zona di transizione separa sempre il mondo esterno dal cuore della vita familiare: la cucina-sala comune. A Tarap (es. 2), si tratta di una stanza al pianoterra e di un vestibolo al primo piano, collegati da un tronco provvisto di intaccature. A Nyishang (es. 3) bisogna prima passare per il cortile ed una parte della sua copertura. Il carattere anticamente difensivo di questa disposizione è rimasto molto evidente a causa della mobilità delle scale che potevano essere ritirate su, al primo piano. Per accentuare ancor più la chiusura della stanza del focolare per preservare l'intimità della famiglia, uno schermo viene spesso posto sulla linea della porta, nascondendo così l'interno allo sguardo. Per questo motivo si entra nella cucina soltanto dopo un ultimo tratto a zig-zag.

Questa posizione della stanza del focolare, passaggio obbligato per accedere alla dispensa oscura contenente i beni più preziosi, illustra bene l'idea di «fondo» e di «grotta» (phug, bug, si veda l'introduzione) che è loro associata. Anche quando una porta dà direttamente accesso al piano di abitazione, un lungo corridoio costituisce una zona di transizione prima di arrivare alla cucina (es. 4: Charu ed es. 5: Choglamsar). Può disimpegnare anche una stanza (ibid.) che, essendo in questo modo isolata dal centro dell'intimità familiare, consente di ospitare più facilmente un inquilino o un ospite di passaggio. Nelle grandi dimore, come quella di Lhasa (es. 6), le funzioni peculiari della cucina-sala comune nelle abitazioni più modeste, sono distribuite tra parecchie stanze: camere da letto (zimchung) e sale di ricevimento (tsomchen). Sono situate in genere nelle parti più isolate. Alcune di esse possono essere disposte in successione (lati sud ed ovest del cortile al primo piano dell'es. 6). Per accedere ad una stanza occorre spesso attraversarne una o parecchie altre come è il caso ad esempio, della camera che occupa l'angolo sud-est della casa di Charu. L'ultima stanza viene allora chiamata bug («fondo») e quella che la precede do («collegamento»). Quando la stanza in fondo è una camera da letto viene chiamata zimphug («fondo dell'appartamento»).

fig. 52

Quando le abitazioni raggiungono certe dimensioni, comportano dei servizi (sangchö) che si trovano in genere vicino ai passaggi. Sono talvolta collocati in una piccola costruzione, che può venire svuotata tramite un'apertura praticata alla sua base. E affiancata all'abitazione oppure indipendente, collegata in questo caso da una passerella (delsam).

Accade spesso, sembra soprattutto nel Ladakh e nello Zangsksar, che i focolari utilizzati d'inverno e d'estate si trovino su due diversi livelli della casa (es. 5: Choglamsar). Gli scarti di temperatura stagionali, in effetti, in queste regioni possono essere particolarmente forti: da - 30° d'inverno, a + 35° d'estate. La cucina d'inverno è situata o al pianoterra o al primo piano. Al pianoterra può essere completamente circondata da stalle, ovili o dispense che la isolano dal freddo (Khosla R. 1979, pagg. 108, 110 e 111; Maréchaux P. 1981, pag. 247). Benché non sia interrata, quest'abitazione invernale nascosta evoca un modo di vita simile, documentato per la Cina arcaica (Granet M. 1968, pagg. 115 e 120). Bisogna ricordare a questo proposito, per il Tibet, che le capanne costruite con zolle erbose (Bell Ch. 1928, pag. 49) o le tende dei pastori nomadi nei loro accampamenti invernali (Sandberg G. 1906, pag. 140) sono talvolta erette in una fossa scavata fino a 2m di profondità.

Al primo piano, al disopra del focolare invernale, la cucina d'estate costituisce lo sfondo di una vita che si svolge in prevalenza all'aria aperta. Così, lo spostamento verticale stagionale della vita domestica nella sua cornice costruita, corrisponde a quello degli allevatori nomadi che salgono ai pascoli in quota in primavera e ridiscendono a valle in autunno. Il parallelismo è ancora più soprendente in quanto queste cucine stagionali, in alcune regioni, portano lo stesso nome degli accampamenti estivi ed invernali dei pastori (yarsa e günsa, Khosla R. op. cit.).

III) IL RAGGRUPPAMENTO RURALE ED URBANO

Le abitazioni tibetane sono quasi sempre raggruppate in villaggi costituiti da un'unica proprietà o da varie frazioni separate. L'habitat sparso è presente soltanto in vaste vallate fertili. Sembra d'altronde possibile osservare, particolarmente nel Ladakh, una certa evoluzione storica dei tipi di raggruppamento delle case: gli antichi villaggi a struttura densa, situati sulle alture, contrastano con il tessuto rurale largo degli insediamenti più recenti, vicini alle terre coltivate dei fondovalle. Il Tibet tradizionale aveva pochissimi centri urbani la cui struttura costituiva per molti aspetti un prolungamento di quella dei villaggi. Verrà esaminata più dettagliatamente con Lhasa nella Sezione IX.

Le modalità di raggruppamento delle case non sembrano presentare caratteristiche regionali molto contrastanti. Inoltre, sono spesso molto diverse all'interno di una stessa unità territoriale, in funzione della topografia dei siti (vasti fondovalle, terrazze alluvionali o pendii di montagne), la scelta dei quali è stata in particolare determinata dalla protezione naturale eventualmente ricercata e dalla vicinanza dell'acqua e delle terre coltivabili. Per cui, nella valle di Nyishang (Manang, Nepal), le abitazioni si raggruppano talvolta a scala sui forti pendii, talvolta a fascia sulle terrazze alluvionali. Qui, la struttura del tessuto del villaggio si ripercuote a sua volta sulle proporzioni e la disposizione delle unità di abitazione: tendenza allo sviluppo nel senso dell'altezza nel primo caso, della lunghezza nel secondo. In genere i villaggi vengono costituiti in modo da non sconfinare sulle terre irrigue, le sole che possano essere coltivate.

fig. 53

La struttura del villaggio è particolarmente fitta quando la superficie disponibile è limitata, in particolare da un muro di cinta, come si può vedere ad esempio nella città di Shöl sotto al Potala di Lhasa, a Lo mönthang (antica capitale del reame di Lo, l'attuale Mustang nel Nepal), o nella vecchia Leh le cui mura sono state distrutte. Le abitazioni sono allora praticamente affiancate e formano dei quartieri compatti separati da vicoli tortuosi. Si può passare da una casa all'altra attraverso le terrazze. Qui, i recinti che normalmente precedono le case di campagna sono sostituiti da cortili interni.

Peraltro, alcuni raggruppamenti densi di abitazioni si organizzano intorno ad un polo sociale (piccole case di sudditi strette intorno alla dimora dell'autorità proprietaria) o religioso (le case addossate al grande tempio di Lhasa, ad esempio).

In linea generale, che si tratti della struttura di un villaggio o di una città, le vie di circolazione seguono il raggruppamento molto libero, talvolta quasi anarchico, delle unità di abitazione, piuttosto che essere loro ad organizzarlo. Questa libertà nell'urbanistica si ritrova anche nel fatto che non esiste per i quartieri una specificità sociale o professionale, fatta eccezione per gli strati sociali considerati impuri e relegati nelle periferie degli agglomerati o fuori dalle mura della città.

Costruzioni religiose: stûpa, muri di pietre con incise formule esoteriche, sedi di divinità (lhatho), mulini di preghiera ad acqua..., particolarmente numerose nei pressi delle vie di accesso, delimitano lo spazio umanizzato del villaggio e lo proteggono dall'intrusione di potenze ostili dell'ambiente circostante il cui controllo è sempre problematico.

fig. 54, 55

Anche quando il villaggio non ha un carattere religioso marcato, come quello costituito dal gruppo di case di Kagar a Dolpo, è spesso circondato da un sentiero di circoambulazione per le processioni rituali. Quest'urbanistica del sacro si ritrova, più sviluppata, nelle città come Lhasa (Sezione IX).

NOTE DELLA SEZIONE II

[1] Liu Dunzhen, *Zhongguo gudai jianzhu shi*, Beijing 1980; Huang Chengpu, *Zang ju fangshi chutan*, in Jianzhu Xuebao, N° 3 1981.

[2] Tucci G., Ghersi E. 1935, pagg. 25-26; Denwood P.T. 1974; Jest C. 1975, pag. 79; Powell R. 1977; Sestini V., Somigli E. 1978; Khosla R. 1979, pagg. 101-112; Maréchaux P. 1981; Murdoch P. 1981; Friedl W. 1983, pagg. 127-129; Dollfus P. 1986.

[3] Nel Ladakh e nello Zangskar la cucina è normalmente chiamata chänsa.

[4] In tibetano, il temine «piano» (thog) indica i livelli della casa. Il pianoterra (ogkhang) è quindi il «primo livello» (thog dangpo).

[5] Gli abitanti di Dolpo svolgono il ruolo di mediatori nel commercio del sale tra gli allevatori nomadi dell'altipiano tibetano e le popolazioni delle basse valli himâlayane.

[6] In altre case del villaggio questo spazio è isolato da un tramezzo di legno.

[7] Questa disposizione sembra essere molto più frequente nel Ladakh e nel Buthan che nel Tibet Centrale.

[8] I tubi della stufa, sconosciuti nelle altre regioni himalayane e nel Tibet fino ad epoca molto recente, sono stati introdotti nel Ladakh dai missionari moravi nel secolo scorso (Khosla R. 1979, pag. 106).

[9] Questa distanza di 2m è anche riportata da Huang Chengpu (riferimento nota 1) per le abitazioni di Lhasa. Tuttavia, l'estrema regolarità delle piante che propone, in cui questo modulo si ritrova con la costanza e la precisione di una dimensione rigorosamente standard, fa pensare che siano il frutto di una reinterpretazione idealizzata dei rilievi del terreno.

[10] Si veda anche la pianta del villaggio di Sabu (Ladakh) in Kaplanian P. 1981, pag. 127.

BIBLIOGRAFIA GENERALE

DENWOOD, 1974; MURDOCH, 1981; JEST, 1975; SESTINI, SOMIGLI, 1978; KHOSLA, 1979; MARECHAUX, 1981; VILLETTE, 1974.

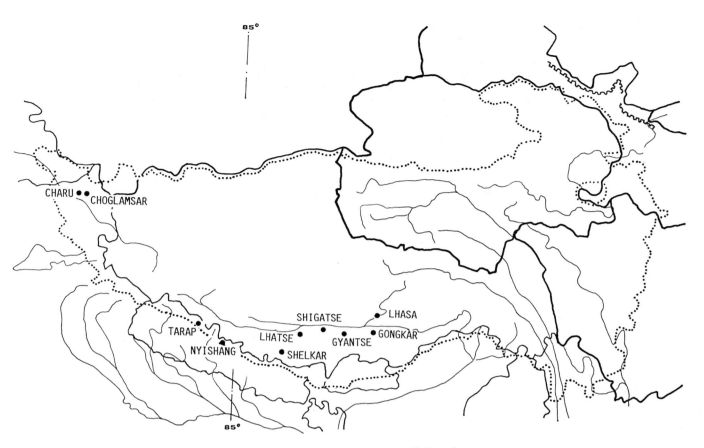

fig. 42 - Carta dei siti delle abitazioni prese in esame (F. Meyer).

fig. 42 - Carte présentant les emplacements des habitations étudiées (F. Meyer).

fig. 43 - Valle de Brahmaputra (Tsangpo), abitazione contadina nei pressi di Gongkar (foto F. Meyer).

fig. 43 - Vallée du Brahmaputre (Tsangpo), maison paysanne, près de Gongkar (cl. F. Meyer).

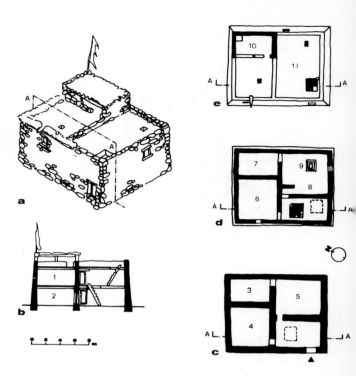

fig. 44 - Casa-tipo di una famiglia di sudditi senza terra (düchung) nela cultura tibetana tradizionale, facciata e pianta: 1, cucina-sala comune; 2, magazzino (F. Meyer, R. Astolfi).

fig. 44 - Maison type d'une famille de sujets sans terres (düchung) dans la culture tibétaine traditionnelle, façade et plan: 1, cuisine-salle commune; 2, réserve (F. Meyer, R. Astolfi).

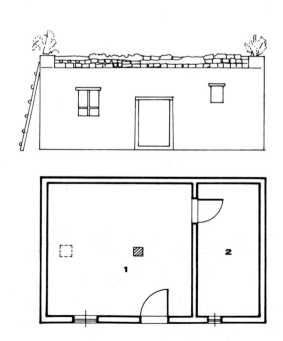

fig. 45 - Dolpo (Nord-Ovest del Nepal) Abitazione della valle di Tarap: a veduta prospettica; b, sezione N.O. — S.E. (A-A); 1 cappella; 2, magazzino del sale; c, pianta del pianoterra: 3, rimessa, ovile; 4, magazzino del sale; 5, ovile; d, pianta del primo piano: 6, cappella; 7, magazzino delle granaglie; 8, cucina; 9, focolare; e, pianta del secondo piano: 10, santuario di Tsan; 11, terrazza (rilievo di C. Jest ridisegnato da O. Villette, R. Astolfi).

fig. 45 - Dolpo (Nord-Ouest du Népal), maison dans la vallée de Tarap, a, vue cavalière; b, coupe N.O. — S.E. (A-A): 1, chapelle; 2, réserve de sel; c, plan du rez-de-chaussée: 3, remise, bergerie; 4, réserve de sel; 5, bergerie; d, plan du deuxième niveau: 6, chapelle; 7, réserve de grain; 8, cuisine; 9, foyer; e, plan du troisième niveau; 10, sanctuaire de Tsan; 11, terrasse (relevé de C. Jest, redessiné par O. Villette, R. Astolfi).

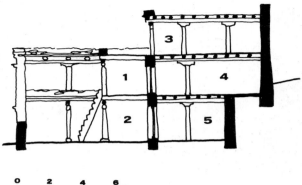

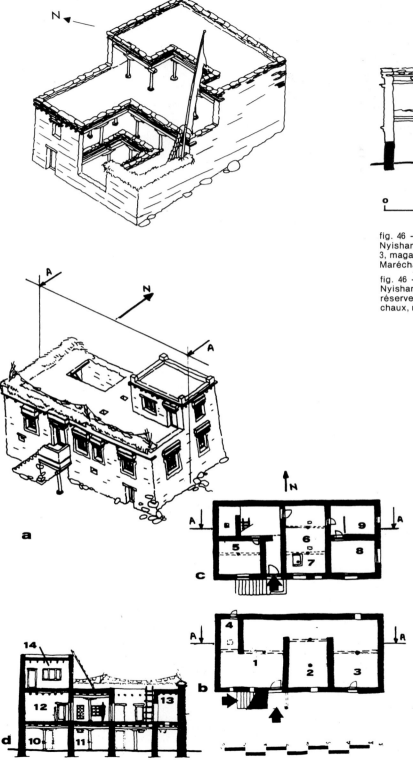

fig. 46 - Manang (Nepal del nord), abitazione della valle di Nyishang, prospettiva e sezione O.E.: 1, galleria; 2, cortile; 3, magazzino per il foraggio; 4, cucina; 5, stalla (rilievo di P. Maréchaux, ridisegnato da O. Vilette).

fig. 46 - Manang (Nord du Népal), maison de la vallée de Nyishang, vue cavaliere et coupe O.E.: 1, galerie; 2, cour; 3, réserve à fourrage; 4, cuisine; 5, étable (relevé de P. Maréchaux, redessiné par O. Villette).

fig. 47 - Charu, (dintorni di Leh, Ladakh) abitazione: a, prospettiva; b, pianta del pianoterra: 1, stalla; 2, magazzino; 3, stalla; 4, toilette; c, pianta del primo piano: 5, camera; 6, cucina; 7, focolare; 8, camera; 9, magazzino d, sezione E-O (A-A): 10, stalla; 11, magazzino; 12, magazzino; 13, servizio igienico; 14, cappella (rilievo di P. Murdoch ridisegnato da O. Villette).

fig. 47 - Environs de Leh (Ladakh), maison à Charu: a, vue cavaliere; b, plan du rez-de-chaussée: 1, étable; 2, réserve; 3, étable; 4, sanitaire; c, plan du deuxième niveau: 5, chambre; 6, cuisine; 7, foyer; 8, chambre; 9, réserve; d, coupe E-O, en A-A: 10, étable; 11, réserve; 12, réserve; 13, sanitaire; 14, chapelle (relevé de P. Murdoch, redessiné par O. Villette).

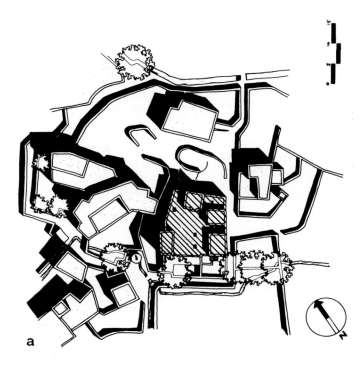

fig. 48 - Choglamsar (Ladakh), abitazione, rilievo del 1981: *a*, pianta della posizione; *b*, facciata sud; *c*, facciata nord; *d*, pianta del pianoterra: 1, magazzino d'orzo per il tchang; 2, magazzino; 3, magazzino per il foraggio; 4, magazzino; 5, magazzino; 6, magazzino per il grano; 7-10, stalla; 11, magazzino per il grano e l'orzo; 12, ovile; 13, riparo coperto; 14, cortile; *e*, pianta del primo piano: 15, magazzimo d'orzo per il tchang; 16, stanza per il tchang; 17, magazzino per l'orzo; 18, magazzino per il foraggio; 19, magazzino; 20, magazzino; 21, sanitari; 22, vuoto; 23, magazzino di tsanpa; 24, magazzino per la carne o camera d'inverno; 25, cucina d'inverno; 26, camera; *f*, pianta del secondo piano: 27, ventilazione della camera per tchang; 28, cappella; 29, botola di accesso al magazzino per il foraggio; 30, servizio igienico; 31, cucina d'estate; 32, ventilazione della cucina d'inverno; 33, camera, servizio igienico; *g*, sezione estovest (A-A); 1, cucina d'estate; 2, magazzino; 3, cucina d'inverno; 4, stalla; 5, camera; *h*, sezione prospettica nord-sud (B-B) (O. Villette).

fig. 48 - Choglamsar (Ladakh), maison relevé en 1981: *a*, plan de situation; *b*, façade Sud; *c*, façade Nord; *d*, plan du rez-de-chaussée: 1, réserve d'orge pour le tchang; 2, réserve; 3, réserve à fourrage; 4, réserve; 5, réserve; 6, réserve de blé; 7, ? 10, étable; 11, réserve de blé et d'orge; 12, bergerie; 13, abri couvert; 14, cour; *e*, plan du second niveau: 15, réserve d'orge pour le tchang; 16, pièce pour le tchang; 17, réserve d'orge; 18, réserve de fourrage; 19, réserve; 20, réserve; 21, sanitaire; 22, vide; 23, réserve de tsanpa; 24, réserve de viande ou chambre d'hiver; 25, cuisine d'hiver; 26, chambre; *f*, plan du troisième niveau: 27, ventilation de la pièce pour le tchang; 28, chapelle; 29, trappe d'accès à la réserve de fourrage; 30, sanitaire; 31, cuisine d'eté; 32, ventilation de la cuisine d'hiver; 33, chambre; *g*, section Est-Ouest (A-A): 1, cuisine d'été; 2, réserve; 3, cuisine d'hiver; 4, étable; 5, chambre; *h*, coupe perspective Nord-Sud (B-B) (O. Villette).

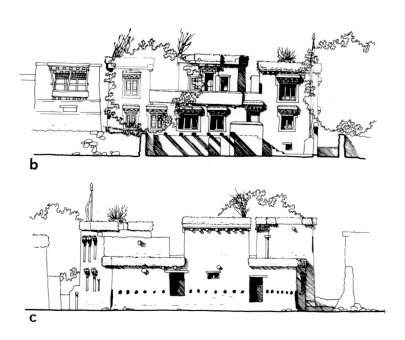

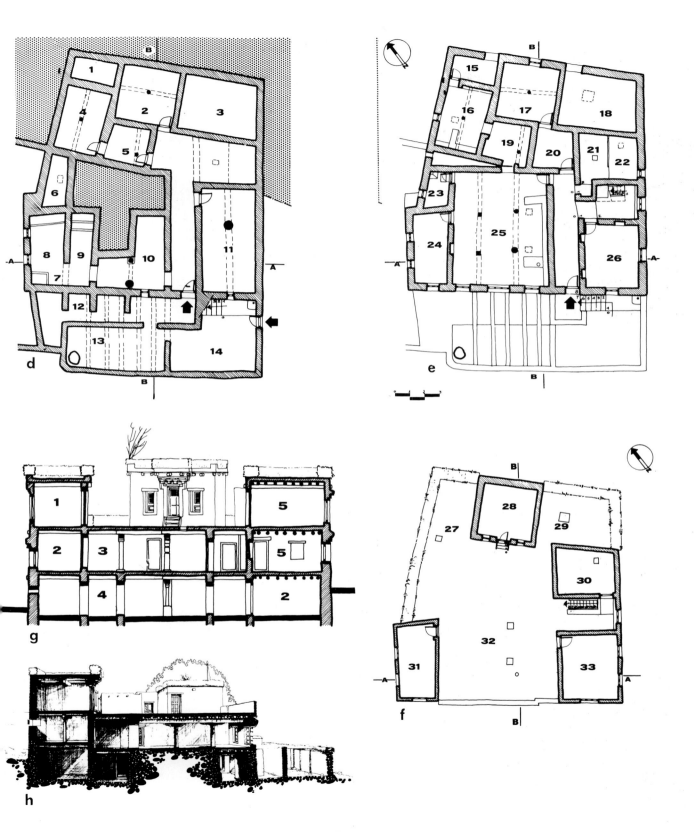

181

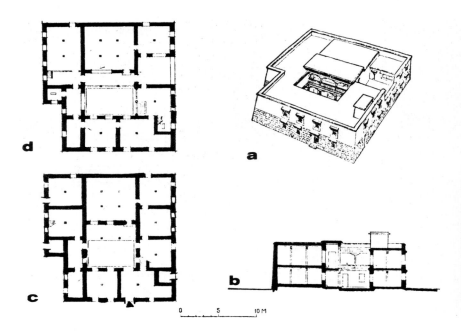

fig. 49 - Lhasa (Regione Autonoma del Tibet): abitazione *a*, prospettiva; *b*, sezione; *c*, pianta del pianoterra, *d*, pianta del primo piano (R. Astolfi da Liu Dunzhen 1980).

fig. 49 - Lhasa (Région Autonome du Tibet), habitation; *a*, vue cavaliere; *b*, coupe; *c*, plan du rez-de-chausée; *d*, plan du deuxième niveau (R. Astolfi d'après Liu Dunzhen, 1980).

fig. 50 - Gyantse (Regione Autonoma del Tibet), abitazione cittadina. L'impiego del vetro, da qualche decina di anni, ha consentito di aumentare la dimensione ed il numero delle aperture sulla facciata (foto F. Meyer).

fig. 50 - Gyantse (Région Autonome du Tibet), maison urbaine. L'emploi du verre, depuis quelques décennies, a permis d'accroître la taille et le nombre des ouvertures en façade (cl. F. Meyer).

fig. 51 - Regione di Lhatse (Regione Autonoma del Tibet), abitazione contadina (foto F. Meyer).

fig. 51 - Région de Lhatse, (Région Autonome du Tibet), habitation paysanne (cl. F. Meyer).

fig. 52 - Shigatse (Regione Autonoma del Tibet), abitazione (foto F. Meyer).

fig. 52 - Shigatse (Région Autonome du Tibet), une habitation (cl. F. Meyer).

fig. 53 - Villaggio di Shelkar (Regione Autonoma del Tibet) (foto F. Meyer).

fig. 53 - Village de Shelkar (Région Autonome du Tibet) (cl. F. Meyer).

fig. 54 - Kagar nella valle di Tarap (Dolpo, Nepal) veduta di un gruppo di abitazioni (foto C. Jest).

fig. 54 - Kagar dans la vallée de Tarap (Dolpo, Népal), groupement d'habitations (cl. C. Jest).

fig. 55 - Kagar, pianta della dislocazione delle costruzioni: 1, case; 2, recinto; 3, aree di battitura; 4, rovina; 5, tempio; 6, un muro delle preghiere; 7, chörten; 8, mulino delle preghiere azionato da un corso d'acqua; 9, santuario di divinità del sottosuolo (C. Jest, R. Astolfi).

fig. 55 - Kagar, plan de situation des constructions: 1, maisons; 2, enclos; 3, aire à battre; 4, ruines; 5, temple; 6, mur à prières; 7, chörten; 8, moulin à prières actionné par un cours d'eau; 9, sanctuaire de divinités du sous-sol (C. Jest, R. Astolfi).

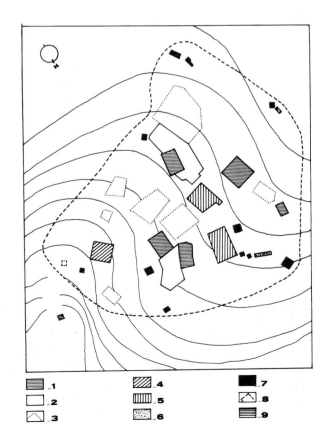

SECTION II

L'ARCHITECTURE DOMESTIQUE

Fernand Meyer, Corneille Jest

L'architecture domestique présente, sur l'ensemble de l'aire culturelle tibétaine, des différences régionales bien plus accusées que l'architecture religieuse. Cette dernière se caractérise en effet, au-moins pour les fondations importantes, par une certaine uniformité qui semble s'être accentuée au fil de l'histoire. Elle est dûe aux impératifs rituels et symboliques, mais également à la diffusion de quelques modèles prestigieux et à l'essaimage, parfois lointain des grands établissements religieux sous forme de filiales. Mais elle traduit surtout, une tendance générale à l'uniformisation culturelle sous l'effet de la suprématie religieuse et de la centralisation politique exercées par les gelugpa à partir du 17ème siècle.

Les grandes variantes régionales de l'architecture domestique correspondent aux zones écologiques qui constituent l'aire de culture tibétaine (section I). On peut schématiquement en distinguer 3 (Denwood P.T. 1980):

— Une zone de climat aride et froid comprenant le Tibet central et de l'Ouest, ainsi que les vallées de l'Himâlaya occidental situées au Nord de la ligne de crête (Ladakh, Zangskar, Lahul, Humla, Dolpo, Lo,...). Ici, les maisons présentent d'épais murs en maçonnerie ou en pisé et des toits-terrasse. L'usage du bois est réduit au strict minimum.

— Une zone plus humide et moins froide, soumise aux influences de la mousson, et comprenant les hautes vallées du versant Sud de l'Himâlaya oriental (Rolwaling, Solu-Khumbu, Sikkim, Bhutan...), quelques vallées méridionales du Tibet (Kyirong, Chumbi) et ses provinces du Sud-Est (Lhoka, Kongpo, Dagpo...). Ici le bois entre pour une part importante dans la construction des maisons qui sont couvertes d'une toiture en pente.

— La zone qui correspond au Tibet oriental présente une plus grande diversité écologique et culturelle, du fait d'un relief très accusé favorisant un certain isolement d'entités territoriales qui ont une longue tradition de relative indépendance politique. On rencontre dans ces régions les 2 types de constructions précédents, ainsi que des types locaux dont certains se rapprochent du bâti chinois.

fig. 42

Nous ne traiterons, dans cette section, que de l'architecture domestique populaire des régions arides. Les demeures nobles, les habitations des moines et les palais des hiérarques religieux seront envisagés dans la partie consacrée à l'architecture sous les Dalaïlama (section IX). Enfin, d'autres types régionaux de maisons seront illustrés dans les sections à cadre géographique: Tibet Oriental (X), Bhutan (XV) et Sikkim (XVI).

fig. 43

Malgré la variété des styles régionaux encore très mal connus, l'architecture domestique exprime, sur toute l'aire de culture tibétaine, un même ensemble de valeurs et de représentations spécifiques (voir introduction).

On observe de surcroît une grande diversité des habitations, tant en ce qui concerne leur taille que leur ordonnance, dans une région donnée ou à l'intérieur d'une même localité. Cette diversité reflète non seulement des différences socio-économiques; elle manifeste aussi la grande latitude d'expression des choix individuels qui caractérisait par ailleurs d'autres domaines de la vie sociale et culturelle du Tibet traditionnel. Toutefois cette variété morphologique est toujours le résultat de la multiplication et de diverses combinaisons spaciales d'un même module de base.

I) QUELQUES MODALITES D'EXPRESSION DU LANGAGE ARCHITECTURAL DOMESTIQUE

Encore aujourd'hui, l'architecture domestique tibétaine reste très mal documentée. Bien que des voyageurs du passé aient laissé des descriptions générales de maisons, il semble qu'aucun n'en ait dressé les plans. La reconstitution de l'ordonnancement des habitations à partir des souvenirs de réfugiés, tentée par E. Dargyay (1982), est assez décevante. Il faut signaler par contre quelques relevés publiés récemment en Chine dans le cadre de recensements du patrimoine architectural[1]. Les données les plus précises, dont nous disposons actuellement, concernent donc des régions himâlayennes, de culture tibétaine, qui ont été accessibles aux chercheurs dans un passé récent[2].

Les quelques exemples présentés ici ne sauraient être considérés comme typiques, tant la variabilité est grande, même localement. Leur choix et l'ordre de présentation sont uniquement justifiés par le parti-pris d'illustrer l'ubiquité du vocabulaire architectural de base et la logique qui sous-tend, sans hiatus, toute la gamme des constructions, des plus modestes aux plus complexes.

fig. 44

Exemple 1: *la maison d'une famille de sujets sans terres (düchung) au Tibet traditionnel.*
Cette maison n'a pas été observée, mais son plan-type et sa description nous ont été fournis par un architecte du Tibet central. Les sujets sans terre ne formaient en général que de petites familles nucléaires (voir introduction). Une telle maison pouvait aussi abriter un homme ou une femme vivant seuls (phorang, morang), séparés de leur famille d'origine.
Construite en pisé ou en briques de terre crue, rarement en mottes de gazon, la maison forme un simple rectangle (environ 4X6 m) divisé en 2 pièces de tailles inégales par un mur de refend. La porte donne accès directement à la cuisine-salle commune (thabtsang, thabsa)[3] qui communique avec une petite pièce servant de réserve (dzö, nyertsang). Le plafond de la cuisine comporte une poutre maîtresse soutenue par un poteau légèrement excentré. Les ouvertures sont situées en façade Sud: une petite fenêtre pour la cuisine et une lucarne d'aération pour la réserve. Une échelle placée contre la maison donne accès au toit-terrasse. Celui-ci présente une ouverture, au-dessus du foyer de la cuisine, destinée à évacuer la fumée. Afin d'éviter que l'eau de la terrasse ne s'écoule vers l'intérieur, le trou à fumée (dükhung) est recouvert par un pot en terre retourné, dont le fond a été éventré. Celui-ci est fermé par une pierre plate en cas de pluie. La réserve de combustible: bouses de yak sèchées et mottes de gazon recouvertes de fagots de pemashing (Potentilla fruticosa), disposée sur le rebord de la terrasse, fait office de parapet et protège les murs contre la pluie. Aux angles du toit, de petites constructions cubiques, en briques de terre crue ou en mottes de gazon, sont le siège de divinités de la religion populaire.
Certaines familles de sujets sans terres possédaient quelques moutons ou chèvres, abrités le soir dans un enclos situé devant la maison.

fig. 45

Exemple 2: *une maison de la vallée de Tarap à Dolpo (Nord-Ouest du Népal).* Relevé effectué par Jest C. en 1960-61 (Jest C. 1975 p. 78 et 1981 p. 230).
Cette habitation, construite en 1936, fait partie d'un groupe de maisons appelé Kagar (alt. 4000m environ) et appartient à un religieux nyingmapa marié, chef d'une maisonnée de la strate socio-économique supérieure des familles originaires de la vallée, les «gens du lieu» (shimi). La population de Dolpo se considère comme étant d'ethnie tibétaine. Rien, dans la structure de cette maison, qui abrite 4 adultes et 5 enfants, ne la différencie d'une habitation laïque, si ce n'est la place plus importante réservée à la chapelle.
Occupant un espace au sol de 9,50 X 7,50m, cette habitation, construite sur une terrasse alluviale, présente 2 niveaux construits[4], plus le toit-terrasse. Les murs, qui ont environ 45cm d'épaisseur, sont réalisés en pierres inégales, liées au mortier de terre, et remplacées dans les parties hautes par des briques sèchées au soleil et par du pisé. Ils présentent un fruit de 5° environ.
La maison est précédée par une cour rectangulaire de 50m² entourée d'un mur en pierre sèche. Elle sert

d'enclos pour les chevaux et les moutons. La porte d'entrée, située en façade Sud-Ouest, donne accès au rez-de-chaussée, «habitation du dessous» (ogkhang), divisé en 4 pièces par des murs de refend. L'une d'entre elles est réservée au stockage du sel (tsakhang)[5], alors que les 3 autres servent de bergerie (ra) ou de resserre pour les bâts de yak, les jougs ou les araires.

On accède au 1er étage, l'«étage intermédiaire» (barthog), grâce à un tronc muni d'encoches, engagé dans une trappe du plafond de la première pièce. Un vestibule commande l'accès à la chapelle (chökhang) ou à la cuisine-salle commune, le «nid du foyer» (thabtsang). Celle-ci est le centre de la vie domestique où la famille se réunit, mange, dort et reçoit. En été et même parfois en hiver, une partie des habitants dort sur le toit-terrasse. Un poteau soutient le plafond de la chapelle et un autre, forme avec le foyer de la cuisine, un axe important pour la division de l'espace domestique (voir introduction). Une cloison, disposée face à la porte de la cuisine, forme écran et délimite ainsi un passage en chicane. Une réserve, renfermant le grain et les richesses de la maisonnée (dukhang, norkhang, dzöphug), est attenante à la cuisine. Les seules fenêtres du bâtiment se trouvent au premier étage: en façade Sud-Ouest pour la chapelle et en façade Sud-Est pour la cuisine d'où l'on a ainsi une vue sur le lieu saint de Ribo Bumpa. Des ouvertures, ménagées dans la terrasse (karkhung), laissent pénétrer un peu de lumière au niveau de la chapelle et de la cuisine. L'ouverture de cette dernière sert également de trou à fumée (dükhung).

Un rondin muni d'encoches permet d'accéder au toit-terrasse (teng) par une trappe (namkhung) ouverte dans le couvrement du vestibule. La terrasse est entourée d'un parapet en maçonnerie (khangpä) sur lequel sont entassées des branches de saule et de genévrier, réserve de bois qui protège également le mur contre l'infiltration d'eau. L'arrière de la terrasse est occupé par un auvent en appentis (yab) sous lequel on se tient en été. Dans l'angle Nord, l'auvent est surmonté par une petite construction cubique, sanctuaire de la divinité tsen, et par un mât portant une bannière imprimée (darchog).

fig. 46   **Exemple 3**: *une maison de la vallée de Nyishang (Manang, Nord du Népal).* Relevé réalisé par Maréchaux P. en 1977 (Maréchaux P. 1981).

La vallée de Manang est habitée par une population de langue tibétaine. Bien que située au Nord de la ligne de crête de l'Himâlaya (massif de l'Annupurnâ), elle est moins aride et moins froide que Dolpo. Des forêts de genévrier et de pin en occupent les versants.

La maison décrite fait partie du village de Pisang (3550m). Construite sur 3 niveaux, en pierres brutes liées par un mortier de terre, elle occupe une surface au sol de 11 X 13m sur la pente d'un versant de la vallée. La porte d'entrée, située en façade Ouest, ouvre sur un espace précédant une étable et une bergerie qui ont été creusées dans la pente du terrain. L'espace qui fait office de cour, présente une couverture en U, soutenue par des poteaux et ouverte à l'Ouest, où le mur est abaissé de manière à laisser pénétrer un maximun de lumière et de chaleur.

Un tronc à encoches, posé contre un angle de l'ouverture zénithale de la cour, permet de monter au premier étage qui est le niveau d'habitation. La partie antérieure de celui-ci est occupée par un espace hypostile en équerre. Son côté Nord sert de chapelle[6]. Celle-ci est également éclairée par les 2 seules fenêtres du bâtiment. Le côté Est forme une galerie abritant un foyer extérieur utilisé en été. La galerie précède une réserve au Nord et la salle-commune au Sud. Cette dernière reçoit son éclairage par la baie de la porte, par une petite lucarne du mur Ouest et par une ouverture du plafond située au-dessus du foyer. A ce niveau, la maison déborde le rez-de-chaussée vers l'arrière et prend appui sur le haut de la pente du terrain. La branche Sud du U est laissée en terrasse découverte, d'où l'on monte au 2ème étage, près de l'emplacement où est érigée une bannière (darchog).

La partie arrière du 3ème niveau est occupée par un grand auvent supporté par la surélévation du mur du fond et des murs latéraux ainsi que par une série de poteaux. Cet espace couvert sert à entreposer la réserve de fourrage et d'abri pour ceux qui viennent y dormir en été.

fig. 47   **Exemple 4**: *une maison de Charu près de Leh (alt. 3500m, Ladakh, zone écologique aride du Tibet occidental).*

Relevé réalisé par Murdoch P. (Murdoch P. 1981).

Cette habitation, orientée au Sud, a été construite en 1976 sur 3 niveaux. La pierre a été employée pour le rez-de-chaussée, la brique crue aux étages. Elle abrite un couple et 3 enfants.

L'accès, au rez-de-chaussée et à l'étage d'habitation, se fait par des entrées différentes [7]. Deux portes ouvrent sur les étables du rez-de-chaussée éclairées par quelques lucarnes. A ce niveau se trouve également une réserve. Une porte située à l'arrière de la maison permet de retirer la litière des animaux et l'engrais humain collecté dans l'espace situé sous les toilettes du 1er étage. Il faut noter la disposition des murs de refend, qui ne divisent l'espace que partiellement, et la présence de plusieurs poteaux.

On accède à la porte de l'étage d'habitation par un escalier droit en pierre dont le palier en surplomb est supporté par un poteau. Un couloir conduit à un vestibule à ciel ouvert qui dessert une chambre, les toilettes et la cuisine. Les toilettes comportent simplement un trou dans le sol. Après usage, un peu de terre est répandue sur les matières fécales collectées à l'étage en-dessous. La cuisine présente 2 petites ouvertures d'aération ménagées dans la terrasse. L'éclairage est ici largement assuré par les fenêtres de la façade Sud. La cuisine donne accès à la réserve et celle-ci à une seconde chambre.

Une échelle posée contre un mur du vestibule permet d'accéder à la terrasse dont l'angle Nord-Est est occupé par la chapelle, couverte, elle-aussi, par un toit plat.

fig. 48

Exemple 5: *une maison du village de Choglamsar, vallée de l'Indus, près de Leh (alt. 3500m, Ladakh, zone écologique aride du Tibet occidental).* Relevé effectué par Villette O. en 1981.

Cette habitation, dont la base des murs est en pierre alors que les parties hautes sout en brique crue, a été construite il y a 3 générations.

Partiellement enterrée dans la pente du terrain, face au Sud-Ouest, elle abrite une maisonnée de 9 personnes possédant environ 12 hectares de terres, 11 vaches, 5 ânes et quelques chèvres. Le bâtiment est précédé d'une cour, limitée par un muret, et d'un abri couvert dont la partie postérieure, isolée par un mur, sert de bergerie. Celle-ci donne accès à un couloir qui dessert les étables et les réserves. Il mène également au recoin où s'accumule l'engrais humain sous les toilettes des étages. Le rez-de-chaussée n'est éclairé que par quelques lucarnes placées en façade Sud-Ouest et Nord-Ouest. Certaines réserves, de blé à l'Ouest et d'orge au Nord, sont des silos alimentés par le haut. La réserve de fourrage de l'angle Est monte sur 2 étages. Elle est vidée par une ouverture située au niveau des étables. Le rez-de-chaussée est curieusement construit autour d'un noyau plein, constitué sans-doute d'un accident de terrain (grand rocher?) et de remblai. Cette particularité confère certainement une grande stabilité à l'édifice tout entier, d'autant que la partie postérieure de la construction est partiellement enterrée dans la pente. Une pièce triangulaire, dont la seule ouverture est une lucarne en façade, semble se trouver au milieu de la partie occidentale du 1er étage. L'auteur du relevé n'a pas pu obtenir d'autres précisions à son sujet.

Comme pour la maison précédente, on accède à l'étage d'habitation par un escalier droit en pierre, partant de la cour et longeant la façade Sud-Ouest. Son palier surplombe, là aussi, la porte du rez-de-chaussée. Un long couloir, superposé à celui de l'étage sous-jacent, mène vers la cuisine d'hiver et les réserves qui se trouvent dans le fond du bâtiment. A droite du couloir se trouvent, successivement, une chambre, un petit espace d'où part l'escalier en pierre conduisant à la terrasse, et les toilettes. Une cloison sépare celles-ci du vide d'évacuation des toilettes de l'étage supérieur. La cuisine d'hiver est, avec ses 50m² et ses 4 piliers, tous différents, la pièce la plus spacieuse du bâtiment. Elle est largement éclairée par des fenêtres situées au Sud-Ouest, et ventilée par 2 ouvertures ménagées dans le plafond. De plus, le poêle a été muni d'un tuyau qui sort, lui aussi, par la terrasse [8]. La cuisine donne accès à 2 réserves sur son côté Ouest. L'une abrite les provisions de viande sèchée et sert également de chambre en hiver. L'autre, renfermant la farine d'orge grillée (tsampa), communiquait autrefois, par une trappe, avec un silo à blé situé en-dessous et qui n'est plus en usage. Elle abrite aussi, dans un coin, un cube en maçonnerie, siège d'une divinité du sous-sol liée aux richesses et à la fertilité (voir introduction). Au Nord, la cuisine ouvre sur une autre réserve qui conduit à une pièce où l'on prépare et conserve la bière. Une ouverture dans le plafond permet l'évacuation de la fumée du petit foyer qui peut être allumé occasionellement dans cette pièce. Le fond de celle-ci est ouvert sur un silo à orge, alimenté par une porte de la façade Nord-Est qui est ensuite murée. Une telle porte permet également d'approvisionner la réserve à fourrage de l'angle Est, dont le remplissage est finalement complété à travers une trappe ménagée dans la terrasse.

Le 3ème niveau n'est construit que partiellement, ce qui lui donne l'aspect d'une terrasse supportant des pavillons irrégulièrement disposés. Les 4 pièces: cuisine d'été à l'Ouest, chambre au Sud, toilettes à l'Est et chapelle au Nord-Est, se superposent, chacune, à une pièce de l'étage sous-jacent. Les toilettes, basses de plafond, sont d'une construction assez rustique, alors que la chapelle est légèrement surélevée par rapport aux autres pièces de l'étage. On y accède par quelques marches. La partie arrière de la terrasse est entourée d'un parapet de branchages entassés. Au Sud-Ouest, le parapet, qui surplombe légèrement la façade, est, par contre, réalisé en maçonnerie de brique crue. De même, les toits plats des constructions en pavillon de la terrasse sont limités par une bordure de branchages qui est, au-dessus de la cuisine d'été, superposée à une maçonnerie.

fig. 49

Exemple 6: *une habitation de Lhasa (3730m, Région Autonome du Tibet) d'après le plan publié par Liu Dunzhen 1980, p. 331* [1].

Le statut socio-économique et la taille de la famille, qui occupait autrefois cette habitation, ne sont pas mentionnés par l'auteur du relevé. Il s'agissait vraisemblablement d'une maison de grande famille aisée. Construite sur 2 niveaux: le premier en pierre, le second en brique crue; elle se caractérise par la présence d'une cour intérieure (khyam) au centre du bâtiment. Le fond de la cour est occupé par 2 niveaux de galeries en bois par lesquelles, les pièces principales, situées en arrière, reçoivent la lumière. L'accès au bâtiment se fait par une porte située en façade Sud. Elle ouvre sur un vestibule conduisant à la cour intérieure qui dessert les pièces du rez-de-chaussée. Du vestibule part un escalier menant au 1er étage. A ce niveau, la circulation se fait par des pièces en enfilade (partie Sud-Ouest) ou par la galerie entourant les côtés Est et Nord de la cour intérieure. Ici, elle passe d'ailleurs par une partie découverte en terrasse. Les toilettes, situées dans les parties Est et Ouest du bâtiment, se trouvent au-dessus de vides sanitaires vidangés par des ouvertures en rez-de-chaussée. Une échelle, près des toilettes de l'Est, permet d'accéder au toit-terrasse par une ouverture surmontée d'une lanterne d'escalier. La terrasse est circonscrite par un parapet en maçonnerie.

Il faut remarquer ici le plan carré très rigoureux, bien que partiellement asymétrique, qui semble avoir été conçu à partir d'un module carré ayant pour unité de longueur un écart de 2m entre les supports verticaux [9].

fig. 50, 51

D'autres maisons urbaines sont plus petites, mais la plupart présentent une cour intérieure, alors qu'en milieu rural, la cour précède généralement l'habitation.

II) LA SYNTAXE DE CE LANGAGE ARCHITECTURAL

L'analyse des exemples précédents montre, avec une évidence qui s'impose d'emblée, qu'une même logique, malgré les différences de taille et de lieu, gouverne les ordonnancements différents des unités architecturales élémentaires; constituant de la sorte, un fil conducteur qui permet de passer, sans discontinuité, du plus simple au plus complexe, comme s'il s'agissait du développement organique d'une même structure que l'on aurait suivie dans le temps.

Lorsque l'habitation comporte 2 niveaux construits, le rez-de chaussée abrite les animaux, les remises et les réserves les moins précieuses. Il constitue une zone tampon entre la terre et l'étage d'habitation qui bénéficie ainsi de la chaleur animale. Les usages, auxquelles les différentes pièces du rez-de-chaussée sont affectées, ne nécessitent qu'un minimum d'ouvertures en façade. De plus, ils permettent, lorsque le bâtiment dépasse une certaine taille, de multiplier le nombre des murs de refend ou des contreforts internes, ce qui donne une plus grande stabilité à l'ensemble de la construction; surtout lorsque les fondations sont peu profondes ou inexistantes, comme c'est le cas pour certains bâtiments élevés sur une base rocheuse.

Le plan de ce niveau est souvent irrégulier, s'adaptant très librement à la configuration du terrain, comme le montre la maison de Choglamsar (ex. 5). On retrouve également cette caractéristique, à une échelle beaucoup plus grande, pour le niveau le plus bas du palais de Leh. Généralement, les murs de refend des étages se superposent à ceux du niveau sous-jacent (ex. 2: Dolpo). Mais leur nombre a tendance à diminuer dans les étages supérieurs où ils sont remplacés par des systèmes de piliers et de poutres (ex. 5: Choglamsar et ex. 6: Lhasa). On peut toutefois aussi observer l'inverse (ex. 4: Charu). Les piliers des différents étages sont en général placés sur une même verticale (ex. 3: Nyishang).

A chaque niveau, le couvrement de l'étage sous-jacent est susceptible d'être construit en totalité ou en partie, dégageant, dans ce dernier cas, des portions de terrasse. La surface construite est généralement dégressive, de bas en haut, selon un profil en gradins s'élevant vers l'arrière (ex 3: Nyishang). Cet ordonnancement permet de dégager des terrasses exposées au rayonnement solaire et protégées du vent froid venant du Nord. La disposition en gradins, que l'on retrouve dans nombre d'édifices religieux ou nobiliaires, est encore renforcée lorsque leur étagement suit la pente du terrain sur lequel ils s'élèvent. La maison de Nyishang (ex. 3) ébauche cette disposition, que l'on retrouve à une échelle beaucoup plus grande au Potala. Elle rappelle le tissu villageois de certaines communautés nord-himâlayennes, établies sur de fortes pentes, où les aires de travail et de repos, qui précèdent les habitations, sont les toits-terrasse des maisons sous-jacentes. Dans ces villages, la circulation se fait alors de terrasse en terrasse, fonction que celles-ci conservent dans les grands bâtiments.

Lorsque la taille des maisons augmente, elles ont tendance à rester fermées sur l'extérieur, ce qui leur impose de se creuser, en quelque sorte, autour d'une ouverture zénithale distribuant lumière et chaleur. A Dolpo (ex. 2), l'ouverture la plus importante, ménagée dans la terrasse, est celle de l'angle Sud. Son rôle ici, est moins d'assurer l'éclairage des pièces de passage du rez-de-chaussée et du 1er étage, que de permettre l'accès au toit. Il en va de même pour la petite cour intérieure située à l'étage de la maison de Charu (ex. 4). L'analyse des termes désignant les différentes ouvertures du toit destinées au passage de la lumière, de la fumée ou des hommes, montre combien elles sont conceptuellement proches et parfois confondues (voir introduction). A Nyishang (ex. 3), l'ouverture zénithale, plus importante, dégage également le rez-de-chaussée. Toujours excentrée, du fait de la taille insuffisante du bâtiment, sa disposition est combinée ici au principe d'étagement en gradins face au rayonnement solaire. Elle continue de servir de voie de passage entre les divers niveaux. Nous voyons que la circulation dans ce bâtiment, passe par des terrasses à l'air libre, comme nous l'avons déjà fait remarquer pour la maison de Lhasa (ex. 6). Ce trait se retrouve fréquemment dans les édifices religieux ou palatiaux. Le nombre des poteaux de l'habitation de Nyishang (ex. 3) reflète la relative abondance du bois dans la région. Mais leur distribution autour d'une ouverture centrale est aussi l'ébauche des cours intérieures des bâtiments religieux ou palatiaux du haut-plateau tibétain qui sont entourées de portiques sur plusieurs niveaux. La taille de la demeure de Lhasa (ex. 6) est suffisamment importante pour que l'ouverture zénithale (gyathong, khyamthong, thongkhung, namyang) vienne en occuper le centre. La cour (khyam), ainsi dégagée au rez-de-chaussée, et les galeries qui la bordent sur 2 côtés au 1er étage, constituent des aires de circulation, mais également des emplacements abrités du vent et exposés au soleil. Un tel espace intérieur ouvert au ciel, mais beaucoup plus vaste et entouré de galeries sur plusieurs étages, occupe le centre du Palais Rouge du Potala où il coiffe une vaste salle (section IX). De fait, dans de nombreux édifices, les ouvertures zénithales n'exposent pas à proprement parler des cours intérieures, mais des salles, dont elles sont parfois le seul accès de lumière. Il en est ainsi pour les salles d'assemblée des temples (dükhang), dont la conception semble d'ailleurs dériver des cours intérieures (khyam) entourées de chapelles, à en juger par le Potala ou par l'évolution du Jokhang.

Il faut noter que le niveau de la cour intérieure de la résidence de Lhasa (ex. 6) est légèrement plus bas que celui des bâtiments qui l'entourent, sans doute du fait d'une accumulation possible d'eau lors de fortes pluies. Cette caractéristique se retrouve également au Potala et dans d'autres grands édifices.

Les terrasses forment une extension importante de l'espace domestique. Ce sont des aires de sèchage et de stockage, de travail et de repos. En hiver, dans les régions où la couverture neigeuse persiste, ce sont les seules surfaces dégagées où il est possible de mener une activité à l'air libre. Les terrasses peuvent également servir d'aire de danse lors de fêtes familiales. Enfin, les membres de la maisonnée viennent y dormir, surtout en été. De ce fait, les terrasses comportent souvent un abri, car le parapet végétal ou en maçonnerie qui l'entoure, ne protège pas suffisamment du vent. Celui de la maison de Tarap (ex. 1) se réduit à un petit auvent en appentis situé contre le mur arrière, conformément au principe des gradins exposés au rayonnement solaire. Nous retrouvons cet appentis, en plus développé, à Nyishang (ex. 3), où il prend toute la largeur du bâtiment. S'il est fermé par un mur, il devient une pièce supplémentaire accessible par la terrasse (ex. 4: Charu). Etant la partie la plus haute de la maison, elle sert généralement de chapelle. Il arrive que plusieurs pièces soient construites sur la terrasse (ex. 5: Choglamsar). Dans ce cas, l'une d'entre elles, de par sa situation relativement indépendante du reste de l'habitation, peut servir de «petite maison» (khangchung) pour les parents âgés ou un collatéral. C'est sans doute à cet usage qu'était destinée la pièce qui occupe l'angle Nord-Est de la demeure de Lhasa (ex. 6) avec la petite terrasse qui la précède, à moins qu'elle n'ait servi de chapelle. Comme nous l'avons vu, les 3 pièces de la maison de Choglamsar (ex. 5), qui ont l'aspect de pavillons édifiés sur la terrasse, se superposent à des pièces de l'étage sous-jacent. Ils partagent ce trait, ainsi que leur disposition irrégulière, avec les pavillons à toits dorés qui surmontent la terrasse du Palais Rouge du Potala (section IX).

En été, il arrive qu'une toile de tente (chayab) soit étendue au-dessus d'une partie de la terrasse. On imagine dès lors la facilité avec laquelle s'est opéré, au cours de l'histoire, le passage du toit chinois couvrant l'ensemble d'un bâtiment, au toit «à la chinoise» de l'architecture tibétaine, simplement posé sur une portion de terrasse qui constitue en fait la véritable couverture.

Revenons à l'auvent (yab) soutenu par 3 murs en fer à cheval sur la terrasse de la maison de Tarap (ex. 2). En plus petit on peut le retrouver au-dessus des trous à fumée qu'il protège de la pluie au Tibet Oriental. Formant lanterne d'escalier, il assure couramment la même fonction au-dessus des ouvertures d'accès aux terrasses, comme on le voit dans l'angle Sud-Est de la demeure de Lhasa (ex. 6). En plus étendu, cet auvent, alors appelé sengyab, orienté au Sud, peut couvrir une ouverture zénithale. Il est alors l'équivalent des lanterneaux de l'architecture occidentale, destinés à transmettre la lumière à une pièce située en dessous. Lorsque l'ouverture zénithale des salles est importante, il en surplombe le bord postérieur, où il servait, autrefois, à accrocher les velums en coton ou en poil de yak qui étaient susceptibles de la recouvrir.

Dans toutes les habitations que nous venons d'examiner, à l'exception de la plus rudimentaire, une zone de transition sépare le monde extérieur, du coeur de la vie familiale: la cuisine-salle commune. A Tarap (ex. 2), il s'agit d'une pièce au rez-de-chaussée et d'un vestibule au 1er étage, reliés par un tronc muni d'entailles. A Nyishang (ex. 3), il faut d'abord passer par la cour et une partie de sa couverture. Le caractère anciennement défensif de cette disposition, est resté très net du fait de la mobilité des échelles que l'on peut remonter à l'étage. Pour accentuer encore la fermeture de la pièce du foyer sur l'intimité de la famille, un écran est souvent placé dans l'alignement de la porte, cachant ainsi l'intérieur au regard. De ce fait, on ne pénètre dans la cuisine qu'après un dernier trajet en chicane. Cette situation de la pièce du foyer et de la resserre obscure, contenant les biens les plus précieux, dont elle commande en général l'accès, illustre bien l'idée de «fond» et de «grotte» (phug, bug, voir introduction) qui leur est associée. Même lorsqu'une porte donne immédiatement accès à l'étage d'habitation, c'est un long couloir qui constitue une zone de transition avant d'arriver à la cuisine (ex. 4: Charu et ex. 5: Choglamsar). Il peut desservir également une chambre (ibid.) qui, étant ainsi isolée du centre de l'intimité familiale, permet de loger plus facilement un locataire ou un hôte de passage. Dans les grandes demeures, comme celle de Lhasa (ex. 6), les fonctions attachées à la cuisine-salle commune des habitations plus modestes, sont distribuées entre plusieurs pièces: chambres (zimchung) et salles de réception (tsomchen). Elles sont généralement situées dans les parties les plus reculées. Certaines d'entre-elles peuvent être disposées en enfilade (côtés Sud et Ouest de la cour au 1er étage de l'ex. 6). Pour accéder à une pièce il arrive fréquemment qu'il faille en traverser une ou plusieurs autres comme c'est le cas, par exemple, de la chambre occupant l'angle Sud-Est de la maison de Charu. La dernière pièce est alors appelée bug («fond») et celle qui la précède do («jonction»). Si la pièce du fond est une chambre, elle est appelée zimphug («fond de l'appartement»).

Lorsque les habitations atteignent une certaine taille, elles comportent des toilettes (sangchö) qui se

fig. 52

trouvent, en général, près des passages. Elles sont parfois situées dans un petit bâtiment, vidangé par une ouverture ménagée à sa base. Il est accolé à l'habitation, ou indépendant et relié par une passerelle (delsam). Il arrive fréquemment, surtout au Ladakh et au Zanskar semble-t-il, que les foyers utilisés en hiver et en été se trouvent à 2 niveaux différents de la maison (ex. 5: Choglamsar). Les écarts saisonniers de température peuvent être, en effet, particulièrement marqués dans ces régions: de -30° en hiver à + 35° en été. La cuisine d'hiver est située, soit au rez-de-chaussée, soit au 1er étage. Au rez-de-chaussée, elle peut être entièrement entourée par des étables, des bergeries ou des réserves qui l'isolent du froid (Khosla R. 1979, p. 108, 110 et 111; Maréchaux P. 1981, p. 247). Bien qu'elle ne soit pas enterrée, cette habitation hivernale enfouie évoque un mode de vie saisonnier semblable, documenté pour la chine archaïque (Granet M. 1968, p. 115 et 120). Il faut d'ailleurs signaler à ce propos, pour le Tibet, que les huttes construites en mottes de gazon (Bell Ch. 1928, p. 49) ou les tentes des pasteurs nomades au camp d'hiver (Sandberg G. 1906, p. 140), sont parfois érigées dans une fosse creusée jusqu'à 2m de profondeur.

A l'étage, au-dessus du foyer d'hiver, la cuisine d'été constitue le cadre annexe d'une vie qui se déroule plutôt à l'air libre. Ainsi, le déplacement saisonnier vertical de la vie domestique dans son cadre bâti, correspond à celui des éleveurs nomades qui montent aux pâturages d'altitude au printemps et redescendent vers les vallées à l'automne. Le parallélisme est d'autant plus frappant que ces cuisines saisonnières portent, dans certaines régions, le même nom que les campements d'été et d'hiver des pasteurs (yarsa et günsa, Khosla R. op. cit.).

III) LE GROUPEMENT VILLAGEOIS ET URBAIN

Les habitations tibétaines sont, le plus souvent, groupées en villages constitués d'un seul tenant ou de plusieurs hameaux séparés. L'habitat dispersé ne s'observe que dans de vastes vallées fertiles. Il semble d'ailleurs que l'on puisse noter, en particulier au Ladakh, une certaine évolution historique des types de groupements de maisons: les villages anciens à structure dense, situés sur les hauteurs, contrastant avec le tissu villageois lâche des implantations plus récentes, proches des terres cultivées au fond des vallées. Le Tibet traditionnel comptait très peu de centres urbains dont la structure prolongeait, par bien des aspects, celle des villages. Elle sera envisagée plus particulièrement avec Lhasa à la section IX.

Les modalités de groupement des maisons ne semblent pas présenter de caractères régionaux très contrastés. De plus, elles sont souvent variables à l'intérieur d'une même unité territoriale en fonction de la topographie des sites (vaste fond de vallée, terrasse alluviale ou versant de montagne), dont le choix a été déterminé, en particulier, par la protection naturelle éventuellement recherchée et par la proximité des points d'eau et des terres cultivables. Ainsi, dans la vallée de Nyishang (Manang, Népal), les habitations se groupent tantôt en escalier sur les fortes pentes, tantôt en bande sur les terrasses alluviales. Ici, la texture du tissu villageois se répercute à son tour sur les proportions et l'ordonnancement des unités d'habitation: tendance au développement en hauteur dans le premier cas, en longueur dans le second. En général,

fig. 53 l'implantation des villages se fait de manière à ne pas empiéter sur les terres irrigables, les seules qui puissent être mises en culture.

La structure villageoise est particulièrement serrée lorsque la surface disponible est limitée, notamment par un mur d'enceinte, comme on peut le voir, par exemple, pour la cité de Shol sous le Potala de Lhasa, à Lo Mönthang (ancienne capitale du royaume de Lo, l'actuel Mustang au Népal) ou dans le vieux Leh dont les murailles ont été détruites. Les habitations sont alors pratiquement accolées, formant des quartiers compacts, où on peut passer d'une maison à l'autre par les terrasses, séparés par des ruelles tortueuses. Ici, les enclos, qui précèdent habituellement les maisons campagnardes, sont remplacés par des cours intérieures.

Par ailleurs, certains groupements denses d'habitations s'organisent autour d'un pôle social (petites maisons de sujets se pressant autour de la demeure de l'autorité propriétaire) ou religieux (les maisons construites contre le grand temple de Lhasa par exemple).

De manière générale, qu'il s'agisse du tissu villageois ou urbain, les voies de circulation suivent le groupement très libre, d'apparence parfois anarchique, des unités d'habitation, plutôt qu'elles ne l'organisent. Cette liberté de l'urbanisme se retrouve aussi dans le fait qu'il n'y ait pas de spécificité sociale ou professionnelle stricte des quartiers, à l'exception des strates sociales considérées comme impures, rejetées en périphérie des agglomérations ou hors les murs des cités.

fig. 54, 55

Des constructions religieuses: stûpa, murs de pierres gravées de formules ésotériques, sièges de divinités (lhatho), moulins à prière actionnés par l'eau..., particulièrement nombreuses près des voies d'accès, bornent l'espace humanisé du village et le protègent contre l'intrusion des puissances hostiles du milieu environnant dont la maîtrise est toujours problématique [10]. Même lorsque le village n'a pas un caractère religieux aussi marqué que celui du groupe de maisons de Kagar à Dolpo, il est souvent entouré d'un sentier de circumambulation pour les processions rituelles. Cet urbanisme du sacré se retrouve, en plus développé, dans les cités comme Lhasa (section IX).

SECTION II - NOTES

[1] Liu Dunzhen, *Zhongguo gudai jianzhu shi*, Beijing 1980; Huang Chengpu, *Zang ju fangshi chutan*, in Jianzhu Xuebao, N° 3, 1981.

[2] Tucci G., Ghersi E. 1935, pp. 25-26; Denwood P.T. 1974; Jest C. 1975, p. 79; Powell R. 1977; Sestini V., Somigli E. 1978; Khosla R. 1979, pp. 101-112; Maréchaux P. 1981; Murdoch P. 1981; Friedl W. 1983, pp. 127-129; Dollfus P. 1986.

[3] Au Ladakh et au Zanskar la cuisine est couramment appelée *chänsa*.

[4] En tibétain, le terme «étage» (*thog*) désigne les niveaux de la maison. Le rez-de-chaussée (*ogkhang*) est ainsi le «premier niveau» (*thog dangpo*).

[5] Les habitants de Dolpo jouent le rôle d'intermédiaires dans le commerce du sel entre les éleveurs nomades du plateau tibétain et les populations des basses vallées himâlayennes.

[6] Dans d'autres maisons du village cet espace est isolé par une cloison en bois.

[7] Cette disposition semble être nettement plus fréquente au Ladakh et au Bhutan qu'au Tibet Central.

[8] Les poêles, inconnus dans les autres régions himâlayennes et au Tibet jusqu'à une date toute récente, on été introduits au Ladakh par les missionnaires moraves au siècle dernier (Khosla R. 1979, p. 106).

[9] Cet écart de 2m est également donné par Huang Chengpu (ref. note 1) pour les habitations de Lhasa. Néanmoins, l'extrême régularité des plans qu'il propose, où ce module se retrouve avec la constance et la précision d'une dimension strictement standardisée, fait penser qu'ils sont le fruit d'une réinterprétation idéalisée des relevés de terrain.

[10] Voir également le plan du village de Sabu (Ladakh) dans Kaplanian P. 1981, p. 127.

OUVRAGES GENERAUX

DENWOOD, 1974; MURDOCH, 1981; JEST, 1975; SESTINI, SOMIGLI, 1978; KHOSLA, 1979; MARECHAUX, 1981; VILLETTE, 1984.

SEZIONE III

L'ARCHITETTURA MOBILE

Fernand Meyer, Corneille Jest

Nell'area di cultura tibetana, l'architettura mobile, vale a dire trasportabile, si riduce a vari modelli di tende (gur, ba) la cui varietà comprende differenze di materiali, ma anche di struttura e d'uso [1]. Distingueremo sommariamente due tipi principali di tenda, a seconda della stoffa impiegata: di pelo di yak o di cotone.

La tenda nera di pelo di yak (banag, droggur)

E la tenda per eccellenza, quella degli allevatori nomadi, sia che si tratti di popolazioni ad economia esclusivamente pastorale (drogpa, drogchen) o di pastori collegati a comunità rurali sedentarie (samadrog). Viene spostata da un pascolo all'altro soltanto dopo un lasso di tempo di alcune settimane, e rimane ferma, nell'accampamento d'inverno, per almeno cinque mesi. Pertanto, per questo tipo di tenda, è la protezione dalle intemperie che prevale sulla mobilità [2].

Le tende di cotone (regur)

Vengono impiegate in circostanze in cui si apprezza la loro leggerezza e la loro rapidità di montaggio (in occasione di picnic o di feste collettive e come piccole tende da viaggio, carovana o caccia), quando è necessario ricoprire una grande superficie (tendoni per assemblee religiose), e per le possibilità decorative offerte da questo materiale (tende lussuose).

Questa classificazione delle tende, a seconda del tipo di stoffa, deve tuttavia essere sfumata. Infatti, come le abitazioni che associano spesso materiali diversi nella costruzione dei muri, può accadere che le tende di pelo di yak abbiano delle parti di cotone e viceversa [3].

Nel Tibet l'uso della tende è molto antico e sembra essere stato un elemento importante del modo di vita della nobiltà in epoca reale, come testimoniano gli annali dei Tang per il VI-IX sec. (Pelliot P. 1961, pagg. 80 e 130).

I) LA TENDA NERA DEGLI ALLEVATORI NOMADI

Le popolazioni esclusivamente pastorali vivono nel Tibet Occidentale, nella parte meridionale dell'«Altipiano del Nord» (Changtang), nell'Amdo (l'attuale Qinghai) e nelle contrade settentrionali dell'antica regione del Kham. La produzione dei nomadi si basa essenzialmente sull'allevamento estensivo di pecore e di yak, in via accessoria di capre e cavalli [4]. Si spostano verso i pascoli estivi (yarsa) in primavera e ritornano all'accampamento invernale (günsa) in autunno.

La stratificazione sociale delle popolazioni nomadi era, nel Tibet tradizionale, molto meno accentuata di quella delle popolazioni sedentarie. Queste popolazioni appartenevano, per la maggior parte, a delle tribù (de), più o meno grandi, poste sotto l'autorità di un capo ereditario, e che occupavano dei territori nettamente delimitati. In seno alle tribù, gli accampamenti formano, ancora oggi, dei gruppi sociali più piccoli che riuniscono dei nuclei familiari il cui numero è in funzione della ricchezza dei pascoli e dell'importanza della totalità del bestiame. Un tempo, alcuni allevatori (soprattutto nel Changthang) avevano soltanto la custodia delle greggi che appartenevano di fatto al governo, ad una famiglia nobile o ad un'autorità religiosa. Altri, proprietari del loro bestiame, dovevano tuttavia pagare delle tasse in natura ad una delle predette autorità di cui erano suddi-ti. Infine, parecchi gruppi di allevatori, soprattutto nell'Amdo, erano praticamente indipendenti.

Per i nomadi, come per i sedentari, l'unità di produzione e di socializzazione più importante è il nucleo familia-re, quindi la tenda con il ridotto gruppo di parentela ch'essa ospita. Se i pascoli sono proprietà comune della tribù e vengono ridistribuiti ogni anno tra le famiglie, queste, fatta eccezione per i pastori, hanno in compenso la proprietà ed il libero godimento del loro gregge e dei prodotti che ne ricavano. Poiché il bestiame è un bene più facilmente divisibile di una proprietà terriera, tutti i discendenti possono reclamare la loro parte di eredità. Per questo motivo la poliandria è molto meno frequente tra gli allevatori che tra gli agricoltori proprietari di terre. Di conseguenza le tende ospitano in genere delle famiglie nucleari con, per alcune, i genitori anziani. Quando i figli si sposano, si stabiliscono in una nuova tenda. Possono allora reclamare la loro parte di gregge, ma anche in questo caso, continuano spesso a vivere nell'accampamento dei genitori ed a condividerne i rap-porti di aiuto reciproco.

La struttura della tenda nera

fig. 56, 57

Le dimensioni delle tende dei nomadi aumentano con la ricchezza dei loro occupanti [5]. La maggior parte di esse copre una superficie di terreno di circa 28m^2. Le più piccole giungono a 12m^2, mentre W.W. Rockhill (1895, pag. 701) segnala, nel nord-est tibetano, numerose tende di 135m^2 [6]. La loro altezza, invece, è relativa-mente costante: tra 1,8 e 2,2m [7].

La tenda è essenzialmente costituita dall'unione di due pezzi di stoffa che, aperti, hanno una forma vagamen-te trapezoidale. I loro lati corti sono uniti mediante anelli e zeppe di legno lungo l'asse longitudinale della ten-da, e sono fissati da striscie di cuoio alla cima dei suoi due pali interni (kara, kagyug). Questi sostengono spesso le estremità di una barra di displuvio, sopra la quale passano allora i lacci che uniscono le due metà della tenda, i cui bordi delimitano una fessura che serve per la fuoriuscita del fumo e per l'illuminazione e che può essere chiusa da un lembo di stoffa ripiegabile in caso di cattivo tempo. Al fine di ricavare il mag-giore spazio interno possibile, senza ingombrarlo con pali supplementari, la stoffa della tenda viene allargata e sospesa per mezzo di cavi (chönthag) che passano su pali esterni prima di essere fissati al suolo con dei picchetti (chönphur). Il livello dei punti di attacco dei cavi, posti al centro dei lati ed ai quattro angoli della ten-da, separa così il tetto, leggermente spiovente, dalle pareti. Ricadendo, la parte centrale dei trapezi disegnati dai due pezzi di stoffa, forma uno dei grandi lati della tenda ed i loro due triangoli laterali vanno a formare il fondo, dove sono cuciti l'uno all'altro, e l'ingresso. Ogni mezza tenda è realizzata cucendo insieme dei teli di tessuto di pelo di yak, disposti orizzontalmente tra l'ingresso ed il fondo (Eckvall R.B. 1968, pag. 61; Hermanns 1949, pag. 44). A volte i teli che costituiscono le pareti laterali sono disposti verticalmente, ad angolo retto con quelli del tetto. I lati della tenda, come anche il fondo e l'ingresso, cadono liberamente. Il suo bordo inferiore può essere fissato al suolo con dei picchetti. Le pareti sono generalmente rivestite all'interno o all'esterno, da un muretto (rawa) di pietre, di zolle erbose o di sterco di yak, che ha il compito di non far passare gli spiffe-ri. Le mezze tende sono molto pesanti e costituiscono ognuna il carico di uno yak.

fig. 58

La capacità delle tende più grandi è aumentata, senza l'aggiunta di pali interni, moltiplicando i livelli di attacco dei cavi che passano su pali esterni di varie altezze. Tuttavia, sembra che a partire da una certa dimensione, diventi necessario sostenere il tetto aggiungendo dei pali interni, oltre a quelli che sostengono la barra di di-spluvio, soprattutto al livello degli angoli del tetto (Stubel H. 1958, pag. 15; Hermanns M. 1949, pag. 44). La ten-da è allora formata da varie parti trasportabili separatamente, ognuna delle quali costituisce un carico (Eckvall R.B. 1968, pag. 63).

I materiali

Il tessuto della tenda viene realizzato con il pelo ruvido (tsipa) dello yak nero strappato dai fianchi dell'animale d'estate, e non con pelo tosato. La filatura del pelo di yak è spesso un'occupazione maschile, poiché è necessario ottenere dei fili molto fitti. In estate le donne tessono i teli di tessuto [8] che vengono cuciti insieme solidamente dagli uomini. E sempre con pelo di yak che sono confezionati i cavi ed i lacci che uniscono le due metà della tenda. Il legno dei pali, della barra di displuvio e gli eventuali picchetti (phurpa) è il solo materiale della tenda che i nomadi devono procurarsi con lo scambio.

Lo spazio interno

È il terreno dell'accampamento (gursa) che forma il pavimento della tenda. Il focolare, di terra, ne occupa il centro, sotto la barra di displuvio. Come tra i sedentari, è il cuore della vita familiare e divide lo spazio domestico in due metà: a sinistra dell'entrata la parte riservata alle donne, a destra quella riservata agli uomini ed agli ospiti. In fondo alla tenda, «l'alto» (tö), spazio valorizzato rispetto all'ingresso, si trova l'altare familiare. Contro la parete di destra sono appoggiate le casse contenenti i beni più preziosi della famiglia (abiti, gioielli...), i sacchi di granaglie, le armi (fucili, spade, cartucciere) ecc. Il lato sinistro è destinato agli attrezzi da cucina, la provvista di combustibile, quella di alimentari, nonché i secchi, i paioli, le zangole ecc, utensili necessari alla preparazione dei prodotti lattieri. D'estate la famiglia dorme all'aperto. Ma anche d'inverno i giovani preferiscono dormire fuori, protetti da grosse coperte di pelo di yak o di feltro, talvolta tra la tenda ed il muretto che la circonda.

Come nell'architettura fissa, l'ingresso della tenda è idealmente orientato ad est. Lo spazio organizzato che la circonda comprende un focolare di fumigazione, uno stendardo con su impresse le formule del «cavallo del vento» ed un recinto di pietra secca dove durante la notte viene rinchiusa una parte degli animali. Come per la casa dei sedentari, la forma della tenda riprende, alla sua scala, la struttura quadrangolare del sito abitato e dello spazio; allo stesso modo alcuni suoi elementi hanno un carattere sacro, in particolare il focolare ed il palo del fondo [9].

Sia la forma quadrangolare a tetto piatto, sia la struttura ed il materiale di cui è fatta la sua stoffa, distinguono la tenda dei nomadi tibetani dalla iurta mongola. Rappresenta di contro l'estensione più orientale delle tende nere che si incontrano in Afghanistan e nel Karakorum (Feilberg C.G. 1944).

II) LE TENDE DI COTONE

Realizzate con un materiale importato dall'India o dalla Cina, le loro dimensioni e la loro struttura sono molto varie. Le piccole tende dei pastori, dei viaggiatori o dei cacciatori sono formate da fasce di tessuto cucite tra loro, come le tende nere delle quali possono avere la struttura generale, nonostante le due metà non siano indipendenti. Per le più piccole i cavi sono direttamente fissati al suolo con dei picchetti, senza passare su pali, formando così un tetto a doppio spiovente che scende fino a terra.

fig. 59

Le tende di cotone, montate in occasione di feste collettive, sono formate da pezzi di cotone bianco [10] cuciti a spicchi che partono dalla cima e decorati con fasce scure lungo le cuciture.

fig. 60

Le tende di gala, erette per personaggi di rango, sono realizzate con grandi teli di cotone bianco riccamente decorati con motivi applicati di colore scuro. L'apertura si trova in generale sul lato grande, la barra di displuvio è sostenuta da numerosi pali decorati, e sembra che dei pali interni siano anche collocati agli angoli. Sono spesso sormontate da un doppio tetto decorato, dello stesso genere dei tendaggi (chayab) eretti in occasione di pic-nic o di spettacoli.

In occasione di assemblee religiose all'aperto, vengono erette grandi tende di cotone che possono ospitare fino a parecchie centinaia di persone. Quando non si tratta di grandi tendaggi stesi su dei pali, questi tendoni, aperti sul lato grande, hanno una barra di displuvio sostenuta da pali ad un'altezza di più di 6 m dal suolo, nonché parecchi pali che sostengono gli angoli ed i bordi del tetto a quattro falde.

NOTE DELLA SEZIONE III

[1] Alcuni monasteri del nord-ovest tibetano sono interamente formati da tende, alcune delle quali, molto grandi, rimangono fisse.

[2] Alcuni gruppi di allevatori, nella regione di Nagchu o a nord di Shigatse, vivono unicamente in piccole case (Grenard F. 1974, pag. 241; Brauen M. 1983, pag. 139) e gli accampamenti invernali possono comportare delle abitazioni fisse.

[3] Inoltre, alcune tende di cotone hanno una struttura identica a quella delle tende di pelo di yak. Infine, le tende di cotone che si possono incontrare tra modesti pastori, rispecchiano soltanto la povertà delle risorse mentre l'uso che ne viene fatto è identico a quello della tenda nera tra gli altri allevatori.

[4] Le capre occupano un posto più importante nell'economia pastorale del Tibet Occidentale. L'allevamento di cavalli si incontra soprattutto nell'Amdo.

[5] Nell'Amdo, una famiglia non era considerata agiata se non possedeva almeno 100 yak, ed i ricchi allevatori avevano greggi di 5000 pecore, 400 yak e 70 cavalli (Hermanns M. 1949, pag. 224).

[6] Eckvall. R.B. 1968, pag. 61; Feilberg C.G. 1944; Jest C. 1981, pag. 233; Kawaguchi E. 1909, pag. 213; Stubel H. 1958, pag. 14.

[7] Occorre in effetti che i pali, ricavati da un solo pezzo, possano essere trasportati a dorso di yak. Ciò ci ricorda che 2m è la lunghezza normale delle travi e dei correnti delle abitazioni domestiche (Sez. II).

[8] Hanno una larghezza di 15-30 cm.

[9] Disegni di tende e della loro disposizione interna in Thoubten Jigme Norbou e Colin M. Turnbull 1969, pagg. 82-91.

[10] Talvolta giallo per i religiosi.

BIBLIOGRAFIA GENERALE

FEILBERG, 1944; HERMANNS, 1949; ECKVALL, 1968.

fig. 56 - Changthang, tenda nera di nomadi (foto F. Meyer).

fig. 56 - Changthang, tente noire de nomades (cl. F. Meyer).

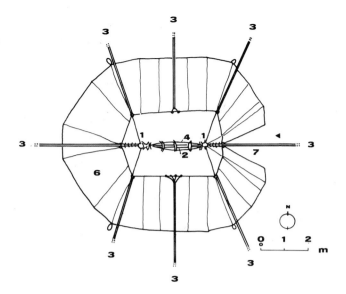

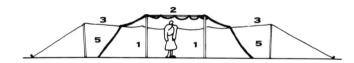

fig. 57 - Schema di montaggio dei due pezzi di stoffa che costituiscono la tenda: pianta e sezione: 1, palo interno; 2, palo di colmo; 3, tirante; 4, foro per il fumo; 5, palo esteno di sopensione; 6, fondo «l'alto»; 7, ingresso «il basso» (F. Meyer, R. Astolfi).

fig. 57 - Schéma du montage des 2 pièces d'étoffe constituant la tente, plan et coupe: 1, mât intérieur; 2, faîtière; 3, tendeur; 4, trou à fumée; 5, perche extérieure de suspension; 6, fond «le haut»; 7, entrée «le bas» (F. Meyer, R. Astolfi)

fig. 58 - Amdo, grande tenda di nomadi (foto S. Karmay).

fig. 58 - Amdo, grande tente de nomades (cl. S. Karmay).

fig. 59 - Tibet Orientale, tende di cotone erette in occasione di una festa collettiva dedicata ad una divinità-montagna (foto S. Karmay).

fig. 59 - Tibet Oriental, tentes en coton érigées à l'occasion d'une fête collective dédiée: à une divinité-montagne (cl. S. Karmay).

fig. 60 - Tenda di gala eretta per il XIV Dalailama nel 1939 (foto H. Richardson).

fig. 60 - Tente d'apparat dressée pour le XIVème Dalaïlama en 1939 (cl. H. Richardson).

SECTION III

L'ARCHITECTURE MOBILE

Fernand Meyer, Corneille Jest

Dans l'aire de culture tibétaine, l'architecture mobile, c'est-à-dire transportable, se limite à divers modèles de tentes (gur, ba), dont la variété recouvre des différences de matériau, mais aussi de structure et d'usage [1]. Nous distinguons grossièrement 2 types principaux de tentes selon que leur étoffe est en poil de yak ou en coton.

La tente noire en poil de yak (banag, droggur).
C'est la tente par excellence, celle des éleveurs nomades; qu'il s'agisse de populations à économie exclusivement pastorale (drogpa, drogchen) ou de bergers rattachés à des communautés villageoises sédentaires (samadrog). Elle n'est déplacée, d'un camp de pâturage à l'autre, qu'au bout de quelques semaines, et reste en place, au camp d'hiver, pendant au-moins 5 mois. Aussi, pour ce type de tente, c'est la protection contre les intempéries qui prévaut sur la mobilité [2].

Les tentes en coton (regur)
Elles sont employées dans des circonstances où l'on apprécie leur légèreté et leur rapidité de montage (lors de pique-niques ou de fêtes collectives et comme petites tentes de voyage, de caravane ou de chasse), lorsqu'il est nécessaire de couvrir une grande surface (chapiteau d'assemblée religieuse), et en raison des possibilités décoratives qu'offre ce matériau (tentes d'apparat).
Cette classification des tentes, selon la nature de leur étoffe, doit cependant être nuancée. En effet, à l'instar des habitations qui associent souvent des matériaux différents dans la construction des murs, il arrive que des tentes en poil de yak présentent certaines parties en coton et inversement [3].
L'usage de la tente est très ancien au Tibet et semble avoir été un élément important du mode de vie de la noblesse à l'époque royale, comme en témoignent les annales des Tang pour les 6ème-9ème siècles (Pelliot P. 1961, p. 89 et 130.

I) LA TENTE NOIRE DES ELEVEURS NOMADES

Les populations exclusivement pastorales vivent au Tibet occidental, dans la partie méridionale du «Haut-plateau du Nord» (Changtang), dans l'Amdo (acturel Qinghai) et dans les contrées Nord de l'ancienne région du Kham. La production des nomades repose essentiellement sur l'élevage extensif de moutons et de yaks, plus accessoirement de chèvres et de chevaux [4]. Ils de déplacent, avec leurs troupeaux, selon un rythme saisonnier: montée vers les pâturages d'été (yarsa) au printemps, retour au camp d'hiver (günsa) à l'automne.
La stratification sociale des populations nomades était, au Tibet traditionnel, bien moins marquée que celle des sédentaires. Ces populations appartenaient, pour la plupart, à des tribus (de), plus ou moins grandes, placées sous l'autorité d'un chef héréditaire, et qui occupaient des territoires nettement délimités. Au sein des tribus, les campements forment, encore aujourd'hui, des groupes sociaux plus petits, regroupant des unités familiales dont le nombre est fonction de la richesse des pâturages et de l'importance de la totalité du

cheptel. Autrefois, certains éleveurs (surtout au Changthang) n'avaient que la garde de leurs troupeaux qui appartenaient, en fait, au gouvernement, à une famille noble ou à une autorité religieuse. D'autres, propriétaires de leur cheptel, étaient toutefois redevables de taxes en nature à l'une des instances précédentes dont ils étaient les sujets. Enfin, de nombreux groupes d'éleveurs, surtout en Amdo, étaient pratiquement indépendants.

Pour les nomades, comme chez les sédentaires, l'unité de production et de socialisation la plus importante est la maisonnée, ici la tente avec le groupe de parenté restreinte qu' elle abrite. Si les pâturages sont la propriété commune de la tribu et sont redistribués chaque année entre les familles, celles-ci, à l'exception des bergers, ont par contre la propriété et la libre jouissance de leur troupeau et des produits qu'ils en tirent. Le cheptel étant un bien plus facilement divisible qu'un domaine, tous les descendants peuvent réclamer leur part d'héritage. De ce fait, la polyandrie est bien moins fréquente chez les éleveurs que chez les agriculteurs tenanciers de terres. C'est pourquoi les tentes abritent généralement des familles nucléaires avec, pour certaines, les parents âgés. Lorsque les fils se marient, ils établissent une nouvelle tente. Ils peuvent alors réclamer leur part du troupeau. Mais même dans ce cas, ils continuent souvent de partager le campement des parents et ses relations d'entraide.

La structure de la tente noire

La taille des tentes de nomade augmente avec la richesse de leurs occupants[5]. La plupart d'entre elles couvrent une surface au sol d'environ 28m². Les plus petites sont réduites à 12m², alors que Rockhill W.W. (1895, p. 701) signale, dans le Nord-Est tibétain, de nombreuses tentes ayant 135m²[6]. Leur hauteur est, par contre, relativement constante entre 1,8 et 2,2 m[7].

fig. 56, 57 La tente est, en fait, formée de la réunion de 2 pièces d'étoffe ayant une forme grossièrement trapézoïdale lorsqu'elles sont étalées. Leurs petits côtés sont assemblés à l'aide de boucles et de taquets en bois selon l'axe longitudinal de la tente, et sont fixés, par des lanières en cuir, aux sommets de 2 mâts intérieurs (kara, kagyug). Ceux-ci supportent souvent les extrémités d'une barre de faîte, sur laquelle passent alors des liens unissant les 2 moitiés de la tente, dont les bords limitent une fente servant à l'évacuation de la fumée et à l'éclairage. Celle-ci peut être fermée par un rabat en cas de mauvais temps. Afin de dégager un volume intérieur le plus grand possible, sans l'encombrer par des mâts supplémentaires, l'étoffe de la tente est écartée et suspendue par des tendeurs (chönthag) passant sur des perches extérieures avant d'être fixés au sol par des piquets (chönphur). Le niveau des points d'attache des tendeurs, situés au milieu des côtés et aux 4 angles de la tente, démarque ainsi le toit, en pente douce, d'avec les parois. En retombant, la partie centrale des trapèzes dessinés par les 2 pièces d'étoffe, forme un des grands côtés de la tente et leurs 2 triangles latéraux entrent dans la constitution, du fond où ils sont cousus l'un à l'autre, et de l'entrée. Chaque demi-tente est réalisée en cousant ensemble des lés de tissu en poil de yak, disposés horizontalement entre l'entrée et le fond (Eckvall R.B. 1968, p. 61; Hermanns 1949, p. 44). Il arrive que les lés, constituant les parois latérales, soient placés verticalement, à angle droit avec ceux du toit. Les côtés de la tente, ainsi que le fond et l'entrée, tombent librement. Son bord inférieur peut être fixé au sol par des piquets. Les parois sont généralement doublées, à l'intérieur ou à l'extérieur, par un muret (rawa) de pierres, de mottes de gazon ou de bouses de yak, destiné à arrêter le vent coulis. Les demi-tentes sont très lourdes et constituent, chacune, la charge d'un yak.

fig. 58 La capacité des tentes les plus grandes est accrue, sans augmenter le nombre des mâts intérieurs, en multipliant les niveaux de fixation des tendeurs qui passent sur des perches extérieures de différentes hauteurs. Néanmoins, il semble qu'à partir d'une certaine taille, il devienne nécessaire de soutenir le toit en rajoutant des poteaux intérieurs, en plus de ceux qui supportent la faîtière, surtout au niveau des angles du toit (Stubel H. 1958, p. 15; Hermanns M. 1949, p. 44). La tente est alors formée de plusieurs parties transportables séparément, constituant chacune une charge (Eckvall R.B. 1968, p. 63).

Les matériaux:

Le tissu de la tente est réalisé avec le jarre (tsipa) de yak noir, arraché au flanc de l'animal en été, et non avec du poil tondu. Le filage du jarre de yak est souvent une occupation masculine, car il faut obtenir des brins très serrés. En été, les femmes tissent les lés de tissu [8] qui sont fortement cousus ensemble par les hommes. C'est également avec du poil de yak que sont confectionnés les tendeurs et les liens unissant les 2 moitiés de la tente. Le bois des mâts, de la faîtière et, souvent, des piquets (phurpa), est le seul matériau constitutif de la tente que les nomades doivent se procurer par échange.

L'espace intérieur

C'est le terrain de campement (gursa) qui forme le sol de la tente. Le foyer, construit en terre, en occupe le milieu, sous la faîtière. Comme chez les sédentaires, il est le centre de la vie familiale et divise l'espace domestique en 2 moitiés: à main gauche depuis l'entrée, le domaine des femmes, et à droite, la partie réservée aux hommes et aux hôtes. Au fond de la tente, «le haut» (tö), espace valorisé par rapport à l'entrée, se trouve l'autel familial. Contre la paroi de droite sont entreposés les coffres contenant les biens les plus précieux de la famille (habits, bijoux...), les sacs de grain, les armes (fusils, épées, cartouchières) etc... Le côté gauche abrite par contre les instruments de cuisine, la réserve de combustible, les provisions alimentaires, ainsi que les seaux, chaudrons, barattes etc..., ustensiles nécessaires à la préparation des produits laitiers. En été, la famille dort à la belle étoile. Mais même en hiver, les jeunes préfèrent coucher dehors, sous de grosses couvertures en poil de yak ou en feutre, parfois entre la tente et le muret qui l'entoure.
Comme pour l'architecture fixe, la tente a son entrée idéalement orientée à l'Est. L'espace organisé qui l'entoure comprend un foyer de fumigation, une bannière imprimée des formules du «cheval du vent» et un enclos en pierre sèche, abritant une partie des animaux pour la nuit. Comme la maison des sédentaires, la forme de la tente reprend, à son échelle, la structure quadrangulaire du site habité et de l'espace, de même que certains de ses éléments sont revêtus d'un caractère sacré, notamment le foyer et le mât du fond [9]
Tant sa forme quadrangulaire à toit aplati, que sa structure et le matériau dont est fait son étoffe, séparent la tente des nomades tibétains de la yourte mongole. Elle représente, par contre, l'extension la plus orientale des tentes noires du Moyen-Orient rencontrées, notamment, en Afghanistan et au Karakorum (Feilberg C.G. 1944).

II) LES TENTES EN COTON

Réalisées dans un matériau importé d'Inde ou de Chine, leur taille et leur structure sont très variables. Les petites tentes des bergers, des voyageurs ou des chasseurs, sont formées de bandes de tissu cousues entre elles, comme les tentes noires dont elle peuvent avoir la structure générale, bien que leurs 2 moitiés ne soient pas indépendantes. Pour les plus petites, les tendeurs sont directement fixés au sol par des piquets, sans passer sur des perches; ce qui leur confère un toit à double pente descendant jusqu'à terre.

fig. 59

Les tentes en coton, dressées lors des fêtes collectives, sont formées de pièces en coton blanc [10] cousues par quartiers partant du faîte et décorées de bandes sombres le long des coutures.

fig. 60

Les tentes d'apparat, érigées pour les hauts personnages, sont réalisées avec de grandes pièces de coton blanc richement décorées de motifs en appliqué de couleur sombre. Elles s'ouvrent en général sur leur grand côté. La faîtière est soutenue par plusiers poteaux ornés, et il semble que des mâts intérieurs soient également placés aux angles. Elles sont souvent surmontées d'un double toit décoré, de même type que les velums (chayab) tendus à l'occasion de pique-niques ou de spectacles.
Lors d'assemblées religieuses en plein air, on dresse de vastes tentes de coton pouvant abriter jusqu'à

plusieurs centaines de personnes. Lorsqu'il ne s'agit pas de grands velums tendus sur des mâts, ces chapiteaux, ouverts sur leur grand côté, comportent une faîtière supportée par des poteaux à plus de 6 m du sol, ainsi que de nombreux mâts soutenant les angles et les bords du toit à 4 versants.

SECTION III - NOTES

[1] Quelques monastères du Nord-Ouest tibétain sont entièrement constitués de tentes, dont certaines, très grandes, restent fixes.

[2] Certains groupes d'éleveurs, dans la région de Nagchu ou au Nord de Shigatse, vivent uniquement dans de petites maisons, (Grenard F. 1974, p. 241; Brauen M. 1983, p. 139), et les campements d'hiver peuvent comporter des habitations fixes.

[3] De plus, certaines tentes en coton ont une structure identique à celle des tentes en poil de yak. Enfin, les tentes en coton, que l'on peut rencontrer chez de modestes bergers, ne font que traduire la pauvreté des ressources alors que l'usage qui en est fait, est identique à celui de la tente noire des autres éleveurs.

[4] Les chèvres occupent une place plus importante dans l'économie pastorale du Tibet occidental. L'élevage du cheval se rencontre surtout en Amdo.

[5] En Amdo, une famille n'était considérée comme étant aisée que si elle possédait au-moins 100 yaks, et les riches éleveurs étaient à la tête de troupeaux comprenant environ 5000 moutons, 400 yaks et 70 chevaux (Hermanns M. 1949, p. 224).

[6] Eckvall R.B. 1968, p. 61; Feilberg C.G. 1944; Jest C. 1981, p. 233; Kawaguchi E. 1909, p. 213; Stubel H. 1958, p. 14.

[7] Il faut en effet que les mâts, réalisés d'une seule pièce, puissent être transportés à dos de yak. Ceci nous rappelle que 2m est la longueur courante des poutres et des solives des habitations domestiques (section II).

[8] Il ont de 15 à 30 cm de large.

[9] Dessins de tentes et de leur organisation intérieure dans Thoubten Jigme Norbou et Colin M. Turnbull 1969, pp. 82-91.

[10] Parfois jaune pour les religieux.

OUVRAGES GENERAUX

FEILBERG, 1944; HERMANNS, 1949; ECKVALL, 1968.

SEZIONE IV

NEPAL. LA VALLE DI KÂTHMÂNDU

Gilles Béguin

fig. 61

Fino al XIV sec. i documenti riguardanti l'architettura dei Newar della valle di Kâthmându sono occasionali e frammentari. Tra gli stûpa che la tradizione fa risalire al viaggio mitico dell'imperatore indiano Ashoka (272-231 a.C.) nella Valle, quattro, posti intorno alla città di Patan, ricordano con la loro forma arcaica i «tumuli-reliquiarii» del periodo Shunga e Kânva (II sec. a.C.-I sec. d.C.).

Nessuna costruzione di epoca licchavi (IV sec.-740 circa) e del periodo seguente detto dei *Thâkurî* (740-1200 circa) ci è pervenuta. Alcune iscrizioni, come quella di Amshuvarman datata 610, che riferisce delle riparazioni di un santuario a Mati*n*grâma (Sundhara-tol, Patan)[1], fanno supporre, sin da quest'epoca, l'esistenza di templi di mattoni e di legno in uno stile che, nel Nepal, diventerà tradizionale. Vestigia di pietra testimoniano l'esistenza di costruzioni più ambiziose. Le loro forme e le decorazioni scolpite ci ricordano alcuni elementi costruttivi utilizzati anticamente ed attestano la loro fedeltà ai modelli indiani di epoca gupta.

Piccoli stûpa (caitya) commemorativi, eretti per la maggior parte a Svayambhunâth ed a Câbahil, hanno alti basamenti quadrati dentellati, con angoli smussati o tondi. Le loro forme generali seguono i vari modelli che si incontrano in India nello stesso periodo. Hanno molti motivi scolpiti e serie di nicchie di varie forme: oculi, «archi indiani», aperture sotto degli archetti vegetali carenati.

fig. 62

Alcuni tetrapili di pietra, che ospitano dei li*n*ga, risalgono anch'essi a quell'epoca . M. Slusser riproduce quelli di Pashupatinâtha, di Lele e di Banepa[2]. Questi piccoli santuari shivaiti (âvara*n*a) sono coperti da una grande lastra di pietra, tagliata a forma di piramide tronca e sormontata da un pinnacolo composto da parecchie file di mattoni modanate, spesso in parte scomparse e talvolta restaurate. In assenza di riferimenti epigrafici sufficienti, è soltanto la decorazione scolpita dei loro pilastri a fornire elementi di datazione. Questa decorazione, in origine propriamente ornamentale, sembra svilupparsi con il tempo. L'âvara*n*a di Banepa (IX-X sec. ?) dalla copertura molto rimaneggiata presenta delle divinità in altorilievo. Pilastri e colonne, disseminati nella valle, ma particolarmente numerosi a Deopatan ed a Pashupatinâtha, appartenevano a tali tetrapili. Le dimensioni di alcuni di essi, di cui talvolta rimangono solo dei frammenti, fa presumere l'esistenza di strutture più importanti. Nulla tuttavia consente di pensare che nel Nepal si siano potute costruire fin da allora delle celle completamente in pietra da taglio sul modello indiano. Le miniature di un celebre manoscritto della Prajñâpâramitâ Sûtra, datato 1015, contengono le più antiche raffigurazioni di architetture newari. Alcune rappresentano monasteri buddhisti costruiti con legno e mattoni, che riproducono quindi molto verosimilmente

fig. 63

costruzioni nepalesi contemporanee. Il loro aspetto generale ricorda le costruzioni oggi rimaste nella Valle. Possiamo tuttavia osservare alcune varianti. Ad esempio le coperture non sono sostenute da puntelli a 45° (tu*n*âla). I portici ed i balconi sono abbastanza sistematicamente coperti da tettoie fortemente aggettanti poggiate su pilastri. Questa forma sarà più rara nel periodo Malla. Gli stûpa non hanno nicchie riservate agli Jina sul loro bordo esterno e seguono quindi schemi iconografici anteriori all'avvento del Tantrismo nella Valle.

A partire dall'epoca Malla antica (1200-1482) il moltiplicarsi delle testimonianze e la loro continuità fino ai nostri giorni, consentono uno studio più approfondito dell'architettura newari.

La maggior parte delle costruzioni, fabbricate con mattoni e legno, ha come principale caratteristica la presenza di coperture sovrapposte. I templi indù di tipo «dega» ed a pianta quadrate, costituiscono la forma più completa di questa particolare tecnica di costruzione .

I primi due piani di copertura hanno il loro proprio sistema di supporti (mura o pilastri) e si appoggiano quindi direttamente al suolo. Poiché nessuna fondazione (jag) è stata esaminata, non è attualmente possibile descrivere le fondamenta delle strutture più importanti. I santuari più piccoli poggiano su di una platea composta di numerose file di sassi, situata a circa un metro sotto il livello del suolo. Un basamento, interrato per 60-80 centimetri, è costituito da un corpo di mattoni crudi o di pietrisco. Questo blocco, rivestito di mattoni cotti e talvolta di pietre, isola l'edificio dall'umidità del suolo. Spesso, grosse pietre da taglio ne ornano gli angoli. Nel periodo Malla recente (1492-1769) venivano impiegati parecchi tipi di mattoni (appa) di vari formati: semplici mattoni crudi (kachi appa) all'interno dei corpi murari, mattoni cotti (chikan appa), di un rosso brillante e leggermente lucidi per i muri. Alcuni, di forma quadrata, coprivano il suolo. Mattoni da decorazione modellati in rilievo (karnes appa) percorrono a mo' di cornice l'alto dei muri e talvolta le pareti esterne di alcune celle a mezza altezza. Se ne fabbricano ancora vicino a Jayat Nârâyana, presso Patan[3]. Giunti molto sottili composti da un miscuglio di olio (tel), resina vegetale (saldup) e terra rossa (sindur) assicurano al muro una certa impermeabilità[4]. I numerosi elementi di legno: travi, colonne e pilastri, porte (lukha), nicchie e finestre (jhya) di forma varia, timpani (torana), puntelli (tunâla), sono di shorea robusta (shâla), varietà di teck ritenuta imputrescibile. Le coperture, indipendenti le une dalle altre, testimoniano l'abilità dei carpentieri newari. Le capriate (musin) inclinate in genere a 45°, poggiano, nella loro parte superiore sui muri interni o su di un monaco centrale (than) e sono sostenute, nella loro parte centrale dalle travi orizzontali (nas) dei muri del piano corrispondente, sopra la cornice di mattoni modellati. I tetti (pau), fortemente agettanti, sono sostenuti qua e là da puntelli. L'insieme è sostenuto da perni di legno (chuku). Un soffitto a travi (dhalin) a vista copre il pozzo centrale sopra la cella. La parte superiore della torre resta vuota. Tuttavia una botola ne consente la manutenzione. Le costruzioni religiose sono il più delle volte ricoperte da piccole tegole di terracotta (aenpa). I colmi sono protetti da tegole concave oppure da una fila di tegole comuni poste verticalmente. Alcuni tetti sono costruiti con piastre di rame dorato, fissate su tavole.

L'origine, la cronologia e la tipologia di questi templi di stile dega pongono dei problemi.

Nel XIX sec. si paragonarono con facilità i templi dega alle pagode dell'estremo oriente. Ad esempio, J. Fergusson nel 1891 credette che queste costruzioni fossero di origine cinese. Questa tesi non resiste ad un attento esame. Le architetture nepalesi sorprenderanno il corpo di spedizione cinese, guidato dal generale Wang Xuance nel 648, come testimonia la sua relazione inclusa nella Nuova Storia dei Tang. Questa meraviglia sarebbe stata meno forte se questi uomini avessero visto in queste costruzioni soltanto la trasposizione di tecniche a loro familiari. Nulla nella destinazione o nella costruzione dei templi nepalesi di stile dega permette di accostarli alle pagode cinesi. I santuari newari dalle coperture a più piani sono consacrati, nella quasi totalità, a divinità indù. Le pagode cinesi, ultimo stadio degli antichi stûpa indiani, sono dedicati a Buddha. La loro tecnica di costruzione è molto complessa e si ricollega alle tradizioni cinesi delle torri di guardia della Cina antica dell'epoca Han e contrasta con le tecniche piuttosto sommarie degli artigiani newari. La struttura interna particolare dei templi «dega» differisce totalmente da quella delle pagode d'estremo oriente. Gli elementi costruttivi lignei e il sistema mensolare (doungung) dell'architettura cinese sono radicalmente diversi dai puntelli (tunâla) delle costruzioni nepalesi. Gli arcarecci multipli e sovrapposti delle coperture cinesi permettono una più ampia libertà di forme che non il sistema nepalese. Il tipo di struttura a capriata dei Newar impedisce che il tetto assuma il profilo ricurvo delle coperture cinesi. A partire dal sec. XVII i Newar, desiderando talvolta ottenere un tale effetto, furono costretti ad aggiungere agli angoli degli elementi puramente decorativi sovrapposti alle loro coperture tradizionali.

Il termine «pagoda», talvolta ancora utilizzato per indicare i templi di stile dega, è quindi improprio.

A molti autori sembra più plausibile una origine indiana. Recentemente, U. Wiesner ha apportato nuovi elementi a suffragio di questa tesi. L'assenza di documenti conservati rende azzardata qualunque derivazione, anche indiretta, dei templi della valle di Kâthmându dalle architetture lignee dell'antica epoca vedica. Bisogna di contro constatare la persistenza di strutture lignee in tutta l'area dell'antico impero gupta, particolarmente nel Karnâtaka, nel Bengala e nel Malabar. Il Kerala ci offre ancora oggi esempi di architetture lignee autenticamente indiane. Se nelle decorazioni newari non si possono contestare i motivi mutuati dal vocabolario iconografico e decorativo della penisola indiana, è più difficile scoprire i diretti antecedenti di questa o quella particolarità tecnica da semplici concomitanze dovute all'impiego di materiali identici. Inoltre, lo studio coerente della pianta e dell'alzato dei santuari dega che consente di attirare l'attenzione del devoto ad un tempo sulla cella che ospita l'immagine divina e sul corridoio che permette di compiere il rito di circoambulazione, non appare nelle architetture lignee pervenuteci dell'India centrale e meridionale. Nel subcontinente, alcuni templi costruiti con materiali durevoli, tra i più antichi e citati da U. Wiesner per illustrare la sua tesi di un'origine indiana delle strutture newari di stile dega, quali il santuario di Pârvatî di Nâchnâ-Kuthara (480-500 circa) o il Lâd-Khân di Aihole (VII sec.), hanno una cella rialzata che dà sulla copertura a terrazza del pianterreno. Pur senza trascurare questa particolarità, è difficile accettare questi elementi di confronto senza qualche perplessità. Nei templi di stile dega la torre centrale sopra la cella resta vuota. Rappresenta in qualche modo un «segnale» e riveste lo stesso ruolo simbolico e plastico delle torri curvilinee (shikhara) delle architetture dell'India settentrionale. Al contrario, in alcuni templi indiani, la presenza di una seconda cella rialzata non comporta l'esistenza di un corridoio di circoambulazione al livello del pianoterra. Così a Nâchnâ-Kuthara, questo corridoio esiste e racchiude la cella principale i cui muri servono da base alla cella superiore. Di contro, il Lâd Khân non ha un corridoio di circoambulazione ed il santuario superiore non ha alcun equivalente nella pianta del pianoterra. Altri elementi dei templi dega adottati a ondate successive ed assimilati hanno indubbiamente un'origine indiana. Le loro giustapposizioni rivelano gli stretti rapporti esistenti tra il subcontinente ed il regno Newari dal IV al XII sec.. Ad esempio, la decorazione delle mensole inserite nei muri, ad entrambi i lati delle porte, è derivato dall'arte kusâna; le porte rettangolari ed i loro motivi decorativi trovano i loro antecedenti all'epoca gupta; i puntelli si ritrovano a Bâdâmi III (578); le porte polilobate sono copiate da esemplari pala del Bengala e del Bihâr...

L'arte dell'impero gupta influenzò durevolmente l'arte statuaria newari. La stessa pittura nepalese presenta, molto più tardi, reminiscenze «classiche» scomparse nello stesso periodo anche in India. L'origine gupta delle architetture in legno e mattoni della valle di Kâthmându oggi sembra probabile. Le statue e i supporti di legno recentemente scoperti a Gazan nel Kulu (IX-X sec.) [5], stilisticamente di tradizione gupta e di aspetto molto simile ai più antichi puntelli newari, forniscono una nuova argomentazione a sostegno della tesi di U. Wiesner. L'assimilazione di strati successivi di influenze rivelata dall'esame delle decorazioni scolpite dei templi dega, lascia tuttavia supporre una realtà più complessa di adattamento alle condizioni climatiche e denota una tendenza all'eclettismo.

La grande quantità di elementi di legno e la fragilità delle loro fondamenta rendono le strutture di stile dega particolarmente sensibili agli elementi, soprattutto alle piogge monsoniche, agli incendi e ai terremoti. La loro manutenzione richiede costanti riparazioni e persino periodiche ricostruzioni due o tre volte ogni secolo. Un tempo, i fondi necessari provenivano dal mecenatismo dei principi, da ricchi privati, da caste e da associazioni religiose (gûthî). A questi introiti tradizionali si possono oggi aggiungere fonti moderne, come sovvenzioni governative o persino internazionali. Quasi sempre, in occasione di questi interventi, avveniva la posa di iscrizioni commemorative, il cui studio sistematico ed esauriente non è stato intrapreso. Alcune tuttavia rivelano nel corso degli anni modificazioni, talvolta notevoli, rispetto allo schema originale. Altre sottolineano al contrario la volontà di conservare l'aspetto primitivo del santuario e testimoniano talvolta la soppressione di aggiunte intempestive. Questa scarsità di dati storici attualmente disponibile, la varietà di pianta e di alzato dei vari templi dega, l'impiego di metodi di costruzioni simili per i monasteri buddhisti e le costruzioni civili rendono difficile ogni studio evolutivo.

L'analisi delle strutture più recenti e l'osservazione delle particolarità che vi si possono rilevare confrontandole con i movimenti più antichi, forniscono tuttavia dei riferimenti cronologici, che, a poco a poco, permettono di abbozzare un plausibile processo di trasformazione dei templi dega. Ci sembra tuttavia azzardato, servendoci di questo metodo, poter risalire a molto prima della devastante incursione islamica del sultano del Bengala Shams ud-dîn Ilyâs del 1349 [6].

fig. 64 Per la sua antichità, la devozione di cui fu sempre oggetto, la semplicità della forma e l'armonia tra pianta ed alzato, il tempio shivaita di Pashupatinâtha, santuario dinastico almeno della fine dell'epoca licchavi, può essere considerato l'archetipo delle strutture di stile dega. Nella seconda metà del XVI sec. gli venne aggiunto un terzo piano fittizio. Nel 1585 venne riportato al suo primitivo aspetto. Questo tempio fece da modello ad altri luoghi di culto shivaiti quali lo Yakseshvara di Bhadgaon (1460) ed il Gokarneshvara di Gokarna (XIV sec.).

fig. 65

fig. 66

Questi tre edifici sono costruiti su di un basamento semplice ed hanno due piani di coperture, ad eccezione del santuario di Gokarna il cui terzo livello è una aggiunta tardiva (dopo il 1851?). Ogni loro lato presenta tre porte che danno accesso al corridoio di circoambulazione. L'uscita centrale, rettangolare, è fiancheggiata da due aperture trilobate. La facciata principale è evidenziata da elementi decorativi supplementari.

L'aggiunta di un terzo piano che poggia su travi poste sul pozzo centrale, talvolta mediante un monaco, e privo di propri supporti partenti dal suolo, sembra essere uno sviluppo del tipo classico a due livelli. Si ignora la data della sua comparsa. Come testimoniano i testi cinesi di epoca Tang, i newar possedevano, almeno dal VII sec., una competenza tecnica sufficiente da consentire loro di innalzare torri a più piani. Tuttavia questi testi descrivono costruzioni civili e non edifici religiosi. Il più antico tempio indù conservato, l'Indreshvara Mahâdeva di Panauti, consacrato nel 1294, secondo M. Slusser, ha conservato la maggior parte della sua originaria decorazione scolpita. Di aspetto sobrio e severo, si innalza su di un basamento unico come i templi più antichi a due piani. La facciata principale di questo santuario shivaita dà ad ovest. Questa particolarità, rispetto alle regole dell'Induismo classico, si ritrova talvolta nel Nepal e rimane inspiegata. Le porte di questa facciata sono ornate di sculture, mentre quelle delle altre facciate sono semplicemente modanate. Questo dettaglio farebbe pensare che anticamente soltanto la facciata principale venisse ornata con una decorazione scolpita. Col passar del tempo, forse in occasione delle ricostruzioni che seguirono le distruzioni dell'incursione islamica del 1349, anche le altre tre facciate furono ornate di sculture.

fig. 67

Altri due elementi caratterizzano molte strutture di stile dega a pianta quadrata: i basamenti a più gradini ed i peristili. I basamenti a più gradini appaiono per la prima volta nel tempio di Taleju di Kâthmându. Il culto di Taleju, un aspetto della Grande Dea, sarebbe stato introdotto nella valle nel 1324. Protettrice della dinastia Malla, questa dea veniva onorata entro il recinto del palazzo reale di Bhaktapur (Bhadgaon). Nel 1482, la divisione della valle in tre regni, comportò l'introduzione del suo culto nelle altre capitali. Per la ricostruzione del suo santuario di Kâthmându nel 1564, fu elevato un tempio di stile dega a tre piani, a pianta quadrata. Questo schema architettonico è inconsueto per i luoghi di culto consacrati a questa divinità. Una piramide a gradini dentellati innalza l'edificio al di sopra delle abitazioni adiacenti. Una tradizione riferisce che, per motivi ad un tempo politici e religiosi, poteva in questo modo essere vista dalla città di Bhaktapur. La costruzione di questo monumento di dimensioni imponenti, ma di aspetto tozzo, dovette costituire all'epoca un vero tour de force. Durante il XVII sec. si moltiplicarono i basamenti a più gradini. Queste piramidi furono più particolarmente aggiunte a numerosi templi shivaiti. Evocavano allora il Monte Kailasha, dimora mitica di Shiva, nell'Himâlaya. Questo simbolismo si ritrova in altri paesi asiatici. Alcuni rari templi visnuiti come Nârâyan a Marutd, a Kâthmându (1690), hanno anch'essi dei basamenti a più gradini, ma molto meno elevati.

fig. 68

La presenza di un peristilio, caratterizza egualmente numerosi santuari di tipo dega dell'epoca Malla recente (1482-1768). Si ignora la data di apparizione di questo elemento che sembra però diffondersi a partire dal primo terzo del XVII sec.. Il corridoio di circoambulazione dei templi di tipo più antico, dall'accesso relativamente poco comodo, viene allora spesso sostituito da una galleria aperta che gira tutto intorno, sempre accessibile ai devoti. I pilastri di legno, intorno all'edificio, sostengono il primo piano di copertura, assolvendo la stessa funzione dei muri muniti di porte dei santuari antichi.

Una maggiore abilità tecnica permetterà parallelamente di moltiplicare le coperture. Ad esempio durante il regno del re Yoganarendramalla (1684-1705), in occasione di un restauro, il numero dei piani di copertura di Kumbheshvara a Patan fu portato da due a cinque. Gli architetti, ancora poco sicuri fecero poggiare il terzo piano su di un muro supplementare, creando così un secondo corridoio perimetrale non richiesto dal culto.

fig. 69

fig. 70

Il Nyatapola di Bhaktapur (1702) costituisce il punto di arrivo di questa evoluzione. Questa struttura di stile dega, a cinque coperture e provvista di un peristilio, poggia su di una piramide a cinque gradini. L'insieme, ad un tempo estremamente slanciato e maestoso, può essere considerato il capolavoro dell'architettura newari.

I templi dega, il cui schema è strettamente legato ai rituali del culto indù, sembrano frutto di una concezione antica quanto l'introduzione dell'induismo nella Valle. Una maestria tecnica sempre crescente, già da prima del XIV sec., darà a questo tipo di costruzione un incremento notevole. Questo sviluppo non deve nascondere l'esistenza di altri generi di edifici, anch'essi costruiti con legno e mattoni.

I Newar indicano con il termine «dharmashâla» tre tipi di costruzioni, simili per tecnica, ma diverse per funzio-

fig. 71

fig. 72

fig. 73

fig. 74

ne. I pâti (in newari: phale, phaleca) sono una specie di piccoli portici rettangolari, aperti su tre lati, coperti da tetti a padiglione. Servono per le più svariate attività della vita pubblica e sono la più semplice struttura concepita dai capomastri newari. I sattal, portici con l'aggiunta di un piano, vengono utilizzati come ripari per i pellegrini. Un santuario (agama) occupa il primo piano. I capâta rappresentano lo sviluppo del tipo precedente: un portico, su due livelli, è fiancheggiato da sale e da cappelle.

I mandapa (madu) sono un'altra variazione su questo tema: si tratta di sale a pilastri, aperte su tutti e quattro i lati che assolvono le stesse funzioni dei pâti. Possono inoltre servire da sale pubbliche per riunioni e trattative commerciali ed anche per luoghi di culto. La loro pianta, come il nome, li accosta ai mandapa indiani. La loro struttura varia a seconda delle dimensioni. I più importanti hanno parecchi piani sostenuti da pilastri interni e muniti di scale. Kâsthamandapa, il più grande edificio ligneo della valle, appartiene a questo tipo. Costruito all'incrocio di due strade intorno al quale andrà a poco a poco formandosi la città di Kâthmându, conglobando due borgate Yambu a nord e Yangal a sud. Tale edificio darà il suo nome alla nuova città. Citato fin dall'XI sec. esso ospita la statua di Gorakhanatha, asceta e predicatore shivaita. La relativa autonomia dei supporti di ognuno dei tre piani lo avvicina alla struttura di stile dega. Questa caratteristica si riscontra anche in mandapa di piccole dimensioni, come Indra sattal a Khadpu, nella valle di Banepa. La pianta, completamente aperta e sprovvista di corridoio di circumambulazione, è invece completamente diversa. Quattro terrazze, agli angoli del Kâsthamandapa, restringono lo spazio, senza tuttavia chiuderlo. A Bhadgaon, è degno di nota il Dattâtreya, questo mandapa a tre piani, eretto da Yaksa Malla (1428-1482) e ricostruito da Vishvamalla (1547-1560), come il Kâsthamandapa ed altri edifici quale il Laksminarayan, serviva da dimora comune (math) a gruppi di brahmini. La ricerca di abitazioni più confortevoli, forse nel XVIII sec., comportò un parziale cambiamento della loro destinazione. Nel caso del Dâttâtreya varianti importanti, mediante l'aggiunta di una tettoia perimetrale e di muri interni, lo trasformarono in un tempio indù di stile dega. Questa modifica dello schema originale è interessante in quanto evidenzia il ruolo preponderante svolto da questo tipo di costruzione alla fine del periodo Malla recente (1482-1768). È usuale la consacrazione ad alcune divinità indù di santuari che presentano determinate caratteristiche architettoniche, in particolare piante ottagonali o rettangolari. Questi edifici mutuano alcuni loro caratteri dai mandapa e dall'architettura civile. Come nello stile dega, i supporti del secondo piano di copertura possono essere separati dal resto della costruzione, sebbene su questo punto non si possa fare alcuna generalizzazione.

Questo eclettismo farebbe supporre che una maggiore differenziazione delle piante e degli alzati dei templi indù si sia verificata soltanto in epoca relativamente tarda, nel XVI e soprattutto nel sec XVII sec.. Questa ipotesi sembra trovare conferma nelle date dei monumenti finora pubblicati.

I templi a pianta rettangolare sono di quattro tipi. I santuari consacrati a Bhairava, forma feroce di Shiva, hanno poche aperture nella parte inferiore. La cella si trova al primo piano. Nelle strutture più complete, come Kâshi Visvanâth, a Bhadgaon (fine XVII-1718), l'assenza di rilevamenti interni non consente di descrivere i sostegni sui quali poggia il terzo piano di copertura. I templi di Bhimsen, eroe del Mahâbhârata, divinizzato nel Nepal, sono simili ai precedenti, ma il pianoterra, largamente aperto, costituisce una sala di riunione. Ciascuna delle otto dee-madri (Astamâtrkâ) possiede due generi di luoghi sacri. A Bhadgaon, ad esempio, dove sono oggetto di un culto particolare, alcuni templi, costruiti all'esterno della città, in una cornice agreste, vengono considerati le «sedi» (pît a) di queste divinità. Questi pîtha sono edifici aperti su tre lati. Un solo muro, sul fondo, ed una serie di pilastri sostengono il tetto. La struttura interna, in parte visibile, è analoga a quella dei templi dega, per la maggior parte questi pîtha sembrano risalire al XVII sec.. Altri pîtha sono stati eretti in vari punti della Valle (Bâlkumarî, vicino a Patan, 1622; Vajravârâhî vicino a Chapagaon, 1665? Brahmâyani âs Lachhitol; Thecho, 1701; ecc.). Ad ogni dea-madre è dedicato anche un secondo tipo di santuario sito nelle città (deochem, dyochem) a forma di palazzo, dalle facciate riccamente decorate. Una differenziazione simile dei due tipi di santuari, pîtha e deochem, si ritrova anche a Kâthmându, ma meno sistematica.

Edifici simili ai deochem, ma con uno schema iconografico diverso, vengono utilizzati per divinità ancestrali, portano allora il nome di âgama chem o di kulaghara.

A Ganesa sono dedicati particolari santuari a pianta quadrata, largamente aperti come i pîtha e, negli agglomerati urbani, templi a forma di palazzi di tipo deochem.

207

Nel XVII sec. compaiono piccole strutture ottagonali, circondate da un peristilio, dedicate a Krsna, come Casî dega, eretto nel 1649 da Pratâpamalla (1641-1674) sulla piazza Durbar di Kâthmându. Una complessa serie di travetti e capriate sostiene un secondo piano di coperture.

Gli stûpa ed i monasteri buddhisti non presentano la stessa varietà tecnica e tipologica. Nel loro aspetto generale, i grandi stûpa ricordano i più antichi esempi indiani. La relativa semplicità del loro basamento e l'importanza della parte semisferica (anda) li accostano a tipi precedenti l'avvento dei Kusâna (I sec.) nel subcontinente. Dopo l'introduzione del Tantrismo nella Valle (XI sec. ?) e più particolarmente del sistema Kâlacakra (aishvarika), varie aggiunte apportarono ai tumuli-reliquiarii nuovi significati. Ad esempio, sul loro bordo esterno, delle nicchie, corrispondenti alle direzioni dello spazio, verranno dedicate ai Jina e talvolta alle loro paredre. Enormi occhi dipinti, simboli dell'Entità Suprema (Âdibuddha), orneranno le quattro facce della loro harmikâ (cudâmani). Il più celebre stûpa di questo tipo, Svayambhunâth, domina la citta di Kâthmându. Costruito nel 400 circa, ci appare oggi nel suo aspetto risalente al XVII sec.. Lo stûpa di Bodhanâth venne ugualmente completato da un basamento costituito da tre piattaforme decrescenti e sovrapposte, quadrate e dentellate che ricordano i recinti di un mandala. Bisogna anche ricordare i numerosi piccoli stûpa commemorativi (udeshika), di grande diversità tipologica, più attinenti allo studio dell'arte statuaria che a quello dell'architettura.

La planimetria dei monasteri segue gli schemi indiani: un portico dà accesso ad un cortile quadrato circondato dagli edifici conventuali, spesso provvisti di un primo piano e una cappella ne occupa l'estremità, sull'asse dell'entrata. Da questo schema, i Newar, svilupperanno tre tipi di complessi architettonici: i bahâ, i bahî ed i bahâ-bahî. I bahâ, i più numerosi si trovano soltanto entro le mura delle città. Un portico, largamente aperto sull'interno, funge da sala di ricevimento (phalacâ). Intorno al cortile, dei vani, delimitati da tramezzi fissi, hanno precise destinazioni: stanza per la musica e lo studio (bhazan), sala per riunioni (sunsha)... In fondo, sopra il santuario, in una cappella speciale (âgama) consacrata all'aspetto femminile del dio, si trovano libri sacri e gli strumenti liturgici. La luce del giorno penetra attraverso una finestra dalle molte aperture (chhapa jhya) posta sul davanti. Il centro del cortile, leggermente in dislivello, costituisce uno spazio sacro, in mezzo ad esso si innalza un caitya, mentre vari elementi (mandala, vajra colossale, statue di donatori...) possono evidenziare il suo carattere sacro.

I bahî sarebbero stati costruiti per congregazioni di monaci celibi o per brahmini convertiti. Le ali laterali sono sprovviste di tramezzi ed ospitavano, al primo piano, lunghi dormitori. Un corridoio circonda il santuario e consente di compiere il rito della circumambulazione.

I bahâ-bahî sono costruzioni con caratteri comuni ad un tempo ad entrambi i tipi precedenti: pianoterra simile a quello dei bahâ, piano superiore sprovvisto di tramezzi come i bahî. Questi generi differenti rimandano ad esemplari indiani. I dormitori senza divisori si incontrano ad Ellora n° 11 e 12. Le rovine di Nâlandâ (Bihâr) presentano fianco a fianco conventi con il santuario completato da un corridoio perimetrale come nei bahî, ed altri in cui questa caratteristica è assente. La derivazione dei monasteri attuali da costruzioni dell'epoca licchavi non può essere provata con certezza con l'epigrafia. Il convento di Cuka bahâ, a Patan, costituisce forse, da questo punto di vista, un'eccezione. La maggior parte dei complessi attuali non risalgono a prima del XV sec. ed i loro edifici sono ancora più recenti. Lo sviluppo della comunità comportò il moltiplicarsi delle fondazioni religiose, ad esempio, quindici grandi monasteri a Patan diedero vita ad un centinaio di filiazioni. Agli otto grandi monasteri di Kâthmându corrispondono sessantaquattro complessi secondari. Dopo la distruzione, del 1200 circa, delle grandi università dell'India del nord, da parte dei mussulmani, modifiche importanti interessarono la disciplina del clero buddhista newari. Ad esempio, i novizi poterono prendere moglie. Questa evoluzione era terminata nel XIV sec. poichè, nel suo progetto di riorganizzazione della società, Jayasthitimalla (1382-1395), assegnerà ai monaci ereditari, chiamati «onorevoli» lo stesso rango dei brahamini. I monasteri tradizionali, a causa della loro scarsa capienza, non potevano tutti ospitare le loro famiglie. Vicino a certi bahâ, grandi cortili rettangolari, i nani, saranno circondati dalle case delle famiglie dei monaci. Questi larghi spazi, separati dalla strada, creano una rottura nel tessuto urbano molto denso di Kâthmându e di Patan. Nonostante tutte queste differenze nelle piante e negli alzati, costruzioni buddhiste e templi indù utilizzano gli stessi materiali ed appartengono alla stessa tradizione architettonica. Si può di conseguenza constatare

fig. 75
fig. 76

fig. 77

fig. 78

fig. 79

l'esistenza di elementi che queste due scuole hanno mutuato reciprocamente l'una dall'altra. Così nei santuari di Matsyendranath, divinità comune ai Newar di ogni culto, provvede al servizio religioso un clero buddhista che considera questo personaggio una delle forme del bodhisattva Avalokiteshvara. I suoi templi di Patan e di Kâthmându sono costruiti alla maniera dei santuari dega. A Kâthmându la residenza della piccola Kumarî, incarnazione della Grande Dea, ma scelta in una famiglia buddhista, è un edificio di tipo misto costruito a metà del XVIII sec.: la facciata di un deochem chiude un cortile che riprende la disposizione dei bahâ buddhisti.

fig. 80

Allo stesso modo, elementi architettonici o ornamentali sono utilizzati in tutte le forme espressive dell'architettura newari, indù o buddhiste, religiose o civili. I puntelli (tunâla) che sostengono le capriate delle coperture vengono ornati con una decorazione scolpita policroma, divisa generalmente in tre fasce. La parte inferiore presenta personaggi grotteschi e come schiacciati, elementi vegetali, o talvolta, in un preciso contesto religioso, scene erotiche o infernali. Divinità o personaggi mitici occupano la parte mediana, la più importante per dimensioni. Rami di alberi, più o meno stilizzati, occupano la parte superiore. In India notiamo questa divisione tripartita sui montanti di balaustre (stambha) dell'epoca Kusâna. I sostegni di uno stesso edificio costituiscono insiemi coerenti. Lo studio della loro complessa iconografia non è che agli inizi. L'analisi degli altri elementi scolpiti (torana, mensole, colonne...) non può rientrare in questa breve relazione.

Dei claustra (pâkhâ, kôchujhyâ), disposti a 45° possono ornare i piani superiori degli edifici, formare una specie di galleria e permettere la ventilazione degli spazi interni. Almeno dal XIV sec. in alcuni templi di stile dega, un terzo piano fittizio poggiava su di un monaco centrale. La stessa tecnica consentirà la costruzione di lucernari sopra ad alcuni monasteri, soprattutto bahî e bahâ-bahî. Posti al disopra del santuario, sottolineeranno la santità del luogo allo stesso modo dei piani superiori dei templi dega. Essi sembrano diffondersi nel XVII sec.. Esisteranno persino lucernari doppi, veri tours de force tecnici, come a Ila nani a Patan (1692).

Contatti politici ed economici con l'impero moghul, a partire dal XVI sec., i pellegrinaggi a Mathurâ e a Benares nuovamente autorizzati da Akbar (1556-1605) porranno i Newar a confronto con nuove tecniche di costruzione. Torri curvilinee (shikhara) nello stile delle architetture indiane di tipo nâgara copriranno alcune celle. Il più antico esempio conservato nella Valle, il Narsinha, sulla piazza Darbar di Patan, risalirebbe al 1590. Questa struttura di mattoni, a pianta quadrata, è fiancheggiata, su ogni lato, da un portico sostenuto da due colonne di legno. Nel 1601, sempre a Patan, un devoto buddhista erige il tempio di Mahâbuddha. Tale costruzione in mattoni, molto danneggiata dal terremoto del 1934 e parzialmente ricostruita, fa parte di tutto un gruppo di edifici presenti in Asia, copiati dal famoso santuario di Bodhgâya (Bihâr), luogo dove Shâkyamuni ricevette l'Illuminazione. L'impiego dei materiali tradizionali dell'architettura newari, mattoni e legno, per erigere queste nuove strutture non era dei più appropriati. I secoli XVII e XVIII vedono la costruzione con pietra da taglio di numerosi santuari a shikhara, per lo più di culto vishnuita. Questi edifici possono essere suddivisi in due tipi principali: i granthakûta e i templi a peristilio. I granthakûta sono costituiti da una semplice cella preceduta da un portale, un edificio in scala ridotta, a pianta ottagonale o quadrata, talvolta incassato nella torre centrale, sovrasta la tettoia. Il santuario «in miniatura» di pietra, a Sondhera (Deopatan), secondo A. Ray del 1648 (NS 769), ne costituisce un caratteristico esempio [8]. Il Narsinha di Patan, dai quattro portici orientati, costituisce una variazione di questo tipo.

fig. 81

Un peristilio può circondare l'edificio, su uno o anche due livelli. Il tempio di Krsna e di Radha, sulla piazza Darbar a Patan (1637), costituisce una delle creazioni più ambiziose di tutta l'architettura newari. La cella si trova al primo piano, la galleria di questo primo piano è abbellita da avancorpi coperti da cupole finte; padiglioni a colonnine riprendono lo stesso ritmo ed ornano due piani fittizi supplementari. La forma di questi padiglioni è ripresa dalle architetture rajaput e moghul. L'insieme possiede una grazia aerea che lo riaccosta più particolarmente a celebri creazioni dell'arte moghul, quali il Pañch mâhal di Fatehpur Sikri (seconda metà del XVI sec.) o la tomba di Akbar a Sikandara (1613 circa).

La maggior parte degli altri shikara a peristilio sono meno originali. Una semplice alternanza di edifici in miniatura a piante alterne, quadrate ed ottagonali, circonda la torre centrale. Granthakuta e shikhara a peristilio possono essere posti su piramidi a gradoni (Bhagvatî, 1696 e Vatsalâ devî, fine XVIII sec., a Layaku, Bhadgaon). Alcuni templi a shikhara, a pianta ottagonale e circondati da un peristilio, sono dedicati a Krsna. Il più

fig. 82

celebre fu eretto nel 1723 sulla piazza Darbar di Patan. Questi ultimi tre elementi, templi a shikhara circondati da un peristilio, basamenti a più gradini e piante ottagonali, sembrano essere stati attinti dall'architettura newari tradizionale. Una derivazione di questi tre elementi da santuari indù dei regni del Rajâsthan non è riscontrabile.

Alcune celle, di mattoni o pietre, sono ricoperte da una copertura piramidale modanata o da un pinnacolo a forma di fior di loto rovesciato. Costituiscono semplici adattamenti di modelli indiani. Viene loro dato talvolta il nome di ratna deul [9].

Le case newari hanno oggi tre livelli: botteghe e ripostiglio al pianoterra, camera da letto (nal) al primo piano (mâtâ), ed infine al piano più alto (cota) cucina e magazzino, largamente aperti sull'esterno mediante una finestra (san jhya e ga jhya) di legno operato. Un attico (baiga) può completare l'insieme. Una volta questa divisione deveva essere meno diffusa. Le poche abitazioni private rappresentate nella pittura dell'epoca malla non hanno che due livelli. Soltanto i palazzi e le dimore dei brahamini (math) possiedono più piani. Tuttavia, a partire dai primi anni del XIX sec., sia i documenti grafici che i resoconti degli occidentali, come quelli di Padre Giuseppe da Rovato presentano le case newari sotto la forma in cui le conosciamo al giorno d'oggi.

fig. 83

Ogni antica capitale possiede il suo palazzo reale (darbar), un tempo centro della vita pubblica. Gli edifici sul davanti avevano funzioni cultuali e di rappresentanza. Le pareti sul retro erano riservate agli appartamenti privati ed ai servizi. La giustapposizione di cortili, generalmente quadrati, ma di dimensioni variabili, conferisce alla pianta di queste residenze l'aspetto di una scacchiera irregolare. L'insieme di queste costruzioni che vanno dal XVI al XVII sec. è stato conservato solo parzialmente. A Patan e Bhadgaon, i cortili posteriori sono stati distrutti; a Kâthmându, il palazzo è stato molto rimaneggiato all'epoca gurkha. Elementi comuni si riscontrano tuttavia in questi monumenti. Tra i numerosi luoghi di culto in essi racchiusi tre templi sono consacrati a varie forme della Grande Dea, protettrice della dinastia Malla. Un cortile chiuso è riservato al santuario di Taleju Bhawâni. La piramide del tempio di Kâthmându è costruita all'interno di questo recinto. Un altro cortile (mulcok) consente l'accesso al tempio di Mahisamardinî. Un terzo santuario, a Patan ed a Kâthmându, consacrato a Degu Tale, forma tantrica della stessa divinità, sovrasta la piazza davanti al palazzo. Un cortile speciale (Sundaricok) racchiude un bacino all'aperto, necessario alle abluzioni sacre del re. Queste vasche, a Patan e

fig. 84

a Kâthmându, sono ornate di piccole steli che rappresentano numerose divinità del Tantrismo indù. Il cortile del bagno di Patan (Sundaricok, 1670) fornisce un buon esempio di architettura palaziale. Sale che si aprono largamente sull'esterno occupano la parte centrale dei lati e scale consentono l'accesso a gallerie rialzate talvolta comunicanti con stanze quadrate, tale pianta sembra derivare dai monasteri buddhisti. Queste gallerie rialzate sono tra le creazioni più originali dell'architettura newari. La lunga galleria che occupa il primo piano

fig. 85

del Palazzo dalle cinquantacinque finestre (1700 circa) di Bhadgaon è il punto di arrivo di queso schema architettonico, costituisce un insieme a sé stante all'esterno di un quadrilatero; le sue finestre si aprono sulla grande piazza della città e il muro interno, risparmiato dal terremoto del 1934, presenta pitture murali a soggetto krishnaita. Questa galleria dava accesso ad un gabinetto d'angolo, rischiarato da due finestre.

Sul modello dei cortili dei palazzi, nel XVIII sec. verranno costruite per gruppi di brahamini, delle case collettive (math) che sostituiranno le antiche strutture a più piani sprovviste di muro. Pujâri math (1763) ed altri complessi simili, costruiti a Bhadgaon in Tachapal tol, vicino al Dâttatraya, sono i più significativi.

fig. 86

La tradizione attribuisce a numerosi agglomerati forme simboliche. L'esame rivela di fatto che una grande varietà di organizzazioni urbane diverse: villaggi-strade (Thimi), città nate all'incrocio di due strade commerciali (Kâthmându) o poste su di un altopiano per ragioni strategiche (Kirtipur), nuovi quartieri ad opera di un principe (Bhadgaon), sistemazione della confluenza di un fiume sacro (Panauti)... Soltanto Patan possiede una pianta regolare in forma di ovale quasi perfetto. Alle configurazioni degli agglomerati si sovrappongono schemi simbolici, centrati e orientati, costituiti dall'installazione, in luoghi precisi, di santuari particolari. Questi diagrammi interessano ai Newar più della forma effettiva della città e spiegano queste apparenti contraddizioni tra mito e realtà. Ad esempio, cinque stûpa, al centro di Patan ed intorno ad essa, ricordano un mandala buddhista. Egualmente, a Bhadgaon, uno yantra complesso è formato dai deochem e dai pîtha delle dee madri. Relazioni simili possono collegare, attraverso tutta la Valle, parecchi siti consacrati ad una stessa divinità, come Visnu o Ganesa.

Le città sono divise in quartieri (tol) dove risiedono preferibilmente i membri di una stessa casta. Ogni quartiere ha i suoi templi ed i suoi edifici pubblici. Nelle antiche capitali, parecchi templi sono raggruppati intorno a una grande piazza davanti al palazzo reale. Delle strade delimitano isolati di case dalle forme irregolari. Il suolo è lastricato con mattoni cotti, talvolta posti verticalmente. Stradine più piccole, in particolare in certi quartieri di Patan, servono il retro dei caseggiati. Numerose fontane forniscono acqua potabile alle città e parecchie sorgono sul luogo di sorgenti naturali. All'epoca Malla recente, l'acqua poteva anche essere portata da condotte sotterranee come quella che alimenta il bagno (Nagpokhari, prima metà del XVII sec.) del palazzo di Bhadgaon, lunga parecchi chilometri. I punti d'acqua, che, come nel resto del mondo indianizzato, assolvono fig. 87 ad un tempo ad una funzione utilitaria e religiosa, sono di parecchi tipi: grandi serbatoi (pûkhu, pokhâri), pozzi circolari di mattoni (inâra, tuna), fontane coperte (jahrû, tu tedhâra). Fontane scoperte all'aperto, scavate più o meno profondamente nel suolo (gâhifî, gaihridhâra), hanno svariate forme: rettangolari, quadrate, cruciformi, ad esedra. Si accede al livello inferiore mediante una serie di terrazze dentellate. Lo scarico delle acque usate non ha interessato i newari. Canaletti di scolo, rari e approssimativi, sono insufficienti durante il periodo dei monsoni. All'epoca Malla recente, fortificazioni, oggi distrutte, circondavano le città più importanti.

Sotto i Gurkha, parallelamente alla continuazione delle tecniche tradizionali, l'introduzione degli stili eclettici in uso in India all'epoca coloniale, modificherà profondamente l'architettura nepalese, tale aspetto dell'architettura moderna esula dallo schema del nostro studio.

Questa relazione richiede numerose osservazioni conclusive. Occorre notare, nell'arte costruttiva newari, il perfetto adeguamento dei materiali e delle forme all'ambiente geografico e climatico. Questo punto rafforza l'ipotesi di una origine locale delle architetture di mattoni e legno. Si può anche tentare una evoluzione cronologica. Edifici dalle proporzioni un po' pesanti e tentativi senza seguito caratterizzano il XV sec.. Durante il XVI ed il XVII sec. si moltiplicano i prodigi tecnici ed una notevole differenziazione tipologica (strutture dega sempre più complesse, sviluppo dell'architettura palazziale, introduzione dei templi a shikara). Pochi edifici importanti hanno caratterizzato il XVIII sec.. Questa relativa stasi si ritrova in altri campi dell'arte newari nei decenni che precedono la conquista Gurkha.

Parallelamente si può notare che alcuni caratteri sono peculiari di ciascuna capitale: moltiplicazione dei monumenti religiosi di ogni tecnica e forma a Patan, frequenza dei templi a piramide a Bhadgaon, elementi eclettici che Kâthmându ha attinto dalle sue due vicine. In seguito alla conquista Gurkha, lo stile di architettura proprio dei Newari si diffuse in altre regioni del Nepal. Le condizioni climatiche particolari delle altre valli e delle pianure paludose del Terai, le forti tradizioni delle altre etnie, limitarono considerevolmente questa estensione. Può sembrare quindi paradossale che tecniche di costruzione così legate al particolare clima della zona sub-himâlayana abbiano potuto avere una qualunque eco nel Tibet, nonostante gli stretti legami economici, religiosi ed artistici di più di un millennio. Esistono tuttavia influenze limitate, che però non interessano alcun elemento fondamentale. Si possono dividere in due categorie: impiego di coperture di rame dorato e aspetto delle decorazioni interne. Nella Valle di Kâthmându, è un'usanza antica ornare di lastre di rame dorato le coperture di alcuni santuari particolarmente venerati. Un'iscrizione riferisce che il re Anantamalla (1274-1308) ricoprì d'oro il tempio di Pashupatinâtha [10]. Questa tradizione sopravviverà fino ai nostri giorni, sia per luoghi di fig. 88 culto buddhisti (Kvâ bâhâ, Patan, 1677 ?), che indù (Vakupati nârâyan, Bhadgaon, 1740). Questo procedimento giungerà nel Tibet: tetti fittizi ricoperti con lastre metalliche, ma di profilo cinese, verranno elevati sopra ai tradizionali tetti a terrazza. Si possono citare numerosi esempi risalenti al XVII sec., periodo che vede nuovamente la presenza dei bronzisti ed ottonari newari nell'Ü e nello Tsang.

L'arte newari ha anche svolto un ruolo di collegamento nella conservazione e nella trasmissione di alcune componenti architettoniche di origine indiscutibilmente indiana: colonne vegetali emergenti da vasi d'abbondanza, pilastri ornati di fogliame, arcate trilobate, torana rappresentanti il combattimento di Garuda e dei serpenti, timpani a gradini sormontati da edifici in miniatura, alcuni claustra con aperture a losanghe o a riquadri... Tutti questi elementi sono da accostarsi più alla decorazione scolpita e dipinta che alla architettura propriamente detta. Sono per lo più associati a pitture e sculture, ispirate in parte o completamente all'arte newari. I motivi decorativi di ispirazione architettonica che ornano i rotoli dipinti nepalesi e sottolineano la santità della divinità principale, suddividendo lo spazio in pannelli, più che gli elementi costitutivi delle architetture newari realmente costruite, ne sono i diretti antecedenti.

fig. 89

NOTE DELLA SEZIONE IV

[1] Slusser, 1982, vol. 1, p. 164.
[2] Slusser, 1982, vol. 2, ill. 245 à 253.
[3] Bernier, 1979, p. 39.
[4] Korn, 1976, p. 105.
[5] Diserens, 1981.
[6] Regmi, 1965, vol. 1, p. 316. Petech, 1984, p. 125.
[7] Snellgrove, 1961, fasc. 1, p. 6. Pruscha, 1975, vol. 2, p. 206, n° C/P 280.
[8] Ray, 1973, ill. n° 11.
[9] Slusser, 1982, vol. 1 p. 148.
[10] Regmi, 1965, vol. 1 p. 247. Wiesner, 1978, p. 13.

BIBLIOGRAFIA GENERALE

BERNIER, 1979; GUTSCHOW-KÖLVER, 1975; KORN, 1976; PRUSCHA, 1975; SANDAY, 1978; WIESNER, 1978.

CHANDESHVARÎ

GOKARNA MAHADEV

SANKHU

BHDGAON

BODHNÂTH

CHABAHIL

CHANGU NÂRAYANA

SVAYAMBHÛNÂTH

KÂTHMÂNDU

PASHUPATINÂTHA

BAL KUMARÎ

Bagmati

KIRTIPUR

PATAN

Hanumante

BANEPA

ADINÂTH

PANAUTI

VAJRAVÂRÂHÎ

VAJRAYOGINÎ

DAKSHIN KÂLÎ

1 ■
2 •
3 ▲

fig. 61 - Carta della Valle di Kâthmându: 1, città; 2, siti buddhisti; 3, siti induisti (G. Béguin, R. Astolfi).

fig. 61 - Carte de la Vallée de Kâthmându: 1, villes; 2, sites bouddhiques; 3, sites hindous (G. Béguin, R. Astolfi)

fig. 62 - Pashupatinâtha (Deopatan), Râjarajeshvarîghat santuario shivaita (âvara*na*) (foto M.S. Slusser).

fig. 62 - Pashupatinâtha (Deopatan),Râjarajeshvarîghat sanctuaire shivaïte (âvara*na*), (cl. M.S. Slusser).

fig. 63 - Esemplare di un A*sta*sâharikâ prajñâpâramitâ sûtra, miniatura datata 1015, Cambridge University Library (Foucher, 1900, pl. I, fig. 6).

fig. 63 - Exemplaire d'un A*sta*sâharikâ prajñâpâramitâ sûtra, vignette enluminée, daté 1015,Cambridge University Library (Foucher, 1900, pl, I, fig. 6)

fig. 64 - Pashupatinâtha (Deopatan), fine del XVII sec. (foto F. Mahot).

fig. 64 - Pashupatinâtha (Deopan) aspect fin du XVIIe s. (cl. F. Mahot).

fig. 65 - Bhadgaon, Tempio di Pashupatinâtha, facciata sud, porta, XIV sec. Stato XX sec. (foto G. Béguin).

fig. 65 - Bhadgaon, temple de Pashupatinâtha, façade Sud, porte, XIVe s. Etat XXe s. (cl. G. Béguin).

66

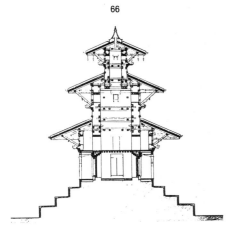

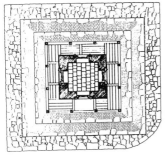

fig. 66 - Sezione e pianta di un tempio di tipo dega (R. Astolfi da Slusser 1982, vol. II, fig. 13).

fig. 66 - Coupe et plan d'un temple de type dega (R. Astolfi d'après Slusser, 1982, vol. II, fig. 13).

fig. 67 - Kâthmându, Tempio di Taleju, fine XVI sec. (foto D.L. Snellgrove).

fig. 67 - Kâthmându, Temple de Taleju, aspect fin XVI s. (cl D.L. Snellgrove).

fig. 68 - Patan, piazza del Darbar, Visvanâtha, 1626 (foto G. Béguin).

fig. 68 - Patan, Place du Darbar. Visvanâtha, 1626 (cl G. Béguin).

fig. 69 - Patan, Kenti, Kumbheshvara, 1700 circa (foto D.L. Snellgrove).

fig. 69 - Patan, Kenti, Kumbheshvara, vers 1700 (cl. D.L. Snellgrove).

67

68

69

fig. 70 - Bhadgaon, Taumadhi tol, Nyâtapola, 1702 (foto F. Barboux).

fig. 70 - Bhadgaon, Taumadhi tol, Nyâtapola, 1702 (cl. F. Barboux).

fig. 71 - Patan, Sundhara tol, Sundhara-sattal, 1700 (foto F. Meyer).

fig. 71 - Patan, Sundhara tol, Sundhara-sattal, 1700 (cl. F. Meyer).

fig. 73 - Kirtipur, Baghbhairava, 1717 (foto G. Béguin, Museo Guimet).

fig. 73 - Kirtipur, Baghbhairava, 1717 (cl. G. Béguin, Musée Guimet).

fig. 72 - Kâthmându, Maru tol, Kâ*sthma nd*apa, XVII sec. (foto G. Béguin, Museo Guimet).

fig. 72 - Kâthmându, Maru tol, Kâ*sthamand*apa, XVIIe s. (cl G. Béguin, Musée Guimet).

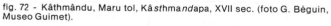

fig. 74 - Bhadgaon, Ghachhen tol, Navadurgâ (foto F. Meyer).

fig. 74 - Bhadgaon, Ghachhen tol, Navadurgâ (cl. F. Meyer).

fig. 75 - Svayambhunâth, Stûpa, XVII sec. (foto J.L. Nou, Museo Guimet).

fig. 75 - Svayambhunâth, Stûpa, XVIIe s. (cl. J.L. Nou, Musée Guimet).

fig. 76 - Bodhnâth, Stûpa (foto G. Béguin).

fig. 76 - Bodhnâth, Stûpa (cl. G. Béguin).

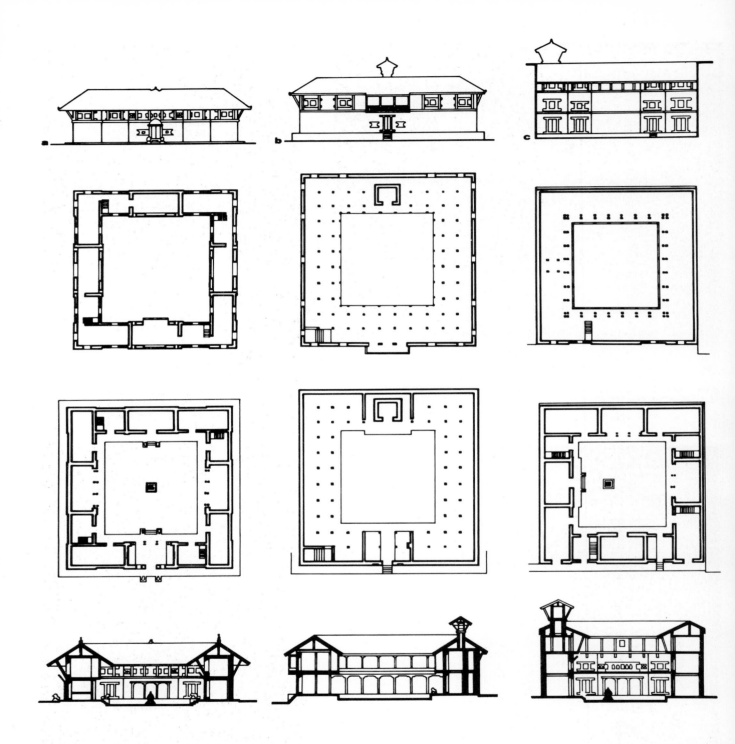

fig. 77 - Alzati, piante e sezioni dei tre tipi di monasteri nella regione newari: *a* bahâ, b bahî, *c* bahâ-bahî (R. Astolfi da Slusser 1982, vol. 2 fig. 11).

fig. 77 - Elévations, plans et coupes des trois types de monastères en pays newar; *a*, bahâ; *b*, bahî; *c*, bahâ-bahî (R. Astolfi d'après Slusser 1982, vol. 2, fig. 11)·

fig. 78 - Kâthmându, Jyatha tol, Chusyâ bahâ, interno del cortile, XVII sec. (foto F. Meyer).

fig. 78 - Kâthmându, Jyatha tol, Chusyâ bahâ, intérieur de la cour, XVIIe s. (cl. F. Meyer).

fig. 79 - Patan, I Bahî, Yampi bahî, interno del cortile (da Pruscha, 1975, vol. II, pag. 172, n° B/P 155).

fig. 79 - Patan, I Bahî, Yampi bahî, intérieur de la cour (d'après Pruscha, 1975, vol. II, p. 172, n° B/P 155).

fig. 80 - Patan, Uku bahâ, puntello (tu*n*âla), XIV sec. (?) (foto D.-L. Snellgrove).

fig. 80 - Patan, Uku bahâ, Etai (tu*n*âla), XIV e s. (?) (cl. D.L. Snellgrove).

fig. 81 - Patan, piazza del Darbar, K*ri*s*n*a mandir, 1637 (foto J.L. Nou, Museo Guimet).

fig. 81 - Patan, place du Darbar. K*ri*s*n*a mandir. 1637 (cl. J.L. Nou, Musée Guimet).

fig. 82 - Bhadgaon, Layaku, Tempio di Bhagvatî, 1696
(foto J.-L. Nou, Museo Guimet).

fig. 82 - Bhadgaon, Layaku, Temple de Bhagvatî, 1696
(cl. J.L. Nou, Musée Guimet).

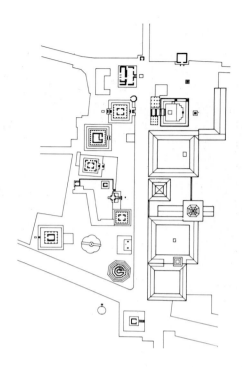

fig. 83 - Patan, pianta della piazza principale e del Darbar (R. Astolfi da
Slusser, 1982, vol. II, fig. 2).

fig. 83 - Patan, plan de la place principale et du Darbar (R. Astolfi d'après
Slusser, vol. II, fig. 2, 1982).

fig. 84 - Patan, Darbar, Sundarîcok, 1670 circa (foto F. Meyer)

fig. 84 - Patan, Darbar, Sundarîcok, vers 1670 (cl. F. Meyer).

fig. 85 - Bhadgaon, Darbar, Palazzo delle cinquantacinque finestre, 1697
(foto G. Béguin).

fig. 85 - Bhadgaon, Darbar, Palais aux cinquante-cinq fenêtres, 1697 (cl.
G. Béguin).

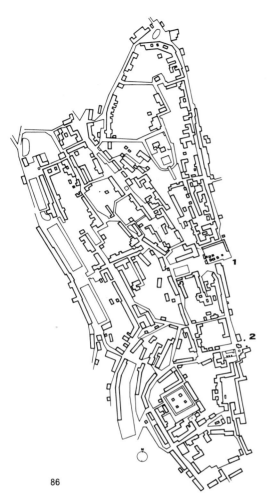

86

fig. 86 - Kirtipur, pianta: 1 Baghbairava; 2, Chitu Dhoka (R. Astolfi da Slusser 1982 vol. II, fig. 4).
fig. 86 - Kirtipur, plan: 1, Baghbhairava; 2, Chitu Dhoka (R. Astolfi d'après S. Slusser, 1982, vol. II, fig. 4).

fig. 87 - Patan, fontana pubblica (hi ti) (foto F. Meyer).
fig. 87 - Patan, fontaine publique (hi ti) (cl F. Meyer)

fig. 88 - Patan, Kvâ bahâ, tetti rivestiti di rame dorato, 1637 (foto F. Meyer).
fig. 88 - Patan, Kvâ bahâ, toitures couvertes de cuivre doré, 1637 (cl F. Meyer).

fig. 89 - Sugatisandarshana Lokeshvara, acquarello su tela, 1450 circa, Collezione David Salmon (cl. D.R.).
fig. 89 - Sugatisandarshana Lokeshvara, Gouache sur toile, vers 1450, Collection David Salmon (cl. D.R.).

88

89

SECTION IV

NEPAL. VALLEE DE KATHMANDU

Gilles Béguin

fig. **61**

Jusqu'au XIVe s.. les documents concernant l'architecture des Néwars de la Vallée de Kâthmându sont épisodiques et fragmentaires.

Parmi les stûpa que la tradition fait remonter au voyage mythique de l'empereur indien Ashoka (272-231 av.J.C.?) dans la Vallée, quatre, situés autour de la ville de Patan, évoquent par leur forme archaïque les «tumulus-reliquaires» d'époque Shunga et Kânva (IIe s. av.-Ie s.ap. J.C.).

Aucun bâtiment d'époque licchavi (IVe-vers 740) et de la période suivante dite des *Thâkurî* (vers 740-1200), ne nous est parvenu. Certaines inscriptions, comme celle d'Amshuvarman, datée 610 qui relate les réparations d'un sanctuaire à Mati*n*grâma (Sundhara-tol, Patan) [1], laissent supposer, dès cette époque, l'existence de temples de briques et de bois dans un style qui, au Nepal, deviendra traditionnel. Des vestiges en pierre témoignent de constructions plus ambitieuses. Leurs formes et leur décor sculpté permettent d'évoquer certains éléments constructifs utilisés à date ancienne et attestent de leur fidélité aux modèles indiens d'époque gupta.

De petits stûpa (caitya) commémoratifs, élevés pour la plupart à Svayambhunâth et à Câbahil, possèdent de hauts soubassements carrés redentés, à pans coupés ou circulaires. Leurs formes générales suivent les différents modèles que l'on rencontre en Inde à la même époque. Ils portent de nombreux motifs sculptés et des jeux de niches aux formes variées: oculi, «arcs indiens», ouvertures sous des arcatures végétales en accolade...

fig. **62**

Quelques tretrapyles de pierre, abritant des li*n*ga, remontent également à cette époque. M. Slusser reproduit ceux de Pashupatinâtha, de Lele et de Banepa [2]. Ces petits sanctuaires shaïva (âvara*n*a) sont couverts par une grande dalle de pierre, taillée en forme de pyramide tronquée et surmontée d'un pinacle constitué de plusieurs assises moulurées, souvent en partie disparues et parfois restaurées. En l'absence de références épigraphiques suffisantes, seul le décor sculpté de leurs piliers fournit des éléments de datation. Ce décor, à l'origine purement ornemental, semble se développer avec le temps. Ainsi, l'âvara*n*a de Banepa (IXe-Xe s.?), à la toiture fortement remaniée, présente des divinités en haut relief. Des piliers et colonnes, épars dans la Vallée, mais particulièrement nombreux à Deopatan et à Pashupatinâtha, ont appartenu à de semblables tétrapyles. La taille de certain d'entre eux, parfois conservés qu'à l'état de fragment, laisse présumer l'existence de structures plus ambitieuses. Rien cependant ne permet de penser que l'on ait pu édifier au Nepal dès cette époque, des cellas totalement construites en pierres de taille sur le modèle indien.

fig. **63**

Les vignettes enluminées d'un célèbre manuscrit du Prajñâpâramitâ Sûtra daté 1015 contiennent les plus anciennes figurations d'architectures néwares. Certaines présentent des monastères bouddhiques construits en brique et en bois, reproduisant ainsi avec toute vraisemblance des batiments népalais contemporains. Leur aspect général évoque les constructions aujourd'hui subsistantes dans la Vallée. L'on peut cependant noter certaines variantes. Ainsi, les toitures ne sont pas supportées par des étais à 45° (tu*n*âla). Les porches et les balcons sont assez systématiquement couverts d'auvents largement débordants reposant sur des piliers. Cette forme sera plus rare à l'époque Malla. Les stûpa ne comptent pas de niches réservées aux Jina sur leur pourtour et suivent ainsi des prescriptions iconographiques antérieures à l'avènement du Tantrisme dans la Vallée.

A partir de l'époque du Malla ancien (1200-1482), la multiplication des témoignages et leur continuité jusqu'à nos jours permettent une étude plus approfondie de l'architecture néware.

La plupart des bâtiments, construits en brique et en bois, ont pour principale caractéristique la présence de toitures superposées. Les temples hindous de type «dega» et de plan carré constituent la forme la plus aboutie de cette technique particulière de construction (fig. 3 à 9). Les deux premiers étages de toitures possèdent leur propre système de supports (murs ou piliers) et prennent ainsi appui directement sur le sol. Aucune fondation (jag) n'ayant été fouillée, il n'est actuellement pas possible de décrire les fondements des structures les plus importantes. Les sanctuaires les plus petits prennent appui à environ 1 m en sous-sol sur un radier constitué de plusieurs assises de pierrailles. Un soubassement en partie enterré sur 80 ou 60 cm, possède un corps de briques crues ou de cailloutis. Ce massif, paramenté de briques cuites et parfois de pierres, isole le bâtimemt de l'humidité du sol. De grosses pierres de taille en garnissent souvent les angles. A l'époque du Malla récent (1482-1769), on utilisait plusieurs variétés de briques (appa) de formats variés: simples briques crues (kachi appa) à l'intérieur des masses de maçonnerie, briques cuites à l'huile (chikan appa), d'un rouge brillant et légèrement vernissées pour les murs. Certaines de format carré couvraient les sols. Des briques à décor moulés en relief (karnes appa) courent en corniches en haut des murs et parfois à mi-hauteur des parois extérieures de certaines cellas. On en fabrique encore près de Jayat Nârâyana, près de Patan[3]. Des joints très minces, formés d'un mélange d'huile (tel), de résine végétale (saldup) et de terre rouge (sindur) assurent au mur une certaine étanchéïté[4]. Les nombreux éléments de bois: poutres, colonnes et piliers, portes (lukha), niches et fenêtres (jhya) aux formes variées, tympans (torana), étais (tunâla), sont en shorea robusta (shâla), variété de teck réputé imputrescible. Les toitures, indépendantes les unes des autres, témoignent de l'habileté des charpentiers néwars. Des chevrons (musin), généralement inclinés à 45%, prennent appui, dans leur partie supérieure, sur les murs intérieurs ou, dans les parties hautes, sur un poinçon central (than). Ils sont supportés en leur milieu par des sablières (nas) qui courent sur les murs de l'étage qui leur correspond, au dessus de la corniche de briques moulées. Les toits (pau), largement débordants, sont supportés par place par des étais. L'ensemble est maintenu par des chevilles de bois (chuku). Un plafond à solives (dhalin) apparentes obstrue le puits central au dessus de la cella. La partie supérieure de la tour reste inoccupée. Une trappe en permet cependant l'entretien. Les bâtiments religieux sont le plus souvent couverts de petites tuiles de terre cuite (aenpa). Les arêtes sont protégées par des tuiles concaves ou bien par une rangée de tuiles ordinaires posées sur champ. Certains toits sont constitués de plaques de cuivre doré, fixées sur des planches.

L'origine, la chronologie et la typologie de ces temples de type dega posent problèmes.

Au XIXe s., on compara volontiers les temples dega aux pagodes d'Extrême-Orient. Ainsi J. Fergusson, en 1891, croyait retrouver en Chine l'origine de ces constructions. Cette thèse ne résiste pas à l'examen. Les architectures népalaises surprendront le corps expéditionnaire chinois, conduit par le général Wang Xuance en 648, comme l'atteste sa relation, incluse dans le Nouvelle Histoire des Tang. Cet émerveillement aurait été moins vif si ces hommes n'avaient vu dans ces bâtiments que la simple transposition de techniques qui leur étaient familières. Rien dans l'affectation ou dans l'élévation des temples népalais de type dega ne permet de les rapprocher des pagodes chinoises. Les sanctuaires néwars à toitures étagées sont dédiés, dans leur immense majorité, à des divinités hindoues. Les pagodes chinoises, ultimes aboutissements des antiques stûpa indiens, ont une destination bouddhique. Leur mode de construction est d'une grande complexité et se rattache aux traditions chinoises des tours de guêt de la Chine antique attestées à l'époque Han et s'oppose aux techniques assez sommaires des artisans néwars. La structure interne particulière des temples dega diffère totalement de celle des pagodes d'Extrême-Orient. Les consoles surerposées (dougung) en des assemblages savants de l'architecture chinoise sont radicalement différents des étais (tunâla) des bâtiments népalais. Les appuis multiples et superposés des toitures chinoises permettent une plus grande liberté de formes que le système népalais. Le type de charpente à chevrons utilisé par le Néwars interdit de donner aux pentes des toits la courbure fréquente des couvertures chinoises. A partir du XVIIème, le Néwars, désireux d'obtenir un semblable effet, rajouteront parfois aux angle des éléments purements décoratifs par dessus leur mode de construction traditionnelle.

Le terme «pagode», parfois encore utilisé pour désigner les temples de type dega est donc impropre.

Leur origine indienne paraît plus plausible à nombre d'auteurs. Récemment, U. Wiesner apporte à cette thèse des arguments nouveaux. L'absence de documents conservés rend aléatoire toute filiation, même indirecte, entre le temples de la vallée de Kâthmându et les architectures de bois de l'époque védique. Il convient par contre de constater la pérennité de structures en bois tout autour de l'ancien empire gupta, en particulier au Karnâtaka, au Bengale et au Malabar. Le Kerala offre jusqu'à nos jours d'autres exemples d'architectures de bois authentiquement indiennes. Si, dans le décor sculpté des temples néwars, l'on ne peut contester les emprunts multiples faits aux vocabulaires iconographique et décoratif de la péninsule indienne, il est plus difficile de discerner les antécédents directs de telle ou telle particularité technique de simples concomitances dues à l'emploi de matériaux identiques. De plus, la cohérence du plan et de l'élévation des sanctuaires dega qui permet d'attirer l'attention du dévot à la fois sur la cella abritant l'image divine et sur le couloir permettant d'accomplir le rite de circumambulation, n'apparaît pas dans les architectures de bois du centre et du Sud de l'Inde qui nous sont parvenues. Dans le Sous-continent, certains temples construits en matériaux durables parmi les plus anciens cités par U. Wiesner pour illustrer sa thèse d'une origine indienne des structures néwares de type dega, tels le sanctuaire de Pârvatî de Nâchnâ-Kuthara (vers 480-500?) ou le Lâd-Khân d'Aihole (VIIe s.), présentent une cella en étage, ouvrant sur la toiture en terrasse du rez-de-chaussée. Sans négliger cette particularité, l'on ne saurait accepter ces éléments de comparaison sans discussion. Dans les temples de type dega, la tour centrale au dessus de la cella, reste inoccupée. Elle est en quelque sorte un «signal» et joue le même rôle symbolique et plastique que les tours curvilignes (shikhara) des architectures de l'Inde du Nord. A l'opposé, dans certains temples indiens, la présence d'une seconde cella en étage n'implique pas l'existence d'un couloir de circumambulation au niveau du rez-de-chaussée. Ainsi à Nâchnâ-Kuthara, ce couloir existe et enserre la cella principale dont les murs servent d'assises à la cella supérieure. Par contre au Lâd Khân, il n'existe pas de couloir de circumambulation et le sanctuaire supérieur n'a aucun équivalent dans le plan du rez-de-chaussée. D'autres éléments constitutifs des temples dega, adoptés par vagues successives et assimilés, trouvent indubitablement leurs origines en Inde. Leurs juxtapositions révèlent les rapports étroits qui unissaient le Sous-continent et le royaume néwar des IVe au XIIe s. Ainsi, le décor des consoles incluses dans les murs, de chaque côté des portes, est emprunté à l'art kusâna; les portes rectangulaires et leur vocabulaire décoratif ont leurs antécédents à l'époque gupta; les étais se retrouvent à Bâdâmi III (578); les portes polylobées sont copiées d'exemples pâla du Bengale et du Bihâr...

L'art de l'empire gupta influença durablement la statuaire néware. La peinture népalaise elle-même présente, à des dates beaucoup plus tardives, des réminiscences «classiques» disparues à la même époque en Inde même. Une origine gupta des architectures de brique et de bois de la vallée de Kâthmându paraît aujourd'hui plausible.

Les statues et supports de bois récemment découverts à Gazan au Kulu (IXe-Xe s.) [5], stylistiquement de tradition gupta et d'un aspect si proche des plus anciens étais néwars, apportent un argument nouveau à la thèse d'U. Wiesner. L'assimilation de strates successives d'influences que révèle l'examen du décor sculpté de temples dega laisse cependant supposer une réalité plus complexe d'adaptation aux conditions climatiques et dénotent une tendance à l'éclectisme.

Le grand nombre d'éléments de bois et la faiblesse de leurs fondations rendent les structures de type dega particulièrement sensibles aux éléments, en particulier aux pluies de mousson, aux incendies et aux séismes. Leur entretien nécessite des réparations constantes et même des reconstructions périodiques deux ou trois fois par siècle. Autrefois, les fonds nécessaires provenaient du mécénat princier, de riches particuliers, des castes et des associations religieuses (gûthî). A ces revenus traditionnels peuvent aujourd'hui s'ajouter des sources modernes, subventions gouvernementales ou même internationales. Ces interventions donnaient lieu, la plupart du temps, à la pose d'inscriptions commémoratives. Leur étude systématique et exhaustive n'a pas été entreprise. Certaines cependant révèlent au fil des ans des modifications parfois considérables par rapport au parti originel. D'autres références soulignent au contraire la volonté de conserver l'aspect primitif du sanctuaire, et parfois la suppression d'adjonctions intempestives. Cette rareté des données historiques actuellement disponibles, la variété en plan et en élévation des temples dega, l'emploi de procédés de construction similaires pour les monastères bouddhiques et les bâtiments civils rendent malaisée toute étude de leur évolution.

L'analyse des structures les plus récentes et l'observation des particularités que l'on peut y déceler lorsqu'on les compare aux monuments plus anciens, fournissent cependant des repères chronologiques qui, de proche en proche, permettent d'esquisser un processus plausible de transformation des temples dega. Il paraît cependant hasardeux, par cette méthode, de pouvoir remonter bien avant le raid islamique dévastateur du sultân du Bengale Shams ud-dîn Ilyâs vers 1349 [6] .

fig. 64

Par son ancienneté, la dévotion qui y fut toujours attachée, la simplicité de sa forme et la correspondance entre son plan et son élévation, le temple shaïva de Pashupatinâtha, sanctuaire dynastique depuis au moins la fin de l'époque licchavi, peut-être considéré comme l'archétype des structures de type dega. Dans la deuxième moitié du XVIe s. on lui ajouta un troisième étage fictif. En 1585, on lui rendit son aspect primitif. Ce temple servit de modèle à d'autres lieux de culte shaïva tels le Yakseshvara de Bhadgaon (1460) et le Gokarneshvara de Gokarna (XIVe s.). Ces trois bâtiments sont construits sur un soubassement simple et possèdent deux étages de toitures, à l'exception du sanctuaire de Gokarna dont le troisième niveau est un ajout tardif (après 1851?). Chacun de leurs côtés est garni par trois portes donnant accès au couloir de circumambulation. L'issue centrale, rectangulaire, est flanquée de deux ouvertures trilobées. La façade

fig. 65

majeure est soulignée par des éléments décoratifs supplémentaires.

fig. 66

L'adjonction d'un troisième étage reposant sur des poutres recoupant le puit central, parfois par l'intermédiaire d'un poinçon, et ne possédant pas ses propres supports partant du sol, paraît-être un développement du type classique à deux niveaux. On ignore sa date d'apparition. Comme en témoignent les textes chinois d'époque Tang, les Néwars possédaient, au moins dès le VIIe s., une maîtrise technique suffisante leur permettant d'élever des tours à étages multiples. Ces textes cependant décrivent des bâtiments civils et non des édifices religieux.

Le plus ancien temple hindou préservé, l'Indreshvara Mahâdeva de Panauti, consacré en 1294 selon M. Slusser, a conservé la majeure partie de son décor sculpté original. D'un aspect sobre et sévère, il s'élève sur un soubassement unique comme les temples les plus anciens à deux étages. La façade majeure de ce sanctuaire shaïva ouvre à l'Ouest. Cette particularité par rapport aux règles de l'Hindouisme classique se rencontre parfois au Nepal et reste encore inexpliquée. Les portes de cette façade sont ornées de sculptures alors que les issues des autres côtés sont simplement moulurées. Ce détail inciterait à penser qu'à époque ancienne, seule la façade principale recevait un décor sculpté. Avec le temps, peut-être lors des reconstructions qui suivirent les destructions du raid islamique de 1349, on garnit également de sculptures les trois autres côtés.

Deux autres éléments caractérisent nombre de structures de type dega à plan carré: les soubassements à gradins multiples et les péristyles.

fig. 67

Les soubassements à gradins multiples apparaissent pour la première fois au Temple de Taleju de Kâthmându. Le culte de Taleju, aspect de la Grande Déesse, aurait été introduit dans la Vallée en 1324. Protectrice de la dynastie Malla, cette divinité, était honorée dans l'enceinte du palais royal de Bhaktapur (Bhadgaon). En 1492, le partage de la Vallée en trois royaumes entraîna à terme l'introduction de son culte dans les autres capitales. Pour la reconstruction de son sanctuaire de Kâthmându en 1564, on éleva un temple de type dega à trois étages, sur plan carré. Ce parti architectural reste inhabituel pour les lieux de culte consacrés à cette divinité. Une pyramide à gradins redentés élève le bâtiment au dessus des habitations avoisinantes. Une tradition rapporte que, pour des raisons à la fois politiques et religieuses, on pouvait ainsi l'apercevoir depuis la ville de Bhaktapur. La construction de ce monument de taille imposante mais d'un aspect trapu, dut constituer à l'époque un tour de force. Durant le XVIIe s., on multipla les soubassements à gradins multiples. Ces pyramides furent plus particulièrement adjointes à de nombreux temples shaïva. Elles évoquaient alors le Mont Kailasha, demeure mythique de Shiva dans l'Himâlaya. Ce symbolisme se retrouve dans d'autres pays d'Asie. Quelques rares temples vaïsnava tel Nârâyan à Maru tol, Kâthmându (1690), possèdent également des soubassements à gradins multiples mais beaucoup moins élevés.

La présence d'un péristyle caractérise également nombre de sanctuaires de type dega de l'époque du Malla

fig. 68
récent (1482-1768). On ignore la date d'apparition de cet élément mais ce procédé paraît se répandre dès le premier tiers du XVIIe s. Le couloir de circumanbulation des temples de type plus anciens, d'un accès relativement peu commode, est alors souvent remplacé par une galerie ouverte et formant déambulatoire, toujours accessible aux dévots. Les piliers de bois, autour du bâtiment, supportent le premier étage de toitures de la même manière que les murs garnis de portes des sanctuaires anciens.

fig. 69
Une plus grande habileté technique va permette parallèlement de multiplier les toitures. Ainsi sous le règne du roi Yoganarendramalla (1684-1705), lors d'une réfection, on porta de deux à cinq le nombre des étages de toitures de Kumbheshvara de Patan. Les architectes, encore mal assurés, firent reposer le troisième étage sur un mur supplémentaire créant ainsi un second déambulatoir non nécessité par le culte.

fig. 70
Le Nyatapola de Bhaktapur (1702) constitue l'aboutissement de cette évolution. Cette structure de type dega, à cinq toitures et pourvue d'un péristyle, repose sur une pyramide à cinq degrés. L'ensemble, à la fois d'une grande sveltesse et d'une réelle majesté, peut être considéré comme le chef d'oeuvre de l'architecture néware.

Les temples dega, dont le plan est étroitement lié aux rituels du culte hindou, paraissent d'une conception aussi ancienne que l'introduction de l'Hindouisme dans la Vallée. Une maîtrise technique de plus en plus grande, dès avant le XIVe s., donnera à ce style de construction un essor considérable. Ce développement ne doit pas occulter l'existence d'autres types de bâtiments, construits également en brique et en bois.

Les Néwars désignent par le terme «dharmashâla», trois types de constructions voisines par leur technique mais différentes par leur fonction. Les pâtî (newari: phale, phaleca) sont des sortes de petits portiques rectangulaires, ouverts sur trois côtés et couverts par des toits à croupes. Ils servent aux occupations les plus diverses de la vie publique. Cette structure est la plus simple conçue par les maîtres d'oeuvre néwars.

fig. 71
Les sattal, portiques pourvus d'un étage, sont utilisé comme abris par les pélerins. Un sanctuaire (agama) occupe le niveau supérieur. Les capâta sont le développement du type précédent. Un portique, sur deux étages, est bordé de salles et de chapelles.

Les mandapa (madu) sont une autre variation sur ce thème. Ces halls à piliers, ouverts sur leurs quatre côtés, sont utilisés aux mêmes fins que les pâtî. Ils peuvent de plus servir de salles publiques pour des réunions ou des tractations commerciales et même de lieu de culte. Leur plan comme leur nom les rattachent aux mandapa indiens. Leur structure varie selon leur taille. Les plus importants d'entre eux possèdent plusieurs

fig. 72
étages supportés par des piliers intérieurs et desservis par des escaliers. Kâsthamandapa, le plus grand bâtiment en bois de la Vallée, appartient à ce type. Construit au carrefour de deux routes autour duquel peu à peu, va se constituer la ville de Kâthmandu, englobant deux bourgades Yambu au Nord et Yangal au Sud. Cet édifice donnera son nom à la ville nouvelle. Mentionné dès le XIe s., il abrite la statue de Gorakhanatha, ascète et prédicateur shivaïte. La relative dissociation des supports de chacun des trois étages le rapproche des structures de type dega. Cette caractéristique se rencontre même dans des mandapa de petite taille tel Indra sattal à Khadpu, dans la vallée de Banepa. Le plan, totalement ouvert et dépourvu de déambulatoire, est par contre radicalement différent. Quatre plates-formes, aux angles de Kâsthamandapa, restreignent l'espace sans pour autant le clore. A Bhadgaon, le Dattâtreya retient l'attention. Ce mandapa à trois étages fondé par Yaksa Malla (1428-1482) et reconstruit par Vishvamalla (1547-1560), comme Kâsthamandapa et d'autres édifices tel Laksminarayan, servait de demeure communautaire (math) à des groupes de brahmanes. La recherche de séjours plus confortables, peut être au XVIIe s., entraîna un changement partiel de leur destination. Dans le cas du Dattâtraya, des transformations importantes par l'adjonction d'un appentis pourtournant et de murs intérieurs, le transformèrent en temple hindou de type dega. Cette altération du parti originel est intéressante puisqu'elle souligne le rôle prépondérant joué par ce style de construction à la fin du Malla recent (1482-1768).

La coutume attribue à certaines divinités hindoues des sanctuaires possédant des caractéristiques architecturales, en particulier des plans barlongs ou octogonaux. Ces édifices, empruntent certains de leurs caractères aux mandapa et à l'architecture civile. Comme dans le type dega, les soutiens du deuxième étage de toitures peuvent être dissociés du reste de la construction sans que l'on puisse faire sur ce point aucune généralisation.

fig. 73

fig. 74

fig. 75
fig. 76

fig. 77

fig. 78

Cet eclectisme pourrait laisser supposer qu'une plus grande différenciation des plans et des élévations des temples hindous ne soit apparue qu'à une date relativement tardive, au XVIe et surtout au XVIIe s. Cette hypothèse paraît confirmée par les dates de fondation des monuments jusqu'ici publiées.

Les temples de plan barlong sont de quatre types. Les sanctuaires dédiés à Bhairava, aspect farouche de Shiva, possèdent peu d'ouvertures dans leur partie inférieure. La cella se trouve au premier étage. Pour les structures les plus abouties, tel Kâshi Visvanâth, à Bhadgaon (fin XVII et 1718), l'absence de relevés intérieurs ne permet pas de décrive les appuis sur lesquels repose le troisième étage de toitures. Les temples de Bhimsen, héros du Mahâbhârata divinisé au Nepal, sont proches des précédents mais le rez-de-chaussée, largement ouvert, constitue une salle d'assemblée. Chacune des huit déesses mères (Astamâtrkâ) possèdent deux sortes de lieux sacrés. A Bhadgaon par exemple, où elles reçoivent un culte particulier, des temples, construits à l'extérieur de la ville dans un cadre agreste, sont considérés comme les «sièges» (pîtha) de ces divinités. Ces pîtha sont des édifices ouverts sur trois côtés. Un seul mur, au fond, et un jeu de piliers supportent la toiture. La structure intérieure, en partie visible, est analogue à celle des temples dega. Ces pîtha semblent pour la plupart remonter au XVIIe s.. D'autres pîtha ont été élevés dans divers points de la Vallée (Bâlkumarî près de Patan, 1622; Vajravârâhî près de Chapagaon, 1665; Brahmâyanî à Lachhitol; Thecho, 1701, etc.) Chaque déesse-mère possède également un sanctuaire urbain (deochem, dyochem) en forme de palais, aux façades richement décorées. Une organisation similaire de deux types de sanctuaires, pîtha et deochem, se rencontre également à Kâthmându mais avec moins de systématisme.

Des bâtiments, analogues aux deochem mais au programme iconographique différent, sont utilisé pour des divinités de lignage. Ils portent alors les noms d'âgama chem ou de kulaghara.

Ganesa possède des sanctuaires particuliers de plan carré, largement ouverts à la manière des pîtha et, dans les agglomérations, des temples en forme de palais de type deochem.

Le XVIIe s. voit apparaître de petites structures octogonales entouré d'un péristyle dédiées à Krsna, tel Casî dega, élevé en 1649 par Pratâpamalla (1641-1674) sur la place du Darbar de Kâthmându. Un jeu complexe de solives et de chevrons supporte un deuxième étage de toitures.

Les stûpa et les monastères bouddhiques ne présentent pas la même variété technique et typologique. Par leur aspect général, les grands stûpa évoquent les plus anciens exemples indiens. La relative simplicité de leur soubassement et l'importance de leur partie semi-hémisphérique (anda) les rattachent à des types antérieurs à l'avènement des Kusâna (Ie s.) dans le Sous-continent. Après l'introduction dans la Vallée du Tantrisme (XIes?) et plus particulièrement du système kâlacakra (aishvarika), diverses adjonctions apporteront aux tumulus-reliquaires des significations nouvelles. Ainsi sur leur pourtour, des niches, correspondant aux directions de l'espace, seront dédiées aux Jina et parfois à leurs parèdres. Des yeux peints colossaux, symbole d'une entité suprême (âdibuddha), garniront les quatre faces le leur harmikâ (chudâmani). Le plus célèbre stûpa de ce type, Svayambhunâth, domine la ville de Kâthmându. Fondé peut-être vers 400, il apparaît aujourd'hui dans son état du XVIIe s. Le stûpa de Bodhnâth, fut de même complété par un soubassement constitué de trois terrasses axées, carrées et redentées qui évoquent les enceintes d'un mandala. Il faut également mentionner le grand nombre de petits stûpa commémoratifs (udesika), d'une grande diversité typologique, mais dont l'étude concerne d'avantage l'histoire de la statuaire que celle de l'architecture.

L'aménagement des monastères suit les prescriptions indiennes. Un porche donne accès à une cour carrée entourée par les bâtiments conventuels, souvent pourvus d'un étage. Une chapelle en occupe le fond, dans l'axe de l'entrée. Sur ce schéma, les Néwars vont développer trois types d'établissements: les bahâ, les bahî et la bahâ-bahî. Les bahâ, les plus nombreux, ne se rencontrent que dans l'enceinte des villes. Un porche, largement ouvert sur l'intérieur, sert de salle de réception (phalacâ). Autour de la cour, des pièces, délimitées par des cloisons en dur, reçoivent des affectations précises: chambre de musique et d'étude (bhazan), salle d'assemblée (sunsha)... Au fond, au dessus du sanctuaire, une chapelle spéciale (âgama), consacrée à la contrepartie féminine du dieu, contient les livres sacrés et les instruments liturgiques. La lumière du jour y pénètre par une fenêtre aux multiples ouvertures (chhapa jhya) disposée en façade. Le centre de la cour, en légère dénivellation, constitue un espace sacré. Un caitya s'élève en son centre. Divers

fig. 79

éléments (mandala, vajra colossal, statues de donateurs...) peuvent souligner son caractère saint. Les bahî auraient été construits pour des congrégations de moines célibataires ou pour des brahmanes convertis. Les ailes latérales sont dépourvues de cloisons et abritaient, au premier étage, de longs dortoirs. Un couloir entoure le sanctuaire et permet d'accomplir le rite de circumambulation. Les bahâ-bahî sont des constructions qui possèdent à la fois des caractères originaux des deux types précédents: rez-de-chaussée semblable à celui des bahâ, étage supérieur dépourvu de cloisons à la manière des bahî. Ces différents types renvoient à des exemples indiens. Les dortoirs sans séparation se rencontrent à Ellora n° 11 et 12. Les ruines de Nâlandâ (Bihâr) présentent côte à côte des couvents dont le sanctuaire est complété par un déambulatoire comme dans les bahî et d'autres qui ne présentent pas cet élément.

La filiation des monastères actuels avec des fondations de l'époque licchavi ne peut être prouvée avec certitude par l'épigraphie. Le couvent de Cuka bahâ, à Patan, constitue peut-être sur ce point une exception [7]. La plupart des établissements actuels ne remontent pas au delà du XVe s. et leurs bâtiments sont encore plus récents. Le développement de la communauté entraîna la multiplication des fondations religieuses. Ainsi quinze grands monastères à Patan essaimèrent dans une centaine de filiales. Aux huit grands monastères de Kâthmându correspondent soixante quatre établissements secondaires. Après la destruction, vers 1200, par les Musulmans des grandes universités de l'Inde du Nord, des modifications importantes affectèrent la discipline du clergé bouddhique néwar. Ainsi, les novices purent prendre femme. Cette évolution était achevée au XIVe s. puisque, dans son plan de réorganisation de la société, Jayasthiti - malla (1382-1395) assignera aux moines héréditaires, appelés «honorables» (banra), le même rang que les brahmanes. Les monastères traditionnels, par leur exiguité ne pouvaient tous abriter leurs familles. Près de certains bahâ de grandes cours rectangulaires, les nani, seront entourées par les maisons des familles des moines. Ces larges espaces, séparés de la rue, créent une rupture dans le tissu urbain très dense de Kâthmându et de Patan.

Malgré toutes ces différences dans les plans et les élévations, constructions bouddhiques et temples hindous emploient les mêmes matériaux et appartiennent à la même tradition architecturale. L'on peut ainsi constater des emprunts réciproques entre ces deux écoles. Ainsi les sanctuaires de Matsyendranâth, divinité propre aux Néwars de toute obédience, sont desservis par un clergé bouddhique qui font de ce personnage l'un des aspects du bodhisattva Avalokiteshvara. Ses temples de Patan et de Kâthmându sont construits à la manière des sanctuaires dega. A Kâthmându, la résidence de la petite Kumarî, incarnation de la Grande Déesse mais choisie dans une famille bouddhique, est un bâtiment de type mixte, élevé au milieu du XVIIIe s. La façade d'un deochem précède une cour qui reprend la disposition des bahâ bouddhiques.

fig. 80

De même, des éléments architectoniques ou ornementaux sont utilisés dans toutes les formes d'expression de l'architecture néware, hindoues ou bouddhiques, religieuses comme civiles. Les étais (tunâla) qui supportent les chevrons des toitures reçoivent un décor sculpté polychrome, généralement partagé en trois registres. La partie inférieure présente des personnages grotesques écrasés, des éléments végétaux ou parfois, dans un contexte religieux précis, des scènes érotiques ou infernales. Des divinités ou des personnages mythiques occupent la partie médiane, la plus importante en taille. Des branches d'arbre, plus ou moins stylisées, occupent la partie supérieure. On note cette répartition tripartite en Inde, sur les montants de balustrades (stambha) de l'époque kusâna. Les étais d'un même bâtiment constituent des ensembles cohérents. L'étude de leur iconographie complexe ne fait que débuter. L'analyse des autres éléments sculptés (torana, consoles, colonnes...) sortent du cadre strict de cet exposé.

Des claustra (pâkhâ, kôchujhyâ), disposés à 45°, peuvent garnir les étages supérieurs des bâtiments, former une sorte de galerie et permettre une ventilation des espaces intérieurs. Depuis au moins le XIVe s. dans certains temples de type dega, un troisième étage fictif reposait sur un poinçon central. La même technique permettra la construction de lanterneaux au dessus de certains monastères, bahî et bahâ-bahî principalement. Placés au dessus du sanctuaire, ils souligneront la sainteté du lieu de la même manière que les étages supérieurs des temples dega. Leur vogue semble se répandre au XVIIe s. Il existera même des lanterneaux doubles, véritables tours de force techniques, comme au Ila nani de Patan (1692).

Des contacts politiques et économiques avec l'empire moghol à partir du XVIe s., les pélerinages à Mathurâ et à Bénares de nouveau autorisés par Akbar (1556-1605), vont confronter les Néwars à de nouvelles techniques de construction. Des tours curvilignes (shikhara) à la manière des architectures indiennes de type nâgara vont couvrir certaines cellas. Le plus ancien exemple conservé dans la Vallée, le Narsinha, sur la place du Darbar de Patan, remonterait à 1590. Cette structure de brique, de plan carré, est flanquée, sur chacun de ses côtés d'un porche soutenu par deux colonnes de bois. En 1601, également à Patan, un pieux bouddhiste élève le temple de Mahâbuddha. Ce monument de brique, très endommagé par le tremblement de terre de 1934 et partiellement reconstruit, fait partie de tout un groupe d'édifices à travers l'Asie, copiés sur le fameux sanctuaire de Bodhgâya (Bihâr), site où Shâkyamuni connut son Eveil. L'emploi des matériaux traditionnels de l'architecture néware, brique et bois, pour édifier ces nouvelles structures n'était pas des plus adéquates. Les XVIIe et XVIIIe s. voient la construction en pierres de taille de nombreux sanctuaires à shikhara, la plupart d'obédience vaïsnava. On peut répartir ces édifices en deux types principaux: les granthakûta et les temples à péristyle. Les granthakûta sont constitués d'une simple cella précédée d'un porche. Une réduction d'édifice, de plan octogonal ou carré, parfois engagée dans la tour centrale, surmonte cet auvent. Un sanctuaire «miniature» en pierre, à Sondhera (Deopatan), daté selon A. Ray de 1648 (Nepal Samvat 769), en présente un exemple caractéristique [8]. Le Narsinha de Patan, aux quatre porches orientés, présente une variation sur ce même type.

fig. 81

Un péristyle peut entouré l'édifice, sur un et même sur deux niveaux. Le temple de Krsna et de Radha, sur la place de Darbar de Patan (1637), constitue l'une des créations les plus ambitieuses de toute l'architecture néware. La cella se trouve au premier étage. La galerie de ce premier étage est agrémentée d'avant-corps couverts de fausses coupoles. Des pavillons à colonnettes reproduisent le même rythme et garnissent deux étages fictifs supplémentaires. La forme de ces pavillons est reprise des architectures rajputes et mogholes. L'ensemble possède une grace aérienne qui le rattache plus particulierement à des créations fameuses de l'art moghol, tel le Pañch mâhal de Fatehpur Sikri (deuxième moitié XVIe s.) ou le tombeau d'Akbar à Sikandara (vers 1613).

La plupart des autres shikhara à péristyle présentent moins d'originalité. Une simple alternance de réductions d'édifice de plans alternés, carrés et octogonaux, cernent la tour centrale. Granthakuta et shikhara à péristyle peuvent être juchés sur des pyramides à gradins (Bhagvatî, 1696, et Vatsalâ devî, fin XVIIIe s., à Layaku, Bhadgaon). Quelques temples à shikhara, de plans octogonaux et ceints d'un péristyle, sont dédiés à Krsna. Le plus célèbre fut élevé en 1723 sur la place du Darbar de Patan. Ces trois derniers traits, temples à shikhara entourés d'un péristyle, usage de soubassements à degrés multiples et plans octogonaux, semblent être des emprunts à l'architecture néware traditionelle. La filiation de ces trois

fig. 82

derniers éléments avec des sanctuaires hindous des royaumes du Rajâsthan n'est pas évidente.

Certaines cellas, en brique ou en pierre, sont couvertes d'une toiture moulurée en pyramide et d'un pinacle en forme de fleur de lotus inversée. Elles constituent de simples adaptations de modèles indiens. On leur donne parfois le nom de ratna deul [9].

Les maisons néwares présentent aujourd'hui trois niveaux: boutique et resserre au rez-de-chaussée, chambre (nal) au premier étage (mâtâ), enfin, à l'étage le plus élevé (cota) cuisine et magasin, largement ouvert sur l'extérieur par une fenêtre (san jhya et ga jhya) de bois ouvragé aux ouvertures multiples. Un attique (baiga) peut compléter l'ensemble. Autrefois, cette répartition devait être moins généralisée. Les quelques habitations de particuliers représentées sur les peintures de l'époque malla ne comptent que deux niveaux. Seuls les palais et les demeure des brahmanes (math) possèdent des étages multiples. Dès les premières années du XIXe s. cependant, aussi bien les documents graphiques que les comptes rendus des Occidentaux comme celui du Père Joseph de Rovato, présentent les maisons néwares sous l'aspect que nous leur connaissons de nos jours.

fig. 83

Chaque ancienne capitale possède son palais royal (darbar), autrefois centre de la vie publique.

Les batiments en façade recevaient des affectations cultuelles et somptuaires. Les parties arrières étaient réservées aux appartements privés et aux services. La juxtaposition de cours, généralement carrées mais de tailles variables, donne au plan de ces résidences l'allure d'un damier irrégulier. L'ensemble de ces constructions qui s'étagent du XVIe au XVIIe s., n'a ete que partiellement conserve. A Patan et Bhadgaon, les cours arrières on été détruites. A Kâthmându, le palais a été considérablement remanié à l'époque gurkha. Des éléments communs se retrouvent cependant dans ces trois monuments.

Parmi les nombreux lieux de culte qu'ils renferment, trois temples sont consacrés à divers aspects de la Grande Déesse, protectrice de la dynastie Malla. Une cour fermée est réservée au sanctuaire de Taleju Bhawâni. La pyramide du temple de Kâthmându est construire à l'intérieur de cet enclos (fig. 6). Une autre cour (mulcok) permet d'accéder au temple de Mahisamardinî. Un troisième sanctuaire, à Patan et à Kâthmându, dédié à Degu Tale, aspect tantrique de la même divinité, domine la place devant le palais. Une cour spéciale (sundaricok) contient un bassin en plein air, nécessaire aux ablutions sacrées du roi. Ces vasques, à Patan et à Kâthmându, sont garnies de petites stèles représentant de nombreuses divinités du Tantrisme hindou. La cour du bain de Patan (Sundaricok, 1670) offre un bon exemple d'architecture palatiale. Des salles largement ouvertes sur l'extérieur occupent le milleu des côtés. Des escaliers donnent accès en étage à des galeries parfois communiquant avec des chambres carrées. Ce plan paraît dérivé de celui des monastères bouddhiques. Ces galeries en étage sont une des créations les plus originales de l'architecture néware.

La longue galerie qui occupe le premier étage du Palais aux cinquante-cinq fenêtres (vers 1700) de Bhadgaon est l'aboutissement de ce parti architectural. Traitée pour elle-même, à l'extérieur d'un quadrilatère, elles ouvre sur la grand place de la ville par de nombreuses fenêtres.

Le mur intérieur, épargné par le tremblement de terre de 1934, porte des peintures murales à sujets narratifs. Elle donnait accès à un cabinet d'angle, éclairé par deux fenêtres.

Sur le modèle des cours des palais, on édifiera au XVIIIe s. des maisons collectives (math) pour des groupes de bramanes qui remplaceront les anciennes structures à étages dépourvues de mur.

Pujâri math (1763) et d'autres établissements similaires, construits à Bhadgaon en Tachapal tol, près du Dâttatraya, sont les plus représentatifs.

La tradition prête à de nombreuses agglomérations des formes symboliques. L'examen révèle en fait une grande variété d'organisations urbaines différentes: villages-rues (Thimi), cités nées au carrefour de deux voies commerciales (Kâthmându) ou juchées sur un plateau pour des raisons stratégiques (Kirtipur), extension de nouveaux quartiers par le fait d'un prince (Bhadgaon), aménagement d'un confluent sacré (Panauti)... Seule Patan possède le plan régulier d'un oval presque parfait. Aux configurations des agglomérations se superposent des schémas symboliques, centrés et orientés, constitués par l'implantation en des endroits précis de sanctuaires particuliers. Ces diagrammes retiennent plus l'attention des Néwars que la forme effective des cités et expliquent ces apparentes contradictions entre les mythes et l'observation. Ainsi cinq stûpa, au centre et autour de Patan, évoquent un mandala bouddhique. De même à Bhadgaon, un yantra complexe est formé par les deochem et les pîtha des déesses mères. Des rapports semblables peuvent unir, à travers toute la Vallée, plusieurs sites dédiés à une même divinité, tels Visnu ou Ganesa...

Les villes sont partagées en quartiers (tol) où résident plus volontiers les membres d'une même caste. Chacun possède ses temples et ses édifices publics. Dans les anciennes capitales, de nombreux temples sont groupés sur une grande place devant le palais royal. Des rues délimitent des pâtés de maisons aux formes irrégulières. Le sol est pavé de briques cuites, parfois posées sur champ. Des voies plus petites, dans certains quartiers de Patan en particulier, desservent l'arrière des blocs. De nombreuses fontaines fournissent la ville en eau potable. Beaucoup sont à l'emplacement de sources naturelles. A l'époque du Malla récent, l'eau pouvait également être amenée par des conduits souterrains. Celui qui alimente le bain (Nagpokharî, première moitié XVIIe s.) du palais de Bhadgaon, court sur plusieurs kilomètres. Les points d'eau, qui comme dans le reste du monde indianisé remplissent à la fois une fonction utilitaire et religieuse, sont de plusieurs types: larges réservoirs (pukhû, pokhâri), puits circulaires en brique (inâra, tuna), fontaines couvertes (jahrû, tutedhâra). Des fontaines ouvertes en plein air, plus ou moins profondément creusées dans le sol (gâhifî, gaihridhâra), épousent des formes variées: rectangulaires, carrées, cruciformes, en exèdre. On accède au niveau inférieur par un jeu de terrasses redentées.

L'évacuation des eaux usées n'a pas retenu l'attention des Néwars. Des caniveaux, rares et sommaires, restent insuffisants en période de mousson.

fig. 84

fig. 85

fig. 86

fig. 87

A l'époque du Malla récent, des fortifications, aujourd'hui détruites, entouraient les villes les plus importantes.

Sous les Gurkha, parallèlement à la continuation des techniques traditionnelles, l'introduction des styles éclectiques en usage en Inde à l'époque coloniale va profondément modifier l'architecture népalaise. Cet aspect de l'historicisme international déborde le cadre de cette étude.

Cet exposé appelle plusieurs remarques. Il convient de noter dans l'art de bâtir des Néwars, la parfaite adéquation des matériaux et des formes à l'environnement géographique et climatique. Ce point renforce l'hypothèse d'une origine locale des architectures de brique et de bois.

Une évolution chronologique peut même être avancée. Des bâtiments aux proportions un peu lourdes et des essais sans lendemain caractérisent le XVe s.. Les XVIe et XVIIe s. voient se multiplier les prouesses techniques et une différenciation typologique notable (structures dega de plus en plus complexes, développement de l'architecture palatiale, introduction des temples à shîkhara). Peu de bâtiments importants ont marqué le XVIIIe s. Cette relative stagnation se retrouve dans d'autres domaines de l'art néwar dans les décennies qui précèdent la conquête gurkha.

Parallèlement, on peut noter des caractères propres à chacune des capitales: multiplication des monuments religieux de toute forme et de toute technique à Patan, fréquence des temples à pyramide à Bhadgaon, emprunts éclectiques de Kâthmându à ses deux voisines.

A la suite des conquêtes gurkha, le style d'architecture propre aux Néwars se répandit dans d'autres régions du Népal. Les conditions climatiques particulières aux vallées de haute altitude et aux plaines marécageuses du Teraï, les fortes traditions des autres ethnies limitèrent considérablement cette expansion. Dès lors, il peut sembler paradoxal que des techniques de construction aussi liées au climat particulier de la zone subhimâlayenne aient pu recevoir un quelconque écho au Tibet, malgre l'étroitesse des liens économiques, religieux et artistiques durant plus d'un millénaire. Des influences limitées existent cependant, mais elles n'affectent aucun élément structural. On peut les répartir en deux catégories: emploi de toitures de cuivre doré et aspects du décor intérieur.

fig. 88

Dans la Vallée, garnir de plaques de cuivre doré les toitures de certains sanctuaires particulièrement vénérés est un usage ancien. Une inscription relate que le roi Anantamalla (1274-1308) couvrit d'or le temple de Pashupatinâtha [10]. Cette tradition se maintiendra jusqu'à nos jours, aussi bien pour des lieux de culte bouddhiques (Kvâ bahâ, Patan, 1677?) qu'hindous (Vakupati nârâyan, Bhadgaon, 1740). Ce procédé gagnera le Tibet. Des toitures fictives recouvertes de plaques métalliques mais de profil chinois, seront élevées au dessus de toits en terrasse traditionnels. On peut citer de nombreux exemples remontant au XVIIe s., période qui voit le renouveau de la présence des bronziers et dinandiers néwars au U et au Tsang.

fig. 89

L'art néwar a également pu jouer un rôle de relais dans la conservation et la transmission de certains composants architectoniques d'origine incontestablement indienne: colonnes végétales issues de vases d'abondance, pilastres ornés de rinceaux, arcades trilobées, torana illustrant le combat de Garuda et des serpents, tympans en gradins surmontés de réductions d'édifice, certains claustra aux ouvertures en losange, ou en carré... Tous ces éléments se rattachent plus au décor sculpté et peint qu'à l'architecture proprement dite. Ils sont le plus souvent associés à des peintures et des sculptures en partie ou en totalité inspirées par l'art néwar. Les motifs décoratifs d'inspiration architecturale qui garnissent les rouleaux peints népalais sur lesquels ils soulignent la sainteté de la divinité principale et compartimentent l'espace en panneaux en sont les antécédents directs, et non les éléments constitutifs des architectures néwares réellement construites.

SECTION IV - NOTES

1 Slusser, 1982, vol. 1, p. 164.
2 Slusser, 1982, vol. 2, ill. 245 à 253.
3 Bernier, 1979, p. 39.

[4] Korn, 1976, p. 105.

[5] Diserens, 1981.

[6] Regmi, 1965, vol. 1, p. 316; Petech, 1984 p. 125.

[7] Snellgrove, 1961, fasc. 1, p. 6. Pruscha, 1975, vol. 2, p. 206, n° C/P 280.

[8] Ray, 1973, ill. n° 11.

[9] Slusser, 1982, vol. 1 p. 148.

[10] Regmi, 1965, vol. 1 p. 247. Wiesner, 1978, p. 13.

OUVRAGES GENERAUX

BERNIER, 1979; GUTSCHOW - KÖLVER, 1975; KORN, 1976; PRUSCHA, 1975; SANDAY, 1978; WIESNER, 1978.

SEZIONE V

IL TIBET ALL'EPOCA MONARCHICA
DAL VII AL IX SECOLO

Paola Mortari Vergara

fig. 90

Le grandi conquiste della dinastia di Yarlung, che fecero del Tibet una potenza panasiatica, diedero grande impulso all'attività edilizia, favorita da più ampi mezzi economici e da confronti e scambi con le civiltà confinanti. Purtroppo di tale numerosa e differenziata produzione architettonica sono state trovate fino ad oggi ben poche vestigia. Si possono solo segnalare: le necropoli, alcuni pilastri commemorativi, certi tipici impianti e qualche elemento costruttivo in templi e castelli più volte restaurati, ma di antica fondazione. Più ricca è la documentazione scritta di tale produzione architettonica che consiste nelle iscrizioni coeve del Tibet centrale [1], nei documenti e testi rinvenuti nelle oasi dell'Asia centrale (soprattutto Dunhuang) che furono sede di guarnigioni tibetane (VII-IX sec) [2], nelle descrizioni della storiografia cinese [3] e nelle parti di antiche opere tibetane riportate in testi più recenti [4].

Viene così documentata l'ampia disponibilità culturale della corte ad accogliere apporti di differenti origini, l'alleanza realizzatasi tra una religione straniera, il Buddhismo, e il potere monarchico, la venuta dall'India, dal Nepal, dall'Asia centrale e dalla Cina di artigiani e artisti che accelerarono l'introduzione in campo architettonico di nuove tipologie e stili [5]. Favorirono inoltre la costruzione di numerosi complessi monumentali, alcune usanze legate ad antichi rituali prebuddhisti, come il cambiamento della dimora reale ad ogni morte del sovrano [6], retaggi della tradizione nomadica, come la doppia dimora estiva e invernale della corte [7] e la necessità, per il continuo stato di guerra, di numerose opere di fortificazione. Esistevano infatti secondo gli annali Tang torri di guardia ogni 100 li (576 m.) [8]. Infine è evidenziato l'impulso dato dal Buddhismo alle costruzioni sacre, considerate come un atto meritorio ed anche un mezzo per sottomettere e convertire le divinità demoniache preesistenti, una vera e propria «defixio» [9]. Secondo alcune opere storiche l'attività edilizia costruiva per i re una necessaria «opera virtuosa» (gechö) ed era articolata in quattro diverse tipologie: costruzioni di tombe, di palazzi reali o castelli, di complessi religiosi e di pilastri commemorativi (doring) [10]. Si può inoltre ipotizzare l'esistenza di uno stile architettonico locale, antecedente al sec. VII, ben differenziato, per alcune caratteristiche che sono sopravvissute fino ad oggi, dagli stili nazionali dei paesi vicini [11]. Esso presenta netti aspetti anticlassici nella aggregazione di tipo organico dei moduli multipiano con muratura portante in pietra o adobe, strutture interne lignee, aperture dissonanti ed ingresso ad est o ad ovest secondo la direttrice preferenziale dell'antico Tibet, già rilevabile in alcuni complessi megalitici [12]. Avendo tutto il fare architettonico un aspetto magico-religioso [13] tale stile è ricollegabile alle credenze animistiche originarie, successivamente organizzate dalla «religione reale» e dal Buddhismo [14]. La loro presenza è rimasta in certi riti di fondazione e nelle divinità delle abitazioni, come quella del focolare, della porta, del pilastro centrale [15]. La «religione reale» sembra aver utilizzato di già delle pianificazioni ordinate e simmetriche come quelle della tomba di Songtsen Gampo. Ma la diffusione del Buddhismo costituirà l'elemento «ordinatore» fondamentale della libera varietà e dissonanza del lessico architettonico tibetano, esso importerà la pianta delle sue costruzioni sacre ordinate secondo i punti cardinali, rese simmetriche da un impianto assiale o concentriche per la concezione del «mandala», con tutte le implicazioni cosmogoniche e cosmologiche ad esso connesse [16]. Nel Tibet, saranno così presenti tutte le piante più caratteristiche dell'architettura religiosa indiana: cella (garbhagriha) centrale con pronao e corridoio per la circumambulazione (cappella di Kyachu a Samye, di Katse a Maldo) [17]; monastero (vihâra), cinta quadrangolare «abitata» cioè occupata dalle celle dei monaci e con una grande cappella di fronte all'entrata, preceduta qualche volta da un portico o da una sala ipostila (mandapa) (Jokhang e Tadug); grande monastero (mahâvihâra) costituito d'un tempio di tipo prâsâda, immagine della montagna cosmica al centro di una corte con una cinta dalle mura «abitate» (Utse di Samye). Con il Buddhismo verrà anche introdotta una particolare apertura verso l'eclettismo architettonico consolidatosi durante secoli di diffusione in diverse regioni dell'Asia [18]. Così, insieme allo stile tibetano, che rimane però prevalente, vengono utilizzati anche gli stili di tutti i paesi buddhisti da cui il Tibet attingerà la dottrina: l'India, il Nepal, l'Asia Centrale, la Cina. Naturalmente lo stile architettonico «tibetano» verrà conservato interamente nelle sue caratteristiche peculiari, nei castelli, nei palazzi reali, nelle fortificazioni che continueranno ad avere di preferenza la loro dislocazione su alture, seguendo i dislivelli del terreno. Le fondazioni buddhiste, invece, per le loro necessità di assialità, simmetria ed impianto concentrico, saranno costruite in pianura, ad imitazione degli edifici templari e monastici indiani, che vengono indicati come modelli.

Alcune innovazioni lessicali introdotte nel periodo del regno costituiranno un costante punto di riferimento per tutto il successivo sviluppo dell'architettura. Il pluristilismo degli edifici, differenziato a seconda dei piani verrà conservato, pur perdendo gli antichi significati simbolici, in alcune costruzioni eclettiche del Tibet, della Mongolia e dalla Cina, fino ai nostri giorni. L'impianto mandalico sarà meno evidenziato e si perderà nei templi più tardi, ma sarà utilizzato fino ad oggi nello stûpa tibetano, il chörten.

Altre tipologie, come i tumuli funerari e i pilastri commemorativi, scompariranno invece con la fine della monarchia con il mutare della situazione religiosa e politica. Bisogna infine ricordare che l'inserto di elementi stranieri non cambierà radicalmente le caratteristiche peculiari dello «stile tibetano», che sarà sempre presente in ogni monumento come «stile nazionale» eredità, anche questa, che l'epoca monarchica trasmetterà ai periodi successivi. Alcuni dei monumenti di antica fondazione, meglio conosciuti e studiati, permettono di precisare qualche carattere generale dell'architettura di questo periodo.

LA NECROPOLI DEI RE DI YARLUNG, Chongye (secoli VII-IX)

I complessi funerari costituiscono fino ad oggi l'unica ampia testimonianza architettonica sicuramente databile all'età monarchica. Quello reale si estende per più di 2 km^2 nella valle a sud del monte su cui sorgeva il castello reale di Chinga Tagtse, fondato secondo la tradizione nel sec. VI [19]. Si tratta di una serie di tumuli, di cui otto sono stati concordemente riconosciuti, come tombe (bangso), ad impianto in massima parte quadrangolare, con qualche esemplare rotondo di minori proporzioni, alti intorno ai 10 m. e disseminati irregolarmente sul terreno. Il sepolcreto accoglieva le spoglie dei più importanti re storici della dinastia di Yarlung, accompagnate da un ricco arredo; la sua esistenza è attestata da antiche fonti tibetane [20] e cinesi [21] e ne vengono descritti i complessi riti funebri. È stato visitato da pochi studiosi occidentali, il primo fu G. Tucci nel 1948 [22] ed esaminato da altri tibetologi solo sulla base dei riferimenti testuali [23].

Secondo un'antica tradizione tibetana l'uso delle sepolture reali fu introdotto dall'occidente, dai paesi confinanti di Shang shung e Brusha (Gilgit) con una particolare forma di Bön detto Bön delle Tombe (dur Bön) [24], dopo che il mitico re Digum recise per sbaglio la corda «mu» con cui i suoi predecessori ascendevano al cielo. Sono state trovate nel Tibet centrale tracce di tumuli riferibili a periodi protostorici [25] e Richardson segnala nei pressi di Lhasa necropoli simili a quella di Chongye che attribuisce a nobili e dignitari [26]. Gli annali cinesi ricordano anche sepolture di gentildonne, principi e guerrieri morti in battaglia.

fig. 91 Recentemente gli archeologi Suolangwangdu e Hou Shizu hanno scavato un cimitero presso il monte Le nel distretto di Nang (Yarlung) a lat. 29° 4 e long. 93° 6. Essi hanno portato alla luce numerose tombe di misura e di tipologia molto diversificate. I tumuli sono per la maggior parte a pianta trapezoidale, ma ne esistono anche a pianta quadrata, rettangolare o circolare. Le camere funerarie sono egualmente di varie forme e misure e spesso si sono conservati i resti di strutture interne in pietra e in legno. Alcune (tomba M. 121) presentano delle caratteristiche costruttive simili a certe tombe dei nomadi d'Asia centrale e occidentale, come quella di Kostromskaya (Talbot Rice 1958, fig. 22, 23).

Il Professor Wang Yao ci ha gentilmente informati che nel Tibet centrale sono stati recentemente reperiti ben 16 cimiteri dell'epoca monarchica. Essi comprendono in tutto circa 2.000 tombe di cui alcune per cavalli [27].

fig. 92

Prossimamente gli archeologi cinesi e tibetani progettano di scavare la necropoli reale di Chongye. Fino ad oggi solo delle fotografie dei tumuli e degli schizzi sommari permettono un esame superficiale di queste vestigia [28].

fig. 92

Per quel che concerne il sistema costruttivo è stata segnalata per la tomba di Songtsen Gampo (m.c. 649) la presenza di strati di terra battuta di circa 20 cm [29]. Ciò concorda con la tecnica di costruzione descritta dagli annali Tang secondo cui il tumulo veniva eretto dopo la costruzione di una camera funeraria quadrata con muratura in pietre sovrapposte e copertura piana [30]. Degli avvallamenti circolari su alcuni tumuli possono appunto essere stati generati dal crollo della copertura delle cripte. Sono state inoltre ritrovate tracce di cunicoli dovuti probabilmente alle violazioni attestate alla fine del sec. IX e nel sec. XVIII [31].

Data la scarsità della documentazione è impossibile mettere in rapporto la tipologia dei tumuli con necropoli delle civiltà viciniori. I testi segnalano una voluta ricerca di corrispondenza fra l'abitazione dei vivi e quella dei morti, comune a molte necropoli asiatiche. Il tumulo viene eretto ad imitazione della tenda (ba) mentre le costruzioni sembra fossero ispirate alle abitazioni dei capi [32].

fig. 93

E. Haarh [33], attraverso un confronto dei dati forniti dalle fonti disponibili ha tentato una ricostruzione grafica della tomba di Songtsen Gampo. Essa viene infatti descritta come una cripta a pianta quadrata, suddivisa in nove cappelle quadrate, il sarcofago reale è posto sul trono nella cappella centrale. La rassomiglianza tra questa pianta e quella proposta qui da S. Karmay per il palazzo dello Shen è evidente. A tale costruzione viene sovrapposto un tumulo e su esso edificato il tempio ancestrale con impianto cruciforme a cinque cappelle, con pilastri in legno di sandalo e ingresso a ovest. G. Tucci [34] ricollega la simbologia di questa architettura con la religione prebuddhista del Tibet, rilevando la coincidenza dello schema delle nove partizioni della cripta con quello dei «mewa» usati dagli astrologi tibetani per preparare gli oroscopi e che raffigurano l'universo disposto intorno a un punto centrale. Lo stesso tipo di suddivisione di un quadrato in nove parti uguali (tripada) fa parte egualmente dell'antica tradizione indiana. Il tripada era proposto, sia per le planimetrie di città o villaggi, sia per le abitazioni e i templi. Analogo schema è presente anche nel mondo cinese, nel jing tian (campo a pozzo) e nel Mingtang (costruzione reale con identico simbolismo cosmologico), ma non è mai stato utilizzato nelle tombe [35].

Il corpo del re viene così nel Tibet ancor più identificato con il centro dell'universo di cui la tomba stessa costituisce la magica proiezione. È stata infatti rilevata una totale preponderanza di elementi ricollegabili alla religione reale prebuddhista, nei lunghi e complessi riti funerari dei monarchi tibetani [36].

Il tumulo di Songtsen Gampo, identificato in quello più vicino al castello reale all'estremo nord dell'intero complesso, è alto ancora circa 15 m., ha un impianto quadrangolare di un centinaio di metri di lato, ma ha subito molti crolli. Una serie di gradini in pietra conduce alla sommità dove sorge un piccolo tempio fondato probabilmente nel sec. XIII [37]. Infatti la sua planimetria, cortile d'accesso seguito da una sala di culto, orientati secondo l'asse sud-nord, non corrisponde al canone direzionale dell'epoca monarchica, che prevede un asse est-ovest, né coincide con la descrizione del tempio ancestrale indicato dai testi. Si possono però constatare intorno al tempietto alcuni resti di costruzioni più antiche [38]. È stata anche notata una differenza morfologica fra il tumulo di Songtsen Gampo e quello di Repachen (m. 842 circa), che può anche indicare una certa evoluzione tipologica, dati i duecento anni che separano le due costruzioni. Wang Yi [39] segnala infatti che la tomba monumentale, quasi concordemente attribuita a Repachen e che si trova all'estremo sud del complesso, presenta un andamento a gradoni con tre ripiani in terra battuta sovrapposti. L'ultimo piano è di forma ovale lungo da est a ovest circa ottanta passi, mentre il secondo consiste in una piattaforma rettangolare su cui sono stati trovati due leoni in pietra.

Dei differenti annessi ai tumuli (templi, depositi, cinte murarie, alloggi per guardiani, pilastri ed eventuali sculture funerarie) sono rimaste solo alcune tracce di mura di recinzione (chagri), il più tardo tempietto ancestrale di Songtsen Gampo, i due leoni della tomba di Repachen, il pilastro di Thide Songtsen (c. 804-815) e quello di Thisong Detsen (755-797), sito un pò a nord dell'attuale area della necropoli. Il pilastro presso la tomba attribuita a Thide Songtsen è di morfologia simile a quella dell'altro pilastro trovato poco lontano dalla necropoli reale, con la differenza che quest'ultimo presenta delle travi scolpite sotto la copertura [40]. Consiste in un monolite a sezione rettangolare, leggermente rastremato che misura in alto cm. 76 × 39 e poggia su una

fig. 94

base tipicamente cinese a forma di tartaruga [41].

La sommità è costituita da una copertura a quattro spioventi con gli angoli leggermente ricurvi verso l'alto e ornata sotto la gronda con motivi che Richardson avvicina ad analoghe figurazioni centro-asiatiche [42]. Questa decorazione (nuvole, sole, luna ed apsara ai quattro angoli) ricorda infatti certe figurazioni di epoca tang come il soffitto ornato d'apsara della caverna 329 di Dunhuang. Il lato sud del monolite è decorato solo con nuvole e dragoni di tipo sinico, mentre sul lato nord, oltre a una figurazione del sole e della luna simile a quella di alcuni pilastri nepalesi [43], è incisa un'iscrizione che enumera i meriti religiosi e politici di Thide Songtsen e i paesi da lui conquistati «in tutte le quattro direzioni». Pilastri commemorativi di questo tipo furono adottati proprio nel periodo monarchico e sono presenti in quasi tutte le più importanti fondazioni reali, talvolta con iscrizioni e bassorilievi rappresentanti motivi simbolico-religiosi tratti, secondo il tipico eclettismo artistico del Tibet, dalle diverse culture viciniori. Il loro uso terminerà poco dopo la fine del regno, l'ultimo noto è quello del Gyel lhakhang (sec. XI) [44]. La tipologia dei pilastri fino ad oggi segnalati [45] è pressoché analoga: un monolite a sezione rettangolare leggermente rastremato verso l'alto, con la base a gradoni (Ushangdo), a fiore di loto (Samye), forse aggiunta posteriore, e più frequentemente a parallelepipedo (Karchung, She lhakhang). La sommità è costituita sempre da una copertura a quattro spioventi che presenta, soprattutto in alcuni esemplari più particolareggiati (Karchung), nette caratteristiche (angoli ricurvi, tipo delle tegole) detta copertura cinese detta sizhuding. Il fastigio poi appartiene in massima parte alla simbologia buddhista: bocciolo di loto (necropoli di Chongye), gioiello fiammeggiante (cintâmani) (Shöl doring e stele presso il Jokhang a Lhasa), conchiglia (Karchung), crescente lunare con disco solare (Samye).

G. Tucci rileva diversi significati simbolici connessi con tale strutture e comuni a molte civiltà dell'Asia: affermazione definitiva di possesso del suolo e soggiogamento delle forze caotiche; ricostruzione di un nuovo cosmo, quello della Legge, il cui centro è formato dal pilastro che simbolizza l'«axis mundi». Esso costituisce inoltre il passaggio tra i diversi piani dell'esistenza ed insieme la stessa persona del re [46].

Molteplici apporti sono confluiti nella genesi dei pilastri dell'epoca monarchica. Innanzitutto si può rilevare una componente autoctona rappresentata dai menhir dell'età magalitica che vengono chiamati anch'essi doring e assolvevano in parte le stesse funzioni di oggetto simbolico e cultuale e a volte «signum» di un patto [47]. Ad essi si sono sovrapposte alcune concezioni dei pilastri buddhisti indiani (lâth) e nepalesi. In definitiva però la morfologia adottata, sia pure in forma semplificata, è senza dubbio quella dei pilastri (que) presente in Cina già nei complessi monumentali (206 a.C.-220 d.C.) di epoca Han. Si può notare infatti un analogo aspetto di parallelepipedo rastremato con copertura del tipo sizhuding, e spesso anche decorazioni consimili come draghi e nuvole stilizzate [48].

Le due statue dei leoni in posizione accucciata, scolpiti in pietra della tomba di Repachen (m. c. 842) poggiate su un piccolo piedistallo sono alte cm. 155, lunghe c. 120 e larghe c. 76 [49].

La figura del leone come guardiano e protettore di un luogo ha lontane origini medio-orientali e si è poi diffusa in molte civiltà, dall'India alla Cina. Ma l'iconografia dei leoni di Chongye li riallaccia strettamente, come nel caso dei pilastri funerari, a prototipi cinesi. Ad esempio i due leoni della tomba dell'imperatore Gaozong (m. 683) nella necropoli Tang a Qianxian [50], anche se di proporzioni maggiori, hanno in comune con quelli di Repachen un'analoga posizione e un simile rapporto piedistallo-zampe, il tipo di trattazione a ciocche della criniera, la resa dell'occhio, l'accentuazione della muscolatura pettorale, la posizione della coda ripiegata sul dorso. Si tratta naturalmente di meri riferimenti iconografici, perché stilisticamente le opere rimangono fortemente divergenti: l'eccezionale realismo e plasticismo dei Tang viene trasposto in un linguaggio di tipo più sintetico, stilizzato ed «arcaico», il che fa pensare all'opera di maestranze locali.

Con il loro particolare senso eclettico, i re tibetani hanno trasportato così nelle loro necropoli due elementi tipici, i leoni e i pilastri, dei complessi funerari imperiali cinesi.

Al contrario, secondo i testi, i rituali funebri e il tipo di camera funeraria appartengono ad altre tradizioni, forse locali, mentre il tumulo in terra battuta a base quadrangolare è comune alle due civiltà.

fig. 95

fig. 96

YUMBU LAKHAR, Valle dello Yarlung

fig. 97, 98

Antico castello reale (kukhar) trasformato in tempio (lhakhang, lakhar) da qui l'uso di differenti appellativi. Visitato ed esaminato da viaggiatori e studiosi [51], è considerato tradizionalmente il più antico edificio del Tibet, la sua fondazione viene infatti fatta risalire al mitico re Nyathi Tsenpo [52]. È poi indicato come il luogo dove il semi-storico re Lha Thotho Rinyantsen ricevette dal cielo uno scrigno con i primi testi buddhisti [53]. Si dice inoltre che una cripta, considerata da alcuni il sepolcro dello stesso re, è scavata nella roccia rossastra su cui sorge il castello [54]. Esso misurava circa m. 11 × 6 ma G. Tucci segnalava le ampie rovine sul versante della collina.

Naturalmente l'edificio è stato più volte ricostruito e restaurato, soprattutto nelle strutture lignee interne [55], ma aveva conservato qualche elemento che si può segnalare come peculiare delle costruzioni palazziale fortificate di epoca monarchica di «stile tibetano».

In primo luogo la tecnica costruttiva (pietre sommariamente squadrate e legate da una malta di terra) è simile a quella indicata dalle antiche fonti cinesi [56], rilevata da G. Tucci nelle rovine di Chinga Tagtse, che fu una delle sedi dei re di Yarlung [57], indicata da Richardson come tipica degli edifici più antichi [58] e confermata da recenti scavi di un sito neolitico presso Chamdo [59]. Anche l'altra torre è ricordata dalle fonti come una tipologia molto diffusa [60], sebbene la copertura di tipo cinese sia da considerarsi più recente.

fig. 99

Esiste inoltre una somiglianza di alcune particolarità planimetriche e tipologiche del Yumbu lakhar con alcuni forti occupati dai tibetani durante la loro conquista dell'Asia centrale e particolarmente quello di Mazar Tag [61]. Si può notare un'analoga dislocazione su un'altura con una spiccata asimmetria del complesso che segue i dislivelli del terreno ed è costituito dalla giustapposizione di moduli quadrangolari di diverse misure. L'ingresso in ambedue gli edifici è ubicato in posizione dissonante e su un lato minore, identica è la tipologia della torre a pianta quadrata anch'essa eccentrica e dei contrafforti esterni di sostegno. Nessuna delle due costruzioni fissa una vera e propria facciata, ma solo un libero movimento di scatole murarie nello spazio. Si tratta di una architettura di tipo anti-prospettico che si esprime in un lessico anticlassico ed unisce gli elementi costruttivi secondo la «tecnica dell'elenco», simile a quela utilizzata nel Medio Evo occidentale [62] che ha con il mondo tibetano numerosi punti di contatto.

Si propone perciò di considerare tali caratteristiche, tipiche dell'architettura posteriore del Tibet, già presenti nei castelli fortificati dell'epoca monarchica di cui il Yumbu lakhar costituiva l'esemplare più esauriente giunto fino a noi. Ancora documentato nel 1960 da Wang Yi [63], l'edificio è andato completamente distrutto durante la rivoluzione culturale [64] (Sez. XVII).

TSUGLAGKHANG, Lhasa

Il Tsuglagkhang (luogo della devozione), la cattedrale di Lhasa in cui è sito il Jokhang (il tempio del Signore), l'edificio più sacro del lamaismo, il luogo in cui ogni tibetano spera di potersi recare almeno una volta in pellegrinaggio, è stato visitato e descritto da numerosi viaggiatori e studiosi [65]. Secondo la tradizione fu il primo tempio buddhista del Tibet e venne fondato da Songtsen Gampo (m 649) su richiesta della moglie nepalese, ma molto probabilmente cominciò ad assumere un aspetto monumentale sotto i re più tardi, quando fu raggiunta un'ampia collaborazione fra la dottrina del Buddha e il potere monarchico. Le testimonianze testuali sono numerose, rilevano che fu edificato al centro della città, sul modello di un tempio di Vikramâshîla, che era a tre piani, e si parla di numerosi restauri e ricostruzioni [66].

fig. 100

Attualmente lo Tsuglagkhang, che deve il suo aspetto più vistoso (coperture dorate, decorazione pittorica della carpenteria, edifici d'accesso e annessi) all'epoca del Dalailamato (v. Sez. IX) e soprattutto ai restauri del Grande Quinto e ai successivi rifacimenti, copre una superficie di circa 10.800 m [2]. È sito al centro di una zona di edifici pubblici, di depositi e di abitazioni monastiche e nobiliari. Tutto l'insieme è circondato da un circuito, il barkhor, utilizzato per la circoambulazione rituale (pradaksinâ) e che probabilmente segnava il limite esterno dell'antica area templare. Il Jokhang rappresenta l'axis mundi, la montagna cosmica, è considerato il centro non solo di Lhasa, ma dell'Intero Tibet. All'interno dello Tsuglagkhang e del Jokhang il succedersi di blocchi edilizi e camminamenti per la pradak*sinà* a impianto quadrangolare, alternati e omotetici con i lati rivolti verso i quattro punti cardinali risale, come concezione, all'antico modello indiano. Mentre l'asse direzionale ovest-est, evidenziato dagli ingressi monumentali e dalla cappella maggiore, è ricollegabile da un lato all'antica direttrice sacrale tibetana e dall'altro alla analoga disposizione, ad esempio, di alcuni vihâra di Nâla*ndâ* e di molti templi d'Asia centrale [67]. È possibile riconoscere nel Jokhang, che viene concordemente indicato come l'antico nucleo del complesso templare, alcune vestigia della planimetria di epoca monarchica. Senza dubbio le file di cappelle sui quattro lati dell'impianto quadrangolare richiamano il prototipo indiano. Ma la mancanza di un edificio templare al centro del cortile e il fatto che la cinta abitata sia a più piani e soprattutto che il «sancta sanctorum», cioè la cappella del Jowo (la grande statua di Shâkyamuni), sia sita all'estremità est in asse all'ingresso, preceduta da una sala ipostila, fa pensare ad un tipo più antico di vihâra. Si tratta di una pianificazione dei Gupta (320-600 d.C.) come nella grotta 11 di Aja*ntâ*, utilizzata poi anche dai Pâla (sec. VIII-XII) [68], che prevedeva una corte rettangolare circondata da chiostri e dalle celle dei monaci, spesso a più piani con un ingresso monumentale ad una estremità ed un'ampia cappella all'altra preceduti qualche volta da una sala (ma*ndapa*). Nulla osta quindi che si possa dar credito, almeno dal punto di vista tipologico, alla tradizione, confermata dalla iscrizione di Thide Songtsen (800-815) [69], secondo cui il Jokhang è stato costruito in epoca antecedente (fine sec. VI) allo Utse di Samye che ha invece per modelli i più tardi templi a ma*ndala* dei primi Pâla.

È stato anche possibile riconoscere nel Jokhang la presenza di alcuni elementi costruttivi che possono riferirsi all'epoca della fondazione. Wang Yi segnala al piano terreno delle strutture architettoniche tipicamente cinesi di epoca Tang: le grandi travi biforcute [70]. Mentre molti autori fanno rilevare la presenza di colonne, basi, capitelli e travi scolpite che richiamano elementi costruttivi dell'India e del Nepal [71]. Ne è un esempio il capitello a mensola dell'angolo nord-ovest della sala centrale che si può comparare con analoghe mensole angolari in pietra della grotta II di Aja*ntâ* di tarda epoca Gupta (fine sec. VI) che richiama anche nella pianta quella del Jokhang. Simile è la curvatura dei supporti, le varie modanature del plinto, la decorazione a petali di loto, ma soprattutto la posizione e la resa della figura umana inscritta nella mensola arcuata che conserva nel Jokahng ancora parte della classica armonia e della plasticità dell'antico modello Gupta. Successivamente nel Tibet, dopo la seconda diffusione del buddhismo, la decorazione dei capitelli diventerà meno plasticamente evidenziata, più fitta e non si ritroveranno più queste potenti figure isolate in altorilievo. Un altro elemento strutturale ligneo che si può far risalire all'epoca monarchica è il portale della cappella situata a destra del santuario del Jowo [72]. Tale mostra classicamente armoniosa, scolpita con motivi fitomorfici e zoomorfici e con riquadri che racchiudono figure di animali ed umane, è fiancheggiata da due eleganti semicolonne e presenta ai due angoli dell'architrave due figure leonine che sporgono lateralmente dall'inquadratura. Due sono le ragioni che fanno propendere per la datazione all'epoca monarchica di questo portale. In primo luogo la stretta somiglianza, sia tipologica, sia dei motivi ornamentali, con alcuni esemplari tardo gupta o pâla, come un portale in pietra proveniente da Bodhgâya [73]. Si noti in ambedue le mostre la presenza delle due semicolonne lisce al centro delle bande istoriate, con identici capitelli, le raffigurazioni dei due leoni rampanti siti esternamente in alto, l'analoga dislocazione sull'architrave dei riquadri con figurazioni, la simile frequenza di bande concentriche con motivi fitomorfici e geometrici, l'aggetto notevole di alcuni elementi (colonne, riquadri alla sommità), rispetto al resto della decorazione, in secondo luogo la difformità dai portali in legno dell'epoca della seconda diffusione, anch'essi a bande concentriche, ma mancanti, sia dell'elemento della colonna a forte aggetto, sia di quello dei leoni e soprattutto decorati con una ornamentazione molto più fitta e calligrafica, senza il forte plasticismo della porta del Jokhang. Si può così affermare che in tali strutture lignee del Jokhang si conservano ancora molte delle caratteristiche delle antiche sculture in legno buddhiste gupta e pâla, completamente scomparse da secoli in territorio indiano.

TEMPIO DI TADUG, Valle dello Yarlung

Il tempio di Tadug (drago-uccello) è il più ampio complesso buddhista fondato in epoca monarchica che resti

fig. 101, 102, 103

fig. 104

nella valle dello Yarlung. Costruito secondo una tradizione da Songtsen Gampo [74], ma alcuni studiosi lo attribuiscono al Thisong Detsen [75], presenta un impianto che ricorda quello del Jokhang. Sono simili la pianta concentrica di forma rettangolare, l'ingresso monumentale sito ad ovest, i resti della fila di cappelle che circondavano l'edificio centrale, la cappella maggiore posta in asse con l'ingresso con ai lati le due cappelle minori. È forse proprio gli elementi comuni con il Jokahng, al di là dei successivi massicci rifacimenti, anche planimetrici, subiti si possono far risalire al periodo monarchico.

Bruciato dai sungari nel 1717 e restaurato dall'ultimo Dalailama [76], era ancora in buono stato nel 1959. Successivamente è stato adibito a stalle e depositi [77].

CHÖKHOR CHENPO DI SAMYE, Valle dello Tsangpo.

fig. 107

Il Chökor chenpo, complesso templare e monastico di Samye, fu fondato nella seconda metà del sec. VIII dal grande monarca Thisong Detsen (c. 755-797) presso la sua capitale invernale [78], con il patronato del maestro buddhista indiano Sântaraksita e del grande esorcista Padmasambhava [79]. Esso doveva costituire uno dei più importanti simboli architettonici dell'alleanza fra il nuovo credo e il potere monarchico e nello stesso tempo la testimonianza visiva della affermazione definitiva del buddhismo.

fig. 108

Secondo mumerose antiche descrizioni del complesso [80] la sua planimetria era strettamente legata alla speculazione cosmologico-religiosa di tipo mandalico caratteristica dell'architettura indiana. Essa constava di un tempio centrale, identificabile con l'axis mundi, il Sumeru, la montagna cosmica ed insieme la persona stessa del monarca divenuto Dharmarâja (re secondo la legge). Tale tempio era circondato ai quattro punti cardinali da quattro edifici maggiori e otto minori simboleggianti i quattro continenti più grandi e gli otto più piccoli della cosmologia dell'India. Esternamente quattro chörten di colore blu, nero, rosso e bianco rappresentavano le diverse regioni dello spazio e furono eretti dai quattro ministri, identificati così con i Lokapâla, mentre la cinta più esterna corrispondeva alla catena di montagne (Chakravâla) che circonda l'universo. Un tempio di Odantapurî nel Bihar, presumibilmente il Mahâvihâra costruito nel sec. VIII da Dharmapâla (770-810) viene segnalato quasi concordemente come modello. Mentre sembra essere innovazione tipicamente locale, anche se in accordo con l'eclettismo architettonico buddhista l'uso nello Utse (l'edificio centrale) di diversi stili architettonici, il tibetano, il cinese, l'indiano e per certi testi anche il khotanese, differenziati a seconda dei piani. Dispositivo architettonico che viene riportato anche a proposito di altre costruzioni dell'epoca [81].

Abbiamo inoltre documentazione testuale di successive distruzioni e rifacimenti degli edifici di Samye [82] e anche varianti nelle raffigurazioni pittoriche per le epoche più tarde [83], però, come vedremo, alcune delle caratteristiche costruttive e planimetriche indicate dai testi sono tuttora riconoscibili. Fino al 1959 l'intero complesso copriva circa 110.000 m^2 ed era circondato da una cinta tondeggiante sormontata da un centinaio di piccoli chörten e interrotta da quattro porte monumentali. Quasi al centro si trova lo Utse con ai quattro angoli gli imponenti chörten di differenti colori e circondato poi da edifici di diverse misure ed elevazione (costruzioni religiose, abitazioni monacali, magazzini) disposti asimmetricamente in senso circolare e legati alle più note scuole religiose del Tibet: Nyingmapa, Sakyapa, Gelugpa. Lo Utse è di vaste proporzioni, copre circa 4990 m^2 e consiste in una cinta «abitata» quasi quadrata, di circa 70 m di lato, orientata secondo i punti cardinali, finestrata all'esterno e porticata all'interno con una duplice fila di colonne. Un ingresso monumentale fortemente in aggetto si apre al centro del lato orientale ed altri due ingressi di proporzioni un pò minori sono siti al centro dei lati nord e sud, mentre sul lato ovest, solo un elemento aggettante ricorda la quarta porta del mandala. Al centro del cortile porticato si eleva l'edificio templare costituito da più elementi architettonici concentrici. Troviamo in primo luogo una costruzione quadrangolare in massima parte monopiano, aperta al centro in un cortile porticato, che assume un andamento cruciforme per le tre cappelle, una maggiore e due minori aggettanti al centro di ogni lato e corrispondenti ai continenti della cosmologia indiana. Il lato est, quello d'ingresso viene enfatizzato, sovrapponendo così alla simmetria di tipo centrale del mandala, la direzione preferenziale est-ovest. Esso assume proporzioni più monumentali, comprendendo nel suo aggetto centrale la sala dei Sûtra, mentre i due piccoli aggetti laterali vengono sostituiti da due costruzioni a due piani. Al centro di questo secondò più piccolo cortile porticato si eleva il tempio vero e proprio che poggia in basso su delle mura molto spesse su tre lati ed è costituito da quattro piani leggermente degradanti, simboleggianti la montagna cosmica.

G. Tucci ha segnalato come la decorazione pittorica e scultorea all'interno dei vari piani ricostruisca, attraverso i tipi di divinità rappresentati, il cammino che il fedele deve compiere per raggiungere la reintegrazione con la Coscienza Cosmica [84]. Si è potuto verificare inoltre come la successione degli stili architettonici nei piani corrisponda quasi perfettamente a quella indicata nelle fonti più antiche [85]. I due piani inferiori e le cinte più esterne presentano la massiccia muratura a scarpa, le aperture, la fascia decorata alla sommità in puro «stile del Tibet». La presenza dei due piani in stile tibetano pone il problema dell'utilizzazione dello stile khotanese nel secondo piano, ricordato da alcuni testi [86]. Essendo Khotan uno dei più grandi centri buddhisti dell'Asia Centrale è plausibile che anche il suo stile sia stato all'origine utilizzato nello Utse, come è ricordato per altri monumenti dell'epoca, e che, poi, nelle ricostruzioni successive, essendo completamente scomparso il buddhismo khotanese, in mancanza di modelli, esso sia stato sostituito da un secondo piano in stile tibetano. Il tipo particolare di copertura «marcapiano» alla sommità del secondo piano con mensole «a gomito» [87] potrebbe esserne l'ultima eco. Il terzo piano ha le strutture lignee esterne, la copertura, il sistema mensolare, tipicamente cinesi, mentre l'ultimo piano ripete al centro la tipologia a gradoni dei templi indiani di tipo prâsâda a pañcâyatana [88] sormontata da un fastigio tradizionale, l'âmalaka.

Si può presupporre, dato l'accentuato simbolismo di questa costruzione, che anche lo stile architettonico prescelto indichi una gerarchia di valori, parallelamente alla decorazione interna che guida di piano in piano dal molteplice all'Uno. Lo stile tibetano, legato in precedenza alle tradizioni religiose prebuddiche, è utilizzato nei piani inferiori, rappresentando lo stadio meno perfetto, mentre lo stile sinico, che simboleggia il buddhismo della Cina, lo sovrasta, e su tutti si eleva lo stile dell'India, la terra del Buddha, che raffigura la parte più sottile e più pura della dottrina. Viene così attestata anche architettonicamente il prevalere della tradizione indiana su quella cinese che verrà poi confermata dal cosiddetto Concilio di Samye o di Lhasa [89].

Per quel che concerne l'ispirazione diretta ad un edificio indiano, il tempio di Odantapurî, identificato con l'odierna Bihar-i Sharif, poiché il sito non è ancora stato scavato, proponiamo di comparare Samye con la planimetria più usata dai mahâvihâra dell'inizio dell'epoca pâla (sec. III) di cui il tempio di Odantapurî fa parte. Se infatti confrontiamo la pianta dello Utse con il Vikramashîlâ Mahâvihâra a Antichak o con il Somapura Mahâvihâra a Pahârpur, ritroviamo la stessa cinta esterna dalle «mura abitate» che contenevano in origine le celle monacali, con le porte aggettanti ai quattro orienti e l'enfasi data all'ingresso principale. Simile è pure l'edificio sito al centro del cortile ad andamento esterno cruciforme a più angoli e a gradoni concentrici con la parte centrale quadrangolare e con una certa preminenza data al lato d'accesso. Si può infine vedere che lo Utse riprende chiaramente, sia pure trasportandolo in un differente linguaggio architettonico e diminuendone le proporzioni, il concetto di fusione del Tempio-montagna cosmica e del monastero (vihâra), mandalicamente ordinati, di tipica tradizione indiana e caratteristici dei mahâvihâra di epoca Pâla.

Dall'esame dell'attuale complesso si è potuto così constatare come le tre caratteristiche fondamentali dei testi, cioè l'impianto mandalico, il pluristilismo, il collegamento con il modello indiano prescelto, si sono conservate attraverso le successive ricostruzioni, anche se attualmente si possono attribuire all'epoca monarchica solo la stele e una campana [90] site presso l'ingresso, alcune basi in pietra del pianterreno e probabilmente le spesse mura che circondano in basso la parte più interna del tempio [91]. Ma si pone ugualmente il quesito, essendo i testi tibetani più dettagliati giunti fino a noi posteriori all'epoca della seconda diffusione del Buddhismo (sec. XI), se le caratteristiche summenzionate sono appartenute realmente al monumento originario, o si tratta di una trasposizione ad un'epoca più antica di elementi architettonici legati a una problematica successiva al sec. XI. Se però si confronta lo Utse con il tempio principale di Tholing (sec. XI) per cui viene utilizzato lo stesso modello di Odantapurî si può constatare che quest'ultimo (Sez. VI) si discosta dal suo prototipo indiano più di quello di Samye. Le proporzioni sono molto più ridotte e contratte, meno monumentali e l'impianto mandalico viene ulteriormente, semplificato. Nei monumenti posteriori, infatti, l'aderenza ai modelli indiani diminuisce ulteriormente pur conservando intatti i significati dottrinari. È un fenomeno tipico di tutte le acculturazioni architettoniche asiatiche, con il passare del tempo esse tendono ad essere riassorbite sempre più dal linguaggio locale preesistente, fino a perdere alcune connotazioni originarie [92]. Inoltre agli inizi della seconda diffusione del buddhismo non esistono più i grandi mezzi economici portati dalle conquiste, né un potere politico unitario che possa permettersi delle costruzioni monumentali come quella di Samye.

Anche la simbologia del polistilismo espresso dai differenti piani dello Utse è nettamente ricollegabile al dibattito che accompagna la prima diffusione del buddhismo. Il pluralismo delle fonti (India, Cina, Asia Centrale) da cui il Tibet riceve la nuova religione, la lotta e la sottomissione delle credenze precedenti, la definitiva affermazione della dottrina indiana su quella cinese, non apparterranno più alla problematica relativa alla seconda diffusione. Ci sembra perciò che si possa ascrivere alla prima fondazione dello Utse di Samye e, per estensione anche ad altri edifici coevi di cui parlano i testi, in primo luogo l'utilizzazione di un impianto mandalico ispirato ai templi indiani, in secondo luogo l'adozione di «stili nazionali di altri paesi» utilizzando anche artisti e artigiani stranieri; infine l'originale dispositivo simbolico della sovrapposizione dei piani in stili diversi.

Attualmente nel complesso di Samye restano lo Utse mancante dell'ultimo piano e forse danneggiato all'interno, poiché la pianta fornita da An Xu nel 1982 [93] è diversa da quella proposta da Wang Yi nel 1961, mentre circa una ventina degli edifici religiosi e monastici è stata semidistrutta durante la rivoluzione culturale [94].

NOTE DELLA SEZIONE V

1 RICHARDSON, 1949; TUCCI 1950[a], p. 84-108; RICHARDSON, 1952; 1952-53; LI FANG-KUEI, 1956; RICHARDSON, 1957; 1963; 1964; 1969; 1972; 1973.

2 BACOT, THOMAS, TOUSSAINT, 1940; THOMAS, 1953.

3 BUSHELL, 1979-80; ROCKHILL, 1981; PELLIOT, 1961.

4 FRANKE, 1926; OBERMILLER, 1932; PETECH, 1939; TUCCI, 1947; ROERICH, 1949-53; STEIN R.A., 1961.

5 TUCCI, 1973, p. 80. 137-41.

6 TUCCI, 1973 p. 80, 137-41, 211.

7 TUCCI, 1950[a].

8 jiu tangshu, chap. 196, p. 5219-5220; trad. PELLIOT, 1961, p; 1-2.

9 TUCCI, HEISSIG, 1973, p. 211.

10 bka' thang sde-Inga p. 43 trad. TUCCI, 1950[a] p. 35.

11 MORTARI VERGARA, 1976 p. 209 n. 43.

12 MORTARI VERGARA, 1976 p. 202-203 n. 23.

13 TUCCI, 1973 p. 23; TUCCI, HEISSING 1973 p. 239-242.

14 MACDONALD A., 1971; BLONDEAU, 1976 p. 9-15.

15 TUCCI, HEISSING, 1973 p. 239-242.

16 TUCCI, 1949; VOLWAHSEN, 1968 p. 43-56.

17 FERRARI, 1958 p. 109-110, SNELLGROVE, RICHARDSON, 1968, p. 36.

18 MORTARI VERGARA, 1978 p. 223-224.

19 BACOT, THOMAS, TOUSSAINT, 1940 p. 90, 25, 102-103; Deb-ther dmar-po fol 10-b; Trad WYLIE, 1963 p. 96.

20 bka'-thang sde-Inga p. 42; Gyal Rabs p. 71-94; DALAILAMA V, p. 38-44; trad. TUCCI, 1950[a] p. 7-10; HAARH, 1969 p. 327-389.

21 ju tangshu, 196 A. 2V 8-10; tangshu, 216 A 2r 2-4; trad. BUSHELL, 1880 p. 9; HAARH, 1969 p. 396; PELLIOT, 1961.

22 TUCCI, 1949[a], p. 730-734; 1950[a]; WANG YI, 1961 n. 5-6 p. 81-87 trad. GIORGI M.L. 1985 RICHARDSON, 1963.

23 HOFFMANN, 1950; FERRARI, 1958 p. 53, 130; HARH, 1969 p. 327-384; HENSS, 1981 p. 109-113.

24 HOFFMAN, 1943 p. 7; TUCCI, 1949[a] p. 730-4; STEIN R.A., 1962 p. 202; WYLIE, 1963 p. 102.

25 AUFSHNAITER, 1956 p. 74; Tucci, 1973 p. 51.

26 RICHARDSON, 1963 p. 90-91.

27 tangshu. trad. BUSHELL, 1880 p. 487; PELLIOT, 1961; BACOT, THOMAS, TOUSSAINT, 1940; RICHARDSON, 1963 p. 89. TALBOT RICE 1958. Tav. 98; SOULANGWANGDU, HOU SHIZHU 1985 p. 32-37; WANG YAO, in corso di stampa.

28 TUCCI, 1950 p. 33; RICHARDSON, 1963 p. 74; WANG, 1961 n. 5-6, p. 81, 86; trad, GIORGI M.L. 1985; HAARH, 1969 p. 396.

29 WANG YI, 1961 n. 5-6 p. 82; trad. GIORGI M.L. 1985.

30 V.n. 21).

31 WANG YI, 1961 n. 5-6 p. 85 trad. GIORGI M.L. 1985; RICHARDSON 1963 p. 77; TUCCI, 1973, p. 59-60; C.P.A.M., XIZANG, 1985 p. 73-76.

32 rGyal rabs p. 27e; trad. TUCCI, 1950, p. 75 n. 11; TUCCI, 1955.

[33] HAARH, 1969 p. 389-390.

[34] TUCCI, 1950[a], p. 9.

[35] ACHARYA, 1927 vol. II fig. 3; WILLETTS, 1963 p. 831; SICKMAN, SOPER, 1969, p. 272; ANANTHALWAR, REA, 1980 vol. I p. 107.

[36] LALOU, 1952: HAARH, 1969 p. 357-79; MACDONALD A. 1971.

[37] FERRARI 1958 p. 130.

[38] JIGMEI, 1982, p. 31 f. 8.

[39] WANG YI, 1961 n. 5-6 p. 81 trad. GIORGI M.L. 1985.

[40] TUCCI, 1950[a]; WANG YI, 1961 n. 5-6 p. 84; trad. GIORGI M.L. 1985: RICHARDSON 1964 p. 1-3.

[41] TUCCI, 1950[a], p. 32, 36, 91-93; WANG YI, 1961, n. 5-6 p. 83 trad. GIORGI M.L. 1985; RICHARDSON, 1963 p. 78, 81 f. 34; 1969 p. 2938; TUCCI, 1973 p. 62.

[42] RICHARDSON, 1963 p. 86.

[43] TUCCI 1956[a].

[44] RICHARDSON 1957; TUCCI 1973 p. 89.

[45] V.n. 1).

[46] TUCCI, 1950[a] p. 34-35.

[47] ROERICH, 1933 p. 246; MACDONALD A.W. 1953 P. 63; TUCCI, 1973 p. 49-51.

[48] SEGALEN 1972 f. 6-11, 13-14; HENSS, 1981 p. 111, 262, n. 15.

[49] WANG YI, 1961 n. 5-6 p. 81 f. 12-13; trad. GIORGI M.L. 1985; RICHARDSON, 1963 , 83-85 f. 12-13.

[50] SEGALEN, 1972 fig. 37.

[51] SCHAFER, 1943 p. 180; TUCCI, 1950[b] p. 137; 1980 2° p. 155; FERRARI, 1958 p. 49-50, 125; SNELLGROVE, RICHARDSON, 1968 p. 33, 46, 51; WANG YI, 1961 . 4, p. 41-43; trad. GIORGI M.L. 1985; HAARH, 1969 p. 104, 192, 199, 352-355; DENWOOD, 1971 p. 9. TUCCI, 1973 p. 63-65; MORTARI VERGARA, 1976 p. 205-207; HENSS, 1981 p. 114-116, 262-263.

[52] FERRARI, 1958 n. 244; HAARH, 1969 p. 104, 192, 199; HENSS, 1981 p. 262 n. 27.

[53] ROERICH 1949-53 p. 40: FERRARI, 1958 n. 245.

[54] rGyal-po-bka-thang f. 43b-44a; trad. RICHARDSON 1963 p. 75; HAARH, 1969 p.352-56; HENSS, 1981 p. 262 n. 30.

[55] TUCCI, 1950b p. 137; 1980 2° p. 55; FERRARI 1958 n. 244; SNELLGROVE, RICHARDSON, 1968 p. 33; WANG YI, 1961 trad. GIORGI M.L. 1985.

[56] Hou han zhu, 116 IIa trad. STEIN, R.A. 1957 p. 61.

[57] TUCCI, 1973 p. 64.

[58] SNELLGROVE, RICHARDSON, 1968 p. 34.

[59] WEN WU, 1979 n. 9.

[60] STEIN, R.A., 1957, p. 61; PELLIOT, 1962 p. 2; STEIN, R.A., 1962 p. 93, 1981 2° p. 88-89, TUCCI, 1973 p. 64-74; jiu tangshu, c. 196a p. 5219-5220.

[61] STEIN, M.A., 1921 p. 1285; STEIN, M.A., 1912 f. 27; MAILLARD, 1983 p. 39-42 fig. 20.

[62] ECO, 1967 p. 56-76; ZEVI, 1974 p. 55; HUMMEL, p. 103-104 (n. 37).

[63] WANG YI, 1961 n. 4 p. 41-43; trad. GIORGI M.L. 1985.

[64] JIGMEI, 1982, fig. 6.

[65] DA FANO, 1713 In PETECH, 1952-56 III p. 22-23, 326 n, 65; DESIDERI, 1712-1733 In PETECH, 1952-56 VI p. 24-26, 318 n. 36; GIORGI, A.A., 1762; WADDEL, 1905 p. 361-371; LONDON, 1905 II p. 304-314; WALSH, 1938; 1946 n. 27-30; TUCCI, 1952 p. 89-90; SIS, VANIS, 1956; WANG YI, 1960 n. 6 p. 43-46; HUMMEL, 1965; TUCCI, 1973 p. 142; RICHARDSON, 1977; TARING, 1979; HENSS, 1981 p. 63-82.

[66] VASILYEV, 1895; V, DALAI LAMA, 1647; trad. GRUNWEDEL, 1919 p. 17-53; BUSTON; trad. OBERMILLER 1932 p. 185; padma thang 'yig: trad. TOUSSAINT, 1953, 399; ROERICH, 1949-53 p. 40, 219; MK'YEN BRTISE; trad. FERRARI, 1958 p. 39-40.

[67] MITRA, 1971; MAILLARD, 1983 p. 135-46.

[68] MITRA, 1971.

[69] STEIN R.A., 1962p. 38.

[70] WANG YI, 1960 n. 6 p. 44.

[71] LIU, 1957 fig. 3, 6; WANG YI, 1960 p. 44 trad. GIORGI M.L., 1985; RICHARDSON 1977 p., 176-177; HENSS, 1981 p. 68; JIGMEI, 1982 fig. 177.

[72] LIU, 1957 fig. 3. WANG YI, 1960 n. 6 p. 44; trad. GIORGI M.L. 1985, RICHARDSON, 1977 p. 173.

[73] BANERJI 1933 fig. XCII p. 159.

[74] VASILYEV, 1895 p. 34; BUSTON; trad. OBERMILLER 1931 p. 184; ROERICH, 1949-53 p. 40; FERRARI, 1958, p. 49-50, 124-125.

[75] DAS, 1904 p. 302; TUCCI, 1950 [b] p. 71-71; TUCCI 1956 p. 136; WANG YI, 1961 n. 6 p. 43; trad. GIORGI M.L. 1985. RICHARDSON, SNELLGROVE, 1968 p. 34, 77, 90.

[76] TUCCI, 1950 [b] p. 70.

[77] WANG YI, 1960 n.6: trad. GIORGI M.L. 1985; HENSS 1981 , p. 116; JIGMEI, 1981, 244, 245.

[78] DEMIEVILLE, 1952 p. 201; TUCCI, 1958 p. 32.

[79] TUCCI, 1950 [b] p. 103-105; FERRARI, 1958 p. 44-47, 113-115; WANG YI, 1961, 6, p. 58-63; STEIN, R.A., 1962 p. 113-114; RICHARDSON, SNELLGROVE, 1968 p. 76; TUCCI, 1968 p. 111; TUCCI, 1973 p. 79, 80; KARMAY, H., 1975 p. 4-5; MORTARI VERGARA, 1979 p. 71-104; HENSS, 1981 p. 117-126; AN, 1982, 8.

80 La-dvegs-rgyal-rabs; trad. FRANCKE, 1926 p. 86; BUSTON trad. OBERMILLER, 1931 p. 189; Padma t'ang yig, c. LXXXVI: TOUSSAINT, trad. 1933 p. 342-43; BKA'-BLON BSAD-SGRA, 1854; TUCCI, 1956 [b] p. 279-281.

81 TUCCI, 1950 [b] p. 111; TUCCI, 1973 p. 80; H. KARMAY, 1975 p. 5.

82 DAS, 1902 p. 296-297; FRANCKE, 1906 p. 91; BKA'-BLON BSAD SGRA, 1854 p. 10-11, 48; BLONDEAU, 1976 p. 106-107.

83 MORTARI VERGARA, 1979 p. 90-93.

84 TUCCI, 1950 [b] p. 137-138.

85 v.n. 67.

86 Padama t'an-yig, LXXXVI n. 1-12; trad. TOUSSAINT, 1933.

87 India Office Library, C. BELL D. 469.

88 MITRA, 1971 p. 60-66; SARASWATI, 1966 p. 64-68; MORTARI VERGARA, 1979 p. 86-88.

89 DEMIEVILLE, 1952.

90 TUCCI, 1950[a] p. 41, 69-108; WANG YI, 1961 n. 6 p. 59, trad. GIORGI M.L. 1985.

91 WANG YI, 1961, n. 6 p. 59.

92 MORTARI VERGARA, 1976 p. 212-213 n. 60.

93 AN, 1982 fig. 2.

94 AN, 1982 p. 2.

BIBLIOGRAFIA GENERALE

BACOT, THOMAS, TOUSSAINT, 1940; BUSHELL, 1880; DEMIEVILLE, 1952; FERRARI, 1958; FRANCKE, 1926; GRUNWEDEL, 1919; HAARH, 1969; HENSS, 1981; HOFFMANN, 1943; 1950; HUMMEL, 1965; KARMAY H., 1975; JIGMEI, 1981; LALOU, 1952; LI, 1956; MACDONALD, 1971; MORTARI VERGARA, 1976, 1979; OBERMILLER, 1931-32; PELLIOT, 1961; PETECH, 1939; RICHARDSON, 1949; 1952; 1952-53; 1957; 1963; 1969; 1972; 1973; 1977; ROERICH, 1949-53; SNELLGROVE, RICHARDSON, 1968; R.A. STEIN, 1961; 1962; SOULANG WANGDU, HOU SHIZU, 1985; TARING, 1979; THOMAS, 1953; TOUSSAINT, 1933; TUCCI, 1947; 1949 [a]; 1950 [a]; 1950 [b]; 1955; 1956 [b]; 1973 [a]; WALSH, 1938; WYLIE, 1963; WADDEL 1905.

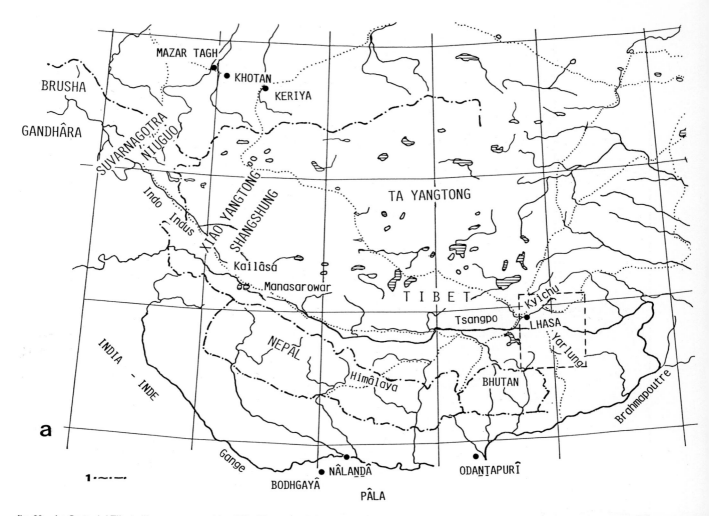

fig. 90 - La Carta del Tibet all'epoca monarchica (VII - IX sec.): *a*, Tibet e paesi confinanti: 1, confini politici moderni; *b*, regioni di Lhasa e dello Yarlung (P. Mortari Vergara, R. Astolfi).

fig. 90 - Carte du Tibet à l'époque monarchique (VIIème - IXème siècle): *a*, Tibet et voisin: 1, limites d'état; *b*, regions de Lhasa et du Yarlung (P. Mortari Vergara, R. Astolfi).

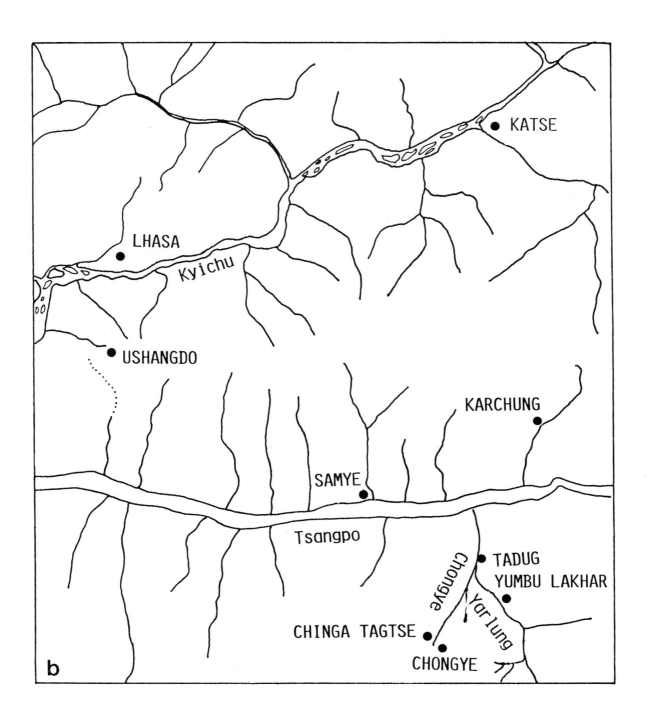

KATSE

LHASA

Kyichu

USHANGDO

KARCHUNG

SAMYE

Tsangpo

TADUG
YUMBU LAKHAR

Chongye

Yarlung

CHINGA TAGTSE

CHONGYE

b

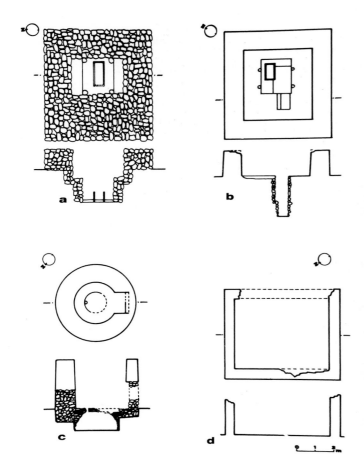

fig. 91 - Monte Le, (distretto di Nang, Yarlung), Necropoli: *a*, tomba M 121 pianta e sezione; *b*, tomba M 130 pianta e sezione; *c*, tomba M 27 pianta e sezione; *d*, tomba F 1 pianta e sezione (R. Astolfi da Suolangwangdu, Hou Shizhu, 1985).

fig. 91 - Mont Le, (district de Nang, Yarlung), Nécropole: *a*, tombe M 121, plan et coupe; *b*, tombe M 130, plan et coupe; *c*, tombe M 27, plan et coupe; *d*, tombe F 1, plan et coupe (R. Astolfi d'après Suolangwangdu, Hou Shizhu, 1985).

fig. 92 - Chongye (valle dello Yarlung), necropoli dei re del Tibet, VII - IX sec. Sullo sfondo, la tomba di Songtsen Gampo (foto H. Richardson).

fig. 92 - Chongye (vallée du Yarlung), nécropole des rois du Tibet, VIIème - IXème siècle, à l'arrière-plan le tombeau de Songtsen Gampo (cl. H. Richardson).

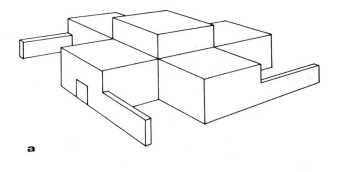

a

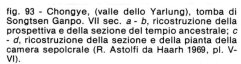

fig. 93 - Chongye, (valle dello Yarlung), tomba di Songtsen Ganpo. VII sec. *a - b*, ricostruzione della prospettiva e della sezione del tempio ancestrale; *c - d*, ricostruzione della sezione e della pianta della camera sepolcrale (R. Astolfi da Haarh 1969, pl. V-VI).

fig. 93 - Chongye, (vallée du Yarlung), tombe de Songtsen Ganpo, VIIème siècle: *a - b*, reconstruction de la vue cavaliere et de la coupe du temple ancestral; *c - d*, reconstruction de la section et du plan de la chambre sépulcrale (R. Astolfi d'après Haarh 1969, pl. V-VI).

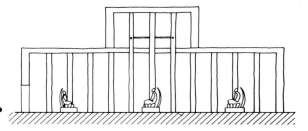

b

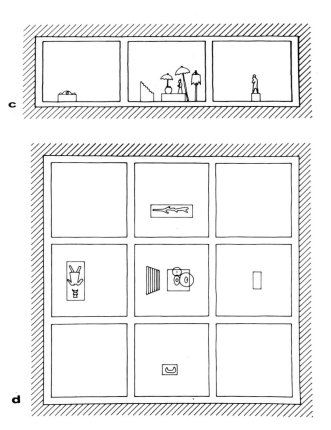

c

d

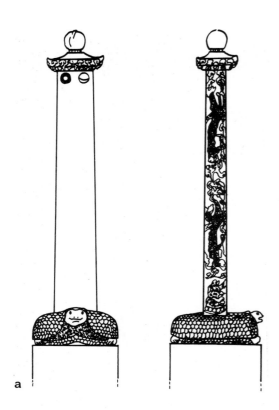

a

b

fig. 94 - Chongye (valle dello Yarlung), necropoli, pilastro di Thide Songt-sen, inizio IX sec.: *a*, alzato, *b*, particolare dell'interno della copertura (R. Astolfi da C.P.A.M. Xizang 1985 N. 9).

fig. 94 - Chongye (vallée du Yarlung), nécropole, pilier de Thide Songtsen, début IXème siècle: *a*, élévation, *b*, détail de l'intérieur de la couverture (R. Astolfi d'après C.P.A.M. Xizang 1985 N. 9).

fig. 95 - Karchung, pilastro (foto H. Richardson).

fig. 95 - Karchung, pilier (cl. H. Richardson).

fig. 96 - Chongye, necropoli, leone in pietra della tomba di Repachen, metà IX sec. (foto H. Richardson).

fig. 96 - Chongye, (vallée du Yarlung) nécropole, lion de pierre de la tombe de Repachen, milieu du IXème siècle (cl. H. Richardson).

95

96

a

fig. 97 - Yumbu lakhar (valle dello Yarlung): *a*, facciata sud; *b*, facciata est (foto H. Richardson).

fig. 97 - Yumbu lakhar (vallée du Yarlung): *a*, façade Sud; *b*, façade Est (cl. H. Richardson).

b

fig. 98 - Yumbu lakhar, piante schematiche: *a*, pianoterra: 1, ingresso; 2, santuario del Buddha; 3, torre; 4 scala; *b*, primo piano: 5, scala; 6, santuario dei sûtra; 7, torre; *c*, secondo piano: 8, terrazza; 9, portico; 10, lucernario; 11, torre (P. Mortari Vergara, R. Astolfi da Wang Yi 1961, n. 4, pag. 43).

fig. 98 - Yumbu lakhar, plans schématiques: *a*, rez-de chaussée: 1, entrée; 2, sanctuaire du Buddha; 3, donjon; 4 escalier; *b*, premier étage: 5, escalier; 6, sanctuaire des sutra; 7, donjon; *c*, deuxième étage: 8, terrasse; 9, portique; 10, lanterneau; 11, donjon (P. Mortari Vergara, R. Astolfi d'après Wang Yi, 1961, n. 4, pag. 43).

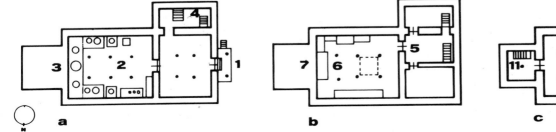

a   b   c

fig. 99 - Mazar tagh, (regione di Khotan), il forte tibetano, pianta: 1, ingresso; 2, primo cortile; 3, stalla; 4, scala; 5, secondo cortile; 6, appartamento; 7,
torre (R. Astolfi da M.A. Stein, 1921, fig. 39).

fig. 99 - Mazar tagh, (region de Khotan), le fort tibétain, plan: 1, entrée; 2, première cour; 3, étable; 4,
escalier; 5, deuxième cour; 6, appartement; 7, donjon (R. Astolfi d'après M.A. Stein, 1921, fig. 39).

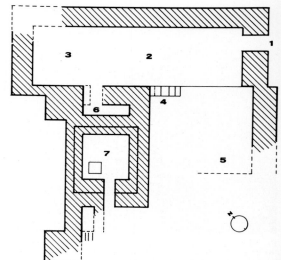

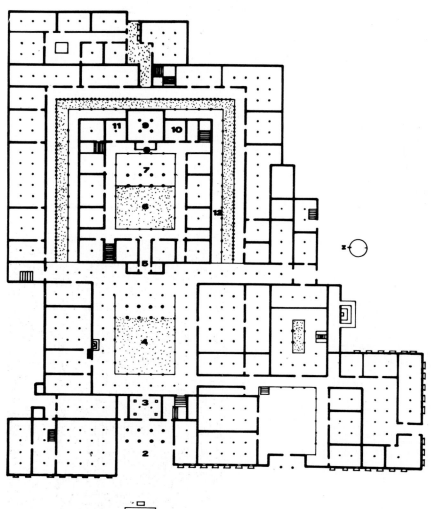

fig. 100 - Lhasa, Tsuglagkhang, pianta schematica
del pianoterra: 1, salice sacro e doring (pilastro)
dell'822; 2, ingresso principale del Tsuglagkhang; 3,
atrio con i quattro Guardiani dello Spazio (Lokapâla); 4, cortile con portici per l'assemblea; 5, ingresso del Jokhang; 6, cortile interno; 7, sala centrale; 8,
ingresso della cappella del Jowo con i quattro Lokapâla; 9, cappella principale del Jowo; 10, cappella di
Maitreya; 11, cappella di Amitâbha; 12, corridoio per
la circumbulazione (R. Astolfi da Taring, 1979).

fig. 100 - Lhasa, Tsuglagkhang, plan schématique
du rez-dechausée: 1, saule sacré et doring (pilier)
daté 822; 2, entrée principale du Tsuglagkhang; 3,
atrium avec èes quatre Gardiens de l'Espace (Lokapâla); 4, cour à portique pour l'assemblée; 5, entrée
du Jokhang; 6, cour intérieure; 7, salle centrale; 8,
entrée à la chapelle du Jowo avec les quatre Lokapâla; 9, chapelle principale du Jowo; 10, chapelle de
Maitreya; 11, chapelle d'Amitâbha; 12, corridor pour
la circuambulation (R. Astolfi d'après Taring, 1979).

250

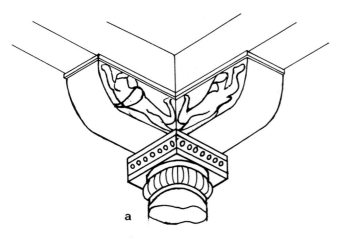

a

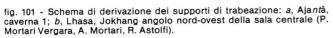

b

fig. 101 - Schema di derivazione dei supporti di trabeazione: *a*, Aja*ntā*, caverna 1; *b*, Lhasa, Jokhang angolo nord-ovest della sala centrale (P. Mortari Vergara, A. Mortari, R. Astolfi).

fig. 101 - Schéma de dérivation des soutines d'entablement: *a*, Aja*ntā*, caverne 1; *b*, Lhasa, Jokhang, angle Nord-Ouest de la salle centrale (P. Mortari Vergara, A. Mortari, R. Astolfi).

fig. 102 - Schema di derivazione dei pilastri: *a*, Aja*ntā*, vihâra 16; *b*, Lhasa, Jokhang, pilastro all'interno (P. Mortari Vergara, R. Astolfi).

fig. 102 - Schéma de derivation des piliers: *a*, Aja*ntā*, vihâra 16; *b*, Lhasa, Jokhang, pilier à l'intérieur (P. Mortari Vergara, R. Astolfi).

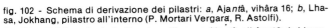

a

b

fig. 103 - Lhasa, Jokhang, colonnato (foto F. Meyer).

fig. 103 - Lhasa, Jokhang, colonnade (cl. F. Meyer).

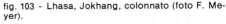

fig. 104 - Lhasa, Jokhang, porta della cappella di Maitreya (da Liu, 1957).

fig. 104 - Lhasa, Jokhang, porte de la chapelle de Maitreya (d'après Liu, 1957).

fig. 105 - Tempio di Tadug (valle dello Yarlung), pianta: 1, ingresso; 2, portico esterno; 3, portico di ingresso al tempio; 4, portico perimetrale; 5, grande sala; 6, cappella del V Dalailama; 7, cappella dei Dharmapâla; 8, cappella di Avalokiteshvara Mahâkaru$n$à; 9, cappella dei chörten; 10, cappella di Shâkyamuni; 11, cappella di Songtsen Gampo; 12, cappella principale; 13. cappella di Avalokiteshvara; 14, magazzino; 15, cappella di Amitâbha; 16, cappella di Vajrapâni; 17, cappella di Tsongkhapa (P. Mortari Vergara, R. Astolfi da Wang Yi 1961, n. 4, fig. 15).

fig. 105 - Temple de Tadug (vallée du Yarlung), plan: 1, entrée; 2, portique extérieur; 3, portique d'entrée du temple; 4, portique formant déambulatoire; 5, grande salle; 6, chapelle du Vème Dalaïlama; 7, chapelle des Dharmapâla; 8, chapelle d'Avalokiteshvara Mahâkarunâ; 9, chapelle des chörten; 10, chapelle de Shakyamuni; 11, chapelle de Songtsen Gampo; 12, chapelle principale; 13, chapelle d'Avalokiteshvara; 14, réserve; 15, chapelle d'Amitâbha; 16, chapelle de Vajragâni; 17, chapelle de Tsongkhapa (P. Mortari Vergara, R. Astolfi d'après Wang Yi 1961, n. 4, fig. 15).

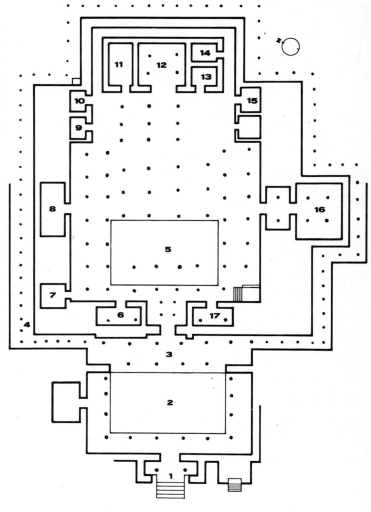

fig. 106 - Tempio di Taduk (Valle dello Yarlung), veduta panoramica (foto H. Richardson).

fig. 106 Temple de Taduk (Vallé du Yarlung), vue générale (cl. H. Richardson).

107

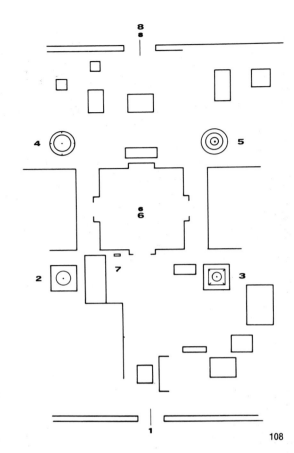

8

4   5

6

2   7   3

1

108

109

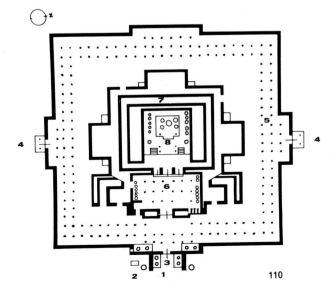

110

fig. 107 - Samye (Ü), monastero veduta panoramica (foto H. Richardson).

fig. 107 - Samye (Ü), monastère vue générale (cl. H. Richardson).

fig. 108 - Samye, monastero pianta schematica della parte centrale: 1, ingresso principale; 2, chörten bianco; 3, chörten azzurro; 4, chörten rosso; 5, chörten nero; 6, Utse, 7, pilastro (doring) di Thisong Detsen; 8, porta d'ingresso posteriore (P. Mortari Vergara, R. Astrolfi da Wang Yi, 1961 n. 6).

fig. 108 - Samye, monastère plan schématique de la partie centrale: 1, entrée principale; 2, chörten blanc; 3, chörten bleu; 4, chörten rouge; 5, chörten noir; 6, Utse, 7, pilier (doring) de Thisong Detsen; 8, porte de l'entrée arrière (P. Mortari Vergara, R. Astolfi d'après Wang Yi, 1961 n. 6).

fig. 109 - Samye, monastero, Utse (foto H. Richardson).

fig. 109 - Samye, monastère, Utse (cl. H. Richardson).

fig. 110 - Samye, monastero, Utse, pianta schematica del pianoterra: 1, ingresso principale; 2, doring di Thisong Detsen; 3, campana di bronzo; 4, ingressi laterali; 5, grande portico; 6, sala dei sûtra; 7, piccolo portico; 8, tempio centrale (P. Mortari Vergara, R. Astolfi da Wang Yi, 1961, n. 6).

fig. 110 - Samye, monastère, Utse, plan schématique du rez-de chaussée: 1, entrée principale; 2, doring de Thisong Detsen; 3, cloche de bronze; 4, entrées latérales; 5, grand portique; 6, salle des sûtra; 7, petit portique; 8, temple central (P. Mortari Vergara, R. Astolfi d'après Wang Yi, 1961, n. 6).

SECTION V

LE TIBET A L'EPOQUE DE LA MONARCHIE DU VIIÈME AU IXÈME SIÈCLE

Paola Mortari Vergara

fig. 90 Les conquêtes de la dynastie du Yarlung qui firent du Tibet une puissance panasiatique donnèrent un essor certain à l'architecture. Ce processus fut favorisé par des moyens économiques accrus et dénotent des emprunts aux civilisations voisines.

Rares sont les vestiges subsistants de cette production architecturale abondante et variée. Seuls des nécropoles et quelques piliers commémoratifs (doring) peuvent aujourd'hui être rattachés à cette période avec certitude. Il convient d'ajouter certains plans caractéristiques et quelques éléments constitutifs originaux que l'on remarque dans des sanctuaires et des forteresses restaurés de nombreuses fois mais que la tradition fait remonter à l'époque de la monarchie. Il existe des sources écrites concernant cette production architecturale: inscriptions contemporaines [1], documents retrouvés dans les oasis de l'Asie centrale (surtout Dunhuang) occupées par des garnisons tibétaines durant les VIIè — VIIIè siècle [2], comptes rendus de l'historiographie chinoise [3] et nombre de textes tibétains tardifs [4].

Ces documents soulignent l'importance de l'adoption par la cour d'une doctrine d'origine indienne, le Bouddhisme qui, parallèlement au renforcement de l'autorité royale, véhicule de nombreux éléments culturels. Dans le domaine artistique, cette innovation religieuse et sans doute le contact avec les cultures des peuples assujettis, ont favorisé l'adoption de nombreux apports étrangers. Les souverains et les grands encouragèrent la venue d'artisans indiens, népalais, centro-asiatiques et chinois.

De cette époque date l'introduction dans l'architecture d'éléments typologiques et styliques [5] particuliers.

On note cependant la permanence d'usages locaux, sans doute liés à d'antiques traditions prébouddhiques, comme le changement de résidence royale après le décès d'un souverain [6]. Subsiste également l'héritage des habitudes nomades: campements royaux et résidences princières différents pour l'été et l'hiver [7].

Selon les Annales des Tang (618 - 907), il existait des tours de garde tous les 100 li (576m) [8] et d'autres témoignages laissent supposer l'existence de nombreuses fortifications.

La littérature souligne l'impulsion que le Bouddhisme donna aux constructions sacrées. Comme dans le reste du monde bouddhique, bâtir des édifices était en effet considéré comme un acte méritoire, mais de plus, dans les traditions propres au Bouddhisme évolué, un moyen pour soumettre et convertir des divinités autochtones préexistantes, les fixer au terrain par une véritable «defixio» [9].

Selon certains textes, bâtir constituait pour les rois une «oeuvre vertueuse» (gechö), et la tradition tibétaine distingue pour cette époque quatre sortes de constructions: tombes, résidences royales et forteresses, bâtiments religieux, pilastres commémoratifs (doring) [10].

Ces témoignages laissent pressentir l'existence d'un style local d'architecture [11] anterieur à l'introduction du bouddhisme possédant des caractéristiques bien précises qui subsisteront jusqu'à nos jours: façon d'assembler d'une manière organique des modules à plusieurs étages, maçonnerie portante en pierre ou en adobe, structure internes en bois, ouvertures asymétriques, entrée à l'Est ou à l'Ouest. Cet axe Est - Ouest direction préférentielle, se rencontre déjà dans certains complexes mégalithiques [12]. Cette organisation anticlassique de l'espace pourrait être une tendance naturelle de la manière de bâtir des Tibétains.

On trouve dans toute l'architecture du Tibet un aspect magique et religieux [13] très important que l'on peut rattacher à des croyances animistes originelles, successivement consolidées par la religion royale et par le bouddhisme [14]. Ces traditions sont encore présentes dans certains rites de fondation dans le culte rendu aux divinités de la porte, du pilier central et du foyer des maisons [15].

Par contre, la religion royale paraît avoir déjà utilisé des plans ordonnés et symétriques, tel celui de la tombe de Songtsen gampo.

La diffusion du Bouddhisme enfin introduira un mode particulier de planification des édifices sacrés, centrée et orientée selon les points cardinaux comme cela est habituel dans nombre de traditions indiennes. Il est inutile de souligner les liens qui unissent ce type de plan au développement, à la même époque, de spéculations cosmologiques [16].

Au Tibet seront ainsi présents les plans caractéristiques de l'architecture religieuse indienne: cella (garbhagriha) centrale avec prônaos et déambulatoire (chapelle de Kyachu à Samye; Katse à Maldo) [17]; monastère (vihâra) avec enceinte externe abritant les cellules des moines, grande chapelle face à l'entrée précédée quelques fois d'un portique ou d'une salle (mandapa) (Jokhang, Tadug) grand monastère (mahâvihâra) constitué d'un temple de type prâsâda, image de la montagne cosmique, au centre d'une cour, elle-même bordée de cellules (Utse de Samye).

C'est grâce au Bouddhisme que le Tibet présentera une tendance marquée à l'éclectisme en matière d'architecture, éclectisme qui s'était développé au cours des siècles lors de la diffusion de la doctrine dans les diverses régions d'Asie [18]. Le Tibet emploie ainsi les styles de tous les pays bouddhistes voisins: Inde, Népal, Asie centrale et Chine.

Il faut enfin rappeler que les éléments étrangers ne changeront pas radicalement les caractéristiques architectoniques du «style tibétain» qui restera toujours présent dans toutes les constructions.

Il conservera sa spécificité jusque dans les plans. Châteaux forts et fortifications continueront à être érigés de préférence sur les hauteurs, en suivant le relief du terrain. Les constructions bouddhiques au contraire seront construites en terrain plat comme celles de l'Inde, en raison de leur nécessaire axialité, symétrie et plan concentrique.

Certaines innovations lexicales, qui furent introduites durant la période de la monarchie, deviendront un point de référence constant pour tout le développement ultérieur de l'architecture du Tibet. La multiplicité des styles dans un même édifice, différencié selon les étages, sera conservée dans certaines constructions éclectiques du Tibet, de la Mongolie et de la Chine jusqu'à nos jours. Le plan en mandala s'exprimera de moins en moins nettement au fil du temps jusqu'à se perdre complètement pour les temples d'époque tardive. Par contre cette organisation spatiale ne cessera pas d'être présente dans la construction du stûpa tibétain (chörten). D'autres types architecturaux, comme les tumuli funéraires et les piliers commémoratifs, disparaîtront à la fin de l'époque monarchique à la suite des changements politiques et religieux.

Quelques monuments de fondation ancienne mieux connus et étudiés permettent de préciser certains caractères généraux de l'architecture de cette période.

LA NECROPOLE DES ROIS DE YARLUNG A CHONGYE (VIIème-IXème s.)

Les nécropoles constituent les seuls ensembles monumentaux que nous puission faire remonter avec certitude à l'époque monarchique. Celle de Chongye s'étend sur plus de 2 km² dans la vallée située au Sud du mont sur lequel se dressait le château royal de Chinga Tagtse, fondé selon la tradition au VIème s. [19]. Parmi de nombreux monticules, huit, disséminés irrégulièrement sur le terrain, ont été identifiés comme des tombes (bangso). La plupart possèdent une base quadrangulaire haute de 10m environ. Certains plus petits sont circulaires. Cette nécropole accueillait les dépouilles des rois les plus importants, accompagnées d'objets somptuaires. Son existence est attestée par d'antiques sources tibétaines [20] et chinoises [21] qui décrivent les rites funéraires complexes qui s'y déroulaient. Peu de spécialistes ont pu visiter ces lieux et le premier d'entre eux fut G. Tucci en 1948 [22]. D'autres tibétologues ont étudié seulement des sources écrites concernant ces tombes royales [23].

255

Selon une ancienne tradition tibétaine, l'usage des sépultures royales viendrait des marches occidentales: Shangshung et Brusha (Gilgit). Cette coutume serait liée à une forme particulière de la religion Bön, dite «Bön des tombes» (dur Bön) [24], après que le roi mythique Digum eut coupé par erreur la corde «mu», grâce à laquelle ses prédécesseurs montaient au ciel à la fin de leur vie.

On a également retrouvé dans le Tibet central des traces de tumuli protohistoriques [25] et H. Richardson signale l'existence près de Lhasa de nécropoles semblables à celle de Chongye qu'il attribue à des nobles et des dignitaires [26]. Les annales chinoises mentionnent aussi des sépultures de dames, de princes et de guerriers morts au champ de bataille.

fig. 91

Récemment, les archéologues Soulangwangdu et Hou Shizhu ont fouillé un cimetière près du mont Le dans le district de Nang au Yarlung, à 29° 4 lat. et 93° 6 long. Ils ont mis à jour plusieurs tombes de tailles et de types différents. Ces tumuli sont le plus souvent de plan trapézoïdal mais peuvent être aussi de plan carré, rectangulaire ou circulaire. Les chambres funéraires ont également des plans variés. Parfois les restes d'une structure intérieure construites en pierre présentent des particularités semblables à celles des tombeaux des nomades d'Asie centrale et occidentale comme celui de Kostromskaya. Le prof. Wang Yao nous a récemment informés de la trouvaille de quinze autres cimetières de l'époque monarchique au Tibet central. Ils comptent dans l'ensemble plus de 2.000 tombes avec aussi des sepolture pour les chevaux [27].

Dans les années prochaines, les archéologues chinois et tibétains projettent de fouiller la nécropole royale de Chongye. Aujourd'hui, seuls des photographies des tumulus et des croquis sommaires permettent une étude superficielle de ces vestiges [28]. L'identification de certaines de ces tombes reste encore controversée.

fig. 92

La tombe du roi Songtsen Gampo († 649 environ) offre un bon exemple de leur système de construction. Elle présente des couches successives de terre battue d'environ 20 cm chacune [29]. Ceci concorde avec la technique de construction décrite par les Annales des Tang: une chambre funéraire carrée, à la couverture plate et aux murs de pierre est recouverte d'un tumulus [30]. Les dépressions sur certains tumuli peuvent avoir été provoquées par l'écroulement du plafond de ces chambres. On a en outre retrouvé des traces de galeries, problablement dues aux profanations attestées à la fin du IXème siècle et au XVIIIème siècle [31].

L'insuffisance de la documentation rend aujourd'hui impossible l'étude comparative de ces tumuli et des nécropoles des civilisation voisines. Les textes signalent une correspondance volontairement recherchée entre l'habitation des vivants et celle des morts. Le tumulus imite la tente (bra) tandis que les chambres funéraires s'inspirent des habitations des chefs [32].

fig. 93

E. Haarh [33], en confrontant les données fournies par les sources disponibles, a tenté une reconstitution graphique de la tombe de Songtsen Gampo. Celle-ci est décrite comme une crypte de plan carré, subdivisée en neuf chapelles carrées également; le sarcophage royal serait placé sur un trône dans la chapelle centrale. La ressemblance entre ce plan et celui proposé ici par S. Karmay pour le palais du Shen est évidente.

Sur le tumulus qui recouvre cette construction est érigé un temple ancestral de plan cruciforme, composé de cinq chapelles aux piliers en bois de santal. L'entrée était orientée à l'Ouest. G. Tucci [34] rattache le symbolisme de cette architecture à la religion pré-bouddhique du Tibet et en compare le schéma aux «mewa» utilisés par les astrologues tibétains pour préparer les horoscopes qui représentent l'univers disposé autour d'un point central. Mais la même subdivison d'un carré en neuf parties égales (tripada) participe également aux anciennes traditions indiennes. Le tripada était utilisé aussi bien pour les plans des cités et des villages que des habitations et des temples. Ce type de schéma est également présent dans le monde chinois, dans le jingtian (type de partition des champs) et dans le Mingtang (construction sacrée au symbolisme cosmologique analogue), mais il n'a jamais été utilisé pour les tombes [35]. Les rites funéraires longs et complexes des monarques tibétains [36] se rattachent à la religion royale pré-bouddhique. Le corps du roi est identifié avec le centre de l'univers dont la tombe elle-même constitue la projection magique. Le tumulus de Songtsen Gampo est le plus proche du château royal, à l'extrémité Nord du site. Sa hauteur est encore d'environ 15 [m], malgré de nombreux effondrements; la base est carré, d'une centaine de mètres de côté. Une série de gradins en pierre conduit au sommet où se dresse un petit temple fondé probablement au XIIIème siècle [37]. En effet son plan, cour d'accès suivie d'une salle de culte orientées selon un axe Sud-Nord, ne correspond pas à l'usage de l'époque monarchique qui prévoit pour les contructions un axe Est-Ouest. Le temple ne répond pas non plus à sa description par les textes. On peut cependant noter autour de ce sanctuaire quelques restes de constructions plus anciennes [38]. On a remarqué aussi une différence morphologique entre le tumulus de Songtsen gampo et celui de Repachen († 842 environ).

Wang Yi [39] signale en effet que la tombe monumentale, attribuée presque à l'unanimité à Repachen et qui se trouve à l'extrémité Sud du site, présente un profil en gradins à trois étages en terre damée. Le dernier étage est de plan ovale, d'une longueur d'Est en Ouest d'environ quatre-vingts pas, tandis que le second consiste en une plateforme rectangulaire sur laquelle ont été retrouvés deux lions de pierre. Peut-on déceler dans cette particularité une éventuelle évolution typologique?

Des différents monuments annexes aux tumuli (temples, dépôts, enceintes, logements des gardiens, piliers et sculptures funéraires éventuelles) ne subsistent que très partiellement: quelques traces du mur d'enceinte (chagri), les deux lions de la tombe de Repachen, le pilier de Thide Songtsen (804-815 environ) et celui de Thisong Detsen (755-797) situé un peu en dehors de l'aire actuelle de la nécropole.

fig. 94

La forme de ces deux piliers est analogue. Sur celui de Thisong Detsen cependant, des poutres sculptées en relief soutiennent la couverture [40]. Le monolithe de Thide Songtsen [41], à section rectangulaire et de forme légèrement pyramidale, mesure au sommet 76 × 39 cm. Il s'appuie sur une base typiquement chinoise en forme de tortue. Le toit est constitué d'une couverture à quatre pentes dont les angles sont légèrement recourbées vers le haut. Il est décoré, sous l'avant-toit, de motifs que Richarson met en relation avec des figurations analogues en Asie centrale [42]. Il s'agit de nuages, du soleil, de la lune et de quatre apsara aux angles. On peut trouver en effet des ressemblances avec, par exemple, le plafond orné d'aspsara d'époque Tang de la grotte 329 de Dunhuang. Les petits côtés du monolithe sont décorés de nuages et de dragons de type chinois, tandis que la face Nord présente une deuxieme image du soleil et de la lune. Cette dernière décoration se retrouve sur certains piliers népalais [43]. Une inscription gravée énumère les mérites religieux et politiques de Thide Songtsen et les pays (territoires) qu'il conquit «dans les quatre directions». Des piliers commémoratifs de ce type furent nombreux pendant la période monarchique et se retrouvent dans des complexes architecturaux importants fondés à cette époque. Ils disparaîtront peu après la fin du royaume. Le dernier que nous connaissons est celui du Gyel lhakhang (XIème s.) [44]. La typologie des piliers actuellement recensés [45] est uniforme en ce qui concerne le monolithe proprement dit alors que les bases sont diverses:

fig. 95

en gradins (Ushangdo), en fleur de lotus (Samye) (peut-être des ajouts postérieurs) et plus fréquemment en parallélépipède (Karchung, She lhakhang). La couverture est toujours constituée d'un toit à quatre pentes qui présente nettement, surtout dans le cas des quelques exemplaires plus travaillés (Karchung), les caractéristiques de la couverture chinoise dite sizhuding (structure aux angles recoubés, type de tuiles). Les faîtes portent des symboles bouddhiques: bouton de lotus (nécropole de Chongye), joyau flamboyant (cintâmani) (Shöl doring et stèle près du Jokhang à Lhasa), coquille (Karchung), croissant de lune et disque solaire (Samye).

G. Tucci relève diverses significations symboliques liées à de tels piliers et communes à beaucoup de civilisations d'Asie: affirmation définitive de possession du sol et assujettissement des forces chaotiques, reconstruction d'un nouveau cosmos, celui de la «Loi» bouddhique dont le centre est le pilier qui symbolise l'«Axis Mundi». Ce pilier, qui concrétise le passage à travers les divers plans de l'existence, représente aussi le roi [46].

De multiples apports ont pu contribuer à la formation de ce type de pilier de l'époque monarchique. Doit-on considérer comme leurs antécédents les menhirs de l'ère mégalithique appelés comme eux «doring» et qui ont peut-être rempli en partie les mêmes fonctions d'objet symbolique, cultuel, et parfois, comme le souligne G. Tucci, «signum» d'une pacte [47]? Evoquer à ce propos les colonnes bouddhiques de l'Inde (lâth) est évident. Leur forme cependant est proche des piliers votifs chinoise (que) depuis l'époque Han (206 av. J-C-220 apr. J-C). Cette analogie typologique est complétée par les couvertures de type «sizhuding», et souvent aussi par les mêmes décorations: dragons et nuages stylisés [48].

fig. 96

Les deux statues de lion assis situées sous la tombe de Repachen († 842 env.) et posées sur un petit piédestal ont une hauteur de 1.55 m, une longueur de 1.20 m, et une largeur de 0.76 m. [49].

Leur typologie les rattache étroitement, comme pour les piliers, à des prototypes chinois. Par exemple, les deux lions de la tombe de l'empereur Gaozong († 683) dans la nécropole Tang de Qianxian[50], bien qu'ils soient de proportions plus monumentales, ont, comme ceux de Repachen, la même position, le même rapport piédestal-pattes, le même traitement des mèches de la crinière, la même façon de rendre l'oeil, l'accentuation de la musculature pectorale, la position de la queue repliée sur le dos. Tous ces éléments sont cependant traités dans des styles très différents. Au réalisme, au goût des contrastes plastiques des Tang s'oppose sur ces oeuvres tibétaines un language plus synthétique, stylisé, comme «archaïque» qui serait peut-être la caractéristique d'artisans locaux. Ces tombes monumentales présentent ainsi un certain éclectisme, incluant des éléments des nécropoles impériales chinoises tels des stèles et des lions gardiens. D'après les textes, le rituel d'ensevelissement et le plan de la chambre funéraire appartiennent probablement à des traditions locales, bien que l'édification de tumulus à base quadrangulaire en terre damée soit commun aux deux civilisations.

YUMBU LAKHAR, Vallé du Yarlung

fig. 97, 98

L'ancien château royal (kukhar) Yambu lakhar ou Yumbu lhakhang dans la vallée de Yarlung fut par la suite transformé en temple (lhakhang). A la suite de la tradition tibétaine, voyageurs et spécialistes[51] le considèrent comme le plus ancien édifice du Tibet et font remonter sa fondation au roi mythique Nyathi Tsenpo[52]. En ce lieu, le roi semi-historique Lha Thotho Rinyantsen aurait reçu un coffret tombé en don du ciel et contenant des textes bouddhiques[53]. Une crypte, considérée par certains comme le tombeau de ce même roi, aurait été creusée dans la roche rougeâtre à l'emplacement du château[54]. L'édifice a été reconstruit et restauré plusieurs fois, en particulier ses structures internes en bois[55].

Il mesure environ 11 m 6 m mais G. Tucci signale des ruines plus importantes sur les versants de la colline. Malgré les réparations et les ajouts, on peut encore relever certaines caractéristiques typiques des châteaux fortifiés de l'époque monarchique. La technique de construction (pierre sommairement équarries et assemblées par un mortier de terre) est similaire à celle qui était pratiquée par les Tibétains d'après les sources chinoises anciennes[56]. G. Tucci remarque les mêmes techniques dans les ruines de Chinga Tagtse qui fut une des résidences des rois de Yarlung[57], H. Richardson les dit spécifiques des édifices les plus anciens[58].

Les fouilles récentes d'un site néolithique près de Chamdo[59] montre que cette technique existe depuis une époque très ancienne aux confins orientaux de ce qui deviendra l'aire d'extension culturelle tibétaine.

La haute tour est également caractéristique[60] de cette époque bien qu'il faille considérer son toit de style chinois comme plus récent.

fig. 99

Certaines particularités rapprochent le Yumbu lakhar des forts qui furent occupés par des Tibétains durant leur conquête de l'Asie centrale, en particulier le fort de Mazar Tag dans la region de Khotan[61].

Les deux constructions, élevées sur des collines, présentent une forte asymétrie et sont constituées par une juxtaposition de modules quadrangulaires de tailles diverses qui épousent les dénivellations du terrain. Dans les deux édifices, l'entrée ouvre sur un côté, la tour carrée occupe une position excentrique et les mêmes contreforts extérieurs soutiennent les murs.

Aucune de ces deux constructions ne présente une façade principale, mais seulement un jeu d'emboitements de volumes géométiques. Ce caractère constructif, appelé parfois «technique de l'inventaire» est analogue à celui qui fut utilisé pendant le Moyen-Âge occidental[62]. Cet édifice, encore publié en 1960 par Wang YI[63], a été complètement détruit pendant la Révolution Culturelle[64] puis reconstruit (Section XVII).

TSUGLAGKHANG, Lhasa

Le Tsuglagkhang (Lieu de dévotion) est la «cathédrale» de Lhasa dont fait partie le Jokhang (Le temple du

Seigneur), l'édifice le plus sacré du Lamaïsme, l'endroit où chaque tibétain espère pouvoir se rendre en pélerinage au moins une fois dans sa vie. Il a été visité et décrit par de nombreux voyageurs et spécialistes [65]. Selon la tradition il est le plus ancien temple bouddhique. Il fut fondé par le roi Songtsen Gampo († 649) à la demande de son épouse népalaise. Selon de nombreux témoignages écrits, il fut édifié au centre de la ville sur le modèle du temple Vikramâshîla et comportait trois étages. On parle en outre de nombreuses restaurations et reconstructions [66].

Les parties les plus spectaculaires du Tsuglagkhang (couvertures dorées, décoration picturale des charpentes, édifices d'accès et annexes) remontent à l'époque des dalaïlama et surtout aux restaurations du «Grand Cinquième» (Section IX). Le monument couvre une superficie d'environ 10.800 m² et il est situé au centre d'un ensemble de bâtiments publics, d'entrepôts et d'habitations monastiques et nobiliaires. Le tout est entouré d'un chemin, le Barkor, utilisé pour la circumambulation rituelle (pradaksinâ).

fig. 100

A l'intérieur du Tsuglagkhang et du Jokang, la succession d'édifices et déambulatoires pour la pradaksinâ — alternant suivant un plan quadrangulaire et concentrique, leurs côtés tournés vers les quatre points cardinaux — s'inspire d'un modèle indien. L'axe de direction Est-Ouest, mis en évidence par les entrés monumentales et la chapelle principale, se rattache tout à fois à l'ancien axe sacré tibétain et à l'orientation principale de certains vihâra, par exemple à Nâlandâ, et de nombreux temples bouddhiques de l'Asie Centrale [67]. Il est possible de reconnaître dans le Jokhang, qui est considéré à l'unanimité comme étant la partie ancienne de l'ensemble de l'édifice, quelques vestiges datant de l'époque monarchique. Sans aucun doute, la suite de chapelles situées sur les côtés du plan quadrangulaire rappellent les prototypes indiens contemporains. Mais l'absence d'un élément central évoquant un temple-montagne, le fait que l'enceinte habitée possède plusieurs étages et surtout le fait que le «sancta sanctorum», c'est à dire la chapelle du Jowo (la grande statue de Shâkyamuni) soit précédé d'un vestibule, le tout ouvrant à l'Est, dans l'axe de l'entrée, font penser à un modèle indien plus ancien. Ils figurent dans le plan des vihâra des Gupta (320-600) comme dans le vihâra II d'Ajantâ (fin VIème s.), ce plan fut encore en usage sous les Pâla [68]. Ce type comprend une cour rectangulaire, entourée de portiques devant les cellules des moines. Il possédait souvent plusieurs étages, une entrée monumentale à une extrémité et une grande chapelle à l'autre. Quelquefois un portique ou une salle (mandapa) précède la chapelle. Rien n'empêche donc qu'on puisse accorder un certain crédit, du moins en ce qui concerne la typologie, à la tradition — confirmée par l'inscription de Thide Songtsen (800 - 815) [69] — selon laquelle le Jokhang fut construit à une époque antérieure à l'Utse de Samye dont le modèle fut le temple-montage des premiers Pâla.

fig. 101, 102, 103

Il a été possible de reconnaître dans le Jokhang la présence de certains éléments de construction qui peuvent se rattacher à l'époque monarchique. Wang Yi signale, au rez-de-chaussés, un structure architectonique typiquement chinoise de l'époque Tang, de grandes poutres en forme de fourches [70]. De nombreux auteurs font remarquer la présence de colonnes, bases, chapiteaux et soutiens d'entablement sculptés qui rappellent les constructions de l'Inde et du Népal [71]. Le soutiens d'entablement de l'angle Nord-Ouest de la salle centrale en est un exemple. Il peut être comparé avec les soutiens angulaires en pierre de la grotte II d'Ajantâ de la fin de l'époque Gupta, dont le plan rappelle aussi celui du Jokhang. Une semblable analogie se retrouve dans la typologie de ces soutiens d'entablement, dans les diverses modénatures des plinthes, dans la décoration en pétales de lotus, mais surtout la position et la façon de rendre le corps humain qui s'inscrit dans la courbure de la console et conserve encore au Jokhang un peu de l'harmonie classique et de la plasticité de l'esthétique gupta. Plus tard, au Tibet, après la seconde diffusion du Bouddhisme, la décoration des chapiteaux recevra un traitement moins plastique et un décor plus tassé. On ne trouvera pratiquement plus ces puissantes figures isolées en haut-relief.

fig. 104

Un autre élément de la structure en bois qu'on peut faire remonter à l'époque de la monarchie est la porte de la chapelle située à droite du sanctuaire du Jowo [72]. Ce portail d'une harmonie classique, sculpté de motifs végétaux et zoomorphes, aux panneaux contenant des figures humaines et animales, est flanqué de deux élégantes semi-colonnes. Sa forme et son décor sont copiés d'exemples pâla tel un portail en pierre provenant de Bodhgâya [73]. On remarque dans ces deux portes la présence de deux colonnes engagées aux chapiteaux et aux pieds-droits décorées de manière semblable.

Les représentations des deux lions, situés aux extrémités de la partie supérieure, la position analogue des panneaux décorés sur l'architrave, la même fréquence de bandes concentriques à motifs végétaux et géométriques et le traitement en fort relief de certains éléments (colonnes, panneaux dans la partie supérieure) sont identiques. On peut opposer ces oeuvres aux portails en bois de l'époque de la Seconde diffusion qui, bien que décorés de bandes concentriques, ne sont jamais pourvus de colonnes et de lions.

Ils sont, de plus, ornés d'une façon plus dense, sans la forte plasticité de la porte du Jokhang. On peut ainsi affirmer que les structures en bois du Jokhang ont encore conservé de nombreuses caractéristiques des anciennes sculptures bouddhiques en bois des époques post-gupta et pâla, disparues de l'Inde depuis des siècles.

TEMPLE DE TADUG, Vallée du Yarlung

Le temple de Tadug (Dragon-oiseau) est le plus grand complexe bouddhique fondé à l'époque de la monarchie qui subsiste dans la vallée du Yarlung.

fig. 105, 106

Selon la tradition [74], il fut construit par Songtsen Gampo mais certains savants y voient une fondation de Thisong Detsen [75]. Il abrite une cloche donnée par ce roi et rappelle le Jokhang par son plan. Cette similitude se retrouve dans la partie rectangulaire constituée d'éléments emboîtés, dans l'entrée monumentale située à l'Ouest, dans ce qu'il reste de la rangée de chapelles qui entouraient l'édifice central, dans la cella principale située dans l'axe de l'entrée et flanquée de sanctuaires mineurs de chaque côté. Ces éléments qui évoquent tous le Jokhang peuvent malgré des reconstruction successives, permettre de faire remonter le plan de cet édifice à l'époque de la monarchie. Ce temple brûlé par les Zungars en 1717 et restauré par le XIIIe Dalaïlama [76], était encore en bon état en 1959 [77].

LE CHÖKHOR CHENPO DE SAMYE, Vallée du Tsangpo

fig. 107

Cet ensemble de temples et de monastères fut fondé dans la seconde moitié du VIIIème siècle par le grand monarque Thisong Detsen (c. 755 - 797) près de sa capitale d'hiver [78], sous l'égide du maître bouddhiste indien sântarakṣita et du grand exorciste Padmasambhava [79].

fig. 108

Selon de nombreuses descriptions anciennes [80], le plan de ce complexe était étroitement lié aux spéculations religieuses du maṇḍala caractéristiques de l'architecture indienne. Le temple central, était identifié avec le Sumeru, la montagne cosmique, l'«axis mundi» ainsi qu'avec la personne du monarque devenue Dharmarâja (roi selon la Loi). Ce temple était entouré, aux quatre points cardinaux, de quatre édifices majeurs et huit édifices mineurs qui symbolisaient les divers continents de la cosmologie indienne.

A l'extérieur, quatre chörtens, respectivement bleu, noir, rouge et blanc, représentaient les diverses régions de l'espace. Ils furent érigés par quatre ministres qui furent ainsi identifiés aux Lokapâla. L'enceinte extérieure correspondait à la chaîne de montagnes (chakravâla) qui entoure l'univers. Un temple d'Odantapurî, (probablement le Mahâvihâra), construit au VIIIème siècle dans le Bihâr par Dharmapâla (770 - 810) lui aurait servi de modèle.

Par contre d'après la tradition tibétaine l'emploi dans l'édifice central (Utse) de divers styles architecturaux (tibétain, chinois, indien et peut-être khotanais) différenciés selon leurs plans semble être une innovation typiquement locale bien qu'en accord avec l'éclectisme des traditions bouddhiques. Cette disposition architecturale est également mentionnée à propos d'autres constructions de l'époque [81].

Les destructions et reconstructions successives des édifices de Samye sont attestées par la littérature [82] et même par des peintures [83]. Mais, certains traits originaux indiqués dans les textes sont encore reconnaissables. Jusqu'en 1959, le complexe entier couvrait encore 110.000 m² et était entouré d'une enceinte courbe surmontée d'une centaine de petits chörtens et interrompue par quatre portes monumentales. L'Utse se trouvait presque au centre avec, aux quatre angles, les imposants chörtens de

fig. 109, 110

différentes couleurs; il était entouré d'édifices de tailles diverses (constructions religieuses, logements de moines, entrepôts) disposés de façon asymétrique et qui appartenaient aux plus importantes écoles religieuses du Tibet: Nyingmapa, Sakyapa, Gelugpa. L'Utse est un ensemble de constructions de vastes proportions qui couvre environ 4990 m². Une enceinte presque carrée, d'environ 70m de côté, orientée suivant les points cardinaux et percée de fenêtres sur l'extérieur, est bordée à l'intérieur d'un double portique.

Une entrée monumentale, fortement en saillie, s'ouvre au milieu du côté Est et deux autres entrées de moindres proportions sont situées au milieu des côtés Nord et Sud, tandis que sur le côté Ouest seul un élément en saillie rappelle la quatrième porte du mandala.

Au centre de cette première cour s'inscrivent d'une manière concentrique, un premier emboîtement constitué de passages et de chapelles, puis un couloir de circumambulation, enfin le temple proprement dit.

Trois chapelles, au Nord, à l'Ouest, et au Sud forment une saillie au centre de chacun des cotés extérieurs du bâtiment et lui donnent un aspect cruciforme.

Le côté Est possède une ampleur que souligne l'entrée du bâtiment et par là l'accès au mandala. La salle d'assemblée est située dans ce massif oriental. Elle est flanquée de deux constructions à deux étages qui sont les équivalents des petites saillies latérales que l'on rencontre sur les trois autres côtés. Au centre, s'élève le temple proprement dit dont trois côtés prennent appui sur des murs très épais. Il est formé de quatre étages de taille légèrement décroissante symbolisant la montagne cosmique. G. Tucci a signalé la façon dont la décoraton picturale et sculpturale à l'intérieur des divers étages retrace, à travers les différentes sortes de divinités représentées, le cheminement spirituel des fidèles [84].

La succession de styles architecturaux telle qu'elle apparaît dans ces étages évoque celle qui est indiquée par les sources anciennes [85]. L'enceinte, le massif extérieur et les deux étages inférieurs du temple présentent une maçonnerie massive aux murs légèrement à fruit, des ouvertures et au sommet une bande décorée dans la tradition tibétaine la plus pure. La présence de ces deux premiers étages en «style tibétain» contredit certains textes qui rapportent que le deuxième étage aurait été édifié «dans le style de Khotan» [86].

Khotan était l'un des centres bouddhiques le plus important d'Asie Centrale. Son architecture a pu être utilisée à l'origine pour l'Utse comme ce fut le cas pour d'autres monuments de la même époque selon différents textes. Lors de reconstructions ultérieures de Samye, l'impossibilité de se référer aux constructions bouddhiques du Xinjiang après leurs dévastations par les musulmans a pu entraîner l'emploi de formes purement tibétaines pour les deux premiers étages. Les petits toits débordants qui scandent l'élévation de la façade au dessus du deuxième étage et les consoles coudées qui le supportent [87] pourraient être le dernier écho de cette tradition.

Les structure externes en bois du troisième étage, la couverture et le système de consoles (dougong) sont typiquement chinois.

Le dernier étage, par contre, répète au centre la forme en gradins des temples indiens de type prâsâda à pañcâyatana [88] surmonté du traditionnel épi de faîtage en âmalaka. Cette superposition de styles rend plus sensible le passage d'une étage à un autre qui constitue un itinéraire mystique et possède une signification symbolique.

Ainsi le style tibétain, identifié aux traditions religieuses pré-bouddhiques, est utilisé dans les étages inférieurs pour représenter un niveau moins parfait de l'évolution spirituelle. Il est dominé par le Bouddhisme chinois représenté par le troisième étage. Au dessus s'élève le style de l'Inde, la terre du Bouddha qu représente la partie la plus pure de la doctrine. C'est ainsi que même l'architecture atteste de la primauté de la tradition indienne sur la chinoise, priorité que sera confirmée par ce que l'on a appelé le «concile de Samye» ou «de Lhasa» [89].

Nous savons que cet édifice s'inspirait du temple indien d'Odantapurî, identifié avec le site actuel de Bihar-i Sharif dans le Bihâr qui n'a pas encore été fouillé. D'autres monuments du VIIIème siècle d'époque pâla présentent dans leur plan des affinités avec l'Utse de Samye. Tous participent à un modèle connu, celui du mahâvihara dont le temple d'Odantapurî fait partie. Si en effet on compare la plan de l'Utse avec celui du Vikramashîla mahâvihâra d'Antichak ou avec celui du Somapura mahâvihâra de Pahârpur, on retrouve la même enceinte externe qui contenait les cellules des moines et des portes en saillie aux quatre orients donnant cependant une importance plus grande à l'entrée principale. Le plan de l'édifice, au centre de la cour, est cruciforme, élévé sur des gradins concentriques à redents. On remarque ainsi que l'Utse, bien que dans un language architectonique différent et de proportions plus modestes, reprend la même association entre un temple central représentant la montagne cosmique, et un monastère (vihâra) organisés suivant le plan d'un mandala.

L'examen de Samye permet de constater que les trois caractéristiques fondamentales indiquées dans les textes, — c'est à dire un plan en mandala, l'emploi de plusieurs styles et une certaine fidélité au modèle indien — ont été conservées au cours des diverses reconstructions. Actuellement, on ne peut attribuer à l'époque monarchique que la stèle et une coche [90] situées près de l'entrée, et probablement les murs massifs qui entourent la partie basse la plus interne du temple [91]. Mais toutes les sources écrites tibétaines les plus détaillées sont postérieures à l'époque de la deuxième diffusion du Bouddhisme (XIème siècle). Leurs descriptions si précises concernent-elles le monument original? Si l'on confronte l'Utse avec le temple d'Odantapurî, on peut constater que le temple de Tholing se détache plus de son prototype indien que Samye. Les proportions sont beaucoup moins monumentales et le plan est considérablement simplifié. Ce manque de fidélité au modèle indien, tout en conservant intacts les contenus doctrinaires, dénote un certain éloignement chronologique. Ce phénomème est général dans toute évolution architecturale, les emprunts étrangers s'effacent avec le temps, faisant ressurgir les traditions locales [92]. Au début de la deuxième diffusion du bouddhisme, le grands moyens économiques dus aux conquêtes n'existent plus, comme n'existe plus un pouvoir politique unitaire qui puisse se permettre des constructions aussi monumentales que Samye. Les constructions de cette époque s'inspirent exclusivement des traditions indiennes sans aucune référence architecturale à la Chine.

L'emploi d'un style différent pour chacun des étages de l'Utse le rattache nettement à l'époque de la première diffusion du Bouddhisme. Le pluralisme des sources (Inde, Chine, Asie centrale) d'où le Tibet reçoit la nouvelle croyance, le lutte contre l'ancienne religion pré-bouddhique et sa soumission, la prééminence de la doctrine indienne sur la chinoise ne seront plus des questions primordiales au XIème siècle. On peut donc attribuer à la fondation de l'Utse de Samye et par extension à d'autres temples de la même époque dont parlent les textes, l'utilisation de plans concentriques qui s'inspire directement des temples indiens, l'adoption de «styles nationaux» d'autres contrées dont leur disposition possède une signification symbolique.

Actuellement, ne reste du complexe de Samye que l'Utse privé de son dernier étage. Le plan publié par An Xu en 1982 [93] est différent de celui qui fut proposé par Wang Yi en 1961. Dans l'enceinte du monastère, une vingtaine d'édifices ont été quasiment détruits durant la Révolution Culturelle [94].

SECTION V-NOTES

[1] RICHARDSON, 1949; TUCCI 1950ᵃ, p. 84-108; RICHARDSON, 1952; 1952-53; LI FANG-KUEI, 1956; RICHARDSON, 1957; 1963; 1964; 1969; 1972; 1973.
[2] BACOT, THOMAS, TOUSSAINT, 1940; THOMAS, 1953.
[3] BUSHELL, 1979-80; ROCKHILL, 1981; PELLIOT, 1961.
[4] FRANKE, 1926; OBERMILLER, 1932; PETECH, 1939; TUCCI, 1947; ROERICH, 1949-53; STEIN R.A., 1961.
[5] TUCCI, 1973, p. 80. 137-41.
[6] TUCCI, 1973 p. 80, 137-41, 211.
[7] TUCCI, 1950ᵃ.
[8] JIU TANGSHU, chap. 196 à p. 5219-5220; trad. PELLIOT, 1961, p; 1-2.
[9] TUCCI, HEISSIG, 1973, p. 211.
[10] bka thang sde-Inga p. 43 trad. TUCCI, 1950ᵃ p. 35.

11 MORTARI VERGARA, 1976 p. 209 n. 43.

12 MORTARI VERGARA, 1976 p. 202-203 n. 23.

13 TUCCI, 1973 p. 23; TUCCI, HEISSING 1973 p. 239-242.

14 MACDONALD A., 1971; BLONDEAU, 1976 p. 9-15.

15 TUCCI, HEISSING, 1973 p. 239-242.

16 TUCCI, 1949; VOLWAHSEN, 1968 p. 43-56.

17 FERRARI, 1958 p. 109-110, SNELLGROVE, RICHARDSON, 1968, p. 36.

18 MORTARI VERGARA, 1968 p. 223-224.

19 BACOT, THOMAS, TOUSSAINT, 1940 p. 90, e 25, 102/103; Deb-ther dmar-po fol 10-b; Trad Wylie, 1963 p. 96.

20 Bka' — thang sde-lnga p. 42; Gyal Rabs p. 71-94; DALAI LAMA V, p. 38-44; trad. TUCCI, 1950ᵃ p. 7-10; HAARH, 1969 p. 327-389.

21 JU TANGSHU, 196 A. 2V 8-10; TANGSHU, 216 A 2r 2-4; trad. BUSHELL, 1880 p. 9; HAARH, 1969 p. 396; PELLIOT, 1961 p. ??.

22 TUCCI, 1949ᵃ, p. 730-734; 1950ᵃ; WANG YI, 1961 n. 5-6 p. 81-87 trad. GIORGI M.L. 1985 RICHARDSON, 1963.

23 HOFFMANN, 1950; FERRARI, 1958 p. 53, 130; HARH, 1969 p. 327-384; HENSS, 1981 p. 109-113.

24 HOFFMAN, 1943 p. 7; TUCCI, 1949ᵃ 730-4; STEIN R.A., 1962 p. 202; WYLIE, 1963 p. 102.

25 AUFSHANITER, 1956 p. 74; Tucci, 1973 p. 51.

26 RICHARDSON, 1963 p. 90-91.

27 TANGSHU. trad. BUSHELL, 1880 p. 487; PELLIOT, 1961; BACOT, THOMAS, TOUSSAINT, 1940; RICHARDSON, 1963 p. 89. TALBOT RICE 1958. Tav. 98; Soulangwangdu, Hou Shizhu 1985 p. 32-37; Wang Yao, in corso di stampa.

28 TUCCI, 1950 p. 33; RICHARDSON, 1963 p. 74; WANG, 1961 n. 5-6, p. 81, 86; trad, GIORGI M.L. 1985; HAARH, 1969 p. 396.

29 WANG YI, 1961 n. 5-6 p. 82; trad. GIORGI M.L. 1985.

30 V.n. 21).

31 WANG YI, 1961 n. 5-6 p. 85 trad. GIORGI M.L. 1985; RICHARDSON 1963 p. 77; TUCCI, 1973, p. 59-60; C.P.A.M., XIZANG, 1985 p. 73-76.

32 rGyal rabs p. 27e; trad. TUCCI, 1950, p. 75 n. 11; TUCCI, 1955.

33 HAARH, 1969 p. 389-390.

34 TUCCI, 1950ᵃ, p. 9.

35 ACHARYA, 1927 vol. II fig. 3; WILLETTS, 1963 p. 831; SICKMAN, SOPER, 1969, p. 272; ANANTHALWAR, RE, 1980 vol. I p. 107.

36 LALOU, 1952: HAARH, 1969 p. 357-79; MACDONALD A. 1971.

37 FERRARI 1958 p. 130.

38 JIGMEI, 1982, p. 31 f. 8.

39 WANG YI, 1961 n. 5-6 p. 81 trad. GIORGI M.L. 1985.

40 TUCCI, 1950ᵃ; WANG YI, 1961 n. 5-6 p. 84; trad. GIORGI M.L. 1985: RICHARDSON 1964 p. 1-3.

41 TUCCI, 1950ᵃ, p. 32, 36, 91-93; WANG YI, 1961, n. 5-6 p. 83 trad. GIORGI M.L. 1985; RICHARDSON, 1963 p. 78, 81 f. 34; 1969 p. 2938; TUCCI, 1973 p. 62.

42 RICHARDSON, 1963 p. 86.

43 TUCCI 1956ᵃ.

44 RICHARDSON 1957; TUCCI 1973 p. 89.

45 V.n. 1).

46 TUCCI, 1950ᵃ p. 34-35.

47 ROERICH, 1933 p. 246; MACDONALD A.W. 1953 P. 63; TUCCI, 1973 p. 49-51.

48 SEGALEN 1972 f. 6-11, 13-14; HENSS, 1981 p. 111, 262, n. 15; LIANG SU CHENG 1985, fig. 12.

49 WANG YI, 1961 n. 5-6 p. 81 f. 12-13; trad. GIORGI M.L. 1985; RICHARDSON, 1963 , 83-85 f. 12-13.

50 SEGALEN, 1972f. 37.

51 SCHAFER, 1943 p. 180; TUCCI, 1950 ᵇ p. 137; 1980 2° p. 155; FERRARI, 1958 p. 49-50-125; SNELLGROVE, RICHARDSON, 1968 p. 33-46-51; WANG YI, 1961 . 4, p. 41-43; trad. GIORGI M.L. 1985; HAARH, 1969 p. 104, 192, 199, 352-355; DENWOOD, 1971 p. 9. TUCCI, 1973 p. 63-65; MORTARI VERGARA, 1976 p. 205-207; HENSS, 1981 p. 114-116, 262-263.

52 FERRARI, 1958 n. 244; HAARH, 1969 p. 104, 192, 199; HENSS, 1981 p. 262 n. 27.

53 ROERICH 1949-53 p. 40: FERRARI, 1958 n. 245.

54 rGyal-po-bka-thang f. 43b-44a; trad. RICHARDSON 1963 p. 75; HAARH, 1969 p.352-56; HENSS, 1981 p. 262 n. 30.

55 TUCCI, 1950b p. 137; 1980 2° p. 55; FERRARI 1958 n. 244; SNELLGROVE, RICHARDSON, 1968 p. 33; WANG YI, 1961 trad. GIORGI M.L. 1985.

56 Hou han zhu, 116 IIa trad. STEIN, R.A. 1957 p. 61.

57 TUCCI, 1973 p. 64.

58 SNELLGROVE, RICHARDSON, 1968 p. 34.

59 WEN WU, 1979 n. 9.

60 STEIN, R.A., 1957, p. 61; PELLIOT, 1962 p. 2; STEIN, R.A., 1962 p. 93, 1981 2° p. 88-89, TUCCI, 1973 p. 64-74; JIU TANGSHU, c. 196ç p. 5219-5220.

61 STEIN, M.A., 1921 p. 1285; STEIN, M.A., 1912 f. 27; MAILLARD, 1983 p. 39-42 f. 20.

62 ECO, 1967 p. 56-76; ZEVI, 1974 p. 55; HUMMEL, p. 103-104 (n. 37).

63 WANG YI, 1961 n. 4 p. 41-43; trad. GIORGI M.L. 1985.

[64] JIGMEI, 1982, fig. 6.

[65] DA FANO, 1713 In PETECH, 1952-56 III p. 22-23, 326 n, 65; DESIDERI, 1712-1733 In PETECH, 1952-56 VI P. 24-26, 318 n. 36; GIORGI, A.A., 1762; WADDEL, 1905 p. 361-371; LONDON, 1905 II p. 304-314; WALSH, 1938; WALSH, 1946 n. 27-30; TUCCI, 1952 p. 89-90; SIS, VANIS, 1956; WANG YI, 1960 n. 6 p. 43-46; HUMMEL, 1965; TUCCI, 1973 p. 142; RICHARDSON, 1977; TARING, 1979; HENSS, 1981 p. 63-82.

[66] VASILYEV, 1895; V, DALAI LAMA, 1647; trad. GRUNWEDEL, 1919 p. 17-53; BUSTON; trad. OBERMILLER 1932 p. p. 185; PADMA thang 'yng: trad. TOUSSAINT, 1953, 399; ROERICH, 1949-53 p. 40, 219; Mk'yne Brtise; trad. FERRARI, 1958 p. 39-40.

[67] MITRA, 1971; MAILLARD, 1983 p. 135-46.

[68] MITRA, 1971.

[69] STEIN R.A., 1962p. 38.

[70] WANG YI, 1960 n. 6 p. 44.

[71] LIU, 1957 fig. 3, 6; WANG YI, 1960 p. 44 trad. GIORGI M.L., 1985; RICHARDSON 1977 p., 176-177; HENSS, 1981 p. 68; JIGMEI, 1982 fig. 177.

[72] LIU, 1957 fig. 3. WANG YI, 1960 n. 6 p. 44; trad. GIORGI M.L. 1985, RICHARDSON, 1977 p. 173.

[73] BANERJI 1933 fig. XCII p. 159.

[74] VASILYEV, 1895 p. 34; BUSTON; trad. OBERMILLER 1931 p. 184; ROERICH, 1949-53 p. 40; FERRARI, 1958, p. 49-50, 124-125.

[75] DAS, 1904 p. 302; TUCCI, 1950 [b] p. 71-71; TUCCI 1956 p. 136; WANG YI, 1961 n. p. 43; trad. GIORGI M.L. 1985. RICHARDSON, SNELLGROVE, 1968 p. 34, 77, 90.

[76] TUCCI, 1950 [b] p. 70.

[77] WANG YI, 1960 n.6; trad. GIORGI M.L. 1985; HENSS 1981 , p. 116; JIGMEI, 1981, 244, 245.

[78] DEMIEVILLE, 1952 p. 201; TUCCI, 1958 p. 32.

[79] TUCCI, 1950 [b] p. 103-105; FERRARI, 1958 p. 44-47, 113-115; WANG YI, 1961, 6, p. 58-63; STEIN, R.A., 1962, p. 113-114; RICHARDSON, SNRLLGROVE, 1968 p. 76; TUCCI, 1968 p. 111; TUCCI, 1973 p. 79, 80; KARMAY, H., 1975 p. 4-5; MORTARI VERGARA, 1979 p. 71-104; HENSS, 1981 p. 117-126; AN, 1982, 8.

[80] La-dvegs-rgyal-rabs; trad. FRANCKE, 1926 p. 86; BUSTON: OBERMILLER, 1931 p. 189; Padma t'ang yig, c. LXXXVI: TOUSSAINT, 1933 p. 342-43; BKA'-BLON BSAD-SGRA, 1854; TUCCI, 1956 [b] p. 279-281.

[81] TUCCI, 1950 [b] p. 111; TUCCI, 1973 p. 80; H. KARMAY, 1975 p. 5.

[82] DAS, 1902 p. 296-297; FRANCKE, 1906 p. 91; BKA'-BLON BSAD SGRA, 1854 10-11, 48; BLONDEAU, 1976 p. 106-107.

[83] MORTARI VERGARA, 1979 p. 90-93.

[84] TUCCI, 1950 [b] p. 137-138.

[85] v.n. 67.

[86] Padama t'an-yig, LXXXVI n. 1-12; trad. TOUSSAINT, 1933.

[87] India Office Library, C. BELL D. 469.

[88] MITRA, 1971 p. 60-66; SARASWATI, 1966 p. 64-68; MORTARI VERGARA, 1979 p. 86-88.

[89] DEMIEVILLE, 1952.

[90] TUCCI, 1950[a] p. 41, 69-108; WANG YI, 1951 n. 6 p. 59, trad. GIORGI M.L. 1985.

[91] WANG YI, 1961, n. 6 p. 59.

[92] MORTARI VERGARA, 1976 p. 212-213 n. 60.

[93] AN, 1982 f. 2.

[94] AN, 1982 p. 2.

OUVRAGES GENERAUX

BACOT, THOMAS, TOUSSAINT, 1940; BUSHELL, 1880; DEMIEVILLE, 1952; FERRARI, 1958; FRANCKE, 1926; GRUNWEDEL, 1919; HAARH, 1969; HENSS, 1981; HOFFMANN, 1943; 1950; HUMMEL, 1965; KARMAY H., 1975; JIGMEI, 1981; LALOU, 1952; LI, 1956; MACDONALD, 1971; MORTARI VERGARA, 1976, 1979; OBERMILLER, 1931-32; PELLIOT, 1961; PETECH, 1939; RICHARDSON, 1949; 1952; 1952-53; 1957; 1963; 1969; 1972; 1973; 1977; ROERICH, 1949-53; SNELLGROVE, RICHARDSON, 1968; R.A. STEIN, 1961; 1962; SOULANG WANGDU, HOU SHIZU, 1985; TARING, 1979; THOMAS, 1953; TOUSSAINT, 1933; TUCCI, 1947; 1949 [a]; 1950 [a]; 1950 [b]; 1955; 1956 [b]; 1973 [a]; WALSH, 1938; WYLIE, 1963; WADDEL 1905.

SEZIONE VI

TIBET OCCIDENTALE (NGARI), DAL SEC. X AL SEC. XIV

Paola Mortari Vergara

I più importanti territori occidentali dell'area culturale tibetana attualmente divisi tra l'Unione Indiana (Ladakh, Spiti, Kunavar, Lahul) e la Repubblica Popolare Cinese (Regione Autonoma del Tibet) furono conquistati dalla monarchia di Yarlung nel sec. VII (regno di Shangshung) e nel sec. VIII (Ladakh) e vennero chiamati Ngari (zona sotto controllo).

fig. 111

Fino al sec. X non esiste sufficiente documentazione sulla attività architettonica in queste zone. Dai pellegrini cinesi che si recavano in occidente per venerare i luoghi santi del Buddhismo abbiamo notizie di alcuni abitanti che vivevano sotto le tende e di un gran numero di fondazioni buddhiste [1]. Francke ha segnalato nel Ladakh i resti dei cosiddetti «castelli» attribuiti ai Dardi, una popolazione Indo-europea, ma l'ipotesi è considerata ora molto discutibile [2]. Tali insediamenti sembrano presentare un sistema costruttivo ricollegabile a quello dell'Asia Centrale e del Tibet, pienamente giustificato anche dalle equivalenze climatiche. La mancanza di prospezioni e di scavi archeologici non permette però di valutare la portata di tale analogia. Ma sembra che, dal punto di vista culturale, gran parte della zona abbia gravitato fino al sec. X più verso l'area indo-kashmira. Avvalorano questa ipotesi sia la documentazione epigrafica (iscrizione kusâna e Khalatse del I o II sec. d.C., altre iscrizioni in kharoshtî e brâhmî del Ladakh) e scultorea (rilievo rupestre a Mulbeck del sec. IX circa e rilievi su steli a Dras), sia la testimonianza del pellegrino cinese Huiqiao che segnala ancora nel 727 una sostanziale diversità nel vestire, nella lingua e nei costumi tra alcuni abitanti di Ngari e i conquistatori tibetani [3]. Attualmente il confine tra l'architettura vernacolare del Kashmir e quella del Tibet è quasi netto. Si possono riconoscere, solo per un breve tratto nella zona di Sonamarg, alcune abitazioni di morfologia eclettica con copertura a spioventi kashmira e aperture con cornici trapezoidali di tipo tibetano.

La cultura del Tibet sembra essersi impiantata saldamente nelle regioni occidentali solo a partire dal sec X, quando uno dei discendenti della monarchia tibetana occupò il territorio, fondando il regno di Ngari, successivamente diviso tra i suoi tre figli nei regni di Guge, di Purang e di Maryul (Ladakh) [4].

L'intera area, spesso frazionata in diversi regni, ha goduto solo per brevi periodi di un'unità politica, ma ha egualmente costituito un'enclave culturale particolare in cui sono sopravvissuti per secoli elementi dell'epoca monarchica, ormai scomparsi nel Tibet centrale. Essa ha sviluppato uno stile architettonico che, pur rientrando nella koinè tibetana, avrà una linea evolutiva e alcune soluzioni costruttive differenziate. Tale stile è anche uno dei meglio documentati del Tibet grazie agli studi del Francke prima [5], poi soprattutto di Giuseppe Tucci [6], e attualmente di Snellgrove [7] e Khosla [8].

Gli eredi della monarchia di Yarlung proseguiranno nel Ngari le principali tipologie edilizie dell'epoca monarchica: le dimore signorili e i santuari buddhisti. Si rinnova così l'alleanza tra il potere monarchico e il Buddhismo, parallelamente alla caratteristica disposizione per l'eclettismo architettonico.

Essendosi però ristretto l'orizzonte geopolitico e religioso, verranno guardati come modelli per le costruzioni buddhiste soprattutto l'architettura kashmira e quella Pâla-Sena del Bengala e del Bihâr. Proprio in queste due regioni i re del Tibet occidentale invieranno ad istruirsi religiosi, come il grande poligrafo e costruttore di templi Rinchen zangpo (985 - 1055), ne inviteranno eminenti personalità buddhiste come Atîsha (982 — 1054) e chiameranno artigiani ed artisti per edificare sacrari e santuari [9].

Si può anche notare una certa preponderanza di elementi kashmiri (archi trilobati, alcune tipologie edilizie, decorazione delle strutture lignee, ordini, soffitti a «laternendecke») nel Ladakh, mentre nel regno di Guge sembrano prevalere gli apporti del Bengala e de Bihâr (impianti dei mâhavihâra, templi di tipo prâsâda, pinnacoli a forma di stûpa che assumono quasi l'andamento a shikara) che sono in parte giustificabili con la maggiore facilità di comunicazioni e la contiguità geografica.

Non mancheranno anche suggestioni centro-asiatiche (tipologia della carpenteria), mediate dall'arte kashmira, o dirette prima della conquista progressiva dei grandi santuari buddhisti da parte dell'Islam (sec. X-XII). Non si dimentichi che Leh, la capitale del Ladakh, ha sempre costituito un importante nodo carovaniero per i commerci tra l'Asia Centrale e l'India. Una lontana eco di elementi classici, siriaco-bizantini e gandhârici (capitelli ionici, colonne scanalate, decorazione fitomorfica), giungerà anche nel Tibet Occidentale attraverso la mediazione centro-asiatica e kashmira. Meno valutabile è l'apporto nepalese (tipi di coperture, file di mensole a protomi di leoni) per la comune origine dei modelli; quasi completamente assente quello cinese, per la mancanza di rapporti diretti tra le due regioni.

Tali acquisizioni costituiranno un punto di riferimento per l'architettura del Tibet Centrale. Infatti proprio dalle regioni occidentali e soprattutto dal regno di Guge e del Ladakh partirà la rinascita buddhista che darà grande impulso anche all'attività architettonica.

Siti in pianura e frequentemente presso i castelli signorili o le capitali (Basgo, Chigtan, Nyarma), orientati secondo il tradizionale asse est-ovest e cinti da mura, i complessi religiosi accolgono frequentemente più edifici sacri, spesso dislocati in posizione quasi simmetrica. Ci troviamo di fronte ai più antichi esemplari di architettura buddhista del Tibet giunti fino a noi quasi integri, nonostante i successivi restauri e le aggiunte. Gli impianti si richiamano alle tipiche planimetrie indiane già utilizzate dai monarchi di Yarlung, ma con minore ampiezza e monumentalità. Le opere murarie ed i lineari motivi decorativi sono in puro «stile tibetano», solo alcuni elementi costruttivi lignei ripetono modelli kashmiri, pâla e centro-asiatici. Colpisce il singolare contrasto tra l'estrema semplicità dell'esterno intonacato di bianco, con lineari decorazioni rosso scure e l'interno letteralmente coperto di pitture murali e sculture, con le strutture lignee intagliate e dipinte a vivaci colori. Contrasto simile a quello che troviamo, ad esempio, nell'architettura paleocristiana e in certa architettura romanica, animata da una eguale tensione religiosa, a cui è stato dato dai critici contemporanei un valore simbolico [10]. L'esterno degli edifici corrisponderebbe all'involucro corporeo, semplice e transeunte, mentre l'interno, ricco di colori vivaci e luminosi, rappresenterebbe il mondo dello spirito. E parallelamente alle chiese paleocristiane e romaniche l'ingresso che rappresenta il punto di passaggio dal mondo terreno a quello spirituale è riccamente ornato di decorazioni, soprattutto scultoree. Come accadeva per i maestri delle cattedrali romaniche, esiste anche nel Tibet un diffuso anonimato degli artisti. Il manufatto architettonico, l'opera pittorica e scultorea vengono così considerati come espressione di un intero popolo, spesso rappresentato dai regali committenti.

Più di un secolo dopo la seconda diffusione del Buddhismo (chidar) tutte le fondazioni più importanti del Tibet Occidentale saranno reclamate dall'ordine dei Kadampa iniziato, secondo la tradizione di Atîsha (982-1054), ma fondato da Domtön (1004-64) che si recherà a Guge [11]. A partire dal sec. XIII incominciarono a diffondersi altre più importanti scuole dottrinarie già attestatesi nel Tibet centrale. Vedremo affermarsi, soprattutto nella zona intorno al Monte Kailâsa, la scuola Kagyupa che si ricollega agli insegnamenti di Marpa (1012-1096) e Milarepa (1040-1123) e in particolar modo la sottoscuola di Digungpa. Invece nel regno di Gungthang, sito nella zona sud-orientale del Ngari, si diffonde la scuola dei sakyapa, fondata da Konchog Gyelpo (1073), appoggiata dai mongoli. Può essere che Gungthang sia diventato un centro amministrativo del Tibet Occidentale durante la conquista mongola e il predominio dei Sakyapa nel Tibet centrale (sec. XIII-XIV) [12].

Queste scuole iniziarono ad introdurre nel Ngari il concetto di complesso religioso poli-funzionale, sito sulle alture, sviluppatosi nel Tibet Centrale, che vedremo diffuso nelle regioni occidentali a partire dal sec. XV.

Troviamo inoltre nel Ngari la documentazione più esauriente, e dopo le distruzioni della Rivoluzione Culturale cinese quasi l'unica, della morfologia dei chörten adottati dall'architettura tibetana antica. Anche le raffigurazioni date dagli tsatsa (modellini e placche votive a stampo) contribuiscono a definirne le caratteristiche salienti [13]. Vengono utilizzate in questo monumento-cenotafio alcune delle più diffuse tipologie degli stûpa indiani e centro-asiatici, con tutte le implicazioni psico-cosmologiche mandaliche espresse simbolicamente nella forma e nel colore dei vari elementi architettonici.

La valle sita ai piedi del castello di Shey nel Ladakh ne presenta, ad esempio, una gamma notevole, ma tutti i principali complessi architettonici sono preceduti e accompagnati dai chörten, i quali, nell'area del Ngari, sembrano essere ancora più frequenti che altrove. Il tipo più diffuso in quest'epoca sembra essere stato quello detto lhabab che simbolizza la discesa dal cielo Tushita del Buddha [14] e che presenta nella parte centrale di ogni lato una scala (chörten di Tholing,), ma sono documentate anche morfologie più complesse come quella a quinconce di Alchi. Ad Alchi sono anche presenti tre esempi di antichi chörten-porta. Questa costruzione, tipica del mondo tibetano, con un passaggio che attraversa il basamento, sottolinea spesso le vie d'accesso a complessi architettonici e conglomerati urbani. A Basgo e a Alchi esiste anche un altro tipo di chörten, posto su un podio a forma di mandala a gradoni decrescenti. Derivato anch'esso da un modello indiano verrà chiamato Kumbum nella sua forma più monumentale ed avrà grande diffusione, soprattutto nel Tibet Centrale, nelle epoche successive (Sez. VII).

Altro tipo edilizio introdotto dal Buddhismo è quello del santuario in grotta, ma in forma molto semplificata, senza la monumentalità dei grandi templi indiani o centro-asiatici. Si tratta di piccole caverne di forma quadrangolare o semicircolare, spesso affrescate e con sculture, che utilizzano frequentemente incavi naturali e all'origine costituivano per la maggior parte il luogo di ritiro di qualche venerato asceta buddhista.

Intorno ad una piccola grotta di questo tipo, in cui si dice abbia soggiornato l'indiano Naropa (956-1040), maestro di Marpa, è stato costruito il più antico tempio del complesso di Lamayuru nel Ladakh, che ha conservato alcuni elementi costruttivi (capitelli) della primitiva fondazione (sec. X-XI) [15]. Il più ricco complesso di tali santuari è quello segnalato da Tucci a Dunkar, in cui egli rileva superbe pitture della scuola di Guge databili intorno al sec. XV e soffitti con cariatidi e atlanti [16]. L'adozione di tale tipologia è stata senza dubbio facilitata dalla preesistenza di abitazioni di tipo troglodito in caverne segnalate anche nella capitale del regno di Guge, Tsaparang [17]. Uno degli insediamenti più importanti sembra essere stato quello di Changthang [18].

La tipolgia dei complessi palazziali del Tibet occidentale segue il modello proposto in epoca monarchica di un'architettura organica, di tipo anticlassico, sita alla sommità o alle pendici di un'altura. I testi ci segnalano un gran numero di palazzi fortificati (khar, dzong) [19] appartenenti ai molti signori e re che si spartivano il territorio, e i viaggiatori e gli studiosi hanno lasciato la descrizione di alcune di queste rovine [20]. Ma nessuno dei castelli di quest'epoca è arrivato intatto fino a noi.

Uno dei tipi più ricchi e complessi di tali conglomerati era rappresentato dalla capitale del regno di Guge: Tsaparang che prefigura con i suoi vasti templi e i suoi palazzi le città monacali dell'epoca successiva (Sez. VIII).

Qualche monumento del Tibet occidentale, più noto e studiato, ci permette di precisare alcuni dei caratteri generali di questa architettura e di fissarne una certa evoluzione.

COMPLESSO TEMPLARE DI THOLING, Regione Autonoma del Tibet

Il santuario dei re di Guge a Tholing fu costruito a partire dalla fine del sec. X dal pio re Yesheö e da Rinchen Zangpo, uno dei massimi artefici della rinascita del buddhismo, grande traduttore di testi sacri e fondatore di templi, che ne fu il primo abate. Esso testimonia la prosperità e i mezzi economici che aveva all'epoca il regno di Guge, si pensi che le sole colonne, fatte con tronchi di cedro, dovevano essere portate dal Kunavar attraverso impervi percorsi montani. Non abbiamo fino ad oggi dettagliate descrizioni del complesso, sito attualmente in una zona strategica e che è sempre stata di difficile accesso, le più esaurienti restano quelle dello Young e di G. Tucci e la più antica quella di Andrade [21].

Il riferimento all'architettura monarchica da un lato e alle costruzioni templari indiane che l'hanno ispirata dall'altro, è indicato nettamente dalla tradizione [22]. È affermato infatti che Tholing sia stata edificata sul modello di Samye il santuario dinastico della dinastia di Yarlung e su quello di Odantapurî il medesimo mahâvihâra dei Pâla che ha costituito il modello dello Utse di Samye. L'insieme dei templi a cui attualmente si sono aggiunte più tarde abitazioni monastiche, non riportate dalla pianta di G. Tucci qui pubblicata, è circondato da un muro rettangolare (chagri) che limita l'area sacra. Esso è orientato secondo i punti cardinali, ha due ingressi laterali a sud e a nord e l'entrata monumentale a est, su uno dei lati minori, sormontata da un coronamento a gradoni

fig. 112

267

che riprende simbolicamente il profilo del tempio di tipo «prâsâda». All'interno, in asse con l'ingresso e quindi in posizione di preminenza, si eleva il tempio di maggiori dimensioni detto di Yesheö. A sinistra dell'asse centrale sono siti tre templi: due a impianto rettangolare (Dükang, Tempio dei sedici Arhat) e uno quadrato (Tonggyü) e sulla destra due: uno a pianta rettangolare (Lhakhang Karpo) e uno a pianta quadrata (Serkhang). Il tempio di Yesheö, come lo Utse di Samye, consiste in più corpi di fabbrica concentrici, quelli esterni sono meno elevati in altezza di quelli centrali, così da creare all'esterno l'effetto di piramide a gradoni del prototipo indiano di tipo prâsâda. Del modello indiano conserva anche l'andamento «a molti angoli» della cinta più esterna e quello cruciforme del corpo centrale. Esso rappresenta tridimensionalmente il vajradhâtumandala, come è testimoniato anche dalla decorazione pittorica e scultorea interna. Esiste inoltre, come a Samye e nei prototipi indiani, una maggiore monumentalità e ampiezza attribuita al lato d'ingresso. Rispetto allo Utse il tempio di Yesheö è molto meno elevato e il rapporto tra cinta esterna (corpo quadrato costruito da una fila di cappelle), e tempio centrale cruciforme è più compresso. Soprattutto, al contrario dello Utse, l'intero involucro murario è in puro «stile tibetano», eccettuata una piccola copertura in bronzo dorato di tipo sinico sita alla sommità, sul lucernario. Tale tipo di copertura che costituisce nel Tibet centrale un adattamento della copertura cinese in tegole (Sez. VII), non può essere coeva alla fondazione del tempio. Probabilmente si tratta di una aggiunta dei Gelugpa realizzata dopo il passaggio a questo ordine nel sec. XV.

fig. 113
Contrariamente alla maggior parte dei templi del Tibet centrale, nello skyline dell'intero edificio la posizione di massima importanza è assunta dai quattro chörten siti ai quattro lati della copertura della prima cinta che, per l'altezza del basamento a gradoni e il massiccio pinnacolo, assume quasi un andamento a shikhara. Abbiamo così a Tholing l'esempio più vicino rimasto intatto degli acroteri a forma di stûpa posti a quinconce nei templi indiani di tipo prâsâda, documentati da miniature del sec. XI che rappresentano santuari indiani [23] e da numerose pitture murali e sculture della stessa scuola di Guge [24].

fig. 114
Altro santuario che riprende una morfologia scomparsa sul territorio indiano è il Serkhang, il tempio dell'iniziazione sito nell'angolo nord est e considerato il luogo più sacro di tutto il complesso [25]. Era il più antico esempio rimastoci di un edificio a struttura lignea ispirato al mondo indiano. Costituito da tre piani digradanti, collegati da una scala esterna, cinti ciascuno da un porticato ligneo che sostiene una copertura, è ricco delle molteplici implicazioni simboliche del mandala. I tre piani simbolizzano i tre corpi del Buddha e i differenti stadi di coscienza che l'iniziato deve raggiungere percorrendoli e penetrando all'interno della cella di ciascun piano, riccamente affrescata con divinità pertinenti ad ogni stadio.
Molto particolari sono le mensole a forma di S di supporto alla copertura, riccamente intagliate che poggiano su un travetto incastrato perpendicolarmente nei pilastri lignei. Ph. Denwood [26] le ricollega a prototipi centroasiatici, con i quali si può rilevare senza dubbio una notevole rassomiglianza costruttiva. Ma anche nella architettura indiana una struttura simile è presente fin dalle epoche più antiche nei pilastri del Ganesha Gunphâ a Khandagiri-Udaygiri (I sec. d.C.) [27], che avranno poi un ulteriore sviluppo nel mandapa del Vimala Vasâhi del Monte Abû (c. 1150 d.C.) [28] e sopravviveranno nella architettura nepalese più tarda (portico inferiore del Baghbhairava a Kirtipur, 1717). Anche le coperture, sono nettamente di tipo indo-kashmiro e presentano il medesimo sistema costruttivo conservato ancor oggi nel Nepal, ben lontano da quello cinese, nonostante una certa rassomiglianza puramente esteriore. Secondo una notizia fornitami da M. Henss questo tempio è andato distrutto. Molto interessante è pure il portale del tempio Bianco (Lakhang Karpo) definito da Tucci di «disegno barbarico» [29] che unisce differenti elementi di origine indiana che si ritrovano nelle porte (torana) di certi mandala dipinti o scolpiti. Alle pesanti e tozze colonne di base che già troviamo nel mondo Gandhârico (sec. I-VI d.C.) (Stûpa di Ali Masjid, Passo di Khyber) [30] si sovrappongono due elementi simbolici. L'uno è costituito da travetti formanti una piramide a gradoni, e riprende, stilizzandolo, il motivo del tempio a prâsâda, presente anche all'ingresso dell'intero complesso. Tale schema, molto diffuso nel Ngari, è ricco di implicazioni simboliche. Esso si ritrova alle spalle di molte divinità raffigurate in quest'epoca i cui prototipi indiani sono probabilmente le figure divine site sullo sfondo del loro tempio, miniate, ad esempio, nel già citato manoscritto nepalese del secolo XI conservato a Cambridge [31]. Il secondo elemento, tratto dall'antica iconografia buddhista, rappresenta la prima predicazione del Buddha nel Parco di Sârnâth, cioè il momento in cui il credo buddhista incomincia a diffondersi, ed è simboleggiata dalla ruota della legge sita tra due gazzelle. Tale raffigurazione si

fig. 115

espanderà in tutta l'area culturale tibetana, fino alle epoche più tarde e costituirà il fastigio di quasti tutte le costruzioni templari lamaiste.

All'esterno del sacro recinto, ai quattro angoli, a distanza un pò disuguale si trovano quattro chörten monumentali che riprendono il medesimo dispositivo presente a Samye con tutte le implicazioni simboliche della dislocazione a quinconce. Si tratta del tipo del lhabab chörten che ha sui quattro lati quattro scale che ricordano la discesa del Buddha dal paradiso Tushita, dove si era recato per predicare la dottrina alla madre. Nel chörten dell'angolo nord ovest, secondo la tradizione, sono conservate le reliquie di Rinchen Zangpo. La forma quasi sferica della cupola, vicina a alcuni prototipi indiani, e il massiccio pinnacolo contraddistinguono i chörten di quest'epoca.

TABO CHÖKOR. Spiti, Unione Indiana

Principale santuario della valle dello Spiti, anch'esso fondato da Rinchen Zangpo sotto il patronato del re monaco Yesheö alla fine del secolo X, fu denominato probabilmente Chökor (Dharmakra) come Samye poiché sede di concili [32]. Appartenuto nei primi secoli dopo il mille all'ordine Kadampa, è connesso simbolicamente con il complesso di Tholing, ne sarebbe il necessario complemento per arrivare al mistico numero teorico di 108 edifici [33]. È stato visitato e descritto anche recentemente da studiosi e viaggiatori, ma la più ampia monografia rimane quella di G. Tucci [34].

L'area sacra è circondata da una cinta rettangolare (chagri) di metri 84,7 × 74,3, orientata secondo i punti cardinali, con l'aggiunta posteriore di un prolungamento a sud ovest, ed è costituita da otto templi. L'intero complesso è organizzato secondo il tradizionale asse est-ovest leggermente eccentrico, su cui è sito l'ingresso e il tempio maggiore il Tsuglagkhang. Quattro dei templi (Serkhang, Domtön, Champa, Domtön chung lakhang) lo fiancheggiano in una fila quasi allineata, presentando tutti l'ingresso ad est preceduto da un portico che sostituisce il necessario diaframma tra il mondo terrestre e quello spirituale. Attualmente l'accesso al Tsuglagkhang è a sud, poiché al portico sono stati successivamente addossati altri ambienti (Gokhang e annesso) che precludono il passaggio da oriente. Il tempio dell'iniziazione (Kyilkhang) e il Karchung si trovano in posizione del tutto asimmetrica. Mura molto spesse, come quelle che circondano il corpo centrale dello Utse di Samye, rivestono il lato occidentale dei templi ove si trova il sacello, forse anche per una protezione contro la durezza del clima.

Si può constatare una graduazione d'importanza dei templi a seconda della distanza dal centro del complesso, effettuata non solo attraverso le dimensioni, ma anche attraverso la complessità della planimetria. Il grande tempio centrale rettangolare (Tsuglagkhang) di m. 41 × 36 a tre navate con due ulteriori file di colonne laterali, aggiunte per ragioni di stabilità, [35] ha la cella quadrata che costituisce abside circondata da un deambulatorio. Mentre i due templi situati immediatamente ai lati, il Domtön (che per probabili aggiunte posteriori di rafforzamento fa attualmente capo unico con il Tsuglagkhang) e il Champa sono di minore ampiezza e hanno celle rettangolari e molto meno aggettanti. Gli ultimi due sacrari agli estremi limiti della fila sono ancora più piccoli, a pianta quadrata, privi di abside. Forse tale disposizione quinaria, così gerarchizzata, potrebbe simboleggiare un rapporto con la pentade divina espressa dallo schema mandalico.

I templi, come attestano iscrizioni all'interno del Tsuglagkhang, sono stati ricostruiti e restaurati più volte, già a partire da 46 anni dopo la fondazione [36]. Essi però hanno conservato alcune parti (pronao del Tsuglagkhang e navate centrali), certi elementi lignei (mostre delle porte, capitelli, colonne), e soprattutto i caratteri più salienti della pianificazione originaria. L'intero complesso rispetta infatti l'ordinamento tipicamente indiano, secondo i punti cardinali con una preminenza data all'edificio centrale. Anche la pianta di ciascun tempio è ricollegabile a prototipi gupta ripresi poi dai Pâla, anzi si può dire che è presente tutta la gamma delle tipologie dei templi, delle semplici cappelle, alla pianta «basilicale» con pronao. Non sono utilizzati, invece, impianti di tipo concentrico, ma all'interno il Tsuglagkhang esprime egualmente il ciclo mistico del Sarvavid Vairocana mandala, attraverso le raffigurazioni scultoree e pittoriche. Le statue delle principali divinità del mandala sono site su mensole a forma di fiore di loto che aggettano fortemente dalle pareti, antico dispositivo adottato dai

Gupta e ripreso dai Pâla, ad esempio nel Buddha del Museum of Fine Arts di Boston [37] e che ritroviamo in gran parte dei santuari coevi del Ngari. Come afferma infatti Tucci «questi templi sono quasi il simbolo architettonico e plastico dell'opera mirabile di traduzione e di apostolato di Rinchen Zangpo» [38]. Essi rappresentano la trasposizione visiva delle descrizioni delle molteplici divinità corrispondenti a diversi piani spirituali esposte nelle opere tantriche, tradotte e commentate dal maestro; costituiscono quindi un necessario supporto utile alla comprensione della dottrina.

Gli elementi di forte asimmetria che si riscontrano nell'insieme, come la posizione dissonante degli annessi siti all'accesso del Tsuglagkhang che deviano l'asse est-ovest o il tempietto di Karchung che ha costretto ad un'ampliamento della cinta, sono stati giustamente segnalati come aggiunte posteriori [39]. Essi rappresentano un successivo sovrapporsi all'organizzazione spaziale di tipo classico, proposta dall'India, della planimetria anticlassica dello stile tibetano tradizionale, presente anche in alcune piccole asimmetrie degli edifici più antichi (posizione delle colonne, allineamento degli edifici). Da questi primi grandi santuari dei monarchi del Ngari sembrano in origine escluse le abitazioni monacali, previste fuori dal sacro recinto.

fig. 119

Una delle strutture lignee più caratterizzanti, anch'essa ispirata al mondo indiano, già adottata in epoca monarchica (Sez. V), è la mostra istoriata delle porte d'accesso che segna il punto d'ingresso nei differenti piani spirituali rappresentati dalle diverse parti dell'edificio. A.H. Francke e G. Tucci [40] segnalano una porta in legno di cedro del Domtön lhakhang che è strettamente ricollegabile agli antichi prototipi gupta, mediati dai Pâla, il che giustifica una datazione coeva alla fondazione del tempio. La disposizione in cornici concentriche, decorate da motivi vegetali geometrici e da pannelli rettangolari che accolgono storie della vita del Buddha e coppie (mithuna), inquadrate sotto archi dal profilo spezzato e polilobato, la ritroviamo per esempio in pietra nella caverna n. 2 di Aja*nta* [41] (v. Introduzione), o nel portale del tempio di Vi*snu* a Deogarh [42].

Anche i frammenti di un altro portale ligneo rinvenuti a Tabo da G. Tucci presentano analoghe ripartizioni con gli stessi soggetti e motivi [43]. Si può solo rilevare, rispetto alla classica armonia dei prototipi gupta, una maggiore densità di decorazione che diventa più piatta e calligrafica. I pannelli che accolgono le figure sono sovraccarichi di elementi architettonici che comprendono tutti i tipi di arcature utilizzate nel mondo indiano. A queste opere hanno certamente contribuito gli artisti indo-kashmiri venuti, come attestano le fonti, al seguito di Rinchen Zangpo, richiamati dal mecenatismo dei re di Guge [44]. Esse rappresentano perciò un importante documentazione della scultura lignea buddhista, ormai scomparsa in India.

fig. 120

Vivissimi sono i legami con l'India pure dal punto di vista pittorico, anche se poi la scuola di Guge sviluppa uno stile particolare ed autonomo [45]. Sono originali, soprattutto per la loro vasta gamma di tipologie, alcune raffigurazioni di architetture site nella parete nord del Tsuglakhang, databili intorno ai sec. XIII-XIV, e che costituiscono una interessante documentazione delle costruzioni palazziali dell'epoca. Si tratta di scene rappresentanti la leggenda indiana del principe Norzang (Sudhâna) e delle sue molteplici avventure [46].

Gli edifici che fanno da sfondo alla vicenda, pur con i limiti dovuti alla resa pittorica, ci danno la misura della varietà del lessico architettonico del regno di Guge, nella libera giustapposizione delle scatole murarie di diverse dimensioni, sormontate dalla tipica cornice, e nell'ampia e fantasiosa collocazione e tipologia delle aperture.

ALCHI CHOKHÖR, Ladakh, Unione Indiana

Il complesso è stato iniziato verso la fine del sec. XI, come testimoniano le scritte rinvenute nel Dükhang e nel Sumtsek che ne attribuiscono la fondazione a due membri della nobile famiglia tibetana dei Do, ferventi buddhisti.

Ha appartenuto nei primi secoli all'ordine Kadampa, analogamente a tutti i più importanti centri del Ngari ed è stato, come indica il nome, sede di concili e centro di diffusione della dottrina [47]. È stato visitato da viaggiatori e studiosi e le più ampie descrizioni dal punto di vista architettonico sono state date recentemente da D. Snellgrove, T. Skorupski e da R. Khosla [48].

La cinta (chagri) di m 100 × 40 circa che limita l'area sacra, fiancheggiata da un sentiero per la circumbulazione (path) comprende cinque templi, alcuni chörten e case di abitazione aggiunte posteriormente. Per la configurazione del terreno, in pendenza sulla riva sinistra dell'Indo, non è perfettamente orientata secondo i punti cardinali e, pur avendo un andamento rettangolare, in alcuni punti non è rettilinea. Khosla ipotizza che la parte sud orientale, più squadrata, conservi l'antico tracciato, mentre il tratto sud occidentale è stato costruito più tardi [49]. Si può anche osservare che probabilmente la chagri doveva in origine aprirsi in asse col tempio maggiore (Dükhang), come a Tabo. Una parte di questa cinta è ancora sormontata da una fila di piccoli chörten, secondo un'uso molto diffuso nel mondo tibetano. È da segnalare inoltre una minore attenzione alla di-

fig. 121

sposizione simmetrica degli edifici, forse dovuta al carattere meno ufficiale del santuario in confronto a quelli di Tholing e Tabo. Infatti nei complessi meno importanti, ad esempio quello di Nako, fondato anch'esso secondo la tradizione di Rinchen Zangpo [50], la planimetria generale è più svincolata dalle regole di assialità proposte dall'India, a favore del libero assemblaggio di scatole murarie, tipicamente tibetano che costuisce un preannuncio dei complessi religiosi plurifunzionali del sec. XV. A Nako, però, viene ancora seguito l'allineamento della cinta secondo i punti cardinali e l'ingresso ad est del tempio maggiore.

fig. 122, 123

Ad Alchi, invece, l'edificio più importante, la sala delle riunioni (Dükhang), costruita per prima, è fiancheggiata da altri tre templi (Sumtsek, Lotsawa lhakhang, Mañjushrî lhakang) in una fila quasi rettilinea che ricorda l'analoga disposizione di Tabo, tutti rivolti però con l'ingresso a sud-est, conseguentemente all'orientamento della cinta. La disposizione in fila rettilinea in posizione perpendicolare a l'asse centrale del complesso, con l'edificio più importante sito su tale asse, è molto diffusa nel mondo buddhista e testimoniata anche in Asia centrale [51] e orientale [52] fin dalle epoche più antiche. La dislocazione del quinto tempio è pressoché analoga al Kyilkhang di Tabo. Nell'impianto dei templi i consueti collegamenti con gli antichi modelli indiani e con le scelte effettuate fra questi già in epoca monarchica sono evidenti.

Il Dükhang, non considerando le abitazioni aggiunte posteriormente al lato d'ingresso, consiste in una corte d'accesso rettangolare di m14,6 × 7,3 sormontata da un chörten, con colonnato circostante asimmetrico e più volte restaurato. Un camminamento centrale conduce attraverso una fila di cinque ambienti, ultimo ricordo della fila di cappelle che circondano il tempio di Yesheö a Tholing e i più importanti templi di epoca monarchica, alla sala vera e propria. Questa è più semplificata del Tsuglagkhang di Tabo, quasi quadrata, di minori dimensioni (m 7,5 × 7,9), con un abside rettangolare (m 3,3 × 2,4) e con sole quattro colonne che sopportano la copertura e il lucernaio. Parallelamente a Tabo e a molti altri templi dello stesso periodo, il significato mandalico viene espresso dalla decorazione pittorica e scultorea appartenente al ciclo di Vairocana, il preferito di Rinchen Zangpo.

Il Lotsawa ed il Mañjushrî lhakhang, probabilmente più tardivi (XII sec.) [53], sulla destra del Dükhang, sono attualmente congiunti da abitazioni posteriori al tempio maggiore. Hanno la particolarità di essere addossati l'uno all'altro, misurano ciascuno m 5,7 × 5,7 e presentano il tipo di pianta semplificata che abbiamo egualmente

fig. 124

trovato a Tabo: cella quadrata con portico d'accesso. Sulla sinistra del Dükhang, il Sumtsek (a tre gradoni) per il suo impianto cruciforme e per il profilo a piramide terrazzata, pur nelle ridotte dimensioni (m 5,4 × 5,8 con braccia di m 2,70 × 2 circa), si ricollega al prototipo indiano del tempio prâsâda e alle imitazioni tibetane come l'Utse di Samye e il tempio di Yasheö e a quello dell'iniziazione di Tholing. L'iterazione del numero simbolico tre, oltre che nei piani digradanti, si ritrova nella serie di logge ed aperture sovrapposte della facciata, nelle campate del pronao, nelle cappelle con all'interno una statua monumentale ciascuna.

È stato aggiunto recentemente (1979) uno zoccolo di rinforzo tutt'intorno che forma quasi sedile e ne stravolge i molteplici significati simbolici di tipo mandalico, espressi anche dalla ricca decorazione pittorica e scultorea interna, tipica dei templi d'iniziazione. Il Lhakhang Soma (Tempio Nuovo), più tardo, del sec. XIII circa (m 5,4 × 5,1) [54] è simile al Kyilkhang, non solo nella collocazione, ma anche nell'impianto a cella quadrata priva di portico d'accesso. Anche i mandala raffigurati nelle pitture murali e il chörten centrale all'interno lo ricollegano ai templi d'iniziazione. Il chörten del tipo a porta più imponente (m 7,30 × 7) denominato da D. Snellgrove: J

fig. 125

1 [55] e da R. Khosla: n 3 [56], sito nell'angolo sud del complesso, è uno splendido esemplare di sacrario quadrato, con nicchie sui lati e ingresso a ovest, mentre l'altra originaria apertura, sita ad est, è stata murata successivamente. Presenta quattro chörten agli angoli della copertura che è sormontata da un altro podio centrale di minori proporzioni con quattro aperture simmetriche su cui poggia un chörten monumentale. Anche questo

sacrario è stato recentemente restaurato con contrafforti che ne alterano la purezza del profilo e il simbolismo. Alle molteplici significazioni già presenti in tutti i chörten, esso aggiunge infatti, nell'andamento a quinconce, ulteriori riferimenti relativi ai cinque Buddha Supremi (Thathâgata), alle cinque direzioni dello spazio, ai cinque elementi. Tale sovrastruttura faceva parte da secoli della tradizione indiana, la troviamo ad esempio nello stûpa del gruppo 106 a Nâgârjunakonda (sec. III-IV d.C.) e ripresa in forma anche più monumentale dai Pâla (tempio della Mahâbodhi a Bodhgayâ). All'interno del chörten-porta le pitture del soffitto si ricollegano ai «laternendecke» d'Asia Centrale e soprattutto del Kashmir. Nel Ladakh un tipo simile, ma più diruto è segnalato a Basgo ed attribuito all'epoca di Rinchen Zangpo [57].

fig. 126

La scatola muraria di tutti i monumenti di Alchi è tipicamente tibetana, intonacata di bianco con le lineari cornici rosso scure alla sommità, gli apporti stranieri si riscontrano, come si è notato, negli impianti e soprattutto nella carpenteria. Lo stesso materiale ligneo non è tutto reperibile sul luogo e, per quel che riguarda gli elementi costruttivi di vaste proporzioni, è stato necessario importarli probabilmente dalle lontane foreste del Kunavar.

fig. 127

L'ingresso del Dükhang è, su questo punto, esemplare. Esso ripete l'analoga struttura ancor oggi presente, scolpita in pietra, sul portale della maggior parte dei templi Kashmiri dei secoli IX-XII (Payar, Patan, Pândrenthân) giunti fino a noi [58]. Si tratta di un arco polilobato, con al centro una figura divina, sormontato da una cornice ad angolo acuto.

Un ulteriore elemento che denuncia la chiara origine Kashmira di questo motivo è la coppia di protomi di leoni di cui una è scomparsa. Essi sono siti nella medesima posizione e sono della stessa tipologia delle maschere leonine (kirtimukha) che sovrastano un analogo arco polilobato con motivi vegetali e divinità centrali in un pilastro dell'ingresso del tempio di Avantisvami (sec. IX), presso srinagar [59].

U. Wiesner ha esaminato l'utilizzazione di queste maschere leonine, estremità di travi formanti mensole di supporto alla trabeazione, dalla prima comparsa nell'arte indiana, di cui è rimasta solo testimonianza su pietra (Gandhâra sec. I-VII), attraverso l'arte Gupta e Kashmira, fino ad arrivare alle tarde protomi di leoni lignee presenti nell'architettura nepalese (Tempio Nârâyana a Patan 1566) [60]. L'architettura tibetana può, però, fornire

fig. 128

un'ulteriore documentazione in legno di tale elemento che posto all'esterno o sull'ingresso delle costruzioni, ha senza dubbio rivestito un carattere simbolico di protezione dell'edificio. La più antica testimonianza sembra essere quella delle mensole all'esterno del Jokhang che la tradizione fa risalire ad artisti nepalesi di epoca monarchica [61]. Si tratta di cariatidi sotto la trabeazione con al centro di ciascuna fila un essere con il corpo leonino e il volto umano. Questa alternanza di figure umane e leonine che non si troverà più nelle costruzioni sia indo-kashmire, sia tibetane più tarde è invece presente in monumenti gandharici in cui figure di yaksha (antiche divinità dravidiche) alternate a leoni in pietra sono accucciate in posizione analoga a quelle del Jokhang (stûpa di Ali Masjid) [62]. Una sopravvivenza in epoca Gupta (sec. IV-VII) dello stesso motivo è documentata dal fregio sito sull'ingresso del tempio Vâmana a Marihiâ in cui al centro, tra le maschere leonine, compare una testa umana [63], straordinariamente simile a quelle del Jokhang. Anche dal punto di vista stilistico la eccezionale plasticità delle figure del Jokhang, vicine alla scultura gupta, si differenzia profondamente dalle più stilizzate e sommarie protomi di leoni di Alchi. Successivamente, nel Tibet, centrale le mensole a protomi leonine inizieranno ad avere una forte componente iconografica cinese, che va da quella meno accentuata del fregio dal monastero di Gyani presso Samada [64] alle cornici sovrastanti le porte del Potala (sec. XVII in poi) (Sez. IX).

Anche la mostra della porta sottostante l'arco trilobato inscritto in un triangolo del Dükhang di Alchi (fig. 127), si ricollega ad antichi modelli gupta, già utilizzati nel Tibet centrale in epoca monarchica (porta del Jokhang, Sez. V) e presenti nel Tibet occidentale in quasi tutte le fondazioni, più importanti di quest'epoca.

Ma pur essendo dello stesso tipo del tempio di Domtön a Tabo (a cornici concentriche con divinità site sotto arcature polilobate, inscritte in un triangolo al centro di formelle rettangolari) sono arricchite da decorazioni fitomorfiche e geometriche (soprattutto a meandri e a greca) di lontana origine gandharica, adottate nel Kashmir in epoca Kushana, come attestano le mattonelle in ceramica del tempio di Harwan (sec. IV d.C.). Tale motivo sarà diffuso nell'intera area del Ngari, Tucci segnala infatti una porta con meandri e greche, ma con l'ornato meno sovraccarico a Tsaparang, capitale del regno di Guge [65].

fig. 129

Sul secondo piano del portico d'accesso del Sumtsek vedremo ripetersi in scala più ridotta, ma iterata per tre volte, la formula proposta nell'ingresso del Dükhang, arco trilobato, iscritto in un triangolo, con Buddha in asana al centro, sovrastato da mensole scolpite a foggia di protomi di leoni. Elemento nuovo sono le tre colonne accostate che separano un'arcatura dall'altra. L'alternanza e la morfologia di queste strutture è sembrata a Ph. Denwood simile al sistema mensolare tripartito (dougung) abbinato ad un elemento triangolare tipico di certe architravi documentate in Cina fino all'epoca Tang (sec. VII-X) [66]. Non è escluso che attraverso il Kashmir, in cui soprattutto al tempo del re Lalitâditya (c. 723-756) ci fu una certa influenza cinese nel campo artistico, possa essere giunto un tale suggerimento.

Ma in effetti questo motivo architettonico ci sembra essere più legato all'ambito indiano, vediamo già nei vari piani del già citato stûpa gandhârico di Ali Masjid un'alternanza di arcature trilobate e di larghe paraste che possono aver costituito il punto di partenza per la struttura sita nella parte superiore del Sumtsek. Inoltre nessuno degli elementi architettonici, a parte la loro particolare dislocazione, ha un aspetto sinizzante. I capitelli

fig. 130

con volute ioniche ricordano la lontana origine gandharica (Tempio di Jandial a Taxila) [67], e sono forse passati attraverso l'Asia Centrale, poiché non si sono ritrovati nel Kashmir capitelli di identica tipologia. Mentre se ne riscontrano esemplari, anche lignei, nelle oasi centro asiatiche di Mirân, Subachi, Luolan, Duldur Aqur [68]. Tali capitelli sono presenti insieme alle colonne scanalate, anch'esse di lontana origine greco-romana mediata dal Gandhâra, e successivamente dal Kashmir, pure nel Dükhang e permarranno nel Ladakh fino nelle epoche più tarde, assumendo via via una forma più semplificata in cui la voluta si riduce ad un sottile motivo decorativo. Il capitello della colonna centrale, invece, ha la caratteristica forma trapezoidale, con una serie di modanature sovrapposte, tipicamente kashmira (tempio di Avantisvami, di Payar, di Patan) [69]. Si può così notare, anche in queste strutture lignee di aspetto prevalentemente kashmiro, l'utilizzazione di suggerimenti diversi, provenienti da altre regioni, che contraddistingue l'eclettismo architettonico tibetano.

COMPLESSO DI RABGYELING, Regione Autonoma del Tibet

fig. 131

Fondato dai Sakya nei secoli XIV-XV l'insieme templare e monastico di Rabgyeling può essere considerato rappresentativo dell'adozione di una nuova concezione architettonica del Ngari.

Esso è ispirato da un lato ad alcuni antichi prototipi indiani che presentano di seguito lungo l'asse centrale, il vihâra (monastero), il catyagriha (santuario) ed infine lo stûpa (Nâgârjunakonda, complesso n. 26, sec. III d.C.) [71]. Ma d'altro canto, nell'aspetto di fortilizio, nella dislocazione lungo un pendio, nel succedersi degli edifici accorpati e disassati sono nettamente presenti le soluzioni elaborate già a Sakya nord nel Tibet centrale (Sez. VII).

A Rabgyeling, infatti, il dislivello del terreno non è sfruttato casualmente come ad Alchi, ma viene utilizzato per una distinzione in senso «gerarchico» degli edifici. Si succedono infatti a partire dal basso l'abitazione dell'abate, un primo edificio templare, il Tsuglagkhang e infine un sacello con veranda dedicato alle divinità esoteriche e forse riservato ai riti di iniziazione. Osserva G. Tucci che nel Tibet occidentale la dislocazione alla sommità di questo tempietto è frequente, sia nei castelli, che nei complessi monastici siti sulle alture. La figura dei cinque chörten allineati su un basamento a gradoni in senso perpendicolare alla linea di sviluppo del complesso costituisce l'insieme più caratterizzante dello skyline di Rabyeling. I cinque sacrari, di grandezza decrescente a partire da quello centrale, hanno una certa analogia con il medesimo dispositivo realizzato nei templi di Tabo e un probabile simile riferimento ai cinque Thathagata che oltre a venire rappresentati in posizione mandalica possono anche essere raffigurati in una fila continua in grandezza decrescente a partire dal centro, si pensi al rilievo rupestre di Shey nel Ladakh [72].

Non si può perciò dire che i riferimenti al sistema mandalico indiano siano del tutto assenti anche nelle epoche più tarde. Essi, però, si spostano dalla planimetria del singolo edificio templare ad alcuni particolari (soffitto, decorazione scolpita e dipinta) e nei chörten. Viene così attestata, da un lato, la permanenza del significato mandalico e dall'altro il progressivo prevalere, anche nell'architettura religiosa della concezione anticlassica tibetana sulla regolamentazione di ordine e simmetria proposta dal Buddhismo.

I monumenti del Tibet occidentale sopravvissuti fino ad oggi costituiscono una testimonianza essenziale dell'evoluzione architettonica tibetana. Essi sono egualmente preziosi per farci comprendere l'esatta utilizzazione dell'antica carpenteria del mondo indiano di cui sono restate solo delle copie in pietra.

NOTE DELLA SEZIONE VI

[1] HUI QIAO. In: TORU, 1957, p. 618; PETECH, 1977, p. 10.

[2] FRANCKE, 1906; 1907; 1914-26, vol. I, p. 95.

[3] v.n. 1.

[4] PETECH, 1977, p. 17.

[5] FRANCKE, 1914-26.

[6] TUCCI, 1932-41; 1934; 1973.

[7] SNELLGROVE, SKORUPSKI, 1977-80.

[8] KHOSLA, 1979.

[9] TUCCI, 1932-41 vol. II, p. 67; vol. III, I p. 89-90.

[10] ARGAN, 1968 p. 211, DE FUSCO, 1978 p. 174.

[11] STEIN, 1981 II, p. 77-78.

[12] JACKSON, 1976, p. 44-45.

[13] TUCCI, 1932-41, vol. I.

[14] TUCCI, 1973, p. 96-113.

[15] FRANCKE, 1914-26, vol. 1, p. 96; SNELLGROVE, SKORUPSKI, 1977-80, vol I, p. 20-21; vol. II, p. 76; KHOSLA, 1979, p. 68-71, fig. 52-55.

[16] TUCCI, 1937 I, 1978 II, p. 137-138.

[17] TUCCI, 1973, p. 40; 1981 n. 11, p. 31-37.

[18] TUCCI, GHERSI, 1934, p. 225-28, TUCCI, 1973, p. 39.

[19] FRANCKE, 1914-26, vol. II: PETECH, 1977, p. 16, 19 et passim.

[20] FRANCKE, 1914-26, vol. I; TUCCI, 1973, p. 63-76.

[21] ANDRADE, 1926; YOUNG, 1919; ESTEVES PEREIRA 1921; TUCCI, GHERSI, 1934, p. 296-329; TUCCI: 1937, p. 164-67; 1949; CHATTERJI 1940, p. 30-34; TUCCI 1973, p. 80; GOTAMI GOVINDA 1979 p. 147-151; PETECH 1980.

[22] TUCCI, 1973, p. 80.

[23] SARASWATI, 1976, p. 66-67, fig. XV n. 28.

[24] TUCCI, 1932-41, vol. III, parte II, p. 119, 131-32; TUCCI, GHERSI, 1934, fig. 233.

[25] TUCCI, GHERSI, 1934, p. 326.

[26] DENWOOD, 1975, p. 61-63.

[27] ZIMMER 1960 pl. 47, 49; BROWN, 1965 [V], pl. XXXII, fig. 6; WIESNER, 1978, fig. 37.

[28] BROWN, 1965 [V], PI. CX, fig. 2, WIESNER, 1978, fig. 41.

[29] TUCCI, GHERSI, 1934, p. 318.

[30] ROWLAND, 1953, fig. 81.

[31] v.n. 23.

[32] TUCCI, 1932-41 vol. II, p. 72-73.

[33] TUCCI, 1932-41, vol III, parte II, p. 20.

[34] FRANCKE, 1914-26, vol. I, p. 37-43; TUCCI, GHERSI 1934, p. 121-132; TUCCI, 1932-41, vol. III, parte I, p. 21-115; SNELLGROVE, 1957, p. 186-7; SANYAL, 1969; KHOSLA, 1979, p. 37-48; KLIMBURG-SALTER, 1982, p. 157-64.

[35] KHOSLA, 1979, p. 39.

[36] TUCCI, 1932-41, vol. III, parte I, p. 72-74: KLIMBURG-SALTER, 1982, p. 158.

[37] ROWLAND, 1953, p. 259, fig. 196.

[38] TUCCI, 1932-41, vol. III, parte I

[39] TUCCI, 1932-41, vol. III, parte I, p. 25; MORTARI VERGARA, 1976, p. 222; KHOSLA, 1979, p. 38; KLIMBURG-SALTER, 1982, p. 157.

[40] FRANCKE, 1914-26, vol. I; TUCCI, 1932-41, vol. III, parte I, p. 114.

[41] WIESNER, 1978, p. 73-74, fig. 26.

[42] ROWLAND, 1953, p. 226.

[43] TUCCI, 1973, tav. 136.

[44] v.n. 9.

[45] HUNTINGTON, 1972.

[46] TUCCI, 1932-41, vol. III, parte I, p. 76-77; SANYAL, 1969; KLIMBURG-SALTER, 1982, p. 158-160.

[47] v.n. 32.

[48] FRANCKE, 1914-26, vol. I, p. 88-92; SNELLGROVE, SKORUPSKI, 1977-80, vol. I, p. 23-80, vol. II, p. 119-154; KHOSLA, 1979, p. 54-68; PAL, 1982; GENOUD, 1982.

[49] KHOSLA, 1979, p. 55.

[50] FRANCKE, 1914-26, vol I, p. 32-34; TUCCI, 1932-41, vol. III, parte I, p. 141-173; MORTARI VERGARA, 1976, p. 222-223.

[51] STEIN M.A., 1921, Pl. 53; MAILLARD, 1983, fig. 60.

[52] NAGAO, 1980.

[53] SNELLGROVE, SKORUPSKI, 1977-80, vol. I, p. 79; PAL, 1982, p. 62.

[54] SNELLGROVE, SKORUPSKI, 1977-80, vol. I, p. 79; KHOSLA, 1979, p. 63-64.

[55] SNELLGROVE, SKORUPSKI, 1977-80, vol. I, p. 78.

[56] KHOSLA, 1979, p. 60.

[57] KHOSLA, 1979, tav. 15.

[58] KAK, 1933, 1971 [II], tav. LI, LVII, LXIV; KHOSLA, 1979 tav. 14.

[59] KAK, 1933, 1971 [II], tav. L, p. 120, 121.

[60] WIESNER, 1978, p. 80-88.

[61] RICHARDSON, 1977, p. 183.

[62] ROWLAND, 1953, p. 141, fig. 81.

[63] CHANDRA, 1970, p. 128, fig. 10, 12.

[64] TUCCI, 1932-41, vol. IV parte I, p. 133; parte III, fig. 36; 1973 fig. 126.

[65] KAK, 1963, 1971 [II], tav. XXVIII, 13-15; XXXII, 26; TUCCI, 1963, fig. 138.

[66] DENWOOD, 1975, p. 59.

[67] ROWLAND, 1953, p. 138, fig. 78.

[68] MAILLARD, 1983, Pl. CX a, b; fig. 82 b.

[69] KAK, 1933, 1971 [II], tav LI, LVII, LXVII.

[70] TUCCI, GHERSI, 1934 p. 234-245; TUCCI, 1973, tav. 77.

[71] SARKAR, 1966, p. 83, pl. XIII.

[72] SNELLGROVE, SKORUPSKI, 1977-80, vol. I, fig. 5, p. 11.

BIBLIOGRAFIA GENERALE

CHATTERJI, 1940; COMOLLI, 1984; CUNNIGHAM, 1854; DAINELLI, 1932; DENWOOD, 1975; FRANCKE, 1914-26; GENOUD, 1982; GOEPPER, 1982; KLIMBURG-SALTER, 1982; KHOSLA, 1979; MOORCROFT, TREBECK, 1841; MORTARI VERGARA, 1976; PAL, 1982; PALDAN, 1976; PETECH, 1977; 1980; SNELLGROVE, 1957; SNELLGROVE, SKORUPSKI, 1977-80; STEIN R.A. 1962 [I], 1981 [II]; TUCCI, 1932-41; 1937; 1949; 1973; TUCCI, GHERSI, 1934; YOUNG, 1919.

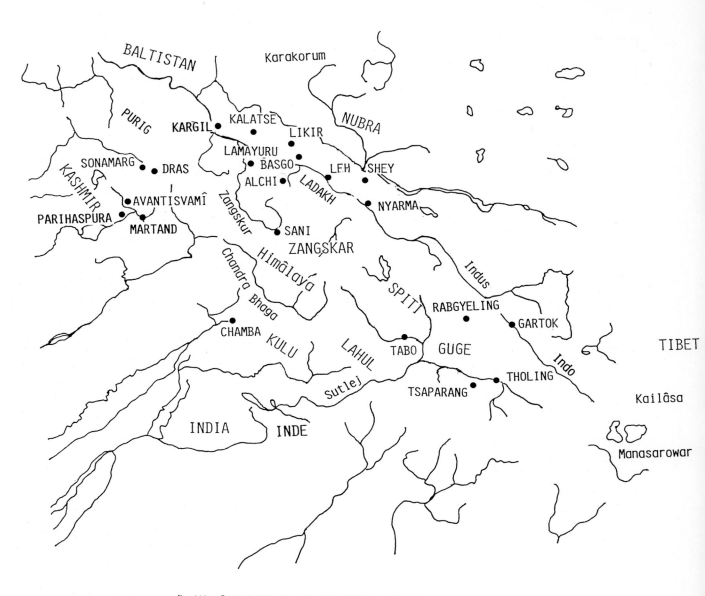

fig. 111 - Carta del Tibet occidentale (X-XIV sec.) (P. Mortari Vergara, R. Astolfi).

fig. 111 - Carte du Tibet occidental (Xème-XIVème s.) (P. Mortari Vergara, R. Astolfi).

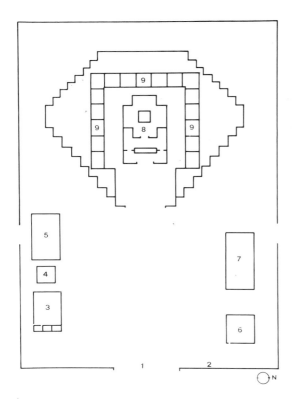

fig. 112 - Tholing (antico regno di Guge), pianta schematica dei templi e delle cappelle: 1, ingresso; 2, cinta (chagri); 3, tempio dei 16 Arhat; 4, Tongyu; 5, Dükhang; 6, Serkhang; 7, Lakhang Marpo; 8, tempio di Yesheö; 9, cappelle (R. Astolfi da Tucci, Ghersi, 1934 fig. 227).

fig. 112 - Tholing (ancien royaume de Guge), plan schématique des temples et des chapelles: 1, entrée; 2, cinta (chagri); 3, temple des 16 Arhat; 4, Tongyu; 5, Dükhang; 6, Serkhang;7, Lakhang Marpo; 8, Temple de Yesheö; 9, chapelles (R. Astolfi d'après Tucci, Ghersi 1934 fig. 227).

fig. 113 - Tholing, Tempio di Yesheö, angolo della cinta esterna (Tucci, Ghersi, 1934, fig. 228).

fig. 113 - Tholing, Temple de Yesheö, angle de l'enceinte extérieure (Tucci, Ghersi, 1934, fig. 228).

fig. 114 - Tholing, il Serkhang, tempio per l'iniziazione (Tucci, Ghersi, 1934, fig. 239).

fig. 114 - Tholing, le Serkhang, temple d'initiation (Tucci, Ghersi, fig. 239).

fig. 115 - Tholing, Lakhang Marpo (Tempio Bianco), portale (Tucci, Ghersi, 1934, fig. 232).

fig. 115 - Ṭholing, Lakhang Marpo (Temple Blanc), porte (Tucci, Ghersi, 1934, fig. 232).

fig. 116 - Tholing, chörten chè racchiude le reliquie di Rinchen Zangpo (Tucci, Ghersi, 1934, fig. 218).

fig. 116 - Tholing, chörten renfermant les reliques de Rinchen Zangpo (Tucci, Ghersi, 1934 fig. 218).

fig. 117 - Tabo Chökhor (Spiti), veduta d'insieme (Tucci, 1932-40 vol. III, I, tav. 1).
fig. 117 - Tabo Chökhor (Spiti), vue d'ensemble (Tucci, 1932-40, vol. III, I, tav. I).

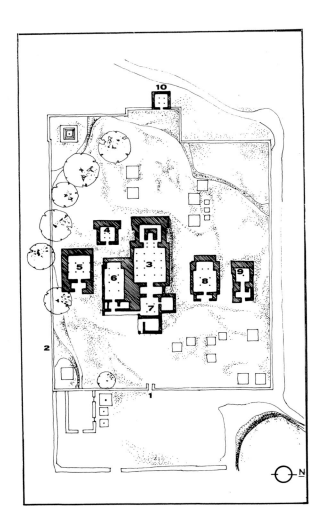

fig. 118 - Tabo Chökhor, pianta: 1, ingresso; 2, chagri; 3, Tsuglagkhang; 4, Kyilkhang; 5, Serkhang; 6, Domtön lhakhang; 7, Gokhang; 8, Champa lhakhang; 9, Domtön lhakhang chung; 10, Karchung (L. Di Mattia da Khosla, 1979, pag. 38).

fig. 118 - Tabo Chökhor, plan: 1, entrée; 2, chagri; 3, Tusglagkhang; 4, Kyilkhang; 5, Serkhang; 6, Domtön lhakhang; 7, Gokhang; 8, Champa lhakhang; 9, Domtön lhakhang chung; 10, Karchung (L. Di Mattia da Khosla, 1979, pag. 38).

fig. 119 - Tabo, Domtön, lhakhang, porta d'ingresso (Tucci 1932-40, vol. III, I fig. LXII).

fig. 119 - Tabo, Domtön lhakhang, porte d'entrée (Tucci 1932-40, vol. III, I, fig. LXII).

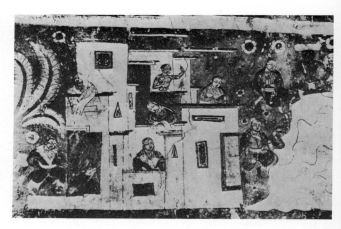

fig.120 - Tabo, Tsuglagkhang, dipinto murale con scene della leggenda buddistica di Norzang (Tucci 1932-40, vol. III, I, tav. XXVI).

fig. 120 - Tabo, Tsuglagkhang, peinture murale avec des scènes de la légende bouddhique de Norzang (Tucci, 1932-40, vol. III, I, tav. XXVI).

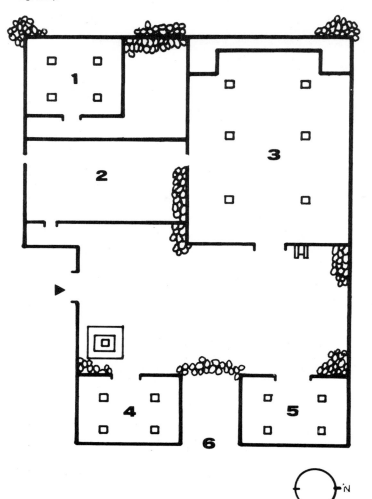

fig. 121 - Monastero di Nako (Spiti), pianta schematica: 1, cappella di Purgyul; 2, terrazza; 3, Tsuglagkhang; 4, Lotsawa lhakhang; 5, Gyapagpe lhakhang; 6, antico ingresso (P. Mortari Vergara, R. Astolfi da Tucci 1932-40, vol. III, I, fig. 7).

fig. 121 - Monastère de Nako (Spiti), plan schématique: 1, chapelle de Purgyul; 2, terrasse; 3, Tsuglakhang; 4, Lotsawa lhakhang; 5, **Gyapagpe** lhakhang; 6, ancienne entrée (P. Mortari Vergara, R. Astolfi d'après Tucci, 1932-40, vol. III, I, fig. 7).

fig. 122 - Alchi Chökor, Ladakh, sezioni e pianta: 1, ingresso; 2, chagri; 3, chörten-porta con coronamento a quinconce (pañcâyatana); 4, Kanjur lhakhang; 5, piccoli chörten-porta gemelli; 6, grandi chörten-porta gemelli; 7, lhakhang Soma; 8, Sumtsek; 9, chörten con basamento dentellato; 10, cortile del Dükhang; 11, ingresso del Dükhang; 12, Dükhang; 13, Lotsawa lhakhang; 14, Mañjushrî lhakhang; 15, sentiero (path) per la pradakshina (L. Di Mattia).

fig. 122 - Alchi Chökor, Ladakh, coupes et plan: 1, entrée; 2, chagri; 3, chörten-porta avec couronnement en pañcâyatana; 4, Kanjur lhakhang; 5, petits chörten-porte accolés; 6, grands chörten-porte accolés; 7, Lhakhang Soma; 8, Sumtsek; 9, chörten à soubassement redenté; 10, cour du Dükhang; 11, entrée du Dükhang; 12, Dükhang; 13, Lotsawa lhakhang; 14, Mañjushrî lhakang; 15, chemin (path) pour la pradakshina (L. Di Mattia).

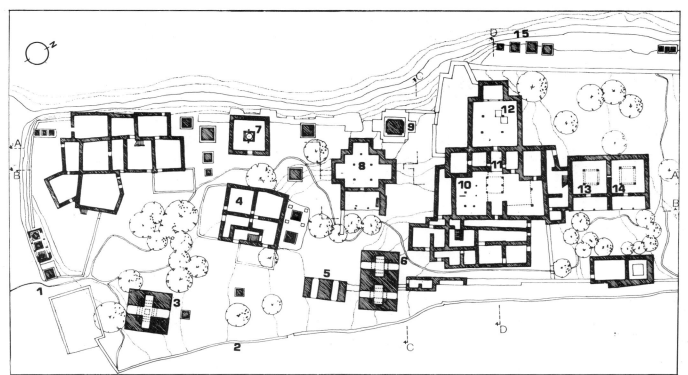

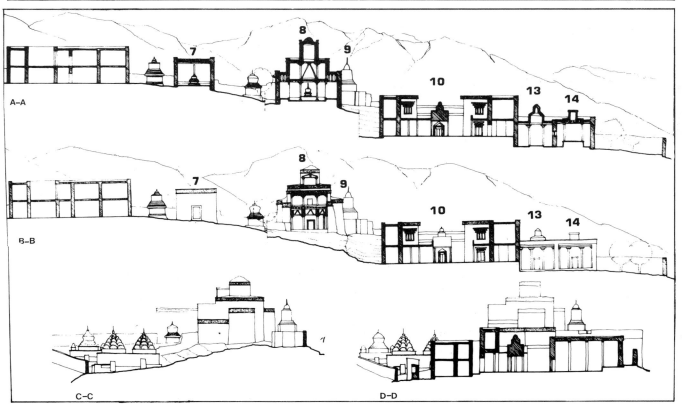

A–A

B–B

C–C

D–D

122

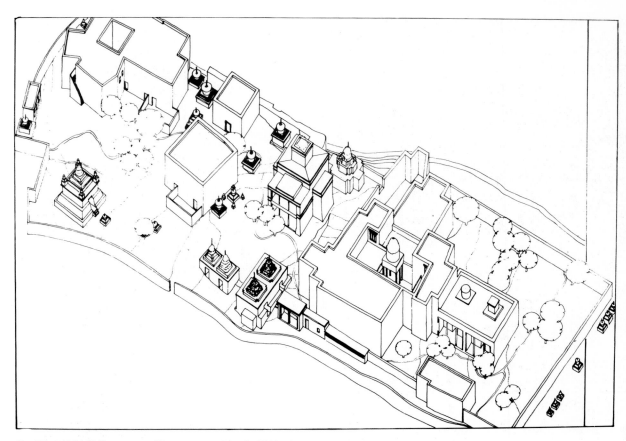

fig. 123 - Alchi Chökor, prospettiva assonometrica (L. Di Mattia).

fig. 123 - Alchi Chökor, vue cavalière (L. Di Mattia).

a

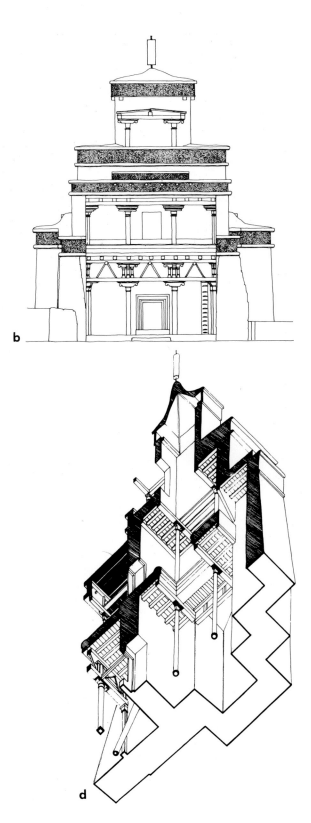

b

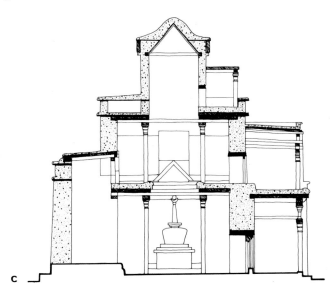

c

fig. 124 - Alchi Chökor, Sumtsek: *a*, facciata posteriore (cl. P. Mortari
Vergara); *b*, facciata; *c*, sezione; *d*, sezione assonometrica (L. Di Mattia).

fig. 124 - Alchi Chökor, Sumtsek: *a*, façade arrière (cl. P. Mortari Vergara); *b*, façade; *c*, coupe; *d*, perspective axonométrique (L. Di Mattia).

d

fig. 125 - Alchi Chökor, chörten con coronamento a pañcayatana (foto P. Mortari Vergara).

fig. 125 - Alchi Chökor, chörten avec couronnement en pañcâyatana (cl. P. Mortari Vergara).

fig. 126 - Alchi Chökor, chörten con coronamento a pañcayatana, soffitto a «laternendecke» (foto G. Béguin).

fig. 126 - Alchi Chökor, chörten avec couronnement a pañcâyatana, plafond en «laternendecke» (cl. G. Béguin).

fig. 127 - Alchi Chökor, Dükhang, ingresso (foto P, Mortari Vergara).

fig. 127 - Alchi Chökor, Dükhang, entrée (cl. P, Mortari Vergara).

a

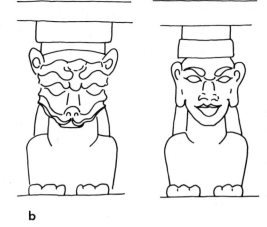

b

c

d

fig. 128 - Schema di derivazione delle mensole con protomi umane e leonine: a Marhia,
tempio Vâmana, cornice della porta del santuario (epoca Gupta); b Lhasa, Jokhang,
estremità di travi all'esterno della grande sala;
c Avantipur (Kashmir), tempio di Avantisvâmin, IX sec., modiglioni in pietra a testa di leone (kirtimukha); d Alchi, Ladakh, Sumtsek,
estremità di travi della facciata (P. Mortari Vergara, R. Astolfi).

fig. 128 - Schéma de derivation des consoles
à protomes humains et léonins: a, Marhia,
temple de Vâmana, encadrement de la porte
du santuaire (époque gupta); b Lhasa, Jokhang, extremité de poutres sur le pourtour de
la grande salle; c Avantipur (Kashmir), temple
d'Avantisvâmin, IX siècle, modillons à tête de
lions (kîrtimukha); d Alchi, Ladakh, Sumtsek,
extrémité de poutres sur la façade (P. Mortari
Vergara, R. Astolfi).

fig. 129 - Alchi Chökor, Sumtsek, particolare
della facciata (foto P. Mortari Vergara).

fig. 129 - Alchi Chökor, Sumtsek, détail de la
façade (cl. P. Mortari Vergara).

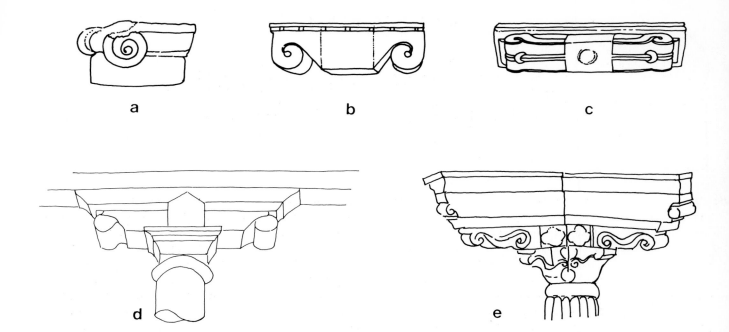

fig. 130 - Schema di derivazione dei capitelli pseudo-ionici *a*, Taxila, Gandhâra, tempio di Jandial; *b*, Loulan (Bacino del Tarim), sito L.K.; *c*, Subachi (Bacino del Tarim); *d*, Alchi, Sumtsek, interno; *e*, castello di Leh, portale (P. Mortari Vergara, R. Astolfi).

fig. 130 - Schéma de dérivation des chapiteaux pseudo-ioniques: *a*, Taxila (Gandhâra), Temple de Jandial; *b*, Loulan (Bassin du Tarim), site L.K.; *c*, Subachi (Bassin du Tarim); *d*, Alchi, Sumtsek, intérieur; *e*, château de Leh, porche (P. Mortari Vergara, R. Astolfi).

fig. 131 - Rabgyeling, monastero, veduta panoramica (Tucci, Ghersi 1934, fig. 173).

fig. 131 - Rabgyeling, monastère, vue générale (Tucci, Ghersi 1934, fig. 173).

SECTION VI

TIBET OCCIDENTAL (NGARI)
DU XÈME AU XIVÈME SIECLE

Paola Mortari Vergara

fig. 111

Les territoires occidentaux les plus importants de la zone culturelle tibétaine, actuellement divisés entre l'Union Indienne (Ladakh, Spiti, Kunavar, Lahul) et la République Populaire de Chine (Région Autonome du Tibet), furent conquis par la monarchie du Yarlung au VIIème siècle (royaume de Shangshung) et au VIIIème siècle (Ladakh). Ils furent appelés «Ngari» (Zone sous contrôle). Jusqu'au Xème siècle, nous ne disposons d'aucune documentation suffisante concernant l'art de bâtir dans ces régions. Des pélerins chinois qui se rendaient en Occident pour vénérer les lieux saints du Bouddhisme décrivent certaines populations vivant sous des tentes et citent un certain nombre de fondations religieuses dans la haute vallée de l'Indus[1]. Francke signale au Ladakh des ruines de «châteaux» qu'il attribue aux Dardes, population indo-européenne. Son hypothèse est aujourd'hui mise en doute[2]. Cette architecture semble cependant pouvoir être rapprochée de celles de l'Asie centrale et du Tibet, entre autres pour des raisons de similitudes climatiques. En l'absence de prospections et de fouilles archéologiques, il n'a pas été possible d'évaluer leur degré d'analogie. Il semble néanmoins, que d'un point de vue culturel, la haute vallée de l'Indus se soit trouvée jusqu'au Xème siècles plutôt dans l'orbite du Kashmir. Cette hypothèse est confirmée par la documentation épigraphique (inscription kusâna à Khalatse datant du IIème siècle environ après J.C., et d'autres inscriptions en kharostî et brâhmî du Ladakh) et sculpturale (relief rupestre à Mulbeck datant du IXème siècle environ, et figures gravées des stèles de Dras). De plus, le pèlerin chinois Huiqiao signale en 727 une nette différence dans l'habillement, la langue, et les usages entre certains habitants du Ngari et les conquérants tibétains[3]. Actuellement la séparation entre l'architecture domestique du Kashmir et celle du Tibet est bien délimitée. On peut observer dans une petite zone de transition (Sonamarg) certaines demeures ayant une morphologie éclectique. Une couvertures cachemirienne à versants voisinent avec des ouvertures de type tibétain aux corniches trapézoïdales.

Il semble que la culture du Tibet ne se soit implantée solidement dans ces régions occidentales qu'au Xème siècle. Un descendant de la monarchie tibétaine occupe alors le territoire pour y fonder le royaume du Ngari. Par la suite cet état fut divisé par ses fils en trois: Guge, Purang, et Maryul (Ladakh)[4]. Ces souverains perpétuent l'union entre le pouvoir monarchique et le Bouddhisme. Toute la zone, souvent fractionnée entre des principautés différentes, n'a joui d'une unité politique que pour de courtes périodes. Au sein du monde tibétain, elle constitua néanmoins une enclave culturelle originale où durant des siècles survécurent des éléments de l'époque monarchique disparus alors du Tibet central. Le style d'architecture qui s'y est développé, tout en participant de la «koine» tibétaine connaîtra une évolution spécifique et trouvera certaines solutions constructives originales. Ce style est le mieux documenté de tout le Tibet grâce aux études effectuées par A.M. Francke[5], puis surtout par G. Tucci[6], et récemment par D.L. Snellgrove[7] et R. Khosla[8].

Les héritiers de la monarchie du Yarlung développent au Ngari deux types de constructions déjà en usage à l'époque monarchique (demeures aristocratiques et sanctuaires bouddhiques) et comme les anciens rois commandient des oeuvres au caractère éclectique prononcé.

L'horizon géopolitique et religieux du Ngari sera plus limité que celui de l'empire tibétain. Ainsi, on ne décèle guère d'influences chinoises ou népalaises. On privilégiera comme sources d'inspiration les arts de deux Etats indiens: le Kashmir et l'empire pâla-sena du Bengale et du Bihâr. C'est dans ces deux régions que les rois du Tibet occidental enverront des religieux afin qu'ils s'instruisent, tel Rinchen Zangpo (958-1055) érudit, traducteur et grand bâtisseur. Les rois du Tibet occidental inviteront également d'éminentes personnalités bouddhiques comme Atîsha (982-1054) érudit, traducteur et grand bâtisseur.

Ils feront venir du Kashmir des artisans et des maîtres d'oeuvre pour édifier des monuments religieux [9].

On peut ainsi noter au Ladakh proche du Kashmir une certaine prépondérance des éléments cachemiriens (décoration des structures portantes, ordres des chapiteaux, plafonds à «laternendecke», arcs trilobés, et même certains types de bâtiments). Au Guge, par contre, les emprunts au Bengale et au Bihar sont plus manifestes (plans des sanctuaires, temples de type prâsâda, pinacles qui évoquent le profil des shikara). Ces influences s'expliquent en partie par une plus grande facilité de communications avec l'empire pâla.

Des détails d'origine centrale-asiatique sont également discernables, principalement dans les charpentes. Ces éléments sont parvenus au Ngari soit par l'intermédiaire du Kashmir, soit directement depuis le bassin du Tarim avant les invasions Musulmanes (Xème-XIIIème siècle). Des éléments d'origine classique, syriaques et byzantins, réutilisés dans l'art du Gandhâra (chapiteaux ioniques, colonnes cannelées, décoration végétale) se retrouveront également au Tibet occidental, l'Asie centrale et le Kashmir servant d'intermédiaires.

Certains de ces emprunts gagneront le Tibet central. C'est en effet du Ngari, et surtout du royaume de Guge, que partira le principal mouvement de reconversion du Tibet central au Bouddhisme. Cette renaissance spirituelle donnera une nouvelle impulsion à l'architecture au Tsang et Ü. Au Ngari, les complexes religieux sont situés dans des vallées, fréquemment auprès des forteresses et des capitales (Basgo, Chigtan, Nyarma). Entourés de murs, ils sont orientés selon l'axe traditionnel Est-Ouest et comprennent plusieurs édifices sacrés, souvent placés dans une position quasi-symétrique. Ces architectures sont les plus anciennes du monde tibétain qui nous soient parvenues presque intactes malgré des restaurations successives et des adjonctions. Leurs aménagements renvoient à des plans indiens déjà utilisés à l'époque des monarques du Yarlung. Ils possèdent cependant moins d'ampleur et de monumentalité. La maçonnerie, les bandeaux d'attique et les encadrements des ouvertures sont de pur style tibétain. Seuls certains éléments constructifs en bois reprennent des modèles cachemiriens, pâla ou centraux-asiatiques.

Ce qui surprend, c'est le singulier contraste entre l'extrême simplicité des extérieurs, enduits de blanc aux décorations linéaires rouge foncé, et les intérieurs entièrement recouverts de peintures murales et de sculptures de couleurs vives. Un contraste identique caractérise l'architecture paléochrétienne et certaines architectures romanes, animées d'une tension religieuse semblable et auxquelles des critiques contemporains attribuent une valeur symbolique [10]. L'extérieur des édifices correspondrait à l'enveloppe charnelle, phénoménale et mortelle, tandis que l'intérieur, au riche décor polychrome, représenterait le monde de l'esprit. Comme dans églises paléochrétiennes et romanes, l'entrée somptueusement ornée matérialise le point de passage entre le domaine terrestre et le monde spirituel.

Après la deuxième diffusion du Bouddhisme (chidar), toutes les fondations les plus importantes du Tibet occidental se rattachent à l'ordre kadampa. Cet ordre se réclame des préceptes d'Atîsha (982-1054) qui séjourna au Guge [11]. A partir du XIIIème siècle les plus importantes écoles religieuses du Tibet central commencent à se répandre au Ngari. L'ordre kagyupa qui se rattache aux enseignements de Marpa (1012-1096), et de Milarepa (1040-1123), plus principalement dans sa tendance Digungpa, sera particulièrement présente autour du Mont Kailâsa. Dans le royaume de Gungthang, situé dans la zone Sud-Est du Ngari, se répand l'école sakyapa, fondée par Konchog Gyelpo (1073) et qui sera soutenue par les Mongols au XIIIème siècle.

Il se peut que le Gungthang soit devenu un important centre administratif à l'époque mongole (XIIIème-XIVème siècle), alors que les Sakyapa dominaient le Tibet central [12].

Ces écoles introduiront dans le Ngari de nouveaux complexes religieux aux fonctions multiples, situés à flanc de colline. Ce type déjà développé au Tibet central ne se répandra vraiment dans les régions occidentales qu'à partir du XVème siècle.

Après les destructions de la Révolution Culturelle le Ngari fournit la documentation la plus exhaustive pour l'étude de la morphologie des chörten (stûpa) tibétains anciens. Les représentations figurant sur les tsatsa (modèles et plaques votives moulées) contribuent à en préciser les principales caractéristiques [13]. Ces monuments reproduisent certains des types les plus répandus en Inde et en Asie centrale.

Au Ngari, les chörten semblent encore plus nombreux que dans les autres provinces. Au Ladakh par exemple, la vallée située aux pieds du château de Shey présente un grand nombre de stûpa d'une grande variété typologique. Tous les principaux ensembles architecturaux sont précédés et accompagnés de chörten. Le type le plus répandu à cette époque semble avoir été celui nommé lhabab, qui symbolise la descente du Bouddha du ciel Tusita [14]. Il possède un escalier au milieu de chaque côté mais présente parfois des formes plus complexes. Ainsi comme à Alchi, quelques rares exemples ont un couronnement en quinconce. Egalement à Alchi subsistent trois des exemples les plus anciens de chörten-porte. Ce type original au monde tibétain présente un passage dans son soubassement. Ces monuments marquent le plus souvent l'accès aux complexes architecturaux. A Basgo et à Alchi, on trouve un autre type de chörten placé sur un soubassement en forme de mandala et qui possède plusieurs étages décroissants, pourvus de niches ou de chapelles. Ce type inspiré du monde indien et appelé Kumbum se répandra sous une forme plus monumentale aux époques suivantes, surtout au Tibet central (Section VII).

Le Bouddhisme favorisa également l'aménagement de sanctuaires rupestres. Leur taille, leur plan et leur décor ne sauraient rivaliser avec les grands ensembles indiens et centraux-asiatiques. De petites cavernes de forme quadrangulaire ou semi-circulaire sont décorées de peintures murales et de sculptures. Elles occupent fréquemment des cavités naturelles qui, à l'origine, pouvaient servir de retraite aux ascètes. Près d'une petite grotte de ce type où aurait séjourné l'indien Naropa (956-1040), maître de Marpa, a été construit le sanctuaire le plus ancien du complexe de Lamayuru au Ladakh. Certains éléments constructifs (chapiteaux) de la fondation primitive (X-XIème siècle) ont été conservés [15]. Les plus riches de ces sanctuaires ont été signalés par G. Tucci à Dunkar. Il y a remarqué des peintures superbes de l'école de Guge qu'il date des environs du XVème siècle ainsi que des plafonds ornés de cariatides et d'atlantes [16]. Ce type d'aménagement a sans doute été facilité par l'existence d'habitations troglodytes, signalées par exemple à Tsaparang, la capitale du royaume de Guge [17]. L'un des ensembles les plus importants de ces sanctuaires rupestres semble avoir été celui de Changthang [18]. Les palais fortifiés (khar, dzong) du Tibet occidentals situés au sommet ou sur le versant d'une colline, perpétuent les usages de l'époque monarchique. Les textes nous en signalent un grand nombre [19] appartenant aux seigneurs et aux rois qui se partagaient le territoire. Voyageurs et chercheurs nous ont laissé la description de plusieurs de ces ruines [20] mais aucun des châteaux de cette époque ne nous est parvenu intact. La ville fortifiée de Tsaparang avec ses vastes temples et ses palais, préfigure les cités monastiques des époques ultérieures.

Quelques monuments du Tibet occidental, mieux connus et étudiés, permettent de préciser certains de ces caractères généraux et aident à discerner une certaine évolution.

SANCTUAIRE DE THOLING, Region autonome du Tibet

Le sanctuaire des souverains de Guge, à Tholing, a été construit à partir de la fin de Xeme siècle par le pieux roi Yesheö et par Rinchen Zangpo qui en fut le premier abbé. Ce complexe témoigne de l'importance des ressources économiques que possédait alors le Guge. Ainsi les colonnes, taillées dans des troncs de cèdre, devaient être amenées du Kunavar par des chemins escarpés au travers des montagnes. Nous ne possédons pas de descriptions exhaustives de l'ensemble situé actuellement dans une zone stratégique et qui, d'ailleurs, a toujours été d'accès difficile. Les descriptions les plus détaillées restent pour le moment celles de G.M. Young et de G. Tucci et la plus ancienne celle d'Andrade [21].

La tradition [22] souligne à la fois les références à l'architecture de l'époque de la dynastie de Yarlung et aux temples indiens. On sait en effet que Tholing a été édifié sur les modèles de Samye au Tibet central et d'Odantapurî. Ce dernier mouvement, exemple d'un mahâvihâra d'époque pâla, a servi lui-même d'exemple à l'Utse de Samye. L'ensemble des temples, auxquels on ajouta plus tard des demeures monastiques qui n'ont pas été reportées par G. Tucci sur son plan, est entouré par une enceinte rectangulaire (chagri). Elle est orientée selon les points cardinaux et possède deux accès latéraux, au Sud et au Nord. L'entrée monumentale

fig. 112

se trouve à Est, sur l'un des petits côtés. Elle est surmontée d'un couronnement à gradins qui reprend symboliquement le profil des temples de type «prâsâda».

A l'intérieur, dans l'axe de l'entrée et par conséquent à une place prééminente, s'élève le sanctuaire le plus grand, appelé tèmple de Yesheö. Sur la gauche de l'axe central sont situés trois sanctuaires: deux ayant un plan rectangulaire (Dükhang, Temple des seize arhat), et le troisième de forme carrée (Tonggyü). Sur la droite nous en trouvons deux autres, l'un ayant un plan rectangulaire (Lhakhang Karpo) et un autre de plan carré (Serkhang). Le temple de Yesheö comme l'Utse de Samye consiste lui-même en plusieurs bâtiments emboîtés, les plus externes moins élevés que ceux du centre. Cette disposition, vue de l'extérieur, crée un effet de pyramide à gradins qui évoque le type indien «prâsâda». Du modèle indien, il conserve également la forme redentée de l'enceinte la plus extérieure et celle en croix du corps central. Par ses caractéristiques et sa décoration intérieure, le bâtiment entier représente le Vajradhâtu mandala. On note, comme dans les prototypes indiens et à Samye, une plus grande monumentalité et une plus grande ampleur attribuée au côté de l'entrée.

Comparé à l'Utse de Samye, le temple de Yesheö est beaucoup moins élevé et le rapport de proportion, entre l'enceinte externe (corps carré constitué par une rangée de chapelles) et le temple central en forme de croix est plus resserré. De plus, contrairement à l'Utse, toute la maçonnerie est en pur style tibétain, crépie en rouge, à l'exception d'une petite toiture en cuivre doré de style «chinois» située au sommet du lanterneau. Ce type de couverture, adaptation au Tibet central de la toiture chinoise en tuiles répandue par les Sakyapa, ne peut donc pas être contemporaine de la fondation du temple. Il s'agit probablement d'une adjonction des Gelugpa après leur implantation à Tholing au XVème siècle.

fig. 113

Ici, contrairement à la majeure partie des temples du Tibet central, le profil général de l'édifice est souligné par quatre «chörten» surmontant les quatre côtés de la première enceinte. La hauteur du soubassement à gradins et leur pinacle évoquent presque la silhouette d'un shikhara. Ce dispositif reproduit avec une grande fidélité l'ensemble des acrotères en forme de stûpa disposés en quinconce sur les temple indiens de type «prâsâda». Cet aménagement qui nous est entre autres connu par des minatures du XIeme siècle [23] et par nombre de peintures murales et de sculptures provenant de cette même école de Guge [24].

fig. 114

Le Serkhang, Temple de l'initiation, est le bâtiment le plus sacré de tout le complexe [25]. Situé dans l'angle Nord-Est, il reprend une morphologie qui a disparu de l'Inde et constitue l'exemple le plus ancien qui nous soit parvenu d'un édifice possédant des structures portantes en bois inspirées du monde indien. Il est formé de trois étages en gradins reliés par un escalier externe, chacun entouré d'un portique en bois convert par une toiture. Il exprime les multiples implications symboliques du mandala. Les trois étages représentent les trois corps du Bouddha et les différents stades de la conscience que l'initié doit expérimenter en parcourant, aux divers niveaux, les chapelles consacrées à des divinités en rapport avec les étapes de cet itinéraire spirituel.

Les consoles en forme de S supportant la toiture sont très particulières. Richement sculptées, elles reposent sur une poutrelle encastrée perpendiculairement dans les piliers en bois. Selon Ph. Denwood [26] elles sont à rapprocher de prototypes centraux-asiatiques. On trouve cependant une structure identique dans l'architecture indienne en pierre la plus ancienne, ainsi dans les piliers du Ganesha Gumphâ à Khandagiri-Udayagiri (Ier siècle après J.C.) [27] qui auront un développement ultérieur dans le mandapa du Vimala Vasâhi au Mont Abû (env. 1150) [28]. On les rencontrera également dans l'architecture népalaise plus tardive (portique inférieur du Baghbhairava à Kirtipur, 1717). Les toitures accusent également une nette influence indo-cachemirienne et présentent le même système de construction préservé encore aujourd'hui au Népal. Il est très éloigné du type chinois, malgré une certaine ressemblance purement superficielle. D'après M. Henss, ce temple a de nos jours disparu.

fig. 115

Le portail du Temple Blanc (Lhakhang Karpo) que G. Tucci a défini comme possédant un «dessin barbare» est très intéressant aussi [29]. Il présente différents éléments d'origine indienne qui se retrouvent dans les portes (torana) de certains mandala peints ou sculptés. Aux colonnes lourdes et trapues de la base que nous trouvons déjà dans le monde gandhârien (Ier-VIème siècle), au stûpa d'Ali Masjid (col de Khyber [30]), se superposent deux éléments symboliques. L'un, composé de poutrelles formant une pyramide à gradins, reprend le motif du temple à «prâsâda», en le stylisant. Cette référence se retrouve aussi à l'entrée du complexe. Ce schéma, très répandu au Ngari et riche d'implications symboliques, il se trouve derrière de nombreuses divinités représentées à cette époque, ainsi sur les enluminures d'un manuscrit népalais daté 1015, conservé à Cambridge qui présentent autour des divinités des prototypes d'architectures indiennes caractéristiques [31]. Le second élément, issu de l'ancienne iconographie bouddhique, roue de la loi située entre deux gazelles, évoque la première prédication du Bouddha dans le parc de Sârnâth. Ce thème se répandra sur toute la zone culturelle tibétaine jusqu'aux époques le plus récentes et garnira le faîte de la pluspart des temples.

fig. 116

A l'extérieur de l'enceinte, aux quatre côtés se trouvent à des distances légèrement différentes, quatre chörten monumentaux qui reprennent un dispositif analogue à celui de Samye. Il renvoie à l'antique schéma indien de répartition des monuments en quinconce et aux quatre pieux qui au Tibet marquaient l'orientation. Ces quatre chörten sont du type lhabab précédemment décrit. D'après la tradition les reliques de Rinchen Zangpo sont conservées dans le chörten de l'angle Nord-Est. La forme presque sphérique de la coupole, proche de certains prototypes indiens, et le pinacle massif caractérisent les chörten de cette époque.

TABO CHKHOR, Spiti, Union Indienne

fig. 117

Le sanctuaire, principal lieu de culte de la vallée de Spiti, fut fondé, lui aussi, par Rinchen Zangpo, sous la protection du roi-moine Yesheö à la fin du Xème siècle. Ce site fut appelé Chökhor (Dharmacakra) probablement comme Samye puisqu'il fut le siège de conciles [32]. Il a appartenu dans les premiers siècles après l'an mil à l'ordre kadampa. Il fut rattaché symboliquement au complexe de Tholing dont il serait le complément nécessaire afin d'arriver idéalement au nombre mystique de 108 édifices [33]. Bien que visité et décrit même récemment par des chercheurs et des voyageurs, la monographie la plus détaillée reste celle de G. Tucci [34].

fig. 118

La zone sacrée est entourée par une enceinte (chagri) rectangulaire de 84.7m × 74.3m orientée selon les points cardinaux. A l'arrière, au Sud-Ouest, l'enceinte a été agrandie, sans doute à date relativement tardive. L'ensemble présente huit temples. Le complexe est organisé selon l'axe traditionnel Est-Ouest, légèrement excentré, comprenant l'entrée et le temple principal, le Tsuglagkhang. Il est flanqué par quatre temples sécondaires (Serkhang, Domtön, Champai et Domtön chung lhakhang), pratiquement alignés.
Leur entrée, précédée d'un portique, ouvre à l'Est. Actuellement, le Tsuglagkhang ouvre au Sud, puisque plusieurs installations (Gokhang et annexe) ont été successivement adossées au portique, interdisant ainsi l'accès par l'Est.
Le «Temple de l'initiation» (Kyilkhang) et le Karchung se trouvent en position complètement asymétrique.
Des murs très épais, comme ceux qui entourent le corps central de l'Utse de Samye, protègent le côté occidental des temples, peut être afin d'assurer une protection contre le climat rigoureux. On peut constater une gradation dans l'importance des temples en fonction de leur éloignement du centre du complexe, dans leurs dimensions et la complexité de leur plan. Le grand temple central, rectangulaire, le Tsuglagkhang, de 41m sur 36m, possède trois nefs. Deux rangées de colonnes ont été ajoutées pour des raisons de stabilité près des murs latéraux [35]. Au fond, la cella carrée est entourée par un déambulatoire. Les temples situés immédiatement sur les côtés, le Domtön (qui aprés avoir été renforcé au cours des siécles fait actuellement corps avec le Tsuglagkhang) et le Champa, sont de taille plus petite et leur cellas rectangulaires sont beaucoup moins saillantes. Les deux derniers sanctuaires, situés aux extrèmes limites de l'alignement, sont encore plus petits, avec un plan carré, sans abside. Peut être qu'un telle disposition hiérarchisée symbolise les cinq Bouddhas Suprêmes représentés dans le schéma des mandala.
Les temples, comme l'attestent les inscriptions à l'intérieur du Tsuglagkhang, ont été reconstruits et restaurés plusieurs fois à partir de leur 46ème année de fondation [36].
Certaines parties (pronaos du Tsuglhakhang et nefs centrales), certains éléments en bois (encadrement des portes, chapiteaux, colonnes) et surtout les caractères principaux des plans originaux ont été cependant

conservés. Le complexe tout entier est orienté, à la manière indienne, en fonction des points cardinaux, la prééminence étant accordée à l'édifice central. Le plan de chaque temple peut être relié à des prototypes gupta, réutilisés sous les Pâla. On trouve ainsi un large éventail de plans: de la simple chapelle quadrangulaire au sanctuaire basilical à pronaos. On ne rencontre cependant aucun aménagement en forme de mandala, alors que l'intérieur du Tsuglagkhang exprime le cycle mystique du «Sarvavid Vairocana Mandala» par des représentations sculptées et peintes. Les statues des principales divinités du mandala sont placées sur des consoles en forme de fleur de lotus qui saillent fortement des murs. Ce dispositif déjà adopté par les Gupta et repris par les Pâla, par exemple sur le Bouddha du Museum of Fine Arts de Boston [37], se retrouve dans presque tous les sanctuaires contemporains du Ngari.

Cette imbrication de l'architecture et de l'iconographie amena G. Tucci à affirmer: «ces temples sont presque le symbole architectonique et plastique de l'oeuvre admirable de traduction et d'apostolat de Rinchen Zangpo» [38].

Les éléments fortement asymétriques que l'on rencontre à Tabo, telle la position des chapelles annexes à l'entrée du Tsuglagkhang qui perturbent l'ordonnance Est-Ouest, ou le petit temple de Karchung qui a entraîné l'élargissement de l'enceinte, ont été signalés comme étant des additions postérieures [39]. Ils témoignent de l'adjonction à l'organisation spatiale indienne de type classique d'une disposition de type tibétain traditionnel. Cette organisation autochtone est également décelable dans certaines petites asymétries des édifices plus anciens (emplacement des colonnes, alignement des édifices).

Les demeures monastiques semblent avoir été prévues à l'origine en dehors de l'enceinte sacrée.

fig. 119
Une des structures en bois des plus caractéristiques, inspirée elle aussi du monde indien et adoptée déjà à l'époque monarchique, est l'encadrement historié des portes. A.H. Francke et G. Tucci [40] signalent une porte en bois de cèdre au temple Domtön qui présente des rapports étroits avec les prototypes gupta réutilisés par les Pâla. Ce détail incite à la dater de l'époque de la fondation du monastère. Les registres concentriques sont décorés de motifs végétaux et géométriques et de panneaux rectangulaires représentant des épisodes de la vie du Bouddha et des couples amoureux (mithuna). Ces sujets sont abrités par des arcs au profil brisé ou polylobé. Nous retrouvons les mêmes éléments en pierre, par exemple dans la deuxième caverne d'Ajanta [41] ou dans le portail du temple de Visnu à Deogarh (VIème siècle) [42].

Des fragments d'un autre portail en bois retrouvés par G. Tucci à Tabo présentent une disposition analogue [43]. On note cependant, par rapport à l'harmonie classique des prototypes «gupta», une plus grande densité de la décoration qui devient plus plate et plus serrée. Les panneaux qui accueillent les figures, sont surchargés d'éléments architecturaux qui comprennent de nombreux types types d'arcatures utilisés dans le monde indien.

Comme l'attestent les sources écrites, des artistes indo-cachemiriens, venus à la suite de Rinchen Zangpo et employés par les rois de Guge [44], ont certainement contribué à ces oeuvres. Elles sont par conséquent un témoignage important de la sculpture bouddhique en bois, disparue de l'Inde même.

Dans le domaine de la peinture, les liens avec l'Inde sont évidents, même si par la suite l'école de Guge développera un style particulier [45]. Certaines représentations d'architectures très originales, situées sur la paroi Nord du Tsuglagkhang et datées du XVIème siècle environ, fournissent des données intéressantes sur les constructions des palais de l'époque. Il s'agit de scènes qui représentent la légende indienne du prince bouddhiste Norzang (Sudhâna) et de ses multiples aventures [46].

fig. 120
Les édifices qui servent d'arrière plan à la narration expriment, malgré les limites du langage pictural, la variété du lexique architectural du règne de Guge: une libre juxtaposition, sans souci de symétrie, des modules en maçonnerie de dimensions différentes, surmontés de bandeaux d'attique, et une typologie très diversifiée des ouvertures.

ALCHI CHOKHÖR, Ladakh, Union Indienne

Ce complexe a été fondé dans la deuxième moitié du XIème siècle comme en témoignent les inscriptions retrouvées dans le Dükhang et dans le Sumtsek. Elles attribuent la fondation à deux membres de la noble famille tibétaine des Do. Dans les premiers siècles, Alchi dépendait de l'ordre kadampa comme les autres centres les plus importants du Ngari. Il a été, comme son nom l'indique, le siège de conciles et un centre de diffusion de la doctrine [47]. Les descriptions architecturales les plus détaillées ont été fournies récemment par D. Snellgrove, et par R. Khosla [48].

L'enceinte (chagri) de 100m × 40m environ qui délimite la zone sacrée est flanquée d'un sentier de circumambulation (path). Il comprend cinq temples, quelques chörten et des demeures qui ont été ajoutées par la suite. Le terrain qui borde la rive gauche de l'Indus étant en pente, l'enceinte n'est pas orientée parfaitement selon les points cardinaux. Même si elle a une allure rectangulaire, elle n'est pas parfaitement rectiligne. Khosla suppose que la partie Sud-Est, plus régulière, conserve l'ancien tracé, tandis que la partie Sud-Ouest aurait été construite plus tard [49]. On peut supposer également qu'à l'origine la porte principale du chagri devait s'ouvrir dans l'axe du temple majeur (Dükhang), comme à Tabo. Une partie de cette enceinte est encore surmontée de petits chörten selon un usage qui sera très répandu dans le monde tibétain. On peut également noter une attention moindre apportée à la disposition symétrique des édifices. Le caractère moins officiel de ce sanctuaire, par rapport à ceux de Tholing et de Tabo, explique peut être ce dernier trait.

Fig. 121

Dans les complexes moins importants en effet, comme par exemple celui de Nako, fondé lui-aussi selon la tradition par Rinchen Zangpo [50], le plan général se libère en partie des règles d'axialité indienne en faveur du libre assemblage de modules de maçonnerie à la manière purement tibétaine qui constitue une ébauche des complexes religieux à fonctions multiples du XVème siècle. L'enceinte de Nako reste cependant encore orientée selon les points cardinaux, l'ancienne entrée ouvrant vers l'Est. A Alchi, au contraire, l'édifice le

Fig. 122, 123

plus important, la salle de réunion (Dükhang), construit le premier, est flanqué par trois temples (Sumtsek, Lotsawa lhakhang, Mañjushrî lhakhang) disposés en une rangée presque rectiligne qui rappelle la disposition de Tabo. Tous ont cependant leur entrée au Sud-Est, du fait de l'orientation de l'enceinte. La disposition selon une rangée rectiligne, perpendiculaire à l'axe central du complexe, l'édifice le plus important étant situé sur cet axe, est très courante dans le monde bouddhique. On la rencontre également en Asie centrale [51] et orientale [52]. L'emplacement du cinquième temple (Lhakhang Soma) est presque identique de celui du Kyilkhang à Tabo. Les plans des temples évoquent, comme il est d'usage, les anciens modèles indiens et les partis architecturaux de l'époque monarchique. Le Dükhang seul, sans les habitations ajoutées ultérieurement du côté de l'entrée, est constitué d'une cour d'accès rectangulaire (14,6 × 7,3m) entourée d'une colonnade asymétrique plusieurs fois restaurée. L'axe central coupe une enfilade de cinq pièces, allusion à la rangée de chapelles qui entouraient le temple de Yesheö à Toling et les temples les plus importants de l'époque monarchique. Le plan du sanctuaire lui-même est plus simple que celui du Tsuglagkhang de Tabo. Presque carré, de dimensions plus réduites (7,5 × 7,9m) pourve d'une abside rectangulaire (3,3 × 2,4m), il possède seulement quatre colonnes qui supportent la couverture et le lanterneau. Comme à Tabo et dans de nombreux autres temples de la même période, la décoration sculptée et peinte a pour sujet principal le cycle de Vairocana, particulièrement vénéré par Rinchen Zangpo.

Le Lotsawa et le Mañjushrî lhakhang, probablement plus tardifs (XIIème siècle) [53], à la droite du Dükhang, sont actuellement réunis par des habitations ajoutées ultérieurement. Ils sont donc contigus et mesurent chacun 5,7 × 5,7m. Constitués d'une cellule carrée précédée d'un portique, ils présentent le type de plan simplifié que nous avons déjà rencontré dans les chapelles les plus petites de Tabo, constitué d'une cellule carrée précédée d'un portique. Le Lotsawa lhakhang est surmonté d'un lanterneau à chörten. Il constitue l'exemple le plus accompli des anciens temples indiens qui utilisaient ce dispositif. A gauche du Dükhang, le

fig. 124

Sumtsek («A trois gradins») se rattache aux temples indiens de type prâsâda et à leurs imitations tibétaines comme l'Utse de Samye, le Temple de Yesheöu, le Sanctuaire d'initiation de Tholing. On note ainsi son plan en forme de croix et son profil en forme de pyramide étagée à trois gradins.

Le nombre symbolique trois se retrouve également dans les trois séries d'ouvertures superposées de la façade, dans les trois travées du pronaos et dans les trois statues monumentales de l'intérieur.

Ses dimensions sont réduites (5,4m × 5,8m avec des saillies de 2,70m × 2m environ). En 1979 un contrefort en forme de banc a été rajouté au Sumtsek. Cet élément modifie les significations symboliques liées au mandala, également exprimées par la riche décoration intérieure, typique des temples d'initiation. Le Lhakhang Soma (Temple nouveau), plus tardif (XIIIème siècle environ)[54] (5,4m × 5,1m) est semblable au Kyilkhang de Tabo, non seulement par sa position dans l'enceinte, mais également par son plan composé d'une simple cella carrée dépourvue de portique d'entrée. De même à l'intérieur, les peintures murales des mandala et le chörten central le rattachent aux temples d'initiation.

fig. 125

Le chörten-porte le plus important (7,30m × 7m), répertorié J1 par D.Snellgrove[55] et n. 3 par R. Khosla[56], situé dans l'angle Sud du complexe, est un splendide exemple d'un monument religieux surmonté d'un couronnement en quinconce (pañcâyatana). Il se compose d'un massif carré qui ouvre à l'Ouest, des niches figurant sur les autres trois côtés. Il ouvrait autrefois également vers l'Est. Quatre chörten aux angles de la couverture entourent un second podium de proportions plus réduites pourvu de quatre ouvertures symétriques. Un chörten monumental surmonte l'ensemble. Cette structure a été restaurée récemment et l'ajout de contreforts altère la pureté de son profil.

Aux significations symboliques communes à tous les chörten, s'ajoute une allusion aux cinq Bouddhas Suprêmes (Tathâgata), aux cinq directions de l'espace et aux cinq éléments, donnée par son aspect en quinconce. Une telle superstructure faisait partie depuis des siècles de la tradition indienne. Nous la trouvons par exemple, dans le stûpa du groupe 106 de Nâgârjunakonda (IIIème-IVème siècle) et également, sous une forme encore plus monumentale, dans l'empire pâla au temple de la Mahâbodhi à Bodhgayâ. A

fig. 126

l'intérieur les peintures du plafond renvoient aux «laternendecke» d'Asie centrale et du Kashmir. Un type semblable, mais plus ruiné, est signalé à Basgo. Il remonterait à l'époque de Rinchen Zangpo[57].

La maçonnerie de tous les monuments d'Alchi est typiquement tibétaine, crépie de blanc avec des bandeaux d'attique peints en rouge foncé. Des apports étrangers évidents apparaissent cependant dans les plans et surtout dans la charpente. Le bois est rare sur place, aussi, il a été nécessaire de l'importer, probablement des lointaines forêts du Kunavar. L'entrée du Dükhang est exemplaire sur ce point. Elle reproduit en bois les

fig. 127

mêmes éléments qui nous ont été conservés dans la pierre sur le portail de la plupart des temples du Kashmir des IXème XIIème siècles (Payar, Pathan, Pândrenthân) parvenus jusqu'à nous[58]. Cette structure se compose d'un arc polylobé abritant une figure divine, le tout surmonté par un tympan à angle aïgu.

Un autre élément souligne encore ces réminiscences cachemiriennes. Un protome de lion, qui avait son pendant aujourd'hui disparu, est du même type que les masques léonins (kirtimukha) qui décorent l'entrée du temple d'Avantisvami (IXème siècle), près de shrinagar[59]. Leurs positions au dessus d'un arc polylobé garni de motifs végétaux et d'une divinité en son centre, sont identiques. U. Wiesner a examiné ces figures léonines, têtes de poutre formant console, dès leur première apparition dans l'art indien, (Gandhâra, Ier-VIIème siècle) et leur présence dans les arts gupta, puis cachemirien jusqu'à leur utilisation dans l'architecture népalaise (Temple de Nârâyana à Patan, 1566)[60]. L'architecture tibétaine fournit egalement de

fig. 128

nombreux exemples en bois de cet élément placé à l'extérieur ou au dessus de l'entrée des édifices afin de symboliquement les protéger. Le témoignage le plus ancien semble être celui des consoles à l'extérieur du Jokhang, que la tradition attribue à des artistes népalais de l'époque monarchique[61]. Ces éléments ont la forme de lions atlantes couchés ou d'êtres au corps léonin mais à visage humain. On ne retrouve ces dernières créatures ni en Inde ni dans l'art tibétain plus tardif. Elles figurent au contraire sur certains monuments gandhâriens où des figures de Yaksa (anciennes divinités dravidiennes) alternent avec des lions en pierre, couchés dans une position analogue à ceux du Jokhang (stûpa d'Ali Masjid)[62]. A l'époque gupta (IVème-VIème siècle), une survivance du même motif se rencontre sur une frise située à l'entrée du temple Vâmana à Marhiâ. En son milieu, une tête humaine apparaît entre des masques léonins[63]. Cette tête humaine est identique à celles du Jokhang. Stylistiquement, la plastique exceptionnelle des figures du Jokhang, proches de la sculpture gupta, se différentie profondément de celle, plus stylisée et sommaire, des nombreux protomes de lion d'Alchi. Plus tard, au Tibet central, les consoles en forme de protomes de lion présenteront peu à peu un aspect sinisant. Cette particularité déjà sous-jacente dans certaines consoles du monastère de Gyani, près de Samada[64], s'épanouira pleinement sur les linteaux des portes du Potala (à partir du XVIIème siècle).

L'encadrement de la porte du Dükhang d'Alchi (fig. 127), surmonté d'un arc trilobé inscrit dans un triangle, a également pour lointaine origine des modèles gupta, au travers de leur remploi au Tibet central à l'époque monarchique (porte du Jokhang). Cet élément est, au Tibet occidental, dans presque toutes les fondations de cette époque. L'encadrement de la porte du temple de Domtön à Tabo est du même type: registres concentriques dont l'un est formé par la juxtaposition de panneaux rectangulaires. Certains sont ornés de divinités placées sous des arcatures polylobées inscrites dans un triangle. L'ensemble est enrichi d'un décor végétal et géométrique. A Alchi toutefois vient s'ajouter un motif en ligne brisée (grecque) d'origine gandhârienne. On constate sa présence au Kashmir à l'époque Kushana comme l'attestent les dalles en terre-cuite du temple de Harwan (IVème siècle). Ce motif se répandra dans le Ngari; G. Tucci signale en effet une porte à grecque, mais avec un dessin plus surchargé, à Tsaparang, capitale du royaume de Guge [65].

fig. 129

Le bandeau ajouré situé au-dessus de l'architrave du portique d'entrée du Sumtsek, répète trois fois, mais sur une échelle plus réduite, la formule proposée à l'entrée du Dükhang. Un arc trilobé, inscrit dans un triangle et abritant un buddha assis, est surmonté de corbeaux sculptés en forme de protomes de lion. Les trois colonnes rapprochées qui séparent les arcatures les unes des autres, sont un élément nouveau. Selon Ph. Denwood, l'alternance et la morphologie de ces structures semblent identiques au système des consoles tripartites (dougung) accouplées avec un élément triangulaire typique de certaines architraves chinoises utilisées jusqu'à l'époque Tang (VIIème-Xème siècle) [66]. Il n'est pas exclu qu'un tel dispositif soit parvenu jusqu'au Kashmir, peut être sous le règne du roi Lalitâditya (723-756), époque où d'autres influences chinoises ont pu être décelées. Il semble cependant plus vraisemblable de relié ce motif architectural au monde indien. Nous trouvons déjà dans les différents étages du Stûpa d'Ali Masjid au Gandhâra l'alternance d'arcatures trilobées et de larges pilastres. Ce dispositif est peut être le lointain prototype de la structure située dans la partie supérieure du Sumtsek. En outre, aucun de ces éléments architecturaux, malgré leur position particulière, ne présente un aspect chinois. Les chapiteaux garnis de volutes ioniques évoquent une lointaine origine gandhârienne (temple de Jandial à Taxila) [67]. On n'a cependant pas retrouvé au Kashmir des chapiteaux de forme identique. Ce thème a peut être transité par l'Asie centrale où l'on connaît des exemples analogues en pierre et même en bois (à Mirân, Subachi, Loulan et Duldur-aqur [68]).

fig. 130

A Alchi, sous ces chapiteaux, des colonnes cannelées ont aussi une lointaine origine gréco-romaine parvenues, par l'intermédiaire du Gandhâra et du Kashmir. On rencontre ces colonnes au Ladakh jusqu'aux époques les plus tardives, leurs formes se simplifiant avec le temps, leur volute se réduisant en un fin motif décoratif. Au Sumtsek d'Alchi, le chapiteau de la colonne centrale de ce motif triparti possède une forme trapézoïdale caractéristique et une série de moulures superposées typiques du Kashmir (temples d'Avantisvami, Payar et Patan) [69].

COMPLEXE DE RABGYELING, Region autonome du Tibet

fig. 131

Fondés par les Sakyapa au XIVème-XVème siècle, l'ensemble monastique et les temples de Rabgyeling [70] peuvent être considérés comme représentatifs d'une nouvelle conception architecturale au Ngari. Ils s'inspirent de certains prototypes indiens qui présentent, placés en enfilade, le vihâra (monastère), le caìtyagriha (sanctuaire) et enfin le stûpa (Nâgârjunakonda, complexe n. 26, IIIème siècle) [17]. D'un autre côté, leur aspect fortifié, leur étagement sur une pente e leur situation renvoient aux solutions élaborées déjà à Sakya Nord, au Tibet central.

A Rabgyeling, en effet, le dénivellement du terrain n'est pas utilisé au hasard comme à Alchi mais est exploité afin de renforcer la hiérarchie des édifices. Ainsi tour à tour la demeure de l'abbé, puis un premier temple, ensuite le Tsuglagkhang, enfin le sanctuaire dédié aux divinités ésotériques, peut être réservé aux rites d'initiation, se succèdent sur la pente. G. Tucci observe qu'au Tibet occidental la plus haute position est fréquemment réservée à ce type de petit temple, aussi bien dans les châteaux que dans les complexes monastiques. La file de cinq chörten alignés sur un même soubassement à gradins, situé perpendiculairement à l'axe du complexe, constitue le trait le plus caractéristique de la silhouette de Rabgyeling. Les cinq stûpa de taille décroissante à partir de celui du centre présentent ainsi une certaine analogie avec la disposition analogue des temples de Tabo. Cette même hiérarchisation des figures des Tathâgata se trouve sur le célèbre relief rupestre en contrebas de Shey, au Ladakh [72].

Les monuments du Tibet occidental qui ont servécu jusqu'à nos jours constituent un témoignage essentiel de l'évolution architecturale du Tibet. Ils sont également précieux pour comprendre la constitution exacte des charpentes dans le monde indien ancien où seules leurs copies dans la pierre nous ont été conservées.

SECTION VI - NOTES

[1] HUI QIAO. In: TORU, 1957, p. 618; PETECH, 1977, p. 10.

[2] FRANCKE, 1906; 1907; 1914-26, vol. I, p. 95.

[3] v.n. 1.

[4] PETECH, 1977, p. 17.

[5] FRANCKE, 1914-26.

[6] TUCCI, 1932-41; 1934; 1973.

[7] SNELLGROVE, SKORUPSKI, 1977-80.

[8] KHOSLA, 1979.

[9] TUCCI, 1932-41 vol. II, p. 67; vol. III, I p. 89-90.

[10] ARGAN, 1968 p. 211, DE FUSCO, 1978 p. 174.

[11] STEIN, 1981 II, p. 77-78.

[12] JACKSON, 1976, p. 44-45.

[13] TUCCI, 1932-41, vol. I.

[14] TUCCI, 1973, p. 96-113.

[15] FRANCKE, 1914-26, vol. 1, p. 96; SNELLGROVE, SKORUPSKI, 1977-80, vol I, p. 20-21; vol. II, p. 76; KHOSLA, 1979, p. 68-71, fig. 52-55.

[16] TUCCI, 1937 I, 1978 II, p. 137-138.

[17] TUCCI, 1973, p. 40; 1981 n. 11, p. 31-37.

[18] TUCCI, GHERSI, 1934, p. 225-28, TUCCI, 1973, p. 39.

[19] FRANCKE, 1914-26, vol. II: PETECH, 1977, p. 16, 19 et passim.

[20] FRANCKE, 1914-26, vol. I; TUCCI, 1973, p. 63-76.

[21] ANDRADE, 1926; YOUNG, 1919; ESTEVES PEREIRA 1921; TUCCI, GHERSI, 1934, p. 296-329; TUCCI: 1937, p. 164-67; 1949; CHATTERJI 1940, p. 30-34; TUCCI 1973, p. 80; GOTAMI GOVINDA 1979 p. 147-151; PETECH 1980.

[22] TUCCI, 1973, p. 80.

[23] SARASWATI, 1976, p. 66-67, fig. XV n. 28.

[24] TUCCI, 1932-41, vol. III, parte II, p. 119, 131-32; TUCCI, GHERSI, 1934, fig. 233.

[25] TUCCI, GHERSI, 1934, p. 326.

[26] DENWOOD, 1975, p. 61-63.

[27] ZIMMER 1960 pl. 47, 49; BROWN, 1965 [V], pl. XXXII, fig. 6; WIESNER, 1978, fig. 37.

[28] BROWN, 1965 [V], Pl. CX, fig. 2, WIESNER, 1978, fig. 41.

[29] TUCCI, GHERSI, 1934, p. 318.

[30] ROWLAND, 1953, fig. 81.

[31] v.n. 23.

[32] TUCCI, 1932-41 vol. II, p. 72-73.

[33] TUCCI, 1932-41, vol III, parte II, p. 20.

[34] FRANCKE, 1914-26, vol. I, p. 37-43; TUCCI, GHERSI 1934, p. 121-132; TUCCI, 1932-41, vol. III, parte I, p. 21-115; SNELLGROVE, 1957, p. 186-7; SANYAL, 1969; KHOSLA, 1979, p. 37-48; KLIMBURG-SALTER, 1982, p. 157-64.

[35] KHOSLA, 1979, p. 39.

[36] TUCCI, 1932-41, vol. III, parte I, p. 72-74: KLIMBURG-SALTER, 1982, p. 158.

[37] ROWLAND, 1953, p. 259, fig. 196.

[38] TUCCI, 1932-41, vol. III, parte I

[39] TUCCI, 1932-41, vol. III, parte I, p. 25; MORTARI VERGARA, 1976, p. 222; KHOSLA, 1979, p. 38; KLIMBURG-SALTER, 1982, p. 157.

[40] FRANCKE, 1914-26, vol. I; TUCCI, 1932-41, vol. III, parte I, p. 114.

[41] WIESNER, 1978, p. 73-74, fig. 26.

[42] ROWLAND, 1953, p. 226.

[43] TUCCI, 1973, tav. 136.

[44] v.n. 9.

[45] HUNTINGTON, 1972.

[46] TUCCI, 1932-41, vol. III, parte I, p. 76-77; SANYAL, 1969; KLIMBURG-SALTER, 1982, p. 158-160.

[47] v.n. 32.

[48] FRANCKE, 1914-26, vol. I, p. 88-92; SNELLGROVE, SKORUPSKI, 1977-80, vol. I, p. 23-80, vol. II, p. 119-154; KHOSLA, 1979, p. 54-68; PAL, 1982; GENOUD, 1982.

[49] KHOSLA, 1979, p. 55.

[50] FRANCKE, 1914-26, vol I, p. 32-34; TUCCI, 1932-41, vol. III, parte I, p. 141-173; MORTARI VERGARA, 1976, p. 222-223.

[51] STEIN M.A., 1921, PI. 53; MAILLARD, 1983, fig. 60.

[52] NAGAO, 1980.

[53] SNELLGROVE, SKORUPSKI, 1977-80, vol. I, p. 79; PAL, 1982, p. 62.

[54] SNELLGROVE, SKORUPSKI, 1977-80, vol. I, p. 79; KHOSLA, 1979, p. 63-64.

[55] SNELLGROVE, SKORUPSKI, 1977-80, voI. I, p. 78.

[56] KHOSLA, 1979, p. 60.

[57] KHOSLA, 1979, tav. 15.

[58] KAK, 1933, 1971 [II], tav. LI, LVII, LXIV; KHOSLA, 1979 tav. 14.

[59] KAK, 1933, 1971 [II], tav. L, p. 120, 121.

[60] WIESNER, 1978, p. 80-88.

[61] RICHARDSON, 1977, p. 183.

[62] ROWLAND, 1953, p. 141, fig. 81.

[63] CHANDRA, 1970, p. 128, fig. 10, 12.

[64] TUCCI, 1932-41, vol. IV parte I, p. 133; parte III, fig. 36; 1973 fig. 126.

[65] KAK, 1963, 1971 [II], tav. XXVIII, 13-15; XXXII, 26; TUCCI, 1963, fig. 138.

[66] DENWOOD, 1975, p. 59.

[67] ROWLAND, 1953, p. 138, fig. 78.

[68] MAILLARD, 1983, PI. CX a, b; fig. 82 b.

[69] KAK, 1933, 1971 [II], tav LI, LVII, LXVII.

[70] TUCCI, GHERSI, 1934 p. 234-245; TUCCI, 1973, tav. 77.

[71] SARKAR, 1966, p. 83, pl. XIII.

[72] SNELLGROVE, SKORUPSKI, 1977-80, vol. I, fig. 5, p. 11.

OUVRAGES GENERAUX

CHATTERJI, 1940; COMOLLI, 1984; CUNNIGHAM, 1854; DAINELLI, 1932; DENWOOD, 1975; FRANCKE, 1914-26; GENOUD, 1982; GOEPPER, 1982; KLIMBURG-SALTER, 1982; KHOSLA, 1979; MOORCROFT, TREBECK, 1841; MORTARI VERGARA, 1976; PAL, 1982; PALDAN, 1976; PETECH, 1977; 1980; SNELLGROVE, 1957; SNELLGROVE, SKORUPSKI, 1977-80; STEIN R.A. 1962 [I], 1981 [II]; TUCCI, 1932-41; 1937; 1949; 1973; TUCCI, GHERSI, 1934; YOUNG, 1919.

SEZIONE VII

TIBET CENTRALE DAL X AL XV SECOLO

Paola Mortari Vergara

fig. 132

Quest'epoca che vide le regioni centrali di Ü e di Tsang, spesso in lotta fra loro e frazionate in una serie di feudi spartiti fra il potere monastico e quello aristocratico con pochi momenti di unità territoriale, costituisce un punto cardine dell'evoluzione architettonica tibetana. A parte le ampie monografie di G. Tucci su dei singoli monumenti e alcune descrizioni di studiosi e viaggiatori che hanno avuto la possibilità di percorrere queste zone di difficile accesso [1], non esiste alcuna opera che tratti in modo unitario dell'architettura di questo periodo. Rimane poi ancora in gran parte inaccessibile la letteratura tibetana sull'argomento (guide e descrizioni di luoghi santi, cronache di monasteri, biografie ed opere storiche e religiose) di cui pochi testi sono stati fino ad oggi pubblicati [2].

Inoltre quasti tutti i più importanti centri monumentali fondati nei primi secoli dopo il mille sono stati più volte distrutti, ricostruiti e restaurati a causa delle continue lotte e rivalità tra differenti scuole religiose e famiglie aristocratiche che caratterizzano questo periodo.

Infine le distruzioni compiute a partire dal 1959 e soprattutto durante la rivoluzione culturale cinese, hanno portato al totale annientamento di gran parte dei monasteri giunti fino a noi e delle ricche collezioni di testi e opere artistiche ivi conservate, facendo scomparire per sempre testimonianze vitali di cultura, d'arte e di architettura.

È possibile, comunque, basandosi, soprattutto per i monasteri scomparsi, sulla documentazione fotografica, sulle descrizioni di tibetologi e viaggiatori e su alcune planimetrie realizzate in massima parte prima delle rovine causate dalla rivoluzione culturale, ricostruire sia pure parzialmente, alcune fasi fondamentali dello sviluppo architettonico di questo periodo.

Secolo X e prima metà del secolo XI. Nell'epoca della seconda diffusione del Buddhismo (chidar), l'attività edilizia risulta profondamente legata alle precedenti costruzioni di epoca monarchica (Sez. V), ma in forma meno monumentale, e a quelle del Ngari (Sez. VI) da cui parte la rinascita buddhista.

Come per il Tibet occidentale, saranno strettissimi i rapporti con il mondo Kashmiro e Pâla-Sena da cui proveniva, ad esempio, il dotto indiano Atisha (m. 1054) un discepolo del quale fondò nelle regioni centrali la scuola Kadampa [3]

I centri di Iwang, Samada, Nesar nello Tsang, di Danang e Sekhar a sud dello Tsangpo e di Nethang nello Ü, mostrano ancora tracce delle costruzioni originarie [4].

I santuari sono simili a quelli costruiti nel Ngari da Rinchen Zangpo: siti in pianura, spesso cinti da un muro (chagri), generalmente costituiti da piccoli edifici a pianta quadrangolare, preferibilmente monopiano, frequentemente preceduti da un pronao, con l'altare, oppure con la cappella maggiore, circondata o no da un deambulatorio, posti di fronte all'entrata sita ad est. Analogamente ai coevi templi del Ngari si possono ancora rintracciare in questo primo periodo permanenze delle antiche piante di tipo mandalico, come nel piccolo santuario di Iwang o nel complesso di Danang fondato da Dapa nel 1081 [5]. In quest'ultimo santuario G. Tucci [6] constata la concordanza di impianto del Gokhang con il grande Utse di Samye di epoca monarchica (Sez. V) che ha costituito modello anche per Tholing, il complesso dinastico del regno di Guge (Sez. VI). Inoltre, come nel Tibet occidentale, l'interno sarà ricco di statue e pitture murali dai vivaci colori, mentre l'esterno conserverà la lineare semplicità della muratura tibetana. Come nel Ngari la carpenteria e le opere lignee sono in quest'epoca prevalentemente ricollegabili al lessico architettonico dell'India di cui costituiscono importanti testimonianze.

Si può notare che quasi tutti i prototipi in pietra Indiani da noi citati come esempi appartengono in prevalenza ad epoca Gupta e post-Gupta e sono perciò più antichi di alcuni secoli delle riproduzioni tibetane. Infatti i templi buddhisti più tardivi del Kashmir, del Bengala, del Bihâr che hanno servito da modello ai tibetani, sono stati quasi completamente distrutti dall'avanzata islamica e quindi offrono una scarsa documentazione.

I santuari in grotta del Tibet centrale mantengono proporzioni relativamente piccole in confronto a quelli dell'India e dell'Asia centrale, come abbiamo già segnalato per le regioni occidentali. Analogamente viene spesso costruito un tempio intorno all'eremitaggio di un santo asceta (grotte dei monasteri di Rechungphug, di Lhatse, di Sakya).

Per quel che concerne le costruzioni palazziali, date le successive distruzioni e ricostruzioni, si può solo ipotizzare una continuazione dei modelli di epoca monarchica. Le rovine di castelli e cittadelle testimoniano la dislocazione su alture e la tipica dissonanza nell'assemblaggio di vari moduli di differenti dimensioni.

Seguendo le regole del Vinaya, che prescrive di elevare i santuari in un luogo isolato, ma non troppo lontano da zone abitatate[7], i complessi templari più importanti dell'epoca sono stati spesso edificati in vallate non lontane da tali centri fortificati.

Secoli XI-XII. Assistiamo in quest'epoca al sorgere delle più importanti scuole dottrinarie che, se pure nate sotto la spinta dell'esempio indiano, ebbero nel Tibet un loro sviluppo autonomo. Ogni scuola di una certa importanza avrà la sua sede centrale (densa) in un grande centro polifunzionale, una vera e propria città monastica, universitaria, amministrativa che spesso dà il nome alla scuola stessa. Dei complessi minori siti in altre zone possono essere delle filiali (shigön. gönlag) di quelli principali. Essi mancano però degli insegnamenti di grado più alto per cui devono fare riferimento ai collegi della sede centrale[8]. Vennero così fondate in quest'epoca alcune delle più importanti sedi centrali: nel 1056 Reting nello Ü, centro dei Kadampa; nel 1073 Sakya nello Tsang, dei Sakyapa; nel 1158 Thil a Phagdu nello Ü, densa dei Phagdupa ; nel 1179 Digung nello Ü sede dei Digungpa; nel 1185 Tsurpu nello Ü, dei Karmapa[9].

Si afferma con questi centri un nuovo modello architettonico originale: il complesso templare e monastico polifunzionale, sito sul pendio e alle sommità di alture, ispirato alle cittadelle fortificate dell'aristocrazia con cui i nuovi Ordini si trovano spesso in alleanza, o in contrasto, nella lotta per il predominio. Assistiamo così al graduale abbandono di alcune planimetrie e tipologie templari (impianto mandalico, pianificazione gerarchica e simmetrica, alzato a gradoni), a favore di costruzioni più libere e organiche, collegate ai dislivelli del terreno. La sacralità di un edificio viene così espressa nell'altezza, nell'ampiezza della costruzione, nei particolari decorativi, nei tipi di sovrastrutture (coperture, acroteri). Ne consegue che la similitudine di strutture e tipologie tra architettura monumentale civile e religiosa diviene più stretta. Costituiscono delle eccezioni solo le tipologie mandaliche (chörten, kumbum), qualche accorgimento planimetrico, e alcuni riferimenti simbolici, spesso a carattere esclusivamente decorativo. Ciò è ricollegabile anche al fatto che gran parte del potere politico viene sempre più ad essere assunto dai diversi ordini monastici.

Tranne alcuni scarsi elementi esteriori (decorazione a strisce esterne multicolori dei sakyapa), non sono state rilevate differenze fondamentali tra le tipologie architettoniche usate dalle numerose scuole monastiche e religiose. Il rituale esterno, infatti, non differisce così profondamente da richiedere particolari soluzioni spaziali.

Secolo XIII e prima metà del XIV. Si afferma il predominio dei Sakyapa, appoggiati dalla dinastia sinomongolica degli Yuan[10], che conferirà loro l'investitura su tutto il Tibet. Tale alleanza porterà nel campo architettonico ad un duplice fenomeno: da un lato diffusione di elementi sinici (copertura a tegole, sistema mensolare, planimetrie particolari, asse sud-nord) soprattutto nello Tsang, e dall'altro all'adozione in Mongolia e in

Cina da parte degli Yuan di alcuni modelli costruttivi tibetani (Sez. XI). Secondo le testimonianze testuali certi elementi architettonici cinesi erano già stati usati nel Tibet in epoca monarchica (Sez. V) ed è sicuro che i do-ring ci testimoniano una presenza di copertura sinica. Ma non è possibile, data la mancanza di documentazione diretta, stabilire una tipologia. Sono perciò le coperture in tegole come quelle del Tempio di Shalu che costituiscono oggi uno dei più antichi esempi dell'uso di un dispositivo eclettico che tanta fortuna avrà anche nelle epoche successive in un'ampia zona che va dal Tibet centrale e orientale alla Mongolia e alla Cina.

I Mongoli favoriscono però anche la diffusione di ulteriori suggerimenti indiani e centro asiatici, come il monastero fortificato in pianura (Sakya sud). Viene utilizzato in questo periodo un particolare tipo chörten chiamato Tashi gomang (fausto stûpa dalle molte porte), più usualmente detto Kumbum (diecimila immagini), uno dei tipi di stûpa canonici dei trattati indo-tibetani. Si tratta di un chörten sito su un basamento ad impianto mandalico e a più piani decrescenti, aperti in nicchie o cappelle simmetriche.

Esso è ispirato da un lato agli stûpa kashmiri del sec. VIII, (Uskur, Parihâsapura) e dall'altro ai templi a mandala del sec. VIII e agli stûpa tardo-pâla come quello a 60 angoli rinvenuto a Nandangrh (Bihâr) [11]. Tale concezione architettonica avrà una grande diffusione nell'Asia buddhista, dall'Asia centrale (stûpa di Rawak) [12] all'Indocina (templi di Pagan, Birmania) e all'Indonesia (Barabudur a Giava) [13], sia pure trasformata dai differenti linguaggi architettonici dei vari paesi. Stûpa di questo tipo sono già presenti in forma semplificata e più ricollegabile al tipo kashmiro, nel Ngari all'epoca della seconda diffusione (chörten di Basgo e di Alchi) [14] (Sez. VI). Nello Tsang nella strada tra Jonang e Shigatse viene successivamente edificato dal Lotsawa (traduttore) di Thorpu agli inizi del sec. XIII un Kumbum, vicino ad un tempio da lui fondato [15]. Gli stretti legami che univano il Lotsawa con il mondo Indiano, egli invitò nel Tibet il Pandit kashmiro Shâkyashri [16], giustificano l'adozione di una tale tipologia che avrà grande fortuna nell'area tibetana nelle epoche successive.

Seconda metà del sec. XIV e sec. XV. Con la caduta della dinastia Yuan e dell'appoggio mongolo si sostituirà al predominio dei Sakya e della regione dello Tsang quello di altre scuole monastiche e famiglie aristocratiche. Per un secolo (metà sec. XIV metà sec. XV) i Phagmodupa con sede nello Ü riuscirono ad unificare quasi tutto il territorio, cercando di rinnovare i fasti dell'epoca monarchica. Successivamente nello Tsang si afferma la famiglia dei prefetti di Rinpung (1435-1565), appoggiata dai Karmapa.

Nonostante le continue lotte per la supremazia questo periodo sarà estremamente fecondo dal punto di vista artistico. Le scuole principali e le famiglie più importanti ad esse legate godevano, sia pure con alterne vicende, di sufficienti basi economiche per favorire la costruzione dei propri centri. I Phagmodupa, poi, suddividendo il territorio in distretti dipendenti da uno dzong, diedero impulso alla ricostruzione e al restauro delle antiche fortezze e alla costruzione di nuove.

Per gli edifici religiosi, resi impossibili i rapporti diretti con modelli indiani per la scomparsa delle grandi università buddhiste sotto i colpi dell'avanzata islamica, verranno sviluppati autonomamente gli apporti già assorbiti nelle epoche precedenti. Vengono ancor più rinsaldati i legami con il Nepal, rimasto principale punto di riferimento della tradizione buddhista indiana da cui proverranno alcuni particolari costruttivi come l'harmika cubica dei Kumbum e la copertura in metallo dorato. Una delle prime segnalazioni riguardo l'utilizzazione di questa tecnica è probabilmente quella relativa ad un restauro del Jokhang di Lhasa realizzato da un re del Tibet occidentale, Rupamalla che visse intorno alla fine del XIII secolo. Egli fece fare in oro l'uthog (copertura o piano sopraelevato) del Jokhang [17].

Meno evidenziata del periodo Sakya sarà la presenza di alcuni elementi cinesi per i rapporti più discontinui che si creano con i Ming i quali, pur seguitando ad elargire titoli onorifici, non eserciteranno un reale potere politico [18]. Viene preferito in quest'epoca il particolare tipo di chörten detto Kumbum, sito nell'enclave monastica che assume un aspetto monumentale originale, il cui esempio più famoso resta il Kumbum di Gyantse.

Questo periodo rappresenta perciò il momento più classico dell'architettura del Tibet. Gli apporti indiani, centro-asiatici, cinesi sono infatti completamente assimilati e fusi insieme con perfetta coerenza. Viene data la preminenza alla concezione architettonica nazionale che risulta però arricchita e in grado di prospettare soluzioni nuove e originali. In confronto alle epoche precedenti vi è nei santuari, una più stretta coerenza tra decorazione interna ed esterna che si arricchisce di motivi simbolici e costruttivi sempre semplici e lineari, ma più fitti, eleganti, e cromaticamente evidenziati. Naturalmente tale ricchezza coloristica è anche graduata secondo l'importanza dell'edificio. Per quel che concerne le abitazioni è prescritto infatti che per i monaci comuni si può usare solo il nero e il bianco, per gli incarnati il rosso e per i personaggi di grado particolarmente elevato anche il giallo e l'oro [19]. Meno vincolata è invece la decorazione della carpenteria che spesso ha colori vivaci, anche nelle abitazioni di semplici benestanti. Emergono poi con maggiore evidenza alcune personalità artistiche, negli affreschi più importanti vengono indicati talvolta i nomi dei pittori insieme a quelli dei committenti [20]. Per l'architettura gigganteggia la figura del santo principe Thangtong gyelpo (1385-1464). Grande costruttore, fonda, secondo la tradizione, 108 eremitaggi, ma è noto soprattutto per i suoi ponti sospesi su catene di ferro (chaksam) [21] che mostrano una perfetta tecnica di ingegneria. Per la sua fama e la sua abilità ha assunto per i tibetani un aspetto divinizzato. Vicino al suo ponte più famoso, quello presso Chuwori, usato fino al 1878 e descritto da numerosi studiosi e viaggiatori, è sito il monastero di Chaksam (del ponte di ferro) a lui dedicato.

La sua effige si ritrova in molti santuari dato che è anche considerato l'inventore e il Dio protettore delle rappresentazioni teatrali. Egli è contraddistinto da una catena di ferro che tiene nelle mani e dall'aspetto di vegliardo, perché, secondo la leggenda, egli era nato già anziano per essere rimasto nel ventre della madre molte decine d'anni. Sempre in quest'epoca nacque il grande riformatore Tsongkhapa (1357-1419) il fondatore della Scuola Gelugpa e fu iniziata l'edificazione dei più importanti monasteri dell'ordine: Ganden (1409), Depung (1416), Sera (1417) nello Ü, Tashilhumpo (1447) nello Tsang. Siti secondo i canoni sulle pendici di colline, assunsero il loro aspetto più monumentale e il loro assetto definitivo solo all'epoca del Dalailamato (Sez. IX).

Data l'esiguità della documentazione non si può indicare per ciascun principale periodo un prototipo fondamentale ed esauriente di architettura religiosa e laica. È possibile però segnalare alcuni importanti monumenti che hanno conservato in massima parte certe caratteristiche peculiari di una epoca.

SEKHAR GUTHOG, Ü

fig. 133, 134

Questo complesso templare secondo la tradizione fu una residenza del grande maestro Marpa (1012-1096), allievo del Siddha indiano Naropa, iniziatore della scuola Kagyupa. Nonostante i successivi rifacimenti subiti, il complesso conserva ancora alcuni punti di contatto con i santuari del Tibet occidentale dei primi secoli dopo il mille. Sito in pianura è cinto dal tradizionale muro ad impianto quadrangolare (chagri), con la porta d'accesso sovrastata da un coronamento a gradoni simile a quello di Tholing (Guge) (Sez. VI) e che ritroviamo in altri complessi del Tibet centrale (Narthang, Iwang) [22] anche in epoca recente (ingresso di Norbu Lingkha) (Sez. IX). È costituito da una serie di bassi edifici semplicemente intonacati di bianco e sottolineati dalla canonica cornice scura. Sull'insieme spicca un'alta torre a pianta quadrata. Non si può anche in questo non vedere una ulteriore analogia con la preminenza del multipiano tempio dell'iniziazione nello sky-line di Tholing (Sez. VI).

I testi riportano che tale torre fu costruita dal poeta e mistico Milarepa (1040-1123) per il suo maestro Marpa come prova da superare per riceverne l'iniziazione [23].

Tipologicamente si possono indicare due principali antecedenti. Da un lato, come propongono H. Richardson e T.V. Wylie [24] la struttura è senza dubbio ricollegabile alle costruzioni fortificate presenti nella zona sin dal periodo monarchico. Si ricordi ad esempio il torrione del Yumbu lakhar dei re di Yarlung che è coperto anche da un analogo tardivo tetto in bronzo di «tipo cinese» [25]. La torre di Sekhar può, però, aver costituito la parte centrale in muratura di un tempio dell'iniziazione sul tipo di quello di Tholing in cui l'effetto di piramide a gradoni è dato soprattuto dagli elementi costruttivi lignei esterni. Le due porte-finestre di Sekhar, attualmente murate, avrebbero potuto essere due accessi ai piani superiori costituiti da strutture in legno. Manca purtroppo una approfondita prospezione che possa avvalorare questa ipotesi. H. Richardson riferisce però che le cappelle di ogni piano sono collegate da poco praticabili scale a pioli e che viene compiuta dai fedeli all'esterno dell'ultimo piano una pericolosa pradaksinâ reggendosi a delle catene. Tale rito ci sembra possa conservare la memoria di una circumambulazione rituale canonica, effettuata su una sovrastruttura lignea esterna oggi scomparsa. Non è disponibile alcuna documentazione sullo stato attuale del monumento.

TEMPIO DI IWANG, Tsang

Tucci identifica questo piccolo edificio con il tempio di Yemar citato dal Nyangchung, una cronaca manoscritta del monastero di Gyantse [26].

Yemar fu fondato da Lharje Chöchung, considerato una incarnazione anteriore del maestro indiano Shâkyashrî che arrivò nel Tibet nel 1204 [27].

Ne consegue che il santuario deve essere stato fondato, secondo tale tradizione, in un'epoca antecedente al sec. XIII, il che è confermato anche dall'analisi della decorazione pittorica e scultorea interna compiuta dallo studioso italiano.

Diversamente da altri templi più noti e frequentati, la posizione appartata di Iwang ha fatto sì che conservasse in gran parte alcune caratteristiche delle costruzioni della seconda diffusione del buddhismo.

fig. 135

Il tempio monopiano, sito nella valle, in una leggera pendenza, è circondato da una duplice cinta muraria quadrangolare e presenta un impianto cruciforme con un cappella centrale e due laterali che rinvia alle piante di tipo mandalico.

Anche il coronamento a gradoni che sovrasta l'ingresso della cinta richiama, come a Sekhar, il profilo del tempio a prâsâda indiano, già presente nel Ngari. All'interno secondo le iscrizioni, che concordano pienamente con lo stile delle pitture e sculture, la cappella centrale era decorata alla maniera indiana (Gyagar lug) mentre quella di sinistra era decorata alla maniera centro-asiatica di Khotan (Li lug). Non si può non vedere in queste differenziazioni di stili così chiaramente espresse un simbolismo di significato simile a quello già usato in epoca monarchica nei differenti piani dello Utse di Samye (Sezione V). Infatti la cappella centrale, più importante, è decorata secondo lo stile dell'India, luogo d'origine della dottrina.

fig. 136

Alcuni ingressi sia a Iwang, sia nel coevo tempio di Samada [28], con due pilastri laterali fortemente sporgenti, sormontati da una fila di modiglioni e dalla cornice, rappresentano una forma più semplificata e presumibilmente più antica e meno monumentale della tripartitura delle facciate con aggetto centrale evidenziato da due massicci pilastri che vedremo applicata ad esempio nel Grande Tempio di Sakya [29].

KYANGPHU GÖNPA, Samada, Tsang

Il complesso fu fondato secondo la tradizione, confermata da iscrizioni all'interno, da Chölodo scolaro di Rinchen Zangpo nel sec. XI. Come afferma G. Tucci, che è l'unico ad aver compiuto uno studio su questo importante santuario [30], esso conserva ancora qualche elemento dell'epoca della sua fondazione: l'alto muro che circonda l'intero complesso, la pianta di alcuni edifici sacri, alcune parti della carpenteria. Il colonnato a due piani dell'atrio del tempio maggiore, ha infatti un aspetto del tutto particolare e viene datato da G. Tucci al secolo XI-XII. In effetti la larga utilizzazione di elementi costruttivi indiani ben giustifica una datazione così alta.

fig. 137

Le colonne a sezione rotonda, classicamente rastremate verso l'alto, sono collegate da un primo architrave incastrato alla sommità del fusto che rende più solido l'insieme. Su un pulvino a pianta quadrata poggia un sistema di mensole a impianto cruciforme dal profilo ondulato formato da una serie di volute sovrapposte che vede i suoi antecedenti da un lato in alcuni capitelli indiani (Ajantâ, Vihâra 16) [31] dall'altro nei capitelli usati nei coevi templi del Ngari (Sez. Vi). Il sistema di mensole a pianta cruciforme è documentato con molta frequenza nei porticati di ingresso in pietra dei templi gupta e medioevali dell'India centrale e occidentale [32]. Talvolta, come nei templi 1 e 2 di Amvân (sec. X), le mensole assumono anche un analogo profilo ondulato e sono egualmente sormontate da leoni atlanti [33].

fig. 138

Non si è riscontrata, invece, nei monumenti dell'India rimastici, la ripetizione della seconda serie di mensole frontali allungate, con profilo ondulato, poste su un sostegno a foggia di kîrtimukha. Ma separatamente questi due elementi sono egualmente presenti nel lessico architettonico indiano sin dai primi secoli della nostra era (mensola della caverna n° 15 di Nasik: maschere leonine su fregi del Gandhâra) [34].

Del sistema di mensole perpendicolari alla facciata di cui fanno parte anche i leoni atlanti, siti nella medesima posizione di quelli già citati del Jokhang (Sez. V, VI), ma meno monumentali, abbiamo invece, come si è detto, larghe testimonianze nell'architettura indiana (galleria a colonne del Rameshvaram, scuola di Madura) [35].

Anche il fregio a giorno dell'architrave di Samada con una serie di leoni atlanti affrontati a due a due si può trovare utilizzato come puro motivo decorativo in templi indiani in pietra come il Vaital Deul a Bhuvaneshvar (sec. XII d.C.) [36].

I suggerimenti cinesi o centro asiatici che a prima vista possono sembrare evidenti [37] si riducono, perciò, solo a un gusto per la sovrapposizione delle mensole, dato che, come si è visto, ogni singolo elemento appartiene al lessico architettonico dell'India, sia pure in parte con lontane origini iraniche o ellenistiche. Manca infatti la mensola a navicella (gong) e soprattutto un elemento di raccordo fondamentale, il braccio di leva detto ang che caratterizzano il sistema mensolare cinese (dou-gong), fin dalle epoche più antiche [38].

Ci troviamo così di fronte ad una soluzione architettonica eclettica sul tipo di quella del Sumtsek di Alchi (Sez. VI) in cui ad un edificio a muratura portante di tipo tibetano è sovrapposto un loggiato di ingresso che utilizza in massima parte elementi desunti dall'antica architettura lignea indiana. Una struttura lignea dello stesso tipo la vediamo riutilizzata sempre a Kyangphu gönpa, intorno al secolo XIII [39]. La mancanza di leoni atlanti e l'adozione di alcuni bracci di mensola «a navicella» cinesi sottolinea il progressivo allontanamento da alcuni modelli indiani e lo stretto rapporto che in quest'epoca si realizza con la dinastia mongola della Cina. Nel Jokhang all'epoca del Dalailamato lo stesso dispositivo viene semplificato e completamente sinizzato (Sez. IX).

PORTA DEL GYADHÂRA LAKHANG, Lhatse, Tsang

fig. 139

Secondo la tradizione in questa grotta preceduta da un atrio meditò il grande pandit kashmiro Gayadhâra nel sec. XI [40]. Come afferma G. Tucci [41] la caverna non deve essere stata trasformata in tempio molto dopo, data l'arcaicità delle sculture e delle pitture che la decorano e della stessa porta d'ingresso che egli considera opera kashmira non posteriore al sec. XIII [42].

Purtroppo della mostra di tale porta, che doveva essere scolpita con figure umane e vari motivi geometrici e vegetali sul tipo di quelle del Tibet occidentale (Sez. VI), rimangono ben poche tracce. Restano invece i due battenti probabilmente rimaneggiati, ma perfettamente leggibili e sufficientemente ben conservati. Alla sommità in due identiche specchiature quadrangolari sono effigiate sotto un'arcatura dal profilo spezzato, le dee fluviali del Gange (Gangâ) e della Yamunâ, ciascuna fiancheggiata da due deva e site sul loro rispettivo «veicolo», il coccodrillo e la tartaruga, con in mano il vaso che le contraddistingue. Le figure sono rese in posizione frontale simmetricamente disposte secondo una prospettiva di tipo «gerarchico». Tali divinità sono presenti sin dagli inizi dell'epoca gupta (sec. IV d.C.) nei portali in pietra di molti templi giunti fino noi.

O. Viennot e A.K. Agrawala [43] ipotizzano che la Gangâ e la Yamunâ siano state effigiate dai Gupta come simbolo dei due fiumi che scorrevano nel cuore del loro impero e che nello stesso tempo ne procuravano la prosperità.

Stilisticamente queste figurazioni si ricollegano più alla produzione nepalese per le lunghe dothi, l'aspetto angoloso dei volti, le acconciature e i diademi, il naturalismo dei particolari anatomici [44] che a quella kashmira.

Una certa maggiore secchezza di esecuzione fra propendere, però per una replica tibetana, forse più tardiva.

La parte centrale della porta, formata da una grata a riquadri nelle cui intersezioni sono scolpite delle rosette, imita un tipo di imposta già usata in epoca gupta e post-gupta. Si vedano ad esempio le grate in pietra delle finestre del sanctum del tempio di Pârvatî a Nâchnâ Kuthara (c. 475-525 d.C.) [45] e nel Lâd Khân di Aihole (c. 425-50 d.C.) [46]. Tale decorazione rimarrà in uso nel Tibet fino alle epoche più tardive, anche se trasformata in una sottile grata metallica e arricchita da ulteriori motivi ornamentali, come nelle porte del Potala [47] (Sez. IX).

Questi battenti costituiscono così un documento unico della tipologia delle porte lignee dei templi indiani dei primi secoli dopo il mille, del tutto scomparse dal subcontinente.

SAKYA, Tsang

Questa famosa città monastica e amministrativa che prende il suo nome di «terra chiara» dal terreno su cui fu costruita è la sede centrale (densa) della scuola omonima. Fu fondata nel 1073 da Konchog gyelpo della famiglia principesca dei Khön, ma venne in gran parte restaurata e ricostruita nel secolo XVI da Kunga Rinchen (1517-1584). Nei secoli XIII-XIV sotto il protettorato della dinastia sino-mongola degli Yuan fu la capitale del Tibet e grazie alle ampie possibilità economiche raggiunte vi vennero invitati artisti ed artigiani dall'India, dal Nepal, dall'Asia centrale, dalla Cina. È sempre rimasta principato e sede monastica della famiglia Khön, con una sua particolare autonomia fino al 1959 [48]. È stata in passato visitata e descritta da pochi studiosi e viaggiatori [49], ma esiste per fortuna una dettagliata guida del secolo XVI ad opera dello stesso Kunga Rinchen [50]. L'abitato si può suddividere in una parte settentrionale (monastero nord) e una parte meridionale (monastero sud) che presentano caratteristiche nettamente differenziate. Separati dal corso di un fiume, l'uno si stende sulle falde di una montagna, l'altro in pianura.

Come afferma Ippolito Desideri nei primi decenni del secolo XVIII a proposito di Sakya sud: «poco fuori di Secchià vi è un altro tempio di idoli di straordinaria grandezza e sontuosità», e aggiunge a proposito di Sakya nord: «La città è posta a pié d'una montagna sopra la quale si alza con le sue abitazioni quasi per gradi, formati a modo di mezzaluna, che rende assai vaga la comparsa. È circondata da mura con attorno una pianura seminata di molte case di bella apparenza» [51].

Sakya nord rappresenta infatti una svolta nell'architettura dell'epoca della seconda diffusione. Unitosi il potere monastico e quello aristocratico in una sola famiglia quella dei Khön, l'architettura religiosa comincia a sfruttare pienamente il lessico delle costruzioni civili.

All'inizio il complesso di Sakya era di piccole dimensioni e costruito intorno alla caverna che fu eremitaggio di Konchog gyelpo. Fu fortificato nel secolo XIII e cominciò ad assumere un'aspetto sempre più monumentale grazie all'importanza economica e politica raggiunta dai Sakyapa nel sec. XIII-XIV. Nonostante le successive distruzioni, ricostruzioni e restauri, tra cui furono fondamentali quelli del sec. XVI [52], è perfettamente distinguibile la scelta effettuata dai primi Sakyapa di un aggregato multifunzionale sito sulle pendici di una collina. Secondo un'antica tradizione a Sakya vi erano 108 santuari [53], sacro numero buddhista, ma, la guida di Kunga Rinchen [54] nel sec. XVI enumera quattro templi maggiori, tra cui due Utse (santuari centrali), otto templi minori e quattro labrang principali (residenze di alti lama), più varie cappelle. Mentre G. Tucci nel 1939 [55] ne conta una dozzina e valuta la popolazione a 3.000 monaci.

fig. 140

Templi, abitazioni monastiche ed aristocratiche, edifici amministrativi erano accostati uno all'altro e talvolta assemblati, con una libera armoniosa dissonanza, ricca di variazioni volumetriche e altimetriche. Le solide, massicce scatole murarie seguono l'andamento del monte e il senso del monumentale è dato prevalentemente dall'altezza e dall'ampiezza della costruzione e non solo da una posizione prestabilita nel tessuto urbano. Anche se la residenza ufficiale degli abati di Sakya, il cosiddetto «Palazzo delle quattro torri» e gli Utse sono siti quasi al centro del conglomerato. Questa organizzazione spaziale può essere dovuta a una certa permanenza delle planimetrie dei santuari più antichi che prevedevano edifici spaziati tra loro e spesso ordinati secondo una precisa pianificazione gerarchica.

Particolare è invece un tipo di partizione cromatica esterna a strisce verticali nei colori simbolici bianco, rosso e blu nerastro con un notevole effetto decorativo, estraneo alla tradizione precedente e che costituiscono un carattere distintivo delle costruzioni di questa Scuola. Tale colorazione è anche perfettamente in linea con i precetti del Vinaya che prescrive: «Il Beato permette l'intonaco bianco e la tinta nera e rossa» [56]. Ulteriori vivaci contrasti cromatici sono creati da alcuni edifici totalmente bianchi e altri rosso scuro che accentuano le già notevoli variazioni altimetriche e volumetriche.

Le coperture cinesi (gyaphib) in metallo dorato che coronavano gli edifici più importanti sono state costruite in un'epoca successiva, quando venne diffuso l'uso di tale metallo sulle coperture (Sez. IX). In precedenza però qualche edificio più importante presentava certamente coperture cinesi di tipo xieshanding in tegole invetriate. Wang Yi [57] ricorda infatti che il tetto dorato dell'Utse Lhakhang conserva ancora sostegni e mensole di tipo Yuan.

fig. 141, 142

fig. 143

Le verande (rabsal) di origine indiana, forse mediate dal Ngari, poco numerose, non sembrano aver sottolineato con la loro presenza le facciate degli edifici maggiori più antichi. Mentre una certa simmetria degli avancorpi, delle aperture e delle piante dei templi è certamente da ascrivere, più che a modelli sinici, alla permanenza della tradizione indiana ancora vivissima in questi primi secoli dopo il mille. Si pensi che venivano chiamati dai Sakyapa maestri e artisti dai territori indiani, mentre alti dignitari vi si recavano per attingere alle fonti della dottrina [58]. Il monastero nord è stato completamente distrutto all'epoca della rivoluzione culturale [59] che ha così cancellato per sempre non solo un gioiello d'arte e di cultura, ma anche un importante documento dell'evoluzione architettonica del Tibet.

Il monastero sud detto Lhakhang Chenpo (Il Grande Tempio) è rimasto invece quasi intatto, sia pure più volte restaurato e rimaneggiato. In seguito ad un incendio venne in parte ricostruito nel sec. XVI e l'ultimo grande restauro data al 1948 [60]. Fu iniziato nel 1268 soto l'egida dell'abate Phagpa (1235-1280) nell'anno in cui Khubilai gli conferì il governo del Tibet con Sakya come capitale [61]. Diverse opere storiche riportano che avendo Phagpa ammirato la bellezza di un certo tempio vicino Lhasa, l'amministratore civile (pönchen), Shakya Zangpo volle costruire il Lhakhang Chenpo sullo stesso modello [62].

La costruzione fu condotta a termine dal pönchen Kunga Zangpo che successe a Sakya nel 1275. Venne edificato prima il tempio principale e più elevato, secondo un'usanza che abbiamo notata anche nel Ngari, e successivamente le cinte murarie, gli altri santuari, le abitazioni e gli uffici amministrativi. L'intero complesso copre una superficie quadrata di circa 100 m. di lato, mentre il tempio principale, anch'esso quasi quadrato, a due piani e in asse con l'ingresso della cinta, ha il lato di circa m. 40 e ne costituisce, per la sua altezza il fulcro, anche se non il centro geometrico. Questo edificio, con le mura perimetrali orientate come la cinta esterna secondo punti cardinali, e con l'ingresso a est, è ripartito nel pianterreno in due ambienti principali ed altri secondari. Viene per prima la Sala del Buddha e successivamente, separata da un cortile, la Grande sala dei Sûtra, riccamente decorata, con altre sale annesse che contengono chörten funerari ed enormi scaffali con testi tibetani, cinesi mongoli, sanscriti che ne fanno una delle più ricche biblioteche del Tibet. Al piano superiore, oltre a cappelle che accolgono altri chörten funerari dei Signori di Sakya, vi sono ulteriori depositi di libri e sacrari. Si accede poi dall'esterno alla copertura formata da una terrazza porticata. Sul lato sinistro del Tempio principale è sito l'edificio amministrativo dei Sakyapa che fu secondo Wang Yi abbattuto del tutto e ricostruito nel 1948 [63]. Abitazioni di monaci, dignitari e santuari meno importanti e di minore altezza e ampiezza si dispongono in modo asimmetrico attorno al tempio principale.

Il Grande Tempio di Sakya ha un aspetto del tutto differente dai primi complessi dell'epoca della seconda diffusione, nonostante esso conservi alcuni canoni fondamentali, quali la posizione in pianura, l'orientamento e la forma della cinta, l'ingresso ad est, l'asse tra l'edificio maggiore e l'ingresso, la posizione quasi centrale di quest'ultimo. Si tratta di una vera e propria cittadella con cinta, fortificata, porta a chicane e torrioni ad ogni angolo e al centro dei lati, una seconda cinta di mura più esterna, quasi scomparsa, era circondata da un fossato. Tale tipologia sembra quasi rappresentare un punto di passaggio tra i santuari primitivi e le città monastiche fortificate sulle alture del tipo di Sakya nord, ma è difficile fissare in questo campo una netta cronologia dato che poco si sa del Tempio presso Lhasa che ne ha costituito il modello. Il prototipo si può però rintracciare nell'area indiana e centro asiatica mentre le somiglianze con le fortezze cinesi non sembrano così evidenti come alcuni autori hanno indicato [64]. Manca completamente infatti l'asse sud-nord e il tipico impianto a cortile. Non si può escludere, invece, che siano stati i Mongoli, i quali hanno utilizzato anche elementi architettonici dell'Asia centrale, a contribuire alla diffusione di tale dispositivo. Infatti il Grande Tempio di Sakya risulta molto simile ai conventi fortificati che ebbero grande diffusione nel sec. IX nell'area di Turfan, le cui origini sono state recentemente rintracciate nell'India del nord-ovest (convento di Bâgh Ghâr ad Hadda) [65]. Inoltre anche dal punto di vista pittorico G. Tucci segnala a Sakya delle reviviscenze di pitture di stile centro asiatico [66].

Se si compara Sakya sud con il Tempio n° 7 della depressione di Sengym [67] (v. Introduzione), costruito dagli Uighur intorno al IX secolo si può notare che ambedue i monasteri sono a pianta quadrata con i lati rivolti approssimativamente verso i quattro punti cardinali. L'ingresso ad est di Sakya e ad ovest di Sengym, indicano chiaramente la presenza di un asse preferenziale opposto a quello cinese. Analoghe sono le torri quadrate agli angoli e al centro dei lati, identico è l'aggetto della porta fortificata e la posizione del tempio principale in asse con l'entrata e con una corte d'accesso, mentre gli edifici di minore importanza si dispiegano ai lati. Però la planimetria del Tempio n° 7 è del tutto simmetrica, con asse centrale su cui sono siti l'ingresso, l'ampio cortile, il santuario maggiore mentre gli edifici minori sono ordinatamente disposti ai lati. Invece la dissonanza tipica dello stile tibetano, fa si che nel Grande Tempio l'asse non sia centrale, ma leggermente spostato verso nord e le altre costruzioni si dispongono in modo organico intorno al tempio principale che viene evidenziato soprattutto dalle maggiori dimensioni. Dal punto di vista costruttivo il materiale è analogo pietre e mattoni crudi, ma le decorazioni esterne caratteristiche dei Sakyapa a strisce bianche, rosse e nere, le cornici rosse alla sommità rendono tipicamente tibetano il Grande Tempio. Wang segnala, però, che nel 1948 sono state demolite le merlature e i rinforzi di «foggia cinese» — forse è più esatto dire centro asiatica — delle mura per conferire un aspetto ancor più tibetano [68]. La carpenteria, decorata anche con peonie e nuvole d'origine cinese, conserva specie nelle parti più antiche i principali elementi costruttivi dell'India. Una scalinata d'accesso laterale ad esempio con quattro piani porticati sovrapposti, in modo asimmetrico presenta alla sommità delle colonne la tipica mensola a impianto cruciforme con profilo ondulato [69] che abbiamo trovato nell'atrio del Tempio di Samada, anche se le linee sono più semplificate ed essenziali.

Sono presenti inoltre nel Grande Tempio anche le facciate multipiano tripartite [70], con la parte centrale più agettante e ampiamente finestrata, con pronao d'accesso sopraelevato ridotto quasi a una veranda, e due massicci pilastri laterali, dispositivo che, arricchito da numerose altre logge (rabsal), vedremo adottato in molti edifici monumementali delle epoche successive.

Il modello proposto da Sakya Sud non scomparirà dall'architettura tibetana. Lo ritroviamo ad esempio nell'ampio monastero di Chökhorgyel a circa 150 Km a sud-est di Lhasa, elevato nel 1559 dal secondo Dalailama, distrutto dagli Dzsungari nel 1718, ricostruito subito dopo e ridotto oggi ad un insieme di rovine [71]. È però ancora riconoscibile la cinta muraria quadrangolare con i grossi torrioni quadrati e la maggiore elevatezza del santuario centrale. Anche i numerosi dzong del Bhutan (Sez. XV) hanno senza dubbio conservato alcuni elementi (cinta quadrata, torrioni angolari, preminenza dell'edificio centrale) analoghi a quelli del Grande Tempio di Sakya.

DIGUNGTHIL, Ü

Il complesso monastico di Digung, sede centrale della scuola omonima fu fondato da Minyang Gomring, discepolo di Phagmodupa (1110-1170), ma la vera costruzione iniziò a partire dal 1179 ad opera di un altro discepolo di Phagmodupa il Digung Rinpoche (1143-1217) [72]. Sebbene l'ordine digungpa si ricolleghi ai Kagyupa, i Sakyapa hanno costituito un modello, non solo dal punto di vista amministrativo, ma anche architettonico, nonostante la posizione di antagonismo che li divideva. Gli edifici sono dislocati sulle pendici di una collina, come a Sakya nord, le cappelle, i collegi, le abitazioni monastiche a differenti livelli sono collegati da vicoli, scalinate e qualche volta da semplici scale di legno, spesso nella forma più semplificata: un grosso palo con delle tacche profonde. Vi abitavano circa quattrocento religiosi e alcune cappelle accolgono numerose tombe degli Incarnati. Nel tempio principale è sita la statua del fondatore e il suo reliquiario (dungrten). Il complesso ha subito numerose distruzioni, una delle più vaste fu quella del 1290 ad opera dei Mongoli e dei Sakyapa, ma ha conservato alcune particolarità architettoniche che mostrano anche la sopravvivenza di elementi ricollegabili alla prima architettura del Ngari e a quella dell'India. Il Dükhang presenta, nonostante la sua posizione su un declivio, un andamento esterno di piramide a gradoni che viene accentuato dal porticato ligneo sopportante una terrazza perimetrale con balaustra utilizzabile per la pradakshina e che ricorda la struttura tipica del Kyilkhang di Tholing (Sez. VI).

Nel piano immediatamente superiore, agli angoli della costruzione le figure di leoni richiamano esattamente quelle dell'antico monastero di Sani nello Zangskar (Ngari) [73] site in un'analoga posizione. La copertura di tipo cinese in bronzo invece e la decorazione simbolica dell'alta cornice appartengono senza dubbio ad un epoca più recente. Nonostante questi diversi apporti l'insieme della costruzione raggiunge un effetto singolarmente unitario di eleganza e di solidità.

MONASTERO DI SHALU, Tsang

fig. 147

Shalu fu capitale di un feudo importante, appartenente alla famiglia Che imparentata con i principi di Sakya e che dipendeva direttamente dal residente mongolo. Il complesso monastico venne fondato, secondo le testimonianze testuali, nel 1040 da Chetsun Sherab che in India, a Bodhgaya, era diventato scolaro di Abhayâkaragupta. Il Tempio maggiore (Serkhang, tempio d'oro) è stato però ricostruito in gran parte nel 1333 da Dagpa gyeltsen secondo i consigli del grande poligrafo Butön che fece venire anche artisti dalla Cina, e ne curò personalmente la decorazione pittorica interna [74]. Egli fu abate del monastero e la scuola da lui fondata venne appunto chiamata Shalupa. Questo eccezionale documento dell'architettura tibetana è stato descritto da pochi studiosi; un esame più particolareggiato per quanto riguarda soprattutto la ricchissima, e in gran parte allora ben conservata, decorazione interna è stato compiuto da G. Tucci, mentre dal punto di vista architettonico la descrizione più ampia è di Wang Yi, e la più recente è di M. Henss [75]. Quest'ultimo ha constatato come attualmente dell'intero complesso, costituito da templi, collegi, abitazioni monastiche non resta che un quinto, mentre i 3.800 monaci che vi abitavano erano ridotti a sette.

fig. 148

Il tempio maggiore il Serkhang edificato in pianura, con poche aperture sull'esterno, presenta un aspetto severo. È a due piani e mostra nella pianta del piano terreno tracce di un modello indiano già utilizzato in epoca monarchica. Non si dimentichi che il fondatore del complesso di Shalu era strettamente legato al mondo indiano. Rettangolare, orientato verso i punti cardinali, ordinato secondo un'asse di simmetria est ovest, il Serkhang consta di un ingresso monumentale con protiro in forte aggetto e forse più tardivo, di una sala centrale circondata da una fila di cappelle, cinte a loro volta da un deambulatorio (barkhyam). Si tratta della stessa trasposizione del tipo di vihâra indiano già utilizzata ad esempio nel Jokhang (Sezione V). Vengono però apportate alcune varianti, il lato di accesso non è su uno dei lati corti del rettangolo e sull'asse di fronte all'ingresso sono site attualmente due cappelle più piccole invece di una sola, più ampia, come probabilmente era all'origine. L'ingresso su uno dei lati più lunghi può essere una scelta derivata da una certa influenza del modulo cinese, il dian, che presenta la facciata sempre su uno dei lati maggiori. Tale collocazione della facciata la ritroviamo anche nel Dükhang di Tashilhumpo (Sez. IX), accentuata dal fatto che il lato maggiore d'ingresso è volto a sud secondo i canoni cinesi. A Tashilhumpo però viene aggiunto anche un secondo ingresso, più tradizionale sul lato minore orientale.

Al piano superiore del Serkhang la copertura a terrazza che sovrasta la grande sala ipostila serve da corte centrale a un diverso dispositivo architettonico. È circondata da quattro santuari situati l'uno sopra i due piccoli sacrari occidentali, altri due sui lati e uno più complesso costituito da due cappelle sovrapposte di cui quella inferiore con corridoi perimetrali per la deambulazione, sull'ingresso. I primi tre santuari sono dipinti con pitture murali raffiguranti mandala e possono essere stati utilizzati per dei riti esoterici o d'iniziazione. Tutti questi elementi architettonici hanno il piano di calpestio a differenti livelli in funzione dell'altezza degli ambienti del piano terreno e sono di misure variabili in modo da presentare le coperture tutte alla stessa altezza. L'insieme è organizzato secondo una complessa e studiata organizzazione spaziale che permette delle sapienti variazioni e passaggi dai modelli cinesi alle tradizioni autoctone, con un giuoco voluto dei volumi architettonici che si potrebbe definire barocco.

Il cortile asimmetrico cinto da un porticato a due piani su cui affaccia il protiro d'ingresso del Serkhang, come propone giustamente Wang Yi [76], almeno nella forma attuale, deve essere un rimaneggiamento posteriore. Sia le caratteristiche architettoniche del duplice porticato, sia la sua forma irregolare con ingresso disassato che contrasta visibilmente con l'ordinato impianto del tempio, giustificano questa ipotesi. Nell'alzato le massicce scatole murarie a scarpa, di diverse dimensioni, assemblate l'una alle altre con scarse aperture, appartengono al linguaggio architettonico arcaico del Tibet. Nel protiro d'ingresso a due piani, sorretto da una coppia di colonne scanalate, con mensole dal profilo ondulato su cui poggiano più serie di travetti sovrapposti con teste a vista (modiglioni) di un decorativo effetto chiaroscurale, sono utilizzati antichi elementi indiani. Essi fanno parte da secoli del lessico tibetano e li abbiamo già visti usare nel Ngari agli inizi della seconda diffusione. Tale protiro si ritrova anche in costruzioni civili, come quello monopiano del più tardo Palazzo di Leh (Sez. VIII). Anche il tipico fastigio buddhista dei protiro di Shalu con le due gazzelle ai lati della ruota lo abbiamo già segnalato nel Ngari fin dalle epoche più antiche (Sez. VI). Quello che conferisce al Serkhang l'aspetto sinizzante che è stato evidenziato da tutti gli studiosi è soprattutto la serie di coperture in ceramica smaltata blu e le opere di carpenteria che le sostengono.

Il tempio di Shalu offre perciò una delle più ampie documentazioni dell'uso di questo dispositivo nel periodo Sakya.

Coperture sovrapposte sottolineano secondo un principio strettamente sinico i differenti piani e accompagnano ogni singolo elemento modulare del complesso. Nella facciata, ad esempio, una prima copertura, quasi un cornicione è sorretta dalle caratteristiche mensole a navicella (dougong). La seconda copertura più completa poggia su colonne lignee addossate alla muratura, mentre il sistema mensolare complesso mostra nette caratteristiche Yuan nella linea ricurva del doppio braccio ang [77].

La terza copertura alla sommità è un vero e proprio tetto di dian di tipo xieshanding (a quattro falde in basso e due in alto) e conserva nella carpenteria nette caratteristiche Yuan [78]. Sulle linee di colmo poggiano — anzi sarebbe meglio dire poggiavano perché attualmente sono andati quasi distrutti — una serie di pannelli finemente scolpiti con motivi simbolici e religiosi (divinità, peonie, makara, loti) simili a quelli ad esempio del Yonglegong a Rui Zheng (Shanxi) ricostruito a partire dal 1244 (v. Introduzione) e dei pochi santuari di epoca Yuan ancora presenti in Cina [79]. Tale linea di colmo esce dalle fauci di due draghi, avvolti in spire verticali, dalla forma inusitata e in altre coperture da due makara di netta stilizzazione sino-mongolica, mentre al centro di quasi tutte le coperture dell'ultimo livello campeggia l'âmalaka il tipico acroterio indiano. Teste di makara come gocciolatoi completano l'aspetto fortemente sinizzante dell'insieme che costituisce una importante documentazione delle coperture di epoca Yuan così rare anche in Cina. Pure all'interno alcuni soffitti sono sorretti dal tipico sistema mensolare Yuan [80].

Il succedersi di coperture di differenti dimensioni accostate l'una all'altra in modo simmetrico fa parte del gusto per il variare delle masse tipico degli Yuan lo vediamo ad esempio nello Shengu miao di Anpingxian [81] (v. Introduzione). Il modello eclettico proposto da queste coperture cinesi, sovrapposte a guisa di lucernario ad un edificio in muratura tibetana e trasposte in metallo verrà conservato nel Tibet fino all'epoca del Dalailamato (rifacimento Jokhang, Potala) (Sez. IX). Mentre le costruzioni eclettiche sino-tibetane del Tibet orientale e della Mongolia e della Cina utilizzeranno frequentemente l'intero dispositivo proposto nel periodo Sakya.

GYANTSE DZONG, Tsang

Gyantse, grande centro economico e commerciale è la terza città in ordine di importanza dopo Lhasa e Shigatse. L'abitato, sito ai piedi dello sperone roccioso su cui sorge la fortezza (dzong), presenta una rete viaria stretta e tortuosa, attraversata però per tutta la lunghezza dalla più ampia strada del mercato. Più a nord è sita l'enclave monastica (Pelkhor chöde). L'insieme è stato visitato e descritto da numerosi studiosi e viaggiatori [82]. Il luogo era già sacro all'alba della storia tibetana, infatti, il monte su cui sorge lo dzong faceva parte delle tredici montagne infauste (Tengan), appartenenti probabilmente alla tradizione prebuddhista, che vennero rese propizie e fauste da Padhmasambhava. Sempre secondo il Nyangchung, una guida che descrive gran parte dei monumenti dello Tsang, Gyantse è stato sede del nipote del re Langdarma (sec. IX). Il palazzo reale era sito sul monte ove si trova l'attuale dzong [83]. Nel sec. XIV i principi di Gyantse ricevettero l'investitura dai lama Sakya e dalla dinastia mongola degli Yuan. Essi ebbero successivamente legami privilegiati con i Ming da cui ricevettero il titolo di dishi e furono imparentati con i feudatari di Shalu. Sotto di loro la città godette di grande prosperità economica e vennero costruiti i più importanti monumenti. A quest'epoca data anche la costruzione o ricostruzione della fortezza. Nel 1390 venne annesso allo dzong un tempio dedicato a Shâkyamuni che G. Tucci trovò in gran parte distrutto [84]. Nonostante le successive distruzioni e ricostruzioni, venne fortemente danneggiato nel 1904 dal corpo di spedizione inglese di Younghusband e ultimamente dalla rivoluzione culturale [85], esso può essere considerato il prototipo degli dzong di quest'epoca. Tali fortezze erano numerosissime in tutto il territorio e furono i principi Phagmodu nel secolo XIV, nel momento della loro massima espansione a suddividere il Tibet in distretti, ciascuno retto da uno dzong. Nel 1900 vi erano ancora

fig. 149

fig. 150

cinquantatre dzong maggiori e 123 distretti minori [86]. Tipologicamente lo Dzong di Gyantse, ricollegandosi agli antichi castelli di epoca monarchica, non prevede una vera e propria facciata, ma è composto da una serie di moduli polifunzionali in massima parte cubici o prismatici, fortemente rastremati in alto, assemblati in modo organico con contrafforti a gradoni e muraglie di raccordo. Essi seguono la conformazione del monte, ma non lo ricoprono quasi completamente, costituendo un tutto unico, come nei più tardi esempi proposti dalle facciate dello Dzong di Shigatse o del Potala. Perciò la collocazione delle masse murarie rimane più mossa e libera con un senso di armonia ritmica. È conservata l'antica tradizione monarchica del sacro numero di nove piani e, come nel più tardo castello di Leh (Sez. VIII), tale numero è ottenuto contando i vari piani degli edifici giustapposti. Alla sommità, secondo un'antica tradizione, presente anche nel Ngari, è sito il tempietto delle divinità protettrici (Tselhakhang) [87]. Non sono presenti le numerose coperture di tipo cinese che risplendono sul Potala, tranne una piccola e tardiva alla sommità. In confronto a complessi più recenti, come il castello di Leh o il Potala le aperture sono poche e di piccola taglia, non c'è traccia delle larghe verande di ispirazione indiana, che sottolineano le facciate degli edifici maggiori nell'epoca del Dalailamato (Sez. IX).

PELKHOR CHÖDE, Gyantse, Tsang

L'ampio complesso monastico e templare venne iniziato nel 1418 da Rabten Kunzang Phagpa, principe di Gyantse. Egli secondo un'usanza ormai consolidata cominciò con la costruzione dello Tsuglagkhang che venne completato nella parte superiore nel 1425. Nel 1427 egli elevò l'altro importante sacrario il Kumbum, poi via via vennero edificati i numerosi collegi (datsang), abitazioni monastiche, templi, uffici e la cinta fortificata [88].

fig. 151, 152

Mentre questi due sacrari principali che costituiscono il fulcro dell'intero complesso sono in pianura, il resto delle costruzioni si dispiega a ventaglio sulle pendici di un'altura, come a Sakya, e le mura, interrotte da analoghe torri quadrangolari, si snodano in parte sulla cresta del monte ed hanno l'ingresso principale ad est.

Per quanto all'origine esistesse una prevalenza dei Sakyapa ben presto il monastero è divenuto una federazione di collegi, vere e proprie università monastiche, appartenenti a diverse Scuole. Pur variando nel numero e nell'assegnazione degli edifici il Pelkhor chöde ha mantenuto questa particolare caratteristica eclettica che gli ha permesso nel corso dei secoli di prosperare, anche dopo la perdita di potere dei dinasti di Gyantse. Alla fine del sec. XVII vi erano sette datsang Gelugpa, quattro Sakyapa, uno Shalupa e quattro Dükhorpa più uno in comune tra i Gelugpa e i Sakyapa. Agli inizi del sec. XIX i Collegi erano in tutto diciotto e vi erano rappresentati anche i Karmapa e i Dugpa [89]. Nella guida di Khyentse (fine sec. XIX) vengono ricordati sedici datsang divisi tra i Gelugpa, i Sakyapa ed i Shalupa [90]. Wang Yi segnala diciassette collegi appartenenti rispettivamente ai Gelugpa Sakyapa e Kadampa, dopo la rivoluzione culturale non ne restano che due in parte danneggiati [91].

fig. 153

Si sono conservati lo Tsunglagkhang e il Kumbum, per i quali rimane comunque fondamentale il contributo dato da G. Tucci alla conoscenza della ricca e in parte ancora integra decorazione pittorica e scultorea interna [92].

fig. 154

Lo Tsuglagkhang conserva l'aspetto cruciforme, orientato secondo i punti cardinali delle costruzioni mandaliche indiane. Esso è ricollegabile anche ad antichi modelli monarchici come l'Utse di Samye, per l'identica preminenza data ai locali d'ingresso (porticato, pronao, e cappelle laterali), la pianta a croce, e per le cappelle maggiori su tre lati, fiancheggiati da due minori.

La cappella maggiore sita di fronte all'entrata ha però a Gyantse il tradizionale corridoio esterno per il rito della pradaksinâ mentre a Samye tale corridoio circonda la parte centrale del tempio che viene, secondo un'aderenza maggiore allo schema mandalico considerata più importante. Si verifica inoltre nello Tsuglagkhang una sovrapposizione di alcuni canoni planimetrici sinici, l'entrata è sita a sud e tutto l'insieme viene così ordinato secondo un asse sud-nord che vedremo utilizzato ad esempio anche nel quasi coevo grande Tempio di Tashilhunpo. Inoltre la sala centrale delle riunioni (dükhang) ha un andamento rettangolare con ingresso sul lato lungo, anch'esso di netta ispirazione cinese come a Shalu e a Tashilhunpo. Il tempio maggiore dell'ultimo piano (Utse) è anch'esso posto, non in posizione centrale, come suggerirebbe il modello mandalico del primo piano, ma spostato verso nord, secondo una concezione di «percorso cerimoniale» tipicamente sinica. Narra poi il Nyangchung che in un primo progetto dello Tsuglagkhang venne prevista solo la sala centrale, poi allargata per necessità di spazio con le ali laterali (lobur) e con il piano superiore con relativi porticati (khyam) [93]. Nonostante l'impianto strettamente simmetrico dell'insieme, non si può non vedere in queste aggiunte la sempre risorgente espressione delle concezioni di tipo organico che sottendono tutta l'architettura tibetana [94]. Secondo una ulteriore tipica caratteristica di flessibilità che abbiamo anche segnalato a Shalu e che era già presente in alcuni dei più antichi edifici del Ngari (Sumtsek di Alchi, Sez. VI), i piani superiori non hanno un piano di calpestio tutto allo stesso livello, perché spesso comprendono le zone più elevate delle grandi sale sottostanti.

Così nel Tsuglagkhang di Gyantse il secondo piano è occupato al centro e al nord dalla parte superiore del dükhang e della cappella maggiore. Ad est ed a ovest invece vengono duplicate le cappelle laterali del primo piano con un'analoga pianta. Nel terzo piano costituito da una grande terrazza circondata da porticati (yab-ring), si eleva verso nord in posizione assiale la cappella più alta (Utse). A sinitra e a destra sono collocate

fig. 155

due cappelle minori su una delle quali corre sulle pareti, come nel sottostante sacrario dedicato a Vairocana, un'iscrizione di grande valore documentario che contiene i nomi dei committenti e quello degli artisti che vi operarono [95]. Lo Utse rappresenta la parte più importante e segreta del Tempio ed è decorato di mandala che seguono le teorie delle scuole tantriche più note, sovrastati dalle immagini dei maestri più conosciuti. E non si può non vedere anche in questo la funzione di unione e fusione di tutte le più importanti correnti rappresentata da Gyantse. G. Tucci propone che si tratti di un sacrario adibito all'origine ai riti iniziatici dei neofiti [96]. Intorno al Tempio gira il corridoio per la circumambulazione (korlam) affrescato con i Mille Buddha del Bhadrakalpa accompagnati dai rispettivi Bodhisattva. G. Tucci segnala in questo ultimo piano anche un altro particolare simbolico: la triplice porta delle cappelle laterali che allude ai tre sentieri (vimoksamukha) che conducono alla salvazione [97]. Si verifica perciò nel Tsuglagkhang di Gyantse come a Shalu una sovrapposizione del sacello dedicato alle iniziazioni al dükhang che nei primi secoli della seconda diffusione costituivano due edifici ben distinti e di differente tipologia come è ancora testimoniato a Tholing, Tabo e Alchi (Sez. VI). Perfettamente allineate alla tradizione sono invece le massicce mura rastremate in alto, tinteggiate all'esterno in rosso e sottolineate dalla canonica cornice scura formata da rametti di ginepro pareggiati, intervallata da placche simboliche in metallo dorato e, cromaticamente evidenziata da una fascia bianca e dal chiaroscuro delle file sovrapposte di modiglioni. Il pronao con porticato a due piani in forte aggetto si ricollega anch'esso alle antiche costruzioni del Ngari (Sumtsek di Alchi) e rappresenta una successiva variante degli ingressi di Sakya. Le opere di carpenteria conservano tutte l'antica ispirazione indiana, ma le grosse colonne scanalate, di troppo difficile reperimento, vengono frequentemente sostituite da spessi fasci di tronchetti tenuti uniti da anelli di metallo, soluzione che vedremo sempre più utilizzata nell'architettura tibetana più tarda anche nel Ngari (protiro del palazzo di Leh, Sez. VIII). I capitelli, le mensole con i profili più articolati e mossi, le file sovrapposte di travetti a vista che formano modiglioni assumono una funzione più decorativa che strutturale e costituiscono una evoluzione delle antiche tipologie dei primi secoli della seconda diffusione.

Il movimento del profilo di contorno delle strutture lignee viene ulteriormente accentuato dalla ricca e variopinta decorazione pittorica ispirata anche a motivi cinesi (peonie, nuvole, draghi). Analoga carpenteria e ornamentazione dipinta è ripetuta nel piccolo sacrario alla sommità che riproduce, anche nella parte muraria, le principali caratteristiche decorative dell'edificio sottostante, tanto da sembrare una replica semplificata e miniaturizzata.

fig. 156, 157

Il Kumbum di Gyantse è strettamente collegato alle speculazioni sui mandala di cui è una perfetta raffigurazione tridimensionale. Esso costituisce anche per la sua ricchissima decorazione pittorica e scultorea interna una rappresentazione visiva quasi completa delle teorie esoteriche e cosmologiche, espresse nelle principali opere tantriche, elaborate dal Buddhismo, tibetano perché, percorrendo secondo l'ordine della pradaksinâ le sue cappelle e i suoi templi, il fedele può ricostruire all'indietro tutta la genesi dal molteplice all'uno.

Nel sacrario più alto è raffigurato Vajradhâra, il Buddha primordiale, simbolo dell'assoluto nella sua essenzile immutabilità. Si può presupporre che il monumento sia l'equivalente degli antichi templi d'iniziazione. Il Kum bum inoltre, come gli antichi santuari monarchici, è simbolo della fusione del potere reale, e della stessa persona del principe di Gyantse con la fede buddhista. Infatti una guida del sacrario, segnalata da G. Tucci [98], afferma che l'unità di misura, la quale variamente moltiplicata determina le proporzioni delle singole parti del monumento, era stata il cubito (thu) di Rabten Kunzang, il fondatore. Ogni elemento architettonico viene così caricato di significati simbolici molteplici [99]. Per esempio il primo basamento a «venti angoli», costituito da tre gradini, ha un raggio di 108 cubiti, sacro numero tantrico, ed è alto un cubito. Chiamato loto lunare simboleggia l'unione dei due coefficienti necessari all'illuminazione: la prassi (upâya) e la gnosi (prajñâ) ed insieme i due aspetti dell'essere: la beatitudine (mahâsukha) e l'insostanzialità (shunyâtâ).

Su tale basamento poggia il primo gradone (trono) frazionato, come gli altri, in cinque facce per ogni lato che alludono ai cinque Buddha della Pentade Suprema e al loro seguito.

Il portale d'accesso con scalinata aggetta al centro del lato sud ed è in asse con il pronao del Tempio maggiore meridionale del primo piano. Il primo piano è costituito da quattro templi maggiori, situati al centro di ogni lato, e da sedici cappelle minori. Il secondo piano comprende nella parte centrale di ciascun lato, secondo un dispositivo che abbiamo segnalato anche nello Tsuglagkhang, la parte superiore dei quattro santuari maggiori del primo piano, più sedici cappelle più piccole. Nel terzo piano ricompaiono i quattro templi maggiori, anche se di minori proporzioni e le sedici cappelle. Le cappelle del quarto piano si riducono invece a dodici per comprendere la parte superiore dei quattro templi maggiori sottostanti.

fig. 158

Sul quarto piano poggia un «tamburo» (kumbha) che sostituisce la cupola tradizionale (anda) e si apre ai quattro orienti in quattro templi. Ad esso è sovrapposta una harmikâ cubica che accoglie l'ultimo sacrario, su cui poggia la cuspide conica a tredici anelli che simbolizzano i tredici cieli (Devaloka) ed insieme i dieci poteri mistici e i tre sostegni della consapevolezza del Buddha. Alla sommità l'ombrello cerimoniale (chattra) simbolo della grande misericordia del Buddha è sovrastato dal vaso dell'elisir dell'immortalità (kalasa). Le cinque parti fondamentali del monumento cioè rispettivamente i gradoni, il tamburo, la cuspide, l'ombrello e la parte terminale hanno, come ogni chörten, rapporti simbolici con i cinque elementi (terra, acqua, fuoco, vento, etere) con le cinque sillabe mistiche (a, vam, ram, ham, kham) e con i cinque cakra principali del corpo umano [100].

Il Kumbum di Gyantse costituisce così il punto culminante di una lunga elaborazione tipologica del modello indiano dello «stûpa a molte porte» che vediamo documentata nell'area tibetana già nei primi secoli dopo il mille (Sez. VI). Nello Tsang se ne trovano numerosi diretti antecedenti. Essi sono rappresentati dal già citato Kumbum del Lotsawa di Thophu, da quello di Jonang iniziato da Sherab gyeltsen Palzangpo (m. 1360) [101], dal

Kumbum monumentale di Ghyang che fu costruito dal Sakyapa Sönamtashi (1352-1417) con l'aiuto del grande architetto Thangtong Gyelpo [102]. Ma è il Kumbum di Narhang, di minori proporzioni, costruito da Nyandag Zangpopel in memoria del fratello abate di Narthang, morto nel 1376 [103], quello più strettamente collegato al Kumbum di Gyantse. Come ha dimostrato G. Tucci, risulta dalle iscrizioni che vi lavorarono almeno due pittori che dipinsero pure alcuni affreschi di Gyantse [104]. Anche dal punto di vista architettonico esiste tra le due opere un certo rapporto, sebbene il Kumbum di Narthang abbia una base a due piani molto semplificata con soli dodici angoli e 14 cappelle. È analogo il tamburo (kumbha), la piccola copertura rotonda che lo sovrasta, l'harmikâ cubica ornata di quattro paia d'occhi ai quattro lati. L'antecedente di questo motivo si può rintracciare, oltre che nei lontani modelli Pâla, anche nei più prossimi stûpa nepalesi. Sono ben noti i legami che unirono in quest'epoca il Nepal al mondo tibetano e l'attività di artisti nepalesi nei principali centri del Tibet.

Se compariamo il Kumbum di Gyantse con lo stupa di Bodhnâth (Baudanâth) a Bhatgaon vediamo che hanno in comune un'analogo basamento a gradoni «a molti angoli» anche se a Gyantse è più monumentale e praticabile. La classica cupola (anda) di Bodhnâth strettamente ispirata agli antichi modelli indiani diventa invece nel Kumbum una struttura cilindrica praticabile. È soprattutto l'harmikâ ridotta a un elemento cubico con due occhi su ogni lato che denuncia, come si è detto, l'ispirazione ad un prototipo nepalese. La stessa cuspide di aspetto massiccio sovrastata da un ampio ombrello e da un kalasa si può mettere in rapporto con una utilizzazione nepalese di elementi indiani, si veda ad esempio lo Stûpa di Svayabhunâth.

Non mancano neppure delle brevi citazioni del lessico architettonico cinese, come la fila di mensole (dougong) sotto la copertura del tamburo. Esse presentano i tipici doppi bracci di leva ricurvi (ang), fortemente sporgenti, caratteristici degli Yuan e dei primi Ming [105]. Analogamente la copertura sulla harmikâ è sorretta da medesimi dougong, mentre il profilo dentellato delle falde ricorda modelli nepalesi. Essa può essere considerata una delle prime documentazioni giunte fino a noi di una tecnica costruttiva nepalese unita a strutture cinesi che tanta fortuna avrà nelle epoche successive (Sez. IX).

Anche la scelta del lato d'ingresso a sud subisce l'influsso dell'asse preferenziale sinico.

L'intero sistema murario è però tipicamente tibetano. All'esterno si può constatare una riduzione delle superfici intonacate di bianco a favore di una lineare, ma ben evidenziata, decorazione. Il gusto per una maggiore ricchezza ornamentale esterna rappresenta una delle varianti proposte dall'architettura di questo periodo, che vedremo sempre più aumentare ed arricchirsi nelle costruzioni più tarde. Infatti le elaborate cornici marcapiano sono formate da un duplice bordo piccolo (bechung), da un bordo dentellato (bewar), da un bordo grande e dalla cornice sporgente a tetto (chadab) [106] e sono arricchite anche da motivi simbolici variopinti (vajra, placche, loti). Le mostre delle porte dei quattro templi siti nel tamburo, larghe e finemente scolpite, ripetono antichi motivi simbolici indiani e riprendono gli aloni delle figurazioni del Ngari e del Tibet centrale dei primi secoli dopo il mille. Esse costituiscono sia con le loro decorazioni, sia con la loro forma ogivale e rastremata e verso il basso, il modello delle aperture dei cosiddetti chorten di «tipo Qing» [107], che tanta fortuna avranno anche in Mongolia (Sez. XIV) e in Cina (Sez. XIII).

Legati invece a modelli più antichi sono gli ingressi delle cappelle maggiori del primo piano ricollegabili a quelli di Samada e di Iwang anche se più monumentali. I due più importanti monumenti di Gyantse mostrano in tal modo una perfetta e misurata eleborazione e fusione degli apporti stranieri con le principali caratteristiche dell'architettura autoctona. Essi presentano inoltre una serie di spunti nuovi e originali che costituiranno un costante punto di riferimento per l'architettura posteriore.

NOTE DELLA SEZIONE VII

[1] HUC, 1878; DAS, 1893; 1902; 1904; WADDEL, 1895; 1905; LANDON, 1905; HEDIN, 1909; 1922; KAWAGUCHI, 1909; TAFEL, 1914; BELL, 1931; DAVID NEEL, 1931; MACDONALD, 1932; TUCCI, 1932-41; 1937; 1949; 1950 a; 1952; 1956; 1973; CHAPMAN, 1938; BERNARD, 1950; HARRER, 1953; 1966; NEBESKY-WOSKOWITZ, 1956; PETECH, 1956; LIU, 1957; JISL, 1958; WANG, 1960; 1961; GOVINDA, 1966; SNELLGROVE, RICHARDSON, 1968; GOTAMI-GOVINDA, 1979; HENSS, 1981.

[2] Dsam-gling-chen-po tr. VASILYEV, 1895; Chos-hbyung tr. OBERMILLER, 1931-32; Deb-ther-sngongo-po tr. ROERICH, 1949-53; M KYEN BRTSE tr. FERRARI, 1958; Deb-ther-dkar-po tr. CHOEPHEL, 1978; Deb-ther dmar-po 1961.

[3] CHATTOPADYAYA, 1977.

[4] TUCCI, 1973, p. 92.

[5] FERRARI, 1958, p. 132; ROERICH, 1949-53; p. 96-97.

[6] TUCCI, 1950 [I]; 1980 [II]; p. 166-167.

[7] MAILLARD, 1983, p. 111.

[8] TUCCI, 1970 I, 76 II, p. 185-186.

[9] TUCCI, 1970 [I], 76 [II], p. 185; STEIN, 1962 [I], 1981 [II], p. 51.

[10] CASSINELLI, 1969.

[11] TUCCI, 1939-41, IV, I, p. 10; GOETZ, 1965, p. 406.

[12] STEIN A., 1907.

[13] ROWLAND, 1853, p. 439-41 451.

[14] FRANCKE, 1914, vol. I tr., tav. XXXV; KHOSLA, 1979, p. 54.

[15] TUCCI, 1949 [a], p. 179; 1973, p. 118; FERRARI, 1956, p. 67, 90, 157.

[16] ROERICH, 1949-1953, p. 1063-1071; FERRARI, 1956, p. 90.

[17] TUCCI, 1956, p. 66; 1973, p. 77.

[18] KOLMAŠ, 1967, p. 27-30.

[19] MAILLARD, 1983, p. 112.

[20] TUCCI, 1939-41, IV, I, p. 16; 1949 [a], p. 186.

[21] VASILYEV, 1895, p. 21; WADDEL, 1895, p. 385, 1905, p. 312-314, 368; DAS, 1904, p. 191-192; LANDON, 1905, p. 116-120; CHAPMAN, 1938, p. 163; BERNARD, 1950, p. 139; TUCCI, 1949 a. p. 163; 1950, p. 56, 60; FERRARI, 1958, p. 71-90, 164 et passim; WANG, 1961, n. 4, p. 38, trad. GIORGI M.L., 1985; STEIN, R. A. 1962, p. 132, 241-242.

[22] TUCCI, 1932-41, vol. IV, parte III, fig. 39-40; HENSS, 1981, p. 131.

23 VASILYEV, 1895, p. 37; DAS, 1908, p. 318; FERRARI, 1958, p. 57, 138; WYLIE, 1964, p. 278; SNELLGROVE, RICHARDSON, 1968, p. 33; TUCCI, 1973, p. 74.

24 FERRARI, 1958, p. 138; WYLIE, 1964, p. 278.

25 TUCCI, 1973, p. 75.

26 TUCCI, 1932-41, vol. IV parte I, p. 94, 134-140, parte III, fig. 39-40; 1952, p. 45-47; 1973, p. 177.

27 FERRARI, 1958, p. 90; TUCCI, 1973, p. 177.

28 TUCCI, 1932-41, vol. IV parte III, fig. 40; 1973, fig. 64.

29 TUCCI, 1967.

30 TUCCI, 1932-41, vol. IV, parte I, p. 93-122 parte III, fig. 23-24; 1950 [I], 1980 [II]; 1973, p. 89, 90, 142, tav. 74.

31 FERGUSSON, 1876, p. 190.

32 VIENNOT, 1976, vol. II, ph. 123, 146, 154, 196, 209, 258, 272, 274; AGRAWALA, 1981, tav. 23.

33 VIENNOT, 1976, ph. 176.

34 FERGUSSON, 1876, fig. 106; WIESNER, 1978, fig. 32.

35 SPEISER, 1965, tav. 35.

36 VOLWAHSEN, 1969, frontespizio, couverture.

37 DENWOOD, 1975, p. 58-60; GOTAMI GOVINDA, 1979, p. 39.

38 LIANG, 1984, tav. 32.

39 GOTAMI GOVINDA, 1979, p. 39.

40 FERRARI, 1958, p. 65, 153; DAS, 1904, p. 277.

41 TUCCI, 1949, a. p. 84.

42 TUCCI, 1973, p. 193-194.

43 VIENNOT, 1964; AGRAWALA, 1981, p. 111-113.

44 MOOKERJEE, 1974, p. 94-95; SCHROEDER, 1981, 76 F, p. 308-309; 80 G, p. 316-317.

45 AGRAWALA, 1981, fig. 88.

46 ROW LAND, 1953, p. 222-223.

47 The Potala Palace of Tibet, 1982, p. 47.

48 CASSINELLI, 1969.

49 DESIDERI In PETECH, 1952-56, vol. VI; FERGUSSON, 1876, 293-294; DAS, 1902, p. 238-242; KAWAGUCHI, 1909, p. 241-45; MACDONALD, 1932, p. 128-129; SANKRITYANA, 1937, p. 4-5; TUCCI, 1940, 1937 [I], 1978 [II], p. 147-152; 1949 [a] vol. I, p. 172-177; FERRARI, 1958, p. 63-64; WANG, 1960, 8-9, p. 63-65; trad. GIORGI M.L., 1985; MORTARI VERGARA, 1976, p. 217; HENSS, 1981, p. 132-138; JIGMEI, 1982, p. 252-262; CHENG, 1982, n. 10, p. 87-89, 96.

50 TUCCI, 1949, a. p. 156.

51 PETECH, 1952-56, vol. VI, p. 21.

53 TUCCI, 1949 [a] p. 356.

54 FERRARI, 1958, p. 150.

55 TUCCI, 1940.

56 CULLAVAGGA, VI, 3, I, 3, 3, MAILLARD, 1983, p. 109.

57 WANG, 1960, n. 8-9, p. 64.

58 TUCCI, 1949 [a] p. 177; 1973, p. 194.

59 HENSS, 1981, p. 133; CHENG, 1982, p. 87.

60 WANG, 1960, n. 8-9, p. 63.

61 WYLIE, 1977, p. 125.

62 TUCCI, 1949 [a] p. 626; SHAKABPA, 1967, p. 68; WYLIE, 1977, p. 126.

63 WANG, 1960, n. 8-9, p. 63.

64 WANG, 1960, n. 8-9, p. 64; JIGMEI, 1981, p. 255.

65 MAILLARD, 1983 [a] p. 108.

66 TUCCI, 1949, a. p. 163.

67 OLDENBURG, 1909-10 fig. 42, pl. XXXV; MAILLARD, 1983 fig. XXXI, XXXII.

68 WANG, 1960, n. 8-9, p. 64; trad. GIORGI M.L., 1985.

69 JIGMEI, 1981, tav. 200.

70 TUCCI, 1967; MORTARI VERGARA, 1980, tav. 10.

71 FERRARI, 1958, p. 122; HENSS, 1981, tav. 98.

72 FERRARI, 1958, p. 44, n. 116; STEIN R. A., 1962 [I]; 1981 [II], p. 51.

73 KHOSLA, 1979, tav. 137-138.

74 R'eu-mig tr. DAS, 1889, p. 40; BUSTON, Chos-hbyung tr.; OBERMILLER, 1932, p. 206; Miang chung 257 tr.; TUCCI, 1932-41, vol. IV, parte I, p. 71; SANKRI TYAYANA, 1935, p. 28-31; 1937, p. 33-52; 1938, p. 143-146; Deb-ther-sgon-po tr., ROERICH, 1949-1953, p. 188-191; FERRARI, 1958, p. 60, 143.

75 DAS, 1889, p. 40; UGYEN GYATSO, 1915-22, vol. VIII, p. 3427; SANKRITYAYANA, 1937, p. 10; TUCCI, 1932-41, vol. IV, parte I, p. 71-72; 1949 [a] p. 177-178; 1973 [a] p. 100; WANG, 1960, n. 8-9 p. 61-63, trad. GIORGI M.L., 1985; HENSS, 1981, p. 145-149; JIGMEI, 1982, p. 197-199.

[77] LIANG, 1984, p. 32.

[78] LIANG, 1984, p. 42-45-46.

[79] Zhogguo gudai jianzhushi 1980 [I], 1983 [II], p. 244; LIANG, 1984, fig. 26 b., fig. 44-48.

[80] WANG, 1960, n. 8-9, fig. 27.

[81] SICKMAN, SOPER, 1956, trad. it., 1969, fig. 26.

[82] DESIDERI in PETECH, 1952-56, vol. VI, p. 20; FERGUSSON, 1876, p. 294-295; WADDEL, 1895, p. 278; 1905, p. 217-224; DAS, 1902, p. 89-91; VIDYABH USANA, 1905; LANDON, 1905, p. 197-213; MACDONALD, 1932, p. 130-132; TUCCI, 1932-41, vol IV, parte I, p. 146, 300; 1938; 1950 [a] p. 37-38; BERNARD, 1950, p. 68-74; MARAINI, 1951, p. 227-231; FERRARI, 1958, p. 59, 141, 142; LIU, 1957, fig. 7; WANG, 1961, n. I, p. 9-53, GIORGI M.L., 1985; MELE, 1969; MORTARI VERGARA, 1976, p. 225-226; GOTAMI GOVINDA, 1979, p. 73-77; HENSS, 1981, p. 150-162; JIGMEI, 1982, tav. 20.

[83] TUCCI, 1932-41, VI parte I, p. 53, 61, 62, 146.

[84] TUCCI, 1932-41. VI parte I, p. 61-62.

[85] JIGMEI, 1982, tav. 20.

[86] DAS, 1902.

[88] TUCCI, 1932-41, VI parte I, p. 81; WANG, 1961, n. 1, p. 50, trad. GIORGI M.L., 1985.

[89] TUCCI, 1932-41, VI parte I, p. 146-147.

[90] FERRARI, 1958, p. 59, 141.

[91] HENSS, 1981, p. 153.

[92] TUCCI, 1932-41, VI parte I, p. 146-300.

[93] TUCCI, 1932-41, VI parte I, p. 149.

[94] MORTARI VERGARA, 1976, p. 225.

[95] TUCCI, 1932-41, VI parte I, p. 156.

[96] TUCCI, 1932-41, VI parte I, p. 158.

[97] TUCCI, 1932-41, VI parte I, p. 167.

[98] TUCCI, 1932-41, VI parte I, p. 120.

[99] TUCCI, 1932-41, VI parte I, p. 172.

[100] TUCCI, 1932-41, I parte I, p. 49.

[101] TUCCI, 1949 [a] p. 189-196; 1973, p. 118-119.

[102] TUCCI, 1949 [a] p. 179-185; 1973, p. 119; FERRARI, 1958, p. 154-155.

[103] TUCCI, 1949 [a] p. 186-189; 1973, p. 119; FERRARI, 1958, p. 61-62; 145-146; WANG, 1960, n. 8-9, p. 58-61; HENSS, p. 148.

[104] TUCCI, 1949 [a] p. 186.

[105] LIANG, 1984, p. 32.

[106] TUCCI, 1932-41, IV parte I, p. 171.

[107] MORTARI VERGARA, 1982, p. 11-12.

BIBLIOGRAFIA GENERALE

CASSINELLI, 1969; CHENG, 1982; DAS, 1904; 1908; DENWOOD, 1975; FERGUSSON, 1876; FERRARI, 1958; HEDIN, 1909; 1922; HENSS, 1981; HUC, 1878; KAWAGUCHI, 1909; KOLMAS, 1967; LANDON, 1905; LIU, 1957; MORTARI VERGARA, 1976; PETECH, 1952-56; ROERICH, 1949-53; SNELLGROVE RICHARDSON, 1968; STEIN R.A., 1962 [I], 1981 [II]; TUCCI 1932-41 IV; 1938; 1940, 1949 [a], 1950 [I], 1980 [II]; 1952; 1956; 1970 [I], 1976 [II]; 1973; WADDEL, 1885; 1905: WYLIE, 1964; WANG YI, 1960-61.

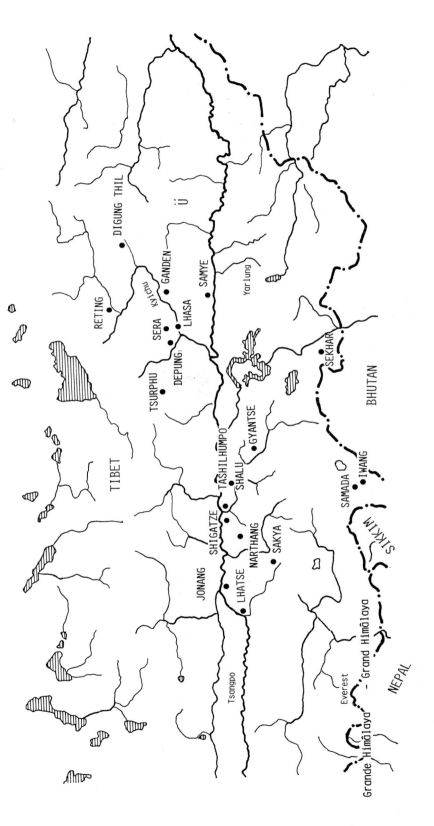

fig. 132 - Carta del Tibet centrale.

fig. 132 - Carte du Tibet central.

315

fig. 133 - Sekhar guthog (Ü), veduta parziale (foto H. Richardson)
fig. 133 - Sekhar guthog (Ü), vue partielle (cl. H. Richardson).

fig. 134 - Sekhar guthog, la torre (foto H. Richardson).
fig. 134 - Sekhar guthog, la tour (cl. H. Richardson).

fig. 135 - Iwang (Tsang), veduta esterna (Tucci, 1932-41, vol. IV, III, fig. 39).
fig. 135 - Iwang (Tsang), vue extèrieure (Tucci, 1932-41, vol. IV, III, fig. 39).

fig. 136 - Iwang, ingressi (Tucci, 1932-41, vol. IV, III fig. 40).
fig. 136 - Iwang, entrèes (Tucci, 1932-41, vol. IV, III, fig. 40).

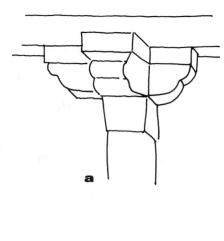

fig. 137 - Samada (Tsang) Kyangphu gömpa, portico del tempio principale (Tucci, 1932-41, vol. IV, III fig. 10).

fig. 137 - Samada (Tsang), Kyanghphu gömpa, portique du temple principal (Tucci, 1932-41, vol. IV, III fig. 10).

fig. 138 - Schema di derivazione dei supporti di trabeazione a pianta cruciforme: a Amvân, tempio 2, facciata est, epoca gupta; b, Samada, Kyangphu gönpa portico del tempio principale; c, Sakya monastero sud, cortile portici sovrapposti; d, Samada, Kyangphu gömpa, colonnato (P. Mortari Vergara, R. Astolfi).

fig. 138 - Schèma de dèrivation des soutiens d'entablement à plan cruciforme: a, Amvân, temple 2, façade Est, époque gupta; b, Samada, Kyangphu gömpa, portique du temple principal, c, Sakya, monastère Sud, cour, portiques superposés; d, Samada, Kyangphu gömpa, colonnade (P. Mortari Vergara, R. Astolfi).

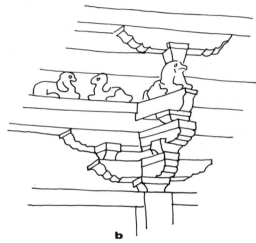

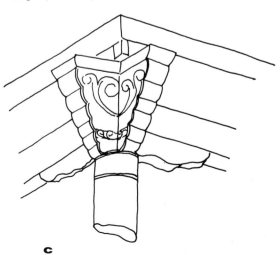

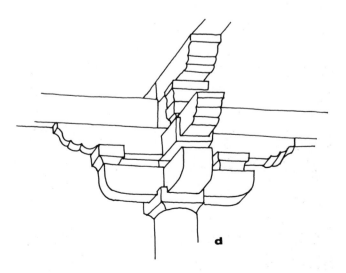

317

fig. 139 - Latse (Tsang), Gayadhâra lakhang, porte (Tucci, 1949a).
fig. 139 - Latse (Tsang), Gayadhâra lakhang, porta (Tucci, 1949a).

fig. 140 - Sakya (Tsang), monastero Nord, veduta parziale prima della Rivoluzione Culturale (Tucci, 1940 n6).
fig. 140 - Sakya (Tsang), le monastère Nord avant la Revolution Culturelle, vue partielle (Tucci 1940 n6).

fig. 141 - Sakya, monastero Sud, veduta panoramica (foto F. Meyer).
fig. 141 - Sakya, monastère Sud, vue panoramique (cl. F. Meyer).

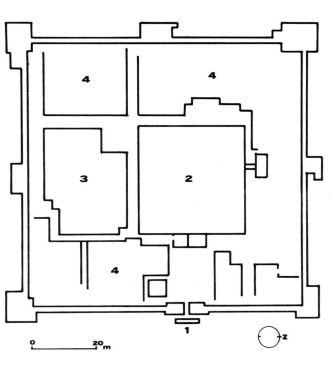

fig. 142 - Sakya, monastero Sud, pianta: 1, ingresso; 2, tempio principale; 3, edificio amministrativo; 4, alloggi monastici (P. Mortari Vergara, R. Astolfi da Wang Yi, 1960, 8-9, fig. 37).

fig. 142 - Sakya, monastère Sud, plan: 1, entrèe; 2, temple principal; 3, édifice administratif; 4, logements des moines (P. Mortari Vergara, R. Astolfi d'après Wang Yi, 1960, 8-9, fig. 37).

fig. 143 - Sakya, monastero Sud, tempio principale, veduta parziale del cortile interno (foto F. Meyer).

fig. 143 - Sakya, monastère Sud, temple principal, cour intèrieur, vue partielle (cl. F. Meyer).

319

fig. 144 - Sakya Monastero Sud, tempio maggiore, facciata, scala laterale con portici sovrapposti (foto F. Meyer).
fig. 144 - Sakya, monastère Sud, temple principal, façade, escalier latéral avec portiques superposès (cl. F. Meyer).

fig. 145 - Sakya, facciata tripartita (foto Tucci, 1940).
fig. 145 - Sakya, façade tripartite (Tucci 1940).

fig. 146 - Digungthil, veduta parziale (foto H. Richardson).
fig. 146 - Digungthil, vue partielle (cl. H. Richardson).

fig. 147 - Shalu (Tsang) Serkhang, facciata (foto G. Béguin).
fig. 147 - Shalu (Tsang), Serkhang, façade (cl. G. Béguin).

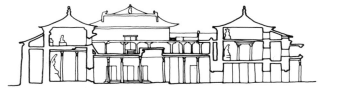

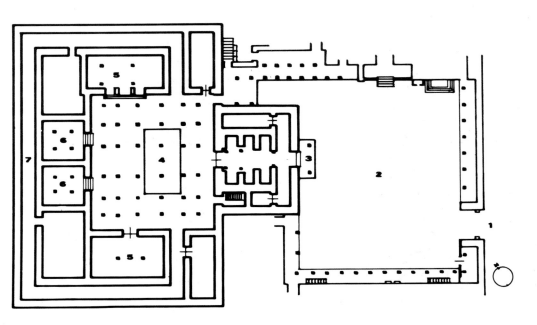

fig. 148 - Shalu, Serkhang, pianta e sezione del piano terra: 1, ingresso del cortile; 2, cortile porticato; 3, atrio del Serkhang; 4, Tsogkhang; 5, cappelle laterali; 6, cappelle centrali; 7, deambulatorio (R. Astolfi da Wang Yi, 1960, 8-9).

fig. 148 - Shalu, Serkhang, plan et coupe du rez-de-chaussée:1, entrée de cour; 2, cour entourée de portiques, 3, porche du Serkhang; 4, Tsogkhang; 5, chapelles latérales; 6, chapelles centrales; 7, déambulatoire (R. Astolfi d'après Wang Yi, 1960, 8-9).

fig. 149 - Shalu, Serkhang particolare delle coperture e della struttura lignea esterna e interna (foto F. Meyer).

fig. 149 - Shalu, Serkhang, détails des toitures et de la charpente extérieure et intérieure (cl. F. Meyer).

322

fig. 150 - Gyantse Dzong (Tsang), veduta panoramica (foto F. Meyer).

fig. 150 - Gyantse Dzong (Tsang), vue générale (cl. F. Meyer).

fig. 151 - Gyantse Pelkrör chöde, veduta panoramica prima della Rivoluzione Culturale (foto Cutting, The Newark Museum).

fig. 151 - Gyantse Pelkhör chöde, vue générale avant la Révolution Culturelle (cl. Cutting, The Newark Museum).

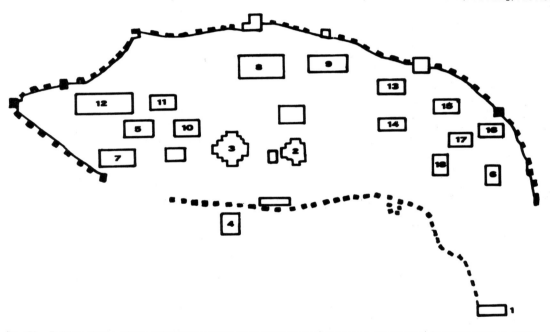

fig. 152 - Pelkhor chöde, pianta schematica prima della Rivoluzione Culturale: 1, ingresso; 2, Tsuglagkhang; 3, Kumbum; 4-6, datsang Sakyapa; 7-9, datsang Kadampa, 10-18, datsang Gelugpa (P. Mortare Vergara, R. Astolfi da Wang Yi, 1961, 1).

fig. 152 - Pelkhör chöde, plan schématique avant la Révolution Culturelle: 1, entrée; 2, Tsuglagkhang; 3, Kumbum; 4-6, datsang Sakyapa; 7-9, datsang Kadampa, 10-18, datsang Gelugpa (P. Mortari Vergara, R. Astolfi da Wang Yi, 1961, 1).

fig. 153 - Pelkhor chöde, Tsuglagkhang e Kumbum (Tucci, 1932-4, IV, III, fig. 67).

fig. 153 - Pelkhor chöde, Tsuglagkhang et Kumbum (Tucci, 1932-4, IV, III, fig. 67).

fig. 155 - Pelkhor chöde, Tsuglagkhang, cappella nord della terrazza (Tucci, 1932-41, IV, III).

fig. 155 - Pelkhor chöde, Tsuglagkhang, terrasse, chapelle Nord (Tucci, 1932-41, IV, III).

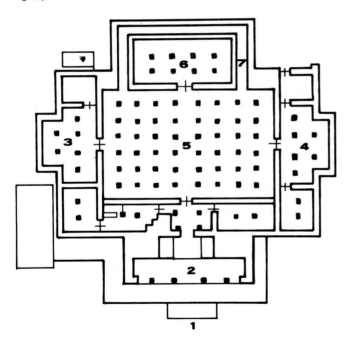

fig. 156 - Pelkhor chöde, Kumbum (foto F. Meyer).

fig. 156 - Pelkhor chöde, Kumbum (cl. F. Meyer).

fig. 154 - Pelkhor chöde, Tsuglagkhang, pianta: 1, ingresso; 2, pronao; 3-4, cappelle laterali; 5, sala centrale; 6, santuario principale; 7, deambulatorio (R. Astolfi da Wang Yi, 1961, 1).

fig. 154 - Pelkhor chöde, Tsuglagkhang, plan: 1, entrée; 2, pronaos; 3-4, chapelles latérales; 5, salle centrale; 6, sanctuaire principal; 7, déambulatoire (R. Astolfi d'après Wang Yi, 1961, 1).

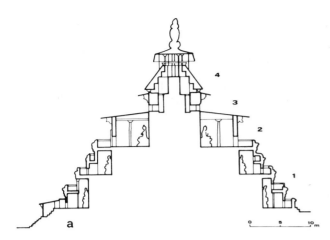

fig. 157 - Pelkhor chöde, Kumbum: a, sezione 1, basamento a gradoni; 2, tamburo; 3, harmikâ, 4, pinnacolo; b, pianta: 1, primo e secondo piano; 2, terzo e quarto piano (R. Astolfi da Wang Yi, 1961, 1, fig. 12-13).

fig. 157 - Pelkhor chöde, Kumbum: a, coupe: 1, soubassement à gradins; 2, tambour; 3, harmikâ, 4, pinacle; b, plan: 1, premier et deuxième étage; 2, troisième et quatrième ètage (R. Astolfi d'après Wang Yi, 1961, 1, fig. 12-13).

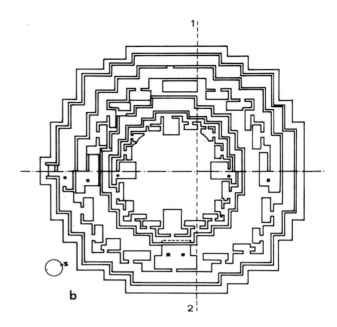

fig. 158 - Pelkhor chöde, Kumbum, particolare dell'harmikâ (foto F. Meyer).

fig. 158 - Pelkhor chöde, Kumbum, détail de la harmikâ (cl. F. Meyer).

fig. 159 - Narthang (Tsang), Kumbum (Tucci, 1936 [I]; 1978 [II], fig. 24).

fig. 159 - Narthang (Tsang), Kumbum (Tucci, 1936 [I], 1978 [II], fig. 24).

fig. 160 - Narthang, Kumbum, pianta: 1 piano terra, 2 primo piano (R. Astolfi da Wang Yi, 1960, 8-9).

fig. 160 - Narthang, Kumbum, plan: 1, rez-de-chaussée, 2, premier étage (R. Astolfi d'après Wang Yi, 1960, 8-9).

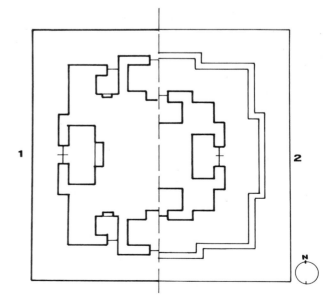

SECTION VII

TIBET CENTRAL
DU XÈME AU XVÈME SIÈCLE

Paola Mortari Vergara

fig. 132

Durant cette époque de conflits qui opposent souvent les régions du Ü et du Tsang, le Tibet central ne jouit d'une unité territoriale que pour de courtes périodes. Les bâtiments de cette période n'en constituent pas moins une référence fondamentale pour tout problème touchant à l'évolution de l'architecture tibétaine. Nous ne disposons pas de publications synthétiques consacrées aux monuments de cette époque à l'exception des amples monographies de G. Tucci pour certains sites particuliers et de quelques descriptions dûes à de rares spécialistes et voyageurs[1]. La vaste littérature tibétaine reste encore en grande partie inaccessible puisque peu de textes provenant de guides de pèlerinages, de descriptions de lieux saints, de chroniques monastiques, de biographies de religieux illustres ont été publiés[2]. En outre, presque tous les centres monumentaux les plus importants, fondés dans les premiers siècles après l'an mil, ont été restaurés et reconstruits de nombreuses fois.

Les destructions massives depuis 1959, en particulier durant la Révolution Culturelle, ont entraîné l'anéantissement de la plupart des monastères et de collections irremplaçables de textes anciens et d'oeuvres d'art. Documents photographiques, descriptions réalisées avant ces destructions ou durant ces dernières années permettent cependant de reconstituer les phases principales de l'évolution de l'architecture du Ü et du Tsang.

Xème siècle-première moitié du XIème siècle. Au cours de cette période l'architecture perpétue la plupart des caractéristiques des constructions de l'époque monarchique (Section V); les bâtiments présenteront cependant un aspect moins monumental. Le principal courant de reconversion au bouddhisme (chidar) des provinces centrales partira du Ngari. Son art servira de référence. Cette influence du Tibet occidental drainera des modèles cachemiriens et des thèmes renouvelés originaires du Bengale et du Bihâr à l'époque pâla (VIIIème-XIIème siècle). N'oublions pas la présence à Nethang de l'érudit indien Atisha († 1054) dont un élève fonda l'ordre kadampa[3]. Les complexes d'Iwang, de Samada, de Nesar dans le Tsang, de Danang, de Sekhar situé au Sud du Tsangpo, et de Nethang dans le Ü conservent des traces des premiers aménagements[4]. Ces sanctuaires sont semblables à ceux construits au Ngari par Rinchen Zangpo. Situés dans la plaine et entourés pour la plupart d'une enceinte (chagri), ils se composaient généralement de petits édifices à un seul niveau de plan quadrangulaire axé Est-Ouest. Ces bâtiments étaient souvent précédés d'un pronaos. L'autel ou éventuellement une cella parfois en hors d'oeuvre, entourés d'un couloir de circumambulation, étaient placés dans l'axe de l'entrée. Comme dans les temples contemporains du Ngari, nous pouvons retrouver dans les sanctuaires de cette première phase des traces des anciens plans en mandala, tels le petit sanctuaire d'Iwang ou le complexe de Danang fondé par Dapa en 1081[5]. Dans ce site, G. Tucci[6] remarque la conformité du plan du Gokhang avec celui du grand Utse de Samye (Section V) qui a servi également de modèle pour la construction de Tholing (Section VI) au Guge. Tout comme au Tibet occidental, l'intérieur des édifices sera couvert de sculptures et de peintures murales aux couleurs vives, tandis que l'extérieur conservera la sobriété géométrique de la maçonnerie tibétaine. De même, la charpente et les autres éléments de bois s'inspirent de modèles indiens aujourd'hui disparus en Inde même.

On peut observer que presque tous les prototypes indiens en pierre que nous avons cités comme exemples appartiennent en majorité aux époques gupta et post-gupta. Plusieurs siècles les séparent donc de leurs reproductions tibétaines, les sanctuaires bouddhiques de l'Inde médiévale qui ont servi de modèles aux complexes tibétains ayant été en grande partie détruits par les invasions islamiques.

Les temples sont parfois construits autour d'une grotte ayant servi d'ermitage à un saint ascète (Rechungphug, Lhatse et Sakya). Ces cavernes du Tibet central, comme celles du Tibet occidental, sont de proportions très modestes comparées à leurs modèles de l'Inde et de l'Asie centrale. Les complexes monastiques les plus importants de l'époque ont été édifiés dans les vallées, non loin des centres fortifiés. Cette disposition suit les règles du Vinaya qui ordonnait de construire les sanctuaires dans un lieu isolé mais pas trop éloigné des agglomérations [7].

Les destructions et les reconstructions successives des palais-forteresses interdisent toute comparaison précise avec les châteaux de la période monarchique, même si l'hypothèse d'une filiation directe paraît évidente.

XIème-XIIème siècles. Cette période voit la naissance des écoles monastiques les plus importantes qui prolongent des courants doctrinaux indiens mais qui auront leurs développements originaux au Tibet. Chaque école d'une certaine importance aura pour «maison mère» (densa) un grand centre monastique aux fonctions multiples, universitaires et administratives, de la taille d'une agglomération. Leur nom désignera souvent l'école elle-même. Les complexes les moins importants situés dans d'autres zones ne sont que des filiales (shigön, gönlag) dans l'orbite des grandes fondations. En l'absence d'enseignements de degrés supérieurs, elles doivent envoyer leurs étudiants aux collèges des «maisons mères» [8]. C'est ainsi que furent fondés certains des sièges centraux les plus importants: en 1056 Reting dans le Ü, maison mère des Kadampa; en 1073 Sakya dans le Tsang appartenant aux Sakyapa; en 1158 Til à Phagdu dans le Ü, densa des Phagdupa; en 1179 Digung dans le Ü, siège des Digungpa; en 1185 Tsurpu dans le Ü, pour les Karmapa [9]. Grâce à ces centres, un nouveau modèle architectural original prit son essor. Ces ensembles s'inspirent par leur emplacement sur des hauteurs et par la disposition irrégulière de leurs bâtiments des résidences fortifiées des familles aristocratiques avec lesquelles les ordres monastiques partageaient le pouvoir. On abandonnera peu à peu les plans ordonnés traditionnels (organisation en forme de mandala, hiérarchisation des édifices par leur emplacement, temple à gradins de type prâsâda). On préférera édifier des constructions moins ordonnées, plus proches des traditions locales et qui épousent les dénivellations du terrain.

Désormais seule la taille, la richesse décorative de certains éléments et la typologie des superstructures (couverture, acrotères) distingueront à l'extérieur les divers bâtiments. Cette conjonction entre les architectures civiles et religieuses ne s'applique pas aux chörten et aux types particuliers de bâtiments qui en sont dérivés (kumbum, chörten-porte etc).

A l'exception des bandes multicolores qui scandent les façades des édifices sakyapa, on ne décèle pas de différences notables entre les bâtiments des divers ordres monastiques.

XIIIème et première moitié du XIVème siècles. Cette époque se caractérise par la suprématie des Sakyapa soutenus par la dynastie sino-mongole des Yuan [10]. Ses empereurs confèrent à leurs pontifes le gouvernement temporel du Tibet. Cette alliance explique un double phénomène décelable en architecture. Dans le Tsang on remarque ainsi la diffusion d'éléments sinisants (couverture en tuiles, système de consoles, plans particuliers axés Sud-Nord) et parallèlement l'adoption en Mongolie et en Chine de certains modèles tibétains. Selon les textes, certains éléments architecturaux chinois avaient déjà été utilisés au Tibet à l'époque monarchique. Il est certain que les doring (Section V) témoignent de la présence de couvertures chinoises, sans qu'il nous soit possible, sur ces représentations sculptées, de connaître en détail leur structure. Les couvertures en tuiles de Shalu sont les plus complètes que nous connaissions. Ce monastère est un exemple caractéristique du goût particulier à l'éclectisme qui aura tant de succès dans les époques suivantes et que l'on trouvera aussi bien au Tibet central et oriental qu'en Chine et en Mongolie.

Les Mongols cependant favoriseront également la diffusion d'autres types architecturaux originaires de l'Inde et de l'Asie centrale comme en témoigne le monastère fortifié situé dans la plaine de Sakya Sud.

Un type particulier de chörten est appelé Tashi gomang (Heureux stûpa aux nombreuses portes); on le nomme plus volontiers Kumbum (Dix mille images). Il constitue l'un des stûpa canoniques décrits dans les traités indo-tibétains. Ce type est à la fois issu des stûpa cachemiriens (Uskur, Parihâsapura) et des temples aux plans en mandala du début de l'époque pâla (Vikramashîla, Odantapurî). Au Bihâr le stûpa à soixante côtés de Nandangarh remonte à la fin des Pâla et développe ces mêmes conceptions [11]. Les kumbum se présentent comme des chörten placés sur des soubassements qui correspondent aux enceintes d'un mandala. Leurs étages décroissants abritent des chapelles ou des niches disposées symétriquement. Cette conception architecturale se rencontre sous des formes plus ou moins voisines en Asie centrale (stûpa de Rawak) [12], en Birmanie (temples de Pagan) et en Indonésie (Barabudur de Java) [13]. Au Ngari, à l'époque de la deuxième diffusion du bouddhisme, on trouve déjà des stûpa de ce genre mais d'une forme plus simplifiée qui peuvent se rattacher aux modèles cachemiriens (chörten de Basgo et d'Alchi) [14]. Dans le Tsang, sur la route de Jonang à Shigatse, le Lotsawa (traducteur) de Thophu édifia au début du 13ème siècle un kumbum près du temple qu'il avait fondé [15]. L'utilisation d'une telle typologie qui aura un grand succès dans les pays de culture tibétaine est justifiée par les liens étroits qui unissaient ce maître au monde indien. En effet, il invita au Tibet le pandit cachemirien Shâkyashrî [16].

Seconde moitié du XIVème et XVème siècle. Après l'effondrement de la dynastie Yuan et la fin du protectorat mongol sur le Tibet d'autres ordres monastiques et des familles aristocratiques supplanteront les Sakyapa dans leur hégémonie. Les Phagmodupa qui résidaient dans le Ü parvinrent à unifier la plus grande partie du territoire du milieu du XIVème siècle au milieu du XVème siècle.
Ils essayèrent de renouveler l'esprit de l'époque monarchique. Les familles des préfets de Rinpung (1435-1565), avec l'appui des Karmapa, succéderont aux Phagmodupa. Malgré ces luttes continuelles pour obtenir la suprématie, cette période sera riche d'un point de vue artistique. Les grands ordres, alliés aux familles les plus puissantes, jouissaient, malgré les vicissitudes de l'histoire, de ressources économiques suffisantes pour édifier des monastères grandioses. Les Phagmodupa subdivisèrent le territoire en districts, chacun dépendant d'un dzong et donnèrent ainsi une impulsion à la restauration et la construction de forteresses.
Après la destruction des grands centres bouddhiques de l'Inde par les musulmans, les rapports directs avec le Sous-continent cessent mais les maîtres d'oeuvres continueront d'employer des éléments indiens introduits au Tibet à date plus ancienne. Le Népal demeure, aux yeux des Tibétains, le conservatoire des traditions bouddhiques indiennes. Ces rapports religieux renforcent les liens économiques et politiques qui unissaient les deux pays. Du Népal proviendront certains détails architecturaux telle une forme spéciale de harmikâ cubique utilisée pour les kumbum et la technique de couvrir certains toits de plaques de cuivre doré. On trouve peut-être l'une des traces de l'utilisation de cette technique lors d'un embellissement apporté au Jokhang de Lhasa par Ripumalla roi du Tibet occidental qui vécut vers la fin du XIIIème siècle. Il fit faire en or l'uthog (couverture du toit ou étage surélevé) du Jokhang [17].
Les éléments sinisants seront moins nombreux à l'époque des Phagmodupa car les rapports seront moins étroits avec les empereurs de Chine. Les Ming continuèrent à octroyer des titres honorifiques aux personalités tibétaines mais ne parvinrent jamais à exercer un réel contrôle politique sur le Tibet [18].
Au cours du XVème siècle, les kumbum prennent un aspect monumental original. Les exemples les plus célèbres sont ceux de Gyantse (fig. ?) et de Gyang. Cette période pourrait être considérée comme la phase classique par excellence de l'architecture Tibétaine. En effet, les apports de l'Inde, de l'Asie centrale et de la Chine ont été complètement assimilés dans une synthèse parfaitement harmonieuse. L'architecture nationale sera enrichie par ces apports extérieurs et s'en servira pour concevoir des solutions originales. Les sanctuaires présentent alors une plus grande cohérence entre leur aspect extérieur et leurs décorations internes. Les façades s'enrichissent de motifs décoratifs, à la fois symboliques et structurels, plus nombreux, plus denses et plus élégants, soulignés par une riche polychromie. Cette gamme chromatique se modifie selon l'importance des édifices. Ainsi les textes prescrivent qu'on ne peut utiliser les couleurs noires et blanches que pour les habitations des simples moines, la couleur rouge pour les incarnés, et les couleurs jaunes et dorées pour les personnages les plus éminents [19]. La décoration de la charpente est au contraire plus libre. Elle possède souvent des couleurs vives, même pour les habitations des riches laïcs.

Certaines personnalités artistiques émergent avec plus d'évidence. Les peintures murales les plus importantes portent parfois les noms des artistes et ceux des commanditaires [20].

Le saint Thangtong gyelpo (1385-1464), d'origine princière, grand constructeur et qui fonda selon la tradition 108 ermitages, est surtout célèbre pour ses ponts suspendus par des chaînes en fer (chaksam) [21]. Cette technique témoigne d'un art d'ingénieur consommé. Grâce à sa renommée et à son érudiction, les Tibétains l'ont divinisé. Près de son pont le plus célèbre situé non loin de Chuwori, utilisé encore jusqu'en 1878 et décrit par de nombreux voyageurs, se dresse le monastère de Chaksam (Du pont de fer) qui lui est dédié. On peut retrouver son effigie dans de nombreux sanctuaires puisqu'il est aussi considéré comme étant l'inventeur et le saint patron des représentations théâtrales. Son iconographie le montre tenant une chaîne dans les mains et sous l'aspect d'un vieillard. En effet d'après une légende, il naquit déjà vieux pour être resté pendant plusieurs dizaines d'années dans le ventre de sa mère. A cette époque naquit le grand réformateur Tsongkhapa (1357-1419), fondateur de l'école Gelugpa. on entreprend alors la construction des monastères les plus importants de l'ordre: Ganden (1409), Depung (1416), Sera (1417) dans le Ü, et Tashilhunpo (1447) dans le Tsang. Ces fondations sont situées sur les pentes d'une colline selon l'usage et ne prendront leur aspect définitif que sous le gouvernement des dalaïlama (Section IX).

Quelques monuments significatifs présentent des caractéristiques propres aux architectures tibétaines du Xème au XVème siècle.

SEKHAR GUTHOG, Ü

fig. 133, 134

Selon la tradition, ce complexe fut une des résidences du grand maître Marpa (1012-1096), disciple du siddha indien Naropa et fondateur de l'école kagyupa. Malgré les reconstructions successives, l'ensemble présente encore certaines analogies avec les sanctuaires du Tibet occidental des premiers siècles qui suivent l'an mil. Situé dans la plaine, il est entouré comme le veut la tradition d'une enceinte (chagri) quadrangulaire. La porte est surmontée d'un couronnement à gradins semblable à celui de Tholing (Guge). Nous retrouvons cet élément également dans d'autres temples du Tibet central (Narthang et Iwang) [22] et même à une époque récente (entrée de Norbu Lingkha) (Section IX). L'ensemble se compose de plusieurs édifices crépis de blanc rehaussé par des corniches sombres. Le complexe est surmonté d'une haute tour de plan carré. La silhouette générale du site présente une certaine analogie avec celle de Tholing, dominée par son temple d'initiation (Section VI). Selon les textes, Milarepa (1040-1123), poète mystique et disciple de Marpa, érigea cette tour pour son maître afin d'obtenir l'initiation [23].

Nous pouvons citer pour cet édifice deux sortes d'antécédents. Comme le remarque H. Richardson et T.V. Wylie [24], la tour peut être rattachée aux constructions fortifiées qui existaient déjà à l'époque monarchique (Section V). Notons de plus que, comme Yumbu lakhar, elle est couverte d'un toit chinois visiblement rapporté, plaqué de métal [25].

La tour de Sekhar peut avoir constituée la partie centrale en pierre d'un temple d'initiation sur le modèle de Tholing où l'effet de pyramide à gradins est donné par les galeries extérieures en bois. A Sekhar, les deux ouvertures de la taille d'une porte qui sont été murées ont peut être été utilisées pour accéder de l'extérieur aux étages supérieurs. Malheureusement nous ne disposons d'aucun relevé qui puisse étayer cette hypothèse. Toutefois H. Richardson relate que les chapelles situées aux différents étages communiquent entre elles grâce à des échelles peu praticables, et que les fidèles effectuent une périlleuse pradaksinâ à l'extérieur du dernier étage, en se tenant à des chaînes. Cette pratique fait penser à une circumambulation rituelle effectuée jadis sur une superstructure de bois. Aujourd'hui nous ne disposons d'aucune documentation sur l'état actuel du monument.

TEMPLE D'IWANG, Tsang

G. Tucci identifie ce petit édifice avec le temple de Yemar cité dans le Nyangchung, une chronique manuscrite du monastère de Gyantse [26]. Yemar fut fondé par Lharje Chöchung, considéré comme une incarnation précédente du maître indien Shâkyashrî qui arriva au Tibet en 1204 [27]. Selon cette tradition le sanctuaire aurait été fondé avant le XIIIème siècle. Ce point est confirmé aussi par l'examen de la décoration picturale et sculpturale effectué par le spécialiste italien.

fig. 135

Contrairement aux autres temples plus connus, Iwang, fondation mineure, a conservé en majeure partie certaines caractéristiques des constructions de la seconde diffusion du Bouddhisme. Situé sur une faible pente dans une vallée, le temple de plan cruciforme est entouré d'un mur d'enceinte. Il ne comprend qu'un seul niveau. La chapelle principale se trouve dans l'axe de l'entrée tandis que deux autres sont situées sur les côtés, en saillie. Cette disposition rappelle partiellement le plan d'un mandala. Le couronnement à gradins qui surmonte l'entrée de l'enceinte rappelle, comme à Sekhar, le profil d'un temple «prâsâda».

fig. 136

Certains porches, à Iwang ou à Samada [28], temples contemporains, possèdent deux contreforts surmontés d'une rangée de modillons et d'un bandeau d'attique. Ils représentent une forme plus simplifiée, moins monumentale, et probablement plus ancienne d'un type de façade tripartite et en saillie dont le grand temple de Sakya présente un exemple très abouti. [29]. A l'intérieur, comme l'indiquent les inscriptions, la chapelle centrale était décorée dans le style indien (Gyagar lug) tandis que celle située à gauche était décorée selon le style de Khotan (Li lug), en Asie centrale. On pourrait supposer que ces différences de styles, exprimées d'une manière aussi évidente, posséderaient une signification symbolique analogue à celle utilisée à l'époque monarchique, dans les différents étages de l'Utse de Samye (Section V). En effet, la chapelle centrale, plus importante, est décorée dans le style de l'Inde, pays d'origine de la doctrine.

KYANGPHU, GÖMPA, Samada, Tsang

Ce complexe fut fondé selon la tradition au XIème siècle par Chölodo, un disciple de Rinchen Zangpo. Cette datation est confirmée par les inscriptions découvertes sur place, selon l'affirmation de G. Tucci qui est le seul à avoir effectué une recherche sur ce site. Cet important sanctuaire [30] possède encore quelques éléments datant de la période de sa fondation telle la haute muraille d'enceinte, le plan de certains édifices sacrés ou certaines parties de la charpente. Ainsi, la colonnade devant le temple principal présente un aspect très particulier que G. Tucci date du XIème-XIIème siècle. En effet, l'utilisation d'éléments constructifs indiens, sans modifications successives, justifie pleinement une date aussi ancienne. Les colonnes possèdent une section circulaire et sont contracturées vers le haut selon la tradition classique. Elles sont reliées par une première architrave encastrée en haut du fût qui renforce l'ensemble. Un système de consoles à plan cruciforme et au profil ondulé formé par une série de volutes, repose sur un coussinet de section carrée. On peut retrouver des consoles de cette forme dans certains soutiens d'entablement en Inde, par exemple au vihâra 16 d'Ajantâ [31] et dans certains chapiteaux des temples du Ngari de la période de la seconde diffusion (Section VI). Le système de consoles à plan cruciforme se retrouve souvent dans les portiques en pierre à l'entrée des temples gupta et médiévaux de l'Inde centrale et occidentale [32]. Parfois, comme dans les temples 1 et 2 d'Amvân (Xème siècle), les consoles possèdent le même profil ondulé et sont également surmontées de lions atlantes [33].

fig. 137

fig. 138

Par contre, on ne retrouve pas dans les monuments indiens parvenus jusqu'à nous la présence d'une deuxième série de consoles. Ces éléments allongés, au profil ondulé, reposent sur un soutien en forme de tête de kîrtimukha. Ces composants pris isolément existaient déjà dans le lexique architectural de l'Inde depuis les premiers siècles de notre ère (console de la grotte n. 15 de Nasik, masques léonins sur les frises du Gandhâra) [34]. Un troisième jeu de consoles, perpendiculaires à la façade, alterne avec des lions atlantes dans la même position que ceux du Jokhang, mais moins monumentaux. Ce dispositif se rencontre également dans l'architecture indienne (galerie des colonnes du Rameshvaram, école de Madura) [35]. La frise ajourée de l'architrave de Samada possède une autre série de lions atlantes qui s'affrontent deux à deux. Ce motif décoratif se retrouve dans les temples en pierre indiens comme le Vaital Deul (XIIème siècle) à Bhuvaneshvar [36]. Pour certains auteurs [37], il semble évident que ces éléments architecturaux proviennent de Chine ou d'Asie centrale. L'absence de bras des consoles courbes (gong) et surtout d'un élément de raccord indispensable tel le bras de levier (ang) qui caractérise les consoles chinoises (dougong) [38], rend cette hypothèse hasardeuse. On doit cependant noter que la superposition telle quelle de ces consoles d'origine indienne n'est pas attestée dans les monuments du Sous-continent, peut-être en raison de la difficulté de transcrire dans la pierre des techniques aussi caractéristiques de charpente. Les proportions de ce jeu d'éléments de soutien présentent cependant une vague analogie dans leur silhouette avec les dougong chinois traditionnels, mais pas dans leur structure. Une charpente identique est également utilisée dans le temple de Kyangphu mais date d'époque plus tardive (XIIIème siècle?) [39]. L'absence de lions atlantes et l'adoption de certains bras de consoles courbes d'origine chinoise soulignent ici l'éloignement progressif des modèles indiens et des liens plus étroits avec la Chine. Au Jokhang à l'époque des Dalaïlama le même dispositif semplifié est totalement sinisé (Section IX).

PORTE DU GAYADHÂRA LAKHANG, Lhatse, Tsang

fig. 139

D'après la tradition cette grotte précédée d'un atrium fut au XIème siècle [40] le lieu de retraite du grand pandit cachemirien Gayadhâra. D'après G. Tucci [41], la caverne a été transformée peu de temps après cette date, comme l'attestent les sculptures et les peintures archaïques qui l'ornaient. La porte d'entrée, selon le savant italien, est un ouvrage d'origine cachemirienne au plus tard du XIIIème siècle [42]. Les sculptures de l'encadrement ne subsistent plus que par endroits. Figures humaines, motifs végétaux et géométriques évoquent le style du Tibet occidental (Section VI). Les deux battants cependant étaient lors de la visite de G. Tucci dans un excellent état de conservation mais avaient été probablement remaniés. En haut, dans deux panneau quadrangulaires à la partie supérieure redentée, sont représentées les déesses fluviales Gangâ et Yamunâ, flanquée chacune de deux assistantes. Debout sur leur «véhicule», un crocodile et une tortue, elles tiennent chacune un vase dans la main. Ces figures de plus grande taille sont représentées de manière frontale et selon une symétrie en miroir. Les représentations de ces divinités existaient déjà au début de la période gupta (IVème siècle) sur les portails en pierre de nombreux temples. O. Viennot et P. K. Agrawala [43] supposent que les déesses Gangâ et Yamunâ ont été représentées par les Gupta pour symboliser les deux fleuves qui coulaient au coeur de leur empire et qui leurs assuraient la prospérité. Le style des personnages appelle une remarque: la longueur des vêtements, l'aspect anguleux des visages, les coiffures et les fleurons du diadème, les seins traités de manière presque naturaliste évoquent plus certaines oeuvres népalaises [44] copiées par des mains locales que des productions cachemiriennes. La partie centrale de la porte se compose d'une grille aux ouvertures carrées. Des rosettes sont sculptées sur les intersections. Cette porte ajourée reproduit un modèle déjà utilisé pendant la période gupta, par exemple dans les écrans de pierre des fenêtres du temple de Pârvatî à Nâchnâ-Kuthara (480-500? env) [45] puis au Lâd Khân d'Aihole (VIIème s.) [46]. Ce dispositif sera utilisé au Tibet jusqu'à des époques plus tardives. Il se présente alors comme une mince grille métallique, enrichie de motifs ornementaux (portes du Potala, Section IX) [47].
Ces battants constituent un témoignage précieux des portes en bois des édifices du monde indien de l'époque médiévale disparues dans le sous-continent.

SAKYA, Tsang

Cette célèbre cité monastique et administrative qui doit son nom, «Terre claire», au terrain sur lequel elle fut construite, est le siège central (densa) de l'école sakyapa. Fondée en 1073 par Konchog gyelpo, membre de la famille princière des Khön, elle fut restaurée et reconstruite en grande partie au cours du XVIème siècle par Kunga Rinchen (1517-1584). Au XIIIème et au XIVème siècle, sous le protectorat de la dynastie sino-mongole des Yuan, elle fut la capitale du Tibet. Grâce à ses vastes possibilités économiques, elle accueillera des artistes venus de l'Inde, du Népal, de l'Asie centrale et de la Chine. Sakya est toujours restée une principauté et le centre de l'école sakyapa sous la tutelle de la famille Khön. Elle garda une autonomie particulière jusqu'en 1959 [48].

Nous ne disposons que de rares descriptions de cette ville car peu de spécialistes et de voyageurs ont eu dans le passée l'occasion de la visiter [49]. Nous possédons cependant un témoignage précieux dans un guide détaillé rédigé par Kunga Rinchen [50] au XVIème siècle. L'agglomération peut être subdivisée en deux parties. La partie septentrionale (monastère Nord) et la partie méridionale (monastère Sud) présentent des caractéristiques nettement différentes. Séparées par un cours d'eau, l'une s'étend au pied d'une montagne, tandis que l'autre est située dans la plaine. Ippolito Desideri, dans les premières décennies du XVIIIème siècle, rapporte à propos de «Sakya Sud»: «un autre temple d'idoles, extraordinaire pour sa grandeur et sa somptuosité, est situé un peu à l'écart de Secchià». Il ajoute au sujet de Sakya Nord: «la ville se trouve au pied d'une montagne. Les demeures s'élèvent presque en gradins en forme de demi-lune. Cette disposition donne une vue très plaisante à la ville. Elle est entourée d'un mur d'enceinte à l'extérieur duquel se trouvent d'innombrables maisons de bel aspect, disséminées dans la plaine» [51].

fig. 140

«Sakya Nord» représente en effet un tournant pour l'architecture datant de l'époque de la deuxième diffusion. Lorsque la famille Khön assuma le pouvoir monastique et aristocratique, l'architecture religieuse commença à exploiter pleinement le lexique architectural des constructions civiles. A l'origine, le complexe de Sakya était de dimensions réduites et avait été construit autour d'une caverne, ermitage de Konchog gyelpo. Fortifié au cours du XIIIème siècle, il commença à prendre un aspect toujours plus monumental grâce à l'importance des ressources économiques et politique dont jouissaient les Sakyapa au XIIIème et XIVème siècle. Malgré les destructions, les reconstructions et les restaurations successives, — celles du XVIème siècle furent déterminantes — [52], on peut encore distinguer parfaitement le choix effectué par les premiers Sakyapa d'une agglomération aux fonctions multiples, située sur les versants d'une colline. Selon une ancienne tradition, 108 sanctuaires [53] — 108 pour la religion bouddhique était un nombre sacré — se trouvaient à Sakya. Mais au XVIème siècle, Kunga rinchen dans son ouvrage énumère quatre temples majeurs, dont deux utse (sanctuaires centraux), huits temples mineurs, et quatre labrang principaux qui furent la résidence de lama éminents, ainsi que plusieurs chapelles [54]. En 1939. G. Tucci compte lui douze temples et estime que la population des moines se monterait à environ 3000 [55]. Les sanctuaires, les habitations monastiques et aristocratiques, les édifices administratifs étaient rapprochés et assemblés parfois avec une discordance harmonieuse aux volumes variés. Les ouvrages en maçonnerie, solides et massifs, épousent le profil de la montagne. La résidence officielle des abbés de Sakya, «Le palais aux quatre tours», les utse sont encore situés presqu'au centre de l'agglomération. Mais l'ensemble contraste avec les sanctuaires plus anciens qui prévoyaient des édifices espacés entre eux et disposés selon leur importance hiérarchique.

Des bandes verticales aux couleurs symboliques, blanc, rouge, et bleu-noir, scandent l'extérieur des édifices et leur confèrent un effet décoratif remarquable. Ces éléments semblent étrangers aux traditions précédentes et constituent une caractéristique spécifique des constructions de cette école. Leurs couleurs sont en accord avec les préceptes du Vinaya: «le Bienheureux autorise l'enduit blanc et les couleurs noire et rouge» [56]. De vifs contrastes chromatiques sont également obtenus par la juxtaposition d'édifices de couleurs unies, blanc ou rouge foncé, qui accentuent encore les variations dans la taille et l'échelonnement des bâtiments.

Les couvertures chinoises (gyaphib) en métal doré qui couronnaient les édifices les plus importants ont été réalisées plus tard, lorsque cette mode se répandra. Mais auparavant certains édifices possédaient sans aucun doute des couvertures chinoises du type xieshanding en tuiles vernissées. Wang Yi [57] rappelle en effet que le toit doré de l'Utse Lhakhang conserve encore des soutiens et des consoles du type Yuan. Les loggias (rabsal) d'origine indienne, peut être par l'intermédiaire du Ngari, peu nombreuses à Sakya, ne semblent pas avoir soulignées par leur présence les façades des édifices principaux les plus anciens. Une certaine symétrie dans l'organisation des façades, en particulier par l'utilisation d'avant-corps, et dans les plans des temples, doit être attribuée à la permanence de la tradition indienne, encore très vive dans ces premiers siècles qui suivent l'an mil. Des maîtres spirituels et des artistes originaires des territoires indiens étaient invités par les Sakyapa. Parallèlement, les hauts dignitaires allaient en Inde afin de puiser aux sources de la doctrine [58]. Le monastère Nord a été complètement détruit lors de la Révolution Culturelle [59] effaçant ainsi tout à la fois un joyau d'art et de culture et un jalon important de l'évolution architecturale du Tibet.

fig. 141, 142

Au contraire, le monastère Sud, appelé Lhakhang Chenpo (le Grand temple), est resté en grande partie intact. Il a été reconstruit au XVIème siècle à la suite d'un incendie et la dernière restauration importante date de 1948 [60]. Sa construction fut commencée sous l'égide de l'abbé Phagpa (1235-1280) en 1268, année où Kubilai lui confia le gouvernement du Tibet avec Sakya comme capitale [61]. Différents ouvrages historiques relatent que Phagpa admira la beauté d'un certain temple près de Lhasa, c'est pourquoi l'administrateur civil (pönchen) Shakya Zangpo voulut construire le Lhakhang chempo sur le même modèle [62]. La construction fut achevée par le pönchen Kunga Zangpo qui succéda à Shakya Zangpo en 1275.

Selon une coutume que nous avons aussi remarquée au Ngari, le temple principal, le plus grand, a été construit le premier, tandis que la muraille d'enceinte, les autres sanctuaires, les habitations et les bureaux administratifs ont été édifiés par la suite.

L'enceinte carrée mesure environ 100m de côté. Le temple principal, également carré, d'une longueur de 40m, possède deux étages. Il ouvre à l'Est dans l'axe de l'entrée de l'enceinte mais ne se trouve pas exactement au milieu du complexe. Ses murs extérieurs sont orientés selon les points cardinaux comme ceux du mur d'enceinte. Le rez de chaussée se compose de plusieurs pièces de tailles variées. Une première chapelle est séparée par une cour de la salle principale ornée de somptueuses décorations. Autour, d'autres chapelles annexes contiennent des chörten funéraires et d'énormes étagères sur lesquelles sont rangés les ouvrages de la bibliothèque, l'une des plus riches du Tibet, où voisinent des anciens textes sanscrits, tibétains, chinois et mongols

A l'étage supérieur, des sanctuaires contiennent d'autres chörten funéraires des seigneurs de Sakya. On trouve également d'autres dépôts de livres ainsi que des sanctuaires secondaires. On accède de l'extérieur à

fig. 143

la terrasse entourée d'un portique. Sur la côté gauche du temple principal se trouve l'édifice administratif de l'ordre sakyapa qui, selon Wang Yi, a été complètement détruit et reconstruit en 1948 [63]. Les habitations des moines et des dignitaires ainsi que les sanctuaires de moindre importance et de plus petite taille sont situés, d'une manière asymétrique, autour de ces édifices principaux. Le temple Sud a un aspect différent des complexes les plus anciens de la seconde diffusion. Il en possède encore cependant certains caractères comme sa situation dans une plaine, son orientation, la forme de son enceinte, l'entrée orientée vers l'Est, l'axe entre l'édifice principal et la porte du complexe. Mais «Sakya Sud», véritable citadelle fortifiée, possède de grosses tours quadrangulaires. Sa porte est à chicane. Une deuxième muraille et un fossé qui ont presque disparu aujourd'hui, se trouvaient à l'extérieur. Cette typologie particulière pourrait constituer une phase charnière entre les sanctuaires primitifs et les villes monastiques édifiées à flanc de colline. Néanmoins il est difficile de pouvoir fixer une date précise à cette mutation car nous ne savons presque rien du temple situé près de Lhasa qui a servi de modèle à «Sakya Sud».

On peut retrouver ce prototype en Inde et en Asie centrale. Les analogies avec les forteresses chinoises ne semblent pas aussi évidentes que l'affirment certains auteurs [64]. On ne trouve en effet ni un axe Sud-Nord, ni une succession régulière de cours symétriques. On ne peut pas cependant exclure que les Mongols, qui ont utilisé aussi des éléments architecturaux originaires de l'Asie centrale, n'aient pas contribué à leur diffusion. En effet, le grand temple de Sakya ressemble beaucoup aux couvents fortifiés qui étaient nombreux au XIème siècle dans la zone de Turfan. Ce parti a peut-être pour origine certains établissements monastiques du Gandhâra et des régions limitrophes (couvent de Bâgh Ghâr à Hadda) [65]. De même en peinture, G. Tucci signale à Sakya des réminiscences de styles provenant de l'Asie centrale [66].

Si on compare «Sakya Sud» avec le Temple n. 7 du ravin de Sengym [67] (voir Introduction) édifié par les Uighurs aux environs du IXème siècle, on remarque que les deux monastères sont construits avec des matériaux identiques (pierres et briques crues). Tous deux sont de plan carré, les côtés orientés selon les quatre points cardinaux. L'entrée est située à l'Est à Sakya et à l'Ouest à Sengym. Ce trait indique nettement la présence d'un axe préférentiel différent de celui habituellement utilisé en Chine. Les tours carrées situées aux quatre coins et au milieu des côtés sont identiques. De même, sur les deux monuments, la saillie de la porte fortifiée et la position du temple principal qui se trouve dans son axe sont semblables, les édifices les moins importants étant placés sur les côtés. Toutefois, le plan du temple n. 7 est complètement symétrique et possède un axe central sur lequel se trouvent l'entrée, une vaste cour et le sanctuaire principal. Au contraire, l'asymétrie caractéristique du style tibétain fait que, dans le temple Sud de Sakya, l'axe ne se trouve pas dans le centre, mais est légèrement déplacé vers le Nord. Les autres constructions sont disposées d'une manière organique autour du temple principal. Les bandeaux d'attique situés au sommet du temple Sud lui confèrent un aspect typiquement tibétain. Mais Wang Yi signale que les créneaux de «type chinois», «mais peut-être est-il plus exact de dire de l'Asie centrale», ont été démolis en 1948 afin de lui donner un aspect encore plus tibétain [68]. La charpente, malgré un décor de pivoines et de nuages d'origine chinoise, conserve

dans les parties les plus anciennes des éléments structuraux originaires de l'Inde. Ainsi un grand escalier latéral aux quatre niveaux abrités par des portiques superposés de manière irrégulière, présente, au sommet des colonnes, les mêmes soutiens d'entablement typique de section cruciforme [69] au profil ondulé que nous

fig. 145

avons déjà rencontrés à Samada. Les lignes sont ici plus simples. Nous trouvons aussi à Sakya des façades tripartites à plusieurs étages, aux nombreuses fenêtres, la partie centrale en avancée [70]. Le portique d'entrée surelevé est flanqué, sur les côtés, de deux contreforts massifs. Ce dispositif qui sera complété par des loggias (rabsal) superposées, sera adopté dans de nombreux édifices des époques suivantes (Sections VII, IX). Le modèle proposé à «Sakya Sud» ne disparaîtra pas de l'architecture tibétaine. Nous le retrouverons par exemple dans le vaste monastère de Chökhorgyel, situé à 150 km au Sud-Est de Lhasa, édifié en 1509 par le deuxième Dalaîlama. Détruit par les Dzungars en 1718, il fut reconstruit immédiatement mais il ne subsiste de nos jours qu'à l'état de ruines [71]. On distingue encore le mur d'enceinte quadrangulaire flanqué de grosses tours carrées et les murs démantelés du sanctuaire central qui surmonte l'ensemble. Certains dzong du Bhutan (Section XV) ont aussi conservé certains des mêmes éléments (enceinte carrée, grosses tours situées aux angles et prépondérance de l'édifice central).

DIGUNGTHIL, Ü

fig. 146

Ce complexe monastique, siège central de l'école Digungpa, fut fondé par Minyang Gomring, disciple de Phagmodupa (1110-1170). Mais la reconstruction définitive commença à partir de 1179 grâce à un autre disciple de Phagmodupa, le Digung Rinpoche (1143-1217) [72]. Bien que l'ordre Digungpa se rattache à l'école kagyupa, l'église sakyapa a représenté un modèle non seulement du point de vue administratif mais aussi du point de vue architectural, malgré la rivalité qui les séparait. Les édifices s'étalent sur les pentes d'une colline comme à «Sakya Nord». Les chapelles, les collèges, les habitations monastiques, situés sur plusieurs niveaux, sont séparés par des ruelles et reliés par des escaliers et des échelles rudimentaires faites de gros poteaux entaillés. Quatre cents religieux y habitaient encore lors du passage de H. Richardson. Certaines chapelles contiennent de nombreuses tombes d'Incarnés. La statue du fondateur et son reliquaire (dungrten) se trouvent dans le temple principal. Le complexe a subi de nombreuses destructions, la plus importante dûe aux Mongols et aux Sakyapa en 1290. Certaines particularités architecturales se sont cependant maintenues lors des diverses reconstructions. Des éléments se rattachent ainsi à l'architecture du Ngari. Le Dükhang situé sur la pente de la colline offre un aspect en gradins, accentué encore par le portique en bois qui supporte un passage à l'air libre entourant le bâtiment. Cette terrasse bordée d'une balustrade pouvait être utilisée comme circuit pour la pradaksinâ et évoque une structure analogue au Kyilkhang de Tholing (Section VI). A l'étage supérieur, aux angles de la construction, des figures léonines rappellent celles de l'ancien monastère de Sani dans le Zangskar (Ngari) [73]. Au contraire, la toiture de type chinois en cuivre et la décoration symbolique du bandeau d'attique suivent des modèles plus récents. Malgré ces apports d'origines différentes l'ensemble des constructions donne un remarquable effet d'unité, de solidité et d'élégance.

MONASTERE DE SHALU, Tsang

Shalu fut la capitale d'un fief important appartenant à la famille Che, apparentée aux princes de Sakya et qui dépendait du résident mongol. Le complexe monastique a été fondé selon des textes en 1040 par Chetsun Sherab. Ce religieux était devenu l'élève d'Abhayâkaragupta. Le Temple principal, (Serkhang, Temple d'or) a été cependant reconstruit en 1333 par Kuzang Dagpa gyeltsen sur les conseils du grand érudit Butön.

fig. 147

Cet érudit fit venir des artisans de Chine et s'occupa personnellement du programme iconographique de la décoration intérieure [74]. Il devint abbé du monastère et l'école qu'il fonda prit le nom de Shalupa. G. Tucci examina en détail le bâtiment et plus particulièrement les peintures murales du Serkhang, alors en grande partie conservées. D'un point de vue architectural, la description la plus complète reste celle de Wang Yi et la plus récente, celle de M. Henss [75]. Cet auteur constate que seul un cinquième environ du complexe subsiste. Temples, collèges, et habitations ont été détruits. Sur les trois mille huit cents moines qui autrefois y résidaient, M. Henss lors de son passage n'a compté que sept moines résidents. Le Temple principal édifié

fig. 148

dans la plaine, dépourvu d'ouverture sur l'extérieur, présente un aspect sévère. Il comporte deux niveaux principaux. On retrouve dans le plan du rez-de-chaussée des traces d'un modèle indien déjà utilisé au cours de la période monarchique. Il ne faut pas oublier que le fondateur du complexe de Shalu était très lié aux milieux bouddhistes de l'Inde. Le Serkhang, de forme rectangulaire, est orienté selon les points cardinaux et axé Est-Ouest. Il se compose d'un porche monumental fortement en saillie, d'une salle centrale entourée d'une série de chapelles et circonscrite par un déambulatoire (barkhyam). Ce plan déjà utilisé au Tibet, par exemple au Jokhang (Section V), est celui de la transposition d'un vihâra indien. On note cependant certaines variantes. L'entrée ne se trouve pas sur l'un des petits côtés du rectangle. Deux chapelles secondaires sont placées dans l'axe, face à l'entrée, à la place d'un seul sanctuaire plus vaste qui existait probablement à l'origine.

Le parti de placer l'entrée sur l'un des grands côtés est probablement dû à une certaine influence du dian, module monumental chinois, qui présente toujours la façade dans cette situation. Nous retrouvons également une telle disposition plus accentuée encore dans la façade du Dükhang de Tashilhumpo (Section IX) où le côté de l'entrée principale est tourné vers le Sud selon les règles chinoises. Cependant à Tashilhumpo on a ajouté une deuxième entrée plus traditionnelle sur le petit côté Est.

Au premier étage, la terrasse qui couvre la grande salle hypostyle sert de cour centrale à un autre dispositif architectural. Quatre chapelles l'entourent: l'une au-dessus des deux petits sanctuaires occidentaux, deux autres sur les côtés. Les décors de ces trois petits temples sont actuellement plus ou moins dégradés. Leurs peintures murales ayant des mandala pour sujet, ils ont pu servir à des rites ésotériques et d'initiatiques. Les parties hautes du porche présentent un dispositif plus complexe formé de deux chapelles superposées. Un couloir de circumambulation contourne le sanctuaire au-dessus de l'entrée. Tous ces éléments sont placés à des niveaux différents en fonction des volumes des pièces du rez-de-chaussée, mais possèdent des tailles variables afin de pouvoir se loger sous les toitures qui sont toutes presque à la même hauteur. L'ensemble parfaitement étudié est organisé selon une conception complexe et maîtrisée de l'espace qui permet de savantes variations, à la fois sur les modèles chinois et les traditions autochtones, et aboutit à un jeu conceptuel des volumes architecturaux que l'on pourrait presque qualifer de baroque. La cour du Serkhang de Shalu est asymétrique, entourée d'un portique à deux étages. D'après une hypothèse probable de Wang Yi [76], cet espace paraît avoir été aménagé lors d'un remaniement. Les caractéristiques architecturales du portique à deux étages et sa forme irrégulière, désaxée par rapport à l'entrée, contraste en effet avec le plan parfaitement ordonné du temple. Les murs massifs et aveugles, au fruit caractéristique, sont purement tibétains. D'anciens éléments indiens sont utilisés dans le porche à deux niveaux et de date plus tardive. Les colonnes cannelées du rez-de-chaussée supportent des consoles au profil ondulé sur lesquelles s'appuient plusieurs séries de poutrelles superposées. Leurs extrémités apparentes forment un jeu décoratif analogue à celui fourni par des modillons. Ces éléments appartiennent depuis des siècles au lexique architectural tibétain et étaient déja utilisés au Ngari aux débuts de la Deuxième diffusion. On retrouve aussi de tels porches au Ladakh dans des constructions civiles plus tardives comme le Palais de Leh (Section VIII). Les

fig. 149

toitures en céramique émaillée vert et la charpente qui les soutiennent donnent cependant un aspect chinois au Serkhang. Ce point a déjà été mis en évidence par les chercheurs. Le temple de Shalu offre l'exemple le plus complet de l'utilisation de ce dispositif à la période Sakyapa. Les toitures superposées soulignent, selon une règle strictement chinoise, les différents étages et scandent chaque partie du complexe. Sur la façade par exemple une première couverture, presque une corniche, est soutenue par des consoles courbes caractéristiques (dougong). La deuxième couverture, plus complète, s'appuie sur des colonnes en bois adossées contre la maçonnerie tandis que le système des consoles, plus complexe, montre des caractéristiques évidentes Yuan dans la ligne recourbée des «bras» (ang) redoublés[77]. La troisième couverture situées au sommet est un véritable toit de pavillon (dian) du type xieshanding à quatre pentes dans le bas et deux autres situés au sommet. Sa charpente est caractéristique des Yuan[78]. Sur les lignes faîtières s'appuyaient une série de panneaux en céramique portant en bas relief des motifs religieux et ornementaux (divinités, pivoines, makara, lotus). Ce dispositif se retrouve aujourd'hui au Yongle gong à Rui Zheng (Shanxi) qui a été reconstruit à partir de 1244, ou dans d'autres rares sanctuaires conservés datant de l'époque Yuan en Chine[79]. A ses extrémités, cette ligne faîtière semble sortir de la gueule béante d'animaux monstrueux constitués de pièces de forme. Certains dragons se retrouvent tels quels en Chine. Des makara, à longue trompe et à la queue en spirale, possèdent des formes inusitées. Au milieu de la plupart de ces toitures supérieures est placé un âmalaka, acrotère indien typique utilisé aussi en Chine. Des têtes de makara ayant la fonction de larmiers, pareilles à celles des constructions Yuan, complètent l'aspect très chinois de l'ensemble. A l'intérieur, certains plafonds sont supportés par un système de consoles caractéristique des Yuan[80]. La succession des couvertures de différentes dimensions, appuyées l'une contre l'autre d'une manière symétrique, fait partie du goût typique des Yuan pour la variation des volumes, comme on peut le voir par exemple dans le Shengu miao d'Anpingxian[81]. Ces couvertures de Shalu, caractéristiques de l'art Yuan, sont d'autant plus précieuses que la plus grande partie des monuments de cette dynastie ont disparu en Chine même. Le modèle éclectique proposé par ces toitures chinoises juxtaposées sur une maçonnerie tibétaine, sera conservé au Tibet mais transposé le plus souvent en métal à l'époque des dalaïlama (remaniement du Jokhang, Sakya, Potala, Tashilhumpo). Au contraire, au Tibet oriental, en Mongolie, et même en Chine, on conservera assez fréquemment la totalité du dispositif proposé à l'époque Sakyapa.

GYANTSE DZONG, Tsang

Gyantse, grand centre économique et commercial est la troisième ville du Tibet après Lhasa et Shigatse. L'agglomération, située aux pieds de l'éperon rocheux sur lequel s'élève la forteresse (dzong), présente un réseau serré de ruelles. La route du marché, plus large, traverse. L'enclave monastique (Pelkor chöde) se trouve au Nord. L'ensemble a été visité et décrit par de nombreux chercheurs et voyageurs[82]. Ce lieu était déjà sacré à l'aube de l'histoire tibétaine, en effet la montagne sur laquelle s'élève le dzong faisait partie des treize montagnes funestes (Tengan), appartenant vraisemblablement à la tradition pré-bouddhique et qui devinrent «propices et heureuses» sous Padmasambhava. Toujours selon le Nyangchung, un guide qui décrit la plupart des monuments du Tsang, Gyantse a été le fief du neveu du roi Langdarma (IXème siècle). Le palais royal se dressait sur le mont où se trouve actuellement le dzong[83]. Au XIVème siècle les princes de Gyantse reçurent l'investiture des lama sakyapa et de la dynastie mongole des Yuan. Ils établirent des rapports privilégiés avec les Ming qui leurs donnèrent le titre de dishi et eurent des liens de parenté avec les feudataires de Shalu. Sous leur règne, la ville jouit d'une grande prospérité économique. Les monuments les plus importants furent fondés à cette époque qui vit également la construction ou la reconstruction de la forteresse. En 1390, un temple en l'honneur de Shâkyamuni fut adjoint au dzong. G. Tucci le trouva en grande partie ruiné[84]. Le château détruit et reconstruit maintes fois, fut gravement endommagé en 1904 par l'expédition anglaise de Younghusband et récemment par la Révolution Culturelle[85]. Il peut néanmoins être considéré comme caractéristique des dzong à cette époque, très nombreux sur tout le territoire. Les princes

fig. 150

Phagmodu au XIVèmè siècle, à l'apogée de leur expansion, subdivisèrent le Tibet en districts gouvernés chacun depuis un dzong. En 1900, 53 dzong principaux et 123 districts secondaires [86] existaient encore. Le dzong de Gyantse ne possède pas de côté privilégié souligné par une façade monumentale. Une série de modules à plan carré ou quadrangulaire et de taille variable, des murailles au faît parfois en gradins s'assemblent d'une manière organique, sur les pentes de la montagne mais ne la recouvrent pas complètement. Ces particularités caractéristiques du monde Tibétain ancien ne se retrouveront plus dans les monuments majeurs des périodes suivantes tels le fort de Shigatse et le Potala.

Si l'on compte le nombre des différents étages des édifices juxtaposés, on obtient le chiffre sacré de neuf. Cette tradition, attestée depuis l'époque monarchique, de donner neuf niveaux aux édifices importants se retrouve par exemple au palais de Leh (Section VIII).

Au sommet, selon une ancienne coutume qui existait déjà au Ngari, se dresse la chapelle des divinités protectrices (Tselhakhang) [87]. Une petite toiture, adjonction visiblement tardive, couvre le bâtiment le plus élevé. Par rapport aux complexes plus récents comme le château de Leh ou le Potala, les ouvertures sont peu nombreuses et de petite taille. On ne trouve ni les oriels ni les larges loggias d'origine indienne qui souligneront les façades des édifices les plus importants sous le règne des Dalaïlama (Section IX).

PELKOR CHÖDE, GYANTSE, Tsang

fig. 151, 152

Cet ensemble fut commencé en 1418 par Rabten Kunzang Phagpa, prince de Gyantse. Comme le voulait la tradition, il construisit tout d'abord le Tsuglagkhang dont la partie supérieure fut achevée en 1425. En 1427, il édifia le second sanctuaire le plus important, le Kumbum, puis, successivement les nombreux collèges (datsang), les habitations monastiques, les autres temples, les bâtiments administratifs et l'enceinte fortifiée [88].

Ces deux principaux monuments qui constituent le coeur de tout le complexe sont en contrebas de la colline alors que le reste des constructions se développe en éventail sur les versants comme à Sakya. L'enceinte renforcée par des tours à plan carré comme à «Sakya Sud», suit la crête de la montagne et clôt l'espace en plaine du côté Sud. L'entrée principale est située à l'Est. A l'origine les Sakyapa possédaient la suprématie, mais le monastère devint par la suite une fédération de collèges appartenant aux différentes écoles. La multiplication des édifices et une certaine souplesse dans leur affectation sectaire permit à ces véritables universités cléricales de prospérer au cours des siècles. Ainsi, à la fin du XVIIème siècle, on comptait sept datsang gelugpa, quatre sakyapa, un shalupa et quatre dükhorpa. Un collège supplémentaire était commun aux gelugpa et aux sakyapa. Aux débuts du XIXème siècle, les collèges étaient au nombre de dix huit. Les ordres karmapa et dugpa y étaient aussi représentés [89]. Dans le guide de Khyentse, à fin du XIXème siècle, seize datsang sont mentionnés, répartis entre les gelugpa, les sakyapa, et les shalupa [90]. Wang Yi signale dix sept collèges appartenant respectivement aux gelugpa, aux sakyapa, et aux kadampa. Après les destructions de la Révolution Culturelle, il n'en subsiste que deux [91]. Durant ces troubles le Tsuglagkhang et le Kumbum furent en grande partie épargnés. Les études de G. Tucci sur la décoration picturale et sculpturale de ces deux monuments restent fondamentales [92].

fig. 153

fig. 154

Le Tsuglagkhang possède un plan cruciforme orienté selon les points cardinaux. Certaines particularités les rattachent aux modèles de l'époque monarchique. On peut ainsi noter l'importance accordée à l'entrée aux proportions monumentales (portique in antis et annexes), le plan en forme de croix constitué de trois chapelles placées sur les trois autres côtés. Les deux chapelles latérales sont chacune flanquées de deux autres plus petites.

Le sanctuaire principal est entouré d'un couloir servant au rite de circumambulation. On trouve également à Gyantse des réminiscences d'une organisation spatiale chinoise: le Tsuglagkhang ouvre au Sud et s'ordonne selon un axe Sud-Nord. Une orientation semblable est utilisée au grand temple de Tashilhunpo qui est presque contemporain. La salle hypostyle centrale (dükhang) est de plan barlong. Comme à Shalu et à

Tashilhunpo, cette particularité peut être d'inspiration chinoise. A l'étage, la chapelle la plus haute se trouve au-dessus du sanctuaire principal, comme à Shalu. Cette importance accordée au point le plus au Nord est peut être une adaptation de la conception chinoise du «parcours de cérémonie». Cette organisation en «croix» semble être une synthèse entre des emprunts chinois et les plans parfaitement centrés de certains sanctuaires anciens.

Le Nyangchung relate que le projet original du Tsuglagkhang prévoyait seulement l'édification de la salle hypostyle centrale. Jugée trop exiguë, elle fut complétée ensuite par des ailes (lobur), et par un étage[93]. Malgré la symétrie du plan ainsi obtenue, on constate dans ces ajouts, l'habitude tibétaine d'agrandir les bâtiments d'une manière organique au fur et à mesure des besoins[94]. Les chapelles de l'étage ne sont pas toutes au même niveau et s'appuient sur les sanctuaires situés en-dessous de hauteur variable. Ainsi l'Utse, au-dessus de la chapelle majeure, domine totalement le deuxième niveau. Cette particularité que l'on rencontre aussi à Shalu est l'une des conséquences de la conception flexible que les Tibétains se font de l'art de bâtir. En deux endroits du bâtiment, dans le sanctuaire de gauche consacré à Vairocana et dans la chapelle qui se trouve au-dessus dédiée aux Mahâsiddha, on relève deux inscriptions qui citent les noms des commanditaires et des artistes qui contribuèrent à la réalisation du décor sculpté et peint[95]. L'utse, partie la plus secrète du temple, est décorée d'une série de mandala qui suivent les théories des écoles tantriques les plus importantes. Les effigies des principaux maîtres spirituels étaient placées au-dessus des mandala. Ils témoignent de l'union de toutes les écoles présent à Gyantse. G. Tucci suppose que ce sanctuaire aurait été destiné à l'origine aux rites d'initiation des néophytes[96]. Un couloir pour la circumambulation (korlam) entoure cette chapelle. Des fresques représentant les mille Bouddha du Bhadrakalpa accompagnés de bodhisattva la décorent.

G. Tucci signale aussi dans les parties hautes un autre élément symbolique: la triple porte des chapelles latérales ferait allusion aux trois sentiers (vimoksamukha) qui mènent au salut[97]. Le Tsuglagkhang présente ainsi comme le Serkhang de Shalu une superposition entre le dükhang et la chapelle dédiée aux initiations. Ce type de sanctuaire, dans les premiers siècles de la deuxième diffusion, possédait une typologie particulière comme on le remarque à Tholing, Tabo et Alchi (Section VI).

Les murs massifs et à fruit du Tsuglagkhang sont à l'extérieur peints en rouge. Des plaques de métal doré à motifs symboliques décorent par place le large bandeau d'attique de couleur foncé. Ce dispositif, d'une grande efficacité décorative, est complété par une bande blanche sur laquelle jouent les ombres portées des extrémités des poutres en saillie.

Le portique d'entrée à deux étages, fortement en hors d'oeuvre rappelle certains partis architecturaux du Ngari (Sumtsek d'Alchi) et présente une variation plus aboutie du même thème également présent à Sakya. La charpente fait toujours référence à l'Inde, mais aux colonnes cannelées se substituent d'épais faisceaux composés de petits troncs reliés le plus souvent entre eux par des anneaux de métal. Cette solution sera systématiquement utilisée dans l'architecture tibétaine plus tardive, même au Ngari (entrée du palais de Leh) (Section VIII). Les chapiteaux, les consoles au profil mouvementé, les rangées superposées des extrémités apparentes des poutres (modillons) ont un rôle plus décoratif qu'architectonique. L'appauvrissement relatif du rôle constructif de ces éléments est évident comparé aux monuments de la deuxième diffusion du bouddhisme. Une riche décoration peinte aux motifs chinois de couleurs vives (pivoines, nuages et dragons) souligne les formes des éléments en bois. La chapelle supérieure, par sa forme et par l'aspect de sa façade garnie d'un portique, donne l'impression d'une réduction simplifiée du temple inférieur.

Le Kumbum est la représentation tridimensionelle parfaite d'un mandala. Sa riche décoration intérieure sculptée et peinte matérialise au regard les théories ésotériques et cosmologiques exprimées par les principaux ouvrages tantriques.

Le fidèle, en parcourant les chapelles dans le sens de la pradaksinâ, peut remonter de la diversité à l'unité, jusqu'à Vajradhâra le Bouddha Suprême, symbole de l'Absolu dans son immuabilité essentielle. On peut considérer que le monument est l'équivalent des temples d'initiation des époques plus anciennes. Le Kumbum, comme les sanctuaires les plus importants de l'époque monarchique, est le symbole de la fusion

fig. 155

du pouvoir royal, ici la primauté des princes de Gyantse, avec la foi bouddhique. Un guide du sanctuaire, mentionné par G. Tucci[98] affirme qu'on avait adopté la coudée (thu) de Rabten Kunzang comme unité de mesure. Multipliée, elle déterminait les proportions de chaque partie du monument. Ainsi, chacune d'entre elles peut recevoir diverses significations symboliques[99]

Le premier soubassement d'une hauteur d'une coudée, composé de trois petits gradins, possède vingt côtés et un rayon de 108 coudées. Cent huit est un chiffre sacré pour le Bouddhisme tantrique. Ce premier soubassement reçoit le nom de lotus lunaire. Il symbolise à la fois l'union de deux principes indispensables pour accéder à l'Eveil: la pratique (upâya) et la connaissance (prajñâ), et la conjonction des deux qualités de l'Être: la béatitude (mahâsukha) et la vacuité (shunyatâ).

Sur ce soubassement s'appuie le premier gradin, appelé «trône», redenté cinq fois par côté. Ce nombre fait allusion aux cinq buddha des orients et à leur suite. Le portail d'entrée, au milieu du côté Sud, se trouve dans le même axe que le pronaos du temple méridional du premier gradin. Ce premier étage possède quatre temples principaux au centre de chacun des côtés et 16 chapelles. Le deuxième étage comprend seize petites chapelles et, au milieu des côtés, selon un dispositif que nous avons déjà noté au Tsuglagkhang, la partie supérieure des quatre grands sanctuaires de l'étage inférieur. Au troisième étage, on retrouve le même dispositif, quatre temples principaux de plus petites taille et seize chapelles. Les sanctuaires du quatrième étage sont au nombre de douze entre lesquels viennent s'intercaler les parties supérieures des quatre temples du troisième étage. Un «tambour» (kumbha), au-dessus du quatrième étage, se substitue à la partie semi-hémisphérique traditionnelle (anda). Quatre portes colossales ouvrent aux quatre orients sur les quatre sanctuaires. Une harmikâ cubique redentée contient la chapelle ultime. Le faîte assez complexe se compose d'un pinacle conique formé de treize anneaux, symboles des treize cieux (devaloka) ou des dix pouvoirs mystiques et des trois aspects de la connaissance du Bouddha. Au sommet, le parasol (chattra), symbole de la miséricorde du Bouddha, est surmonté par le vase d'immortalité (kalasa). Les cinq parties les plus importantes du monument (gradins, tambour, pinacle, parasol, et couronnement) ont comme chaque chörten des rapports symboliques avec les cinq éléments (la terre, l'eau, le feu, le vent et l'éther), les cinq couleurs canoniques (jaune, blanc, rouge, noir, et la «couleur bariolée»), les cinq syllabes mystiques (a, vam, ram, ham, kham), et les cinq cakra principaux du corps humain[100].

Le Kumbum de Gyantse représente ainsi le point d'aboutissement d'une longue évolution qui, à partir du stûpa indien «aux nombreuses portes», s'était déjà développée en pays tibétain durant les premiers siècles après l'an mil. On trouve de nombreux antécédents directs au Tsang: le Kumbum du Lotsawa de Thophu que nous avons déjà cité, celui de Jonang fondé par Sherab gyeltsen Palzangpo († 1360)[101] et le Kumbum monumental de Ghyang construit par le sakyapa Sönamtashi (1352-1417) sur les directives du grand saint Thangtong Gyelpo[102]. Le Kumbum de Narthang fut édifié par Nyandag Zangpopel pour honorer la mémoire de son frère, abbé de Narthang, décédé en 1376 env. Malgré ses dimensions modestes, il rappelle par sa forme le Kumbum de Gyantse[103]. Comme l'a démontré G. Tucci à partir des inscriptions, deux peintres au moins qui ont prêté leur concours à sa décoration, exécutèrent aussi certaines peintures murales de Gyantse[104]. Le Kumbum de Narthang présente un soubassement carré très simplifié. Chaque face est redentée trois fois. Ses deux étages comprennent quatorze chapelles. Le tambour, la petite toiture circulaire qui le surmonte, la harmikâ cubique ornée de paires d'yeux sont identiques à ceux de Gyantse. Le décor particulier de la harmikâ existe déjà en pays pâla; on le retrouve à l'identique sur les stûpa népalais. Les liens qui unissaient à cette époque le Népal au monde tibétain et l'activité des artistes népalais dans les principaux centres du Tsang sont bien connus. Cet élément a dû parvenir au Tibet par leur intermédiaire. De même le pinacle d'aspect massif, surmonté d'un ample parasol et d'un kalasha, peut être mis en rapport avec l'interprétation népalaise d'éléments indiens, comme en témoigne le stûpa de Svayambhunâth.

Si nous comparons le Kumbum de Gyantse avec le stûpa de Bodhnâth, nous constatons qu'ils possèdent tous deux un soubassement à gradins redentés, mais celui de Gyantse a une apparence monumentale et prend l'aspect d'une véritable construction. L'anda semi hémisphérique de Bodhnâth, copié des anciens modèles indiens se transforme au Kumbum en une véritable architecture creuse et visitable, d'aspect cylindrique.

fig. 158

fig. 159, 160

Quelques brèves citations du lexique architectural chinois sont également présentes au Kumbum de Gyantse, telle la rangée de consoles (dougong) sous la couverture du tambour. Elles présentent les doubles ang typiques, recourbés et fortement en saillie, caractéristiques des Yuan et des premiers Ming [105]. Des consoles chinoises sont situées également sous la couverture en cuivre de la harmikâ dont le profil redenté évoque des modèles népalais. Ces toits peuvent être considérés comme étant l'un des plus anciens témoignages de la transposition d'une technique népalaise sur des structures chinoises. Ce dispositif sera utilisé avec succès aux époques plus récentes (Section IX).

Comme dans les monuments chinois, l'entrée du Kumbum ouvre vers le Sud, mais toute la maçonnerie est de pur style tibétain. On peut remarquer, à l'extérieur, une réduction des surfaces crépies de blanc en faveur d'une décoration linéaire. Le goût pour une plus grande richesse ornementale représente l'une des originalités proposées par l'architecture de cette époque. Cette caractéristique s'accentuera encore dans les constructions plus récentes. Les bandeaux d'attique sont formés par un double rebord (bechung), une rangée de modillons (bewar), une grande moulure et une corniche en saillie en forme de toit (chadab) [106]. Ils sont de plus enrichis par des motifs moulés et bariolés (vajra, plaques et lotus). Les cadres des portes des quatre temples du tambour sont larges et finement sculptés. Leurs décors reprennent d'anciens motifs symboliques indiens et répètent le type de halo entourant les divinités au Ngari et au Tibet central aux époques plus anciennes. Ces portes constituent par leurs décorations et leur forme en ogive outrepassée le modèle des ouvertures des chörten de «type Qing» [107] (Section XIII). Le porche in antis de l'entrée se rattache au modèle plus ancien illustré à Samada et à Iwang.

Les deux plus importants monuments de Gyantse témoignent d'une maîtrise technique parfaite, du sens de l'harmonie et montrent l'assimilation réussie d'apports étrangers. Ils présentent en outre des particularités nouvelles qui seront développées dans les monuments plus récents.

SECTION VII - NOTES

[1] HUC, 1878; DAS, 1893; 1902; 1904; WADDEL, 1895; 1905; LANDON, 1905; HEDIN, 1909; 1922; KAWAGUCHI, 1909; TAFEL, 1914; BELL, 1931; DAVID NEEL, 1931; MACDONALD, 1932; TUCCI, 1932-41; 1937; 1949; 1950 a; 1952; 1956; 1973; CHAPMAN, 1938; BERNARD, 1950; HARRER, 1953; 1966; NEBESKY-WOSKOWITZ, 1956; PETECH, 1956; LIU, 1957; JISL, 1958; WANG, 1960; 1961; GOVINDA, 1966; SNELLGROVE, RICHARDSON, 1968; GOTAMI-GOVINDA, 1979; HENSS, 1981.

[2] Dsam-gling-chen-po tr. VASILYEV, 1895; Chos-hbyung tr. OBERMILLER, 1931-32; Deb-ther-sngongo-po tr. ROERICH, 1949-53; M KYEN BRTSE tr. FERRARI, 1958; Deb-ther-dkar-po tr. CHOEPHEL, 1978; Deb-ther dmar-po 1961.

[3] CHATTOPADYAYA, 1977.

[4] TUCCI, 1973, p. 92.

[5] FERRARI, 1958, p. 132; ROERICH, 1949-53; p. 96-97.

[6] TUCCI, 1950 [I]; 1980 [II]; p. 166-167.

[7] MAILLARD, 1983, p. 111.

[8] TUCCI, 1970 I, 76 II, p. 185-186.

[9] TUCCI, 1970 [I], 76 [II], p. 185; STEIN, 1962 [I], 1981 [II], p. 51.

[10] CASSINELLI, 1969.

[11] TUCCI, 1939-41, IV, I, p. 10; GOETZ, 1965, p. 406.

[12] STEIN A., 1907.

[13] ROWLAND, 1853, p. 439-41 451.

[14] FRANCKE, 1914, vol. I tr., tav. XXXV; KHOSLA, 1979, p. 54.

[15] TUCCI, 1949 [a], p. 179; 1973, p. 118; FERRARI, 1956, p. 67, 90, 157.

[16] ROERICH, 1949-1953, p. 1063-1071; FERRARI, 1956, p. 90.

[17] TUCCI, 1956, p. 66; 1973, p. 77.

[18] KOLMAŠ, 1967, p. 27-30.

[19] MAILLARD, 1983, p. 112.

[20] TUCCI, 1939-41, IV, I, p. 16; 1949 [a], p. 186.

21 VASILYEV, 1895, p. 21; WADDEL, 1895, p. 385, 1905, p. 312-314, 368; DAS, 1904, p. 191-192; LANDON, 1905, p. 116-120; CHAPMAN, 1938, p. 163; BERNARD, 1950, p. 139; TUCCI, 1949 a. p. 163; 1950, p. 56, 60; FERRARI, 1958, p. 71-90, 164 et passimi; WANG, 1961, n. 4, p. 38, trad. GIORGI M.L., 1985; STEIN, R. A. 1962, p. 132, 241-242.

22 TUCCI, 1932-41, vol. IV, parte III, fig. 39-40; HENSS, 1981, p. 131.

23 VASILYEV, 1895, p. 37; DAS, 1908, p. 318; FERRARI, 1958, p. 57, 138; WYLIE, 1964, p. 278; SNELLGROVE, RICHARDSON, 1968, p. 33; TUCCI, 1973, p. 74.

24 FERRARI, 1958, p. 138; WYLIE, 1964, p. 278.

25 TUCCI, 1973, p. 75.

26 TUCCI, 1932-41, vol. IV parte I, p. 94, 134-140, parte III, fig. 39-40; 1952, p. 45-47; 1973, p. 177.

27 FERRARI, 1958, p. 90; TUCCI, 1973, p. 177.

28 TUCCI, 1932-41, vol. IV parte III, fig. 40; 1973, fig. 64.

29 TUCCI, 1967.

30 TUCCI, 1932-41, vol. IV, parte I, p. 93-122 parte III, fig. 23-24; 1950 [I], 1980 [II]; 1973, p. 89, 90, 142, tav. 74.

31 FERGUSSON, 1876, p. 190.

32 VIENNOT, 1976, vol. II, ph. 123, 146, 154, 196, 209, 258, 272, 274; AGRAWALA, 1981, tav. 23.

33 VIENNOT, 1976, ph. 176.

34 FERGUSSON, 1876, fig. 106; WIESNER, 1978, fig. 32.

35 SPEISER, 1965, tav. 35.

36 VOLWAHSEN, 1969, frontespizio, couverture.

37 DENWOOD, 1975, p. 58-60; GOTAMI GOVINDA, 1979, p. 39.

38 LIANG, 1984, tav. 32.

39 GOTAMI GOVINDA, 1979, p. 39.

40 FERRARI, 1958, p. 65, 153; DAS, 1904, p. 277.

41 TUCCI, 1949, a. p. 84.

42 TUCCI, 1973, p. 193-194.

43 VIENNOT, 1964; AGRAWALA, 1981, p. 111-113.

44 MOOKERJEE, 1974, p. 94-95; SCHROEDER, 1981, 76 F, p. 308-309; 80 G, p. 316-317.

45 AGRAWALA, 1981, fig. 88.

46 ROW LAND, 1953, p. 222-223.

47 The Potala Palace of Tibet, 1982, p. 47.

48 CASSINELLI, 1969.

49 DESIDERI In PETECH, 1952-56, vol. VI; FERGUSSON, 1876, 293-294; DAS, 1902, p. 238-242; KAWAGUCHI, 1909, p. 241-45; MACDONALD, 1932, p. 128-129; SANKRITYANA, 1937, p. 4-5; TUCCI, 1940, 1937 [I], 1978 [II], p. 147-152; 1949 [a] vol. I, p. 172-177; FERRARI, 1958, p. 63-64; WANG, 1960, 8-9, p. 63-65; trad. GIORGI M.L., 1985; MORTARI VERGARA, 1976, p. 217; HENSS, 1981, p. 132-138; JIGMEI, 1982, p. 252-262; CHENG, 1982, n. 10, p. 87-89, 96.

50 TUCCI, 1949, a. p. 156.

51 PETECH, 1952-56, vol. VI, p. 21.

53 TUCCI, 1949 [a] p. 356.

54 FERRARI, 1958, p. 150.

55 TUCCI, 1940.

56 CULLAVAGGA, VI, 3, I, 3, 3, MAILLARD, 1983, p. 109.

57 WANG, 1960, n. 8-9, p. 64.

58 TUCCI, 1949 [a] p. 177; 1973, p. 194.

59 HENSS, 1981, p. 133; CHENG, 1982, p. 87.

60 WANG, 1960, n. 8-9, p. 63.

61 WYLIE, 1977, p. 125.

62 TUCCI, 1949 [a] p. 626; SHAKABPA, 1967, p. 68; WYLIE, 1977, p. 126.

63 WANG, 1960, n. 8-9, p. 63.

64 WANG, 1960, n. 8-9, p. 64; JIGMEI, 1981, p. 255.

65 MAILLARD, 1983 [a] p. 108.

66 TUCCI, 1949, a. p. 163.

67 OLDENBURG, 1909-10 fig. 42, pl. XXXV; MAILLARD, 1983 fig. XXXI, XXXII.

68 WANG, 1960, n. 8-9, p. 64; trad. GIORGI M.L., 1985.

69 JIGMEI, 1981, tav. 200.

70 TUCCI, 1967; MORTARI VERGARA, 1980, tav. 10.

71 FERRARI, 1958, p. 122; HENSS, 1981, tav. 98.

72 FERRARI, 1958, p. 44, n. 116; STEIN R. A., 1962 [I]; 1981 [II], p. 51.

73 KHOSLA, 1979, tav. 137-138.

74 R'eu-mig tr. DAS, 1889, p. 40; BUSTON, Chos-hbyung tr.; OBERMILLER, 1932, p. 206; Miang chung 257 tr.; TUCCI, 1932-41, vol. IV,

parte I, p. 71; SANKRI TYAYANA, 1935, p. 28-31; 1937, p. 33-52; 1938, p. 143-146; Deb-ther-sgon-po tr., ROERICH, 1949-1953, p. 188-191; FERRARI, 1958, p. 60, 143.

[75] DAS, 1889, p. 40; UGYEN GYATSO, 1915-22, vol. VIII, p. 3427; SANKRITYAYANA, 1937, p. 10; TUCCI, 1932-41, vol. IV, parte I, p. 71-72; 1949 [a] p. 177-178; 1973 [a] p. 100; WANG, 1960, n. 8-9 p. 61-63, trad. GIORGI M.L., 1985; HENSS, 1981, p. 145-149; JIGMEI, 1982, p. 197-199.

[76] WANG, 1960, n. 8-9, p. 63, trad. GIORGI M.L., 1985.

[77] LIANG, 1984, p. 32.

[78] LIANG, 1984, p. 42-45-46.

[79] Zhogguo gudai jianzhushi 1980 [I], 1983 [II], p. 244; LIANG, 1984, fig. 26 b., fig. 44-48.

[80] WANG, 1960, n. 8-9, fig. 27.

[81] SICKMAN, SOPER, 1956, trad. it., 1969, fig. 26.

[82] DESIDERI in PETECH, 1952-56, vol. VI, p. 20; FERGUSSON, 1876, p. 294-295; WADDEL, 1895, p. 278; 1905, p. 217-224; DAS, 1902, p. 89-91; VIDYABH USANA, 1905; LANDON, 1905, p. 197-213; MACDONALD, 1932, p. 130-132; TUCCI, 1932-41, vol IV, parte I, p. 146, 300; 1938; 1950 [a] p. 37-38; BERNARD, 1950, p. 68-74; MARAINI, 1951, p. 227-231; FERRARI, 1958, p. 59, 141, 142; LIU, 1957, fig. 7; WANG, 1961, n. I, p. 9-53, GIORGI M.L., 1985; MELE, 1969; MORTARI VERGARA, 1976, p. 225-226; GOTAMI GOVINDA, 1979, p. 73-77; HENSS, 1981, p. 150-162; JIGMEI, 1982, tav. 20.

[83] TUCCI, 1932-41, VI parte I, p. 53, 61, 62, 146.

[84] TUCCI, 1932-41. VI parte I, p. 61-62.

[85] JIGMEI, 1982, tav. 20.

[86] DAS, 1902.

[88] TUCCI, 1932-41, VI parte I, p. 81; WANG, 1961, n. 1, p. 50, trad. GIORGI M.L., 1985.

[89] TUCCI, 1932-41, VI parte I, p. 146-147.

[90] FERRARI, 1958, p. 59, 141.

[91] HENSS, 1981, p. 153.

[92] TUCCI, 1932-41, VI parte I, p. 146-300.

[93] TUCCI, 1932-41, VI parte I, p. 149.

[94] MORTARI VERGARA, 1976, p. 225.

[95] TUCCI, 1932-41, VI parte I, p. 156.

[96] TUCCI, 1932-41, VI parte I, p. 158.

[97] TUCCI, 1932-41, VI parte I, p. 167.

[98] TUCCI, 1932-41, VI parte I, p. 120.

[99] TUCCI, 1932-41, VI parte I, p. 172.

[100] TUCCI, 1932-41, I parte I, p. 49.

[101] TUCCI, 1949 [a] p. 189-196; 1973, p. 118-119.

[102] TUCCI, 1949 [a] p. 179-185; 1973, p. 119; FERRARI, 1958, p. 154-155.

[103] TUCCI, 1949 [a] p. 186-189; 1973, p. 119; FERRARI, 1958, p. 61-62; 145-146; WANG, 1960, n. 8-9, p. 58-61; HENSS, p. 148.

[104] TUCCI, 1949 [a] p. 186.

[105] LIANG, 1984, p. 32.

[106] TUCCI, 1932-41, IV parte I, p. 171.

[107] MORTARI VERGARA, 1982, p. 11-12.

OUVRAGES GENERAUX

CASSINELLI, 1969; CHENG, 1982; DAS, 1904; 1908; DENWOOD, 1975; FERGUSSON, 1876; FERRARI, 1958; HEDIN, 1909; 1922; HENSS, 1981; HUC, 1878; KAWAGUCHI, 1909; KOLMAS, 1967; LANDON, 1905; LIU, 1957; MORTARI VERGARA, 1976; PETECH, 1952-56; ROERICH, 1949-53; SNELLGROVE RICHARDSON, 1968; STEIN R.A., 1962 [I], 1981 [II]; TUCCI 1932-41 IV; 1938; 1940, 1949 [a], 1950 [I], 1980 [II]; 1952; 1956; 1970 [I], 1976 [II]; 1973; WADDEL, 1885; 1905: WYLIE, 1964; WANG YI, 1960-61.

SEZIONE VIII

TIBET OCCIDENTALE (Ngari) DAL SEC. XV AL XX

Paola Mortari Vergara

fig. 161

In quest'epoca, parallelamente al mutare della situazione politica e religiosa, si verificheranno nelle regioni del Ladakh, Zangskar, Baltistan, Guge, Spiti e Purang notevoli trasfomazioni anche nel campo architettonico. Scomparse verso il 1200 sotto i colpi dell'avanzata islamica, le grandi università buddhiste del Bengala e del Bihâr, rotto ogni rapporto religioso con il Kashmir, convertitosi all'Islam agli inizi del sec. XIV, i re del Tibet occidentale si rivolsero esclusivamente verso il Tibet centrale (Ü, Tsang), che verrà da allora a costituire un costante modello culturale.

L'annessione da parte del Dalailamato del regno di Guge e del Purang nel sec. XVII renderà ancora più stretto questo rapporto che in qualche momento assumerà anche un carattere conflittuale dal punto di vista politico. Viene seguito così l'esempio delle più importanti scuole monastiche del Tibet centrale le quali, a partire dai sec. XI e XII, avevano concepito un originale dispositivo che fondeva le caratteristiche dei palazzi signorili e dei monasteri ubicati sulle alture con i santuari precedentemente siti in pianura. I monarchi del Ngari e soprattutto i re del Ladakh che in quest'epoca, sia pure con alterne vicende, avranno la supremazia sulle altre regioni, costruirono ampi complessi religiosi multifunzionali, disposti sulle pendici e sulle sommità delle alture, delle vere e proprie cittadelle fortificate. La maggior parte di questi insediamenti non hanno la monumentalità dei grandi monasteri del Tibet centrale, ma sono sovente più vasti dei santuari dell'epoca della seconda diffusione. I fattori locali possono aver facilitato l'adozione di una tale tipologia. Da un lato la morfologia delle grandi città regali, ricche di templi e di differenziati tipi di edifici, si pensi a Tsaparang dall'altro alloggiamenti di monaci ed eremitaggi dislocati su alture come quello sito presso il santuario di Alchi, ed infine la trasformazione in templi di antichi castelli come Tashigang[1] (Sez. VI).

È molto difficile datare con esattezza la prima utilizzazione di tale tipologia nelle regioni occidentali. Per il Ladakh D. Snellgrove e R. Khosla propendono per l'inizio del sec. XV, al momento in cui il re Dagbumde dall'alto Ladakh, ricevuta una ambasceria da parte di Tsongkhapa (1357-1419), il fondatore della scuola dei Gelugpa, fece costruire per quest'ordine il monastero di Spituk[2]. Ma un esempio un poco più antico, come si è detto, anche se più semplificato, sembra essere stato nel Tibet occidentale il complesso Sakyapa di Rabgyeling che G. Tucci datò alla fine del sec. XIV, inizi XV[3] (Sez. VI).

Senza dubbio, comunque, ci fu un notevole attardamento rispetto ai prototipi del Tibet centrale, dovuto probabilmente alla posizione di preminenza nelle regioni occidentali dei governi monarchici che perpetueranno più a lungo i modelli dell'epoca della dinastia di Yarlung.

E infatti rilevabile anche nel campo politico, legislativo, linguistico una maggiore sopravvivenza delle antiche tradizioni monarchiche nei regni del Ngari[4]. Di conseguenza è plausibile che pure l'architettura presenti col passare del tempo caratteri di conservatorismo diremo quasi «provinciali» rispetto al Tibet centrale.

Saranno scarsi in queste regioni gli elementi costruttivi dello stile architettonico cinese, molto vivi invece nella decorazione pittorica delle strutture architettoniche (peonie, motivi a nuvola) e in alcune pitture di architetture. La copertura a tegole, tipicamente sinica, diffusa dai Sakya nei sec. XII, XIII, i tetti in bronzo dorato di tipo cinese presenti in tutti i principali complessi di Ü e di Tsang soprattutto ad opera dei Dalailama (sec. XVI-XX), non contraddistingueranno gli edifici principali del palazzi reali e delle grandi città monastiche del Tibet occidentale. Se ne può notare solo qualche esemplare di modeste proporzioni come la copertura sita sul tempio di Dawadzong, ultimo resto di un castello reale di Guge[5], o quella in miniatura sita sul lucernario del piccolo tempio alla base del Palazzo di Leh, o l'aggiunta tardiva effettuata a Tholing (Sez. VI) che non variano certo lo skyline degli interi complessi.

Coperture a spioventi di tipo «indo nepalese» ben differenti negli elementi costitutivi da quelle cinesi, sono invece presenti nelle regioni meridionali del Ngari, soprattutto nel Lahui (Guru Ghantal lhakhang) [6], come già lo erano a Tholing nel sec. XI (Sez. VI).

Parallelamente al Tibet centrale, invece, si svilupperà negli ultimi secoli una maggiore enfasi nella decorazione esterna: le cornici degli edifici diverranno più alte e lavorate, i modiglioni saranno più fitti ed evidenziati, le pensiline più sporgenti e sorrette da una folta travatura, le aperture più ampie con largo utilizzo di balconi e sporti a strutture lignee nei piani superiori.

Forse è proprio attraverso le regioni del Tibet occidentale dove sono attestate «in nuce» fin dall'epoca della seconda diffusione (Sez. VI), che la tipologia di queste verande di origine indo-kashmira (rabsal) è giunta nelle regioni di Ü e di Tsang in cui hanno avuto, soprattutto all'epoca del Dalailamato, una così grande diffusione. Si può constatare inoltre in tutta l'area tibetana un completo abbandono del modello templare «mandalico» a gradoni e impianto concentrico (prâsâda) a favore del tipo a sala ipostila (già in parte proposto in epoca monarchica dal Jokhang) (Sez. V) e frequentemente a impianto rettangolare spesso preceduto da un pronao con altare maggiore o cappella sita sul lato minore di fronte all'ingresso. Nel Tibet occidentale viene ancora abitualmente adottata la tradizionale collocazione del lato d'ingresso rivolto verso est (Phiyang), ma l'influsso sinico proveniente dal Tibet centrale fa talvolta preferire come lato d'accesso quello meridionale (Hemis, Rangdum). Ultime vestigia del riferimento mandalico sono un corridoio di deambulazione che corre intorno all'intero perimetro in alcune sale delle adunanze (dükhang) del Tibet occidentale (Rangdum, Shashur, Tayul e Kardung), e le raffigurazioni pittoriche di mandala sul soffitto. Alla planimetria simbolica si sostituisce una gerarchizzazione degli edifici monastici secondo l'altezza, ispirata allo stile palaziale, per cui gli edifici templari multipiano vengono posti in una posizione altimetrica preminente rispetto alle altre costruzioni monastiche.

I dislivelli del terreno e il riemergere dell'antica propensione per una urbanistica di tipo anticlassico rendono fortemente dissimili tra loro le planimetrie di queste città monastiche. L'aggiunta a molti complessi di un'ampia corte porticata, spesso a due piani, per accogliere un maggior numero di spettatori, anch'essa importata dal Tibet centrale, si rende necessaria per effettuare le sacre rappresentazioni e le danze (cham).

Non è stato possibile rilevare fino ad oggi differenze morfologiche apprezzabili tra le architetture delle diverse scuole monastiche, probabilmente perché i rituali esteriori non differiscono tanto profondamente da richiedere spazi particolari. La sola scuola Sakya prevede all'esterno strisce verticali multicolori sulla muratura degli edifici monastici e templari. In quest'epoca nel Tibet occidentale si affermano i Gelugpa parallelamente alla loro espansione nel Tibet centrale e subentreranno in molte delle fondazioni dei sec. X-XIV del vecchio ordine Kadampa, iniziato da Atisha, di cui Tsongkhapa fondatore dei Gelugpa è considerato il riformatore.

Tabo, Alchi, Manggyu, Lalun, Tholing, Tsaparang passeranno così all'ordine Gelugpa ed ad essi si aggiungeranno le nuove fondazioni di Spituk, Tiktse, Likir, Rangdum, Kye. Solo la dinastia ladakhi dei Namgyel, che riuscì ad unificare per breve tempo tutto il Tibet occidentale sotto la sua sovranità, nell'epoca del suo maggiore splendore (sec. XVIII), riuscì a far affermare saldamente nella regione — probabilmente proprio in antitesi alla teocrazia dei Gelugpa con cui era in conflitto — l'ordine dei Kagyupa. Questo aveva fatto il suo ingresso già nella seconda metà del sec. XII, (scuole Digungpa e Dugpa), favorendo la fondazione di importanti monasteri quali Phyang, Hemis, Stakna e Chimre.

Altre scuole del Tibet centrale come i Nyingmapa e i Sakyapa, pur presenti da secoli in alcuni insediamenti (Rabgyeling, Matro), non hanno avuto una posizione rilevante.

La diffusione dei chörten nel Tibet occidentale è anche in quest'epoca molto ampia. Essi presentano una vasta gamma di tipologie, ma si può constatare una maggiore sopravvivenza delle morfologie più antiche con la cupola più arrotondata. Rari i chörten sino-tibetani di tipo Qing, molto più slanciati e sottili e con la cupola bulbosa su cui si apre una nicchia o una cornice trilobata e rastremata in basso. Essi vengono utilizzati soprattutto come cenotafi all'interno dei santuari.

Anche per quel che concerne l'architettura palaziale il Tibet centrale costituirà un costante punto di riferimento: basti pensare alle analogie del palazzo di Leh con il castello di Shigatse (Sez. VII), considerato il modello del Potala, il palazzo dei Dalailama (Sez. IX).

Un caso particolare è rappresentato dal Baltistan che, annesso al Kashmir, viene progressivamente conquistato alla fede Islamica nel corso del sec. XVI. Dal punto di vista architettonico le variazioni non saranno però così sostanziali. L'architettura palaziale e vernacolare conserverà in massima parte lo stile tibetano. Solo la moschea, pur mantenendo la tipica struttura muraria tibetana, aggiungerà il minareto, qualche variazione planimetrica (mihrab) e soprattutto la cupola che sovrasta l'intero edificio, assolutamente estranea allo stile tibetano (moschea di Matayan, presso Dras).

Una moschea verrà costruita per compiacere i Moghul anche a Leh nel 1666 sotto il re Delden Namgyel [7]. Dal punto di vista architettonico si tratta di un fenomeno circoscritto che non incide in modo determinante nella linea evolutiva delle costruzioni ladakhi.

Alcuni importanti complessi monumentali del Ngari che esemplificano evidenti varianti evolutive, necessitano di una breve analisi.

TSAPARANG, Guge, Regione autonoma del Tibet

fig. 162

La monumentale capitale del regno di Guge, che fu uno stato sovrano fino al 1630, successivamente conquistato dal Ladakh e dal 1683 annesso al Tibet centrale, non è oggi che un'immane rovina. È stata abbandonata da secoli in seguito alla fine dell'autonomia ed al progressivo disseccamento del suolo, dovuto soprattutto al deterioramento delle opere di canalizzazione. Fu visitata e descritta nel 1624 come una ricca e popolosa capitale reale, sede di commerci e di diversificate attività artigianali ed artistiche dal missionario P. Antonio de Andrade [8], che pare vi abbia addirittura edificata, nel 1625, una chiesa cattolica [9]. Tra gli studi successivi rimane fondamentale la monografia di G. Tucci [10].

Con i suoi templi, i suoi palazzi, gli edifici amministrativi, le case d'abitazione che si dispiegano in modo dissonante sulle pendici di un'altura, seguendone i dislivelli, Tsaparang ha senza dubbio costituito uno dei punti di riferimento per i complessi monastici polifunzionali che sono stati fondati nel Ngari a partire dal secolo XV.

Consta oggi di resti di circa trecento costruzioni e di altrettante grotte, quasi tutte concentrate sul lato orientale del monte che era recinto da mura nelle parti meno scoscese. La maggior parte degli edifici (case di abitazione civili o ecclesiastiche) a pianta quadrangolare con morfologia ed elementi costruttivi tipicamente tibetani, ha una superficie che varia da 12 a 18m². Le grotte, utilizzate come abitazione, depositi o a fini cultuali, con soffitti piatti o a volta sono alte da 2,5 a 3 metri e presentano spesso piccole nicchie scavate nelle pareti per la collocazione di oggetti utili o di culto. I più imponenti edifici monumentali, conservatisi in parte fino a oggi, sono il Tempio Bianco (Lhakhang Karpo) e il Tempio Rosso (Lhakhang Marpo), siti a mezzacosta a differenti livelli.

Sulla cima della collina si elevano i resti della residenza reale con una grande sala di riunioni (400 m² circa), con alla sommità, come è consuetudine, il tempietto di Samvara Demchog, dedicato al dio tutelare (Yidam). Esso costituiva probabilmente, secondo Tucci, anche un luogo di cerimonie iniziatiche, poiché ha al centro il basamento di un grande mandala [11].

fig. 163-164

Il Tempio Bianco e il Tempio Rosso, fondati tra la fine del secolo XV e l'inizio del secolo XVI da membri della famiglia reale [12], costituiscono i più completi esempi rimasti della tarda architettura del regno di Guge. Persa la loro denominazione originaria vengono ora chiamati secondo il colore dell'intonaco esterno. Sono tra i più begli esempi dello stile di Guge, anche per la ricca e variopinta decorazione pittorica e scultorea dei loro interni, oggi purtroppo in via di progressivo disfacimento per l'abbandono e l'incuria.

Pur avendo un aspetto monumentale, la planimetria è semplificata: si tratta di sale ipostile con i lati orientati secondo i punti cardinali. Solo il Tempio Bianco alto 5 metri e con una superficie di m² 500 ha una cella a forma di abside quadrata, ma sita al centro del lato nord di fronte all'ingresso che apre a sud: già in questo orientamento si può notare un progressivo svincolamento, tipico delle epoche più tarde, dal tradizionale asse est-ovest. Invece il Tempio Rosso (m² 300) presenta il canonico ingresso al centro del lato orientale. L'involucro murario è tipicamente tibetano ed è soprattutto all'interno che si notano le varianti degli elementi costruttivi.

Le colonne vengono sostituite da più esili e fitti pilastri, a base quadrata con mensole che rappresentano una raffinata sintesi tra gli antichi supporti massicci decorati con volute di Aja*nta* e i saldi e volumetrici capitelli «pseudo-ionici» trovati ad Alchi (Sez. VI). Le volute sono qui ridotte ad un sottile motivo decorativo in forma di S, mentre la figura del Buddha scolpita al centro occupa una parte maggiore della mensola divenuta più lunga e sottile. Pure gli altri motivi ornamentali assumono un'andamento ondeggiante e leggiadro, non più contenu-

fig. 165

ti dalla ordinata e classica partizione dei capitelli di Alchi. L'intero ordine assume così nei secoli XV-XVI a Tsa-parang un'aspetto più snello ed elegante, ed insieme più decorativo e mosso.

fig. 166

Anche le decorazioni pittoriche a bande istoriate tra le travi lignee del soffitto, pur simili a quelle di molti dei templi più antichi [13], ispirate a motivi indiani e centro asiatici, si pensi al Sumsek di Alchi [14] (Sez. VI), sono molto più vivaci e fluide. L'ornamentazione è ancor più diversificata, ma*nda*la, disegni fitomorfici e geometrici che, pur nei loro riferimenti simbolici, sono ricchi di fantasia e movimento. Non si arriva però al decorativismo eccessivo delle epoche più tarde.

fig. 167

Una successiva evoluzione della mensola-capitello sita sulle colonne si può constatare ad esempio nel mona-stero di Spituk, primo centro monastico occupato dai Gelugpa nel Ladakh nella prima metà del XV sec. sotto il patrocinio del re Dagbumde (1400-1440) [15]. Rispetto agli esemplari di Tsaparang assistiamo a un'ulteriore dimi-nuzione dello spessore e dell'altezza a favore di una maggiore estensione del braccio. Le antiche volute scol-pite sono scomparse, sostituite da un profilo leggiadramente ondulato, la decorazione diviene prevalente-mente pittorica con al centro la maschera del makara (mostro acquatico). Senza dubbio ricollegabile ad anti-chi prototipi indiani (mensole-capitelli con makara erano già presenti ad Ajanta) [16], essi rappresentano però una evoluzione particolarmente tibetana di tale struttura. Sono tipiche le forme, l'intaglio ondeggiante del profilo, l'aggiunta di una ornamentazione dipinta di derivazione cinese (peonie, nuvole). Mensole di questa ti-pologia vengono già utilizzate nel Tibet centrale a Shalu (sec. XIV) sia pure in forme più semplificate (Sez. VII). Mentre a Gyantse (secolo XV) hanno già raggiunto le caratteristiche più peculiari, arricchendosi di una vivace decorazione pittorica e presentando un profilo sempre più mosso che vedremo via via appesantirsi di ulteriori intagli e pitture nell'architettura più tarda (Sez. IX).

E impossibile trattare qui il grande numero di monasteri fondati in quest'epoca e sopravvissuti fino ad oggi nel Tibet occidentale, soprattutto nel Ladakh, e descritti ed esaminati anche in opere recenti [17]. Ci limiteremo quindi a segnalarne i più importanti. Bisogna poi sempre tenere presente che, essendo l'architettura tibetana di tipo anticlassico e aperta ad ogni aggiunta e ricostruzione, è molto difficile fissare una datazione precisa per i singoli elementi di ogni complesso.

MONASTERO DI TIKTSE, Ladakh, Unione Indiana

Tiktse, il più importante complesso templare e monastico dell'ordine Gelugpa nel Ladakh, venne fondato nel-la prima metà del secolo XV sotto il patrocinio del re Dagbumde che diffuse un nuovo fervore religioso in tutto il territorio, elevando nuovi templi e ricostruendone sui siti di antichi complessi appartenenti ai primi secoli dopo il mille e caduti in rovina [18]. Il monastero di Tiktse è cresciuto nei secoli in modo organico, secondo il

fig. 168

dissonante lessico architettonico tibetano, coprendo tutto un versante della collina con i suoi templi e le sue abitazioni monastiche di varie dimensioni e altimetricamente variate che seguono con effetto armonico i disli-velli del terreno. Ha stupito con la sua imponenza numerosi viaggiatori e studiosi che lo hanno esaminato e descritto anche recentemente [19].

Gli edifici meggiori, dalla lunga facciata rettangolare e con le file di aperture simmetriche e ravvicinate, ricor-dano Ganden, il primo monastero fondato dai Gelugpa nel Tibet centrale (1409)(Sez. VII), che ha certamente costituito un punto di riferimento per Tiktse.

Alla sommità dell'altura nel sito gerarchicamente più importante, sede una volta dell'antico castello signorile, viene ora edificato il dükhang principale che accoglie al piano superiore l'abitazione (zimchung) dell'abate (khenpo). La planimetria dei templi, siti in edifici multipiano, è del tipo più semplificato che già abbiamo visto

fig. 169

a Tsaparang. Solo un piccolo tempio alla sinistra del Dükhang conserva tracce dll'antico impianto ma*nda*lico. Uno strettissimo camminamento quadrangolare a cielo aperto circonda infatti l'edificio templare, sormontato al centro da un lucernario cubico e ampiamente finestrato che ricorda l'ultimo gradone dei templi di tipo prâ-sâda.

MONASTERO DI PHIYANG, Ladakh, Unione Indiana

fig. 170, 171

Meno vasto, ma sempre imponente e sito sulla cresta di una collina, con facciata sud a picco su una valle ver-deggiante è il monastero di Phiyang [20] che fu fondato nella seconda metà del secolo XVI dal monaco Danma dei Digungpa, ramo della scuola Kagyupa, che divenne il maestro principale (mûlaguru) del re del Ladakh Ta-shi Namgyel (1555 - 1575) ricevendone ogni appoggio [21]. I Digungpa sembrano conservare più dei Gelugpa in questo complesso alcune delle caratteristiche del'antica architettura templare. Infatti la grande sala delle adunanze (Tsogkhang), sita all'estremità orientale del complesso, ha una pianta rettangolare, orientata se-condo i punti cardinali ed è organizzata secondo il tradizionale asse est ovest lungo il quale si succedono il pronao, l'accesso al tempio e l'abside rettangolare. Dietro questa, ma da essa completamente isolato, è sito il Gönkhang (il tempio della divinità tutelare), forse un'aggiunta più tardiva, con ingresso a ovest.

Il cortile, non molto spazioso, è sito al centro delle abitazioni monastiche nella zona ovest e anche in questa separatezza tra il tempio maggiore e il monastero si può vedere una sopravvivenza degli antichi modelli dei primi secoli dopo il mille. Gli appartamenti, le celle, i servizi, di diverse dimensioni, sono accorpati intorno al cortile in più file irregolari.

L'estremità ovest del secondo piano è occupata da un secondo edificio templare dal semplice impianto qua-drangolare con piccolo pronao ed ingresso ad est, al quale si accede per una ripida scalinata, tipica delle co-struzioni di quest'epoca. Ingressi laterali, sia nel tempio, sia nel pronao, anch'essi di concezione piuttosto tardiva si aggiungono a quello centrale.

MONASTERO DI HEMIS, Ladakh, Unione Indiana

fig. 172

Questo monastero reale del Ladakh [22] fu fondato dal dotto monaco Tagtsang appartenente al ramo Dugpa del-la scuola Kagyu con l'appoggio del grande re Senge Namgyel (1616 - 1642). Agli inizi era un semplice eremi-taggio, nel 1630 fu costruito il tempio principale (Tsogkhang) e nel 1638 fu consacrata la grande sala delle as-semblee (Dükhang) [23]. Secondo testi trovati nel monastero l'intera costruzione durò dal 1620 al 1640 [24]. Come per tutti gli altri complessi monumentali tibetani risulta però molto difficile datare con certezza le singole parti del complesso per le aggiunte e i continui restauri a cui è stato più volte sottoposto, spesso per ragioni clima-

fig. 173
fig. 174

tiche. Nel 1979, ad esempio, è stato completamente abbattuto il portico d'ingresso e la doppia serie di veran-de della facciata del Dükhang, perfettamente ricostruiti poi sullo stesso modello. Più stabili sono invece alcu-ni dati planimetrici fondamentali, almeno per gli edifici più importanti. L'intero complesso ha la facciata rivolta a sud, verso l'ampio cortile porticato, in cui si svolgono le sacre rappresentazioni (cham), scandito al centro da quattro alti pali rituali che sorreggono le bandiere delle preghiere [25]. Gli edifici tutti accorpati si dispongo-no in modo asimmetrico, anche se in fila continua, lateralmente e in parte posteriormente ai due templi mag-giori il Dükhang e il Tsogkhang con ingressi al centro della facciata e che ne costituiscono il fulcro. Queste due grandi sale quasi identiche (m 19 × m 16,6) perfettamente allineate, sebbene addossate una all'altra e dif-ferentemente orientate, possono essere un'ultima reminiscenza della fila di templi riscontrata a Tabo e ad Al-chi (Sez. VI). Gli impianti come a Tsaparang sono del tipo più semplificato, anche se nel Dükhang si può nota-re un tentativo di abside, sia pure ridotta e non allineata all'ingresso. Il pronao assume una contrazione ed in-sieme una verticalizzazione, comune a quasi tutti i templi tibetani di quest'epoca. Infatti il diaframma tra mon-do terreno e mondo spirituale vien ora sviluppato soprattutto in altezza, in accordo con l'antica concezione del monumentale tibetano, ora applicata anche ai templi buddhisti. Una scalinata, spesso molto ripida, con-duce al portico d'accesso iterato in una o più verande (rabsal) a seconda dei piani. Tali verande costituiscono la trasformazione di un motivo ispirato alle costruzioni indo-kashmire, già presente nel Tibet occidentale nei primi secoli dopo il mille, si pensi alla facciata del Sumtsek di Alchi (Sez. VI) con un porticato su ogni piano degradante. Ma non sono certamente estranei i suggerimenti del Tibet centrale dove è attestato un simile dispositivo architettonico già ad esempio all'ingresso del Grande Tempio di Sakya (secolo XIII-XIV) (Sez. VII). Però al posto delle verande nei piani superiori, adottate nel Tibet centrale, probabilmente in un'epoca successiva per influenza del Ngari, presenta una fila continua di finestre che vedremo utilizzate anche nel Ngari a Likir [26]. Una ragione funzionale ha contribuito all'adozione di tale dispositivo: poiché gli edifici di quest'epoca sono di preferenza costruiti su di un pendio senza sbancamento, rialzare l'accesso serve anche ad aumentare la superficie del piano di calpestio interno.

LECHEN PELKHAR, Leh, Ladakh, Unione Indiana

fig. 175

Il castello reale di Leh è senza dubbio il più rappresentativo di tutte le numerose costruzioni palazziali elevate in quest'epoca nel Tibet occidentale e soprattutto nel Ladakh dai re e dai nobili. Edificato dal grande monarca Senge Namgyel (1590-1635) è uno dei più begli esemplari di stile palazziale maturo, senza aggiunte tardive, perché fu lasciato dai re del Ladakh in seguito ai danneggiamenti subiti nella guerra con i Dogra (1834) e non fu più usato come sede governativa. È stato visitato da missionari (la prima descrizione di I. Desideri è del 1715), viaggiatori e studiosi [27]. Recentemente è stato esaminato in modo scientifico e rilevato da C. Jest e J. Sanday che ne hanno anche messo in evidenza l'urgente necessità di restauri [28]. Sito in una ripida altura ed orientato secondo i punti cardinali, esso sovrasta con la mole imponente della facciata sud (lunghezza m 60, altezza m 58) l'agglomerato urbano ed è la visiva espressione del potere della dinastia dei Namgyel che per breve tempo riuscirono ad unificare sotto il loro governo tutto il Tibet occidentale.

Diversamente dalla maggior parte degli altri grandi complessi monumentali tibetani, costruiti nell'arco di svariati decenni e aperti ad ogni tipo di aggiunte successive, si pensi ad esempio al Potala (Sez. IX), il castello di Leh sembra essere stato costruito nelle sue parti fondamentali in soli tre anni intorno al 1600 dallo stesso architetto a cui, secondo la tradizione, il re fece tagliare la mano destra perché non potesse più costruire altri edifici simili [29].

I punti di contatto con i palazzi fortificati del Tibet Centrale sono evidenti, si pensi al forte di Shingatze che ha costituito il modello anche del Potala (Sez. IX).

Sono simili nei due complessi; l'indicazione di una facciata volta verso l'agglomerato urbano; gli aggetti e le rientranze, le variazioni altimetriche dei vari edifici accorpati che costituiscono un tutto unico, e seguono i dislivelli del terreno; la tradizionale graduazione di aperture secondo l'altezza. Ma, nel palazzo di Leh si può constatare un'utilizzazione maggiore delle verande (rabsal) rispetto a quello di Shigatse. Il secondo blocco continuo di edifici che copre completamente le pendici delle colline sotto alla facciata a Shigatse non esiste a Leh. Questo particolare può far pensare che a Shigatse come nel Potala il blocco inferiore è stato aggiunto successivamente. L'ingresso del Lechen Pelkhar è sito nel lato est, rispettando l'antico asse direzionale tibetano, si pensi al castello di Yarlung e all'analogo ingresso monumentale del Potala.

fig. 176, 177

C. Jest and J. Sanday segnalano come anche nella struttura e nella utilizzazione dei nove piani (sette effettivi e due aggiunti per raggiungere il simbolico numero nove) vengono osservate le norme tradizionali secondo cui i livelli più alti sono adibiti alle funzioni più importanti, con alla sommità il tempietto della divinità tutelare.

fig. 178

In un disegno di Moorcroft pubblicato nel 1841 si può notare inoltre che il corpo principale del castello era pressoché analogo ad oggi, mentre alcuni edifici sul lato destro del complesso erano molto più elevati. È indicata anche la cinta muraria che proteggeva il castello e l'abitato, che richiama quella del Potala, anche se non così simmetricamente orientata, e che oggi è scomparsa. Essa era già presente nel 1715 al momento della visita di Desideri il quale dice a proposito di Leh: «in basso ed ai lati è circondata da muraglie e rinchiusa da porte» [30]. A differenza di molti monumenti del Tibet Centrale non sono invece presenti nel Lechen Pelkhar le

fig. 179

coperture di tipo cinese, se si eccettua la piccola copertura sul tempio di Maitreya, sita alla base del palazzo sul lato est, o l'uso del sistema mensolare sinico (dougong).

I legami dei re del Ladakh con l'impero dei Qing sono infatti quasi inesistenti e non è quindi giudicata necessaria, né sentita, una presenza nel campo architettonico. La carpenteria risulta particolarmente legata alla antica tradizione locale, ripresa da originali indiani. Ad esempio le colonne, le mensole, le figure lignee dei leoni del portale d'accesso costituiscono una successiva evoluzione dell'ordine e della trabeazione di Alchi (Sez. VI). Le volute del capitello «pseudo-ionico» sono ridotte, come a Tsaparang ad un elegante motivo ad S, mentre le colonne scanalate sono rese attraverso un fascio di fusti più sottili assemblati insieme. Pure i leoni (senge) sulle architravi, simbolo del regno e presenti nello stesso nome del re, riprendono gli antichi modelli indiani, mediati attraverso i santuari edificati nei primi secoli dopo il mille.

Si può così notare in tutta quest'epoca, insieme alla funzione di modello esercitata dal Tibet centrale, anche una certa continuità e sviluppo degli antichi modelli locali, soprattutto nella carpenteria.

Dopo le vaste distruzioni compiute dalla rivoluzione culturale cinese nelle altre regioni del Tibet, il valore storico, documentario ed artistico dei complessi architettonici del Ngari è divenuto insostituibile. Essi sono rimasti, infatti, la più importante testimonianza ancora completa dell'architettura monumentale tibetana, vivente e vissuta oggi nella sua interezza.

NOTE DELLA SEZIONE VIII

[1] TUCCI GHERSI, 1934, p. 150-157; TUCCI, 1973, tav. 53.

[2] PETECH, 1977, p. 167, SNELLGROVE, SKORUPSKI, 1977-80, vol. I, p. 82, 105-106; KHOSLA, 1979, p. 75-76.

[3] TUCCI, 1973, p. 211, fig. 77.

[4] PETECH, 1977.

[5] TUCCI, 1937, p.148-151; GOTAMI GOVINDA, 1979, vol. I. p. 126-131.

[6] KHOSLA, 1979, p. 97-99, tav. 153-154.

[7] PETECH, 1977, p. 65.

[8] ANDRADE 1626; ESTEVENS, 1921, p. 65-72.

[9] PETECH, 1952-56, vol. V, p. 209.

[10] YOUNG, 1919; TUCCI, GHERSI, 1934, p. 329-49: TUCCI, 1932-40, vol. III, parte II; TUCCI, 1973; GOTAMI GOVINDA, 1979, p. 152-153; 179-181; Wenwu 1981, n. 11, p. 31-37.

[11] TUCCI, 1932-40, vol. III, parte II, p. 16-30.

[12] TUCCI, 1949 ^{a} , vol. II, p. 359.

[13] TUCCI, 1932-40, vol. III, parte II, p. 128-29.

[14] KHOSLA, 1979, fig. 38.

[15] PETECH, 1977, p. 167; SNELLGROVE, SKORUPSKI, 1977-80, vol. I, p. 106-110.

[16] ZIMMER, 1060, pl. 146.

[17] PALDAN, 1976; SNELLGROVE, SKORUPSKI, 1977-80, vol. I; KHOSLA, 1979.

[18] PETECH, 1077, p. 167-68.

[19] FRANCKE, 1914-26, vol. I p. 85; DAINELLI, 1932, tav. 369; SNELLGROVE, SKORUPSKI, 1977-80, vol. I, p. 115-117.

[20] FRANCKE, 1914-26, vol. I, p. 85; DAINELLI, 1932,p. 96; SNELLGROVE, SKORUPSKI, 1977-80, vol. I, p. 123-125; KHOSLA, 1979, p. 83, 91, fig. 17.

[21] PETECH, 1977, p. 29.

[22] FRANCKE, 1914-26, vol. I, p. 66-67; DAINELLI, 1932, p. 368; SNELLGROVE, SKORUPSKI, 1977-80, vol. I, p. 114-117; KHOSLA, 1979, p.87-90.

[23] PETECH, 1977, p. 52.

[24] SCHLAGINTWEIT, 1968, p. 183; cf. KHOSLA, 1979, p. 87.

[25] WADDEL, 1895 ^{I}, 1974 ^{II}, p. 408-409.

[26] SNELLGROVE, SKORUPSKI, 1977-80, vol. I, tav. 117.

[27] MOORCROFT, TREBECK, 1841, vol. I, p. 244, 46, 315-320, 343-44, vol. II, p. 16; CUNNIGHAM, 1854, p. 314; FRANCKE, 1914-26, vol. I, p. 76; DAINELLI, 1932, p. 113, 337; PETECH, 1952-56, vol. V, p. 164; SNELLGROVE, SKORUPSKI, 1977-80, vol. I, p. 99-102.

[28] JEST, SANDAY, 1982; 1983.

[29] JEST, SANDAY, 1982, p. 182.

[30] PETECH, 1952-56, vol. V, p. 166.

fig. 180

BIBLIOGRAFIA GENERALE

ANDRADE, 1626; CUNNIGHAM, 1854; DAINELLI, 1932; ESTEVENS, 1921; FRANCKE, 1914-26; JEST, SANDAY, 1982-1983; KHOSLA, 1979; MOORCROFT, TREBECK, 1841; PALDAN, 1976; PETECH, 1952-56, 1977; SNELLGROVE, SKORUPSKI, 1977-80; TUCCI 1932-40 vol. III parte II; TUCCI, GHERSI, 1934.

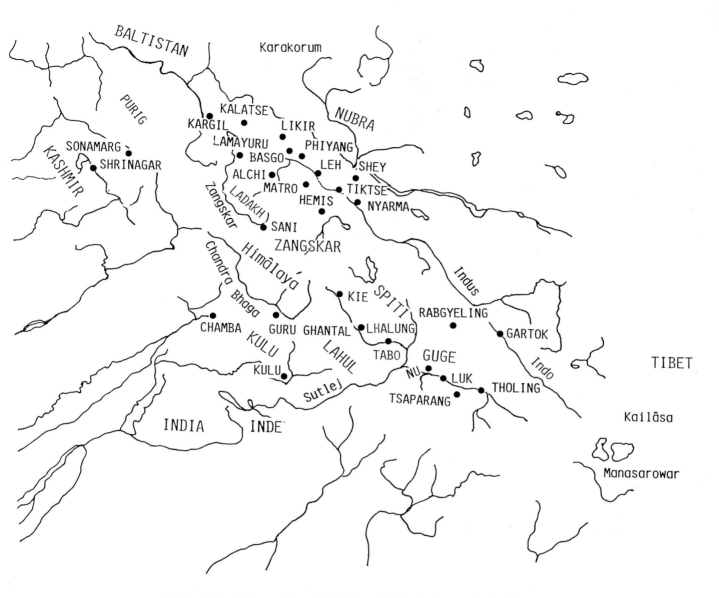

fig. 161 - Carta del Tibet occidentale (XV - XX sec.) (P. Mortari Vergara, R. Astolfi).
fig. 161 - Carte du Tibet occidental (XVème XXème s.) (P. Mortari Vergara, R. Astolfi).

fig. 162 - Tsaparang, (antico regno di Guge), veduta d'insieme (Tucci, 1932-41, III, II tav. 1).

fig. 162 - Tsaparang (ancien royaume de Guge), vue d'ensemble (Tucci, 1932-41, III, II, tav. 1).

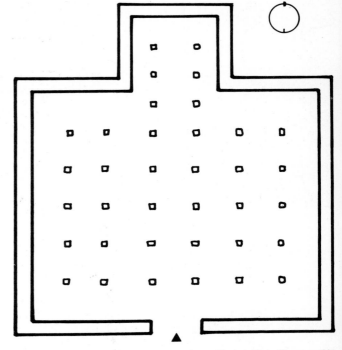

fig. 163 - Tsaparang, Tempio Bianco, pianta (R. Astolfi da Wenwu, 1981, n. 11).

fig. 163 - Tsaparang, Temple Blanc, plan (R. Astolfi d'après Wenwu, 1981, n. 11).

fig. 164 - Tsaparang, Tempio Rosso, pianta (R. Astolfi da Wenwu, 1981, n. 11).

fig. 164 - Tsaparang, Temple Rouge, plan (R. Astolfi d'après Wenwu, 1981, n. 11).

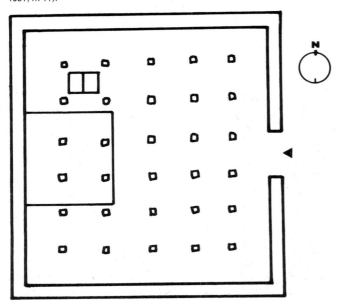

fig. 165 - Tsaparang, Tempio Bianco, cella (Tucci, 1932-41 III. II tav. CI).

fig. 165 - Tsaparang, Temple Blanc, cella (Tucci, 1932-41, III, II, tav. CI).

166

167

fig. 166 - Tsaparang, Tempio Bianco, particolare del soffitto (Tucci, 1932-41, III, II tav. CXI).

fig. 166 - Tsaparang, Temple Blanc, détail du plafond (Tucci, 1932-41, III, II, tav. CXI).

fig. 167 - Spituk (Ladakh), supporto di trabeazione (foto P. Mortari Vergara).

fig. 167 - Spituk (Ladakh), soutien d'entablement (cl. P. Mortari Vergara).

fig. 168 - Tiktse (Ladakh), facciata sud (foto G. Béguin) e facciata est (foto P. Mortari Vergara).

fig. 168 - Tiktse (Ladakh), façade Sud (cl. G. Béguin); façade Est (cl. P. Mortari Vergara).

fig. 169 - Tiktse, terrazza con deambulatorio (foto P. Mortari Vergara).

fig. 169 - Tiktse, terrasse formant déambulatoire (cl. P. Mortari Vergara).

168

168

169

fig. 170 - Phiyang (Ladakh), veduta generale (foto P. Mortari Vergara).

fig. 170 - Phiyang (Ladakh), vue générale (cl. P. Mortari Vergara).

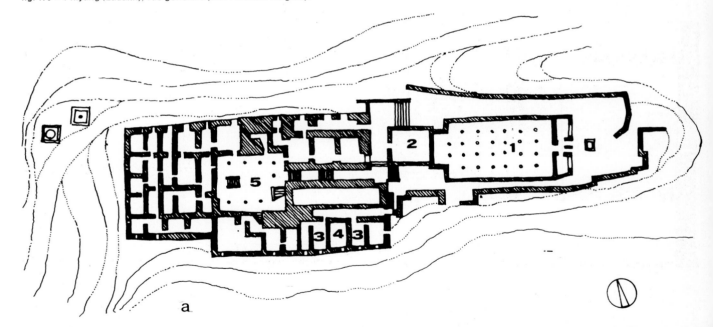

fig. 171 - Phiyang (Ladakh) *a*, pianta del piano terra: 1 Tsogkhang, 2, Gönkhang; 3, Celle; 4, servizio; 5, cortile; *b*, pianta del primo piano: 6, appartamento dell'abate, 7, magazzino; 8, Dükhang; 9, sala del Kanjur; *c*, sezione del cortile e facciata del Dükhang (L. Di Mattia da R. Khosla 1979).

fig. 171 - Phiyang (Ladakh) *a*, plan du rez-de-chaussée: 1, Tsogkhang; 2, Gönkhang; 3, Cellas; 4, toilette; 5, cour; *b*, plan du premier étage: 6, appartement de l'abbé; 7, magasin; 8, Dükhang; 9, salle du Kanjur; *c*, coupe de la cour et façade du Dükhang (L. Di Mattia d'àpres R. Khosla 1979, fig. 117, p. 91).

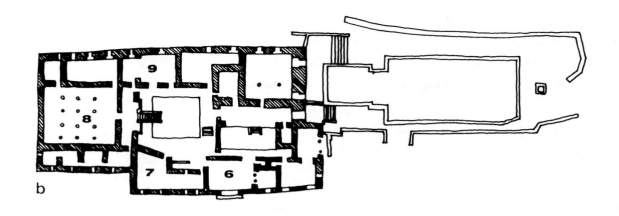

b

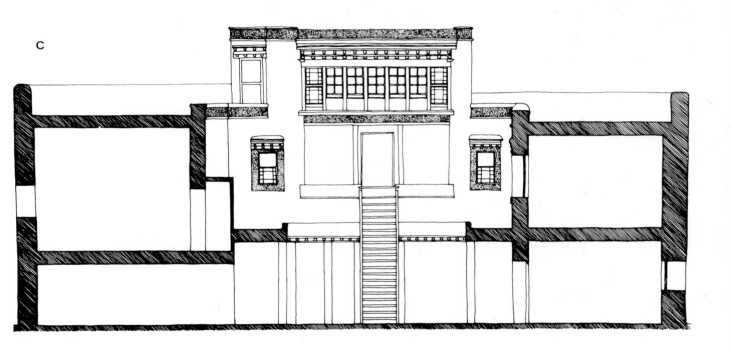

c

355

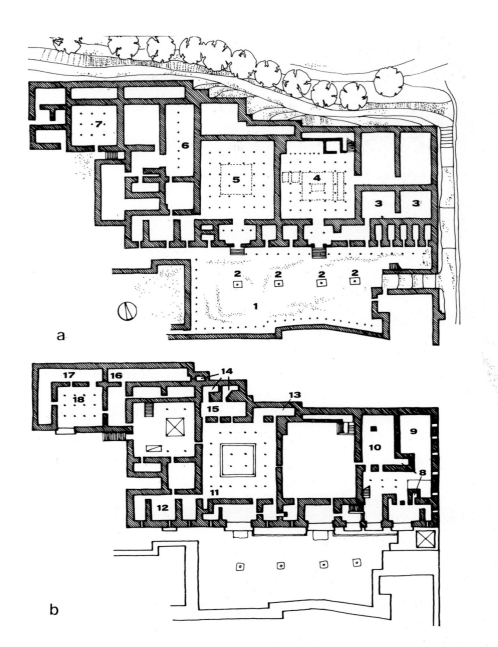

fig. 172 - Hemis (Ladakh) *a*, pianta del piano terra: 1, cortile; 2, pali rituali; 3, magazzini dei cereali; 4, Dükhang; 5, Tsogkhang; 6, cucina, 7, Lhakhang Nyingma (Tempio antico); *b*, pianta del primo piano: 8, servizi; 9, Zabkhang (Tempio elegante); 10, Zimchung (residenza dell'abate); 11, corridoio, 12, Lakhang Tagtsang Repa; 13, Gönkhang; 14, servizi; 15, Zimchung; 16, appartamento Khar Rabsal (castello luminoso); 17, Tempio tsom, (galleria); 18, Tempio dei dieci pilastri; *c*, facciata sul cortile (L. Di Mattia da Khosla 1979 fig. 16, p. 88).

fig. 172 - Hemis (Ladakh): *a*, plan du rez-de-chaussée: 1, cour; 2, poteaux rituels; 3, magasin de céreales; 4, Dükhang; 5, Tsogkhang; 6, cuisine, 7, Lhakhang Nyingma (Temple ancien); *b*, plan du premier étage: 8, toilettes; 9, Zabkhang (Temple élégant); 10, Zimchung (résidence de l'abbé); 11, corridor, 12, Lakhang Tagtsang Repa; 13, Gönkhang; 14, toilettes; 15, Zimchung; 16, appartement Khar Rabsal (château lumineux); 17, Temple tsom (galerie); 18, Temple des dix piliers; *c*, façade sur la cour (L. Di Mattia d'après Khosla 1979, fig. 16, p. 88).

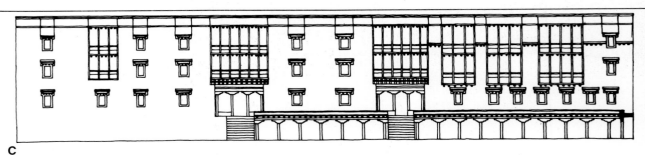

fig. 173 - Hemis, Dükhang, la facciata durante la demolizione nel 1979 (foto P. Mortari Vergara).

fig. 173 - Hemis, Dükhang, façade en 1979 durant la démolition (cl. P. Mortari Vergara).

fig. 174 - Hemis, Dükhang, la facciata ricostruita nel 1980 (foto L. Di Mattia).

fig. 174 - Hemis, Dukhang, façade reconstruite en 1980 (cl. L. Di Mattia).

fig. 175 - Leh, Ladakh, veduta panoramica, in alto il castello Lechen Pelkhar (foto C. Jest).

fig. 175 - Leh (Ladakh), vue générale; en haut le château Lechen Pelkhar (cl. C. Jest).

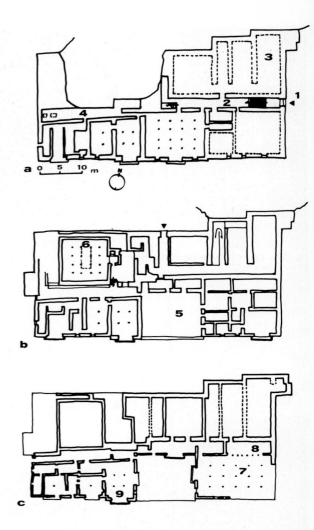

fig. 176 - Leh, Lechen Pelkhar *a* pianta del terzo piano: 1, ingresso, 2, corridoio; 3-4, silos; *b*, pianta del quarto piano: 5, cortile principale; 6, Dukhar lhakhang; *c*, pianta del quinto piano: 7, sala delle udienze; 8, sala del trono; 9, Gabinetto di stato. (R. Astolfi da Jest, Sanday, 1983).

fig. 176 - Leh, Lechen Pelkhar *a* plan du troisiéme étage: 1, entrée; 2, corridor; 3-4, silos; *b*, plan du quatrième étage: 5, cour principale; 6, Dukhar lhakhang; *c*, plan du cinquième étage: 7, salle d'audience; 8, salle du trône; 9, Cabinet d'Etat. (R. Astolfi d'après Jest, Sanday, 1983).

fig. 177 - Leh, Lechen Pelkhar, diagramma schematico dei piani: 1, primo piano, 2 secondo piano; 3, terzo piano; 4, quarto piano; 5, quinto piano; 6, sesto piano; 7, settimo piano; 8, ottavo piano; 9, nono piano; 10, ingresso (R. Astolfi da Jest, Sanday, 1983).

fig. 177 - Leh, Lechen Pelkhar, diagramme schématique des étage: 1, premier étage, 2 deuxième étage; 3, troisième étage; 4, quatrième étage; 5, cinquième étage; 6, sixième étage; 7, septième étage; 8, huitième étage; 9, neuvième étage; 10, entrée (R. Astolfi d'après Jest, Sanday, 1983).

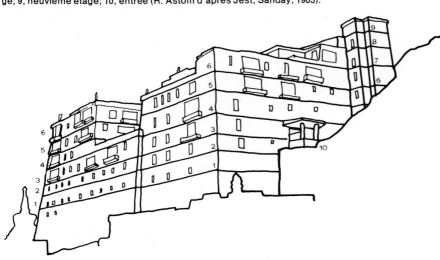

fig. 178 - Leh, veduta panoramica all'inizio del XIX sec., stampa, (Moorcroft, Trebeck 1841).

fig. 178 - Leh, vue générale au début du XIXème siècle, estampe (Moorcroft, Trebeck, 1841).

fig. 179 - Leh, complesso del Lechen Pelkhar, Tempio di Maitreya, veduta esterna (foto P. Mortari Vergara).

fig. 179 - Leh, complexe de Lechen Pelkhar, Temple de Maitreya, vue extérieure (cl. P. Mortari Vergara).

fig. 180 - Leh, Lechen Pelkhar, Protiro d'ingresso veduta d'insieme e particolare dei supporti di trabezione (foto P. Mortari Vergara).

fig. 180 - Leh, Lechen Pelkhar, porche d'entrée, vue d'ensemble et détail des soutiens d'entablement (cl. P. Mortari Vergara).

SECTION VIII

TIBET OCCIDENTAL (Ngari)
DU XVÈME AU XXÈME SIÈCLE

Paola Mortari Vergara

fig. 161

Depuis la seconde moitié du XVème siècle, on peut déceler d'importantes transformations dans l'architecture du Ngari (Ladakh, Zangskar, Baltistan, Guge, Spiti et Purang) et parallèlement la permanence de certains traits archaïques. On constate le même phénomène dans d'autres domaines tel celui de la linguistique ou de l'organisation politique et sociale. Après la destruction vers 1200 des grandes universités bouddhiques du Bengale et du Bihâr et, au XIVème siècle, la conversion définitive du Kashmir à l'Islam, le Tibet central devint pour le Ngari le principal pôle d'attraction culturelle.

Dans le domaine artistique, l'annexion des royaumes de Guge et de Purang au XVIIème siècle par les Dalaïlama accentuera encore cette suprématie même si les rapports politiques prendront parfois un caractère conflictuel. Les architectures du Ü et du Tsang serviront désormais de modèles privilégiés, en particulier les cités monastiques du Tibet central. Dès les XIème-XIIème siècle, ces établissements intégraient les caractéristiques des forteresses aristocratiques et des monastères élevés sur des collines, et celles des sanctuaires bâtis dans les vallées. Les rois du Ladakh et les autres souverains du Ngari construiront, sur les pentes et au sommet des montagnes, des complexes religieux aux fonctions différenciées, véritables citadelles fortifiées. La plupart de ces établissements n'ont pas l'ampleur des grandes fondations du Tibet central mais possèdent souvent des dimensions plus conséquentes que la majorité des sanctuaires de la seconde diffusion du Bouddhisme. Trois facteurs locaux ont pu également jouer un rôle dans la gestation de cette nouvelle conception de l'espace monastique: la construction de certaines villes sièges du pouvoir royal tel Tsaparang, la conversion à des fins cultuelles d'anciennes forteresses comme Tashigang [1], l'usage de loger les moines dans des habitations et des ermitages situés sur des collines.

Il est difficile de dater avec précision la première utilisation de ce type nouveau dans les régions occidentales. Au Ladakh, D.L. Snellgrove et R. Khosla avancent l'hypothèse du début du XVème siècle, époque où le roi Dagbumde du Haut Ladakh, après avoir reçu une députation de Tsongkhapa (1357-1419) fit reconstruire pour cet ordre le monastère de Spituk [2]. Cependant un exemple encore plus ancien mais moins abouti semble avoir été au Ngari le complexe sakyapa de Rabgyeling que G. Tucci date des XIVème et XVème siècle [3] (Section VI).

Il semble évident que les traditions architecturales propres au Tibet ancien telles qu'elles se sont épanouies aux XIème-XIIème siècle, ont été conservées au Ngari durant une longue période et que l'adoption de ce type nouveau de cités monastiques est postérieur à son utilisation au Ü et au Tsang. Les structures politiques du Tibet occidental [4] plus proche des institutions monarchiques de l'époque ancienne, expliquent peut-être également ce retard dans l'emploi de formes architecturales plus évoluées.

Les thèmes architecturaux d'origine chinoise sont rares alors que les décors peints trahissent par certains de leurs motifs (pivoines et nuages) une origine extrême-orientale. Ces emprunts décoratifs ont dû parvenir jusqu'au Ngari par l'intermédiaire du Tibet central. Les toitures aux extrémités recourbées sont un autre élément couramment emprunté par le Ü et le Tsang à l'architecture chinoise. Comme nous l'avons vu, les Sakyapa vont propager ce type de couverture garnie de tuiles. Les mêmes toits, réalisés en cuivre doré à l'époque des Dalaïlamas, se retrouvent dans les principaux complexes du Ü et du Tsang. Cette mode ne paraît pas avoir sévi au Tibet occidental. Seuls quelques rares exemples de dimensions modestes peuvent être répertoriés. Une toiture de ce type couvre le temple de Dawadzong, dernier bâtiment subsistant d'un ancien château royal du Guge [5] ; une autre, de petite taille, surmonte le lanterneau d'une chapelle sur le chemin donnant accès au palais de Leh; une autre également a été rajoutée à date tardive au-dessus du temple principal de Tholing.

Leurs structures externes de type chinois diffèrent de l'assemblage de chevrons-arbalétriers et poinçons utilisé couramment au Népal et dans le monde indien et connu à date plus ancienne au Ngari comme en témoigne au XIème siècle le «Temple de l'initiation» de Tholing. Ces structures très tardives subsistent encore au Lahul (Guru Ghantal) [6] .

L'utilisation fréquente de loggias et d'oriels (rabsal) sur plusieurs étages caractérise également les bâtiments du Tibet occidental. Ces éléments peut être d'origine cachemirienne, attestés partiellement à l'époque de la seconde diffusion du Bouddhisme, seront abondamment employés dans les bâtiments des derniers siècles. Ce phénomène prendra tant d'ampleur qu'on pourrait le considérer comme une particularité régionale. Leur utilisation systématique au Tibet central à l'époque des Dalaïlamas et au Bhutan à partir du XVIIème siècle laisse supposer que ces régions ont emprunté ces dispositifs au Ngari.

Toutes ces provinces cependant emploieront avec le temps le même vocabulaire décoratif de plus en plus chargé: bandeaux d'attique dédoublés garnis d'éléments ornementaux, extrémités des poutres saillant avec plus de vigueur du mur et souvent décorées, ouvertures de plus grande taille, auvents et encadrements des portes et des fenêtres de plus en plus complexes.

Aux derniers siècles, comme dans le reste du Tibet, on ne construit plus de sanctuaires inspirés des mandala, de plan centré et couverts d'étages décroissants de type «prâsâda», mais on privilégiera des schémas rectangulaires souvent précédés d'un pronaos. L'entrée et l'autel majeur, ou des chapelles, occupent dans un même axe les deux petits côtés. Ce plan était déjà utilisé à l'époque monarchique sous une forme voisine comme par exemple au Jokhang.

Au Tibet occidental, certains sanctuaires tels Rangdum, Shashur, Tayul, et Kardung, possèdent un couloir de circumambulation qui entoure complètement le dükhang. Cet élément est l'ultime aboutissement des passages caractéristiques des plans emboîtés des périodes précédentes.

A l'ancienne organisation spatiale de type symbolique, systématiquement axée et ordonnée, se substitue une autre conception de hiérarchisation des édifices par leur nombre d'étages ou leur situation sur le flanc ou le sommet d'une même colline. Les bâtiments épousent ainsi les formes du terrain, présentant une grande variété d'aspect les uns avec les autres. Cette modification de l'architecture religieuse semble dûe à une résurgence des plans de l'urbanisme local, toujours utilisés pour les constructions civiles.

Au Tibet occidental, les bâtiments ouvrent encore à l'Est selon l'usage traditionnel (Phiyang). Sous l'influence du Tibet central, on placera fréquemment l'entrée sur la façade Sud selon l'habitude chinoise (Hemis, Rangdum).

L'aménagement de larges cours entourées de portiques, parfois sur deux niveaux (Hemis), afin d'abriter le plus grand nombre possible de spectateurs lors des représentations sacrées (cham), semble un autre emprunt au Tibet central.

Jusqu'à présent, il n'a pas été possible de relever des particularités architecturales en fonction des écoles monastiques. Malgré les divergences doctrinales, il ne semble pas que le déroulement des rituels nécessita des aménagements architecturaux différents. Il convient cependant de noter que dans leurs rares monastères du Ngari, comme dans le reste du Tibet, les Sakyapa ont coutume de peindre, sur les murs extérieurs des édifices religieux, des bandes multicolores.

La plupart des moines kadampa reconnaissant Tsongkhapa comme leur réformateur, des sanctuaires parmi les plus anciens et les plus prestigieux du Ngari, tel Tabo, Alchi, Manggyu, Lalun, Tholing et Tsaparang, seront désormais gérés par les Gelugpa. Ils édifieront aussi de nouveaux monastères tels Spituk, Tiktse, Likir, Rangdum et Kye. L'ordre kagyupa, implanté au Tibet occidental depuis la deuxième moitié du XIIème siècle, plus particulièrement les écoles digungpa et dugpa, recevra la protection active de la dynastie ladakhi des Namgyiel qui, au moment de son apogée, en conflit avec les Gelugpa, unifiera au XVIIème siècle l'ensemble du Ngari. Ce puissant patronage permit aux Kagyupa d'édifier d'importants monastères tels

Phiyang, Hemis, Stakna, et Chimre.

Les écoles nyingmapa et sakyapa, présentes au Ngari depuis des siècles comme en témoignent les couvents de Rabgyeling et de Matro, ne parvinrent jamais à s'imposer.

Les nombreux chörten élevés dans cette région à cette époque possèdent une grande variété typologique. On constate cependant à l'opposé du Tibet central, la survivance des modèles anciens qui ont un *anda* au profil outrepassé. On note de même la rareté du type sino-tibétain d'époque Qing, aux proportions élancées. Dans ce modèle la partie médiane bulbeuse est pourvue d'une niche, parfois en trompe l'oeil, dont l'ouverture évasée est surmontée d'un arc trilobé. De tels stûpa sont cependant utilisés comme cénotaphe à l'intérieur des sanctuaires. Cette adaptation partielle des modèles venus du Tibet central ne se retrouve pas dans l'architecture des palais-forteresses. Des complexes comme Shigatse, au Tsang, influenceront sans doute les constructeurs du palais de Leh. Dans ce panorama, le Baltistan constitue un cas particulier. Annexé par le Kashmir et converti progressivement à l'Islam au cours du XVIème siècle, il conservera cependant nombre des caractéristiques architecturales du monde tibétain, tant pour l'édification des bâtiments monumentaux, que pour la construction des simples habitations. Les mosquées seront ainsi construites à la manière tibétaine, mais les impératifs cultuels nécessiteront l'ajout d'un minaret et des modifications dans le plan, par exemple par la présence d'un mihrab. Une coupole, étrangère à la tradition architecturale tibétaine, comme à la mosquée de Matayan, près de Dras, surmontera ces édifices. Une mosqueè sera également construite à Leh en 1666, sous le règne du roi Delden Namgyel [7], afin de satisfaire les exigences des grands Moghols. Ces édifices, exceptionnels au Ladakh, ne paraissent pas avoir influencé l'architecture locale.

Les ensembles les plus importants du Ngari méritent une courte analyse.

TSAPARANG, Guge

fig. 162

Le royaume de Guge fut annexé en 1630 par le Ladakh, puis rattaché en 1683 au Tibet central. Cette perte de souveraineté et la détérioration du système d'irrigation contribuera à l'abandon de sa capitale, Tsaparang, aujourd'hui immense champ de ruines.

Cette cité fut visitée en 1624 par le missionnaire P. Antonio de Andrade [8] qui semble y avoir édifié en 1625 une église catholique [9]. Sa relation décrit la ville comme riche et très peuplée, centre de commerces, d'activités artisanales et artistiques.

La manière asymétrique dont se déploient les nombreux bâtiments de l'agglomération sur les pentes irrégulières de la colline est caractéristique. Sur ce point Tsaparang peut avoir servi de relais dans la diffusion de ce type d'organisation spatiale qui sera appliquée aux monastères du Ngari à partir du XVème siècle. Pour son étude, la monographie de G. Tucci reste fondamentale [10].

Aujourd'hui, Tsaparang comprend trois cents constructions environ plus ou moins ruinées (temples, demeures princières, édifices administratifs et habitations) et des grottes, presque toutes concentrées sur la face Est de la montagne. L'ensemble est protégé par des murs de fortification ou par des falaises à pic. La plupart des édifices ont un plan quadrangulaire d'une superficie de douze à dix huit m^2. Leur morphologie et leurs éléments constructifs sont typiquement tibétains. Les grottes, utilisées comme habitations, magasins ou sanctuaires, ont des plafonds plats ou voûtés de deux mètres cinquante à trois mètres de hauteur. Leurs parois présentent souvent de petites niches creusées à des fins utilitaires ou cultuelles.

Les édifices les plus imposants conservés en grande partie jusqu'à nos jours sont le Temple Blanc (Lhakhang Karpo) et le Temple Rouge (Lhakhang Marpo), situés à mi-côte, à des niveaux différents.

Au sommet de la colline se dressent les ruines du palais royal dont la grande salle de réunions a environ 400m2. L'ensemble est dominé, comme il est d'usage, par le petit temple de Samvara (Demchog), divinité tutélaire (Yidam). Il possède en son centre le socle d'un grand *mandala*. Ce bâtiment servait probablement selon G. Tucci pour des cérémonies d'initation [11].

fig. 163-164

Le Temple Blanc et le Temple Rouge, édifiés vers la fin du XVème siècle et au début du XVIème siècle par des membres de la famille royale [12], constituent les exemples les plus complets qui nous sont parvenus de l'architecture tardive du royaume de Guge. Après avoir perdue leur dénomination d'origine, ils sont appelés maintenant selon la couleur de leurs enduits externes. Leurs riches décorations intérieures présentent les plus belles peintures murales et sculptures de style tardif du Guge. Ces bâtiments majestueux possèdent des plans simplifiés: salle hypostyle aux côtés orientés selon les points cardinaux et surmontée d'un lanterneau central. Seul le Temple blanc de 5m de haut et d'une superficie de 500 m^2, présente une cella de plan carré en hors d'oeuvre au centre du côté Nord, face à l'entrée. Cette orientation rompt avec l'axe traditionnel Est-Ouest des époques plus anciennes. Par contre, le Temple Rouge (300 m^2) a son entrée située canoniquement au milieu du côté Est. L'aspect extérieur des deux temples reste traditionnel. Leurs intérieurs dénotent une réelle évolution. Les bandes historiées peintes entre les poutres du plafond ont le même aspect que celles des temples plus anciens[13], tel le Sumtsek d'Alchi[14], et s'inspirent comme eux des motifs de l''Inde et de l'Asie centrale. Elles présentent cependant des compositions plus animées et moins stéréotypées. Leurs thèmes sont plus diversifiés: mandala, motifs végétaux et géométriques qui mêlent à leurs schémas symboliques fantaisie et mouvement. Toutefois, ces décorations ne présentent pas les excès ornementaux des époques plus tardives.

Aux colonnes se substituent des piliers plus rapprochés, élancés et à base carrée. Leur soutien d'entablement présente une heureuse synthèse entre les anciennes consoles massives décorées de volutes d'Ajantâ et les chapiteaux «pseudo-ioniques» d'Alchi. Les volutes sont réduites ici à de fines lignes en forme de «S». La figurine du Bouddha sculptée au centre occupe ici la plus grande partie du soutien d'entablement, devenu plus long et plus mince. Les autres motifs ornementaux présentent aussi un aspect plus élégant et ne sont plus contraints par un rythme classique et régulier comme sur les chapiteaux d'Alchi. La structure portante devient ainsi à Tsaparang, au cours des XVème et XVIème siècle, plus élancé, et son aspect, presque aérien, plus décoratif et contourné.

On pourrait tenter une évolution de ce type de soutien d'entablement. Ainsi à Spituk, premier monastère occupé par les Gelugpa au Ladakh grâce à la protection du roi Dagbumde (1400-1440)[15], certains soutiens d'entablement, tardifs comparés à ceux de Tsaparang, présentent des changements de proportions: épaisseur et hauteur plus réduites, allongement des «bras». Les anciennes volutes sculptées ont disparu. Leurs faces, totalement plates, ne recevront qu'un décor peint dont l'élément le plus marquant est en leur centre un masque grimaçant de kîrtimukha. Leur profil par contre suit un dessin gracieux et chantourné. Leurs prototypes se trouvent en Inde, par exemple à Ajantâ[16]. On perçoit cependant une évolution particulière de cet élément au Tibet. Leur morphologie et profil plus ondulés, l'adjonction de motifs peints d'origine chinoise (pivoines et nuages) sont caractéristiques. Des consoles de ce type se rencontrent déjà dans le Tibet central, à Shalu (XIVème siècle), mais avec des formes moins développées. A Gyantse (XVème siècle) au Tsuglakhang certains soutiens d'entablement s'enrichissent d'une décoration peinte pleine de mouvement et présentent un profil plus ondulé.

Dans une phase ultime, cet élément caractéristique présentera plus systématiquement encore des sculptures en bas relief rehaussées de peintures (Section IX).

On ne peut évoquer ici que quelques monastères du Tibet occidental, parmi les plus importants, plus particulièrement au Ladakh[17]. Adjonctions et reconstructions obligent à une grande prudence de datation.

MONASTERE DE TIKTSE, Ladakh

Tiktse est le plus important complexe monastique de l'ordre gelugpa au Ladakh. Il fut fondé dans la première moitié du XVème siècle sous le patronage du roi Dagbumde qui s'attacha à édifier de nouveaux temples et à renouveler les antiques fondations remontant aux premiers siècles après l'an mil[18]. Le monastère de Tiktse a grandi d'une façon organique, couvrant peu à peu de bâtiments le versant Sud de la colline. Leurs toits de hauteur différente, suivent avec un effet harmonieux les dénivellements du terrain. Son aspect grandiose a étonné de nombreux voyageurs, même récemment[19]. Les principaux édifices, aux longues façades rectangulaires pourvues de rangées d'ouvertures symétriques et rapprochées, font penser à Ganden, le

fig. 165
fig. 166

fig. 167

fig. 168

premier monastère fondé par les Gelugpa au Tibet central (1409) (Section VII, XVII). Ce site illustre dut constituer un modèle pour l'édification de Tiktse. A Tsaparang, le palais du souverain occupe le sommet de la montagne. Ici, cet emplacement, le plus important dans la hiérarchie des édifices, est réservé au dükhang principal qui accueille à l'étage supérieur l'appartement (zimchung) de l'abbé (khenpo).

fig. 169

Les temples situés dans les édifices à étages possèdent le même plan simplifié que nous avons remarqué à Tsaparang. Seul un petit temple à gauche du dükhang principal conserve des traces de l'ancien plan en mandala. Un passage très étroit à ciel ouvert entoure cet édifice quadrangulaire. Ce bâtiment est surmonté en son centre d'un lanterneau cubique largement ouvert par des fenêtres, peut être lointain écho du dernier étage des temples de type prâsâda.

MONASTERE DE PHIYANG, Ladakh

fig. 170, 171

Le monastère de Phiyang [20], moins vaste que Tiktse mais aussi grandiose, est situé sur la crête d'une colline, la façade tombant à pic sur une large vallée. Il fut fondé dans la deuxième moitié du XVIème siècle par le moine Danma des Digungpa, branche de l'école kagyupa. Ce chapelain principal (mûlaguru) du roi Tashi Namgyel (1555-1575) obtint l'aide de ce souverain pour cette construction [21].

Dans ce complexe, les Digungpa semblent avoir conserver plus que les Gelugpa certaines caractéristiques de l'ancienne architecture des temples. En effet, la grande salle de réunions (Tsogkhang), située à l'extrémité orientale du monastère, possède un plan rectangulaire orienté selon les points cardinaux. Le long de l'axe traditionnel Est-Ouest, se succèdent le pronaos, la porte, la salle hypostyle et l'abside rectangulaire. A l'arrière et complètement séparé, se trouve le gönkhang (temple de la divinité tutélaire), peut-être plus tardif, qui ouvre à l'Ouest.

Une petite cour est située au centre des demeures des moines, dans la zone Ouest. Dans cette séparation entre le temple principal et le monastère, on peut observer une survivance des anciens modèles des premiers siècles après l'an mil. Les appartements, les cellules, les services, modules de dimensions variables, sont regroupés autour de la cour en plusieurs alignements irréguliers.

L'extrémité Ouest du deuxième étage est occupée par un deuxième temple de plan quadrangulaire. Un escalier raide, typique des constructions de cette époque, donne accès à un petit pronaos au fond duquel ouvre l'entrée principale du temple, tournée vers l'Est. Des entrées latérales, dans ce pronaos et dans le temple lui-même, dénotent une conception plus évoluée qui se libère partiellement des schémas architecturaux de l'Inde.

MONASTERE DE HEMIS, Ladakh

fig. 172

Ce monastère royal du Ladakh [22], au début simple ermitage, fut fondé, avec la protection du grand roi Senge Namgyel, (1616-1642), par le moine érudit Tagtsang, appartenant à la branche dugpa de l'école kagyupa. Le temple principal (Tsogkhang) a été construit en 1630. En 1638, on consacra la grande salle d'assemblées (Dükhang) [23]. Selon les textes découverts dans le monastère, toute la construction dura de 1620 à 1640 [24]. Comme pour tous les autres complexes monumentaux tibétains, il est très difficile de pouvoir dater avec certitude chaque partie des bâtiments. En 1979 par exemple, le porche d'entrée et la double série de loggias

fig. 173
fig. 174

de la façade du Dükhang ont été abattus et ils ont été parfaitement reconstruits depuis, à l'identique. Certaines données planimétriques fondamentales sont au contraire plus stables, au moins en ce qui concerne les édifices les plus importants. Le monastère tout entier ouvre vers le Sud sur une vaste cour à arcades où se déroulent les représentations sacrée (cham). Quatre hauts poteaux rituels en marquent le centre [25]. Les édifices sont tous regroupés d'une manière asymétrique sur les côtés et en partie derrière les deux temples principaux, le Dükhang, et le Tsogkhang. Leurs entrées sont au milieu de la longue façade. La juxtaposition de ces deux grandes salles, presque identiques (19m x 16,6m) est peut-être l'aboutissement des alignements des temples anciens comme à Tabo ou Alchi, mais on rencontre également cette juxtaposition à Tashilhunpo dans le Tsang (Section IX).

Les plans, comme à Tsaparang, sont du type le plus simple. Les pronaos de ces deux salles d'assemblée, situés au sommet d'un escalier, ouvrent par des portiques (rabsal) centraux sur trois niveaux leur étroitesse accentue un effet de verticalité. Cet élément qui partage en trois parties la façade est une particularité de l'époque dans tout le Tibet. Ces portiques et ses oriels constituent la transformation d'un thème déjà présent au Tibet occidental après l'an mil, comme par exemple sur la façade du Sumtsek d'Alchi aux étages garnis de portiques de taille décroissante. Mais le même dispositif architectonique se rencontre au Tibet central, par exemple sous une forme différente sur certaines entrées du Temple Sud de Sakya dès le XIIIème-siècle. L'assimilation de ce thème à une date antérieure par les maîtres d'oeuvres du Tibet central ont pu fournir aux bâtisseurs de Hemis une autre source d'inspiration parallèlement aux traditions purement locales. A Sakya, l'étage supérieur du portique est remplacé par de simples fenêtres. Ce dispositif particulier paraît être antérieur à l'adoption des oriels. Il sera utilisé également au Ngari, par exemple à Likir qui a été édifié à partir du XVème siècle [26].

Les bâtiments étant construits à flanc de colline sans entailler fortement la montagne, la surface disponible était au sol obligatoirement limitée. Situer l'entrée en hauteur permettait d'augmenter l'espace intérieur.

LECHEN PELKHAR, Leh, Ladakh

Le palais de Leh, construit par le grand monarque Senge Namgyel (1616-1642), est le plus représentatif de tous les palais édifiés durant cette époque au Tibet occidental. Endommagé durant la guerre avec les Dogra (1834) et abandonné alors par les rois du Ladakh, le monument nous est parvenu sans adjonction importante par rapport au parti originel, phénomène rare dans le monde tibétain. Il a été visité par des missionnaires et des voyageurs. La première description fut celle de I. Desideri en 1715 [27]. Il a été étudié en détail et par C. Jest et J. Sanday. Ces chercheurs ont insisté sur l'urgence d'une restauration [28]. Situé sur une colline à pentes raides et orienté selon les points cardinaux, il domine la ville par la masse imposante de façade Sud (longueur 60m, hauteur 58m). Cette monumentalité traduit dans l'architecture le pouvoir de la dynastie des Namgyel qui, pour une courte période, parvinrent à unifier sous leur gouvernement tout le Tibet occidental. Contrairement à la plupart des autres grands complexes monumentaux tibétains construits au moins sur plusieurs décennies, le château de Leh semble avoir été édifié seulement en 3 ans par un seul architecte. La tradition rapporte que le roi lui fit amputer la main afin de l'empêcher de construire d'autres édifices [29], ce palais devant rester unique. Les rapports avec les palais fortifiés du Tibet central sont évidents, songeons par exemple au fort de Shigatse qui a constitué aussi l'un de modèles du Potala. La façade principale tournée vers la ville, les redents, les diverses hauteurs des édifices qui, bien que groupés, suivent les dénivellations du terrain, la gradation traditionnelle des ouvertures selon les étages se rencontrent dans les deux édifices. Mais au palais de Leh, on note une plus grande utilisation des oriels (rabsal). On remarque à Shigatse une séparation nette entre deux grands blocs de bâtiments superposés. A Leh ce partage n'existe pas. Cette particularité tendrait à penser qu'à Shigatse, comme au Potala, le massif inférieur est un ajout plus tardif. L'entrée du Lechen Pelkhar est située sur le côté Est, respectant ainsi l'ancien axe directionnel tibétain. C.

Jest et J. Sanday observent une répartition des appartements sur neuf étages (sep effectifs et deux ajoutés afin d'égaler le nombre symbolique de neuf). Traditionnellement les niveaux supérieurs étaient destinés aux fonctions les plus importantes; le point le plus élevé est occupé par le petit temple de la divinité tutélaire. Sur

un dessin de Moorcroft publié en 1841, on peut observer que le corps principal du château était identique à celui d'aujourd'hui; tandis que certains édifices sur le côté droit du complexe étaient beaucoup plus élevés. Il indique aussi une enceinte aujourd'hui disparue qui protégeait le château et l'agglomération. Ce dispositif rappelle celui du Potala, mais à Leh il n'est ni symétrique, ni orienté. Cette muraille existait déjà en 1715, lors de la visite de Desideri, lequel disait à propos de Leh. «Dans le bas et sur les côtés, il est entouré par des murailles et fermé par des portes» [30].

fig. 179

Les rapports du Ladakh avec l'empire chinois étaient presque inéxistants. Les toitures de type chinois avec des bras de consoles superposés (dougong) n'existent pas au Lechen Pelkhar à l'exception de la petite couverture du temple de Maitreya, alors qu'on les rencontre fréquement au Tibet central.

La charpente est de tradition locale, reprise de prototypes indiens. Ainsi, les colonnes, les consoles, les lions atlantes de l'entrée présentent une évolution certaine comparés aux mêmes éléments à Alchi. Les volutes des chapiteaux «pseudo-ioniques» devenues d'élégants motifs en «S», s' apparentent à celles de Tsaparang, et les colonnes cannelées sont devenues un faisceau de fûts liés ensemble.

fig. 180

Les lions (senge) des architraves, inhabituels dans un bâtiment civil, tout en jouant un rôle de protection peuvent être une allusion au nom même du roi. Leur filiation avec d'anciens modèles indiens par l'intermédiaire des sanctuaires édifiés dans les premiers siècles après l'an mil est évidente.

Deux caractéristiques dominent toute cette période: la permanence et le développement, surtout dans la charpente, d'anciennes particularités locales et l'emprunt au Tibet central de partis architecturaux nouveaux.

Après les destructions massives de la Révolution Culturelle dans les autres régions de culture tibétaine, la valeur historique, documentaire et artistique des complexes architecturaux du Ngari est devenue irremplaçable. Ces monuments sont parmi les plus importants témoignages de l'architecture monumentale tibétaine.

SECTION VIII - NOTES

[1] TUCCI GHERSI, 1934, p. 150-157; TUCCI, 1973, tav. 53.

[2] PETECH, 1977 p. 167; SNELLGROVE, SKORUPSKI, 1977-80, vol. I, p. 82, 105-106; KHOSLA, 1979, p. 75-76.

[3] TUCCI, 1973, p. 211, fig. 77.

[4] PETECH, 1977.

[5] TUCCI, 1937, p. 148-151; GOTAMI GOVINDA, 1979, vol. I, p. 126-131.

[6] KHOSLA, 1977, p. 97-99, tav. 153-154.

[7] PETECH, 1977, p. 65.

[8] ANDRADE, 1626; b ESTEVENS, 1921, p. 65-72.

[9] PETECH, 1952-56, vol. V, p. 209.

[10] YOUNG, 1919; TUCCI, GHERSI, 1934, p. 329-49; TUCCI, 1932-40, vol. III, parte II; TUCCI, 1973; GOTAMI GOVINDA, 1979, p. 152-153; 179-181; *Wenwu* 1981, n. 11, p. 31-37.

[11] TUCCI, 1932-40, vol. III, parte II, p. 16-30.

[12] TUCCI, 1949a, vol II, p. 359.

[13] TUCCI, 1932-40, vol. III, parte II, p. 128-29.

[14] KHOSLA, 1979, fig. 38.

[15] PETECH, 1977, p. 167; SNELLGROVE, SKORUPSKI, 1977-80, vol. I, p. 106-110.

[16] ZIMMER, 1960, pl. 146.

[17] PALDAN, 1976; SNELLGROVE, SKORUPSKI, 1977-80, vol. I; KHOSLA, 1979.

[18] PETECH, 1977, p. 167-68.

[19] FRANCKE, 1914-26, vol. I p. 85; DAINELLI, 1932, tav. 369; SNELLGROVE, SKORUPSKI, 1977-80, vol. I, p. 115-117.

[20] FRANCKE, 1914-26, vol. I, p. 85; DAINELLI, 1932, p. 96; SNELLGROVE, SKORUPSKI, 1977-80, vol. I, p. 123-125; KHOSLA, 1979, p. 83, 91, fig. 17.

[21] PETECH, 1977, p. 29.

[22] FRANCKE, 1914-26, vol. I, p. 66-67; DAINELLI, 1932, p. 368; SNELLGROVE, SKORUPSKI, 1977-80, vol. I, p. 114-117; KHOSLA, 1979, p. 87-90.

[23] PETECH, 1977, p. 52.

[24] SCHLAGINTWEIT, 1968, p. 183; KHOSLA, 1979, p. 87.

[25] WADDEL, 1895 [I], 1974 [II], p. 408-409.

[26] SNELLGROVE, SKORUPSKI, 1977-80, vol. I, tav. 117.

[27] MOORCROFT, TREBECK, 1841, vol. I, p. 244, 46, 315-320, 343-44, vol. II, p. 16; CUNNIGHAM, 1854, P. 314; FRANCKE, 1914-26, vol. I, p. 76; DAINELLI, 1932, p. 113, 337; PETECH, 1952-56, vol. V, p. 164; SNELLGROVE, SKORUPSKI, 1977-80, vol. I, p. 99-102.

[28] JEST, SANDAY, 1982; 1983.

[29] JEST, SANDAY, 1982, p. 182.

[30] PETECH, 1952-56, vol. V, p. 166.

OUVRAGES GENERAUX

ANDRADE, 1626; CUNNIGHAM, 1854; DAINELLI, 1932; ESTEVENS, 1921; FRANCKE, 1914-26; JEST, SANDAY, 1982; 1983; KHOSLA, 1979; MOORCROFT, TREBECK, 1841; PALDAN, 1976; PETECH, 1952-56, 1987; SNELLGROVE, SKORUPSKI, 1977-80; TUCCI 1932-40 vol. III parte II; TUCCI, GHERSI, 1934.

SEZIONE IX

IL TIBET ALL'EPOCA DEI DALAILAMA
XV-XX sec.

Fernand Meyer

Nel 1642, l'assurgere del V Dalailama alla supremazia politica e religiosa sull'insieme del Tibet riunificato, apre un nuovo periodo storico. Quèst'epoca vede uno straordinario sviluppo della tradizione architettonica in grandi complessi monumentali. Per afferrarne la logica è necessario ricordare qualche testimonianza risalente al XV e XVI sec.

La dottrina religiosa e l'organizzazione della vita conventuale dell'ordine gelugpa, quali furono stabilite da Tsongkapa (1357-1419), non avevano bisogno di grosse modifiche nell'architettura dei santuari o degli edifici monastici. L'organizzazione dei monasteri gelugpa, variabile in complessità a seconda delle loro dimensioni, non è sostanzialmente diversa da quella che prevaleva già negli ordini preesistenti (si veda l'introduzione). A partire dal XVII sec., questi monasteri, nonché le loro proprietà, appartenevano o al governo che nominava un capo titolare (thipa) per una durata di alcuni anni, o ad un gerarca incarnato (tulku), detentore della autorità suprema che conferiva al complesso il suo prestigio. Questo gerarca, che disponeva di un palazzo abbaziale (labrang) all'interno del monastero, poteva delegare il suo potere ad un thipa. Nei collegi, l'insegnamento era compito di abati (khenpo). Ad ogni collegio faceva capo un certo numero di residenze monastiche (khangtsen) che raggruppavano, in genere, i monaci a seconda della loro origine geografica. L'organizzazione della vita materiale spettava ad un intendente generale (chisowa) assistito da amministratori che potevano essere dei laici, alcuni dei quali (nyerpa) avevano il compito di occuparsi dei magazzini. Infine, i beni complessivi del monastero, quelli dei vari collegi e, all'occorrenza, quelli della casa del gerarca, erano gestiti da un tesoriere (chagdzö). Accanto all'eventuale gerarca proprietario, i grandi monasteri gelugpa accoglievano nelle loro mura, e talvolta in gran numero, altri maestri incarnati, ognuno dei quali disponeva di una propria residenza.

Le città monastiche di parecchie migliaia di abitanti che si sono sviluppate all'epoca dei Dalailama, formavano degli insiemi socio-economici la cui complessità si rifletteva nella diversità tipologica dei loro edifici; grande tempio (tsuglakhang) in cui era sita la sala di assemblea generale (tsogchen), collegi (datsang), palazzo abbaziale (labrang), spazi esterni per l'insegnamento o le feste collettive, residenze di monaci, magazzini, locali amministrativi ecc. I grandi monasteri gelugpa erano collegati a numerose filiali, talvolta lontane, da cui i monaci giungevano alla casa madre per completare gli studi.

In realtà, non saranno tanto delle innovazioni riguardanti la dottrina religiosa o la regola monastica, quanto piuttosto dei fattori socioeconomici nuovi, che ispireranno l'evoluzione dell'architettura tibetana all'epoca dei Dalailama, e possiamo, fin d'ora, accennare ai più importanti di essi. Va prima di tutto sottolineata la grande continuità di cui beneficiò la supremazia politica e religiosa gelugpa che durò tre secoli senza interruzioni, dal 1642 al 1950. Essa consentì alle autorità della Chiesa, a cui affluivano risorse umane ed economiche considerevoli, di curare, restaurare, ingrandire ed abbellire costantemente i propri edifici. Per questo motivo, è particolarmente difficile datare le architetture di questo periodo. La continuità della supremazia dei gelugpa spiega anche come le tendenze architettoniche ed artistiche che essi hanno promosso siano state seguite dalle altre scuole religiose. Si osserva quindi una certa uniformità; sempreché, e lo stato attuale della documentazione non permette di affermarlo con certezza, vi siano state, prima del XVII sec., delle differenze significative nelle concezioni architettoniche delle varie scuole. L'avvento al potere del V Dalailama ha dato inizio ad una centralizzazione politica, amministrativa e culturale che andrà sempre più accentuandosi, e ciò su di una vasta area geografica. Questa centralizzazione, nonché la fondazione di numerose filiali da parte dei grandi monasteri del Tibet Centrale, provocheranno un'attenuazione delle diversità degli stili regionali, almeno in materia di architettura religiosa. Inoltre, i modelli architettonici ed artistici accompagnarono l'influenza religiosa dei gelugpa ben oltre le frontiere geografiche del potere temporale dei Dalailama[1]. Infine, i rapporti con la corte cinese furono ripristinati a partire dal V Dalailama, questa volta con la dinastia manciù, la cui influenza sul governo tibetano si farà sentire soprattutto dopo il 1720. Possiamo quindi presupporre, durante il periodo che ci interessa, un ritorno dell'influenza cinese nel campo artistico ed architettonico.

Per ragioni di spazio, i documenti qui presentati non potranno essere che frammentari, in quanto ogni complesso architettonico del quale ci occuperemo meriterebbe in realtà una monografia.

fig. 181

Qualche decina di anni fa, esisteva ancora nel quartiere Nord di Lhasa un bell'esempio di architettura nobiliare risalente all'inizio del XVI sec., il cui esame avrebbe senza dubbio consentito di apprezzare meglio l'importanza degli sviluppi architettonici del secolo seguente (fig. 207, N. 9). Il Ganden Khangsar era in effetti un edificio prestigioso, costruito dai Gandenpa, signori della regione di Lhasa[2], era stato in seguito la residenza di Gushri Khan e dei suoi discendenti, poi di parecchi alti dirigenti del Tibet, fino alla metà del XVIII sec. Si tratta di una costruzione massiccia ed austera di cinque piani, dalle mura fortemente a scarpa e sprovvista di finestre al pianoterra. Sfortunatamente il documento non mostra la facciata meridionale dell'edificio principale, per cui non è possibile sapere se aveva grandi finestre o logge.

IL PALAZZO DEL POTALA, Lhasa

fig. 182

Costruito, ad ovest di Lhasa, sulla sommità ed il versante sud di un'altura rocciosa alta 130m, il palazzo dei Dalailama fu il centro politico e spirituale più importante dell'area di cultura tibetana. Fu la prima grande realizzazione architettonica dei Gelugpa dopo il loro avvento al potere, e restò in funzione, senza interruzioni, fino al 1959. Non ha subito grossi danni, nonostante il saccheggio da parte degli Dsungari nel 1717 e gli scontri del 1959. Si tratta di un insieme architettonico complesso, dal carattere difensivo ancora accentuato, che ospitava, non solo gli appartamenti del Dalailama e del suo seguito, ma anche i monumenti funerari di alcuni dei suoi predecessori, vaste sale destinate alle grandi cerimonie dello Stato, numerose cappelle, uffici governativi, il monastero diretto dal Pontefice, una scuola destinata a formare i funzionari religiosi, le sale del tesoro, magazzini, ecc.

Dopo che nel 1642, il V Dalailama, fino ad allora capo dei soli Gelugpa ed abate di Depung fu investito da Gushri Khan dell'autorità sul Tibet, si pose il problema del luogo nel quale avrebbe avuto sede il nuovo potere. Venne deciso di costruire un palazzo sulla sommità della «Montagna Rossa», (Marpori) vicino a Lhasa, regione in cui i Gelugpa erano fortemente insediati. Parecchie considerazioni spinsero a questa scelta, principalmente la vicinanza dei tre principali monasteri di questa scuola (Ganden, Depung e Sera) e la necessità di potersi difendere in caso di aggressione. Si vide che era anche possibile trarre vantaggio dall'importanza storica del luogo in quanto, secondo la tradizione, le rovine che si trovavano sulla cima della montagna erano le vestigia di un palazzo costruito da Songtsen Gampo, famoso re tibetano del VII sec. Inoltre, ricevendo il nome di Potala, l'insieme architettonico veniva esplicitamente identificato alla montagna sacra in cui risiede il boddhisattva Avalokiteshvara, di cui si riteneva che il V Dalailama e Songtsen Gampo fossero le incarnazioni.

fig. 183

La costruzione del Palazzo Bianco durò dal 1645 al 1648 e, l'anno seguente, il V Dalailama lasciò la sua vecchia residenza di Depung e si stabilì al Potala. Secondo le fonti storiche, è Sanggye Gyamtso, l'ultimo reggente del V Dalailama che fondò il Palazzo Rosso nel 1690, ad ovest del Palazzo Bianco. Il Pontefice era deceduto nel 1682 ed il reggente non aveva reso pubblica la notizia. La cappella funeraria del V Dalailama, che occupa una gran parte del corpo occidentale del Palazzo Rosso, fu eretta dal 1692 al 1694. E soltanto tre anni dopo, nel 1697, il reggente fece conoscere ufficialmente la morte del pontefice. I quarantadue anni trascorsi tra la fine dei lavori del Palazzo Bianco e l'inizio della costruzione del Palazzo Rosso lasciano supporre che quest'ultimo non era forse previsto all'inizio. In effetti, la pianta del Potala permette di constatare che esso si innesta, come un'aggiunta, nell'angolo sud-ovest del Palazzo Bianco.

Nel 1694 il Palazzo Rosso aveva sicuramente raggiunto la sua altezza attuale poiché la cappella funeraria del V Dalailama, situata nella parte occidentale, si eleva proprio sotto la terrazza. Inoltre, l'appartamento del suo successore[3], che visse al Potala dal 1697 al 1706, occupa l'angolo sud-ovest dell'ultimo piano. Per quanto riguarda lo sviluppo storico dell'insieme delle costruzioni del Potala, un dipinto murale che lo raffigura, realizzato all'epoca dell'VIII Dalailama[4], e situato in una delle cappelle del Palazzo Rosso[5], mostra che nella seconda metà del XVIII sec. al più tardi, il Potala ed il villaggio fortificato che esso domina, si trovavano già nello stato generale attuale; fatta eccezione per alcune residenze monastiche secondarie ad ovest (fig. 183, N° 5), per i tetti dorati che copriranno più tardi le sepolture dell'VIII e IX Dalailama (N° 17 e 18) e per il mausoleo del XIII (N° 7). In seguito, le modifiche nella struttura degli edifici centrali interessano soltanto le loro parti alte, in occasione della fondazione di nuove cappelle funerarie o di appartamenti. Il XIII Dalailama, che ebbe un lungo regno (1895-1933) e fu un potente gerarca ad immagine del «Grande Quinto», decise, nella seconda metà della sua vita, di ritornare ad abitare al Palazzo Bianco[6] sulla terrazza del quale fece costruire degli appartamenti, nonostante avesse una forte preferenza per il suo palazzo d'estate, il Norbu Lingkha. Dopo la sua morte, un insieme di celle monastiche situate ad Ovest del Palazzo Rosso venne sostituito, dal 1934 al 1936, da una costruzione alta 14m, coronata da un padiglione dal tetto dorato e destinata ad accogliere il suo stûpa funerario. Se il Potala non ha subito grossi danni nel corso della sua storia, ha tuttavia conosciuto non pochi restauri, i più importanti dei quali vennero eseguiti sotto l'XI Dalailama (1842-1844) e sotto il XIII (1910-1920 circa).

I vari edifici che costituiscono il Potala occupano la cresta ed il versante sud della Montagna Rossa che ha determinato l'asse longitudinale del palazzo. Anche le costruzioni situate più in alto sorgono in gran parte sul versante meridionale, e ciò è particolarmente evidente per il Palazzo Rosso, la cui facciata sud scende molto più in basso di quella nord. Questa sistemazione conferisce all'insieme un aspetto di disposizione su gradoni e fa sì che numerose strutture orizzontali poste su di un terrazzamento a nord dominino il versante nella loro parte sud; poiché la roccia non si prestava alla realizzazione di grandi aree in piano, scavate nella montagna e per quanto riguarda il riporto esso avrebbe richiesto una quantità eccessiva di materiali. I muri di sostegno, le cui fondamenta penetrano nella roccia, sono quindi particolarmente spessi alla base delle facciate meridionali, dove superano i 5m[7]. Sono stati realizzati in una bella struttura muraria di pietra (Sezione I).

Quali sono stati i modelli che hanno potuto ispirare questo grandioso complesso architettonico che si estende su quasi 400m da est a ovest e la cui altezza maggiore, nella sua parte centrale, sarebbe di circa 115m sulla facciata sud? Prima di tutto, naturalmente, si pensa alla fortezza di Shigatse, residenza del principe dello Tsang vinto da Gushri Khan, dove il V Dalailama fu intronizzato nel 1642. Il palazzo di Leh, costruito quasi quarant'anni prima dell'inizio dei lavori del Potala avrebbe potuto anch'esso servire da modello (Sezione VIII). Ma in linea generale, il palazzo dei Dalailama si inserisce perfettamente nella tradizione architettonica delle fortezze (dzong), specialmente quelle che erano state costruite da Changchub Gyeltsen, all'inizio del XIV sec.

A sud del palazzo del Potala si trova un piccolo agglomerato conosciuto con il nome di Shöl. È circondato da una cinta di mura quadrangolare il cui lato nord è occupato dal palazzo. Le mura, costruite in argilla compressa all'interno ed in pietra all'esterno, presentano delle porte fortificate (gope) sui lati sud, est e ovest, e due torri (chog) situate agli angoli meridionali. Questi tipo di muro di cinta è simile a quello del grande tempio di Sakya (Sezione VII) che sappiamo essere stato molto influenzato dall'architettura degli Yuan. Ne conosciamo altri esempi: a Phagri Dzong o a Lo Mantang (Mustang, Nepal) ad esempio. Al di là della porta centrale (shung-go, N°1) alta tre piani e caratterizzata da un muro-schermo (gokyor), una strada obliqua, fiancheggiata irregolarmente da edifici alla maniera tibetana, in contrasto qui con la precisa strutturazione della cinta, porta al pianerottolo inferiore delle rampe d'accesso (kerim, N° 3). Quella ad ovest sbocca su di un piccolo terrapieno che disimpegna le residenze dei monaci dipendenti dal monastero del Potala (N° 5)[8] ed il cortile esterno del Palazzo Rosso (N° 8). Gli edifici che ospitano le celle dei monaci (N° 5) risalgono probabilmente alla seconda parte del XVII sec. e rappresentano un ottimo esempio della maestria con la quale gli architetti tibetani sanno approfittare dei giochi di volumi sulla facciata, combinando le ombre verticali proiettate sull'imbiancatura dal dislivello del muro, e il ritmo delle finestre scure bordate di nero, spezzando così la severità di quest'architettura monumentale, senza togliere nulla alla sua grandiosità. I piccoli lucernari muniti di sbarre di legno o le strette feritoie visibili nella parte inferiore dei muri servono all'areazione dei locali destinati all'immagazzina-

fig. 184

fig. 185

370

mento che si trovano sotto al livello del pianoterra. Quest'ultimo corrisponde alla fila di finestre inferiori ed all'atrio d'ingresso contiguo ad ovest al terrapieno d'arrivo della rampa d'accesso. Possiamo dunque constatare che la parte meridionale degli edifici conventuali domina il versante della montagna, creando così, tra quest'ultimo, il pianoterra ed il muro della facciata, degli spazi, in parte di riporto, utilizzati per lo stoccaggio. È lo stesso per molti altri edifici del Potala. La fig. 185 mostra anche l'importanza delle terrazze quali vie di circolazione e fonti di luce. Ricorda certi villaggi tibetani disposti a gradini sul pendio della montagna, in cui il tetto-terrazza delle case del livello inferiore serve da cortile per l'abitazione sovrastante ed in cui si circola passando di continuo da una terrazza all'altra.

fig. 186

Una rampa d'accesso orientale conduce alle due grandi porte del Potala situate una ad est (fig. 183, N° 23) e l'altra ad ovest (N° 24) [9]. Le rampe d'accesso, che arrivano ad una larghezza di 10m, oltrepassano qua e là il versante della montagna ed in questo caso la loro pavimentazione poggia su grosse tavole di legno. All'esterno sono fiancheggiate da un muro la cui parte alta forma un parapetto a gradini [10] la cui sommità è sottolineata da un fregio a motivi vegetali identico a quello del cornicione d'attico. Le grandi porte ad est e ad ovest, precedute da un atrio (kabug) e situate in corpi di entrata (gope), danno su passaggi coperti (buglam, fig. 183, N°

fig. 187

10 e 27) che sboccano sul cortile esterno del Palazzo Rosso ad ovest e su di un bastione tondeggiante [11] ad est (N° 22). Il corpo di entrata occidentale era occupato da celle di monaci e, alla sommità, dalla sala di assemblea del monastero del Potala. È sormontato da un lucernario e da costruzioni disposte a gradini, tra cui la cappella del Kâlacakra a cui si può accedere dal Palazzo Rosso (fig. 183, N° 12). La facciata meridionale del Palazzo Bianco è nettamente arretrata rispetto a quella del Palazzo Rosso, poiché il collegamento tra i due edifici avviene a livello di un elemento in aggetto sulla facciata est del Palazzo Rosso.

Il Palazzo Bianco (fig. 183, N° 19), la parte più antica del Potala, costituisce, con il cortile che lo precede, un insieme architettonico completo quale lo concepisce la tradizione tibetana. È un grande edificio a forma di piramide tronca che presenta al centro uno spazio interno a cielo aperto (m 16 × 14) che scende su tre piani a partire dalla terrazza ed il cui fondo è occupato dalla «Grande Sala d'Assemblea dell'Est» (tsomchen shar). Questa sala che misura 25 × 27m ed ha trenta pilastri, serviva per le grandi cerimonie dello Stato. La parte centrale della sua copertura, che costituisce il fondo dello spazio interno a cielo aperto del Palazzo Bianco, prende luce da un lucernario (sengyab) (Sezione I). Come nel Palazzo Rosso, il pavimento in agglomerato di pietra (arka) che circonda il lucernario, forma una specie di cortile interno al primo piano (yabthang). Fino all'altezza della terrazza, esso è incorniciato da due livelli di gallerie che formano un deambulatorio (khyamkhor) che conducevano un tempo ad appartamenti, uffici ad uso del governo, alla casa del Dalailama, alle sale del tesoro, ecc.

All'epoca del XIII Dalailama, alla terrazza del palazzo Bianco furono aggiunte, ad ovest, nord e est della sua apertura centrale, delle costruzioni di un piano, sormontate da lucernari. Vi si trovano gli appartamenti (zimchung) degli ultimi due Dalailama, sale di riunione (tsomchen), sale per udienze, biblioteche, ecc.

fig. 188

La facciata orientale del Palazzo Bianco, che ha grandi logge (rabsal) sovrapposte nella sua parte mediana, domina il Cortile dell'Est [12], di quasi 1500m[2] (fig. 183, N° 20).

Questo cortile è fiancheggiato da due piani di portici che conducono a celle monastiche e a magazzini. Il suo pavimento lastricato non poggia su di un terrazzamento. Dal lato meridionale infatti sporgerebbe di quasi 70m dal versante della montagna [13]. Sotto il cortile, parecchi livelli di stanze, individuabili dalle loro aperture sulla facciata Sud, servivano da depositi, specialmente per il thé.

È nella facciata orientale del Palazzo Bianco che si trova la porta principale che dà accesso ai palazzi Bianco e Rosso. È preceduta da un atrio nel corpo della costruzione, dai pilastri riccamente decorati (fig. 217), situato un piano più in alto del cortile dell'Est, allo stesso livello della grande sala che occupa il centro dell'edificio. Vi si accede tramite una gradinata di pietra e poi una triplice scala di legno, la cui rampa centrale è riservata al Dalailama. Questa particolarità che si ritrova davanti alla cappella di Lokeshvara nel Palazzo Rosso e nel Gan-

fig. 189

dan Phodang di Depung (fig. 199), sembra essere stata ispirata dalle doppie gradinate inquadranti un piano inclinato sul quale passava il palanchino dell'imperatore, nei palazzi imperiali cinesi.

Anche nel Palazzo Rosso troviamo al centro uno spazio interno a cielo aperto (fig. 183, N° 11) il cui fondo è occupato dalla «Grande Sala d'Assemblea dell'Ovest» (fig. 189, N° 1) che misura circa 23 × 31m ed ha quaranta-

fig. 190

fig. 191

due pilastri [14]. Il suo pavimento lastricato sembra poggiare, dal lato nord, su di un terrazzamento realizzato vicino alla vetta della Montagna Rossa. A sud, invece, oltrepassa il versante e ciò spiega perché sia situata a metà altezza circa della facciata sud del Palazzo Rosso [15]. La sala è circondata da quattro edifici orientati in direzione dei punti cardinali e comunica con tre grandi cappelle a pianta allungata e alte due piani che occupano le costruzioni nord, ovest e sud (fig. 189, N° 3). La cappella occidentale ha al centro il monumentale stupa funerario del V Dalailama, e questa parte sale fin sotto la terrazza dove la sua posizione è indicata da un padiglione ricoperto da un tetto dorato (fig. 189, N° 7). La parte centrale del corpo orientale è anch'essa occupata da una cappella alta due piani. A nord è fiancheggiata da una tromba di scala che consente di passare al Palazzo Bianco ed al piano superiore. Sulla facciata sud, le finestre e le loggette mediane della terza e quarta fila a partire dall'alto (fig. 189, N° 6), corrispondono alla grande cappella meridionale. In pratica sono sempre chiuse da imposte interne di legno, allo scopo di conservare al santuario la sua tradizionale penombra e sembrano essere state concepite essenzialmente come elemento decorativo in grado di imprimere un ritmo alla facciata sud del Palazzo Rosso. L'atrio che si trova alla base di quest'ultima (fig. 183, N° 9) non ha porte sul fondo, ma solo una porticina laterale che dà accesso alle dispense ed una scala di legno che, passando da una botola del soffitto, porta ai due piani superiori, che erano assegnati al monastero del Potala ed ospitavano, oltre ai monaci, un tempio di Vaishravana (fig. 189, N° 12).

Al disopra della «Grande Sala d'Assemblea dell'Ovest», lo spazio interno è circondato da tre livelli di gallerie che formano un deambulatorio (fig. 189, N°2 e fig. 190). È essenzialmente a livello di queste gallerie che avviene il passaggio da un piano all'altro mediante scale di legno che passano attraverso delle botole. Gli ultimi due livelli di gallerie servono varie cappelle e stanze (fig. 189, N° 8).

Come quella del Palazzo Bianco, anche la Grande Sala d'Assemblea dell'Ovest riceve un'illuminazione zenitale da un lucernario. Quest'ultimo, sostenuto da dieci «pilastri lunghi» si eleva per l'altezza di un piano al centro dello spazio interno del Palazzo Rosso (fig. 189, N° 1). La parte settentrionale del Palazzo Rosso è fiancheggiata da una costruzione la cui struttura è poco conosciuta (fig. 189, N° 10). Ha alla base un passaggio coperto che collega la porta posteriore del Potala (fig. 189, N° 11) alla cappella del Palazzo Rosso e che consente di accedere poi alla sala centrale. Il passaggio coperto dà anche su una scala che porta, ad est, al Palazzo Bianco. La porta settentrionale del Potala si trova allo stesso livello del terrapieno su cui sboccano le vie d'accesso del versante nord della montagna. Queste, poiché arrivano al palazzo ad un livello più alto delle rampe d'accesso meridionali, venivano usate soltanto dai funzionari di alto rango, che lasciavano i cavalli su di un bastione tondeggiante situato sul percorso e la cui funzione si riduceva a quest'uso (fig. 183, N° 13). Terminavano la salita a piedi, in segno di rispetto. La piccola porta a nord è la sola entrata posta sulla parte posteriore del Potala, e si ha l'impressione, a giudicare dalla strettezza e dai vari dislivelli dei corridoi che disimpegna, che questo ingresso fosse considerato secondario e che non fosse integrato alla pianta generale.

Nell'angolo nord-ovest del Palazzo Rosso, due importanti cappelle, la «grotta di meditazione» del re Songtsen Gampo ed il santuario di Lokeshvara, poste l'una sopra all'altra, rispettivamente al livello del secondo e del terzo piano di gallerie, sembrano oltrepassare a nord l'allineamento delle altre stanze. La tradizione le considera vestigia dell'epoca reale, integrate nel XVIII sec. nella costruzione del Potala (Chayet A. e Meyer F. 1983). Nonostante la cappella reale sia senza dubbio una grotta finta, di stucco, e non una cavità naturale, rimane tuttavia il fatto che la sua ubicazione sembra ben situarsi a perpendicolo della sommità della montagna dove verosimilmente si trovavano le rovine [16]. Sarebbe dunque per fedeltà a questo luogo particolare che gli architetti del Potala hanno situato, in posizione leggermente fuori centro nel Palazzo Rosso, la «grotta» reale e la cappella di Lokeshvara che la sovrasta.

Nel Potala, il carattere monumentale dell'architetura tibetana antica è completamente stemperato dal gioco dei volumi sulle facciate e dalla disposizione verticale a gradini degli edifici o delle loro parti alte. Sembra invece, che il problema della circolazione interna, tra edifici adiacenti, non abbia trovato soluzioni soddisfacenti, come possiamo constatare al livello dei passaggi che collegano i palazzi Rosso e Bianco; benché questo possa dipendere dall'aggiunta più tarda del Palazzo Rosso, non prevista in partenza.

Il Palazzo Rosso può essere considerato un grande tempio comprendente numerosi santuari. Nonostante che la disposizione delle quattro grandi cappelle che fiancheggiano la sala dell'ovest in direzione dei punti cardinali venga vista dalla tradizione come una pianta a mandala, questa struttura è molto meno riscontrabile, specialmente ai piani superiori, di quanto non lo sia nei templi più antichi; e questa è d'altronde una tendenza generale dell'architettura religiosa a partire dal XVI sec.. Tuttavia, il simbolismo cosmico non manca nell'insieme architettonico costituito dal Potala, nonostante l'apparente fantasia che sembra aver guidato la disposizione dei suoi elementi. Così, la tradizione orale vede nella pianta di alcune costruzioni situate ai quattro punti cardinali del Potala, le forme simboliche corrispondenti ai quattro «atti rituali» (thinle) associati ognuno ad una direzione dello spazio: la torre rotonda come il sole all'estremità est (fig. 183, N° 26) per i rituali di propiziazione, l'edificio quadrangolare situato ai piedi della facciata sud (fig. 183, N° 4) per i rituali di crescita, la torre a mezzaluna dell'estremità ovest (fig. 183, N° 6) per i rituali che conferiscono il potere, e l'insieme di edifici formanti approssimativamente un triangolo a nord (fig. 183, N° 14) per i rituali violenti.

IL GRANDE TEMPIO (Tsuglagkhang), Lhasa

fig. 192

Il Grande Tempio di Lhasa (fig. 207, N° 1) forma, come il Potala, un complesso architettonico dalle molteplici funzioni[17]. Si organizza intorno al Santuario del Signore (Jokhang), che è la parte più antica (Sez. V), costituita a sua volta da numerose cappelle edificate su tre piani e sormontata da tetti dorati. Il Grande Tempio non è soltanto uno spazio sacro, importante luogo del buddhismo tibetano, a causa della grande santità delle immagini e delle reliquie che racchiude; ma comprende anche degli appartamenti, in particolare quelli che erano riservati al Dalailama, sale di riunione, depositi, nonché numerose stanze ed uffici utilizzati, prima del 1959, dal governo. Inoltre era sede di grandi assemblee monastiche, quale ad esempio la Grande Preghiera (Mönlam Chenmo) del primo mese, a cui intervenivano quasi 20.000 monaci all'epoca del XIII Dalailama. La struttura architettonica del Grande Tempio rispecchia questa pluralità di funzioni che si è venuta a costituire progressivamente con l'andare del tempo.

Le dimensioni attuali del tempio sembrano essere state raggiunte a partire dalla seconda metà del XVIII sec.. Infatti, i locali destinati al Gabinetto dei Ministri (Kashag) sono stati collocati a sud nel 1753 e, una trentina d'anni dopo, vennero edificate le porte Est e Sud[18]. Un dipinto murale del Potala, realizzato nello stesso periodo (VIII Dalailama)[19], rappresenta il Tsuglakhang in grandi linee com'è attualmente.

Il Santuario del Signore (Jokhang), fondato in epoca reale, rappresenta il cuore religioso del Tsuglakhang. Conobbe in seguito numerose vicissitudini di cui manca un'esauriente documentazione e che non riguardano il periodo che ci interessa.

Prima di iniziare la «Grande Preghiera» che si sarebbe svolta, a partire dal 1409, davanti al Jokhang, Tsongkapa, il fondatore della scuola Gelugpa, ottenne dai Signori Phagmodupa, il restauro del santuario e la realizzazione di un cortile pavimentato (khyamra) con dieci pilastri, antistante il santuario. Ma i lavori più importanti furono intrapresi all'epoca del V Dalailama. Fin dal 1642, il cortile pavimentato viene allargato alle sue dimensioni attuali e gli viene aggiunto il grande atrio ipostilo ad est. A sinistra e a destra dell'atrio, vennero edificati i corpi di edificio che ospitano appartamenti, allora destinati al Dalailama ed al Reggente, nonché dei magazzini. Nello stesso periodo vennero intrapresi importanti lavori nelle parti alte del Jokhang: costruzioni di cappelle, ampliamenti e trasformazioni. Queste ultime interessano in particolare i tetti.

Fin dal secondo decennio del XIII sec., Lhaje Gewabum aveva fatto costruire una tettoia perimetrale «alla cinese» (gyaphib khorma) ricoperta di tegole[20]. Nel 1310, il re di Yatse nel Tibet occidentale aveva fornito rame e oro per la realizzazione di un «tetto dorato» (serthog) al disopra della cella principale ad est[21]. Poco tempo dopo, un altro re di Yatse finanziò lo stesso tipo di tetto per la cappella centrale del lato nord. Tra il 1642 e il 1645 il governo del V Dalailama cambiò l'antico tetto dorato dello Jowo e sostituì con rame dorato le tegole della tettoia perimetrale e del tetto che si trovava, ad ovest, al disopra dell'entrata[22]. Furono in seguito costruiti i quattro piccoli edifici quadrati (chog) situati agli angoli della terrazza, e soltanto nel 1670 il tetto dorato a nord fu sostituito con un modello simile a quelli degli altri punti cardinali[23]. Sotto il Reggente Sanggye

fig. 193

Gyamtso venne completata la decorazione dei tetti dorati. Ed è senza dubbio il risultato di questi lavori che possiamo ammirare ancora oggi nonostante siano stati fatti ulteriori restauri.

373

È interessante rilevare che il primo tetto di «stile cinese» che fu collocato nel Jokhang verso il 1220 era una tettoia perimetrale ricoperta di tegole di «terra cotta» (smaltata?) (dza). Si tratta di una data che precede di qualche decennio l'ondata d'influenze architettoniche cinesi che accompagnò la sovranità degli Yuan sul Tibet e di cui i tetti di tegole smaltate di Shalu (inizio del XIV sec., Sezione VII) rappresentano le testimonianze più complete che siano pervenute fino ai nostri giorni. Occorre anche rilevare che i primi «tetti cinesi» (gyaphib) collocati nel 1310 e poco dopo su alcune cappelle del Jokhang, erano fatti di rame dorato, ciò sta a significare che nel periodo di cui Dapga Gyeltsen faceva costruire a Shalu dei tetti ricoperti di pesanti tegole smaltate (Chayet A. 1985, pag. 110) rispettando fedelmente il modello cinese, nel Tibet si era già iniziato a sostituire alle tegole delle lastre di rame dorato, tecnica di copertura sicuramente mutuata dal Nepal. Non sappiamo se questi «tetti cinesi» di rame dorato, collocati sul Jokhang all'inizio del XIV sec. fossero i primi esemplari di questo tipo nel Tibet. Bisogna tuttavia sottolineare l'origine geografica dei loro committenti: dei re del Tibet occidentale forse meno propensi dei signori del Tibet centrale ad una lettura troppo letterale dei modelli cinesi. Esaminando attentamente i tetti dorati del Jokhang al loro stato attuale che sembra essere molto vicino a quello della fine del XVII sec., si vede immediatamente che sono il risultato, sia per quanto riguarda la loro disposizione che i loro dettagli, di una reinterpretazione dei tetti cinesi costruiti nel Tibet all'epoca degli Yuan quali li conosciamo basandoci su Shalu. I tetti di questo tempio ricoprono per intero quattro cappelle disposte ai punti cardinali di una spazio rettangolare, di tradizione cinese (sezione VII). Tuttavia tale disposizione è già parzialmente assimilata dall'architettura tibetana poiché le cappelle si inscrivono nei lati di una costruzione coperta da una terrazza; ciò appare molto chiaramente ai quattro angoli dell'edificio, nei pignoni, perpendicolari tra di loro, delle cappelle che la superano in altezza. Queste terrazze d'angolo sono delimitate da un parapetto formato da lastre smaltate in bassorilievo, identiche a quelle che ornano le linee di colmo delle cappelle.

fig. 194

Nel Jokhang, l'assimilazione tibetana del tetto cinese è nettamente più avanzata, benché vi si ritrovino tutti gli elementi presenti a Shalu. I «tetti cinesi» di rame dorato, sostenuti da una struttura molto elaborata, sono semplicemente appoggiati, ai quattro punti cardinali, sul tetto-terrazza. Al pari di numerosi tetti dorati della tarda architettura tibetana, non hanno più alcun ruolo funzionale. Rispondono soltanto a finalità estetiche ed alla volontà di sottolineare la particolare sacralità di un luogo coronandolo con una copertura la cui forma elegante, la ricchezza e lo splendore sono quelli che si attribuiscono ai palazzi celesti degli dei. Il sistema di mensole a bracci di leva (phagna dekyog, «mensola a grugno di porco»), caratteristico dell'architettura cinese, e che sostiene il tetto a Shalu, è diventanto nel Jokhang una struttura puramente decorativa ridotta alla sua sola parte visibile sulla facciata. D'altronde sembra che la struttura interna di questo tipo di tetto, ricoperto di rame dorato, non sia più di tipo cinese, ma nepalese.

Nel Jokhang, come a Shalu, una tettoia perimetrale, altro elemento mutato dall'architettura cinese, cinge per intero la parte alta delle mura. Sostituì, nel XVII sec., una struttura equivalente ricoperta di tegole (fig. 193). Il fregio di personaggi, in rame sbalzato e dorato, che la separa dal bordo della terrazza, ricorda il parapetto di lastre smaltate delle terrazze di Shalu. Nel Jokhang, quest'elemento, divenuto unicamente decorativo, è passato sulla facciata, in quanto il suo posto e la sua funzione sono stati presi da una ringhiera di rame dorato.

fig. 195

Analogamente a Shalu, una fila di mensole sovrapposte sostiene la tettoia perimetrale. Come nel caso precedente, la funzione di queste mensole, sprovviste di bracci di leva (langna dekyog, «mensole a proboscide») [24] sembra essere sostanzialmente decorativa. Poggiano su di un cornicione di legno sostenuto da beccatelli e quest'elemento è anch'esso una eco delle strutture del tipo di Shalu. Al disotto di una striscia bianca, una seconda tettoia, molto più stretta della precedente, è sostenuta da una fila di mensole semplici. Esiste anche a Shalu e la troviamo sotto il bordo bianco della cornice d'attico nel Grande Tempio di Sakya (Sez. VII). Questo schema a due tettoie sovrapposte di cui quella in basso è sorretta da una fila di mensole curve semplici e sormontata da una striscia bianca, si ritrova nella maggior parte dei cornicioni elaborati (fig. 216).

Nel 1663, il governo del V Dalailama ripristina il passaggio di circoambulazione che circoscrive il Jokhang (fig. 207, N° 7) e costruisce, nel 1672, una vasta sala di assemblea [25] negli edifici del Tesoro (Labrang) che erano stati costruiti qualche anno prima a sud del grande cortile [26]. Dopo la morte del V Dalailama, il Reggente Sanggye Gyamtso continua i lavori e trasforma numerose stanze in cappelle. Saranno sufficienti i pochi lavori realizzati nella seconda metà del XVIII sec. sotto il VII e VIII Dalailama, perché il Grande Tempio raggiunga le sue attuali dimensioni. C'è un forte contrasto tra la pianta centrata e simmetrica del Jokhang, costruzione più antica, e la disposizione molto libera delle parti aggiunte a partire dal XVII secolo.

Il Grande Tempio fu restaurato dal 1842 al 1844. Ma è all'epoca del XIII Dalailama, nel 1913 (dopo i grossi danni provocati dall'esercito cinese l'anno precedente), poi dal 1920 al 1922, che i lavori di rinnovamento e di abbellimento furono più importanti. Nel 1948, la parte orientale degli appartamenti del Dalailama, situata a nord del cortile antistante il Jokhang, fu rifatta e prolungata con una loggetta sormontata da un tetto dorato (fig. 193). La parte occidentale fu ricostruita nel 1954 con in particolare un grande spazio ipostilo cinto a sud da una balaustra di pietra (Shakabpa W.D. 1982, pag. 111-112).

IL MONASTERO DI DEPUNG

Fondato nel 1416 da Jamyang Chöje, discepolo di Tsongkapa, divenne rapidamente uno dei più importanti centri gelugpa, sviluppandosi gradualmente fino a diventare una vera e propria città monastica situata alla base di un versante di montagna, su di un pendio dolce che fiancheggia a nord la vallata del Kyichu[27]. Durante la guerra tra l'Ü e lo Tsang, Depung subì grossi danni nel 1618 e nel 1635. Lavori di restauro e di ampliamento vi furono fatti su vasta scala all'epoca del V Dalailama. Il monastero fu messo a sacco da Lhabsang Khan nel 1706 e nel XVIII sec. vi furono eseguiti altri importanti lavori, come ad esempio la ricostruzione, nel 1735 circa, dell'edificio che racchiude la grande sala d'assemblea del monastero[28].

fig. 196

Nonostante vi siano stati ulteriori lavori di restauro, in particolare sotto il XIII Dalailama, sembra che gli edifici attuali risalgano essenzialmente ai secoli XVII e XVIII.

Come per il Potala, ma su di un pendio meno ripido che permette così una maggiore estensione orizzontale, la disposizione a gradini degli edifici sul fianco della montagna e la struttura stessa a gradini di ogni costruzione conferiscono al monastero il suo aspetto caratteristico. Possiamo osservare qui la struttura abituale dei collegi gelugpa. L'edificio principale, orientato a sud, è generalmente preceduto da un cortile lastricato (khyam, deyang, dochal chenmo) circondato da uno o due livelli di portici (khyamkhor) che disimpegnano celle di monaci (dashag, shagkhor), magazzini ed eventualmente le cucine. L'edificio principale del collegio è spesso una massiccia costruzione elevata su di un basamento (degcha, peden) ed il cui primo livello presenta un numero ridotto di piccole aperture che danno sulle dispense che circondano la sala d'assemblea. Una mo-

fig. 197

numentale scala di pietra porta ad un largo pronao ipostilo (gochor) che si trova o nel corpo della costruzione[29] o in aggetto sulla facciata. È sormontata da un'ampia finestra o una loggia sostenuta dal pronao, quando questo è in aggetto[30]. Esse danno su di una sala del primo piano che serve in genere da luogo di riunione per gli amministratori del collegio. Il cuore dell'edificio è occupato dalla sala d'assemblea (dükhang,

fig. 198

198, N° 1), vasto spazio ipostilo che prende luce da un lucernario situato nella parte centrale della copertura. Sostenuto da «pilastri lunghi» ed aperto a sud, il lucernario si eleva di un piano al disopra della sala d'assemblea (N° 2). La sua parte posteriore è fiancheggiata in genere da una piccola costruzione che serve da dispensa (N° 3). Il fondo della costruzione è occupato da un corpo di edificio che supera gli altri in altezza ed in cui si trovano le cappelle principali (N° 4). La cella centrale sale in genere su due piani e prende luce da una finestra aperta al 2° livello sul cortile interno che circonda il lucernario. Questo cortile è fiancheggiato da un portico che disimpegna una fila di piccoli vani con funzione di abitazione o di dispensa. Il terzo livello dell'edificio nord, spesso coronato da un «tetto cinese» di rame dorato, è occupato dagli appartamenti dell'abate o da una cappella dei mandala.

Nel 1518 un signore di Neudong offrì al II Dalailama una casa di Depung per farne la sua residenza. Questa fu in seguito ampliata e ricevette il nome di «Palazzo di Ganden» (Ganden Phodang). I successivi Dalailama abitarono nel palazzo fino a quando il V si installò nel Potala nel 1649. Il suo governo fu allora designato con il nome del palazzo di Depung e quest'usanza si conservò fino al 1959. Il palazzo continuò a servire da residenza estiva dei Dalailama fino a quando il VII non fissò la sua residenza d'estate nel Norbu Lingkha. Il V Dalailama lo fece

fig. 199

ampliare e gli diede la struttura che, sembra, ha conservato fino ad oggi, nonostante che il XIII Pontefice vi abbia fatto importanti lavori. È formato da parecchi grandi corpi di edificio disposti a scala su di un pendio abbastaza ripido, rivolto a sud. Le facciate dell'edificio principale presentano numerose aperture ai piani, tra cui una finestra d'angolo (zurchang rabsal), privilegio dei grandi gerarchi religiosi. Una triplice scala di pietra, la cui rampa centrale è riservata al Dalailama, permette di accedere alle due porte d'ingresso laterali, disposizione questa sufficientemente rara per cui è necessario rilevarla.

TEMPIO DELL'ORACOLO DI STATO, Nechung.

fig. 200

Situato leggermente ad ovest del monastero di Depung, Nechung era la residenza dell'oracolo per mezzo del quale si manifestava Pehar, una delle grandi divinità protettrici del Tibet. All'epoca del V Dalailama l'oracolo prese i voti monastici e ricevette uno status governativo [31]. L'attuale struttura architettonica del tempio, situato su di un dolce declivio e rivolto a sud, risale senza dubbio, essenzialmente, alla fine del XVII sec. Tuttavia anche questo santuario è stato restaurato all'epoca del XIII Dalailama [32]. Costituisce un altro bell'esempio di tarda architettura religiosa, con il suo grande cortile pavimentato, fiancheggiato su tre lati da un portico a doppia fila di colonne ed il cui muro di fondo presenta delle finestre sulla facciata. Si accede al cortile attraverso due atrii situati ad est e ad ovest. A nord, tutta la larghezza del cortile è occupata da un edificio che racchiude una sala d'assemblea e delle cappelle laterali al pianoterra, gli appartamenti dell'oracolo al piano di sopra. Il fondo della sala d'assemblea comunica con le cappelle principali. Queste occupano l'edificio più alto, situato all'estremità nord del tempio che era un tempo coronato da un tetto dorato.

IL MONASTERO DI TASHILHUNPO

Tashilhunpo, vicino a Shigatse, il più antico monastero Gelugpa della provincia dello Tsang, è situato, in direzione est, su di un declivio di media pendenza che collega un versante della montagna con il fondo di una larga vallata [33].

Fu fondato nel 1447 da Gedündub, discepolo di Tsongkapa e I Dalailama, grazie alle donazioni di parecchi nobili, tra cui Sönam Palsang della famiglia dei Dargyepa [34]. Il fondatore cominciò con il tracciare al suolo il posto in cui doveva sorgere il grande tempio (tsuglagkhang), il palazzo abbaziale (labrang) e le residenze dei monaci. 11 anni dopo, il grande tempio comprendeva una sala d'assemblea con quarantotto pilastri che dava, a nord, su di una «cappella maggiore» (titsangkhang).

Un palazzo abbaziale di tre piani era stato eretto a nord del grande tempio. Negli anni seguenti, quest'ultimo fu ampliato mediante l'aggiunta di cappelle a nord e ad ovest della sala d'assemblea. Inoltre un grande atrio venne edificato sul suo lato orientale. Raggiunse così le sue dimensioni attuali. Il grande edificio che domina ancor oggi il monastero a nord-est, e che ha l'aspetto di una torre fortificata, è stato eretto nel 1468. In occasione di determinate feste vi si appendevano delle thangka. Nel 1472 venne allestito un gran cortile pavimentato, fiancheggiato da un portico, davanti all'atrio est del grande tempio.

fig. 201

Gedündub fondò tre collegi [35] ed occupò il trono abbaziale fino alla morte, nel 1474. Nel frattempo il numero dei monaci era passato da 110 a 1600.

I successori di Gedüdub ampliarono progressivamente la costruzione originale, edificando nuove cappelle al primo piano del grande tempio e costruendo delle residenze monastiche. Lobsang Chökyigyeltsen (1570-1662), diventando nel 1600 il sedicesimo abate di Tashilhunpo commissionò i lavori più importanti di tutta la storia del monastero. Il V Dalailama proclamò che quel famoso maestro era un'incarnazione e gli diede il titolo di Panchenlama. Intanto il gerarca diventava proprietario del monastero e delle immense proprietà che ne dipendevano. A partire da questa data, i Panchenlama saranno a capo di un territorio semi-indipendente che ricopre gran parte della provincia dello Tsang. Vennero riconosciute a Lobsang Chökyigyeltsen tre precedenti incarnazioni che ricevettero, retroattivamente, lo stesso titolo di Panchenlama. Nel 1662, dopo la morte di colui che i tibetani considerano il quarto Panchenlama, venne edificato un edificio (chökhang) destinato a racchiudere il suo stûpa funerario. Lo stesso avvenne per tutti i Panchenlama successivi fino al predecessore (cappella costruita nel 1940) dell'attuale XI gerarca.

fig. 202

La fig. 102 mostra, in direzione sud-ovest, gli edifici che circondano «il grande cortile pavimentato» (dochal chenpo) situato ad est del grande tempio di cui si scorgono i tetti dorati. Il più grande di questi tetti indica la posizione della «cappella maggiore» e quello di sinistra corona la cappella funeraria di Gedündub. Un terzo tetto dorato, di cui s'intravede soltanto un angolo, fa pendant al precedente e sovrasta una cappella di Maitreya. Immediatamente a sud dei tetti dorati s'indovina lo spazio interno a cielo aperto il cui fondo è occupato dal lucernario che rischiara la sala d'assemblea. È limitato a sud da cappelle poste in fila in direzione est-ovest di cui si scorge la terrazza. Le loro finestre si aprono sulla facciata meridionale del tempio. A sinistra dei tetti dorati si scorgono due loggette sovrapposte, nascoste da tendaggi di pelo di yak. Dominano il grande atrio orientale. Tutte queste strutture alte sono state edificate all'epoca del quarto Panchenlama (1600-1662), al disopra delle antiche costruzioni di Gedündub. È molto probabile che i tetti dorati risalgano a questo gerarca.

fig. 203

Lo stato attuale di quello che corona la cappella principale è sicuramente il risultato di un restauro del XX sec. [36].

Il quarto Panchenlama fece anche ampliare il grande cortile che verrà in seguito circondato da due livelli di portici che disimpegnano delle cappelle. Fece costruire quelle che si trovano a nord. Gli altri edifici che fiancheggiano il cortile ad ovest e a sud sono stati tutti eretti sotto il quinto Panchenlama (1663-1737). Le cappelle che occupano l'edificio meridionale, la cui facciata esterna è situata nel prolungamento di quella del tempio, riprendono la pianta allungata e la disposizione in fila che abbiamo già rilevato a proposito delle costruzioni del quinto Panchenlama. A nord del cortile si può vedere un terrazzamento sul quale sorgeva il mausoleo del quarto Panchenlama fino a quando non venne distrutto durante la rivoluzione culturale. Ad est di questo si trova il palazzo abbaziale fondato da Gedündub ed ampliato principalmente dal quarto Panchenlama [37]. È preceduto da un cortile rettangolare e stretto, allungato in direzione est-ovest.

A partire dal sesto Panchenlama, le costruzioni successive, in particolare le cappelle e gli edifici funerari, si estesero progressivamente verso ovest in un tessuto architettonico continuo, peculiare di Tashilhunpo, e che appare molto chiaramente dalla fig. 201. La foto, presa da ovest a est, mostra in successione sulla sinistra, i tetti degli edifici funerari del settimo, sesto, quinto e quarto Panchenlama, costruiti rispettivamente nel 1853, 1780, 1737 e 1662 [38]. Si vede chiaramente che le costruzioni successive sono state quasi affiancate le une alle altre sulla stessa curva di livello. Si scorgono, in fondo a destra, i tetti dorati che coronano la parte settentrionale del grande tempio.

A sinistra di questi tetti si distingue l'apertura del cortile che si estende davanti al palazzo abbaziale più antico, nascosto in gran parte dal mausoleo del quinto Panchenlama. Tra quest'ultimo e quello del sesto, si trova un grande edificio bianco, altro palazzo abbaziale costruito verosimilmente dal settimo Panchnlama nel 1816. Fatta eccezione per quest'ultimo, tutti gli altri edifici sono preceduti da stretti cortili rettangolari, allungati in direzioni est-ovest. Quelli delle cappelle funerarie sono fiancheggiati a sud da portici che disimpegnano delle cappelle situate al primo piano. I corpi di fabbrica che racchiudono queste cappelle e quelle che si trovano davanti al palazzo abbaziale sprovvisto di cortile, sono stati allineati e posti uno vicino all'altro a partire dal grande tempio. Quelle site tra quest'ultimo ed il gomito formato dalla serie interrotta di facciate meridionali, risalgono al sesto Panchenlama (1738-1780). Quelle che fiancheggiano a sud il cortile del mausoleo di quest'ultimo sono state fondate dal suo successore (1782-1854). Queste cappelle, le cui finestre si aprono sulla facciata sud, sono tutte disposte in fila, distribuzione questa che sembra peculiare di Tashilhunpo. L'edificazione di edifici e cortili, stretti e rettangolari, allungati a seguire le curve di livello di un versante, piuttosto che costruite perpendicolarmente al pendio, sembra essere anch'essa una tendenza architettonica propria della regione di Shigatse; a giudicare dagli altri esempi di questo tipo, antichi magazzini dell'intendenza, che si trovano ai piedi della fortezza [39].

I mausolei dei Panchenlama non solo sono stati tutti costruiti sullo stesso modello, ma sono simili fin nei dettagli delle loro decorazioni; e questa continuità di stile (1662-1940) dà la misura di quanto possa essere azzardato datare i monumenti tibetani basandosi solo su questo criterio. È tuttavia probabile che quest'identità di aspetto degli edifici funerari, come anche il loro allineamento est-ovest, siano stati decisi allo scopo di tradurre visivamente la continuità del principio spirituale che s'incarna nella stirpe dei Panchenlama. I tetti dei mausolei di Tashilhunpo sono simili a quelli dei Jokhang. Qui, però la tettoia perimetrale cessa di coprire l'insieme dell'edificio. Inoltre il tetto cinese è associato al fregio a motivi vegetali, tipicamente tibetano. L'edificio stesso, alto cinque piani, presenta una slanciata forma a torre che non s'incontra, in genere, nell'architettura religiosa del Tibet. Lo spazio interno, occupato da uno stupa monumentale, sale su parecchi piani. È illuminato da finestre sovrapposte sulla facciata sud.

fig. 204

Questo tipo di architettura è stato nuovamente ripreso a Tashilhunpo per la costruzione, nel 1914, del tempio di Maitreya, alto sette piani. Questo tipo di edificio, a forma di torre, ed il cui spazio interno sale su parecchi piani, s'incontra anche nel Tibet Orientale, in particolare a Labrang. Ulteriori studi ci chiariranno forse il ruolo svolto da Tashilhunpo nella diffusione di questo tipo di edificio e sui suoi rapporti con la pagoda buddhista cinese.

NORBU LINGKHA, Palazzo d'estate dei Dalailama, Lhasa

Il Norbu Lingkha è nato dall'incrocio di due tradizioni: da una parte la tradizione cinese dei giardini; dall'altra, il gusto tibetano per i pic-nic estivi negli spazi verdi ombreggiati dai salici (lingkha), e l'antichissima abitudine di cambiare residenza d'estate e d'inverno, sia all'interno della stessa abitazione (sezione II) sia nell'ambito più vasto delle migrazioni stagionali.

Nel 1754, il VII Dalailama fece costruire una residenza estiva (Norling Khalsang Phodang) in un parco di 23.000 m^2, fino ad allora un luogo di pic-nic ricco di sorgenti. Prima, i pontefici si recavano d'estate nel loro palazzo di Depung. Questa prima residenza, sobria e di modeste dimensioni, che si può ancora vedere oggi, fu costruita nel più puro stile tibetano con, tuttavia, un numero di finestre maggiore di quello delle costruzioni abituali. Il parco venne notevolmente ampliato sotto il XIII Dalailama (360.000 m^2). Nel 1922, fece costruire un

fig. 205

nuovo palazzo, il Chansel Phodang. Questo palazzo, che sembra non più esistere oggi, si presentava come un edificio tibetano preceduto da un largo atrio ipostilo sormontato da una loggia in cui ai tradizionali telai dei claustra erano stati aggiunti dei vetri. La loggia era coronata da un tetto dorato [40]. Il XIII Dalailama fece anche costruire degli edifici per accogliere il personale della sua casa, uffici governativi, scuderie ecc.. Sono i padiglioni alcuni dei quali situati su terrazze in muratura, in mezzo a bacini bordati da parapetti di pietra tagliata, che tradiscono maggiormente l'influenza cinese. In alcuni rari casi giunge fino alla copia. I parapetti di pietra tagliata seguono anch'essi modelli cinesi. Tuttavia, si trovano anche delle balaustre che evocano un'influenza europea che è potuta giungere alla corte del Dalailama dopo il suo soggiorno a Darjeeling (1910-1912) o attraverso la Cina dei Qing.

fig. 206

Nel 1954-1956 vennero costruiti per l'attuale Dalailama un nuovo palazzo (Tagtän Migyur Phodang) ed un grande padiglione per seguire le rappresentazioni teatrali (Norling Khamsum Silnön).

LA CITTÀ DI LHASA

Occorre ricordare rapidamente questa città, antica capitale del Tibet monarchico del VII al IX sec., in quanto fu il V Dalailama che, dopo un'eclissi di otto secoli, ne fece nuovamente «l'ombelico» del Paese delle Nevi. Prima di questa rinascita, non era indubbiamente che una piccola borgata, ma assolutamente non insignificante poiché aveva il privilegio di contare dei templi famosi, di cui soprattutto il Jokhang. È intorno a questo cuore (fig. 207, N° 1) ad un tempo storico e spirituale, che la città si è nuovamente sviluppata a partire dal XVII sec. Con il tempo, le famiglie nobili abbandonarono le loro proprietà alle cure di amministratori per andare a stabilirsi nella capitale, vicino agli organi del governo di cui dovevano assumere le cariche. Importantissima meta di pellegrinaggio per tutti i credenti del buddhismo tibetano, Lhasa vide moltiplicarsi le fondazioni religiose, anche se essenzialmente gelugpa. Infine, non va dimenticato che essa divenne anche un importante centro artigianale e commerciale dove convergevano le carovane. Tuttavia, prima del 1950, la popolazione non superava i 50-60.000 abitanti, tranne nel primo mese dell'anno, in occasione della «grande preghiera», con l'afflusso di monaci e di pellegrini, la città arrivava allora a 100-120.000 anime (Shakabpa W.D. 1976, p. 87).

fig. 207

Nel XVII sec., la città, situata a nord del fiume Kyichu, era stata circondata da mura con numerose porte. Questa cinta fu spianata dopo il 1721 per ordine dell'imperatore di Cina (Petech 1950, pagg. 20, 37 e 68). La pianta di Lhasa rispecchia un'urbanistica spontanea, simile a quella delle città medioevali europee in cui le case si stringevano intorno alle cattedrali in un tessuto irregolare. Contrariamente alle fondazioni imperiali cinesi, lo sviluppo della capitale del Tibet non ha dovuto piegarsi a nessuna volontà organizzatrice esterna. Prima del 1959, non conosceva né le strade rettilinee, né le piazze squadrate.

Se il tessuto urbano appare anarchico, lo spazio religioso è invece fortemente strutturato. Come il più piccolo villaggio tibetano, Lhasa è limitata e protetta dall'intrusione delle forze malefiche da ricettacoli del sacro. Santuari dei «3 Protettori», la cui fondazione veniva attribuita al Re Songtsen Gampo, si trovavano ai punti cardinali, alla periferia della città (N° 8, 10, 11 e 12). Ad ovest della città, la via d'accesso principale passava sotto un chörten-porta nel punto di passaggio obbligato tra due speroni rocciosi. Un altro chörten si eleva su di una piazza, a nord del Grande Tempio (N° 5), e conteneva un deposito di consacrazione dedicato al dio protettore di questo punto cardinale. Tre circuiti di circoambulazione rituale passano nella città. Il «circuito interno» (nangkhor, N° 7) si trova nella cinta stessa del Grande Tempio e circoscrive il Jokhang. Il «circuito intermedio» (barkhor, N° 3) circonda il tempio e le case che gli sono affiancate. È sottolineato nelle direzioni intermedie da quattro grandi stendardi commemorativi (N° 4). Infine, il «circuito esterno» (lingkhor) passa sui limiti della città e abbraccia, ad ovest, la montagna sulla quale sorge il Potala.

La pianta di Lhasa permette di constatare che le case nobili erano disseminate in tutta la città. Alcune erano state costruite in periferia, in particolare ad ovest, in grandi parchi. Esisteva tuttavia un certo grado di raggruppamento per professione o nazionalità senza però che si possa arrivare a parlare di quartieri specializzati. I mendicanti, gli smembratori di cadaveri e i macellai erano relegati nella periferia sud-est della città. Gli spazi verdi con salici (lingkha), numerosi soprattutto a sud della città, svolgevano un ruolo sociale importante.

fig. 208

Le case a due o tre livelli, con numerose finestre munite di balconi di legno, sono tipiche dell'architettura domestica di Lhasa. Talvolta sono affiancate in lunghe facciate rettilinee ed il loro pianoterra può ospitare delle botteghe di commercianti. La maggior parte di esse possiede cortili interni con pozzi.

fig. 209

Le dimore nobili di Lhasa e di Shingatse erano precedute da un grande cortile pavimentato circondato da portici su due livelli che disimpegnavano le stanze dei domestici, la cucina, depositi, scuderie, ecc. L'edificio principale, in genere di tre piani, aveva delle dispense al pianoterra. La sala di ricevimento (tshomkhang), che era in genere anche la cappella, e la stanza del padrone di casa, si aprivano a sud con grandi finestre o loggette le cui imposte chiuse con carta furono sostituite progressivamente da vetrate a partire dall'inizio del XX secolo.

L'«ORDINE CLASSICO» DELL'ARCHITETTURA TIBETANA

fig. 210 a 219

Nel XVII sec., l'architettura, come altre espressioni della cultura tibetana, raggiunse la maturità di un sistema che integrava gli elementi ereditati dal passato ordinandoli secondo un insieme di rapporti fissi. Possiamo quindi parlare di un ordine classico che si manifesta essenzialmente al livello dei vari registri che compongono l'insieme dell'architrave e di cui ritroviamo un'eco nella struttura dei telai delle porte e degli elementi che le sovrastano, delle finestre, dei cornicioni e delle cornici d'attico.

NOTE DELLA SEZIONE IX

[1] A partire dal XVI sec., i Maestri gelugpa, soprattutto il Dalailama godranno di un flusso considerevole ed ininterrotto di donazioni mongole.

[2] Come ha mostrato Yontan Gyatso in una tesi presentata nel 1984 all'E.P.H.E. (Parigi): Reflexions sur le rôle joué par les puissances du Tibet Orientale dans l'instaurazione de la dynastie des Dalailama au Tibet Central.

3 Trasformato poi in cappella: Chime Deden o Kadam Khyil.

4 Ha vissuto al Potala dal 1762 al 1804.

5 Tsepame Lhakhang.

6 Sembra che gli appartamenti dei successori del V Dalailama fossero situati agli ultimi piani del Palazzo Rosso.

7 Secondo Cang-ta'o-yon, «rTse po-ta-la», Lhasa, 1982, pag. 15.

8 Namgyal Datsang.

9 Si chiamano rispettivamente: Phüntsog Dülam e Changchen Tharlam.

10 Letteralmente «denti di cavallo» (taso).

11 Chiamato Tagtsang Gormo.

12 Deyang Shar.

13 Secondo Cang-ta'o-yon, op. cit. pag. 20.

14 Tshomchen Nub, chiamata anche Sishi Phüntsog.

15 Il livello della grande sala corrisponde sulla facciata sud alla quarta fila di finestre partendo dall'alto.

16 Sul lato est della «grotta di meditazione» del re, si trova una piccola stanza che racchiude uno stupa bianco che è il cairn (latse) della montagna e si ritiene che non lontano, un corridoio porti alla roccia della vetta.

17 Pianta in Richardson H. 1977, Taring D.J. 1979, Shakabpa W.D. 1982.

18 Cahb-spel tshe-brtan phun-tshogs 1982, pag. 24. L'organismo governativo era stato ricretato due anni prima (Petech L. 1950, pag. 220).

19 Si veda la nota 5.

20 Karchag del V Dalailama (Lha-ldan sprul-pa'i gtsug-lag-khang gi dkar-chag shel-dkar me-long) f. 14b. Secondo altre fonti sarebbero stati gli Tshalpa a commissionare questa tettoia nell'ultimo quarto del XIII sec. (Shakabpa W.D. 1982, pag. 19).

21 Il Tshal gyi dkar-chag precisa che era un tetto in stile cinese (rgyaphib) (Chab-spel Tshe-brtan Phun-tshogs 1982, pag. 20). Secondo un'altra fonte (Bod rgya tshig-mdzod chen-mo, 3 vol., Pechino 1985, pag. 3225) questo avvenimento avrebbe avuto luogo nel 1190. In entrambi i casi si tratta di un anno ferro-cane. La prima data sembra più verosimile.

22 Karchag del V Dalailama f. 16a.

23 Chab-spel tshe-brtan phun-tshogs 1982, pag. 23.

24 Le mensole dell'architettura cinese (dougong) sono degli insiemi formati da bracci di mensole curve (gong) sostenenti dei blocchi quadrati di legno (dou). In tibetano i blocchi di legno hanno lo stesso nome dei capitelli (de, «moggio») dei pilastri e l'insieme della mensola viene designato con il termine dekyog («moggio curvo») o depung («cumulo di moggi»). Il termine de designa anche l'elemento cubico della parte alta degli stûpa.

25 Ewam Phüntsog Dökhyil.

26 Chab-spel tshe-brtan phun-tshogs 1982, pag. 23.

27 Il monastero ospitava permanentemente quasi 8.000 persone prima del 1959.

28 Ferrari A. 1958, pag. 41.

29 Viene allora designato preferibilmente con il termine gobug.

30 L'insieme si chiama allora lobur, «avancorpo».

31 Nebesky-Wojkowitz R., 1956, pag. 444.

32 Fu molto danneggiato durante la rivoluzione culturale e poi restaurato negli ultimi anni.

33 Il monastero ospitava quasi 3.700 monaci all'inizio del XX sec. Fu saccheggiato dagli Dsungari nel 1791 ed ha riportato grossi danni durante la rivoluzione culturale.

34 «bKra-shis lhun-po dpal gyi sde-chen thams-cad las rnam-par rgyal-ba'i gling gi sngon-byung gsal-ba'i nyi-ma», opera collettiva pubblicata a Lhasa nel 1983, è una preziosa fonte di informazioni per lo studio del monastero.

35 Il quarto collegio, quello degli studi tantrici, fu fondato dal quarto Panchenlama nel 1615.

36 Da confrontare con la fig. 14.

37 Come per la residenza dei Dalailama a Depung, il nome di questo palazzo, Gyaltsen Thönpo, che gli venne dato da Gedündub, disegnò anche il governo del Panchenlama (Wylie T.V. 1962, pag. 68).

38 Di tutti i mausolei, soltanto quello del quinto Panchenlama è sfuggito alle distruzioni della rivoluzione culturale.

39 Foto in Harrer H. 1953, pag. 212.

40 Foto in Cutting S. 1947, pag. 238.

BIBLIOGRAFIA GENERALE

CHAYET ET MEYER, 1983; CUTTING, 1947; FERRARI, 1958; HARRER, 1953; HENSS, 1981; NEBESKY-WOJKOWITZ de, 1956; PETECH, 1950; THE POTALA PALACE OF TIBET, 1982; RICHARDSON, 1977; SHAKABPA, 1976, 1982; TARING, 1979; WYLIE, 1962; CHAB-SPEL TSHE-BRTAN PHUN-TSHOGS, 1982.

fig. 181 - Lhasa, palazzo Ganden Khangsar (XVI sec), sede della famiglia nobile di Kyishö, in seguito residenza di dirigenti tibetani fino alla metà del XVIII sec. Foto realizzata intorno al 1900. (Società Imperiale Russa di Geografia).

fig. 181 - Lhasa, le palais Ganden Khangsar (XVIe siécle), d'abord siège de la famille noble de Kyishö, puis résidence de dirigeants tibétains jusqu'au milieu du XVIIIe siècle. Photo réalisé vers 1900. (Société Impériale Russe de Géographie).

fig. 182 - Lhasa, palazzo del Potala (XVII - XVIII sec.), visto da sud-est dai tetti del Jokhang (foto F. Meyer).

fig. 182 - Lhasa, le palais du Potala (XVIIe - XVIIIe siècle), vu du Sud-Est, depuis les toits du Jokhang (cl. F. Meyer).

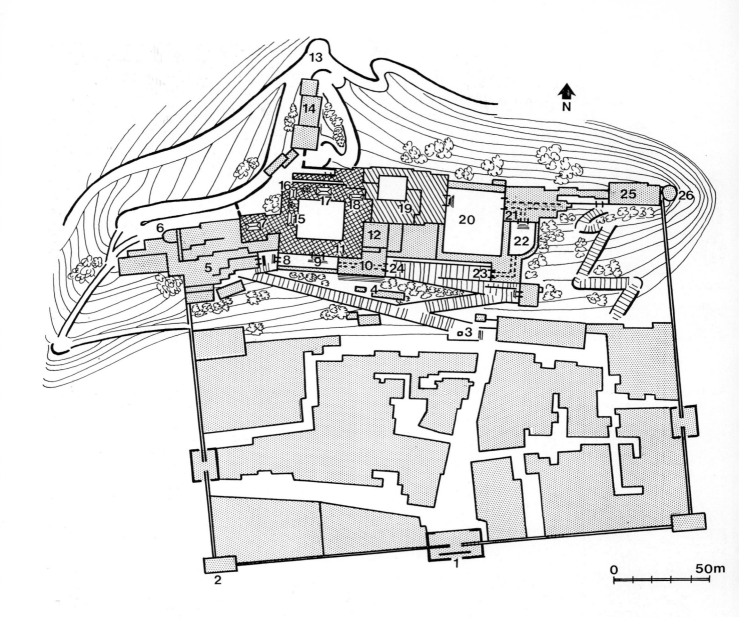

fig. 183 - Potala, pianta schematica: 1, torre fortificata centrale (shung gope); 2, torre (chog) d'angolo; 3, pianerottolo inferiore delle rampe d'accesso meridionali; 4, edificio che racchiudeva le thangka di tessuto applicato; 5, residenze dei monaci del monastero del Potala (Nangyel Datsang); 6, torre «rotonda» (chogril) dell'ovest (mezzaluna); 7, edificio funerario del XIII Dalailama; 8, cortile esterno del Palazzo Rosso (Deyang Nub); 9, atrio del Palazzo Rosso; 10, costruzione d'ingresso (gope) ovest; 11, palazzo Rosso; 12, Cappella di Kâlacakra; 13, bastione del percorso nord; 14, edifici dello sperone nord; 15, ubicazione della cappella funeraria del V Dalailama; 16, ubicazione della cappella funeraria del VII Dalailama; 17, ubicazione della cappella funeraria del VIII Dalailama; 18, ubicazione della cappella funeraria del IX Dalailama; 19, Palazzo Bianco; 20, cortile esterno del Palazzo Bianco (Deyang Shar); 21, edificio della scuola dei funzionari religiosi (Tse Lobda); 22, bastione sud (Tagtsang Gormo); 23, rampa d'accesso che porta all'entrata est (Phüntsog Dülam); 24, rampa d'accesso che porta all'entrata ovest (Changchen Tharlam); 25, «Fortino dell'est» (Sharchen Chog); 26, torre rotonda (chogril) ad est (F. Meyer d'après Abregé d'histoire de l'architecture chinoise, 1962).

fig. 183 - Potala, plan schématique: 1, tour fortifiée centrale (shung gope); 2, tour (chog) d'angle; 3, palier inférieur des rampes d'accès méridionales; 4, bâtiment qui abritait les thangka en appliqué de tissu; 5, résidences des moines du monastère du Potala (Nangyel Datsang); 6, tour «ronde» (chogril) de l'Ouest (demi-lune); 7, bâtiment funéraire du XIII Dalaïlama; 8, cour extérieure du Palais Rouge (Deyang Nub); 9, porche du Palais Rouge; 10, ouvrage d'entrée (gope) Ouest; 11, Palais Rouge; 12, Chapelle de Kâlacakra; 13, bastion du chemin Nord; 14, bâtiments de l'éperon Nord; 15, emplacement de la chapelle funéraire du Vème Dalaïlama; 16, emplacement de la chapelle funéraire du VIIème Dalaïlama; 17, emplacement de la chapelle funéraire du VIIIème Dalaïlama; 18, emplacement de la chapelle funéraire du IXème Dalaïlama; 19, Palais Blanc; 20, cour extérieure du Palais Blanc (Deyang Shar); 21, bâtiment de l'école des fonctionnaires religieux (Tse Lobda); 22, bastion du Sud (Tagtsang Gormo); 23, rampe d'accès conduisant à l'entrée Est (Phüntsog Dülam); 24, rampe d'accès conduisant à l'entrée Ouest (Changchen Tharlam); 25, «Fortin de l'Est» (Sharchen Chog); 26, tour ronde (chogril) de l'Est (F. Meyer d'après Abregé d'histoire de l'architecture chinoise, 1962).

fig. 184 - Potala, parte occidentale, facciata sud, residenze dei monaci del monastero Nangyel Datsang (foto F. Meyer).

fig. 184 - Potala, partie occidentale, façade Sud, résidences des moines du monastère Namgyel Datsang (cl. F. Meyer).

fig. 186 - Potala, facciata sud: rampa d'accesso centrale (foto F. Meyer).

fig. 186 - Potala, façade Sud, rampe d'accès centrale. (cl. F. Meyer).

fig. 185 - Potala: terrazze delle residenze del monastero Namgyel Datsang (foto F. Meyer).

fig. 185 - Potala, terrasses des résidences du monastère Namgyel Datsang (cl. F. Meyer).

fig. 187 - Potala, facciata sud: corpo di edificio sovrastante l'accesso orientale al Palazzo Rosso e raccordo di quest'ultimo (a sinistra) con il Palazzo Bianco (foto F. Meyer).

fig. 187 - Potala, façade Sud, corps de bâtiment surmontant l'accès oriental au Palais Rouge et jonction entre ce dernier (à gauche) et le Palais Blanc (cl. F. Meyer).

fig. 188 - Potala: facciata orientale del Palazzo Bianco vista dal cortile est. (foto F. Meyer).

fig. 188 - Potala, façade orientale du Palais Blanc vue depuis la Cour de l'Est (cl. F. Meyer).

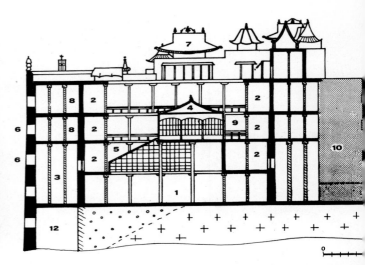

fig. 189 - Potala: sezione schematica sud-nord al livello del Palazzo Rosso: 1, grande Sala d'Assemblea dell'Ovest; 2, galleria formante deambulatorio; 3, cappella; 4, padiglione; 5, vetrata che chiude il lucernario della sala ovest; 6, finestre della facciata sud; 7, padiglione a «tetto cinese» che segna l'ubicazione dello stupa funerario del V Dalailama; 8, sala, santuario o cappella funeraria; 9, passerella; 10, corpo di edificio affiancato alla facciata nord del Palazzo Rosso; 11, porta nord del Potala; 12, sale dipendenti dal monastero del Potala e disimpegnate dall'atrio del Palazzo Rosso (F. Meyer).

fig. 189 - Potala: coupe schématique Sud-Nord au niveau du Palais Rouge: 1, Grande Salle d'Assemblée de l'Ouest; 2, galerie formant déambulatoire; 3, chapelle; 4, pavillon; 5, verrière fermant le lanterneau de la salle de l'Ouest; 6, fenêtre de la façade Sud; 7, pavillon à «toit chinois» marquant l'emplacement du stûpa funéraire du 5ème Dalaïlama; 8, salle, sanctuaire ou chapelle funéraire; 9, passerelle; 10, corps de bâtiment doublant la façade Nord du Palais Rouge; 11, porte Nord du Potala; 12, salles dépendant du monastère du Potala et desservies par le porche du Palais Rouge (F. Meyer).

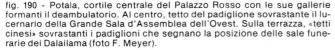

fig. 190 - Potala, cortile centrale del Palazzo Rosso con le sue gallerie formanti il deambulatorio. Al centro, tetto del padiglione sovrastante il lucernario della Grande Sala d'Assemblea dell'Ovest. Sulla terrazza, «tetti cinesi» sovrastanti i padiglioni che segnano la posizione delle sale funerarie dei Dalailama (foto F. Meyer).

fig. 190 - Potala, cour centrale du Palais Rouge avec ses galeries formant déambulatoire. Au centre, toiture du pavillon surmontant le lanterneau de la Grande Salle d'Assemblée de l'Ouest. Sur la terrasse, «toits chinois» couronnant les pavillons qui marquent les emplacement des salles funéraires des Dalaïlama (cl. F. Meyer).

fig. 191 - Potala, terrazza del Palazzo Rosso con lucernari assicuranti un'illuminazione zenitale alle sale situate inferiormente e «tetti cinesi» delle cappelle funerarie del V e XIII Dalailama (foto F. Meyer).

fig. 191 - Potala, terrasse du Palais Rouge avec lanterneaux assurant un éclairage zénithal aux salles situées en-dessous et «toits chinois» des chapelle funéraires des Vème et XIIIème Dalaïlamas (cl. F. Meyer).

192

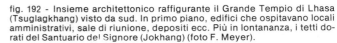

fig. 192 - Insieme architettonico raffigurante il Grande Tempio di Lhasa (Tsuglagkhang) visto da sud. In primo piano, edifici che ospitavano locali amministrativi, sale di riunione, depositi ecc. Più in lontananza, i tetti dorati del Santuario del Signore (Jokhang) (foto F. Meyer).

fig. 192 - Ensemble architectural constituant le Grand Temple de Lhasa (Tsuglagkhang) vu du Sud. Au premier plan, bâtiments qui abritaient des locaux administratifs, des salles de réunion, des entrepôts etc... Plus loin, les toits dorés du Sanctuaire du Seigneur (Jokhang) (cl. F. Meyer).

fig. 193 - Jokhang, particolare dei «tetti cinesi» di rame dorato (foto F. Meyer).

fig. 193 - Jokhang, détail des «toits chinois» en cuivre dorè (cl. F. Meyer).

fig. 194 - Jokhang, particolare del sistema di mensole situate alla base dei «tetti cinesi» (foto F. Meyer).

fig. 194 - Jokhang, détail du système de consoles situè à la base des «toits chinois (cl. F. Meyer).

fig. 195 - Jokhang, file di mensole sostenenti la tettoia (in alto) e la grondaia della facciata (foto F. Meyer).

fig. 195 - Jokhang, rangées de consoles soutenant l'auvent dans la partie haute et le larmier de la façade (cl. F. Meyer).

193

194

195

fig. 196 - Depung, collegi e residenze monastiche (foto F. Meyer).
fig. 196 - Depung, collèges et résidences monastiques (cl. F. Meyer).

fig. 197 - Depung, collegio Gomang (foto F. Meyer).
fig. 197 - Depung, collège Gomang (cl. F. Meyer).

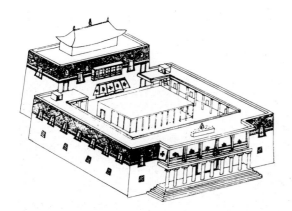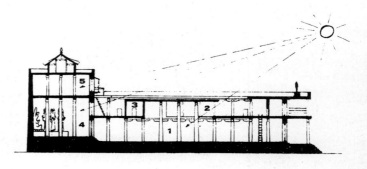

fig. 198 - Veduta prospettica e sezione schematica di un edificio-tipo di collegio o di lag grande tempio (tsuglagkhang) in un monastero gelugpa: 1, sala d'assemblea (dükhang); 2, apertura del lucernario; 3, stanza costruita alle spalle del lucernario; 4, cella (ditsangkhang); 5, residenza dell'abate o cappella dei mandala (F. Meyer).
fig. 198 - Vue cavalière et coupe schématiques d'un bâtiment type de collège ou de grand temple (tsuglagkhang) dans un monastère gelugpa: 1, salle d'assemblée (dükhang); 2, ouverture du lanterneau; 3, pièce construite au dos du lanterneau; 4, cella (ditsangkhang); 5, résidence de l'abbé ou chapelle des mandala (F. Meyer).

386

fig. 199 - Depung, Ganden Phodang, facciata sud dell'edificio principale, residenza dei Dalailama (XVII - XVIII sec.). Importanti rifacimenti sono stati effettuati sotto il XIII Dalailama (foto F. Meyer).

fig. 199 - Depung, Ganden Phodang, façade Sud du bâtiment principal, résidence des Dalaïlamas (XVIIème - XVIIIème siècle.). D'importants remaniements ont été effectués sous le XIIIème Dalaïlama (cl. F. Meyer).

fig. 200 - Tempio di Nechung (pressi di Depung), antica residenza dell'oracolo di stato, fine XVII sec. (foto F. Meyer 1984).

fig. 200 - Temple de Nechung (environs de Depung), ancienne résidence de l'oracle d'état, fin du XVIIème siècle (cl. F. Meyer, 1984).

fig. 201 - Città monastica di Tashilhunpo, cappelle funerarie dei Panchenlama, palazzo abbaziale e cappelle, costruzioni e restauri dal XVI al XIX sec., prima delle distruzioni della Rivoluzione Culturale (foto H. Richardson).

fig. 201 - Cité monastique de Tashilhunpo, chapelles funéraires des Panchenlama, palais abbatial et chapelles, construction et restaurations du XVIème au XIXème siècle, avant les destructions de la Rèvolution Culturelle (cl. H. Richardson).

fig. 202 - Tashilhunpo, cortile antistante il grande tempio (XVIII - XVIII sec.). La cappella funeraria del I Panchenlama, distrutta durante la Rivoluzione Culturale, non era stata ancora ricostruita (foto F. Meyer, 1983).

fig. 202 - Tashilhunpo, cour précédant le grand temple (XVIIème - XVIIIème siècle). La chapelle funéraire du Ier Panchenlama, détruite pendant la Révolution Culturelle, n'était pas encore reconstruite (cl. F. Meyer, 1983).

fig. 203 - Tashilhumpo, «tetto cinese» sovrastante la cella principale del grande tempio. Edificato nel XVII sec., probabile restauro dell'inizio del XX sec. (foto F. Meyer).

fig. 203 - Tashilhumpo, «toit chinois» surmontant la cella principale du grand temple. Edifié au XVIIème siècle, restauration vraissemblable au début du XXème siècle (cl. F. Meyer).

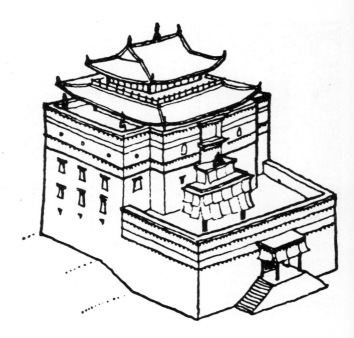

fig. 204 - Schizzo di un tipo di santuario gelugpa il cui modello sembra essere stato sviluppato a Tashilhunpo (tembe dei Panchenlama), lo spazio interno è articolato su diversi piani (Liu Dunzhen 1980, pag. 16).

fig. 204 - Croquis d'un type, de sanctuaire gelugpa dont le modèle semble avoir été développé à Tashilhunpo (tombeaux des Panchenlamas), l'espace intérieur occupe plusieurs étages (Liu Dunzhen, 1980, 16).

fig. 205 - Parco della residenza estiva dei Dalailama (Norbu Ling kha), padiglione di stile cinese, XIX - XX sec. (foto F. Meyer).

fig. 205 - Parc de la résidence d'été des Dalaïlama (Norbu Lingkha), pavillon de style chinois, XIXème - XXème siècle (cl. F. Meyer).

fig. 206 - Norbu Lingkha: portico di accesso al palazzo d'estate del XIV Dalailama (Norling Khamsum Silnön) (foto F. Meyer).

fig. 206 - Norbu Lingkha: portique d'accès au palais d'été du XIVème Dalaïlama (Norling Khamsum Silnön) (cl. F. Meyer).

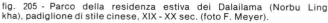

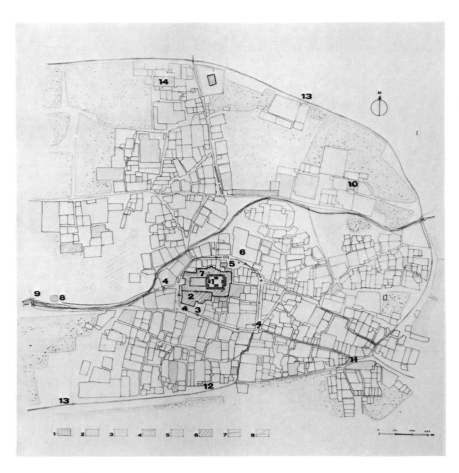

fig. 207 - Lhasa pianta, intorno al 1945 secondo P. Aufschnaiter (Brauen 1983) e J. Taring (Nakane 1984): 1, Jokhang, santuario principale al centro del Grande Tempio (Tsuglagkhang); 2, corpo meridionale del Tsuglagkhang; 3, «Circuito intermedio di circoambulazione» (barkhor); 4, grande stendardo commemorativo; 5, Chörten, muro di pietre scolpita e grande mulino di preghiera; 6, Thomsigkhang; 7, «Circuito interno di circoambulazione» (nangkhor); 8, 10, 11, e 12 Santuari Ovest, Nord, Est e Sud dei «3 Protettori»; 9, Ganden Khangsar; 13, circuito di circoambulazione esterno (lingkhor); 14, Ramoche (F. Meyer).

fig. 207 - Lhasa, plan vers 1945 d'après P. Aufschnaiter (M. Brauen, 1983) et J. Taring (Nakane 1984): 1, Jokhang, sanctuaire principal au coeur du Grand Temple (Tsuglagkhang); 2, corps méridional du Tsuglagkhang; 3, «Circuit intermédiaire de circumambulation» (barkhor); 4, grande bannière commémorative; 5, Chörten, mur de pierres gravées et grand moulin à prières; 6, Thomsigkhang; 7, «Circuit interne de circumambulation» (nangkhor); 8, 10, 11, et 12 Sanctuaires Ouest, Nord, Est et Sud des «3 Protecteurs»; 9, Ganden Khangsar; 13, circuit de circumambulation externe (lingkhor); 14, Ramoche (F. Meyer).

fig. 208 - Casa del centro di Lhasa (foto F. Meyer).

fig. 208 - Maison dans le centre de Lhasa (cl. F. Meyer).

fig. 209 - Shigatse, dimora di famiglia nobile (foto F. Meyer).

fig. 209 - Shigatse, demeure d'une famille noble (cl. F. Meyer).

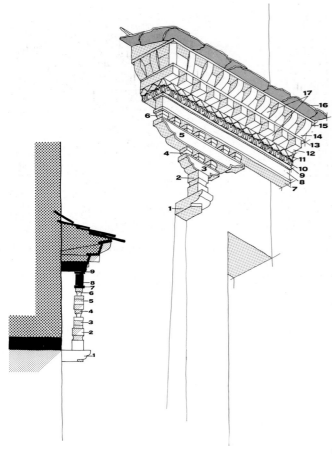

fig. 210 - Veduta prospettica e sezione di una tettoia di porta esterna: 1, senglag, «zampa di leone»; 2, dechen, «grande moggio»; 3, belog o shuthung «arco corto»; 4, dechung, «piccolo moggio»; 5, shuring, «arco lungo»; 6, dechung, «piccolo moggio»; 7, dungden, «supporto di trave»; 8, dung, trave; 9, dungkheb, «copritrave»; 10, pema, «loto»; 11, chötseg, «accatastamento di Legge Religiosa»; 12, chamtse «estremità di corrente» o bab «beccatello/modiglione»; 13, khashing, «legno di copertura»; 14, djimtse; 15, khashing, «legno di copertura»; 16, chuyan o yampa «tegole, lastre d'ardesia»; 17, gagpang, «assicella di chiusura» (O. Villette, F. Meyer).

fig. 210 - Vue perspective d'un auvent de porte d'enceinte: 1, senglag, «patte de lion»; 2, dechen, «grand boisseau»; 3, belog ou shuthung «arc court»; 4, dechung, «petit boisseau»; 5, shuring, «arc long»; 6, dechung, «petit boisseau»; 7, dungden, «support de poutre»; 8, dung, poutre; 9, dungkheb, «couvre-poutre»; 10, pema, «lotus»; 11, chötseg, «empilement de Loi Religieuse»; 12, chamtse «extrémité de solive» ou bab «corbeau/modillon»; 13, khashing, «bois de couverture»; 14, djimtse; 15, khashing, «bois de couverture»; 16, chuyam ou yampa, lauses, ardoises; 17, gagpang, «planchette de fermeture» (O. Villette, F. Meyer).

fig. 212 - Sezione prospettica di una porta: 1, thempa o themke, soglia; 2, rushi, cornice; 3, pema, «loto»; 4, chötseg, «accatastamento di Legge Religiosa»; 5, dung, trave; 6, gagpang, «assicella di chiusura»; 7, babkyang, «beccatello/modiglione in estensione»; 8, khashing, «legno di copertura»; 9, babkum, «beccatello/modiglione arretrato» o dédong «faccia di scimmia»; 10, dung, trave o ngomshing, architrave; 11, sengdom, «fila di leoni»; 12, goshen, serrature; 13, Changphor, «tazza di ferro» o dzabub, «vaso rovesciato» (O. Villette, F. Meyer).

fig. 212 - Coupe perspective d'une porte: 1, thempa ou themke ou seuil; 2, rushi, cadre; 3, pema, «lotus»; 4, chötseg, «empilement de Loi Religieuse»; 5, dung, «poutre»; 6, gagpang, «planchette de fermeture»; 7, babkyang, «corbeau/modillon en extension»; 8, khashing, «bois de couverture»; 9, babkum, «corbeau/modillon rétracté» ou dedong «façe de singe»; 10, dung «poutre» ou ngomshing «linteau»; 11, sengdom, «rangée de lions»; 12, goshen, serrures; 13, chagphor, «bol en fer» ou dzabub, «pot retourné» (O. Villette, F. Meyer).

fig. 211 - Norbu Lingkha tettoia di una delle porte esterne XX sec. (foto F. Meyer).

fig. 211 - Norbu Lingkha auvent d'une des portes d'enceinte XXème siècle (cl. F. Meyer).

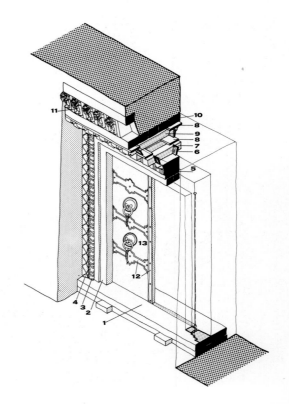

fig. 213 - Palazzo del Potala, porta che dà accesso alla cappella funeraria di un Dalailama (foto F. Meyer).

fig. 213 - Palais du Potala, porte donnant accès à la chapelle funéraire d'un Dalaïlama (cl. F. Meyer).

fig. 214 - Cornicione d'attico e loggette (rabsal) del Potala (foto F. Meyer).

fig. 214 - Potala, bandeau d'attique et logettes (rabsal) (cl. F. Meyer).

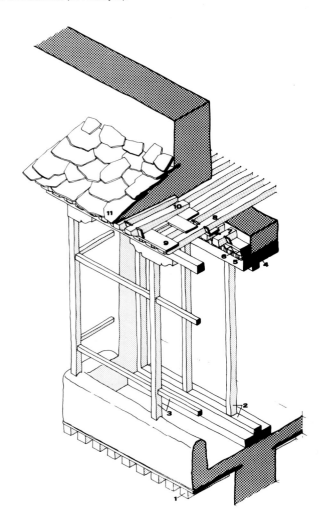

fig. 215 - Sezione prospettica di una leggetta (rabsal): 1, chamtse, «estremità di corrente»; 2, rushi, cornice; 3, donkyor parapetto; 4, ngomshing, architrave; 5, pema, «loto»; 6, chötseg, «accatastamento di Legge Religiosa»; 7, bab, beccatello/modiglione; 8, chamtse, «estremità di corrente»; 9, khashing, «legno di copertura»; 10, jimtse; 11, chuyam o yampa, tegole, lastre di ardesia (O. Villette, F. Meyer).

fig. 215 - Coupe perspective d'une logette (rabsal): 1, chamtse, «extrémité de solive»; 2, rushi, cadre; 3, donkyor, garde corps; 4, ngomshing, linteau; 5, pema, «lotus»; 6, chötseg, «empilement de Loi Religieuse»; 7, bab, corbeau/modillon; 8, chamtse, «extrémité de solive»; 9, khashing, «bois de couverture»; 10, jimtse; 11, chuyam ou yampa, lauses, ardoises (O. Villette, F. Meyer).

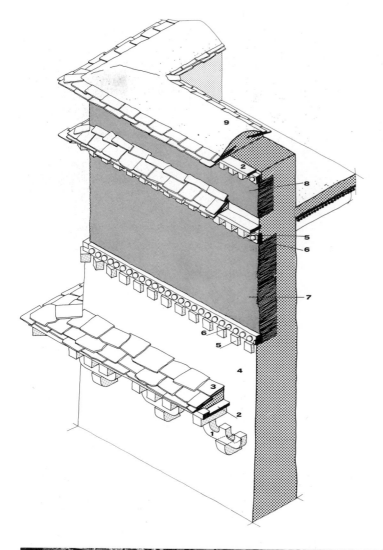

fig. 216 - Sezione prospettica di una cornicione d'attico: 1, dekyog, «moggio curvo» o depung, «ammasso di moggi»; 2, khashing, «legno di copertura»; 3, chuyam o yampa, tegole, lastre di ardesia; 4, ketha, «collo stretto», fascia imbiancata (anche dungkya); 5, bab, beccatello/modiglione o pépu; 6, karma, «stelle», fregio di elementi rotondi scolpiti in un tondino; 7, penchen «grande fregio vegetale»; 8, penchung, «piccolo fregio vegetale»; 9, nyagyab, «schiena di pesce» o pushu, fastigio di parapetto (O. Villette, F. Meyer).

fig. 216 - Coupe perspective d'un bandeau d'attique: 1, dekyog, «boisseau courbe», ou depung «amas de boisseaux»; 2, khashing, «bois de couverture»; 3, chuyam ou yampa, lauses, ardoises; 4, ketha, «cou étroit»: bande de badigeon blanc, aussi dungkya; 5, bab, corbeau/modillon, ou pépu; 6, karma, «étoiles», frise d'éléments ronds sculptés dans une baguette; 7, penchen, «grande frise végétale»; 8, penchung, «petit frise végétale»; 9, nyagyab, «dos de poisson», ou pushu, faîte de parapet (O. Villette, F. Meyer).

fig. 217 - Potala, pilastri e architravi dell'atrio del Palazzo Bianco, restauro dell'inizio del XX sec. (foto F. Meyer).

fig. 217 - Potala, pilier et entablements du porche du Palais Blanc, restauration au début du XXème siècle (cl. F. Meyer).

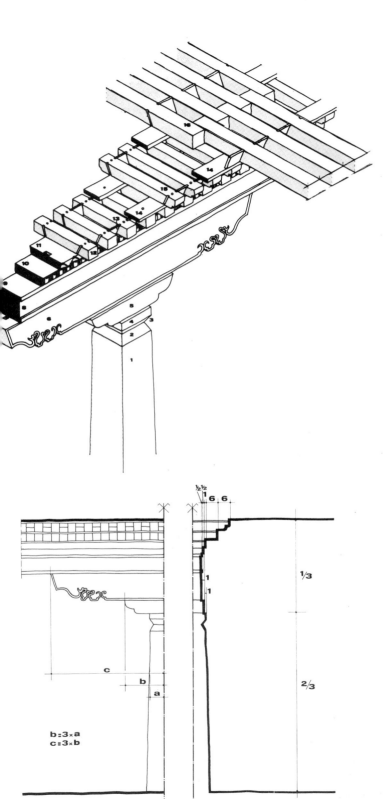

fig. 218 - Pilastro e sezione prospettica di un architrave: 1, kawa, «pilastro»; 2, thenggor, «ghirlanda in cerchio», collarino; 3, demä, «parte bassa del capitello»; 4, detô, «parte alta del capitello»; 5, shuthung, «arco corto»; 6, shuring, «arco lungo»; 7, dungdän, «supporto di trave»; 8, dung, «trave»; 9, dungkheb, «copritrave»; 10, pema, «loto»; 11, chötseg, «accatastamento di Legge Religiosa»; 12, babkyang, «modiglione in estensione»; 13, gagpang, «assicella di chiusura»; 14, khashing, «legno di copertura»; 15, babkum, «modiglione arretrato», o dedong, «Faccia di scimmia»; 16, chan, corrente (O. Villette, F. Meyer).

fig. 218 - Pilier et coupe-perspective d'un entablement: 1, kawa, «pilier»; 2, thenggor «guirlande en cercle», gorgeron; 3, demä, «partie basse du chapiteau»; 4, detö, «partie haute du chapiteau»; 5, shuthung, «arc court»; 6, shuring, «arc long»; 7, dungden, «support du poutre»; 8, dung, «poutre»; 9, dungkheb, «couvre-poutre»; 10, pema, «lotus»; 11, chötseg, «empilement de Loi Religieuse»; 12, babkyang, «modillon en extension»; 13, gagpang, «planchette de fermeture»; 14, khashing, «bois de couverture»; 15, babkum, «modillon rétracté» ou dedong «Façe de singe»; 16, cham, solive (O. Villette, F. Meyer).

fig. 219 - Proporzioni degli elementi del supporto d'architrave e dell'architrave rispetto alla sezione del pilastro: 1, tshön, lunghezza della seconda falange del pollice (O. Villette, F. Meyer).

fig. 219 - Proportions des éléments du soutien d'entablement et de l'entablement par rapport à la section du pilier: 1, tshön, longueur de la seconde phalange du pouce (O. Villette, F. Meyer).

SECTION IX

LE TIBET A L'EPOQUE DES DALAÏLAMA XVÈME-XXÈME S.

Fernand Meyer

En 1642, l'accession du 5ème Dalaïlama à la suprématie politique et religieuse sur l'ensemble du Tibet réunifié, ouvre une période nouvelle de l'histoire. Cette époque voit un développement exceptionnel de la tradition architecturale en de grandes synthèses monumentales. Pour en saisir la logique, il est nécessaire d'évoquer quelques vestiges remontant aux 15ème et 16ème siècles.

La doctrine religieuse et l'organisation de la vie conventuelle de l'ordre Gelugpa, telles qu'elles furent établies par Tsongkapa (1357-1419), ne nécessitaient pas d'importantes modifications dans l'architecture des sanctuaires ou des bâtiments monastiques. L'organisation des monastères gelugpa, variable en complexité selon leur taille, n'est pas fondamentalement différente de celle qui prévalait déjà dans les ordres préexistants (voir l'introduction). A partir du 17ème siècle, ces monastères, ainsi que leurs domaines, étaient, soit la propriété du gouvernement qui nommait un chef titulaire (thipa) pour une durée de quelques années, soit celle d'un hiérarque incarné (tulku) qui détenait l'autorité ultime et conférait à l'établissement son prestige. Ce hiérarque, qui disposait d'un palais abbatial (labrang) au sein du monastère, pouvait déléguer de son pouvoir à un thipa. Dans les collèges, l'enseignement était dispensé par des abbés (khenpo). A chaque collège étaient rattachées un certain nombre de résidences monastiques (khangtsen) qui regroupaient, généralement, les moines selon leur origine géographique. L'organisation de la vie matérielle était confiée à un régisseur général (chisowa) assisté d'administrateurs pouvant être des laïcs, dont certains (nyerpa) avaient la charge des entrepots. Enfin, les biens généraux du monastère, ceux des divers collèges et, le cas échéant, ceux de la maison du hiérarque, étaient gérés par un trésorier (chagdzö). A côté de l'éventuel hiérarque propriétaire, les grands monastères gelugpa comptaient dans leurs murs, et parfois en grand nombre, d'autres maîtres incarnés qui disposaient, chacun, d'une résidence propre.

Les cités monastiques de plusieurs milliers d'habitants, qui se sont développées à l'époque des Dalaïlama, formaient des ensembles socio-économiques dont la complexité se reflètait dans la diversité typologique de leurs bâtiments: grand temple (tsuglagkhang) comprenant la salle d'assemblée générale (tsogchen), collèges (datsang), palais abbatial (labrang), espaces extérieurs pour l'enseignement ou les fêtes collectives, résidences de moines, entrepots, locaux administratifs etc... Les grands monastères gelugpa étaient liés à de nombreuse filiales, parfois lointaines, dont les moines venaient à la maison-mère pour y terminer leurs études.

De fait, ce sont moins des innovations concernant la doctrine religieuse ou la règle monastique, que des facteurs socio-économiques nouveaux qui vont sous-tendre l'évolution de l'architecture tibétaine à l'époque des Dalaïlama, et nous pouvons, dès à présent, esquisser les plus déterminants d'entre-eux. Il faut d'abord souligner la grande pérennité dont bénéficia la suprématie politique et religieuse gelugpa qui dura 3 siècles sans interruption, de 1642 à 1950. Elle permit aux autorités de l'Eglise, draînant des ressources humaines et économiques considérables, de constamment entretenir, rénover, agrandir et embellir ses bâtiments. De ce fait, il est particulièrement difficile de dater les architectures de cette période. La pérennité de la suprématie des gelugpa explique également, que les tendances architecturales et artistiques qu'ils ont favorisées, aient été suivies par les autres écoles religieuses. On observe donc une certaine uniformisation; si tant est, et l'état actuel de la documentation ne permet pas de le dire avec certitude, qu'il y eut, avant le 17ème siècle, des différences significatives dans les conceptions architecturales des diverses écoles. L'accession au pouvoir du 5ème Dalaïlama a initié une centralisation politique, administrative et culturelle qui sera de plus en plus marquée, et ceci sur une grande aire géographique. Cette centralisation, ainsi que la fondation de nombreuses filiales par les grands monastères du Tibet Central, auront pour effet d'estomper la diversité des styles régionaux, du moins en matière d'architecture religieuse. De plus, les modèles architecturaux et artistiques accompagnèrent l'influence religieuse des gelugpa bien au-delà des frontières géographiques du pouvoir temporel des Dalaïlama[1]. Enfin, les liens avec la cour chinoise furent reserrés à partir du 5ème Dalaïlama, cette fois-ci avec la dynastie mandchou, dont l'emprise sur le gouvernement tibétain se fera surtout sentir après 1720. On peut donc s'attendre à observer, pendant la période qui nous intéresse, un regain de l'influence chinoise dans le domaine artistique et architectural.

Pour des raisons de place, les documents présentés ici ne pourront être que fragmentaires, car chaque ensemble architectural qui sera abordé mériterait en fait une monographie.

fig. 181

Il y a quelques décennies, se trouvait encore dans le quartier Nord de Lhasa un bel exemple d'architecture nobiliaire remontant au début du 15ème siècle, et dont l'examen aurait sans-doute permis de mieux apprécier l'importance des développements architecturaux du siècle suivant (fig. 207, N° 9). Ganden Khangsar était en effet un édifice prestigieux, puisqu'il avait été construit par les Gandenpa, seigneurs de la région de Lhasa[2] et qu'il avait ensuite servi de résidence à Gushri Khan et à ses descendants, puis à plusieurs autres dirigeants du Tibet jusqu'au milieu du 18ème siècle. Il s'agit d'une construction massive et austère de 5 étages, au fruit fortement accusé et dépourvue de fenêtres au rez-de-chaussée.

Malheureusement, le document ne montre pas la façade méridionale du bâtiment principal, ce qui ne permet pas de savoir s'il comportait déjà de grandes baies ou des logettes.

LE PALAIS DU POTALA, Lhasa

Construit, à l'Ouest de Lhasa, au sommet et sur le flanc Sud d'une éminence rocheuse haute de 130m, le palais des Dalaïlama fut le centre politique et spirituel le plus important de l'aire de culture tibétaine.

fig. 182

Il fut la première grande réalisation architecturale des gelugpa après leur arrivée au pouvoir, et resta en usage, sans interruption, jusqu'en 1959. Il n'a pas souffert de dégâts importants, malgré sa mise à sac par les Dzungars en 1717 et les affrontements de 1959. Il s'agit d'un ensemble architectural complexe, au caractère défensif encore marqué, qui abritait, non seulement les appartements du Dalaïlama et de sa suite, mais également les monuments funéraires de certains de ses prédécesseurs, de vastes salles destinées aux grandes cérémonies de l'Etat, de nombreuses chapelles, des bureaux du gouvernement, le monastère dirigé par le Pontife, une école destinée à former les fonctionnaires religieux, des salles du trésor, des entrepots etc...

Après qu'en 1642, le 5ème Dalaïlama, jusque-là chef des seuls gelugpa et abbé de Depung, fut investi par Gushri Khan de l'autorité sur le Tibet, se posa la question du lieu où siègerait le nouveau pouvoir. On décida de construire un palais au sommet de la «Montagne Rouge» (Marpori) à côté de Lhasa, région où les gelugpa étaient fortement implantés. Plusieurs considérations firent pencher pour ce choix, notamment la proximité des 3 principaux monastères de cette école (Ganden, Depung et Sera) et la nécessité de pouvoir se défendre en cas d'agression. Il apparut également qu'il serait possible de tirer parti de l'importante charge historique du lieu, puisque la tradition voulait que les ruines qui se trouvaient au sommet de la montagne fussent les vestiges d'un palais construit par Songtsen Gampo, fameux roi tibétain du 7ème siècle. De plus, en recevant le nom de Potala, l'ensemble architectural était explicitement identifié à la montagne sacrée où réside le bodhisattva Avalokiteshvara, dont le 5ème Dalaïlama et Songtsen Gampo étaient censés être les incarnations.

La construction du Palais Blanc dura de 1645 à 1648 et, l'année suivante, le 5ème Dalaïlama quitta son ancienne résidence de Depung pour s'installer au Potala. D'après les sources historiques, c'est Sanggye

fig. 183

Gyamtso, le dernier régent du 5ème Dalaïlama qui fonda le Palais Rouge en 1690, à l'Ouest du Palais Blanc. Or le Pontife était décédé en 1682 et le régent n'en avait pas divulgué la nouvelle. La chapelle funéraire du 5ème Dalaïlama, qui occupe une grande partie du corps occidental du Palais Rouge, fut érigée de 1692 à 1694. Et c'est seulement 3 ans plus tard, en 1697, que le régent fit officiellement connaître la mort du pontife. Les 42 années qui se sont écoulées entre la fin des travaux du Palais Blanc et le début de la construction du Palais Rouge, laissent à penser que ce dernier n'était peut-être pas prévu au départ. De fait, le plan du Potala permet de constater qu'il s'imbrique, comme un rajout, dans l'angle Sud-Ouest du Palais Blanc.

En 1694, le Palais Rouge avait certainement atteint sa hauteur actuelle puisque la chapelle funéraire du 5ème Dalaïlama, située dans la partie occidentale, s'élève jusque sous la terrasse. De plus, l'appartement de son successeur [3], qui vécut au Potala de 1697 à 1706, occupe l'angle Sud-Ouest du dernier étage. En ce qui concerne le développement historique de l'ensemble des constructions du Potala, une peinture murale le représentant, réalisée à l'époque du 8ème Dalaïlama [4], et située dans une des chapelles du Palais Rouge [5], montre que dans la seconde moitié du 18ème siècle au plus tard, le Potala et le village fortifié qu'il domine, se trouvaient déjà dans l'état général que nous leur connaissons aujourd'hui; à l'exception de quelques résidences monastiques secondaires à l'Ouest (fig. 183, N° 5), des toits dorés qui couvriront plus tard les sépultures des 8ème et 9ème Dalaïlama (N° 17 et 18), et du bâtiment funéraire du 13ème (N° 7). Par la suite, les modifications de structure des bâtiments centraux n'affectent que leurs parties hautes, à l'occasion de la fondation de nouvelles chapelles funéraires ou d'appartements. Le 13ème Dalaïlama, qui eut un long reigne (1895-1933) et fut un hiérarque puissant à l'image du «Grand Cinquième», décida, dans la seconde moitié de sa vie, de revenir habiter au Palais Blanc [6] sur la terrasse duquel il fit construire des appartements, bien qu'il eut une préférence très marquée pour son palais d'été du Norbu Lingkha. Après sa mort, on remplaça, de 1934 à 1936, un ensemble de cellules monastiques, situées à l'Ouest du Palais Rouge, par un construction de 14m de haut, couronnée d'un pavillon à toit doré et destinée à abriter son stûpa funéraire. Si le Potala n'eut pas à subir de destructions importantes au cours de son histoire, il connut néanmoins plusieurs campagnes de rénovation dont les plus notables furent entreprises sous le 11ème Dalaïlama (1842-1844) et sous le 13ème (vers 1910-1920).

Les divers bâtiments constituant le Potala occupent la crête et le versant Sud de la Montagne Rouge qui a imposé l'axe longitudinal du palais. Même les constructions situées au plus haut sont ancrées en grande partie sur le versant méridional, et ceci est particulièrement net pour le Palais Rouge, dont la façade Sud descend bien plus bas que celle du Nord. Cette disposition donne à l'ensemble un aspect d'étagement en gradins et fait que de nombreuses structures horizontales, établies sur un terrassement au Nord, dominent le versant dans leur partie Sud; car le rocher ne se prêtait pas à l'aménagement de grands terrains plats creusés dans la montagne et le remblayage, quant à lui, aurait demandé une quantité trop énorme de matériaux. Les murs de soutien, dont les fondations pénètrent dans le rocher, sont donc particulièrement épais à la base des façades méridionales, où ils dépassent 5m [7]. Tous ont été réalisés en un bel appareil de pierre (section 1).

Quels ont été les modèles susceptibles d'avoir inspiré ce grandiose ensemble architectural s'étendant sur près de 400m d'Est en Ouest et dont la plus grande hauteur, dans sa partie centrale, serait d'environ 115m en façade Sud? On pense bien-sûr, tout d'abord, à la forteresse de Shigatse, résidence du prince du Tsang vaincu par Gushri Khan, où le 5ème Dalaïlama fût intronisé en 1642. Le palais de Leh, édifié près de 20 ans avant le début des travaux au Potala aurait également pû servir de modèle (section X). Mais de manière générale, le palais des Dalaïlama s'inscrit parfaitement dans la tradition architecturale des forteresses (dzong), notamment celles qui avaient été édifiées par Changchub Gyeltsen, au début du 14ème siècle.

Au Sud du palais du Potala se trouve une petite agglomération connue sous le nom de Shöl. Elle est entourée d'une enceinte quadrangulaire dont le côté Nord est occupé par le palais. La muraille, construite en pisé à l'intérieur et en pierre à l'extérieur, présente des portes fortifiées (gope) sur ses côtés Est, Sud et Ouest; ainsi que 2 tours (chog) situées aux angles méridionaux. Ce type de mur d'enceinte est semblable à celui du grand temple de Sakya (section VII) dont on sait qu'il fut très influencé par l'architecture des Yuan. On en connaît d'autres exemples: à Phagri Dzong ou à Lo Mantang (Mustang, Népal) par exemple. Au-delà de la porte centrale (shunggo, N°1) haute de trois étages et comportant un mur-écran (gokyor), une voie oblique, irrégulièrement bordée de bâtiments à la manière tibétaine contrastant ici avec le strict ordonnancement de l'enceinte, conduit au palier inférieur des rampes d'accès (kérim, N° 3).

Celle de l'Ouest débouche sur un petit terre-plein qui dessert les résidences des moines dépendant du monastère du Potala (N° 5)[8] et la cour extérieure du Palais Rouge (N° 8). Les bâtiments qui abritent les

fig. 184

cellules des moines (N° 5) datent probablement, pour l'essentiel, de la seconde partie du 17ème siècle. Ils sont un très bon exemple de la maîtrise avec laquelle les architectes tibétains tirent profit des jeux de volume

fig. 185

en façade, combinant les ombres verticales, projetées sur le badigeon blanc par les décrochements du mur, et le rythme des fenêtres sombres bordées de noir, afin de rompre la sévérité de cette architecture monumentale sans rien lui ôter de sa grandeur. Les petites lucarnes munies de barreaux en bois ou les étroites meurtrières visibles à la partie inférieure des murs, servent à l'aération des pièces de stockage qui se trouvent sous le niveau du rez-de-chaussée. Celui-ci correspond à la rangée des fenêtres du bas et au porche d'entrée jouxtant à l'Ouest le terre-plein d'arrivée de la rampe d'accès. On peut donc constater que la partie méridionale des bâtiments conventuels domine le versant de la montagne, ce qui dégage, entre celui-ci, le rez-de chaussée et le mur de façade, des espaces partiellement remblayés, utilisés pour le stockage. Il en va de même pour de nombreux autres bâtiments du Potala. La fig. 185 montre également l'importance des terrasses en tant que voies de circulation et accès de lumière. Elle rappelle certains villages tibétains étagés en gradins à flanc de montagne, où le toit-terrasse des maisons fait office de cour précédant l'habitation sus-jacente et où l'on circule en passant constamment d'une terrasse à l'autre.

Une rampe d'accès orientale conduit aux 2 grandes portes du Potala situées: l'une à l'Est (fig. 183, N° 23) et

fig. 186

l'autre à l'Ouest (N° 24)[9]. Les rampes d'accès, qui ont jusqu'à 10m de large, dominent par endroit le versant de la montagne et leur dallage repose alors sur des madriers. A l'extérieur, elles sont bordées par un mur dont la partie haute forme un parapet à redents[10]. Son faîte est souligné par une frise végétale identique à celle des bandeaux d'attique. Les grandes portes de l'Est et de l'Ouest, précédées par un porche dans l'oeuvre (kabug) et situées dans des ouvrages d'entrée (gope), donnent sur des passages couverts (buglam, fig. 183, N° 10 et 27) qui débouchent sur la cour extérieure du Palais Rouge à l'Ouest et sur un bastion arrondi[11] à l'Est (N° 22).

fig. 187

L'ouvrage d'entrée occidental était occupé par des cellules de moines et, au sommet, par la salle d'assemblée du monastère du Potala. Il est surmonté par un lanterneau et des constructions étagées en gradins dont la chapelle de Kâlacakra accessible par le Palais Rouge (fig. 183, N° 12).

La façade méridionale du Palais Blanc est nettement en retrait sur celle du Palais Rouge, le raccordement des 2 bâtiments s'effectuant au niveau d'un élément en saillie sur la façade Est du Palais Rouge.

Le Palais Blanc (N° 19), partie la plus ancienne du Potala, constitue, avec la cour qui le précède, un ensemble architectural complet tel que le conçoit la tradition tibétaine. C'est un vaste édifice ayant la forme d'une pyramide tronquée, et présentant en son centre un espace intérieur à ciel ouvert (16 × 14m) qui descend sur 3 étages à partir de la terrasse et dont le fond est occupé par la «Grande Salle d'Assemblée de l'Est» (tsomchen shar). Cette salle, qui mesure environ 25 × 27m et compte 30 piliers, servait de cadre aux grandes cérémonies de l'Etat. La partie centrale de son couvrement, qui constitue le fond de l'espace intérieur à ciel ouvert du Palais Blanc, capte la lumière par un lanterneau (sengyab) (section I). Comme au Palais Rouge, le sol en aggloméré de pierres (arka) qui entoure le lanterneau, forme une sorte de cour intérieure à l'étage (yabthang). Jusqu'à hauteur de terrasse, elle est encadrée par 2 niveaux de galeries formant déambulatoire (khyamkhor) qui desservaient autrefois des appartements, des bureaux à l'usage du gouvernement et de la maison du Dalaïlama, les salles du trésor etc...

A l'époque du 13ème Dalaïlama, la terrasse du Palais Blanc reçut, à l'Ouest, au Nord et à l'Est de son ouverture centrale, des constructions hautes d'un étage et surmontées de lanterneaux. Elles abritent les appartements (zimchung) des 2 derniers Dalaïlama, des salles d'assemblée (tsomchen), des salles d'audience, des bibliothèques, etc...

fig. 188

La façade orientale du Palais Blanc, présentant de grandes logettes (rabsal) superposées dans sa partie médiane, domine la Cour de l'Est[12] qui occupe près de 1500m[2] (fig. 183, N° 20). Celle-ci est bordée par 2 étages de portiques desservant des cellules monastiques et des réserves. Son sol dallé ne repose pas sur un terrassement. Dans sa partie méridionale il dominerait de près de 70m le versant de la montagne[13]. Sous la cour, plusieurs niveaux de pièces, repérables par leurs ouvertures en façade Sud, servaient d'entrepots, notamment pour le thé.

C'est dans la façade orientale du Palais Blanc que se trouve la porte principale donnant accès aux Palais Blanc et Rouge. Elle est précédée par un porche dans l'oeuvre, aux piliers richement décorés (fig. 217), situé 1 étage plus haut que la cour de l'Est, au même niveau que la grande salle qui occupe le centre de l'édifice. On y accède par une volée de marches en pierre puis un triple escalier en bois, dont la volée centrale était réservée au Dalaïlama. Cette particularité, que l'on retrouve devant la chapelle de Lokeshvara au Palais Rouge et au Gandan Phodang de Depung (fig. 199), semble avoir été inspirée par les doubles volées de marches encadrant un plan incliné, à l'aplomb duquel passait le palanquin de l'empereur, dans les palais impériaux chinois.

Le Palais Rouge est également centré par 1 espace intérieur à ciel ouvert (fig. 183, N° 11) dont le fond est occupé par la «Grande Salle d'Assemblée de l'Ouest» (fig. 189, N° 1) qui mesure environ 23 × 31m et compte 42 piliers[14]. Son sol dallé semble reposer, dans sa partie Nord, sur un terrassement réalisé près du sommet de la Montagne Rouge. Dans sa partie méridionale, il surmonte par contre le versant, ce qui explique qu'il se projette à peu près à mi-hauteur de la façade Sud du Palais Rouge[15].

La salle est entourée par 4 corps de bâtiment orientés aux points cardinaux. Elle dessert 3 grandes chapelles, de plan allongé et hautes de 2 étages, qui occupent les corps Nord, Ouest et Sud (fig. 189, N° 3). La chapelle occidentale contient en son milieu le monumental stupa funéraire du 5ème Dalaïlama, et cette partie monte jusque sous la terrasse où son emplacement est marqué par un pavillon couvert d'un toit doré (fig. 189, N° 7). Le milieu du corps oriental est également occupé par une chapelle haute de 2 étages. Au Nord, elle est flanquée d'une cage d'escalier permettant de passer vers le Palais Blanc et à l'étage au-dessus. En façade Sud, les fenêtres et les logettes médianes, des 3ème et 4ème rangées à partir du haut (N° 6), correspondent à la grande chapelle méridionale. Elles sont en fait fermées en permanence par des volets intérieurs en bois, afin de conserver au sanctuaire sa traditionnelle pénombre et semblent avoir été conçues essentiellement comme un élément décoratif permettant de rythmer la façade Sud du Palais Rouge. Le porche qui se trouve à la base de celle-ci (fig. 183, N° 9) ne possède pas de porte dans son fond. Il ne présente qu'une petite porte latérale donnant accès à des réserves et un escalier en bois qui, passant dans une trappe du plafond, conduit aux 2 étages sus-jacents, lesquels étaient affectés au monastère du Potala et abritaient, outre des moines, un temple de Vaishravana (fig. 189, N° 12).

Au-dessus de la «Grande Salle d'Assemblée de l'Ouest», l'espace intérieur est bordé par 3 niveaux de galeries formant déambulatoire (fig. 189, N° 2). C'est essentiellement au niveau de ces galeries que s'effectue le passage d'un étage à l'autre, à l'aide d'échelles en bois passant dans des trappes. Les 2 derniers niveaux de galeries desservent diverses chapelles et pièces (fig. 189, N° 8).

Comme celle du Palais Blanc, la Grande Salle d'Assemblée de l'Ouest reçoit un éclairage zénithal par un lanterneau. Celui-ci, soutenu par 10 «piliers longs», s'élève d'un étage au centre de l'espace intérieur du Palais Rouge (fig. 189, N° 1). Le corps de bâtiment septentrional du Palais Rouge est doublé au Nord par un édifice dont la structure est mal connue (fig. 189, N° 10). Il comporte à sa base un passage couvert reliant la porte arrière du Potala (fig. 189, N° 11) à la chapelle Nord du Palais Rouge qui permet d'accéder ensuite à la salle centrale. Le passage couvert ouvre aussi sur un escalier menant, à l'Est, vers le Palais Blanc. La porte septentrionale du Potala se trouve de niveau avec le terre-plein où débouchent les chemins d'accès du versant Nord de la montagne. Abordant le palais à un niveau plus élevé que les rampes d'accès méridionales, ils n'étaient empruntés que par les fonctionnaires de haut rang. Ceux-ci laissaient d'ailleurs leurs chevaux sur un bastion arrondi situé en chemin et dont la fonction se réduisait à cet usage (fig. 183, N° 13). Ils terminaient leur ascension à pied, en signe de respect. La petite porte Nord est la seule entrée située sur l'arrière du Potala, et on a le sentiment, à en juger par l'étroitesse et les nombreux décrochements des couloirs qu'elle dessert, que cet accès était considéré comme secondaire et qu'il ne fut pas intégré au plan d'ensemble.

Dans l'angle Nord-Ouest du Palais Rouge, 2 importantes chapelles, la «grotte de méditation» du Roi Songtsen Gampo et le sanctuaire de Lokeshvara, situées l'une au-dessus de l'autre, respectivement au niveau des

fig. 189

fig. 190

fig. 191

2ème et 3ème étages de galeries; semblent déborder vers le Nord l'alignement des autres pièces. La tradition les considère comme des vestiges de l'époque royale, intégrés au 17ème siècle dans la construction du Potala (Chayet A. et Meyer F. 1983). Bien que la chapelle royale ne soit, sans doute, qu'une fausse grotte réalisée en stuc et non pas une cavité naturelle, il n'en demeure pas moins que son emplacement semble bien se situer à l'aplomb du sommet de la montagne où se trouvaient vraisemblablement les ruines [16]. Ce serait alors par fidélité à cet endroit précis, que les architectes du Potala ont été amenés à situer, de manière légèrement excentrée dans le plan orthogonal du Palais Rouge, la «grotte» royale et la chapelle de Lokeshvara qui la surmonte.

Au Potala, le caractère monumental de l'architecture tibétaine ancienne est totalement maîtrisé dans le jeu des volumes en façade et l'étagement vertival en gradins des bâtiments ou de leurs parties hautes. Il semble par contre que le problème de la circulation interne, entre des bâtiments adjacents, n'ait pas trouvé de solution satisfaisante, comme on peut le constater au niveau des passages reliant les palais blanc et rouge; encore que cela puisse être la conséquence de l'adjonction plus tardive du Palais Rouge, non prévu au départ.

Le Palais Rouge peut être considéré comme un grand temple renfermant de nombreux sanctuaires. Bien que la disposition des 4 grandes chapelles, qui bordent la salle de l'Ouest aux points cardinaux, soit perçue par la tradition comme un plan en mandala, cette structure est bien moins lisible, notamment aux étages supérieurs, que dans les temples plus anciens, ce qui est d'ailleurs une tendance générale de l'architecture religieuse à partir du 16ème siècle. Néanmoins, le symbolisme cosmique n'est pas absent de l'ensemble architectural que constitue le Potala, malgré l'apparente fantaisie qui semble avoir guidé la disposition de ses éléments. Ainsi, la tradition orale voit dans le plan de certaines constructions situées aux 4 orients du Potala, les formes symboliques correspondant aux 4 «actes rituels» (thinle) associés chacun à une direction de l'espace: la tour ronde comme le soleil à l'extremité Est (fig. 183, N° 26) pour les rituels d'apaisement, l'édifice quadrangulaire situé aux pieds de la façade Sud (fig. 183, N° 4) pour les rituels d'accroissement, la tour en demi-lune de l'extrémité Ouest (fig. 183, N° 6) pour les rituels qui confèrent la puissance, et l'ensemble de bâtiments, formant approximativement un triangle au Nord, (fig. 183, N° 14) pour les rituels violents.

LE GRAND TEMPLE (Tsuglagkhang), Lhasa

fig. 192

Le Grand Temple de Lhasa (fig. 207, N° 1) forme, comme le Potala, un complexe architectural aux fonctions multiples [17]. Il s'organise autour du Sanctuaire du Seigneur (Jokhang), partie la plus ancienne (Section V), elle-même constituée de nombreuses chapelles édifiées sur trois étages et couronnée de toits dorés. Le Grand Temple est non seulement un espace sacré, haut-lieu du bouddhisme tibétain, du fait de la grande sainteté des images et des reliques qu'il abrite; mais il comprend également des appartements, notamment ceux qui étaient réservés au Dalaïlama, des salles de réunion, des entrepots, ainsi que de nombreuses pièces et bureaux utilisés, avant 1959, par le gouvernement. De plus, il servait de cadre à de vastes assemblées monastiques, comme par exemple la Grande Prière (Mönlam Chenmo) du 1er mois, qui rassemblait près de 20.000 moines à l'époque du 13ème Dalaïlama. La structure architecturale du Grand Temple reflète cette pluralité des fonctions qui s'est progressivement constituée au fil de l'histoire.

L'extension actuelle du temple semble avoir été atteinte dès la seconde moitié du 18ème siècle. En effet, les locaux destinés au Cabinet des Ministres (Kashag) ont été installés au Sud en 1753 et, une trentaine d'années plus tard, on édifia les porte Est et Sud [18]. Une peinture murale du Potala, réalisée vers la même époque (8ème Dalaïlama) [19], représente le Tsuglagkhang sous l'aspect général que nous lui connaissons aujourd'hui.

Le Sanctuaire du seigneur (Jokhang), fondation d'époque royale qui forme le coeur religieux du Tsuglagkhang, connut par la suite de nombreuses vicissitudes mal documentées et qui ne concernent pas le période qui nous intéresse. Avant d'initier la «Grande Prière», qui allait se dérouler, à partir de 1409, devant le Jokhang, Tsongkapa, le fondateur de l'école Gelugpa, obtint des Seigneurs Phagmodupa, la restauration du sanctuaire et la réalisation d'une cour pavée (khyamra) à 10 piliers précédant le sanctuaire. Mais les travaux les plus importants furent entrepris à l'époque du 5ème Dalaïlama. Dès 1642, la cour pavée est élargie à ses dimensions actuelles et reçoit le grand porche hypostile à l'Ouest. A gauche et à droite du porche, on édifia les corps de bâtiment qui abritent des appartements, alors destinés au Dalaïlama et au Régent, ainsi que des réserves. A la même époque on entreprit d'importants travaux dans les parties hautes du Jokhang: fondation de chapelles, agrandissements et transformations. Celles-ci touchèrent notamment la toiture.

Dès la seconde décennie du 13ème siècle, Lhaje Gewabum avait fait mettre en place un auvent pourtournant «à la chinoise» (gyaphib khorma) couvert de tuiles [20]. En 1310, le roi de Yatse au Tibet occidental avait fourni du cuivre et de l'or pour la réalisation d'un «toit doré» (serthog) au-dessus de la cella principale à l'Est [21]. Peu de temps après, un autre roi de Yatse finança le même type de toit pour la chapelle centrale du côté Nord. Entre 1642 et 1645 le gouvernement du 5ème Dalaïlama changea l'ancien toit doré du Jowo et remplaça par du cuivre doré, les tuiles de l'auvent pourtournant et du toit qui se trouvait, à l'Ouest, au dessus de l'entrée [22]. On construisit ensuite les 4 petits bâtiments carrés (chog) situés aux angles de la terrasse, et ce n'est qu'en 1670 que le toit doré du Nord fut remplacé par un modèle semblable à ceux des autres orients [23]. Sous le Régent Sanggye Gyamtso, la décoration des toits dorés fut complétée. Et c'est sans-doute le résultat de ces travaux que nous pouvons admirer encore aujourd'hui, bien qu'il y eut des réfections ultérieures.

fig. 193

Il est intéressant de noter que la première toiture de «style chinois» qui fut mise en place au Jokhang vers 1220 était un auvent pourtournant couvert de tuiles en «terre cuite» (vernissée?) (dza). Il s'agit d'une date qui précède de quelques décennies la vague d'influences architecturales chinoises qui accompagna la souveraineté des Yuan sur le Tibet, et dont les toits en tuiles vernissées de Shalu (début du 14ème siècle, section VII) sont les témoins les plus complets qui aient subsisté jusqu'à aujourd'hui. Il faut aussi remarquer que les premiers «toits chinois» (gyaphib) qui furent placés, en 1310 et peu après, sur des chapelles du Jokhang, étaient réalisés en cuivre dorés. Ceci montre qu'à l'époque où Dagpa Gyeltsen faisait édifier à Shalu des toits couverts de lourdes tuiles vernissées (Chayet A. 1985, p. 110) dans une grande fidélité au modèle chinois, on avait déjà commencé, au Tibet, à substituer aux tuiles, des plaques de cuivre doré, technique de couverture qui a sans-doute été empruntée au Népal. On ne sait si ces «toits chinois» en cuivre doré, installés au Jokhang au début du 14ème siècle, furent les premiers exemplaires de ce type au Tibet. Il faut toutefois relever l'origine géographique de leurs commanditaires: des rois du Tibet Occidental qui étaient peut-être moins enclins, que les seigneurs du Tibet Central, à une lecture trop littérale des modèles chinois. A l'examen attentif des toits dorés du Jokhang dans leur état actuel, qui est très proche semble-t-il de celui de la fin du 17ème siècle, il apparaît immédiatement qu'ils sont le résultat, tant dans leur disposition que dans leurs détails, d'une réinterprétation des toits chinois construits au Tibet à l'époque des Yuan tels que nous les connaissons par Shalu. Les toits de ce temple recouvrent entièrement 4 chapelles disposées aux orients d'un espace rectangulaire conformément à la tradition chinoise (section VII). Néanmoins, cette disposition est déjà partiellement assimilée à l'architecture tibétaine puisque les chapelles s'inscrivent dans les côtés d'une construction couverte d'une terrasse. Celle-ci apparaît très nettement aux 4 angles de l'édifice, entre les murs pignons, perpendiculaires entre-eux, des chapelles voisines qui la dépassent en hauteur. Les terrasses d'angle sont limitées par un parapet formé de plaques vernissées en bas-relief, identiques à celles qui ornent les arêtes faîtières des chapelles.

fig. 194

Au Jokhang, l'assimilation tibétaine de la toiture chinoise est nettement plus avancée, bien que l'on y retrouve tous les éléments présents à Shalu. Les «toits chinois» en cuivre doré, supportés par une charpente très élaborée, sont simplement posés, aux 4 orients, sur le toit-terrasse. Comme nombre de toits dorés de l'architecture tibétaine tardive, ils n'ont plus aucun rôle fonctionnel. Ils ne répondent qu'à un but esthétique et à la volonté de marquer la sacralité particulière d'un lieu en le couronnant d'une toiture dont la forme élégante, la richesse et l'éclat sont ceux que l'on prête aux palais célestes des dieux. Le système de consoles à bras de levier (phagna dekyog, «consoles à groin de porc»), caractéristique de l'architecture chinoise, et qui supporte encore la toiture à Shalu, est devenu au Jokhang une structure purement décorative réduite à sa seule partie visible en façade. Il semblerait d'ailleurs que la charpente interne de ce type de toit, couvert de cuivre doré, ne soit plus de type chinois mais népalais.

Au Jokhang, comme à Shalu, un auvent pourtournant, autre emprunt à l'architecture chinoise, ceint entièrement la partie haute des murs. Il remplaça, au 17ème siècle, une structure équivalente couverte de tuiles (fig. 193). La frise de personnages, en cuivre repoussé et doré, qui le sépare du bord de la terrasse, rappelle le parapet en plaques vernissées des terrasses de Shalu. Au Jokhang, cet élément, devenu uniquement décoratif, est passé en façade, sa place et sa fonction étant prises par un garde-corps en cuivre doré. De même qu'à Shalu, un rangée de consoles superposées supporte l'auvent pourtournant. Comme précédemment, le rôle de ces consoles, dépourvues de bras de levier (langna dékyog, «consoles à trompe d'éléphant»)[24] semble être essentiellement esthétique. Elles reposent sur une corniche en bois soutenue par des corbeaux et cet élément, est, lui-aussi, un écho des charpentes du type Shalu. En-dessous d'une bande de badigeon blanc, un second auvent, bien plus étroit que le précédent, est soutenu par une rangée de consoles simples. Il existe également à Shalu et on le trouve sous la bordure blanche du bandeau d'attique au Grand Temple de Sakya (section VII). Ce schéma à 2 auvents superposés dont celui du bas est supporté par une rangée de consoles courbes simples et surmonté d'une bande blanche, se retrouve au niveau de la plupart des bandeaux d'attique élaborés (fig. 216).

En 1663, le gouvernement du 5ème Dalaïlama réaménage le passage de circumambulation qui circonscrit le Jokhang (fig. 207, N° 7) et édifie, en 1672, une vaste salle d'assemblée[25] dans les bâtiments du Trésor (Labrang) qui avaient été construits quelques années plus tôt au Sud de la grande cour[26]. Après la mort du 5ème Dalaïlama, le Régent Sanggye Gyamtso continue les travaux et aménage de nombreuses pièces en chapelles. Il suffira des quelques travaux réalisés, dans la seconde moitié du 18ème siècle, sous les 7ème et 8ème Dalaïlama, pour que le Grand Temple atteigne son extension actuelle. Le constraste est frappant, entre le plan centré et symétrique du Jokhang, construction la plus ancienne, et la grande liberté d'agencement des parties rajoutées à partir du 17ème siècle.

Le Grand Temple fut réparé de 1842 à 1844. Mais c'est à l'époque du 13ème Dalaïlama, en 1913 (après les importants dégats causés par l'armée chinoise l'année précédente), puis de 1920 à 1922, que les travaux de rénovation et d'embellissement furent les plus importants. En 1948, la partie orientale des appartements du Dalaïlama, située au Nord de la cour précédant le Jokhang, fut refaite et on la prolongea d'une logette surmontée d'un toit doré. La partie occidentale fut reconstruite en 1954, avec notamment un grand espace hypostile bordé au Sud par une balustrade de pierre (Shakabpa W.D. 1982, p. 111-112).

LE MONASTÈRE DE DEPUNG

Fondé en 1416 par Jamyang Chöje, disciple de Tsongkapa, il devint rapidement l'un des centres gelugpa les plus importants. La fondation se développa graduellement en une véritable cité monastique située à la base d'un versant de montagne, sur une pente douce, bordant au Nord la vallée du Kyichu[27]. Lors de la guerre entre le Ü et le Tsang, Depung subit d'importants dégats en 1618 et 1635. Des travaux de réfection et d'agrandissement y furent menés sur une grande échelle à l'époque du 5ème Dalaïlama. Le monastère fut mis à sac par Lhabsang Khan en 1706 et on y fit encore des travaux importants au 18ème siècle, comme par exemple la reconstruction, vers 1735, du bâtiment qui abrite la grande salle d'assemblée du monastère[28].

Bien qu'il y eut des travaux de rénovation ultérieurs, notamment sous le 13ème Dalaïlama, il semble que les bâtiments actuels remontent pour l'essentiel aux 17ème et 18ème siècles. Comme au Potala, mais sur une pente moins raide permettant une plus grande extension horizontale, c'est l'étagement des édifices à flanc de montagne et l'ordonnancement en gradins de chaque construction qui donne au monastère son aspect caractéristique. Nous pouvons observer ici la structure habituelle des collèges gelugpa. Le bâtiment principal, orienté au Sud, est généralement précédé d'une cour dallée (khyam, deyang, dochal chenmo) entourée par 1 ou 2 niveaux de portiques (khyamkhor) desservant des cellules de moines (dashag, shagkhor), des réserves et, éventuellement, les cuisines. Le bâtiment principal du collège est souvent une construction massive élevée sur un soubassement (degcha, peden) et dont le premier niveau présente un nombre réduit de petites ouvertures donnant sur les réserves qui entourent la salle d'assemblée. Un escalier monumental

fig. 197

en pierre conduit à un large porche hypostile (gochor) qui se trouve, soit dans l'oeuvre [29], soit en avancée sur la façade. Il est surmonté par une grande baie ou une loggia reposant sur le porche lorsqu'il est en avancée [30]. Elles donnent sur une salle du 1er étage qui sert généralement de lieu de réunion aux administrateurs du collège. Le coeur du bâtiment est occupé par la salle d'assemblée (dükhang; fig. 198, N° 1), vaste espace hypostile qui reçoit la lumière par un lanterneau situé dans la partie centrale du couvrement. Supporté par des «piliers longs» et ouvert au Sud, le lanterneau s'élève d'un étage au-dessus de la salle d'assemblée (N° 2). Sa partie arrière est généralement flanquée d'une petite construction servant de réserve (N° 3). Le fond de l'édifice est occupé par un corps de bâtiment qui dépasse les autres en hauteur et abrite les chapelles principales (N° 4). La cella centrale monte habituellement sur 2 étages, et reçoit son éclairage par une baie ouverte au 2ème niveau sur la cour intérieure qui entoure le lanterneau. Cette cour est bordée par un portique desservant une rangée de petites pièces d'habitation ou de réserve. Le 3ème niveau du bâtiment Nord, souvent couronné par un «toit chinois» en cuivre doré, est occupé par les appartements de l'abbé ou par une chapelle des mandala.

En 1518, un seigneur de Neudong offrit au 2ème Dalaïlama une maison de Depung pour en faire sa résidence. Elle fut agrandie par la suite et reçut le nom de «Palais de Ganden» (Ganden Phodang). Les Dalaïlama suivants habitèrent le palais jusqu'à ce que le 5ème s'installe au Potala en 1649. Son gouvernement fut alors désigné par le nom du palais de Depung et cet usage se maintint jusqu'en 1959. Le palais continua de servir comme résidence estivale des Dalaïlama jusqu'à ce que le 7ème fonde sa résidence d'été du Norbu Lingkha. Le 5ème Dalaïlama le fit agrandir et lui donna la structure qu'il a, semble-t-il, conservée jusqu'à aujourd'hui; bien que le 13ème Pontife y fit d'importants travaux. Il est formé de plusieurs grands corps de bâtiment étagés sur une pente assez forte, face au Sud. Les façades du bâtiment principal présentent de nombreuses ouvertures aux étages, dont une baie d'angle (zurchang rabsal), privilège des grands hiérarques religieux. Un triple escalier en pierre, dont la volée centrale est réservée au Dalaïlama, permet d'accéder aux 2 portes d'entrées latérales, disposition suffisamment rare qu'il faille la relever.

fig. 198

fig. 199

TEMPLE DE L'ORACLE D'ETAT, Nechung

Situé légèrement à l'Ouest du monastère de Depung, Nechung était la résidence de l'oracle, par l'intermédiaire de qui se manifestait Pehar, une des grandes divinités protectrices du Tibet. C'est à l'époque du 5ème Dalaïlama que l'oracle prit les voeux monastiques et qu'il reçut un statut gouvernemental [31]. La structure architecturale actuelle du temple, qui est situé sur une pente douce face au Sud, remonte sans-doute, pour l'essentiel, à la fin du 17ème siècle. Toutefois ce sanctuaire a été rénové, lui aussi, à l'époque du 13ème Dalaïlama [32]. Il constitue un autre bel exemple d'architecture religieuse tardive, avec sa grande cour dallée, bordée, sur 3 de ses côtés, par un portique à double rangée de colonnes et dont le mur du fond est percé de fenêtres en façade. On accède à la cour par 2 porches situés à l'Est et à l'Ouest. Au Nord, toute la largeur de la cour est occupée par un bâtiment qui abrite une salle d'assemblée et des chapelles latérales au rez-de-chaussée, les anciens appartements de l'oracle au-dessus. Le fond de la salle d'assemblée communique avec les chapelles principales. Celles-ci occupent le bâtiment le plus haut, situé à l'extrémité Nord du temple. Il était autrefois couronné par un toit doré.

fig. 200

LE MONASTÈRE DE TASHILHUNPO

Tashilunpo, près de Shigatse, monastère gelugpa le plus ancien de la province du Tsang, est situé, plein Est, sur une pente moyenne qui raccorde un versant de montagne avec le fond d'une large vallée [33]. Il fut fondé en 1447 par Gedündub, disciple de Tsongkapa et 1er Dalaïlama, grâce aux donations de plusieurs nobles dont Sönam Palsang de la famille des Dargyepa [34]. Le fondateur commença par tracer au sol les emplacements du grand temple (tsuglagkhang), du palais abbatial (labrang) et des résidences de moines. 11 années plus tard, le grand temple comprenait une salle d'assemblée à 48 piliers donnant, au Nord, sur une «chapelle majeure» (titsangkhang). Un palais abbatial de 3 étages avait été érigé au Nord du temple. Dans les années qui suivirent, ce dernier fut agrandi par l'adjonction de chapelles au Nord et à l'Ouest de la salle d'assemblée. De plus, un grand porche fut édifié sur son côté oriental. Il atteignit ainsi son étendue actuelle. Le grand édifice qui domine encore aujourd'hui le monastère au Nord-Est, et qui a l'allure d'une tour de fortification, a été érigé en 1468. Lors de certaines fêtes on y accrochait des thangkas en appliqué. En 1472 on aménagea une grande cour dallée et bordée d'un portique devant le porche Est du grand temple.

fig. 201

Gedündub fonda 3 collèges [35] et occupa le trône abbatial jusqu'à sa mort en 1474. Entre-temps, le nombre des moines était passé de 110 à 1600.

Les successeurs de Gedündub agrandirent progressivement la fondation originale, en érigeant de nouvelles chapelles au 1er étage du grand temple et en construisant des résidences monastiques. Ce fut Lobsang Chökyigyeltsen (1570-1662), devenu en 1600 le 16ème abbé de Tashilhunpo, qui commandita les travaux les plus importants de toute l'histoire du monastère. Le 5ème Dalaïlama proclama que ce maître très renommé était une incarnation et lui donna le titre de Panchenlama. En même temps, le hiérarque devenait propriétaire du monastère et des immenses domaines qui en dépendaient. A partir de cette date, les Panchenlama seront à la tête d'un territoire quasi-indépendant couvrant une grande partie de la province du Tsang. On reconnut à Lobsang Chökyigyeltsen 3 incarnations précédentes qui reçurent, rétroactivement, le même titre de Panchenlama. En 1662, après la mort de celui que les tibétains considèrent comme le 4ème Panchenlama, on édifia un bâtiment funéraire (chökhang) destiné à abriter son stûpa funéraire. Il en fut de même pour tous les Panchenlama suivants jusqu'au prédécesseur (chapelle construite en 1940) de l'actuel 11ème Hiérarque.

fig. 202

La fig. 202 montre, en direction Sud-Ouest, les bâtiments qui entourent la «grande cour dallée» (dochal chenpo) située à l'Est du grand temple dont on aperçoit les toits dorés. Le plus grand de ces toits marque l'emplacement de la «chapelle majeure» et celui de gauche couronne la chapelle funéraire de Gédündub. Un 3ème toit doré, dont on n'aperçoit qu'un angle, fait pendant au précédent et surmonte une chapelle de Maitreya. Immédiatement au Sud des toits dorés on devine l'espace interne à ciel ouvert dont le fond est occupé par le lanterneau qui éclaire la salle d'assemblée. Il est limité au Sud par des chapelles situées en enfilade Est-Ouest et dont on aperçoit la terrasse. Leurs fenêtres ouvrent en façade méridionale du temple. A gauche des toits dorés on aperçoit 2 logettes superposées, cachées par des tentures en poil de yak. Elles surmontent le grand porche oriental. Toutes ces structures hautes ont été érigées à l'époque du 4ème Panchenlama (1600-1662), au-dessus des anciennes constructions de Gedündub. Il est très probable que les toits dorés remontent à ce hiérarque. L'état actuel de celui qui couronne la chapelle principale est

fig. 203

certainement le résultat d'une rénovation du 20ème siècle [36].

Le 4ème Panchenlama fit également élargir la grande cour qui sera ensuite entourée par 2 niveaux de portiques désservant des chapelles. Il fit construire celles qui se trouvent au Nord. Les autres bâtiments qui bordent la cour, à l'Ouest et au Sud, ont tous été érigés sous le 5ème Panchenlama (1663-1737). Les chapelles qui occupent le bâtiment méridional, dont la façade externe est située dans le prolongement de celle du temple, reprennent le plan allongé et la disposition en enfilade que nous avons déjà relevés à propos des fondations du 5ème Panchenlama. Au Nord de la cour on voit un terrassement où s'élevait le bâtiment funéraire du 4ème Panchenlama jusqu'à ce qu'il soit détruit pendant la révolution culturelle. A l'Est de celui-ci se trouve le palais abbatial fondé par Gédündub et agrandi principalement par le 4ème Panchenlama [37]. Il est précédé par une cour rectangulaire et étroite, allongée Est-Ouest.

A partir du 6ème Panchenlama, les constructions successives, notamment les chapelles et les bâtiments funéraires, s'étendirent progressivement vers l'Ouest en un tissu architectural continu, particulier à Tashilhunpo, et qui apparaît très clairement sur la fig. 201. Le cliché, pris d'Ouest en Est, montre, successivement sur la gauche, les toits des bâtiments funéraires des 7ème, 6ème, 5ème et 4ème Panchenlama; construits respectivement en 1853, 1780, 1737 et 1662 [38]. On voit nettement que les constructions successives ont été quasiment accolées les unes aux autres sur la même ligne de niveau. On aperçoit, au fond à droite, les toits dorés qui couronnent la partie septentrionale du grand temple. A gauche

403

des ces toits on distingue l'ouverture de la cour qui s'étend devant le palais abbatial le plus ancien, caché en grande partie par le bâtiment, funéraire, du 5ème Panchenlama. Entre ce dernier et celui du 6ème, se trouve un grand édifice blanc, autre palais abbatial construit vraisemblablement par le 7ème Panchenlama en 1816. A l'exception de celui-ci, tous les autres bâtiments sont précédés par d'étroites cours rectangulaires, allongées d'Est en Ouest. Celles des bâtiments funéraires sont bordées au Sud par des portiques desservant des chapelles situées au 1er étage. Les corps de bâtiment abritant ces chapelles ainsi que celles qui se trouvent devant le palais abbatial dépourvu de cour, ont été alignés et placés bout à bout à partir du grand temple. Entre celui-ci et la coudure formée par les façades Sud, les chapelles remontent au 6ème Panchenlama (1738-1780). Celles, qui bordent au Sud la cour du bâtiment_funéraire, de ce dernier, ont été fondées par son successeur (1782-1854). Ces chapelles, dont les fenêtres ouvrent en façade Sud, sont toutes disposées en enfilade, ce qui semble être une distribution propre à Tashilhunpo.

L'édification de bâtiments et de cours, étroits et rectangulaires, allongés selon les lignes de niveau d'un versant, plutôt que construits à l'aplomb de la pente, semble également une tendance architecturale propre à la région de Shigatse; si l'on en juge par les autres exemples de ce type, anciens magasins d'intendance, qui se trouvent aux pieds de la forteresse [39].

Non seulement les bâtiments funéraires des Panchenlama ont tous été construits sur le même modèle, mais ils sont semblables jusque dans le détail de leur décoration; et cette permanence de style (1662-1940) montre combien il peut être hasardeux de dater les monuments tibétains par ce seul critère. Il est toutefois probable que cette identité d'aspect des chappelles mortuaires, de même que leur alignement d'Est en Ouest, aient été un parti-pris destiné à visualiser la pérennité du principe spirituel qui s'incarne dans la lignée des Panchenlama. Les toits des bâtiments funéraires de Tashilhunpo sont semblables à ceux du Jokhang. Ici, même l'auvent pourtournant cesse de couvrir l'ensemble de l'édifice. De plus, la toiture chinoise est associée au bandeau d'attique à frise végétale, typiquement tibétain. Le bâtiment lui-même, haut de 5 étages, affecte une forme élancée de tour que l'on ne rencontre guère en général dans l'architecture religieuse du Tibet. L'espace intérieur, occupé par un stûpa monumental, monte sur plusieurs étages. Il est éclairé par des baies superposées en façade Sud.

fig. 204

Ce type d'architecture a encore été repris à Tashilhunpo lors de la construction en 1914 du temple de Maitreya haut de 7 étages. Ce genre d'édifice, en forme de tour, et dont l'espace intérieur monte sur plusieurs étages, se rencontre également au Tibet Oriental, notamment à Labrang. Des études ultérieures nous renseigneront peut-être sur le rôle joué par Tashilhunpo dans la diffusion de ce type de bâtiment et sur ses rapports avec la pagode bouddhique chinoise.

NORBU LINGKHA, palais d'été des Dalaïlama, Lhasa

Le Norbu Lingkha est né de la rencontre de 2 traditions: d'une part, la tradition chinoise des jardins; d'autre part, le goût tibétain pour les pique-niques estivaux dans des espaces verts ombragés de saules (lingkha), ainsi que l'habitude, très ancienne, de changer de séjour en été et en hiver, que ce soit à l'intérieur de la même habitation (section II) ou dans le cadre plus vaste des migrations saisonnières.

En 1754, le 7ème Dalaïlama fit construire une résidence d'été (Norling, Khalsang Phodang) dans un parc de 23000m[2] qui était jusqu'alors un lieu de pique-nique riche en sources. Auparavent, les pontifes se rendaient en été dans leur palais de Depung. Cette première résidence, sobre et de dimensions modestes, que l'on peut encore voir aufourd'hui, fut érigée dans le plus pur style tibétain avec, toutefois, des fenêtres plus nombreuses que celles des constructions habituelles. Le parc fut considérablement agrandi sous le 13ème Dalaïlama (360000 m[2]). En 1922 il fit construire un nouveau palais, le Chansel Phodang. Ce palais, qui semble ne plus exister aujourd'hui, se présentait comme un bâtiment tibétain précédé d'un large porche hypostile surmonté d'une loggia dont les cadres traditionnels des claustras avaient reçu des vitres. La loggia était couronnée d'un toit doré [40]. Le 13ème Dalaïlama fit également construire des bâtiments pour abriter le personnel de sa maison, des bureaux du gouvernement, des écuries etc... Ce sont les pavillons de plaisance,

fig. 205

dont certains sont situés sur des terrasses en maçonnerie, au milieu de bassins bordés de garde-corps en pierre taillée, qui trahissent le plus l'influence chinoise. Dans de rares cas elle va jusqu'à la copie. Les garde-corps en pierre taillée suivent également des modèles chinois. Toutefois, on trouve aussi des balustrades évoquant une influence européenne qui a pu parvenir à la cour du Dalaïlama après son séjour à Darjeeling (1910-1912) ou via la Chine des Qing.

fig. 206

En 1954-1956 on construisit, pour l'actuel Dalaïlama, un nouveau palais (Tagtän Migyur Phodang) ainsi qu'un grand pavillon permettant de suivre les représentations théatrales (Norling Khamsum Silnön).

LA VILLE DE LHASA

Il convient d'évoquer rapidement cette ville, ancienne capitale du Tibet monarchique du 7ème au 9ème siècle, puisque c'est le 5ème Dalaïlama qui, après une éclipse de 8 siècles, en fit à nouveau le «nombril» du Pays des Neiges. Avant cette renaissance, elle n'était sans-doute qu'une petite bourgade, mais nullement insignifiante, puisqu'elle avait le privilège de compter 2 temples fameux, dont surtout le Jokhang. C'est autour de ce coeur (fig. 207, N° 1), à la fois historique et spirituel, que la ville s'est à nouveau développée à partir du 17ème siècle. Au fil du temps, les familles nobles abandonnèrent leurs domaines aux soins de régisseurs pour s'établir à la capitale, près des organes du gouvernement dont les charges leur revenaient. Haut-lieu de pélerinage pour tous les croyants du bouddhisme tibétain, Lhasa vit se multiplier les fondations religieuses, essentiellement gelugpa il est vrai. Enfin, il ne faut pas oublier qu'elle devint également un important centre artisanal et commercial où convergeaient les caravanes. Toutefois, avant 1950, la population ne dépassait pas 50 à 60000 habitants, sauf au 1er mois de l'année, lors de la «grande prière». Du fait de l'afflux de moines et de pélerins, la ville comptait alors de 100 à 120000 âmes (Shakabpa W.D. 1976, p. 87).

Au 17ème siècle, la ville, située au Nord du fleuve Kyichu, avait été entourée d'une muraille comportant plusieurs portes. L'enceinte fut rasée après 1721 sur ordre de l'empereur de Chine (Petech 1950, p. 20, 37 et 68). Le plan de Lhasa traduit un urbanisme spontané semblable à celui des cités médiévales européennes où

fig. 207

les maisons se serraient autour des cathédrales en un tissu irrégulier. Contrairement aux fondations impériales chinoises, le développement de la capitale du Tibet n'a eu à se plier à aucune volonté organisatrice extérieure. Avant 1959, elle ne connaissait ni les voies rectilignes, ni les places tracées au cordeau.

Si le tissu urbain apparaît anarchique, l'espace religieux est, par contre, fortement structuré. Comme le plus petit village tibétain, Lhasa est bornée et protégée contre l'intrusion des forces maléfiques par des réceptacles du sacré. Des sanctuaires des «3 Protecteurs», dont la fondation était attribuée au Roi Songtsen Gampo, se trouvaient aux points cardinaux, en périphérie de la cité (N° 8, 10, 11 et 12). A l'Ouest de la ville, la voie d'accès principale passait sous un chörten-porte au point de passage obligé entre 2 éperons rocheux. Un autre chörten s'élevait sur une place, au Nord du Grand Temple (N° 5), et contenait un dépôt de consécration dédié au dieu protecteur de cet orient. 3 circuits de circumambulation rituelle passent dans la ville. Le «circuit interne» (nangkhor, N° 7) se trouve dans l'enceinte même du Grand Temple et circonscrit le Jokhang. Le «circuit intermédiaire» (barkhor, N° 3) entoure le temple et les maisons qui lui sont accolées. Il était marqué aux directions intermédiaires par 4 grandes bannières commémoratives (N° 4). Enfin, le circuit externe (lingkhor) passe aux limites de la cité et englobe, à l'Ouest, la montagne où se dresse le Potala.

Le plan de Lhasa permet de constater que les maisons nobles étaient dispersées dans toute la ville. Certaines avaient été édifiées en périphérie, notamment vers l'Ouest, dans de grands parcs. Il y avait toutefois un certain degré de regroupement par profession ou nationalité sans que l'on puisse parler de quartiers spécialisés. Les mendiants et dépeceurs de cadavres étaient, avec les bouchers, relégués à la périphérie de la ville, au Sud-Est. Les espaces verts plantés de saules (lingkha), surtout nombreux au Sud de la cité, jouaient un rôle social important.

fig. 208

Les maisons à 2 ou 3 niveaux, percées de nombreuses fenêtres munies de petits balconnets en bois, sont typiques de l'architecture domestique de Lhasa. Elles sont parfois accolées en de longues façades rectilignes et leur rez-de-chaussée peut abriter des boutiques de commerçants. La plupart possèdent des cours intérieures avec des puits.

Les demeures nobles de Lhasa et de Shigatse étaient précédées par une grande cour dallée entourée de portiques sur 2 niveaux desservant les pièces des domestiques, la cuisine, des locaux de rangement, les écuries etc... Le bâtiment principal, souvent haut de 3 étages, abritait des réserves au rez-de-chaussée. La salle de réception (tshomkhang), qui était généralement aussi la chapelle, ainsi que la pièce du maître de maison, s'ouvraient au Sud par de grandes baies ou des logettes, dont les claustras tendues de papier furent remplacées progressivement par un vitrage à partir du début du 20ème siècle.

L'«ORDRE CLASSIQUE» DE L'ARCHITECTURE TIBETAINE

fig. 210 à 219

Au 17ème siècle, l'architecture, comme d'autres expressions de la culture tibétaine, atteignit à la maturité d'un système qui intégrait les éléments hérités du passé en les ordonnant selon un ensemble de rapports fixes. On peut alors parler d'un ordre classique qui reigne essentiellement au niveau des divers registres des entablements et que l'on retrouve, en écho, dans l'ordonnance des embrasures et dessus de porte, des fenêtres et des bandeaux d'attique.

SECTION IX - NOTES

[1] A partir du 16ème siècle, les Maîtres gelugpa, surtout le Dalaïlama, bénéficieront d'un afflux considérable et ininterrompu de donations mongoles.

[2] Comme l'a montré Yontan Gyatso dans une thèse présentée en 1984 à l'E.P.H.E. (Paris): Réflexions sur le rôle joué par les puissances du Tibet Oriental dans l'instauration de la dynastie des Dalaïlama au Tibet Central.

[3] Transformé depuis en chapelle: Chime Deden ou Kadam Khyil.

[4] A vécu au Potala de 1762 à 1804.

[5] Tsepame Lhakhang

[6] Il semble que les appartements des successeurs du 5ème Dalaïlama étaient situés aux derniers étages du Palais Rouge.

[7] D'après Cang-ta'o-yon, «rTse po-ta-la», Lhasa, 1982, p. 15.

[8] Namgyal Datsang

[9] Elles s'appellent respectivement: Phüntsog Dülam et Changchen Tharlam

[10] Littéralement «dents de cheval» (taso)

[11] Appelé Tagtsang Gormo

[12] Deyang Shar

[13] D'après Cang-ta'o-yon, op. cit. p. 20

[14] Tshomchen Nub, encore appelée Sishi Phüntsog

[15] Le niveau de la grande salle correspond en façade Sud à la 4ème rangée de fenêtres depuis le haut.

[16] Sur le côté Est de la «grotte de méditation» du roi, se trouve une petite pièce abritant un stûpa blanc qui est le cairn (latse) de la montagne et un couloir est censé conduire, non loin de là, au rocher du sommet.

[17] Plan dans Richardson H. 1977, Taring D.J. 1979, Shakabpa W.D. 1982

[18] Chab-spel tshe-brtan phun-tshogs 1982, p. 24. L'organisme gouvernemental avait été recréé 2 ans auparavent (Petech L. 1950, p. 220).

[19] Voir note 5.

[20] Karchag du 5ème Dalaïlama (Lha-ldan sprul-pa'i gtsug-lag-khang gi dkar-chag shel-dkar me-long) f.14b. D'après d'autres sources ce seraient les Tshalpa qui auraient commandité cet auvent dans le dernier quart du 13ème siècle (Shakabpa W.D. 1982, p. 19).

[21] Le Tshal gyi dkar-chag précise que c'était un toit dans le style chinois (rgyaphib) (Chab-spel Tshe-brtan Phun-tshogs 1982, p. 20). D'après une autre source (Bod rgya tshig-mdzod chen-mo, 3vols, Pékin 1985, p. 3225) cet évènement aurait eu lieu en 1190. Dans les 2 cas il s'agit d'une année fer-chien. La 1ère date semble plus vraisemblable.

[22] Karchag du 5ème Dalaïlama f. 16a

[23] Chab-spel tshe-brtan phun-tshogs 1982, p. 23

[24] Les consoles de l'architecture chinoise (dougong) sont des ensembles formés de bras de consoles courbes (gong) supportant des blocs carrés de bois (dou). En tibétain, les blocs de bois portent le même nom que les chapiteaux des piliers, (de «boisseau») et l'ensemble de la console est désigné par le terme dekyog («boisseau courbe») ou depung («amas de boisseaux»). Le terme *de*

s'applique également à l'élément cubique de la partie haute des stûpa.

[25] Ewam Phüntsog Dökhyil

[26] Chab-spel tshe-brtan phun-tshogs 1982, p. 23

[27] Le monastère abritait en permanence presque 8000 personnes avant 1959

[28] Ferrari A. 1958, p. 41

[29] On le désigne alors de préférence par le terme gobug

[30] L'ensemble s'appelle alors lobur, «avant-corps».

[31] Nebesky-Wojkowitz R., 1956, p. 444

[32] Il fut très endommagé pendant la révolution culturelle puis réparé dans les dernières années.

[33] Le monastère hébergeait près de 3700 moines au début du 20ème siècle. Il fut pillé par les Dzungars en 1791 et a subi d'importants dégats pendant la révolution culturelle.

[34] «bKra-shis lhun-po dpal gyi sde-chen thams-cad las rnam-par rgyal-ba'i gling gi sngon-byung gsal-ba'i nyi-ma», ouvrage collectif publié à Lhasa en 1983, fut une source précieuse d'information pour l'étude du monastère.

[35] Le 4ème collège, celui des études tantriques, fut fondé par le 4ème Panchenlama en 1615.

[36] A comparer avec la fig. 14

[37] Comme pour la résidence des Dalaïlama à Depung, le nom de ce palais, Gyaltsen Thönpo, qui lui fut donné par Gedündub, désigna également le gouvernement du Panchenlama (Wylie T.V. 1962, p. 68)

[38] De tous les mausolés, seul celui du 5ème Panchenlama a échappé aux destructions de la révolution culturelle.

[39] Photo dans Harrer H. 1953, p. 212.

[40] Photo dans Cutting S. 1947, p. 238

OUVRAGES GENERAUX

CHAYET ET MEYER, 1983; CUTTING, 1947; FERRARI, 1958; HARRER, 1953; HENSS, 1981; NEBESKY-WOJKOWITZ de, 1956; PETECH, 1950; THE POTALA PALACE OF TIBET, 1982; RICHARDSON, 1977; SHAKABPA, 1976, 1982; TARING, 1979; WYLIE, 1962; CHAB-SPEL TSHE-BRTAN PHUN-TSHOGS, 1982.

SEZIONE X

IL TIBET ORIENTALE

Heather Stoddard

Accostarsi all'altipiano tibetano dalla parte dei bastioni montani orientali, salire per quella «grande muraglia» naturale che ha separato, fino al XX sec., il mondo cinese, confuciano, agrario e sedentario, dal mondo tibetano, buddhista, agro-pastorale, mobile: significa osservare a circa 3.000 m. d'altezza un brusco passaggio tra questi due mondi. I contrafforti, vallate intermedie dei gradoni sino-tibetani, che ospitano un vero e proprio mosaico di etnie, addolciscono il paesaggio. Ma a partire dai 3.000 m., entriamo in una zona molto particolare: quella di una civiltà di alta quota. La casa ne è il primo testimone. Attraversando, all'inizio del secolo, la frontiera culturale tra il Sichuan cinese e il Kham tibetano, il console britannico Sir Eric Teichman commentò: «Le case cinesi e le case tibetane non hanno assolutamente nulla in comune. Da questo punto di vista, come da altri, passiamo da una civiltà all'altra con sorprendente rapidità» [1].

DATI GENERALI

fig. 220

L'Amdo e il Kham, le due province tradizionali che occupano la parte orientale dell'altipiano, si estendono per circa i 3/5 del *territorio abitato* dai tibetani. Attualmente questa regione è suddivisa tra sei province della Repubblica Popolare Cinese: Qinghai, Gansu, Sichuan, Yunnan e la Regione Autonoma del Tibet (R.A.T.).
L'Amdo occupava la maggior parte del Qinghai, due settori del Gansu e il nord-ovest del Sichuan.
Il Kham occupava l'ovest del Sichuan, una parte dello Yunnan e la fascia orientale della Regione Autonoma del Tibet.
Questo spazio è vasto: indichiamo qui alcune distanze tra punti estremi, in linea d'aria:
nord-sud: da Kumbum a Muli 1.000 km.
est-ovest: da Songpan a Jyekundo 600 km.
est-ovest: da Dartsedo a Kham Riwoche 560 km.
Il clima è meno rigido che nel Tibet centrale e la regione è coperta, in parte da ampie foreste vergini, in parte da fertili praterie dove pascolano migliaia di yak, pecore e cavalli. Le terre coltivabili, poste all'estremità delle vallate fertili, scendono fino a 2.800 m.. Vi si coltivano l'orzo, il grano, l'avena, la colza, le fave e in minima parte anche frutta e ortaggi.

OMOGENEITÀ O DIVERSIFICAZIONE DELL'ARCHITETTURA?

Fin dall'inizio dei tempi storici (VII sec.) il Kham, ossia «la provincia» fu associato all'impero degli tsenpo tibetani. Poco più tardi furono anche annessi i territori degli Azha, di Tsongkha, di Zungchu, ecc., che avrebbero costituito l'Amdo. Lo tsenpo Songtsen Gampo (che regnò dal 627 al 649), fu il primo ad inviare truppe verso est per proteggere i territori di nuova acquisizione e scatenarvi nuove offensive. Dopo la caduta della dinastia di Yarlung questi soldati vi si installarono, e in alcune regioni gli abitanti dell'est conserveranno fino al XX sec. il ricordo di questa origine guerriera nella tradizione orale.
Lontano dai centri politici del Tibet centrale e dall'Impero Cinese, inaccessibile a causa della configurazione

del paese, gelosamente custodito da abitanti fieri e indipendenti, il Tibet orientale è ancora meno conosciuto del Tibet centrale. Lo stesso accade per la sua architettura. I missionari, i viaggiatori ed i diplomatici occidentali dell'inizio del secolo, hanno riportato numerose fotografie di costruzioni, villaggi e monasteri [2]. Tuttavia, per quanto riguarda questa regione, fatta eccezione per Kumbum, [3] non possediamo nessuno studio approfondito paragonabile a quelli eseguiti da Giuseppe Tucci sui Gyantse, Tholing, Tsaparang, Iwang ecc. al centro e all'ovest dell'altipiano [4].

Ma perchè parlare del Tibet orientale in particolare? Ciò ha un senso culturale, politico od economico? È diversa l'architettura? Le grandi distanze tra le zone abitate, le vicissitudini storiche, l'indifferenza del governo di Lhasa, l'ostile indipendenza dei nomadi e delle tribù, hanno reso il Tibet orientale un'entità specifica? Fino alla metà di questo secolo occorrevano due mesi e mezzo di viaggio in carovana da Kumbum a Lhasa, ed un mese da Lhasa a Chamdo. Non si trattava soltanto di enormi distanze geografiche, ma anche di sostanziali differenze culturali e psicologiche. Chi aveva il sopravvento tra le forze centripete e quelle centrifughe? L'habitat presenta caratteristiche che indicano una omogeneità di cultura tibetana o invece una diversificazione?

L'ARCHITETTURA RELIGIOSA

Cominciamo con l'architettura religiosa. Non esistono dubbi circa il ruolo unificatore svolto dal Buddhismo tibetano. Le costruzioni più celebri dell'altipiano sono i grandi monasteri. Ma la storia è complessa.

Prendiamo l'Amdo, ad esempio. Già nel IX sec. era una terra d'asilo per i gruppi oppressi. A Martshangdrag, vicino al Lago Azzurro, Gongpa Rabsel edificò un tempio (che esiste ancora sebbene svuotato durante la Rivoluzione Culturale), dopo essere fuggito, con alcuni compagni, dal Tibet centrale, dove la nobiltà bonpo iniziava una persecuzione contro i buddhisti. Fino ai giorni nostri, nonostante la grande attività missionaria dei Gelugpa che si svolse dal XVII al XX sec. attraverso l'Amdo e fino in Mongolia, altre minoranze: i Bonpo (emarginati politicamente da molto tempo) e i Jonangpa (proscritti dal grande quinto Dalailama), continuavano a vivere accanto ai Golok. Lasciando il Tibet centrale per stabilirsi in terra nomade, a sud dell'ansa del Machu (il Fiume Giallo), non potrebbero gli Jonangpa aver recato con sé le loro tecniche di costruzione, originarie del Tibet centrale? Questa terra d'asilo fu gravemente danneggiata durante la Rivoluzione culturale. Quasi tutti i monasteri, eremi e stûpa vennero distrutti. Fortunatamente possediamo una documentazione fotografica, benché sommaria, riguardante i luoghi più importanti, ed anche alcune relazioni indigene e cinesi in cui sono indicati i nomi dei monasteri ed il numero dei residenti. Con i documenti storici tibetani riguardanti la fondazione e lo sviluppo di luoghi, sarebbe possibile fornire un resoconto abbastanza dettagliato della situazione nel 1950. Secondo le ultime notizie esistono ancora almeno due università monastiche Gelugpa quelle di Kumbum e di Labrang Tashi Khyil.

fig. 221, 222

Kumbum fu fondato ne XV sec., ma le costruzioni esistenti risalgono quasi tutte al XVII e XVIII sec.. Questo monastero rappresenta senza dubbio un caso a parte. Posto nel punto d'incontro tra Asia centrale, Cina e altipiano tibetano, rappresenta una sintesi armoniosa di vari stili, è fortemente influenzato dalla Cina, pur conservando non solo le istituzioni caratteristiche dell'organizzazione monastica tibetana, ma anche numerose tecniche e motivi decorativi dell'architettura tibetana.

fig. 223 a 225

Labrang Tashi Khyil, invece, fondato nel 1710, lontano dai centri cinesi, è più vicino ai suoi prototipi del Tibet centrale, Depung, Ganden, Sera e Tashilhunpo, pur superandoli per armonia e per bellezza del sito e dell'insieme architettonico. Rappresenta senza dubbio la massima espressione delle città monastiche del periodo tardo. Malauguratamente, ebbe una sorte peggiore di Kumbum perché dei sessantatre edifici originari ne restano soltanto una quindicina [5]. Mentre solitamente i centri prestigiosi attiravano gli eruditi, i pellegrini ed anche i mercanti, ci sembra, almeno per quanto riguarda Kumbum e Labrang, che le strade commerciali si sviluppassero a ventaglio *dopo* la fondazione del monastero e non il contrario.

fig. 226 a 229

Tuttavia centinaia o migliaia [6] di altri monasteri erano sparsi nel paese: Kirti, Tseü, Ragya, Nangzhig (citati in quanto ne possediamo una documentazione fotografica). Colpiscono per l'aspetto allungato, spaziato, spoglio delle costruzioni. La vicinanza, l'unità organica delle comunità del Tibet centrale è qui sostituita da una li-

fig. 230 a 234

bera associazione di edifici indipendenti, disseminati in una pianura o all'estremità di una larga vallata.

Nel Kham, il paesaggio è più accidentato. I luoghi più celebri: Kandze, Dzogchen, Jyekundo, Litang, Batang, Draya, Chamdo, Derge, delimitano o sono vicini alle strade commerciali che collegano l'altipiano tibetano alla Cina. Furono monasteri ai quali si unirono i villaggi che li servivano e dove in seguito si stabilirono mercanti e popolazioni in transito? O furono prima importanti villaggi, situati sulle strade in vallate fertili, e quindi luoghi adatti alla fondazione di monasteri? Ancora non lo sappiamo. Per rispondere a questa domanda, come per molte altre in questo nuovo campo, sarà necessario intraprendere una ricerca sulla storia della fondazione di ciascun luogo.

Per quanto riguarda il loro stile, alcuni di essi si ispirano chiaramente all'architettura «monastico-classica», come Derge, Litang e Chamdo. Invece, Draya e Jyekundo, Batang e Kandze, ognuno con la sua propria personalità, sembrano avvicinarsi sia all'architettura chiamata «vernacolare» della regione, sia ad uno stile massiccio, forse più antico, che ricorda la fortezza e lo dzong piuttosto che il monastero o il villaggio.

L'ARCHITETTURA VERNACOLARE

Nel 1923, l'esploratore britannico F.R. Wulsin dopo aver visitato il nord dell'Amdo e i territori Golok, ha lasciato una descrizione di una casa tipica del Tibet orientale. Fatta eccezione per la scomparsa degli utensili di rame e dei fucili e nonostante le variazioni regionali, è ancora valida a tutt'oggi:

«In generale, una casa tibetana consiste di due o più costruzioni rettangolari, che danno ciascuna su di un cortile e poste l'una dietro l'altra. Almeno una delle costruzioni, in genere quella che si trova sul retro, possiede due piani. Una metà del piano terra è aperta e serve da stalla, come una parte della cucina principale [7] allo stesso livello. Una scala porta al tetto, luogo gradevole e riposante, da cui si gode un'ampia vista. Innanzitutto ciò che colpisce è l'enorme quantità di legna impiegata nella costruzione ed il confort e la grazia di queste case. Quasi tutti i muri interni, i tramezzi, i ballatoi al primo piano, i soffitti e persino il pavimento sono di legno e accuratamente rifiniti, la cucina, che ha funzioni di sala comune è deliziosa e può essere finemente rivestita tutt'intorno. I rivestimenti di legno, di colore scuro e lucido, sono spesso decorati con piccoli, accurati dipinti in corrispondenza delle porte degli stipi. File di utensili di rame brillano sulle scansie, inserite nei muri. La padrona di casa alimenta il grande fornello di terra con sterco e ramoscelli. Profumi appetitosi si sprigionano da enormi paioli di rame decorato con coperchi di legno. Un lungo fucile tibetano ed una spada sono talvolta appesi a pioli fissati sui pannelli. Vi è un k'ang vicino al fornello da cui è diviso da un basso tramezzo a giorno. L'impressione generale è quella della sala di un barone scozzese».

Esaminiamo ora le case di tre vallate di Ngaba, poste al centro della nostra regione, tra il Kham e l'Amdo, ognuna delle quali rappresenta un ambiente ecologico diverso: il territorio dei nomadi, la zona delle foreste e la regione di frontiera. Queste vallate sono lontane le une dalle altre, separate da pascoli immensi, corsi d'acqua e foreste. Sono tuttavia collegate tra loro culturalmente, economicamente e, da poco, politicamente.

fig. 235, 236

Iniziamo con Zungchu, nella valle del Minjiang, nei dintorni della città cinese di Songpan, vera e propria frontiera culturale. Le case sono costruite con una armatura di legno, intorno alla quale si erge un muro di pietre rivestito di terra. Al livello dell'abitazione, uno spazio vuoto di 25-30 cm. separa l'armatura di legno interna dal muro di pietra esterno. Questo vuoto serve da coibente e costituisce al contempo una precauzione contro i crolli in caso di terremoto. Una parte del muro esterno, a questo stesso livello, spesso sul lato ovest, è fatta di legno di salice intrecciato, rivestito di terra. Questo materiale leggero è anch'esso considerato una prevenzione contro gli effetti dei sismi. Come nella casa tibetana tipica vi sono tre livelli. In basso: gli animali, le scuderie, le stalle, i silos, gli attrezzi di lavoro ed ora il trattore (per coloro che abitano su di un terreno sufficientemente piano). In mezzo, lo spazio occupato dai membri della famiglia ed in alto la cappella, dimora simbolica degli dei, e il fienile. A Zungchu, a causa delle precipitazioni, i tetti sono in pendenza ed il fieno viene conservato nel fienile situato al terzo livello. La cappella che dovrebbe idealmente essere collocata in alto è qui allo stesso livello delle persone, ma il suo pavimento è simbolicamente un po' rialzato. Quindi lo spazio interno è suddiviso secondo le norme della cultura tibetana. Tuttavia, per la costruzione, gli abitanti ricorrono a gruppi di specialisti. Da un lato, i falegnami cinesi della pianura di Chengdu che sono ospitati per tutta la durata della costruzione, dei tramezzi, delle porte e delle finestre. L'armatura viene prima montata dal padrone di casa (con l'aiuto di parenti e vicini). I pali vengono presi nella foresta e trasportati al villaggio a dorso di yak. Dall'altro lato si ricorre all'aiuto tecnico dei muratori di Gyarong, esperti nella costruzione di muri. Eccezion fatta per il muro massiccio che le conferisce un carattere di fortezza, la casa somiglia, per la sua magnifica armatura ed i suoi rivestimenti di legno a una delle più antiche case cinesi conosciute [8] simile a quelle tuttora esistenti lungo tutta la valle del Minjinag, a partire dalla città di Chengdu, e ciò fin nei dettagli delle decorazioni, in tibetano «i fiori» (medog) che però qui sono di legno di ginepro. Tuttavia, nonostante le tecniche e la forma adottata, malgrado le apparenze, la struttura interna di questi grandi chalets corrisponde a quella, lo abbiamo visto, di una tipica casa tibetana. Essa è palesemente asimmetrica, mentre la casa cinese, con la parte abitata al livello del suolo ed un solo piano per i magazzini è perfettamente simmetrica.

fig. 237

fig. 238

A Ngaba, a circa 300 km. da Zungchu, in direzione nord-ovest, a sud dell'ansa del Machu, l'aspetto delle case è completamente diverso. Sono costituite da blocchi massicci di terra battuta, senza alcuna apertura sui tre lati, e solo tre finestre sulla facciata sud: una grande al centro e due piccole più un portone d'ingresso. Queste case, quindi somigliano molto di più a quelle del Tibet centrale. Tuttavia qui ogni casa è una fortezza indipendente, a tre piani, con un cortile interno a cielo aperto, circondato da un ballatoio di legno da cui si accede alle stanze, anch'esse abbellite da tramezzi di legno disposti tutt'intorno. La cappella, come a Zungchu, si trova al livello dell'abitazione, posta in fondo alla dimora, in posizione privilegiata.

fig. 239

A Barkham, circa 200 km. verso sud nel cuore dell'antico Gyarong, paese di vallate profonde, di fitte foreste e delle celebri torri «a nove piani» [9] le case sono di pietra. Malgrado, o forse proprio a causa delle foreste e quindi del pericolo di incendi, il legno, come a Ngaba, è utilizzato soltanto per i tramezzi interni della casa e per le finestre. Queste sono molto numerose, spesso su tre livelli e sempre aperte su tre lati, infatti soltanto la facciata posteriore è cieca.

Secondo una tecnica molto particolare e raffinata, le linee orizzontali della muratura risalgono incurvandosi fortemente verso gli angoli degli edifici ricordando le gradevoli curve delle nervature dello scafo di una nave. Le fondamenta di questi muri sono profonde un piano e si ritiene che questo insieme — muri incurvati e fondamenta — abbia il compito di impedire un cedimento verso il fondo della valle scoscesa.

Anche le torri di Gyarong presentano una grande perfezione tecnologica nella costruzione di muri a secco. Come nelle case e nei monasteri, le grandi lastre di pietra sono separate da strati di pietre più piccole alternate (phodomodo). Talvolta la struttura di base quadrata è rinforzata sui quattro lati da bastioni ad otto punte. Si trattava di un segno di prestigio consentito soltanto per la costruzione delle torri e dei monasteri, e non per le case del villaggio.

Due spiegazioni giustificano la presenza delle torri: la difesa e il prestigio. In alcune valli centinaia di torri sarebbero state costruite in occasione della nascita di un figlio.

IL TEMPO PRESENTE

A partire dal 1979 il Tibet orientale ha conosciuto una rinascita visibile soprattutto nell'architettura: ricostruzione di case private, di monasteri ed eremi, nel fedele rispetto dello stile e dei materiali tradizionali, ed il restauro dei monasteri scampati alle terribili devastazioni della Rivoluzione Culturale. Queste distruzioni, per quanto vaste e profonde, non sono tuttavia un avvenimento straordinario, in quanto da più di un secolo, nel Tibet orientale, i conflitti di frontiera tra il mondo tibetano e quello cinese si sono lasciati alle spalle una quantità di rovine. È soprattutto il caso del Kham. La presente ricostruzione si inserisce dunque, almeno in parte, in un continuo processo di distruzione/ricostruzione. Tuttavia, la società attuale va modificandosi. La costruzione di edifici di cemento in «stile moderno» nei centri amministrativi e quella di caserme, scuole, ospedali e case popolari per i lavoratori cinesi emigrati, come ad esempio nella valle di Barkham, creano un doppio modello: quello della campagna e quello della città, sempre, e forse deliberatamente, molto distinti.

Vanno segnalate alcune modifiche avvenute nelle case tradizionali nei villaggi:

— Il cemento viene impiegato molto raramente come ultimo strato di copertura del terrazzo, per coprire la terra che diventa fangosa dopo la pioggia.

— Il portone, l'ingresso principale, al piano terra della casa, è allargato, per consentire il passaggio del trattore.

— L'elettricità è installata in alcuni villaggi e case.

— La lamiera ondulata è molto rara. Abbiamo visto un solo tempio di questo materiale a Zungchu.

— I vetri: utilizzati a Ngaba per il lucernario della cucina e in un eremo a Zungchu.

CONCLUSIONE

Nonostante la diversità degli stili e dei materiali (essenzialmente terra, pietra, legno e salice), l'architettura rispetta l'unità concettuale del mondo tibetano ed è una delle espressioni meno influenzate dalle due grandi civiltà limitrofe. Persino nel Tibet orientale, in zona di confine, in cui le tecniche di costruzione e la manodopera vengono dalla Cina, la distribuzione dello spazio nella casa, in quanto elemento basilare dell'organizzazione sociale e riflesso della visione dell'universo e della vita economica, risponde a criteri presenti in tutto l'altipiano, dal Kokonor al Ladakh (Sez. II).

Osserviamo anche per quanto riguarda l'architettura religiosa, eccezion fatta per i grandi (e forse tardivi) complessi di architettura «classica» (anch'essa derivata dall'architettura vernacolare), le tecniche e lo stile si ispirano direttamente all'architettura vernacolare locale, pur presentando alcuni particolari tipi di edifici e di decorazioni.

Ci sembra che le nostre osservazioni, confrontate con le informazioni raccolte in giro per l'altipiano, ci permettano di individuare parecchi punti comuni a tutta l'architettura tibetana:

— la pratica della geomanzia nella scelta del sito;

— l'orientamento est-sud della porta e della facciata della casa;

— il cortile davanti alla casa;

— una sola porta d'ingresso;

— «il foro del cielo» [10] (ereditato dalla tenda nomade, diventato lucernario nel locale del focolare, con triplice funzione: comignolo, orologio e illuminazione);

— la «piccola casa» (khangchung), separata dalla casa principale, come residenza di amici, invitati e parenti anziani o infermi;

— la divisione orizzontale dello spazio su tre livelli: dimora delle persone al centro, tra due spazi aventi una duplice funzione: pratica — caldo degli animali dal basso e fieno in alto — ; concettuale — gli animali in basso e gli dei in alto — .

NOTE DELLA SEZIONE X

[1] E. TEICHMAN, 1922 pag. 60.

[2] Vedi ad es.: A. DAVID-NEEL, 1979; H. D'OLLONE, 1911: L. RINCHEN, 1926: J. ROCK, 1956: W. ROCKHILL, 1894: A. TAFEL, 1924: E. TEICHMAN, 1922.

[3] W. FILCHNER, 1933.

[4] G. TUCCI, 1932-1941. E per di più, si tratta soprattutto di studi di interni di templi.

[5] Secondo l'analisi dettagliata del monastero e della sua storia fatta da Yonten GYATSHO, nei corsi tenuti all'Ecole Pratique des Hauts Etudes, Va sezione, 1979-1980.

[6] Secondo PALTUL Jampal Lodoe (senza data), ad esempio, nel Kham, esistevano fino a tempi recenti 615 monasteri, contando soltanto quelli della scuola nyingmapa (tra altre cinque scuole).

[7] O piuttosto la cucina d'inverno.

[8] Vedi un prototipo dell'epoca Shang, 1766-1154 a.C. in Kwang-chih CHANG, The Archeology of Ancient China, Yale 1977, pag. 249.

[9] Vedi ROCKHILL, 1894, pag. 364; GILL, 1880, II, pag. 246: STOTZNER, 1924, pag. 119-128; STEIN 1959, n. 96, n. 222, per la bibliografia.

[10] Vedi STEIN 1957.

BIBLIOGRAFIA GENERALE

FILCHNER, 1933; GILL, 1880; JISL-SIS-VANIS, 1958; HUANG, 1946; LI, LIU, 1982;   HEIM, 1933; LI, 1984; LIU, 1986; MULLER RAUNIG, 1982; OLLONE, 1911;QUXI, 1982; RINCHEN, 1926; ROCK, 1956; ROCKHILL, 1894; STEIN, 1959; STOTZNER,1924; TEICHMAN, 1922; WANG YANG, s.d., PALTUL, s.d.

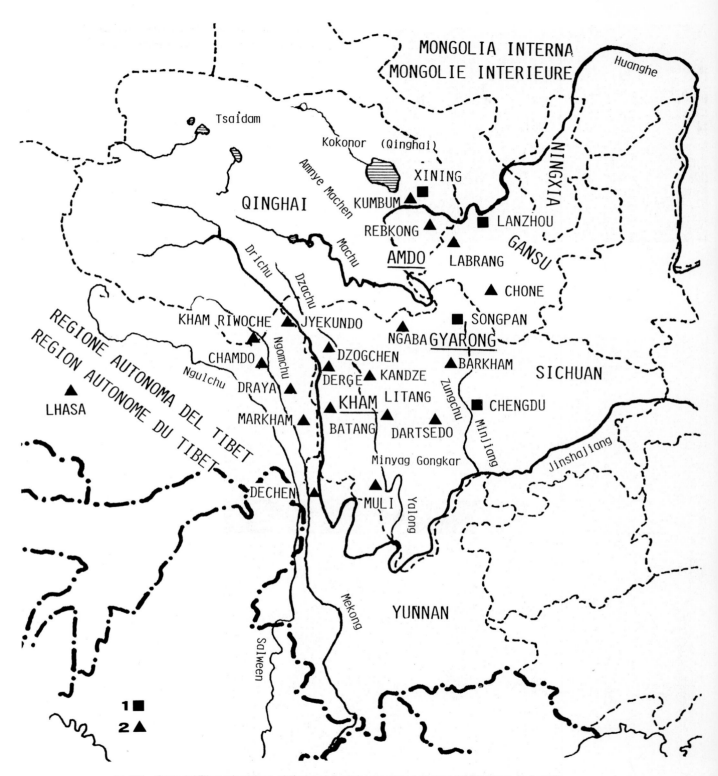

fig. 220 - Carta del Tibet orientale: 1, città cinesi; 2, città e monasteri tibetani (H. Stoddard, R. Astolfi).

fig. 220 - Carte du Tibet oriental: 1, villes chinoises; 2, villes et monastères tibétains (H. Stoddard, R. Astolfi).

fig. 221 - Monastero di Kumbum (Amdo) (foto H. Stoddard).

fig. 221 - Monastère de Kumbum (Amdo), (cl. H. Stoddard).

fig. 222 - Monastero di Kumbum, pianta (Filchner, 1933).

fig. 222 - Monastère de Kumbum, plan (Filchner, 1933).

fig. 223 - Labrang Tashi Khiyl (Amdo), veduta d'insieme (Rock, 1956, pl X).
fig. 223 - Labrang Tashi Kyil (Amdo), vue générale (Rock, 1956, pl. X).

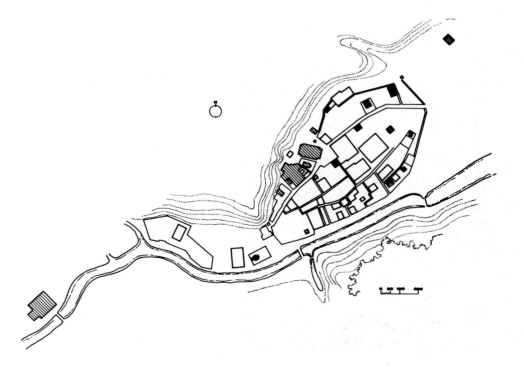

fig. 224 - Labrang Tashi Khyil, (Amdo) pianta del monastero (R. Astolfi da Zhonguo Gudai, 1980, fig. 194, 1).

fig. 224 - Labrang Tashi Khyil (Amdo), plan du monastère (R. Astolfi d'après Zhonguo Gudai, 1980, fig. 194, 1).

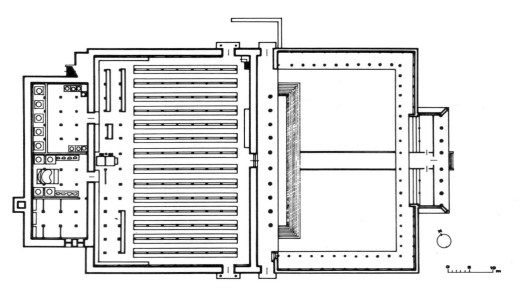

fig. 225 - Labrang Tashi Khyil, Sala dell'Assemblea: *a*, sezione; *b*, pianta (R. Astolfi da Zhonguo Gudai, 1980, fig. 194, 2).

fig. 225 - Labrang Tashi Khyil, Salle d'Assemblée: *a*, coupe; *b*, plan (R. Astolfi d'après Zhonguo Gudai, 1980 fig. 194, 2).

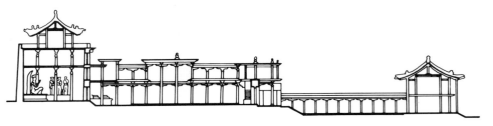

fig. 226 - Kirti, (Amdo), Manikhang (foto H. Stoddard).

fig. 226 - Kirti (Amdo), Manikhang (cl. H. Stoddard).

fig. 227 - Tse'ü (Amdo), veduta panoramica (Rock, 1956, pl V).

fig. 227 - Tse'ü (Amdo), vue panoramique (Rock, 1956, pl. V).

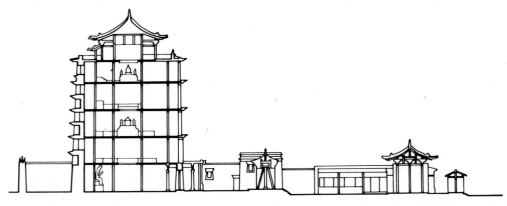

fig. 228 - Monastero di Zhamuger (Amdo), Guthog costruzione a nove piani, sezione (R. Astolfi da Zhonguo Gudai, 1980, fig. 196, 2).

fig. 228 - Monastére de Zhamuger, (Amdo), Guthog, construction à neuf étages, coupe (R. Astolfi d'après Zhonguo Gudai, 1980, fig. 196, 2).

fig. 229 - Nangzhig (Amdo), (foto H. Stoddard).

fig. 229 - Nangzhig (Amdo) (cl. H. Stoddard).

fig. 230 - Monastero di Litang (Kham) (da foto di A. Shelton, The Newark Museum).
fig. 230 - Monastère de Litang (Kham) (d'après cl. A. Shelton, The Newark Museum).

fig. 231 - Chamdo (Kham) vedute panoramiche (foto L.T.W.A.).
fig. 231 - Chamdo (Kham), vues panoramiques (cl. L.T.W.A.).

fig. 232 - Monastero di Jyekundo (foto A. David - Néel, Ville de Dignes-les-Bains).

fig. 232 - Monastère de Jyekundo (Kham) (foto A. David - Néel, Ville de Dignes-les-Bains).

fig. 233 - Batang, (Kham), casa di notabile, Jisl, Sis e Vanis, 1958, p. 58, fig. 7).

fig. 233 - Batang (Kham), maison de notable (Jisl, Sis et Vanis, 1958, p. 58 fig. 7).

fig. 234 - Kandze (Kham), veduta panoramica (Teichmam, 1922, pl XVIII).

fig. 234 - Kandze (Kham), vue générale (Teichman, 1922 pl. XVIII).

fig. 235 - Zungchu, abitazione (foto H. Stoddard).

fig. 235 - Zungchu, maison (cl. H. Stoddard).

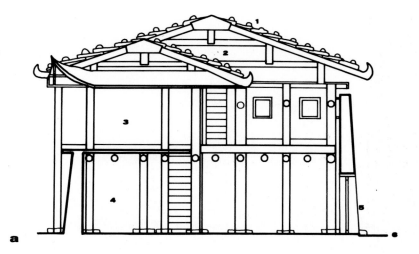

fig. 236 - Zungchu, abitazione; *a*, sezione A-B: 1, gi (tetto); 2, ginang (livello del foraggio, fienile); 3, livello delle abitazioni; 4, khang'ok (livello del bestiame, scuderia, stalla, silo, utensili); 5, ingresso; 6, cortile; *b*, pianta del livello abitativo: 7, muro in pietra rivestito di terra; 8, mezzo muro in salice intrecciato rivestito di terra; 9, spazio vuoto tra i due muri; 10, tramezzo di legno; 11, magazzino; 12, dio del focolare; 13, tshen (tesoro e camera); 14, yikhang (biblioteca e cappella); 15, altare; 16, chinang (cucina e sala di riunione); 17, gochen (corridoio di disimpegno); 18, «pukdo katse» (piccola sala per preparazione del pane e della birra); 19, nyesa (camera); 20, nyesa (camera e magazzino di granaglie); 21, ama'i nyesa (camera della madre); 22, porta di ingresso interna; 23, nyesa (camera e magazzino di granaglie); 24, gokhyam (veranda); 25, khang chung (camera per gli ospiti e i familiari); 26, yolkha (terrazza); 27, kyamhang (latrina); 28, yulkha (orto); 29, muro di pietra rivestito di terra; 30, gora (cortile); 31, porta di ingresso; 32 sangkhung (focolare di fumigazione); 33, grondaia; 34, yukha (orto) (H. Stoddard, C. Jest, R. Astolfi).

fig. 236 - Zungchu, maison, *a*, coupe A-B : 1, gi (toit); 2, ginang (niveau fourrage, réserve de foin); 3, niveau habitation; 4, khang'ok (niveau bétail, écurie, étable, silos, outils); 5, entrée; 6, cour; *b*, plan du niveau d'habitation; 7, mur en pierre, enduit de terre; 8, démi mur en saule tressé enduit de terre; 9, espace vide entre les deux murs, 10, cloison en bois; 11, réserve; 12, dieu du foyer; 13, tshen (trésor et chambre); 14, yikhang (bibliothèque et chapelle); 15, autel; 16, chinang (cuisine et salle de réunion); 17, gochen (couloir de distribution); 18, pukdo katse (petite salle de préparation du pain et de la bière); 19, nyesa (chambre); 20, nyesa (chambre et réserve de grain); 21, ama'i nyesa (chambre de la mère); 22, porte d'entrée intérieure; 23, nyesa (chambre et réserve de grain); 24, gokhyam (loggia); 25, khang chung (chambre d'hôtes et de familiers); 26, yolkha (terrasse); 27, kyamhang (latrine); 28, yulkha (potager); 29, mur en pierre enduit de terre; 30, gora (cour); 31, porte d'entrée; 32, sangkhung (foyer de fumigation); 33, gouttière; 34, yulkha (potager) (H. Stoddard, C. Jest, R. Astolfi).

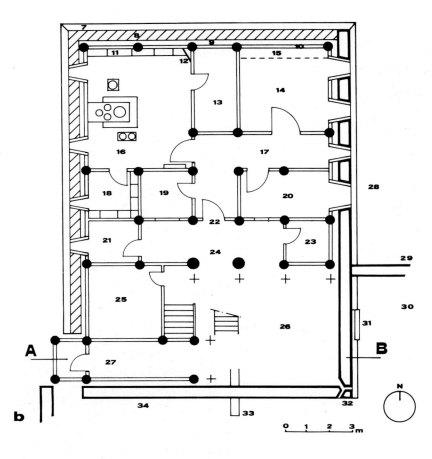

fig. 237 - Derge del sud, (Kham), fattoria (Teichman, 1922, pl XLIII).
fig. 237 - Derge du Sud (Kham), ferme (Teichman, 1922, pl. XLIII).

fig. 238 - Ngaba, veduta del villaggio (foto H. Stoddard).
fig. 238 - Ngaba, vue du village (cl. H. Stoddard).

fig. 239 - Chala (Gyarong) la torre Bakalo (foto A. Shelton, The Newark Museum).
fig. 239 - Chala (Gyarong), la tour Bakalo (cl. A. Shelton, The Newark Museum).

SECTION X

LE TIBET ORIENTAL

Heather Stoddard

Approcher le haut plateau tibétain par les remparts orientaux, monter par cette «grande muraille» naturelle qui a séparée, jusqu'au XXe siècle, le monde chinois, confucéen, agraire et sédentaire, du monde tibétain, bouddhiste, agro-pastoral, mobile; c'est observer aux environs de 3000 m. d'altitude une transition abrupte entre ces deux mondes. Le contreforts, vallées intermédiaires des marches sino-tibétaines, abritant une véritable mosaïque d'ethnies, adoucissent la transition. Mais, dès 3000 m. nous entrons dans une zone très spécifique: celle d'une civilisation de haute altitude. La maison en est le premier témoin. Traversant, au début du siècle, la frontière culturelle entre le Sichuan chinois et le Kham tibétain, le consul britannique Sir Eric Teichman constata:

«Les maisons chinoises et les maisons tibétaines n'ont strictement rien en commun. De ce point de vue, de tant d'autres également, nous passons d'une civilisation à une autre avec une précipitation étonnante»[1].

DONNEES GÉNERALES

fig. 220

L'AMDO et le KHAM, les deux provinces traditionnelles qui recouvrent la partie orientale du haut plateau, s'étendent sur approximativement 3/5 du *territoire habité* par les Tibétains. Cette région est actuellement morcelée entre six provinces de la République Populaire de Chine: Qinghai, Gansu, Sichuan, Yunnan et la Région Autonome du Tibet (R.A.T).

L'AMDO recouvrait la majeure partie de Qinghai, deux secteurs au Gansu et le nord-ouest de Sichuan.

Le KHAM s'étendait sur l'ouest de Sichuan, une partie de Yunnan et la bande orientale de la R.A.T.

Cet espace est grande: nous indiquerons quelques distances entre points extrêmes, à vol d'oiseau:

nord-sud: Kumbum à Muli 1000 km.

est-ouest: Songpan à Jyekundo 600 km.

est-ouest: Dartsedo à Kham Riwoche 560 km.

Le climat est moins rigoureux qu'au Tibet central et la région est couverte, en partie de vaste fôrets vierges, en partie de grasses prairies ou paissent des troupeaux de milliers de yak, de moutons et de chevaux. Les terres arables, situées au fond des vallées fertiles, descendent jusqu'à 2800 m. L'orge, le blé, l'avoine, le colza, les feves, et à une moindre degré des fruits et légumes y sont cultivés.

HOMOGENEITE OU DIVERSIFICATION DE L'ARCHITECTURE?

Depuis le début des temps historiques (VIIe siècle) le Kham, c'est-à-dire «la province», fut associé à l'empire des tsenpo tibétains. Un peu plus tard, la terre des Azha, de Tsongkha, de Zungchu etc. ce qui allait devenir l'Amdo, fut annexé également. Le tsenpo Songtsen Gampo (règne 627-649), fut le premier a envoyer des troupes vers l'est pour protéger les territoires nouvellement acquis, et y lancer de nouvelles offensives. Après la chute de la dynastie de Yarlung, ils s'y installèrent, et dans certaines régions, les habitants de l'est garderont jusqu'au XXe siècle, le souvenir de cette origine guerrière dans la tradition orale.

Loin des centres politiques du Tibet central et de l'Empire du Milieu, inaccessible par la configuration du pays, jalousement gardé par des habitants fiers et indépendants, le Tibet oriental est encore moins connu que le Tibet central. Il en va de même pour son architecture. Les missionnaires, voyageurs et diplomates occidentaux du début du siècle ont rapportés de nombreuses photographies de bâtis, villages et monastères[2]. Cependant, nous ne possédons pour cette région, à l'exception de Kumbum[3] aucune étude approfondie semblable à celle que fit Giuseppe Tucci à Gyantse, Tholing, Tsaparang, Iwang etc. au centre et à l'ouest du plateau[4].

Mais pourquoi parler spécifiquement du Tibet oriental? Celà a-t-il un sens culturel, politique ou économique? L'architecture est-elle différente? Les grandes distances entre les zones habitées, les vicissitudes de l'histoire, l'indifférence du gouvernement de Lhasa, l'indépendance farouche des nomades et tribus, ont-elles fait du Tibet oriental une entité spécifique? Il fallait, jusqu'au milieu de ce siècle, deux mois et demi de voyage en caravane de Kumbum à Lhasa, et un mois de Lhasa à Chamdo. Non seulement la distance géographique est énorme, mais la différence culturelle et psychologique devrait être substantielle également. Entre les forces centripètes et les forces centrifuges lesquelles l'emportaient? L'habitat présente-t-il des caractères nous indiquant une homogeneïté de culture tibétaine ou par contre une diversification?

L'ARCHITECTURE RELIGIEUSE

Commençons par l'architecture religieuse. Nul ne peut douter du rôle unificateur joué par le Bouddhisme tibétain. Les constructions les plus célèbres du haut-plateau sont les grands monastères. Mais l'histoire est mouvementée.

Prenons l'Amdo par exemple. Déjà au IXe siècle ce fut une terre d'asile pour les groupes opprimés. A Martshangdrag, prés du Lac Bleu, Gongpa Rabsel construisit un temple (qui existe toujours, quoique vidé pendant la Revolution culturelle) après s'être enfui, avec des companions, du Tibet central où la noblesse bonpo amorçait une persecution contre les bouddhistes. Jusqu'à nos jours également, malgré la grande activité missionnaire des Gelugpa qui s'étendit entre le XVIIe et le XXe siècle à travers l'Amdo et jusqu'en Mongolie, d'autres minorités: les Bonpo (politiquement marginalisés depuis longtemps) et les Jonangpa (proscrits par le grand cinquième Dalaï Lama), continuaient à y vivre à côté des Goloks. En quittant le Tibet central pous s'installer en terre nomade, au sud de la boucle du Machu (le Fleuve Jaune), les Jonangpa, n'auraient-ils pas emmené avec eux leurs techniques de construction originaires du Tibet central?

Cette terre d'asile fut gravement touchée pendant la Revolution Culturelle. La quasi-totalité des monastères, hermitages et stûpa furent détruits. Heureusement nous possédons une documentation, photographique quoique sommaire, recouvrant les lieux majeures ainsi que des relevés indigènes et chinois indiquant les noms des monastères et le nombre de résidents. Avec les documents historiques tibétains concernant la fondation et le développement de ces lieux, il serait possible de fournir un récit assez détaillé de la situation en 1950. Selon des sources récents, il reste au moins deux universités monastiques Gelugpa de Kumbum et Labrang Tashi Khyil.

fig. 221, 222   Kumbum fut fondé au XVe siècle, mais les bâtiments actuels datent presque tous du XVIIe et XVIIIe siècle. Ce monastère est sans doute un cas à part. Situé au point de rencontre entre l'Asie Centrale, la Chine et le haut-plateau tibétain, il représente une synthèse harmonieuse de divers styles, fortement influencée par la Chine, tout en gardant les institutions caractéristiques de l'organisation monastique tibétaine, ainsi que de nombreuses techniques et motifs décoratifs de l'architecture tibétaine.

fig. 223 à 225   Labrang Tashi Khyil par contre, fondé en 1710, loin des centres chinois, reflète d'avantage ses prototypes du Tibet central Drepung, Ganden, Sera, et Tashilhunpo, tout en les dépassant en harmonie et en beauté du site et de l'ensemble architectural. Il représente sans doute l'apogée des cités monastiques de la période tardive. Hélas, son sort fut pire que Kumbum, car seuls restent quelques quinze bâtiments importants sur les soixante-trois d'origine[5].

Si les centres prestigieux attiraient les érudits, les pèlerins et aussi les marchands, il nous semble, du moins pour Kumbum et Labrang, que les routes commerciales se déployaient en éventail *après* la fondation du monastère plutôt que l'inverse.

fig. 226 a 229

Cependant des centaines ou des milliers [6] d'autres monastères parsemaient le pays: Kirti, Tseü, Ragya, Nangzhig (nommés parce que nous en possédons une documentation photographique). Ils frappent par l'aspect allongé, espacé, dépouillé de la construction. L'entassement, l'unité organique des communautés du Tibet central est ici remplacé par une libre association de bâtiments indépendants, étalés dans une plaine ou au fond d'une large vallée.

fig. 230 à 234

Au Kham, le paysage est plus accidenté. Les lieux les plus célèbres: Kandze, Dzogchen, Jyekundo, Litang, Batang, Draya, Chamdo, Derge, jalonnent au avoisinent les axes commerciaux reliant le haut plateau tibétain et la Chine. Furent-ils monastéres auxquels s'associèrent des villages les deservant, puis où s'installèrent des marchands et des populations en transit? Ou furent-ils d'abord d'importants villages situés sur les routes dans des vallées fertiles, donc des lieux propices à la fondation de monastères? Nous ne savons pas encore. Pour répondre à cette question, comme pour tant d'autres dans ce domaine neuf, il faudra entreprendre une recherche sur l'histoire de la fondation de chaque lieu.

En ce qui concerne leur style, certains d'entre eux sont manifestement inspirés de cette architecture monastique classique» comme Derge, Litang et Chamdo. Tandis que Draya et Jyekundo, Batang et Kandze, chacun avec sa personnalité propre, semblent se rapprocher soit de l'architecture dite «vernaculaire» de la région, soit d'un style massif, peut-être plus ancien, rappelant la forteresse ou le dzong, plutôt que le monastère ou le village.

L'ARCHITECTURE VERNACULAIRE

En 1923, lorsque l'explorateur britannique F.R. Wulsin visita le nord de l'Amdo et les terres Goloks, il nous laissa la description d'une maison typique du Tibet oriental. Hormis la disparition des utensils en cuivre et des fusils, et malgré les variations régionales, elle reste partinente à ce jour:

«De manière générale, une maison tibétaine consiste en deux, ou plus, bâtiments rectangulaires, donnant chacun sur une cour et placée l'un derrière l'autre. L'un des bâtiments au moins, en général celui qui se trouve à l'arrière, comporte deux étages. Une moitié du rez chaussée est ouverte et sert d'étable. Il en va de même pour une partie de la cuisine principale [7] au même niveau. Une échelle mène au toit, lieu agréable de détente, d'où on a une large vue. Ce qui frappe en premier, c'est la quantité énorme de bois utilisé dans la construction, le confort et le charme de ces maisons. Presque tous les murs intérieurs, les cloisons, les galeries à l'étage et au rez de chaussées, les plafonds et même le sol, sont en bois avec une finition soignée. La cuisine, qui fait salle commune est charmante et peut être finement lambrissée tout autour. Les boiseries qui ont une teinte sombre et lustrée, sont souvent décorées de petites peintures fines sur les portes des placards. Des rangées d'utensils en cuivre luisent sur les étagères, insérées dans les murs. La maîtresse de maison alimente le grand fourneau de terre avec de la bouse et des brindilles. Des odeurs appétisantes se dégagent d'énormes chaudrons en cuivre décoré, et aux couvercles de bois. Un long fusil tibétain et une épée pendent, parfois, à des chevilles fixées dans les panneaux. Il y a un k'ang près du fourneau, séparé de lui par une cloison basse à claire voie. L'impression générale est celle d'une salle de baron écossais».

Examinons maintenant les maisons dans trois vallées de Ngaba, situées au milieu de notre région, entre le Kham et l'Amdo, et représentant chacune un milieu écologique différent: la région frontalière, le domaine des nomades, la zone des fôrets. Ces vallées sont éloignées les unes des autres, séparées par d'immenses pâturages, des cours d'eau et de fôrets. Elles sont néanmoins reliées entre elle culturellement, économiquement et depuis peu politiquement.

fig. 235, 236

D'abord Zungchu, dans la vallée du Minjiang, aux alentours de la ville chinoise de Songpan, véritable frontière culturelle. Les maisons y son construits avec une armature en bois, autour de laquelle est élevé un mur en pierres enduit de terre. Au niveau d'habitation, un espace vide de 25 à 30 cm. sépare la cloison en bois à l'intérieur du mur en pierre à l'extérieur. Ce vide sert à la fois d'isolant et de précaution contre l'effondrement en cas de tremblement de terre. Une partie du mur extérieur à ce même niveau, souvent du côté ouest, est construite en saule tressé enduit de terre. Ce matériau léger est également considéré comme une prévention contre les effets des séismes. Comme pour la maison tibétaine idéale, il y a trois niveaux. En bas: les animaux, écuries, étables, silos, outils de travail et maintenant la tracteur (pour ceux qui habitent un terrain suffisement plat). Au milieu, l'espace occupé par les membres de la famille, et en haut, la chapelle, demeure symbolique des dieux, et la réserve de foin. A Zungchu, étant donné les précipitations, les toits sont en pente et le foin est conservé dans le grenier ainsi amenagé au troisième niveau. La chapelle, qui devraient idéalement être située en haut, est ici au même niveau que les hommes, mais son plancher est symboliquement légèrement surélevé. Ainsi l'espace intérieur est divisé selon les normes de la culture tibétaine. Cependant, pour la construction, les habitants font appel à deux groupes de spécialistes. D'une part les menuisiers chinois de la plaine de Chengdu qui sont invités pour la durée de la construction des cloisons, des portes et des fenêtres. La charpente est préalablement montée par le maître de maison (avec le concours de parents et voisins). Les poteaux sont prélevés dans la fôret et transportés au village à dos de yak. D'autre part il est fait appel à l'aide technique de maçons de Gyarong, experts dans la construction des murs. Mis à part ce mur massif qui lui donne un caractère de forteresse, la maison ressemble, par sa magnifique charpente et les boiseries, à la maison chinoise la plus ancienne connue[8], telle qu'elle existe toujours tout le long de la vallée du Minjiang depuis la cité de Chengdu, et ceci jusque dans le détail des pendantifs, en tibétain: les «fleurs» (medog) qui sont néanmoins ici en bois de genévrier. Cependant, malgré les techniques et la forme adoptées, malgré les apparences, la structure interne de ces grands chalets

fig. 237

correspond à celle, nous l'avons vu, d'une maison tibétaine typique. Elle est notamment assymétrique, alors que la maison chinoise, avec la partie habité au niveau du sol et un seul étage pour les reserves, est parfaitement symétrique.

fig. 238

A Ngaba, approximativement trois cents kilomètres vers le nord-ouest depuis Zungchu, au sud de la boucle du Machu, l'aspect de la maison est tout autre. Formant des blocs de terre battue massifs, entièrement aveugles sur trois côtés, ne possédant dans la façade sud que trois fenêtres, une grande au milieu et deux petites, plus un portail d'entrée, ces maisons ressemble beaucoup plus à celles du Tibet central. Néanmoins, chacune est ici une forteresse indépendante, à trois étages, possédant une cour intérieure à ciel ouvert, entourée d'une galerie en bois d'où l'on accède aux pièces, également agrémentées de cloisons en bois, disposées tout autour. La chapelle, comme à Zungchu, se trouve au niveau d'habitation, placée au fond de la demeure, en position privaligiée.

fig. 239

A Barkham, quelques deux cents kilomètres vers le sud, au coeur de l'ancien Gyarong, pays de profondes vallées, de forêts denses et des célèbres tours à «neuf étages»[9], les maisons sont en pierre. Malgré, ou peut-être à cause des forêts et le danger du feu, le bois n'est utilisé, comme à Ngaba, que pour les cloisons internes de la maison, et pour les fenêtres. Ces dernières sont très nombreuses, souvent sur trois niveaux, et toujour ouvertes sur trois côtés, seule la façade arrière étant aveugle.

Suivant une technique très particulière et raffinée, les lignes horizontales de la maçonnerie remontent en courbe prononcée vers les angles des édifices, rappelant les courbes gracieuse des nervures d'une coque de navire. Les fondations de ces murs sont profondes d'un étage, et cet ensemble: murs incurvés et fondations, est censé prévenir un effondrement vers le fond de la vallée escarpée.

Les tours de Gyarong expriment également une grande perfection technologique dans la construction de murs en pierres sèches. Comme pour les maisons et les monastères, le grandes dalles sont séparés par des couches de pierres plus petites en alternance (*phodomodo*). Parfois la structure de base carrée est renforcée sur les quatre côtés par des remparts de plan triangulaire, formant ainsi une étoile à huit pointes. Il s'agissait d'un signe de prestige qui n'était permis que dans la construction des tours et des monastères, et non pour les maisons de village.

Deux explications justifient l'existence des tours: la défense et le prestige. Dans certaines vallées des centaines de ces tours auraient été construites, à l'occasion de la naissance d'un fils.

LE TEMPS PRESENT

Depuis 1979, le Tibet oriental connait une renaissance visible surtout dans l'architecture. La reconstruction de maisons individuelles, de monastères et hermitages, respectant fidélement le style et les matériaux traditionnels, ainsi que la restauration des quelques monastères qui ont survécu aux terrible ravages de la Revolution Culturelle. Cette destruction, malgré son ampleur et son efficacité n'est pourtant pas un évenement unique, car depuis plus d'un siècle, au Tibet oriental, les conflits de frontière entre le monde tibétain et le monde chinois ont laissée derrière eux quantité de ruines. C'est surtout le cas pour le Kham. La reconstruction présente s'inscrit donc, du moins partiellement, dans un processus de destruction/reconstruction continu.

Cependant la société actuelle se modifie. La construction d'immeubles de «style moderne» en béton dans le centres administratifs et celle de casernes militaires, d'écoles, d'hôpitaux et d'H.L.M. pour les travailleurs chinois émmigrés, comme par exemple dans la vallée de Barkham, créent un double modèle: celui de la campagne et celui de la ville. Les deux sont toujours et peut être volontairement très distincts.

Quelques modifications dans les maisons traditionnelles des villages sont à remarquer:

— Le béton est trés rarement utilisé comme dernière couche sur la verandah, par dessus de la terre, qui devient boueuse après la pluie.

— Le portail, l'entrée principale, au rez de chaussée de la maison, est élargi pour permettre l'entrée du tracteur.

— L'éléctricité est installée dans certains villages et maisons.

— La tôle ondulée est trés rare. Nous n'avons vu qu'un seul toit de temple dans ce matériau à Zungchu.

—Les vitres: utilisées à Ngaba pour le lanternon de la cuisine, et dans un hermitage à Zungchu.

CONCLUSION

Malgré la diversité des styles et des matériaux (essentiellement terre, pierre, bois et saule), l'architecture traduit l'unité conceptuelle du monde tibétain, est une des formes d'expression les moins influencées par les deux grandes civilisations voisines. Même au Tibet oriental, en zone limitrophe, où le techniques de construction et la main d'oeuvre sont empruntées à la Chine, la répartition de l'espace dans la maison, en tant qu'élément de base de l'organisation sociale, comme reflet de la vision de l'univers et de la vie économique, répond à des critères présents partout à travers le haut plateau, depuis le Kokonor jusqu'au Ladakh.

Nous suggérons également que pour l'architecture religieuse, mis à part les grands (et peut être tardifs) ensembles d'architecture «classique» (elle-même issue de l'architecture vernaculaire) les techniques et le style s'inspirent directement de l'architecture vernaculaire locale, tout en ayant en particulier certains types de bâtiments et de décorations.

D'après nos observations, confrontées aux informations recueillies ailleurs sur le plateau, il nous semble possible de dégager plusieurs points communs à l'ensemble de l'architecture tibétaine:

— la pratique de la géomancie dans la choix du site;

— l'orientation E/S de la porte et du devant de la maison;

— la cour devant la maison;

— une seule porte d'entrée;

— «le trou du ciel [10] (hérité de la tente nomade, devenu lanternon dans la pièce du foyer, à triple usage: fumée, lumière et horloge);

— la «petite maison» (khangchung), séparée de la maison principale, comme résidence des familiers, invités et parents âgés ou infirmes;

— la division horizontale de l'espace en trois niveaux: demeure des hommes au milieu, entre deux espaces à double fonction *pratique* — chaleur des animaux d'en bas et foin en haut; *conceptuelle* — les animaux en bas et les dieux en haut.

[1] E. TEICHMAN, 1922, p. 60.

[2] Voir par exemple: A. DAVID-NEEL, 1979; H. D'OLLONE 1911; RINCHEN, L. 1926; J. ROCK 1956; W.W. ROCKHILL 1894; A. TAFEL 1924; E. TEICHMAN 1922.

[3] W. FILCHNER, 1933.

[4] G. TUCCI, 1932-1941. Et encore, il s'agit surtout d'études d'intérieurs des temples.

[5] Selon l'analyse détaillée faite du monastère et son histoire par Yonten GYATSHO, lors des cours donnés à l'E.P.H.E. V [e] section, 1979-1980.

[6] D'après PALTUL Jampal Lodoe (sans date), par exemple, il existait au Kham (mdo-stod) et seulement comptant les monastères de l'école nyingmapa (parmi cinq autres écoles), 615 jusqu'au temps récents.

[7] Ou plutôt la cuisine d'hiver.

[8] Voir Kwang-chih Chang, *The Archeology of Ancient China*, Yale 1977, p. 249, un prototype de l'époque Shang, 1766-1154 av. J.-C.

[9] Voir ROCKHILL, 1894, p. 364.; GILL 1880, II, p. 246; STOTZNER 1924, p. 119, 128; STEIN 1959, n. 96, n. 222, pour la bibliographie.

[10] Voir STEIN 1957.

OUVRAGES GENERAUX

FILCHNER, 1933; GILL, 1880; JISL-SIS-VANIS, 1958; HUANG, 1946; LI, LIU, 1982;   HEIM, 1933; LI, 1984; LIU, 1986; MULLER RAUNIG, 1982; OLLONE, 1911;QUXI, 1982; RINCHEN, 1926; ROCK, 1956; ROCKHILL, 1894; STEIN, 1959; STOTZNER, 1924; TEICHMAN, 1922; WANG YANG, s.d., PALTUL, s.d.

SEZIONE XI

ARCHITETTURA DI STILE TIBETANO IN CINA. EPOCA YUAN (1261-1367)

Paola Mortari Vergara

I rapporti tra i mongoli e le principali scuole buddhiste tibetane incominciarono a divenire molto stretti già sotto i primi Gengiskhanidi[1]. Sappiamo infatti che il figlio e successore di Gengiskhan (Činggis Qan), Ogodei (1229-1241), grande costruttore della capitale Kharakhorum, (Qaraqorum), fece invitare un maestro religioso tibetano dal figlio Köden (Godan). Sakya Pandita (1182-1251) con il nipote decenne Phagpa (1239 c. - 1280) furono costretti ad accettare l'invito e si incontratono con Köden nel 1247, all'epoca del Khanato di Guyuk (1246-48), stabilendo anche un'alleanza matrimoniale.

Dal successivo gran Khan, Mongke (1251-1259) e dai membri della sua famiglia, in antitesi con Guyuk, vennero preferite altre scuole tibetane come i Digungpa e i Phagmodupa.

Anche gli Ilkanidi d'Iran (1256-1335) fino verso il 1296, data della loro conversione all'Islam, patrocinarono la costruzione di numerosi templi buddhisti nei loro territori[2]. Un resto di decorazione architettonica buddhista a Viar presso Sultaniyya, con il tipico drago che insegue la perla fiammeggiante, molto diffuso in epoca yuan, ne attesta la presenza nei territori iranici[3].

Probabilmente già in quest'epoca le scuole buddhiste tibetane hanno goduto una certa influenza anche nell'Asia Centrale. La descrizione resaci da Guglielmo da Rubruck nel 1253 di tre templi buddhisti di Cailac (Qayaligh, presso il lago Balkash), capitale dei Karluk che si erano posti sotto la sovranità mongola nel 1211[4], ci sembra a questo riguardo fondamentale. Egli ricorda alcuni elementi rituali (svastica disegnata sulla mano di un monaco, divinità alata che può riferirsi al Khyung, il Garuḍa tibetano, recitazione continua della formula «Om mani padme hum», copricapi simili a mitre vescovili, tipi di riti officiati e dislocazione dei monaci) e certe particolari concezioni architettoniche (piante rettangolari con coro agettante, piante di tipo omotetico, asse est-ovest tradizionale con sovrapposizione di ingresso a sud di tipo cinese, porticato d'accesso, alti pali siti nel cortile d'ingresso cinto da mura, arredi interni dei templi) che pur essendo presenti in parte nelle fondazioni buddhiste dell'Asia Centrale e della Cina, ci sembrano tutte insieme più riferibili al Buddhismo Tibetano[5]. I confronti che Rubruck stesso propone tra alcuni santuari di Kharakhorum e questi templi di Qayaligh può far dedurre che più d'uno dei dodici templi di «idolatri di diverse nazioni» da lui segnalati nella capitale Gengiskhanide fossero di buddhisti tibetani[6].

Ma è sotto Khubilai (Qubilai) (1260-1294), il fondatore della dinastia degli Yuan di Cina, che il buddhismo tibetano assumerà un ruolo di preminenza che conserverà in tutto il periodo dinastico. Tale scelta è basata in primo luogo su moventi politici. Il Buddhismo darà agli imperatori Yuan il prestigio di sovrano universale (Chakravartinrâja), protettore della Legge, legittimandone il dominio. La preponderanza del Buddhismo tibetano, poi, è certamente voluta in antitesi al Taoismo e al Buddhismo cinese, religioni del popolo vinto e da sottomettere. Anche una certa affinità tra l'antica religione mongola di tipo sciamanico ed il sottofondo autoctono, animistico e magico, conservato fin dall'inizio dal buddhismo tibetano, faciliterà questa preferenza[7]. Phagpa il pontefice dei Sakyapa viene così nominato da Khubilai, Guoshi (maestro del regno) e poi Dishi (precettore imperiale), dando l'avvio alla stretta collaborazione politica e religiosa degli Yuan con la scuola Sakya. Nel campo artistico tale rapporto porterà alla chiamata presso la cosmopolita corte Yuan di diversi artisti provenienti dal Tibet e dai territori himalayani. Già intorno al 1260 Khubilai aveva accolto a corte il giovane nepalese Anige (1243-1306 circa) insieme ad altri trentaquattro artisti raccomandatigli da Phagpa. Egli fondò una scuola di scultura di grande reputazione e a lui viene attribuito il più grande monumento superstite di architettura tibetana a Pechi-

fig. 240

no la Bai ta (Pagoda bianca)[8].

Sono infatti i chörten (che i cinesi chiamano comunemente «ta» come le pagode derivate anch'esse dallo stûpa indiano) la più precisa attestazione giunta fino a noi dell'adozione di elementi architettonici tibetani da parte degli Yuan. Le fonti cinesi tra cui lo Yuan shi (Annali degli Yuan) elencano numerose costruzioni e restauri di templi buddhisti, promossi dai mongoli in collaborazione coi monaci tibetani, senza però che sia possibile valutare fino ad oggi la portata della presenza di uno «stile tibetano» nell'architettura[9]. Le stesse testimonianze testuali parlano di numerosi stûpa che accompagnavano, come nel Tibet, le costruzioni templari. Alcuni di essi meritano un esame più approfondito.

BAI TA, Pechino

La Baita fu elevata da Khubilai su progetto di Anige sul luogo di un'antica pagoda Liao intorno al 1271-72 e di fronte ad essa l'imperatore fece costruire un tempio oggi perduto[10]. Fu poi restaurata nel 1348. Colpisce attualmente la sua monumentalità in rapporto ai piccoli più tardi edifici monopiano di stile cinese di epoca Ming e Qing. Probabilmente il tempio buddhista degli Yuan doveva avere un carattere più monumentale. La Bai ta presenta tutte le caratteristiche dei chörten tibetani dei primi secoli dopo il mille. Se la compariamo con alcuni esemplari di Tholing e di Alchi (Sez. VI), ritroviamo la stessa base (trono) a molti angoli, e l'harmikâ modulata anch'essa con una serie di cornici aggettanti dal profilo spezzato. Anche la cuspide massiccia a tredici anelli, il largo ombrello e la trattazione del kalasa (vaso dell'immortalità) alla sommità è simile ai prototipi dei primi secoli dopo il mille. Rispetto ai chörten di Tholing, però, si può rilevare una evoluzione della parte cupoliforme (anda) che non ha più la forma semisferica, ma diventa più squadrata rastremandosi leggermente verso il basso. Si tratta di una caratteristica evolutiva che andrà nei periodi più tardi sempre più accentuandosi e che Anagarika Govinda mette in relazione con una parallela evoluzione della dottrina. La anda più larga in alto costituirebbe una apertura maggiore verso il cielo e una visiva dimostrazione della maggiore accentuazione dello slancio ascensionale verso il principio primo[11].

La Bai ta costituisce così, data la lacunosità della documentazione oggi reperibile nel Tibet, una importante testimonianza della evoluzione morfologica del chörten nell'epoca dei Sakyapa.

GUOJE TA, Passo (guan) di Juyong presso Pechino

La Guoje ta (pagoda che sormonta la strada) fu edificata dal 1343 al 1345 all'epoca dell'ultimo imperatore Yuan, Toghan Temur (1333-1367), sotto la guida del lama tibetano Namkha Senge e venne consacrata dal penultimo precettore imperiale (Dishi)[12]. Essa rappresenta la prova di come alcune tipologie architettoniche tibetane abbiano accompagnato tutto il periodo dinastico degli Yuan, parallelamente alla continua presenza di alti dignitari tibetani a corte. Si tratta di una replica dei chörten-porta, spesso presenti all'ingresso dei complessi monastici o delle città del Tibet. Basta ricordare uno dei tre chörten, oggi scomparsi, all'ingresso occidentale di Lhasa, sulla via che collegava la capitale del Tibet con il mondo indiano[13].

Come osserva H. Karmay Stoddard, quello di Juyong guan assume una analoga funzione, trovandosi sulla strada più importante che univa Pechino alla Mongolia[14].

Altri chörten-porta vennero eretti dagli Yuan a Pechino, come quello sulla strada di sud-ovest. Attualmente della Guojie ta resta solo il basamento rettangolare con una arcatura trapezoidale, felice sintesi tra l'apertura trabeata dei chörten porta tibetani e l'arco utilizzato frequentemente nelle porte monumentali dagli Yuan. Questa soluzione permette inoltre una regolare partizione della decorazione scultorea, sita soprattutto sulla mostra e nell'intradosso. La Guojie ta era sormontata, secondo la ricostruzione proposta da Murata e Fujieda[15] e più recentemente da Su Bai[16] da tre chörten.

Nel Tibet è frequentemente previsto un solo sacrario sovrastante la porta, esistono però delle eccezioni come quella «a quincunce» di Alchi (Sez. VI). Una fila di chörten posti su uno stesso basamento connessi con i

fig. 245

simbolici e mistici numeri di tre (la triade buddhista, i tre gioielli) o di cinque (la pentade suprema), non sono poi insoliti nell'architettura tibetana, si pensi ai cinque che sovrastano il complesso di Rahgyeling (Sez. VI). Nell'epoca dei tradizionalisti Ming i tre chorten furono sostituiti da un più «classico» padiglione cinese in legno (1448) di cui ancora oggi rimangono le basi delle colonne. Anche se mutila la porta di Juyong guan resta un documento spettacolare dell'architettura e della scultura yuan, ispirate ai modelli Tibetani e Nepalesi. La mostra dell'arco, ad esempio, ricalca fedelmente il modello della «porta di gloria» con Khyung (Garuda) centrale, tipico della iconografia tibetana fin dalle epoche più antiche, ispirato a modelli indiani e nepalesi e che vedremo ripresentato sulle porte del tamburo del Kumbum di Gyantse (Sez. VII). Sulle pareti del passaggio un'iscrizione plurilingue in tibetano mongolo, sanscrito, cinese, tanguto, testimonianza dell'ecumenismo degli Yuan, esalta i meriti che si acquistano erigendo uno stûpa e narra la leggenda buddhista dell'elefante d'oro [17]. Sul soffitto sono poi scolpiti i mandala dei cinque Buddha Supremi analogamente ai prototipi tibetani in cui tali figurazioni vengono spesso dipinte.

La decorazione scolpita all'interno della porta comprende egualmente quattro grandi pannelli di stile, prevalentemente sinico, rappresentanti le quattro divinità protettrici dei punti cardinali (lokapâla) [18].

CHÖRTEN-PORTA DI ZHENGJIANG (Jiangsu)

fig. 246

I modelli edilizi tibetani non vennero però imitati solo nei pressi della capitale. Gli annali degli Yuan (Yuan shi) ricordano ad esempio che ad Hangzhou il monaco tanguto o tibetano Yanglian Zhenjia, inviato da Khubilai nella conquistata capitale dei Song meridionali, erige e restaura dal 1277 al 1290 numerosi templi buddhisti, anche nel recinto stesso del vecchio palazzo imperiale e nella necropoli dei Song [19]. Il chörten-porta di Zhengjiang presso Nanchino costituisce una delle documentazioni minori di questa eccezionale attività edilizia, e ci dà, anche la misura della capillarità della diffusione di questa tipologia in tutto il territorio cinese, anche sotto una forma meno monumentale.

Marco Polo ricorda un governatore centro-asiatico di Cinghianfu come egli chiama Zhengjiang che vi costruì due chiese nestoriane [20]. Infatti sulle orme delle grandi città, anche i centri minori potevano essere altrettanto eclettici dal punto di vista architettonico. Il chörten porta di Zhengjiang unisce fra loro due edifici, a cavallo di una stretta stradicciola, e presenta un'apertura poligonale che si ispira, senza dubbio, a modelli come la Guojie ta di Juyong guan.

Ai lati dell'apertura due elementi in pietra scolpita ricordano, nella tipologia e nella decorazione, caratteristiche strutture della carpenteria coeva. Mentre il chörten che sormonta l'insieme è strettamente ricollegabile alla Bai ta nel basamento a gradoni e «a molti angoli», nell'harmikâ modellata in una serie di cornici aggettanti, nella cuspide massiccia sormontata da un largo ombrello e dal vaso dell'acqua dell'immortalità (kalasa).

La parte cupoliforme più rastremata verso il basso fa però pensare ad un'epoca posteriore alla edificazione della Bai ta. Chörten di questo tipo sono documentati nel mondo tibetano anche nelle epoche più tarde, si ricordi un'analoga struttura a cavallo di una stradetta sita ai piedi del Castello di Leh nel Ladakh.

Ma proprio per la sua antichità questo chörten di Zhengjiang rappresenta un'importante documento di una tipologia presente nel Tibet già nei secoli XIII-XIV, forse dovuta all'origine all'ampliarsi dei nuclei urbani che conglobavano i chörten-porta siti nei pressi.

La scrupolosa osservanza delle caratteristiche precipue dei modelli tibetani nei chörten e la consulenza di lama nella costruzione di monumenti sacri nell'epoca Yuan, può far pensare all'utilizzazione di altri elementi propri delle costruzioni del Tibet, come si verificherà in successivi momenti storici di diffusione del lamaismo a partire dal secolo XVI (Mongolia, Cina dei Qing). Alcuni particolari di edifici di epoca Yuan giunti fino a noi permettono solo di rilevare l'utilizzazione di planimetrie e tecniche differenti da quelle proprie dalla tradizione architettonica cinese, adottata in massima parte dagli Yuan e che si possono ascrivere ad apporti centro-asiatici o tibetani.

GUANGSHENG SI, Zaocheng, Shanxi

fig. 247

L'intera planimetria del complesso templare di Guangsheng, databile in massima parte all'epoca Yuan [21], mostra pur nel rispetto dei canoni cinesi dell'impianto a cortile e dell'assialità sud-nord, un certo svincolamento dalla rigida simmetria sinica, nei due templi, il superiore e l'inferiore che si adattano alle difformità del terreno in declivio. Il complesso inferiore, che ha conservato il maggiore numero di edifici Yuan, pur presentando classici dian, ricorda nella pianta antichi modelli indiani, mediati probabilmente dall'Asia centrale e dal Tibet. Il Tempio principale ricostruito nel 1309 è infatti sito sull'asse centrale sud-nord di un cortile rettangolare che nella parte meridionale è delimitato da una fila continua di ambienti, probabile reminiscenza del tradizionale impianto di antichi santuari tibetani, come Samye (Sez. V). Anche la pianta di tipo omotetico dello stesso tempio principale, con l'ampia preminenza data al lato d'accesso, sembra conservare alcune caratteristiche dell'Utse di Samye, ma molto semplificate e ridotte, come vediamo utilizzate in alcuni dei santuari tibetani coevi (Sez. VII).

SCAVI DI ABITAZIONI SIGNORILI MONGOLE, Quartiere (fang) di Houying, Pechino

fig. 248, 249

Gli scavi realizzati intorno al 1970 sullo Houying fang hanno evidenziato alcuni elementi costruttivi particolari, come le fondamenta in mattoni di alcuni edifici e la parte inferiore delle mura portanti [22] esterne in mattoni. Si tratta di tecniche estranee alla tradizione monumentale sinica che prevede una struttura portante lignea poggiata su un basamento. Anche le piante di singoli adifici, pur essendo di tipo simmetrico, non presentano fra loro il rapporto regolare tipico dell'impianto a cortile delle costruzioni palaziali cinesi classiche. Orientate in massima parte secondo il canonico asse sud-nord queste dimore dei nobili mongoli mostrano anche la presenza di una direttrice est-ovest rilevabile soprattutto nelle pianificazioni tripartite.

Anche altri scavi di abitazioni di epoca yuan a Pechino nel vicolo Xitao, presso la vecchia Torre del Tamburo, hanno portato alla luce spesse mura portanti di circa un metro e rastremate verso l'alto per circa tre metri, il che molto probabilmente indica una abitazione multipiano [23].

HOYI MEN, Pechino

fig. 250

La Hoyi Men, porta sita al centro del lato occidentale della cinta di Khanbaliq, la capitale mongola, è venuta alla luce nel 1969 durante lo smantellamento delle mura di Pechino [24]. I resti sono alti 22 metri, la porta ha un'apertura di metri 6,68 × 4,62 ed è lunga 10 metri.

Elevata da Khubilai al momento della costruzione delle mura, fu rinforzata da un barbacane nel 1358, come testimonia anche una iscrizione all'interno, per ordine dell'ultimo imperatore Yuan, Toghan Temur, timoroso di rivolte. Il barbacane collegato all'arco è probabilmente una proposta mongola, ispirata alle fortificazioni centro-asiatiche. Fino all'epoca Song, infatti, le porte tradizionali cinesi prevedevano già dei barbacane di rinforzo, però, ad un'apertura architravata. Ancora più interessante è la fortificazione in muratura che sovrasta la porta di cui rimangono le fondamenta e la pianta del primo piano con una sala centrale con quattro basi di colonne per la struttura lignea interna e due ambienti laterali con resti di scalinate. Tradizionalmente le porte delle cinte cittadine fino ai Song (960-1269) erano sovrastate da padiglioni a struttura portante lignea come la porta di Kaifeng raffigurata in un dipinto di Zhang Zeduan (1083-1145) [25]. La fortificazione multipiano in muratura elevata su una porta è perciò anch'essa d'ispirazione centro asiatica e forse in parte tibetana, basti pensare alla porta fortificata di Sakya sud (Sez. VII).

Si tratta inoltre di una innovazione tecnica necessaria per l'uso che andava sempre più perfezionadosi di obici con polvere pirica.

L'adozione da parte dei mongoli di costruzioni multipiano in muratura portante ispirate all'Asia centrale, e al Tibet costituirà una acquisizione fondamentale per l'architettura cinese. Gli stessi tradizionalisti Ming adotteranno per alcuni edifici (porte monumentali, torri delle campane, del tamburo, fortificazioni) alcune delle tecniche costruttive proposte dagli Yuan.

NOTE DELLA SEZIONE XI

[1] PETECH, 1983.
[2] PETECH, 1983, p. 183.
[3] SCARCIA, 1981, pag. 163, fig. 170.
[4] GROUSSET, 1965, p. 293; BAIPAKOV, 1968, p. 24.
[5] DE RUBROUCK, 1985, p. 141-146.
[6] DE RUBROUCK, 1985, p. 200.
[7] JAGCHID, 1980, p. 93-81; MORTARI VERGARA, 1981, p. 228.
[8] PELLIOT, 1923, p. 193-204; KARMAY H., 1975, p. 21-23; MORTARI VERGARA, 1981, p. 246.
[9] FRANKE, 1981, p. 310, 322-25.
[10] KARMAY H., 1975, p. 21; MORTARI VERGARA, 1981, p. 246.
[11] GOVINDA, 1976.
[12] MURATA, FUJEDA, 1955; SU BAI, 1964; KARMAY H., 1975, p. 27-28; MORTARI VERGARA 1981, p. 236-37.
[13] MELE, 1969, fig. Potala.
[14] KARMAY H., 1975, p. 27.
[15] MURATA; FUJEDA, 1955.
[16] SU BAI, 1964.
[17] LIGETI, 1968.
[18] KARMAY H., 1975, p. 24; MORTARI VERGARA 1981, p. 250; BEGUIN, DRILHON, 1984.
[19] KARMAY H., 1975, p. 24; FRANCKE, 1981, p. 321-327.
[20] MARCO POLO, 1980, vol. II, p. 351.
[21] ZHONGGuO GUDAI JIANZHUSHI, 1980, p. 259-261.
[22] KAOGU, 1972 n. 6, p. 2-11.
[23] KAOGU, 1973, n. 5, p. 282.
[24] KAOGU, 1973, n. 5.
[25] MORTARI VERGARA, 1981, p. 279, n. 70.

BIBLIOGRAFIA GENERALE

FRANKE, 1981; HUMMEL, 1955; KAOGU, 1972, n. 6; 1973, n. 5; KARMAY H., 1975; LANGLOIS, 1981; MORTARI VERGARA, 1981; MURATA FU JIEDA, 1955; PETECH, 1983; POLO, 1980; DE RUBROUCK, 1985; SU BAI, 1964; ZHONGUO GUDAI JIANZHUSHI, 1980.

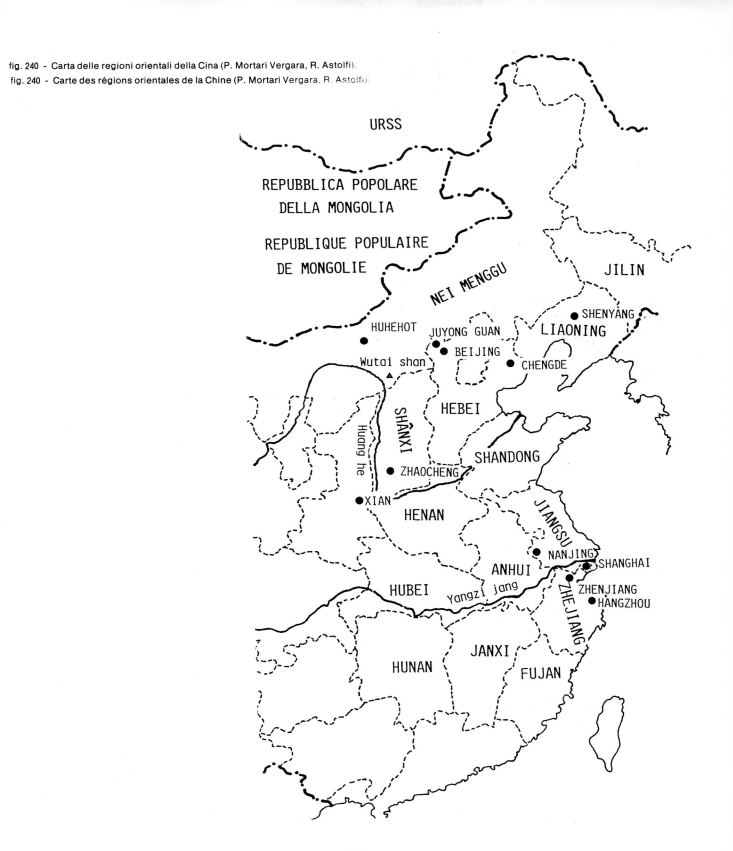

fig. 240 - Carta delle regioni orientali della Cina (P. Mortari Vergara, R. Astolfi).
fig. 240 - Carte des régions orientales de la Chine (P. Mortari Vergara, R. Astolfi).

URSS

REPUBBLICA POPOLARE
DELLA MONGOLIA

REPUBLIQUE POPULAIRE
DE MONGOLIE

NEI MENGGU

JILIN

HUHEHOT

JUYONG GUAN

SHENYANG

LIAONING

BEIJING

Wutai shan

CHENGDE

HEBEI

SHÂNXI

Huang he

SHANDONG

ZHAOCHENG

XIAN

HENAN

JIANGSU

NANJING

SHANGHAI

ANHUI

HUBEI

Yangzi jiang

ZHENJIANG

ZHEJIANG

HANGZHOU

JANXI

HUNAN

FUJAN

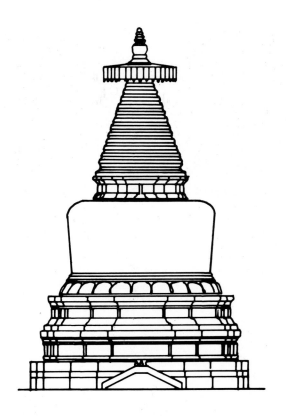

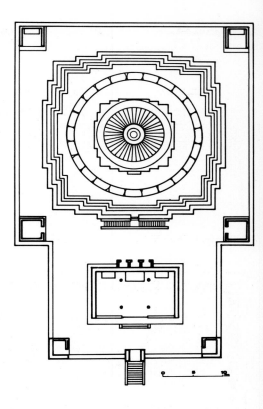

fig. 241 - Pechino, Bai ta, pianta e alzato (R. Astolfi da Zhongguo Gudai, 1980, fig. 149, 1-2).

fig. 241 - Pékin, Bai ta, plan et élévation (R. Astolfi d'après Zhongguo Gudai, 1980, fig. 149, 1-2).

fig. 242 - Pechino, Bai ta, veduta (Mortari Vergara, 1973, tav. 235).

fig. 242 - Pékin, Bai ta, vue d'ensemble (Mortari Vergara, 1973, tav. 235).

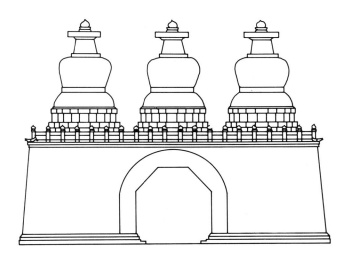

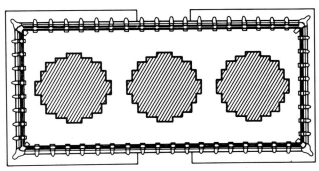

fig. 243 - Juyong guan, (Nord-ovest di Pechino), Guojie ta, pianta e ricostruzione dell'alzato (R. Astolfi da Wenwu, 1964, n. 4).

fig. 243 - Juyong guan, (Nord-Ovest de Pékin), Guojie ta, plan et restitution de l'élévation (R. Astolfi d'après Wenwu, 1964 n. 4).

fig. 245 - Juyong guan, Guojie ta, particolare della mostra dell'arco (foto G. Béguin).

fig. 245 - Juyong guan, Guojie ta, détail de l'encadrement de l'arc (cl. G. Béguin).

fig. 244 - Juyong guan, Guojie ta, veduta (foto G. Béguin).

fig. 244 - Juyong guan, Guojie ta, vue générale (cl. G. Béguin).

fig. 246 - Zhengjiang (Jiangsu), chörten-porta, veduta.

fig. 246 - Zhengjiang (Jiangsu), chörten-porte, (cl. D.R.)

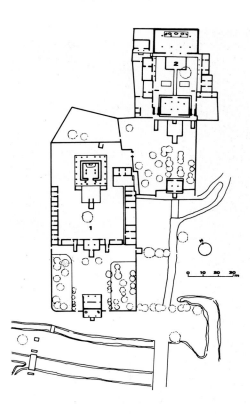

fig. 247 - Zaocheng (Shanxi), Guangsheng si, pianta (R. Astolfi da Zhongguo Gudai, 1980, fig. 144, 1).

fig. 247 - Zaocheng (Shanxi), Guangsheng si, plan (R. Astolfi d'après Zhongguo Gudai, 1980, fig. 144, 1).

fig. 248 - Pechino, Houying Fang, abitazioni signorili mongole, pianta degli scavi (R. Astolfi da Kaogu, 1973, 5).

fig. 248 - Pékin, Houying Fang, demeures seigneuriales mongoles, plan des fouilles (R. Astolfi d'après Kaogu, 1973, 5).

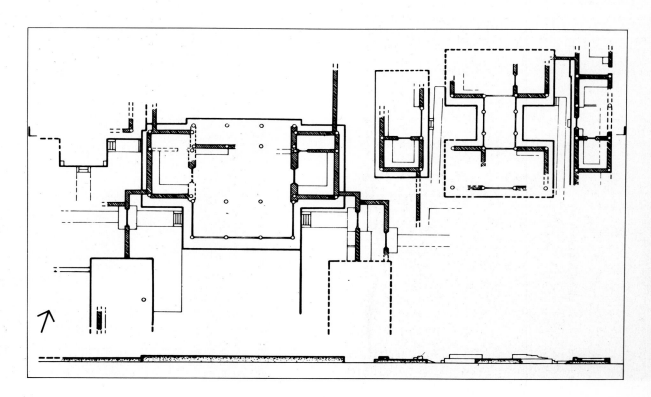

fig. 249 - Pechino, abitazioni signorili mongole, veduta degli scavi (Kaogu, 1973, 5).

fig. 249 - Pékin, demeures seigneuriales mongoles, vue des fouilles (Kaogu, 1973, 5).

fig. 250 - Pechino, Hoyi Men, veduta (Kaogu, 1973, 5).

fig. 250 - Pékin, Hoyi Men, vue d'ensemble (Kaogu 1973, 5).

SECTION XI

L'ARCHITECTURE DE STYLE TIBETAIN EN CHINE. EPOQUE YUAN (1261-1367)

Paola Mortari Vergara

Sous le règne des premiers Gengiskhanides[1], les rapports entre les Mongols et les principales écoles bouddhiques tibétaines devinrent étroits. Ainsi le successeur et fils de Gengiskhan (Činggis Qan), Ogodei, (1229-1241), constructeur de la capitale Kharakhorum (Qaraqorum), fit appeler à sa cour par l'intermédiaire de son fils Köden (Godan), Sakya Pandita (1182-1251), maître religieux tibétain, accompagné de son neveu Phagpa (1239-1280) alors âgé d'une dizaine d'années. Ces derniers ne pouvant décliner l'invitation, rencontrèrent Köden en 1247 et scellèrent leur alliance par un mariage. Le grand Khan Mongke (1251-1259) et les membres de sa famille, en opposition avec Guyuk (1246-1249), successeur d'Ogodei, privilègeront les autres écoles tibétaines, Digungpa et Phagmodupa. En Iran, les Ilkanides (1256-1335) favorisent le développement du Bouddhisme jusqu'à leur conversion à l'Islam vers 1296[2]. Cette présence du Bouddhisme en Iran est attestée entre autres par un vestige architectural retrouvé à Viar, aux environs de Sultaniyya[3]. Un relief présente un dragon poursuivant un joyau flamboyant, thème caractéristique de la décoration bouddhique de l'époque Yuan. Il est fort probable que les écoles du Bouddhisme tibétain jouissaient déjà à cette époque d'une certaine influence en Asie centrale. La description faite par Guillaume de Rubruck, en 1253, de trois temples situés à Cailac (Qayaligh, près du lac Balkash), la capitale des Karluk qui dépendait de l'autorité mongole depuis 1211[4], est sur ce point fondamentale. Il énumère certains éléments rituels caractéristiques: la svastika peinte sur la main d'un moine, une divinité ailée, peut être un Khyung, le Garuḍa tibétain, la récitation perpétuelle de la formule «Om mani padme hum», les chapeaux semblables aux mitres des évêques, différents types de rites, l'emplacement réservé aux moines dans la salle d'assemblée... Il relève en outre certaines particularités architecturales: plans rectangulaires avec le choeur en saillie, plans carrés et concentriques, axe traditionnel Est-Ouest, entrée située du côté Sud caractéristique de l'architecture chinoise, porches monumentaux, mâts placés devant les bâtiments, cour d'entrée entourée d'un mur, objets de culte à l'intérieur des temples. L'ensemble de ces éléments évoquent les traditions tibétaines[5]. En outre, la comparaison faite par Rubruck de certains sanctuaires de Kharakhorum avec les sanctuaires de Qayaligh, laisse supposer que plus d'un lieu de culte parmi les douze «temples idolâtres des différentes nationalités» qu'il avait signalés dans cette capitale[6], étaient lamaïques.

Le Bouddhisme tibétain atteindra son apogée sous le régne de Khubilai (Qubilai, 1260-1294), fondateur de la dynastie Yuan. Il conservera une position privilégiée durant toute la période, en partie pour des raisons politiques. Le Bouddhisme conférait aux empereurs Yuan le rôle prestigieux de "souverain universel" (Chakravartinrâja), protecteur de la Loi, et légitimait ainsi leur domination. Ils favorisèrent le Bouddhisme tibétain afin de contenir l'influence du Taoïsme et du Bouddhisme chinois, deux religions du peuple vaincu. Une certaine affinité entre le Chamanisme mongol et d'anciennes conceptions tibétaines assimilées par le Bouddhisme facilitera cette préférence[7]. Khubilai octroya à Phagpa, pontife des Sakyapa, le titre honorifique de Guoshi (Maître du royaume), puis le nomma par la suite Dishi (Précepteur impérial). Ainsi commença entre les Yuan et les Sakyapa une union étroite dans le domaine politique et religieux.

Cette protection impériale eut des répercussions artistiques. Différents praticiens originaires du Tibet et des

440

territoires himâlayens furent appelés à la cour cosmopolite des Yuan. En effet, Khubilai, vers 1260, sur les conseils de Phagpa, avait déjà fait venir en Chine le jeune népalais Anige (1243-1306 env.) et trente quatre autres artistes. Anige fonda une école de sculptures très renommée. On lui attribue le plus grand monument de l'architecture tibétaine encore intact aujourd'hui à Pékin, la Bai ta (la Pagode blanche) [8]. En effet, les chörten que les chinois appellent «ta» comme les pagodes qui dérivent elles aussi de stûpa indiens, sont un témoignage très précis parvenu jusqu'à nous, de l'utilisation par les Yuan de certains éléments architecturaux tibétains.

Des textes chinois comme le Yuan shi (Annales des Yuan), rapportent que les Mongols, avec la collaboration de moines tibétains, restaurèrent et construisirent de nombreux temples bouddhiques [9].

fig. 240

Ces mêmes textes énumèrent de nombreux stûpa qui, tout comme au Tibet, accompagnaient l'édification des temples. Des fondations du Bouddhisme tibétain en Chine les plus importantes, seuls subsistent quelques chörten. Certains d'entre eux et quelques vestiges méritent un examen approfondi.

BAI TA, Pékin

fig. 241, 242

Ce chörten ainsi qu'un temple bouddhique aujourd'hui disparu furent édifiés vers 1272 par Khubilai sur l'emplacement d'une ancienne pagode Liao. Anige aurait dressé le plan du stûpa [10]. Il fut restauré en 1348. Son aspect monumental surprend, comparé aux constructions environnantes à un seul niveau de style chinois plus tardif. Il est fort probable qu'à l'origine, le temple bouddhique d'époque Yuan qui l'accompagnait présentait un aspect plus imposant que les bâtiments actuels datant des Ming et de Qing. Bai ta possèdent toutes les caractéristiques des chörten tibétains des premiers siècles après l'an mil. Comme certains exemples de Tholing et d'Alchi (Section VI), il présente un soubassement (trône) aux multiples redans et une harmikâ modulée elle aussi par une série de corniches en saillies au profil brisé. Le pinacle massif se compose de treize anneaux surmontés par un large parasol et par le vase d'immortalité (kalasa). Cependant comparé aux chörten de Tholing, on peut observer une certaine évolution de la forme du corps (anda) du stûpa. Celui-ci en effet, n'est plus en demi-sphère mais présente un profil légèrement outrepassé. Selon Anagarika Govinda, cette nouvelle conception architecturale de plus en plus répandue serait en rapport avec l'évolution de la doctrine. L'anda élargi vers le haut représenterait une plus grande ouverture vers le ciel et serait la démonstration visible de l'ascension vers le principe primordial [11].

La Bai ta est un précieux témoignage de l'évolution des chörten durant la période sakyapa puisque de nos jours ce type de monuments a quasiment disparu au Tibet même.

GUOJIE TA, passe (guan) de Juyong près de Pékin

fig. 243, 244

Guojie ta, «la Pagode qui surmonte la route», fut construite de 1343 à 1345, durant le règne du dernier empereur Yuan, Toghan Temur (1333-1367) sur les conseils du lama tibétain Namkha Senge [12]. Elle fut consacrée par l'avant dernier précepteur impérial (Dishi). Grâce à la présence de certains éléments architecturaux, ce monument témoigne de la présence du style tibétain en Chine même durant toute la période Yuan, favorisé par la présence constante des hiérarques lamaïques à la cour. Sa conception s'inspire des chörten-portes qui marquent souvent l'entrée des complexes monastiques ou des villes en pays tibétain. Songeons par exemple au chörten-porte, aujourd'hui détruit situé à l'entrée Ouest de Lhasa sur la route qui reliait la capitale du Tibet au monde indien [13]. Le chörten de Juyong guan devait avoir un rôle identique, puisque comme le remarque Heather Karmay Stoddard, il se trouve sur la piste principale qui reliait Pékin à la Mongolie [14]. D'autres chörten-portes furent encore érigés par les Yuan à Pékin, citons par exemple celui qui se trouve sur la route qui mène vers le Sud-Ouest.

De nos jours, seul subsiste le soubassement de plan rectangulaire. Le passage est couvert par une voûte de section trapézoïdale soulignée à la hauteur des portes par une arcature de même forme.

Cette ouverture traduit une synthèse habile entre les chörten-portes tibétains et l'arc de la plupart des portes monumentales d'époque Yuan. Cette solution permet également d'isoler les sculptures de l'encadrement du décor des surfaces internes. D'après la reconstitution proposée par les spécialistes japonais Murata et Fujieda[15], et plus récemment par l'archéologue chinois Su Bai[16], trois chörten surmontaient la porte de Guojie ta.

L'architecture tibétaine n'utilise le plus souvent qu'un seul stûpa surmontant ce type de porte. Des exceptions anciennes existent toutefois, citons par exemple le chörten-porte en «quinconce» d'Alchi (Section VI) et les cinq sur un unique soubassement qui surmontent le complexe de Rabgyeling.

Un tel alignement de chörten, placés sur un même soubassement, sous-entend diverses significations, ainsi le nombre trois fait référence aux trois joyaux ou à trois Buddha, et le cinq est une allusion aux cinq Jina du Bouddhisme tantrique. Les Ming plus traditionalistes substituèrent en 1448 aux trois chörten de Guojie ta un pavillon en bois de style chinois dont les bases des colonnes existent encore aujourd'hui. La porte, même remaniée est caractéristique de l'architecture et de la sculpture Yuan inspirée des modèles tibétains et népalais.

fig. 245

L'iconographie de l'encadrement de l'arc est une fidèle reproduction des «portes de gloire» du monde indien, surmonté par un Garuda (Khyung) luttant contre les serpents. Ce thème, repris au Népal et au Tibet depuis des siècles, sera également magistralement traité au-dessus des portes du tambour du Kumbum de Gyantse (Section VII). Sur les murs du passage, une inscription en plusieurs langues, tibétain, mongol, sanskrit, chinois et tangut, témoigne de l'oecuménisme des Yuan, exalte les mérites de tous ceux qui ont édifié un stûpa et narre la légende bouddhique de l'éléphant d'or[17]. Sur le plafond, les mandala des cinq jina renvoient au même sujet placé au même endroit dans les chörten-portes du monde tibétain.

Le décor sculpté de la porte comprend également quatre grands panneaux de style chinois consacrés aux quatre rois protecteurs des régions de l'espace (lokapâla)[18].

CHÖRTEN-PORTE DE ZHENGJIANG, Jiangsu

Des constructions inspirées par l'architecture tibétaine se rencontrent également dans d'autres parties de l'empire. Les annales des Yuan (Yuan shi) rapportent par exemple qu'à Hangzhou, un moine tangut ou tibétain du nom de Yanglian Zhenjia, envoyé par Khubilai dans l'ancienne capitale des Song du Sud, construisit et restaura de 1277 à 1290 un grand nombre de temples bouddhiques dans l'enceinte même du palais impérial et dans la nécropole des Song[19]. De ces constructions provinciales, le chörten-porte de Zhengjiang, près de Nankin, témoigne de la diffusion de ces architectures d'origine étrangère. Ainsi Marco Polo se souvient qu'un gouverneur de Cinghianfu (Zhenjiang) fit construire deux églises nestoriennes[20].

fig. 246

Le chörten-porte de Zhengjiang relie deux édifices, enjambant une ruelle étroite. Il présente une ouverture polygonale qui s'inspire des mêmes modèles que le Guojie ta di de Juyong guan.

Sur les côtés de l'ouverture, deux consoles encastrées et sculptées rappellent par leur typologie et leur décoration les structures caractéristiques de la charpente d'époque Yuan. Le chörten qui surmonte l'ensemble présente une grande similitude typologique avec la pagode Bai ta: même soubassement à gradins aux nombreux redans, même harmikâ modelée par une série de corniches en saillies, même pinacle massif surmonté d'un large parasol et d'un kalasa. L'anda plus contracturé vers le bas que la Bai ta laisse présentir une époque plus tardive. De tels chörten-portes, enjambant une ruelle, sont connus dans le monde tibétain mais remontent à des époques plus récentes tel celui en contrebas du château de Leh au Ladakh.

La copie en Chine de monuments aussi caractéristiques du Tibet que les chörten-portes laisse présentir l'emploi d'autres partis architecturaux d'origine tibétaine. Certains édifices d'époque Yuan présentent ainsi des caractères qui témoignent d'une origine étrangère.

GUANGSHENG SI, Zaocheng, Shanxi

fig. 247

On peut faire remonter la plus grande partie du plan du temple de Guangsheng à l'époque Yuan [21]. Même si le complexe obéit aux règles chinoises (succession de cours, axe traditionnel Sud-Nord), il présente néanmoins une symétrie moins stricte que ne l'exigent les normes traditionnelles. Les deux temples, placés sur deux niveaux différents, épousent harmonieusement le terrain en pente.

Le complexe situé dans la partie basse conserve un grand nombre d'édifices datant de la période Yuan. Il comprend des pavillons monumentaux (dian) mais le plan rappelle les anciens modèles indiens par l'intermédiaire de l'Asie centrale et du Tibet.

Le temple principal, reconstruit en 1309, se dresse au milieu d'une cour rectangulaire axée Sud-Nord. Cette cour présente dans la partie Sud une enfilade de pièces. Il se peut que cette disposition particulière soit un emprunt à certains sanctuaires tibétains anciens, tel Samye (Section V).

De même, le plan du temple principal comme celui de l'Utse de Samye est carré et présente des éléments concentriques. Son entrée monumentale est en saillie. Ce dispositif simplifié se rencontre également au Tibet à la même époque (Section VII).

FOUILLES DES HABITATIONS DES SEIGNEURS MONGOLS, Quartier (fang) de Houying, Pékin

fig. 248, 249

Les fouilles réalisées en 1970 dans le Houying fang ont mis en évidence des techniques de construction particulières utilisées par les Mongols. Les fondations de certains édifices et la base des murs sont en brique [22]. Cette caractéristique n'appartient pas à la tradition chinoise monumentale puisque celle-ci prévoit une structure en bois reposant sur un soubassement. Même si toutes les constructions présentent un plan symétrique, on peut remarquer l'absence d'un rapport régulier entre les différents édifices, caractéristique des installations avec cour des palais chinois classiques. Bien que toutes ces habitations mongoles présentent un axe préférentiel Sud-Nord, on peut observer que certaines d'entre elles possèdent un deuxième axe Est-Ouest.

A Pékin, d'autres fouilles d'habitations datant de l'époque Yuan, situées dans la ruelle Xitao près de l'ancienne Tour du Tambour, ont mis à jour des murs en maçonnerie de l'épaisseur d'un mètre environ. Ces murs à fruit, conservés sur une hauteur de 3m., appartenaient probablement à une habitation à plusieurs étages [23].

HOYI MEN, Pékin

fig. 250

Cette porte, située au milieu du côté Ouest de l'enceinte de la capitale mongole Khanbaliq a été dégagée lors du démantèlement des murs de la cité en 1969 [24]. Ses ruines ont une hauteur de 22 m et le passage mesure 6,68m × 4,62 m sur une profondeur de 10 mètres. Elle fut construite par Khubilai au moment de l'édification des murailles d'enceinte. En 1358, comme l'indique une inscription à l'intérieur du passage, le dernier empereur Yuan, Toghan Temur, compléta le dispositif par deux barbacanes, le souverain craignant des révoltes. Les barbacanes reliés à l'arc s'inspirent probablement des fortifications de l'Asie centrale. En effet pendant la période Song, les portes chinoises traditionnelles comportaient déjà des contreforts. Cependant l'ouverture entre ces derniers était quadrangulaire et non comme ici couverte par une voûte surbaissée. La fortifications en maçonnerie qui surmonte la porte est plus intéressante encore. Les ruines d'un premier étage pourvu de murs porteurs en maçonnerie subsistent encore aujourd'hui. Il se compose d'une salle centrale flanquée de pièces latérales où l'on peut apercevoir encore les restes des escaliers. Quatre colonnes dont les bases ont été conservées supportaient les structures internes en bois.

Les portes des murailles d'enceinte qui entouraient les villes jusqu'à l'époque des Song (960-1269) étaient surmontées de pavillons soutenus par une charpente en bois. La porte de Kaifeng, représentée sur une peinture de Zhang Zeduan (1083-1145) fournit un exemple caractéristique de ce type de construction [25].

Ces étages en maçonnerie surmontant une porte fortifiée, apparemment inconnus en Chine jusqu'aux Yuan, ont peut être une origine centrale-asiatique ou tibétaine; songeons à la porte fortifiée de Sakya Sud (Section VII). Cette innovation était rendue nécessarie par l'utilisation de plus en plus fréquente de canons tirant des boulets de pierre. Les Ming conserveront pour certains édifices (portes monumentales, tours de la cloche et du tambour, fortifications) certaines techniques architecturales proposées par les Yuan et sans doute d'origine étrangère.

SECTION XI - NOTES

[1] PETECH, 1983.
[2] PETECH, 1983, p. 183.
[3] SCARCIA, 1981, pag. 163, fig. 170.
[4] GROUSSET, 1965, p. 293; BAIPAKOV, 1968, p. 24.
[5] DE RUBROUCK, 1985, p. 141-146.
[6] DE RUBROUCK, 1985, p. 200.
[7] JAGCHID, 1980, p. 93-81; MORTARI VERGARA, 1981, p. 228.
[8] PELLIOT, 1923, p. 193-204; KARMAY H., 1975, p. 21-23; MORTARI VERGARA, 1981, p. 246.
[9] FRANKE, 1981, p. 310, 322-25.
[10] KARMAY H., 1975, p. 21; MORTARI VERGARA, 1981, p. 246.
[11] GOVINDA, 1976.
[12] MURATA, FUJEDA, 1955; SU BAI, 1964; KARMAY H., 1975, p. 27-28; MORTARI VERGARA 1981, p. 236-37.
[13] MELE, 1969, fig. Potala.
[14] KARMAY H., 1975, p. 27.
[15] MURATA; FUJEDA, 1955.
[16] SU BAI, 1964.
[17] LIGETI, 1968.
[18] KARMAY H., 1975, p. 24; MORTARI VERGARA 1981, p. 250; BEGUIN, DRILHON, 1984.
[19] KARMAY H., 1975, p. 24; FRANCKE, 1981, p. 321-327.
[20] MARCO POLO, 1980, vol. II, p. 351.
[21] ZHONGGuO GUDAI JIANZHUSHI, 1980, p. 259-261.
[22] KAOGU, 1972 n. 6, p. 2-11.
[23] KAOGU, 1973, n. 5, p. 282.
[24] KAOGU, 1973, n. 5.
[25] MORTARI VERGARA, 1981, p. 279, n. 70.

OUVRAGES GENERAUX

FRANKE, 1981; HUMMEL, 1955; KAOGU, 1972, n. 6; 1973, n. 5; KARMAY H., 1975; LANGLOIS, 1981; MORTARI VERGARA, 1981; MURATA FU JIEDA, 1955; PETECH, 1983; POLO, 1980; DE RUBROUCK, 1985; SU BAI, 1964; ZHONGUO GUDAI JIANZHUSHI, 1980.

SEZIONE XII

ARCHITETTURA DI STILE TIBETANO IN CINA. EPOCA MING (1368-1644)

Paola Mortari Vergara

Nonostante la posizione di antitesi e di rottura che la dinastia nazionale dei Ming assunse nei riguardi dei mongoli Yuan, i rapporti con le gerarchie ecclesiastiche del Tibet non cessarono. I grandi lama tibetani non godevano più di tutti gli ampi privilegi a loro riservati dai Mongoli, ma venivano sempre accolti alla corte imperiale cinese con tutti gli onori.

La Scuola preferita dai Ming sembra essere stata quella dei Karmapa [1], ma anche gli alti dignitari di altri ordini erano ricevuti sontuosamente ed insigniti di titoli onorifici e nobiliari [2]. L'imperatore Yongle le (1403-1424) invitò per due volte a Pechino (1408 e 1413) Tsongkhapa, il fondatore della nuova scuola riformata dei Gelugpa [3]. In realtà i Ming, al contrario dei Mongoli, non diedero però un sostanziale apporto all'ascesa di questo ordine nei sec. XVI-XVII.

Alcuni monumenti edificati in epoca Ming nei territori metropolitani mostrano la presenza di elementi architettonici tibetani che può essere interessante esaminare singolarmente.

TAYUAN SI, Wutai Shan, Shanxi

fig. 251

Tra le pagode (ta) a forma di chörten costruite dai Ming, quella del Tayuan si [4], elevata nel 1577 si avvicina più di ogni altra al modello proposto dalla Bai ta di Pechino (Sez. XI). Essa conserva, sia il doppio basamento «a molti angoli», sia l'harmikâ movimentata da una serie di cornici dentellate digradanti. Rispetto alla Bai ta il profilo dell'intero monumento è molto meno mosso e la progressiva rastremazione più continua. Le differenziazioni tra basamento, cupola e cuspide sono così molto meno accentuate e il passaggio da un elemento all'altro risulta più graduale. Tutto l'insieme acquista in tal modo un maggiore slancio ascensionale. Tale morfologia costituisce senza dubbio il punto di passaggio tra i chörten monumentali e plastici di epoca Yuan e quelli elegantemente torniti che verranno usati nel periodo Qing [5].

WUTA SI, Pechino

fig. 252, 253

Il Wuta si (Tempio delle Cinque Pagode) costruito nel 1473 dall'imperatore Xianzong vuole essere una replica del sacro santuario buddhista indiano della Mahâbodhî a Bodhgayâ [6]. Si tratta di un monumentale edificio con massiccia muratura portante e quasi completamente privo di aperture che dall'esterno dà l'impressione di essere multipiano per la serie di coperture marcapiano che separano cinque file continue di nicchie.

D'impianto rettangolare, orientato secondo i punti cardinali, l'edificio presenta a sud e a nord due ingressi ad arco sui due lati minori. Un grande pilastro quadrato centrale, in cui sono site quattro nicchie con divinità, crea l'impressione di un impianto concentrico lasciando un corridoio tutto intorno per la circumambulazione. All'interno del passaggio della porta meridionale sale una scala che porta alla terrazza superiore su cui si elevano, secondo il classico impianto buddhista a quinconce, cinque pagode, con un padiglione aggiunto al cen-

445

tro della facciata che ospita la parte superiore della scalinata. I Ming avevano già eretto, o forse più probabilmente solo restaurato, tra il 1457 e il 1460, un edificio di tipo consimile. Si tratta della Jingang baozuo ta del Miao zhangsi a Kunming (Yunnan). La Jingang baozuo ta che forse data, nella sua primitiva formulazione, all'epoca Yuan, è composta da cinque chörten posti a quincunce su una terrazza di base comune che è attraversata a livello del terreno da due passaggi a volta, perpendicolari tra loro. Tale tipologia si riallaccia strettamente a tradizionali prototipi tibetani, si pensi ad esempio al chörten porta di Basgo che è anch'esso a quattro fornici, o a quello più antico di Alchi (Sez. VI), sormontato da cinque chörten in un'analoga posizione. Si tratta perciò di una ulteriore testimonianza della fedeltà degli Yuan ai modelli tibetani.

Sappiamo che furono soprattutto i monaci tibetani che hanno diffuso il modello del Tempio della Mahâbodhî, facendo da tramite tra il mondo indiano, dove il Buddhismo era ormai in massima parte scomparso, e la Cina. Sono stati ritrovati nel Tibet diversi modelli in pietra scolpita e legno datati all'epoca di Yongle (1403-1424) e sappiamo che un modello giunse anche alla corte dello stesso imperatore. [7] Infatti, soprattutto dal punto di vista della decorazione scultorea, il Wuta si è più ricollegabile alla antica scuola sino-tibetana fondata da Anige sotto gli Yuan, che direttamente ai modelli indiani. Ad esempio «la porta della vittoria» sita sulla mostra degli archi d'accesso è una replica del medesimo motivo scolpito sugli ingressi del chörten porta di Juyung guan (Sez. XI).

È interessante inoltre vedere come gli architetti Ming hanno interpretato il famoso santuario indiano che è stato replicato in molti paesi buddhisti e che dovevano conoscere nelle sue caratteristiche più salienti, stando ai modelli pervenuti, come quello segnalato a Narthang da Wang Yi [8] .

Lo slancio verticale degli shikâra di Bodhgayâ viene smorzato diminuendone il volume e l'altezza e aumentando le proporzioni della costruzione di base. Ogni piano di quest'ultima viene, in osservanza alla tradizione cinese, marcato da uno spiovente di copertura, trasformazione sinica delle cornici e modanature dell'antico tempio. È infatti imspensabile per un architetto ming, così neoclassicamente tradizionalista [9] , concepire un edificio multipiano che non sia costituito da padiglioni sovrapposti, soluzione già adottata da secoli in Cina nelle torri di guardia e nelle pagode. Lo straordinariamente elevato shikâra centrale del Mahâbodhî viene sostituito così da una classica pagoda cinese a pianta quadrata, con tredici coperture sovrapposte. Essa è poco più alta delle altre quattro ta angolari dalla identica morfologia. Solo gli stûpa posti alla sommità delle pagode richiamano strettamente l'antico modello indiano ed insieme il chörten tibetano. Inoltre la cella del Mahâbodhî è trasformata a Pechino in un deambulatorio che circonda un massiccio pilastro centrale. Si sono invece conservate alcune strutture indiane a carattere decorativo, come le robuste e tozze colonne sulle mura esterne, variamente modanate e scolpite con motivi simbolici, geometrici, e vegetali e la serie ininterrotta di nicchie a file sovrapposte. Delle modifiche così sostanziali di forme e proporzioni rispetto al tempio originale non sono verificabili nelle altre copie del Mahâbodî costruite in altri paesi buddhisti, come per esempio il Nepal e la Birmania.

fig. 254

PINGZI MEN, Pechino

fig. 255, 256

Quasi tutte le grandi porte monumentali delle cinte urbane edificate dai Ming e soprattutto quelle di Pechino costruite in massima parte da Yongle agli inizi del sec. XV, presentano, al di sopra della spessa cortina muraria della cinta, un edificio multipiano in muratura a scarpa senza le cornici di separazione e i tradizionali spioventi marcapiano, con una fila di aperture distanziate e alla sommità le classiche coperture cinesi spesso doppie. Questo tipo di costruzione sembra ispirata all'epoca Yuan e tradisce delle influenze centro asiatiche e tibetane.

Per esempio il profilo a scarpa delle mura della Pingzi men, la stessa fascia decorativa che circonda le finestre, l'accenno di pensilina dato dal trave che le sovrasta, l'innesto delle coperture sulla muratura ricorda prototipi tibetani del sec. XIII-XIV, si pensa al tempio di Shalu (Sez. VII).

Già nel 1879 E. Bretshneider [10] aveva avanzato l'ipotesi che le porte della Tatu Yuan fossero sovrastate da alti edifici, i vasti e superbi palazzi di Marco Polo, simili a quelli costruiti dai Ming. Siren segnalava nelle porte di

Pechino l'utilizzazione di un elemento tipicamente mongolo: il barbacane a forma di U [11]. Quest'idea viene ripresa molti decenni dopo da A. Soper [12] che afferma che alcune porte di Pechino costituiscono forse un'eredità del panasiatismo mongolo.

I recenti scavi della Hoyi men [13] (Sez. XI) hanno ora in parte confermato questa ipotesi datando, alcune caratteristiche salienti (passaggio con volta a botte, edificio in muratura multipiano più elevato della cinta) all'epoca degli Yuan. Infatti più che ispirarsi direttamente all'architettura tibetana, ci sembra che in certe costruzioni religiose e civili, i tradizionalisti Ming abbiano fatto proprie, sia pure variandole, alcune innovazioni che i Mongoli avevano introdotto nel linguaggio architettonico cinese.

NOTE DELLA SEZIONE XII

[1] RICHARDSON, 1958; KOLMAŠ, 1967.
[2] KARMAY H., 1975, p. 55, 74. 75.
[3] RICHARDSON, 1958.
[4] HUMMEL, 1955, p. 25, MORTARI VERGARA, 1978, p. 181.
[5] MORTARI VERGARA, 1982, p. 11-12.
[6] KARMAY H., 1975, p. 92; MORTARI VERGARA, 1978, p. 181.
[7] KARMAY H., 1975, p. 92-93.
[8] WANG Yi, 1960, n. 8.
[9] MORTARI VERGARA, 1978, p. 181-182.
[10] BRETSHNEIDER, 1879, p. 81.
[11] SIREN, 1924, p. 147.
[12] SICKMAN, SOPER, 1969, p. 357.
[13] Kaogu, 1973, n. 5.

BIBLIOGRAFIA GENERALE

HUMMEL, 1855; KARMAY H., 1975; MORTARI VERGARA, 1978, p. 181-184.

fig. 254 - Pechino, Wuta si, particolare della mostra dell'arco d'ingresso (foto G. Béguin).

fig. 254 - Pékin, Wuta si détail de l'encadrement de l'arc d'éntré (cl. G. Béguin).

fig. 251 - Wutai Shan (Shanxi), Tayuan si, il grande chörten (foto J.P. Desroches).

fig. 251 - Wutai Shan (Shanxi), Tayuan si, le grand chörten (cl. J.P. Desroches).

fig. 252 - Pechino, Wuta si, facciata (foto M. L. Giorgi).

fig. 252 - Pékin, Wuta si, façade (cl. M. L. Giorgi).

fig. 253 - Pechino, Wuta si, a, pianta del pianterreno; 1, ingresso; 2, corridoio; 3, nicchie; 4 pilastro centrale; 5, ingresso posteriore; b, pianta della terrazza; 6, padiglione della scala; 7, cornicioni; 8, pagode (R. Astolfi da Mortari Vergara 1982).

fig. 253 - Pékin, Wuta si, a, plan du rez-de-chaussée; 1, entrée; 2, corridor; 3, niches; 4 pilier central; 5, entrée posterieure; b, plan de la terrasse; 6, pavillon abritant l'éscalier; 7, bandeaux; 8, pagode (R. Astolfi d'après Mortari Vergara 1982).

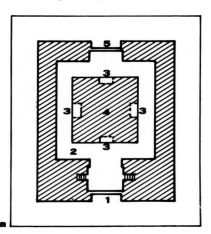

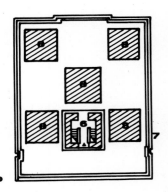

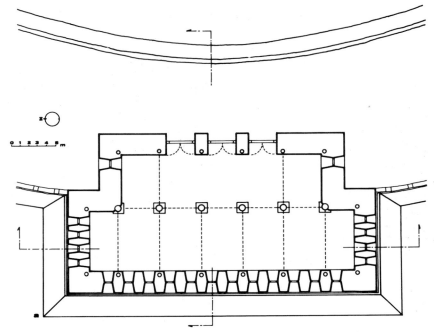

fig. 256 - Pechino, Pingzi men, pianta e sezioni (R. Astolfi da Siren, 1924, fig. 13, 14).
fig. 256 - Pékin, Pingzi men, plan et coupes (R. Astolfi d'après Siren, 1924, fig. 13, 14).

fig. 255 - Pechino, Pingzi men (Siren, 1924).
fig. 255 - Pechino, Pingzi men (Siren, 1924).

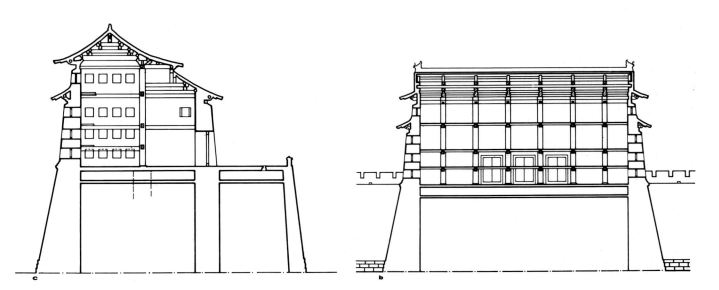

449

SECTION XII

L'ARCHITECTURE DE STYLE TIBETAIN EN CHINE. EPOQUE MING (1368-1644)

Paola Mortari Vergara

Malgré une certaine politique hostile aux Mongols, les Ming continuèrent d'entretenir des rapports plus ou moins réguliers avec le clergé tibétain. Les lamas les plus importants ne bénéficièrent plus de tous les privilèges concédés par les Mongols, mais ils furent toujours reçus somptueusement à la cour impériale chinoise. Les Ming continuèrent d'octroyer aux pontifes des titres honorifiques et des donations. Ils favorisèrent surtout l'école Karmapa [1] mais accueillèrent toujours avec égard les hauts dignitaires des autres ordres religieux et leurs conférèrent des titres nobiliaires [2]. L'empereur Yongle (1403-1424) invita deux fois à Pékin, en 1408 et 1413, le fondateur de la nouvelle école gelugpa Tsongkhapa [3]. Mais politiquement au Tibet même, les Ming ne favoriseront pas particulièrement cet ordre dans le conflit qui l'opposa aux autres écoles durant le XVIème et XVIIème siècle.

Certains monuments d'époque Ming présentent des éléments architecturaux tibétains plus ou moins reconnaissables.

TAYUAN SI, Wutai Shan, Shanxi

fig. 251

Parmi toutes les pagodes (ta) en forme de chörten construites par les Ming, celle de Tayuan si [4] érigée en 1577 ressemble, plus que les autres, au modèle proposé par la Bai ta de Pékin (Section XI). Elle possède également un soubassement à gradins redentés, une harmikâ modulée avec une série de corniches de taille décroissante en surplomb. Par rapport à la Bai ta cependant, le profil de tout le monument présente une courbure plus ramassée. Ce parti architectural accuse moins les différences entre les divers éléments constitutifs du monument: soubassement, anda et pinacle. L'ensemble acquiert ainsi un aspect plus élancé. Cette structure architecturale représente sans doute un type intermédiaire entre les chörten monumentaux de l'époque Yuan et ceux qui seront utilisés durant la période Qing [5], au profil décoratif et élégant.

WUTA SI, Pékin

fig. 252, 253

Le Wuta si (le Temple des cinq pagodes) elevé en 1473 par l'empereur Xianzong, est une copie du sanctuaire de la Mahâbodhî à Bodhgayâ [6]. La partie inférieure de la construction présente un massif de maçonnerie aux rares ouvertures. Vue de l'extérieur, l'édifice donne l'illusion de posséder plusieurs niveaux. Sur les façades cinq registres de niches sont séparés par des corniches sculptées en forme de toit. Le bâtiment, de plan rectangulaire, est orienté en fonction des points cardinaux. Sur les petits côtés, au Sud et au Nord, deux entrées sous des arcs monumentaux donnent accès à un couloir de circumambulation. Un grand massif de section carrée en occupe le centre. Sur chacune de ces quatre faces une niche abrite une statue de divinité. Ce pilier intérieur et le déambulatoire qui le contoure renvoient à des sanctuaires à plan concentrique. Sur les côtés du porche Sud, deux escaliers conduisent à la terrasse. Celle-ci supporte cinq pagodes disposées

450

en quinconce. Un pavillon qui abrite la partie supérieure de l'escalier se trouve au milieu de la façade. Les Ming entre 1457 et 1460 avaient déjà réhabilité un édifice de ce genre, le Jingang baozuo ta, à l'intérieur du Miao zhangsi à Kunming (Yunnan). On ignore cependant l'importance exacte de leur intervention, la structure architecturale primitive remontant probablement à l'époque Yuan. Sur la terrasse du Jingang baozuo ta cinq chörten sont disposés en quinconce. Au rez-de-chaussée deux passages perpendiculaires entre eux traversent le soubassement. Ce type se rapporte directement à des monuments lamaïques tels les chörten portes de Basgo et d'Alchi (Section VI) et témoignent de la fidélité des Yuan aux modèles tibétains. Au contraire au Wutai si, les architectes chinois ont interprété à leur façon les formes du célèbre sanctuaire de la Mahâbodhî qu'ils ne connaissaient pas directement mais seulement par l'intermédiaire de maquettes[7] du type de celle signalée à Narthang par Wang Yi[8]. Ils en ont conservé les données les plus générales comme le haut soubassement supportant cinq tours disposées en quinconce, mais ils ont modifié la structure interne. La cella centrale du temple indien est remplacée à Pékin par un déambulatoire entourant un pilier massif. La verticalité du monument original a été aussi considérablement atténuée. La tour centrale ne peut, ni en hauteur ni en volume, être comparée au shikâra monumental de Bodhgayâ. Ce shikâra est remplacé à Pékin par une pagode chinoise classique de plan carré à trente toitures superposées, légèrement plus élevée que les quatre édifices des angles. Les quatre pagodes des angles possèdent des formes identiques au bâtiment central. Les corniches et les moulures du soubassement du temple indien ont été transformées en cinq registres représentant des étages fictifs possédant chacun leur toiture. Il était en effet inconcevable pour les architectes Ming, imbus de «traditions néoclassiques[9]», de concevoir une construction à plusieurs étages qui ne soit pas constituée de pavillons superposés comme les antiques tours de guet ou les pagodes. Par contre certaines structures architecturales indiennes ayant un caractère décoratif ont été conservées. Ainsi les colonnes massives et trapues, ornées de motifs variés symboliques, géométriques, ou végétaux alternent avec les niches sur les parois du soubassement.

Des modifications aussi importantes dans les formes ou dans les proportions du temple original ne se rencontrent pas dans les autres copies de Bodhgayâ élevées dans d'autres pays bouddhiques, tels le Népal ou la Birmanie. Alors que le Bouddhisme avait pratiquement disparu de l'Inde, les moines tibétains et birmans entretenaient une vénération particulière pour le lieu saint indien. Plusieurs maquettes en pierre et en bois représentant le temple de la Mahâbodhî et remontant au XVème siècle ont été retrouvées au Tibet, telle celle signalée par Wang Yi à Narthang. L'une d'entre elles parvint même à la cour de l'empereur Yongle. Ces maquettes étaient plus fidèles à l'original que les constructions chinoises. Au Tibet même, certains édifices, tout au moins pour certaines de leurs parties, présentent des dispositions que l'on retrouvera au Wuta si, tel le chörten-porte d'Alchi (Sec. VI) surmonté de cinq chörten en quinconce.

fig. 254

Les sculptures du Wuta si se rattachent davantage à la tradition sino-tibétaine fondée par Anige au XIVème siècle plutôt qu'à l'art indien proprement dit. Le thème de la «porte de la victoire» par exemple qui décore les arcs au dessus des entrées, est fidèlement copié de la porte du Juyung guan (Section XI).

PINGZI MEN, Pékin

fig. 255, 256

La plupart des grandes portes monumentales des murailles d'enceinte des villes Ming comme le Pingzi men de Pékin bâtie par Yongle au début du XVème siècle, présente même dispositif. La partie haute est constituée par un édifice de maçonnerie à plusieurs étages aux murs porteurs et à fruit. Les façades sont dépourvues de toitures superposées scandant les différents étages. Les murs sont simplement animés par des rangées d'ouvertures.

L'ensemble est couvert par des toitures chinoises traditionnelles, souvent dédoublées. Ce type de construction paraît être repris de l'époque Yuan et trahit des influences centrales-asiatiques et tibétaines. Ainsi au Pingzi men par exemple, le profil des murs à fruit, le bandeau qui surmonte les fenêtres et la liaison entre les toitures et le mur porteur rappellent des prototypes tibétains du XIIIeme-XIVeme siècle tel le temple de Shalu (Section VII).

En 1879, E. Betschneider [10] avait supposé que les portes de la Pékin des Yuan décrites par Marco Polo comme de vastes et superbes palais, étaient surmontées d'édifices élevés, identiques à ceux construits par les Ming. O. Siren considère les barbacanes en forme de U des portes de Pékin comme d'origine mongole. Cette idée fut reprise, plusieurs dizaines d'années plus tard par A. Soper [12] qui affirme que certaines portes de Pékin sont peut être un héritage du «panasianisme mongol».

Depuis les fouilles récentes de la porte Hoyi men (Section XI) ont confirmé que les Yuan utilisaient déjà la plupart de ces dispositifs [13].

Il est probable que les Ming, pour des raisons religieuses et militaires, aient conservé les innovations architecturales de la dynastie précédente sans se reporter directement à des modèles tibétains et centraux asiatiques.

SECTION XII - NOTES

[1] RICHARDSON, 1958; KOLMAŠ, 1967.
[2] KARMAY H., 1975, p. 55, 74. 75.
[3] RICHARDSON, 1958.
[4] HUMMEL, 1955, p. 25, MORTARI VERGARA, 1978, p. 181.
[5] MORTARI VERGARA, 1982, p. 11-12.
[6] KARMAY H., 1975, p. 92; MORTARI VERGARA, 1978, p. 181.
[7] KARMAY H., 1975, p. 92-93.
[8] WANG Yi, 1960, n. 8.
[9] MORTARI VERGARA, 1978, p. 181-182.
[10] BRETSHNEIDER, 1879, p. 81.
[11] SIREN, 1924, p. 147.
[12] SICKMAN, SOPER, 1969, p. 357.
[13] Kaogu, 1973, n. 5.

OUVRAGES GENERAUX

HUMMEL, 1855; KARMAY H., 1975; MORTARI VERGARA, 1978, p. 181-184.

SEZIONE XIII

ARCHITETTURA DI STILE TIBETANO IN CINA. EPOCA QING (1627-1911)

Paola Mortari Vergara

La più ampia e ancora oggi documentata presenza nella Cina imperiale di elementi architettonici del Tibet risale all'epoca della dinatia Qing. Si tratta di complessi templari e monastici, di chörten, di qualche fortificazione che gli imperatori manciù (manzhu) fecero edificare soprattutto nelle aree delle loro capitali prima Mukden (Sheyang) poi Pechino e Jehol (Chengde). Tali costruzioni costituiscono il coronamento di un processo plurisecolare di utilizzazione di tipologie e strutture edilizie tibetane in territorio han (Sez. XI, XII).

Sui monumenti in stile tibetano dei Qing abbiamo diffuse relazioni nelle coelve opere storiche e letterarie cinesi[1], alcuni brevi accenni in testi tibetani[2], varie descrizioni di ambasciatori, missionari, viaggiatori e studiosi occidentali[3] e numerosi scritti giapponesi[4] per quel che riguarda soprattutto Jehol (Chengde) all'epoca del Manciukuo (Manzhuguo) (1933-1945).

L'interesse per i complessi di Jehol si è risvegliato in questi ultimi decenni; la rivista cinese Wen wu (1956; 1974) ha posto l'accento sull'eclettismo di questa architettura come manifestazione dell'aspetto multinazionale all'impero dei Qing. Due monografie su Chengde pubblicate successivamente dall'Università di Pechino nel 1980 e dall'Università di Tianjin nel 1982 offrono un'ampia ed esauriente documentazione[5]. Contemporaneamente P. Mortari Vergara (1982) ha per prima esaminato l'estensione e l'evoluzione dell'architettura in «stile tibetano» dei Qing evidenziandone gli antecedenti, i limiti e le divergenze rispetto ai prototipi tibetani ed indicando le cause precipue di tale fenomeno. Più recentemente A. Chayet (1985) ha sviluppato e ampliato questo concetto relativamente ai complessi di Jehol, segnalando la funzione di tramite avuta dalla raffigurazioni pittoriche dei modelli tibetani (v. Introduzione).

Ragioni soprattutto di ordine politico, hanno indotto gli imperatori manciù ad utilizzare elementi tratti da un linguaggio architettonico così diverso dalla tradizione monumentale cinese da essi in massima parte adottata, anche se trasformata in senso più variato e mosso, in atteggiamenti leziosi e pittoreschi che si potrebbero quasi definire rococò[6]. In primo luogo la nuova dinastia straniera cercava di legare a sé, attraverso il tramite del lamaismo, due altre importanti etnie non han, quella mongola e quella tibetana. Inoltre per darsi una base di continuità storica viene scelta dai Manciù, come modello di riferimento culturale, l'altra grande dinastia straniera che aveva analogamente governato l'intero territorio dell'impero, quello dei mongoli Yuan. E si tentò così di ricreare, ma a fini più eminentemente politici che religiosi, lo stretto rapporto che aveva legato i dinasti mongoli ai Sakyapa.

Lo stesso Qianlong, infatti, mette bene in evidenza i limiti di questa scelta. Non si vuole assolutamene ripristinare la supremazia goduta dal Buddhismo tibetano in epoca Yuan[7], ma solo attirare i mongoli nell'orbita manciù, allentando i legami religiosi e politici con il clero tibetano e nello stesso tempo rendere più efficace il protettorato cinese sul Tibet[8]. Tali interessi strettamente nazionali si riflettono esattamente nel linguaggio architettonico: i complessi sino-tibetani edificati dai Qing saranno nel loro impianto planimetrico prevalentemente cinesi, anche quando si riferiscono a ben noti modelli tibetani come Samye, il Potala o Tashilhunpo.

Anzi sarebbe più giusto definire lo stile della maggior parte di tale produzione architettonica come «sino-mongolo-tibetana», date le evidenti corrispondenze con alcuni complessi lamaistici della Mongolia (Sez. XIV) e del Tibet Orientale (Sez. X) (uso dell'impianto a cortile e dell'assialità sud-nord, edifici di stile cinese in posizione preminente, giustapposti ad altri di stile tibetano, cortine murarie dall'aspetto tibetano edificate con tecniche di costruzione e materiali sinici, largo uso della ceramica invetriata).

Non bisogna inoltre dimenticare che i Qing finanzieranno diverse costruzioni Buddhiste in territorio mongolo [9], il che ha certamente facilitato l'interscambio di mano d'opera con i cantieri metropolitani. La mancanza di un profondo e reale interesse e partecipazione da parte dei manciù verso la cultura e la religione del Tibet ha loro impedito di realizzare, come avviene invece in Mongolia, anche dei complessi architettonici in puro stile tibetano. La maggior parte di queste fondazioni dei Qing possono invece essere avvicinate ad altre utilizzazioni di architetture straniere, per esempio occidentali, effettuate dagli stessi imperatori. Esse presentano un analoga posizione nel paesaggio in rapporto alle residenze imperiali e un medesimo aspetto pittoresco che li avvicina alle creazioni del rococò europeo.

Strettamente correlata a differenti posizioni e situazioni politiche l'architettura sino-mongolo-tibetana dei Qing attraversa così differenti fasi, dipendenti dal variare della situazione storica.

IL TRADIZIONALISMO DI TAIZONG (1627-43) E DI SHUNZHI (1644-61)

I due primi imperatori dei Qing, tutti tesi all'affermazione del loro potere, utilizzarono in massima parte nella prima capitale Mukden (Shenyang) e poi a partire dal 1644 a Pechino, i modelli proposti dall'architettura monumentale dei Ming [10]. Seguendo però una usanza plurisecolare, entrata ormai a far parte della tradizione sinica, edificarono anche dei chörten di stile tibetano, soprattutto in coincidenza con visite di alti dignitari lamastici.

I quattro chörten di Mukden

fig. 257

Taizong in occasione della ambasceria guidata da Ilaquqsan Qutuqtu [11] fece costruire a Mukden quattro chörten in direzione dei quattro punti cardinali, all'esterno dell'insediamento urbano, creando così una stretta corrispondenza tra l'impianto della capitale e le speculazioni cosmologiche di tipo mandalico del Buddhismo [12].

Tali chörten fissano una tipologia che sarà la preferita durante tutto il periodo Qing: l'anda si restringe fortemente alla base, generando una forma slanciata ed un profilo eccezionalmente elegante, accentuato dal pinnacolo alto e sottile e da una nicchia detta in cinese yanguang men (porta della luce degli occhi) rivolta verso il sud, spesso trilobata e rastremata in basso, con la mostra finemente lavorata. Tale morfologia, vero simbolo di una «architettura lamaistica internazionale» [13], si ritrova in quest'epoca in molti chörten dei maggiori centri del Buddhismo tibetano dal Ladakh alla Mongolia.

Il fatto che tale sacrario abbia assunto la sua forma definitiva già all'inizio della dinastia fa pensare che sia stato elaborato nell'area tibeto-sino-mongolica in epoca immediatamente precedente, soprattutto per influenza di modelli portatili di cui abbiamo ancor oggi numerosi esempi [14].

Bai ta del Beihai, Pechino

fig. 258

Fu proprio in onore della visita (1652-53) del quinto Dalailama che l'imperatore Shunzhi fece edificare nel 1651 una grande Bai ta (pagoda bianca) nell'isola delle ortensie (Qionghua dao) del Beihai, visibile da molte parti della città. Di analoga tipologia di quella di Mukden, ma di forma ancora più slanciata e monumentale la Bai ta, preceduta da una piccola costruzione coperta di ceramiche invetriate (Shanyin si) costituisce la sede di Yamantaka Mahâvajrabhairava, la divinità tutelare (yidam) dei Gelugpa e dello stesso Dalailama, di cui l'intera città di Pechino, seguendo la speculazione lamaistica, ne diventa il mandala [15].

Huang si, Pechino

Di ispirazione esclusivamente sinica, sia nella serie di cortili disposti lungo l'asse sud-nord, sia nella tipologia dei classici dian, sembra essere stata la ricostruzione dello Huang si nella zona nord di Pechino voluta da Shunzhi per accogliere il Grande Quinto ed il suo seguito. Solo una particolare disposizione tripartita dei padiglioni principali, che pur seguono la tradizionale pianificazione a cortile, può riallacciarsi ad un secondo asse est-ovest, presente in alcuni antichi complessi mongoli come Erdeni-Zuu. (Sez. XIV).

In ultima analisi i primi due imperatori manciù utilizzaranno nelle loro capitali il lessico architettonico del Tibet soprattutto nella riproduzione dei chörten, mantenendosi perciò perfettamente in linea con le tradizioni ereditate dai Ming.

DALL'ECLETTISMO DI KANGXI (1662-1722) ALL'APOGEO DELLO «STILE TIBETANO» SOTTO QIANLONG (1736-1785)

fig. 259

Il grande Kangxi sperimenta presso la nuova residenza imperiale estiva di Jehol (Chengde), fondata nel 1703, soluzioni architettoniche le più diversificate.

Pushan si, Jehol

Nel 1713 verrà edificato il Pushan si (Tempio della bontà universale), attualmente distrutto, che, nonostante l'impianto prettamente sinico (quattro cortili quadrangolari che si succedono lungo l'asse sud-nord con gli edifici disposti in modo simmetrico e assiale), presentava, secondo certe descrizioni, elementi architettonici tibetani [16].

In effetti Kangxi oltre a numerosi restauri e ricostruzioni di complessi templari buddhisti a Pechino aveva fatto edificare dei templi lamaistici in territorio mongolo come quello per i Qalqa (Khalkha) a Dolon nur e per gli Aoqan (Aokhan) nel Zhili, entrando quindi in stretto contatto con l'architettura eclettica della Mongolia (Sez. XIV).

Anche il suo successore Yongzheng, oltre a fondazioni e restauri nella capitale, fece ricostruire il monastero di Gonlung nell'Amdo, regione del Tibet orientale (Sez. X) dove, in alcuni centri, si era sviluppata una architettura sino-tibetana con forte preponderanza della componente sinica [17]. Ma sarà il grande Qianlong ad utilizzare in modo più sistematico lo stile architettonico del Tibet nelle capitali imperiali, parallelamente alla moltiplicazione dei rapporti politici e religiosi con il mondo tibeto-mongolico.

L'intensificarsi di tali attività costruttive viene naturalmente a coincidere con l'arrivo di successive ambascerie dalla Mongolia e dal Tibet e culminerà con il viaggio che il Panchenlama effettuerà nel 1780 [18].

Puning si, Jehol

La prima realizzazione di Qianlong nell'ambito della utilizzazione di elementi architettonici tibetani nella capitale estiva Chengde, sarà fortemente ipotecata, sull'esempio dell'avo Kangxi, dall'architettura lamaistica della Mongolia di stile sino-tibetano.

Ed è proprio al monastero di Samye (Sez. V), uno dei più antichi e venerati santuari tibetani, prototipo di tutti gli edifici eclettici mongoli, che si è ispirato Qianlong per la costruzione del complesso templare del Puning si (Tempio della pace generale) elevato nel 1755-56 per festeggiare la temporanea pace stabilita nella Zungaria e la visita dei principi Oirati [19]. La planimetria dell'intero complesso mostra caratteristiche prettamente siniche: asse sud-nord, su cui si succedono tre cortili principali, disposizione simmetrica e speculare degli edifici e dei cortili laterali. Unica concessione al modello tibetano è la forma tondeggiante della parte nord della cinta esterna che ricorda, per l'ondulazione, anche certi muri decorativi dei giardini cinesi ed insieme la sagoma del monte Sumeru [20].

Nei primi due cortili principali la stessa tipologia dei moduli edilizi è tradizionale (portali di accesso, torre del tamburo, della campana, padiglione della stele), solo il terzo cortile accoglie elementi architettonici del Tibet e alcuni riferimenti al complesso di Samye, come le piccole costruzioni a due piani terrazzati dette bai tai (podio o terrazza branca), i sacrari del sole e della luna e i quattro chörten di differenti colori agli angoli dell'imponente edificio a cinque piani centrale il Dasheng ge (Padiglione del grande veicolo) che dovrebbe rappresentare l'Utse. Esso ne differisce profondamente in primo luogo per l'opposizione dell'asse direzionale che a Samye è est-ovest, poi per la dislocazione (un dislivello rende il piano inferiore asimmetrico) ed infine per la stessa pianta e morfologia.

fig. 260

In luogo dell'impianto mandalico, cruciforme e omotetico, il Dasheng ge presenta la pianta rettangolare di un classico «ge» in cui solo la veranda lignea aggettante della facciata sud e i due avancorpi «tibetani» delle facciate ovest ed est ricordano i moduli accorpati del modello. Nonostante l'aspetto tibetano della muratura dei primi piani dei lati est e ovest, tutti gli elementi costruttivi sono tipicamente sinici e le stesse mura tibetane non hanno una vera funzione portante. Le coperture e i vari piani sono sorretti soprattutto dai robusti pilastri lignei.

La facciata poi presenta il classico alzato del ge, e tutto l'edificio poggia sul tradizionale podio a gradoni. È completamente scomparsa la differenziazione dei piani secondo i diversi stili nazionali che fecero la ricchezza semiotica e la novità architettonica di Samye.

Lo stile cinese è preponderante rispetto ai due inserti di mura tibetane. Dello stile indiano dell'ultimo piano dell'Utse rimane solo la disposizione a quinconce delle coperture cinesi accorpate, sormontate dei fastigi tondeggianti del buddhismo sinico.

fig. 261

A Samye il tempio principale è circondato da edifici secondari che assumono un andamento quasi circolare. I costruttori cinesi del Puning si non hanno seguito questa disposizione e gli annessi sono disposti simmetricamente ai lati del santuario centrale. La facciata curva dell'altare della luna riprende la forma dell'edificio equivalente a Samye. Altri annessi presentano le stesse distorsioni prospettiche delle loro raffigurazioni dipinte [21] (Introduzione), mentre il modulo edilizio tibetano a copertura piana viene considerato come un podio (tai) del dian tradizionale e chiamato perciò baitai, podio, o terrazza, bianca.

Anche i chörten ai quattro lati del Dasheng ge sono, nelle loro forme fantasiose e nelle loro decorazioni, una completa espressione del rococò dei Qing, mentre il basamento su cui poggiano, più che ai chörten-porta tibetani, li avvicina per l'apertura ad arco alle analoghe costruzioni già utilizzate dagli Yuan (Sez. XI) e dai Ming (Sez. XIII).

Anyuan miao, Jehol

Di tutti i templi edificati da Qianlong a Chengde, quello che più si avvicina ad antichi modelli eclettici del Tibet centrale è paradossalmente lo Anyuan miao (Tempio della Pace lontana) edificato nel 1764-65 sul modello di un tempio di Kulja fondato nel sec. XVI nella regione dell'Ili e distrutto dai Manciù nel 1756 nel corso delle lotte con gli Dsungari [22]. Non si ha documentazione sul prototipo utilizzato, ma è certo che l'edificio principale dell'Anyuan miao, il Putu dian nella sua pianta quadrata, orientata secondo i punti cardinali e nella sua posizione al centro di tre cinte concentriche, riprende antichi modelli mandalici a cui si ricollega anche per l'asse direzionale est-ovest e per la morfologia della cinta più interna che presentava delle «mura abitate». Il Putu dian mostra inoltre nei due piani inferiori un aspetto tipicamente tibetano, anche se la cortina muraria a scarpa non assume una vera funzione portante, assolta invece dal colonnato ligneo in essa ingobato. È una soluzione tipicamente sinica, molto vicina a quella del secondo piano del Tempio di Shalu (Sez. VII), a cui si richiamano anche i raccordi tra la muratura, la carpenteria e la copertura. La tipologia del Putu dian dell'Anyuan miao si ritrova perfettamente identica nella corrente architettonica mongola di stile sino-tibetano, si pensi all'edificio maggiore del complesso di Ganden presso Ulan Bator (Sez. XIV). Un legame con l'architettura mongola degli

fig. 262

Yuan (Sez. XI) è presente inoltre in alcuni portali monumentali dello Anyman miao i cui archi d'accesso presentano una mostra con il tipico motivo «della porta della vittoria».

Putuo zongchen miao, Jehol

La prova evidente di quanto fosse difficilmente adottabile da parte dei manciù, il linguaggio architettonico del Tibet è data dalla edificazione del Putuo zongchen miao (tempio della scuola del Potala) (1767-1771) che come afferma lo stesso imperatore nella stele all'ingresso doveva costituire una riproduzione del Potala di Lhasa. La ragione eminentemente politica di tale costruzione è indicata sempre da Qianlong nella stessa stele: «in occasione del sessantesimo anniversario della mia nascita e dell'ottantesimo anniversario della nostra venerabile madre, l'imperatrice vedova, i principi mongolo Khalkha del Kokonor e altre tribù recentemente sottomesse, sono venuti in folla a presentarci i loro omaggi, per testimoniare la mia soddisfazione io ho ordinato di costruire questo edificio»[23].

fig. 263

fig. 264

Il monumentale complesso di Lhasa, sviluppatosi in modo organico lungo le pendici del Marpori fino a diventare tutt'uno con il monte, viene trasformato in una serie di terrazzamenti giustapposti. L'edificio maggiore, il Dahong tai (grande terrazza rossa), indica chiaramente nel suo nome la trasposizione operata dai costruttori cinesi; esso è per la maggior parte non praticabile all'interno, adornato di finestre cieche. Il «Palazzo rosso» di Lhasa viene così in realtà ridotto al rango di un terrazzamento e di una cinta porticata all'interno su più piani, come certi cortili del Tibet e che accoglie nel suo centro un tipico esemplare di architettura Qing, il Padiglione d'oro, Wanfagui. Anche la copia del «Palazzo bianco» del Potala, pur presentando, come nella realtà, una posizione arretrata e di minori proporzioni sul lato est del Palazzo rosso, costituisce solo una recinzione intorno al padiglione del teatro (Xitai).

fig. 265

Si può anche constatare, però, un certo scrupolo filologico nella adozione di alcune caratteristiche «esteriori» del Potala, ad esempio le scalinate d'accesso parallele alle facciate, la fila sovrapposta di rabsal, trasformati in nicchie in ceramica con statue di Amitâyus all'interno e copertura cinese, il cornicione alla sommità, reso anch'esso con una serie di nicchie in ceramica, la torre rotonda (Chagril) a ovest del Potala che però è in realtà semicircolare, rappresetata con in due cilindri sovrapposti, le torri quadrate agli angoli della cinta esterna, la dislocazione asimmetrica dei piccoli edifici in «stile tibetano» (baitai) lungo le pendici della collina. Singolari sono poi alcuni monumenti (Dongfang wuta baitai, Xifang wuta baitai), che riprendono, pur trasfigurati nel linguaggio rococò di Qing, una antica tipologia tibetana, rappresentata dai cinque chörten allineati su un medesimo basamento, si pensi ad esempio al complesso Rabgyeling (Sez. VI). I due primi cortili sono, però, saldamente ordinati dall'asse sud-nord lungo il quale si succedono una serie di portali prevalentemente cinesi, asse che manca totalmente al complesso di Shö,l pur analogamente cintato, sito ai piedi del Potala. Questa simmetria rigorosa viene meno nella parte successiva che equivale alla pendice sud della collina di Marpori, un camminamento sinuoso, alla maniera dei sentieri dei giardini, trascrive in questo contesto di dimore estive imperiali, la grande scalinata d'accesso asimmetrica del Potala di Lhasa.

fig. 266

Xumi fushou miao, Jehol

L'erezione dell'ultimo grande complesso templare in stile tibetano a Chengde, il Tempio della felicità e della longevità al il monte Sumeru, viene a coincidere con la visita del sesto Panchenlama (1738-1780) nelle capitali imperiali effettuata nel 1780. Tale complesso, ispirato alla stessa sede dei Panchenlama, il grande monastero di Tashilhunpo, completa così la serie dei più importanti centri religiosi del Tibet centrale ricostruiti a Chengde. L'imperatore stesso afferma nella stele elevata nel mezzo della corte anteriore «Io ho costruito questo edificio per il Panchen Erdeni che viene a visitarmi, sul modello del suo, alfine che egli possa egualmente sprofondarsi nelle meditazioni»[24].

fig. 267

Come nello Anyuan miao il primo cortile è strettamente corrispondente ai canoni classici cinesi: shanmen (ingresso principale), padiglione della stele e pailou (portali), tutti allineati lungo l'asse sud-nord.

Una serie di rocce decorative nel fondo di questo primo spazio serve da transizione con il cortile seguente. Anche se può in parte ricordare la pendice del colle su cui è disposta Tashilhunpo, questo elemento, ripreso dall'arte dei giardini, sottolinea l'aspetto volontariamente pittoresco dei templi di Jehol.

fig. 268

fig. 269
fig. 270

La corte successiva, invece, presenta numerosi elementi dissonanti e asimmetrici, propri dell'architettura del Tibet e accoglie l'edificio principale dallo stesso nome: Dahongtai (terrazza rossa), di quello del Putuo zongchen miao. Ma differentemente dall'imitazione del Potala la costruzione è tutta praticabile, tranne che per gli angoli in muratura piena, ed accoglie una serie di ambienti aperti verso l'interno su un porticato che circonda il cortile al centro del quale si eleva su un podio un classico dian cinese il Miaogao zhuangyuan, (sala imponente e meravigliosa). Una seconda costruzione analoga, ma di minori proporzioni, è accorpata sul lato est del Dahongtai e presenta anch'essa una scalinata d'accesso parallela alla facciata. Le finestre trapezoidali tibetane con pensilina sono quì trasformate in eleganti aperture sormontate da una copertura in ceramica invetriata di tipo cinese. Alla sommità gocciolatoi e cornicioni richiamano, sia pure alla lontana, prototipi tibetani, ripresi anche nella cortina muraria che è costituita da pietre squadrate nella parte inferiore e da mattoni intonacati nella parte superiore. Anche l'allineamento delle due costruzioni e il relativo rapporto asimmetrico dell'una rispetto all'altra può ricordare la disposizione in linea continua, ma non perfettamente retta delle costruzioni di Tashilhunpo (Sez. IX).

Altra concessione ai cordici architettonici del Tibet è la ristrettezza dei cortili centrali, circondati da una serie di loggiati lignei multipiano. Ma il padiglione centrale il Miaogao zhuangyuan dian, invece di sovrapporsi a una terrazza come nei gyaphib tibetani, poggia direttamente al centro e al piano terra del cortile, secondo i canoni cinesi. Anche i draghi a giorno sugli scrimoli della copertura del Miaogao zhuangyuan dian rappresentano una trasfigurazione in senso più grafico e sinico dei massicci acroteri tibetani. La parte nord del complesso, costituita da una serie di baitai e culminante in una classica pagoda di ceramica invetriata (Liuli ta) torna ad essere strettamente simmetrica ed ordinata confermando il carattere di «inserto centrale» del Dahongtai e dei suoi annessi. Senza dubbio lo Xumi fushou miao rappresenta il culmine della sperimentazione eclettica di Qianlong nel campo dello stile tibetano ed è certamente una delle più armoniose e riuscite costruzioni di Chengde. In essa si fondono in modo piacevole l'ordine e la simmetria il senso ampio dello spazio dato dalla concezione dell'impianto a cortile cinese, il decorativismo architettonico quasi rococò dei Qing, con il verticalismo, l'imponenza e alcuni elementi di asimmetria dell'architettura tibetana. Così il complesso, anche per la componente sinizzante del modello tibetano, non presenta strappi e fratture e risulta nell'insieme elegantemente omogeneo.

Yonghe gong, Pechino

fig. 271

La più importante realizzazione templare lamaistica di Qianlong a Pechino è costituita dal Tempio dei Lama, lo Yonghe gong che a suo tempo era stata l'abitazione del padre Yongzheng prima che accedesse al soglio imperiale, e che venne trasformato in santuario nel 1745 [25].

L'importanza di questa scelta che coinvolge il culto ancestrale dello stesso Qianlong, dà la misura della rilevanza che lo stesso imperatore vuol dare al lamaismo nell'ambito della corte. Tale importanza è ribadita dalla presenza all'interno della cinta dello stesso palazzo imperiale (Gu gong) di un tempio lamaistico lo Yuhua ge (Padiglione della pioggia di fiori). Ma dentro le mura della grande capitale invernale, dove tutta l'architettura è organizzata secondo i canoni classici cinesi ereditati dai Ming, Qianlong non realizzerà delle vere e proprie

fig. 272

costruzioni tibetane; saranno presenti solo alcune sporadiche citazioni, come le passerelle che uniscono il Wanfu ge (Padiglione delle diecimila benedizioni), ultima sala dello Yunghe gong, ai due annessi laterali, o l'impianto cruciforme, e i piccoli padiglioni che si immettono sulla linea di colmo e l'aggetto della parte centrale della facciata sia del Falun dian (Sala della ruota della Legge) dello Yonghe gong, sia dello Yuhua ge [26].

Gli edifici in stile tibetano delle Colline Profumate (Hsiang shan), Pechino

fig. 273

Nei giardini del palazzo d'estate e nel parco delle Colline Profumate Qianlong, più libero dai rigidi schemi che regolano l'impianto monumentale della capitale, sperimenta differenti linguaggi architettonici «esotici» tra cui quello tibetano. Ricollegabile alle soluzioni già adottate a Chengde è lo Zhao miao, costruito per accogliere nel 1780 il sesto Panchenlama. Anch'esso doveva essere un'imitazione del complesso di Tashilhunpo, ma, in realtà, costituisce una replica più semplificata e di minori proporzioni dello Xumi fushou miao di Chengde e presenta analoghe difformità dal modello tibetano.

Più vicini ai moduli del Tibet centrale, ma sempre rivisti attraverso la mediazione dell'architettura mongola, erano il Fang zhao (Tempio quadrato) e il Yuan zhao (Tempio rotondo).

Gli edifici centrali presentavano delle mura a scarpa e con loggie e finestre tipicamente tibetane, anche se la pianta dei complessi è fortemente simmetrica, ordinata, e di tipo cinese, sia pure con la variante della cinta rotonda per il Yuan zhao [27].

fig. 274
fig. 275

fig. 276

È bene ricordare anche la Pagoda del trono di diamante (Jingang baozuo ta) del 1749 che domina la serie successiva di cortili del tempio delle nuvole azzurre (Biyun si). Questa costruzione è la replica del tempio della Mahâbodhi a Bodhgayâ come quelli dell'epoca Ming. La Jingang baozu ta presenta un aspetto ancora più cinese del Wuta si (Sez. XII), pur ripetendone fedelmente numerosi elementi decorativi come la mostra dell'arco d'ingresso. Ma i chörten e le pagode sulla copertura sono più slanciati e la posizione alla estremità della collina restituisce al monumento un po' del verticalismo degli shikara della Mahâbodhi.

Le costruzioni più vicine al linguaggio architettonico del Tibet edificate in quest'epoca presso Pechino non sono però complessi religiosi, ma edifici militari, il che sottolinea ancor più l'aspetto «politico» dell'utilizzazione dello stile tibetano. Si tratta di una serie di fortificazioni e di alte torri, site anch'esse nel Parco delle Colline Profumate. Lo stesso imperatore spiega in un'iscrizione le ragioni tattiche di tali costruzioni, elevate per addestrare i soldati all'assalto delle fortificazioni del limes tibetano. Queste torri, tipiche dell'architettura del Tibet orientale (Sez. X), vennero in parte edificate da un'ottantina di prigionieri di guerra tibetani e da loro utilizzate anche come abitazioni [28]. Con assoluta fedeltà ai prototipi esse presentano massicce mura portanti a scarpa prive di decorazioni esterne ed interrote solo dalle mostre trapezoidali delle aperture.

Grande Chörten in marmo dello Huang si (Tempio Giallo), Pechino

fig. 277

Questo cenotafio edificato da Qianlong nel 1780 per accogliere le reliquie del sesto Panchenlama morto a Pechino durante la sua visita all'imperatore [29], è costituito da un grande chörten centrale in marmo bianco e da quattro pagode laterali dalla classica tipologia sinica a torre poligonale, dislocate nell'antico schema simbolico a quincunce e site su un podio con scala d'accesso. G. Combaz segnala la somiglianza dell'impianto di questo monumento con gli antichi modelli indiani [30]. In effetti si tratta di una replica di antichi prototipi buddhisti che il Tibet ha ripreso dall'India (si pensi al chörten a quincunce di Alchi), (Sez. VI), già presenti in Cina fin dall'epoca Yuan (Sez. XI). Si può inoltre constatare nel grande chörten centrale del mausoleo del terzo Panchenlama l'evoluzione verso una forma ancor più verticalizzata, meno arrotondata, più secca e geometrica, non priva di eleganza nei decisi passaggi tra superfici piane e cornici agettanti, tra le zone riccamente scolpite e le poche pareti lisce. Costituiscono degli antecedenti a questa costruzione i chörten di forma più allungata a spigolosa edificati sulla terrazza della Pagoda del trono di diamante (Jingang baozuo ta) nel 1749.

LA STAGNAZIONE DELL'EPOCA CIXI (1835-1908)

La grande politica espansionistica dei Qing, espressa in campo architettonico anche dalle costruzioni sino-mongolo-tibetane, inizia la parabola discendente con la morte del grande Qianlong. Per l'imperatrice Cixi l'utilizzazione dello stile architettonico tibetano ha perso in gran parte il carattere politico che soprattutto

Khangxi e Qianlong gli avevano attribuito. Il passaggio a Pechino nel 1908 del tredicesimo Dalailama non sarà più occasione per una vasta attività edilizia, sebbene venga ricevuto con tutti gli onori e sia restaurato per lui lo Huang si, divenuto tradizionale residenza dei Dalailama in visita a Pechino.

Le costruzioni tibetane si limitano ad essere una delle manifestazioni del garbato eclettismo rococò dei tardi Qing. Un fatto di gusto ormai acquisito nel linguaggio architettonico dei palazzi di piacere.

Wanshou shan, Pechino

fig. 278

fig. 279

Il restauro compiuto da Cixi intorno al 1888 del complesso in stile tibetano edificato da Qianlong sul lato nord della Collina della longevità (Wanshou shan)[31] è caratteristico di quest'epoca. I piccoli moduli edilizi del tipo baitai e i chörten dalle forme più fantasiose, richiamano strettamente gli edifici secondari di alcuni dei templi esterni di Chengde e sono planimetricamente e simmetricamente ordinati secondo il tradizionale asse sinico sud-nord.

La stessa localizzazione del complesso mostra ancora una volta la stretta gerarchizzazione degli stili effettuata dai Qing. L'architettura han viene utilizzata sul versante sud della collina, prospiciente al lago, considerato più importante e più fausto, mentre quella tibetana è relegata nel versante nord infausto e di minor rilievo[32].

Si ribadisce così la scelta effettuata già da Kangxi e da Qianlong nei complessi di tipo eclettico. L'elemento sinico si trova quasi sempre in posizione di maggior evidenza: planimetria, cortili d'accesso, coperture, facciata, edificio centrale, per cui al valore simbolico di fusione e collaborazione fra i popoli, espresso dallo stile ibrido, si sovrappone il significato di preminenza attribuito dai Qing alla cultura cinese.

NOTE DELLA SEZIONE XIII

[1] Qing shilu, ed. 1937; Qing shigao, ed. 1977; Yuzhi Bishushanzhuang, 1741; Qinding rehe zhi, 1781, 1930.

[2] CHAYET, 1985, p. 18.

[3] FRANKE, 1891, 1902; FRANKE, LAUFER, 1914; VAN OBERGEN, 1931-32; HEDIN, 1932; ECKE, 1933; FISCHER, 1940; LESSING, 1942; HUMMEL, 1955; BOYD, 1962; MALONE, 1966.

[4] SEKINO, TAKESHIMA, 1934; SEKINO, 1935; MURATA, 1944; HONDA, CEADEL, 1955.

[5] Chengde Bishushanzhuang, 1980; Chengde guijanzhu, 1982.

[6] MORTARI VERGARA, 1978, p. 184.

[7] MORTARI VERGARA, 1982, pp. 8-9, p. 33.

[8] JAGCHID, 1980, p. 99.

[9] CHAYET, 1985, p. 78-79.

[10] MORTARI VERGARA, 1982, p. 9-10.

[11] ROCKHILL, 1910; KOLMAŠ, 1967, p. 35.

[12] MORTARI VERGARA, 1982, p. 13.

[13] MORTARI VERGARA, 1982, p. 35.

[14] DIEUX ET DEMONS DE L'HIMALAYA, 1977, p. 274, fig. 353.

[15] LESSING, 1956; MORTARI VERGARA, 1982, p. 13.

[16] MORTARI VERGARA, 1984, p. 15.

[17] MORTARI VERGARA, 1976, p. 235.

[18] ROCKHILL, 1910, p. 41; KOLMAŠ, 1967.

[19] HEDIN, 1932, p. 80-82.

[20] CHAYET, 1985, p. 29.

[21] CHAYET, 1985, p. 95.

[22] FRANCKE, 1902; VAN OBERGEN, 1931-32; HEDIN, 1932, p. 67-72; ECKE, 1933; SEKINO, 1935; FISHER, 1940; WEI CHIN, LI KUNG, 1974; Chengde Bishushanzhuang, 1980; Chengde gujanzhu, 1982; MORTARI VERGARA, 1982, p. 19; CHAYET, 1985, p. 35-39.

[23] HOLMES, 1805, p. 154; FRANKE, 1902, p. 54; COMBAZ, 1912, p. 94-97; BOERSCHMANN, 1926, p. 38; VAN OBERGEN, 1931-32; HEDIN, 1932; ECKE, 1933; SEKINO, 1935; FISCHER, 1940; HUMMEL, 1955, p. 44 segg.; WEI CHIN, LI KUNG, 1974; Chengde Bishushanzhuang, 1980; Chengde guianzhu, 1982; MORTARI VERGARA, 1982, p. 19-21; CHAYET, 1985; p. 41-46.

[24] FRANKE, 1902; COMBAZ, 1912; VAN OBERGEN, 1931-32; HEDIN, 1932; ECKE, 1933; SEKINO, 1935; FISCHER, 1940; HUMMEL, 1955; p. 44 segg.; WEN WU, 1959 n. 7, p. 20-22; WEI CHIN, LI KUNG, 1974; Chengde Bishushanzhuang, 1980; Chengde gujanzhu, 1982; MORTARI VERGARA, 1982, p. 21-24; CHAYET, 1985, p. 48-50.

[25] BOUILLARD, 1931; LESSING, 1942; HUMMEL, 1955; MORTARI VERGARA, 1982, p. 24-25.

[26] MORTARI VERGARA, 1982, p. 25.

[27] MALONE, 1966, p. 131; MORTARI VERGARA, 1982, p. 26.

[28] MALONE, 1966, p. 128-131; MORTARI VERGARA, 1982, p. 26.

[29] COMBAZ, 1912, p. 104; BOERSHMANN, 1925, rev. 335, 1926, p. 12; TOKIWA, SEKINO, 1926-38, vol. V, t. 145; COMBAZ, 1932-33; HUMMEL, 1954, p. 3-32, abb. 4; MORTARI VERGARA, 1982, p. 26-27.

[30] COMBAZ, 1932-33, p. 287.

[31] FAVIER, 1897, p. 10, 15; MALONE, 1966, p. 109-124, p. 233-240; MORTARI VERGARA, 1982, p. 29-30.

[32] MORTARI VERGARA, 1982, p. 30, 47, n. 173, 174.

BIBLIOGRAFIA GENERALE

BOERSHMANN 1925, 1926; BOYD, 1962; CHAYET, 1985; Chengde Bishushanzhuang, 1980; Chengde gujianzhu, 1982; HEDIN, 1932; HUMMEL, 1955; LESSING, 1942; MALONE, 1966; MORTARI VERGARA, 1982; MURATA, 1944; SEKINO TAKESHIMA, 1934; SEKIN0, 1935; WEI CHIN LI KUNG, 1974; Qinding rehe zhi, 1781, 1830; Qing shigao, 1977; Qing shilu, 1937; Yuzhi bishushanzhuang shi, 1741.

fig. 257 - Shenyang (già Mukden) chörten occidentale, 1642-45 (da E. Boershmann 1926, fig. 26).

fig. 257 - Shenyang (autrefois Mukden), chörten occidental, 1942-45 (d'après E. Boershmann, 1926, fig. 26).

fig. 258 - Pechino, Beihai, Bai ta (Pagoda bianca) 1651 1652 (foto G. Béguin).

fig. 258 - Pékin, Beihai, Bai Ta (Pagode blanche) 1651-1652 (cl. G. Béguin).

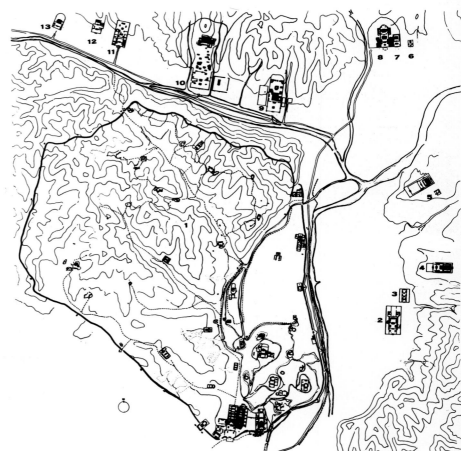

fig. 259 - Chengde (già Jehol), Palazzo d'estate e templi esterni, pianta, 1, Palazzo d'estate; 2, Puren si; 3, Pushan si; 4, Pule si; 5, Anyuan miao; 6, Guangyuan si; 7, Puyou si; 8, Puning si; 9, Xumi fushou miao; 10, Putuo zongcheng miao; 11, Shuxiang si; 12, Guang'an si; 13, Luohan tang; (R. Astolfi da Chengde Gujianzhu, 1982).

fig. 259 - Chengde (autrefois Jehol), Palais d'été et temples extérieurs, plan: 1, Palais d'été; 2, Puren si; 3, Pushan si; 4, Pule si; 5, Anyuan miao; 6, Guangyuan si; 7, Puyou si; 8, Puning si; 9, Xumi fushou miao; 10, Putuo zongcheng miao; 11, Shuxiang si; 12, Guang'an si; 13, Luohan tang (R. Astolfi d'après Chengde Gujianzhu, 1982).

fig. 260 - Chengde, Puning si (Tempio della pace universale), Dasheng ge (Padiglione del Grande Veicolo) 1755-56, facciata sud e facciata ovest (foto C. Debaine-Francfort).

fig. 260 - Chengde, Puning si (Temple de la paix universelle), Dasheng ge (pavillon du «Grand Véhicule»), 1755-56, façade Sud et Ouest (cl. C. Debaine-Francfort).

fig. 261 - Chengde, Puning si, costruzioni all'est del Dasheng ge (cl. J.P. Desroches).

fig. 261 - Chengde, Puning si, édifices à l'Est du Dasheng ge (cl. J.P. Desroches).

fig. 262 - Chengde, Anyuan miao (Tempio della pace lontana), 1764, Putu dian (Hedin, 1932, p. 70).

fig. 262 - Chengde, Anyuan miao (Temple de la paix lontaine), 1764, Putu dian (Hedin, 1932, p. 70).

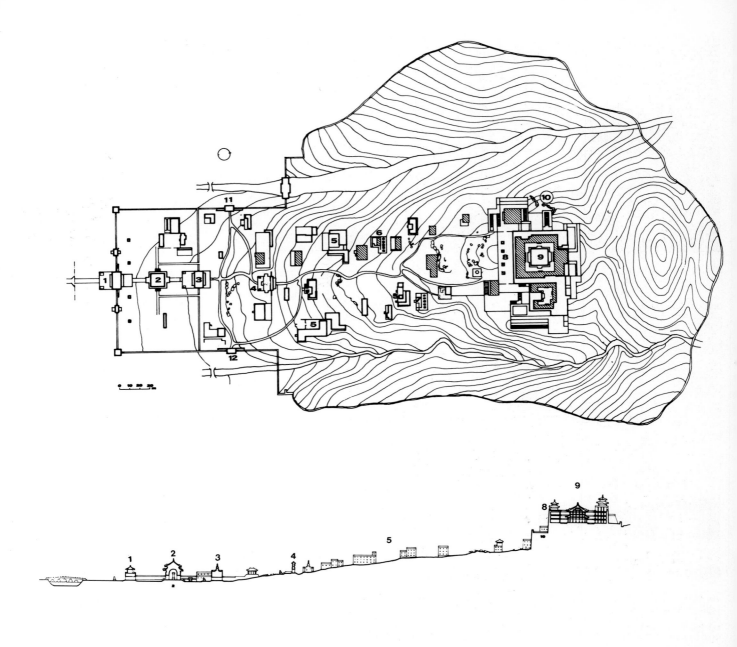

fig. 263 - Chengde, Putuo zongcheng miao (Tempio della scuola del Potala) 1767-1771, sezione e pianta; 1, shanmen (Porta principale); 2, Beiting; 3, Wuta men (Porta delle cinque pagode); 4, Pumen Yingxian (Rivelazione della porta universale; 5, Baitai (Terrazza bianca); 6, Xifang wuta baitai (Terrazza bianca delle cinque pagode dell'est); 8, Dahongtai (Grande terrazza rossa); 9, Wanfagui («Prendere rifugio in tutti i dharma»); 10, Torre rotonda; 11, Porta ovest; 12, Porta est (P. Mortari Vergara, R. Astolfi da Chengde Gujanzhu, 1982).

fig. 263 - Chengde, Putuo zongcheng miao (Temple de l'école du Potala), 1767-1771, coupe et plan; 1, shanmen (Porte princiale); 2, Beiting; 3, Wuta men (Porte des cinq pagodes); 4, Pumen Yingxian (Revèlation de la Porte Universelle); 5, Baitai (Terrasse blanche); 6, Xifang wuta baitai (Terrasse blanche des cinq pagodes de l'Est); 8, Dahongtai (Grande terrasse rouge); 9, Wanfagui («Prendre refuge dans tous les Dharma»); 10, Tour ronde; 11, Porte Ouest; 12, Porte Est (R. Astolfi d'après Chengde Gujanzhu, 1982).

fig. 264 - Chengde, Putuo zongcheng miao, Dahongtai (Grande terrazza rossa) (foto J.P. Desroches).

fig. 264 - Chengde, Putuo zongcheng miao, Dahongtai (Grande terrasse rouge) (cl. J.P. Desroches).

fig. 265 - Chengde, Putuo zongcheng miao, dettaglio della facciata (foto J.P. Desroches).

fig. 265 - Chengde, Putuo zongcheng miao, détail de la façade (cl. J.P. Desroches).

fig. 266 - Chengde, Putuo zongcheng miao, baitai con cinque chörten (foto J.P. Desroches).

fig. 266 - Chengde, Putuo zongcheng miao, baitai surmonté de cinq chörten (cl. J.P. Desroches).

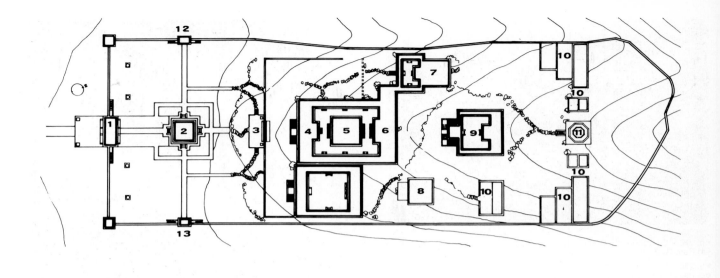

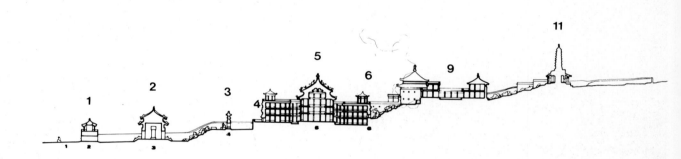

fig. 267 - Chengde, Xumi fushou miao (Tempio della felicità e longevità al Monte Sumeru), sezione e pianta: 1, Shanmen (Porta principale); 2, Padiglione delle steli; 3, Liuli pailou (Portico in ceramica invetriata); 4, Dahongtai (Grande terrazza rossa); 5, Miaogao zhuangyan dian; 6, Dahongtai yunlou (Grande terrazza rossa delle nuvole); 7 Jiixiang faxi dian (Padiglione della buona fortuna e della gioia del dharma); 8, Shenguan xinxin dian; 9 Wanfa songyuan dian (Tempio del pino di tutti i dharma); 10, baitai; 11, pagoda di ceramica invetrata; 12, porta ovest; 13, porta est (P. Mortari Vergara, R. Astolfi da Chengde Gujianzhu, 1982).

fig. 267 - Chengde, Xumi fushou miao (Temple du bonheur et de la félicité au mont Sumeru), section et plan: 1, Shanmen (Porte principale); 2, pavillon des stèles; 3, Liuli pailou (Portique en ceramique vernisée); 4, Dahongtai (Grande terrasse rouge); 5, Miaogao zhuangyan dian (salle importante et merveilleuse); 6, Dahongtai yunlou (Grande terrasse rouge: étage des nuages); 7 Jiixiang faxi dian (Pavillon de la bonne fortune et de la joie de la Loi); 8, Shenguan xinxin dian; 9 Wanfa songyuan dian (Temple du pin de toules Dharma); 10, baitai; 11, pagode en ceramique vernisée; 12, porte Ouest; 13, porte Est (P. Mortari Vergara, R. Astolfi d'après Chengde Gujianzhu 1982).

fig. 268 - Chengde, Xumi fushou miao, Dahong tai (Grande terrazza rossa) (foto G. Béguin).

fig. 268 - Chengde, Xumi fushou miao, Dahong tai (Grande terrasse rouge) (cl. G. Béguin).

fig. 270 - Chengde, Xumi fushou miao, Miaogao zhuangyuan dian (Sala imponente e meravigliosa), copertura (da P. Mortari Vergara 1973).

fig. 270 - Chengde, Xumi fushou miao, Miaogao zhuangyuan dian (Salle imponante et merveilleuse), toiture (P. Mortari Vergara, 1973).

fig. 269 - Chengde, Xumi fushou miao, Dahong tai, cortile interno (foto C. Debaine-Francfort).

fig. 269 - Chengde, Xumi fushou miao, Dahong tai, cour intérieure (cl. C. Debaine-Francfort).

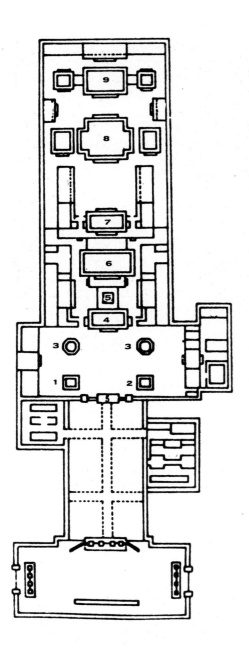

fig. 271 - Pechino, Yonghe gong (Palazzo dell'eterna armonia), pianta: 1, Torre del tamburo; 2, Torre della campana; 3, padiglioni delle steli; 4, Tianwang dian (Sala dei guardiani dello spazio); 5, Padiglione della grande stele; 6, Yonghe dian (Sala dell'eterna armonia); 7, Yingyou dian (Sala dell'eterna protezione); 8 Falun dian (Sala della Ruota della Legge), 9, Wanfu ge (Padiglione delle diecimila benedizioni) (P. Mortari Vergara, R. Astolfi).

fig. 271 - Pékin, Yonghe gong (Palais de l'harmonie éternelle), plan: 1, Tour du tambour; 2, Tour de la cloche; 3, pavillons des stèles; 4, Tianwang dian (Salle des gardiens des régions de l'espace); 5, Pavillon de la grande stèle; 6, Yonghe dian (Salle de l'harmonie éternelle); 7, Yingyou dian (Salle de la protection éternelle); 8 Falun dian (Sala de la Roue de la Loi), 9, Wanfu ge (Pavillon des dix mille bénédictions) (P. Mortari Vergara R. Astolfi).

fig. 272 - Pechino, Yonghe gong, Wanfu ge (padiglione delle diecimila benedizioni) particolare della passerella (foto G. Béguin).

fig. 272 - Pékin, Yonghe gong, Wanfu ge, (Pavillon des dix mille bénédictions), détail de la passerelle (cl. G. Béguin).

468

fig. 273 - Pechino, Zhao Miao (Tempio luminoso), (1779-89), particolare della facciata (foto M. L. Giorgi).

fig. 273 - Pékin, Zhao Miao (Temple lumineux) (1779-89), détail de la façade (cl. M. L. Giorgi).

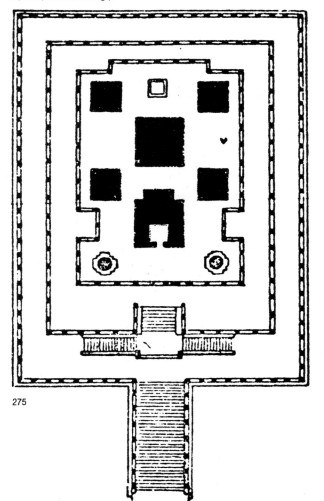

275

fig. 274 - Colline profumate (Pechino) Biyun si (Tempio delle nuvole azzurre), Jingang baozuo ta (Pagoda del Trono di diamante) 1748, scalinata di accesso (foto P. Mortari Vergara).

fig. 274 - Collines parfumées (Pékin), Biyun si (Temple des nuages azurés), Jingang baozuo ta (Pagode du Trône de diamant), 1748, Escalier d'accès (cl. P. Mortari Vergara).

fig. 275 - Colline profumate, Biyun si, Jingang baozuo, pianta (R. Astolfi d'après P. Mortari Vergara 1982, fig. 11).

fig. 275 - Collines parfumées, Biyun si, Jingang baozuo, plan (R. Astolfi d'après P. Mortari Vergara, 1982, fig. 11).

fig. 276 - Colline profumate, Biyun si, Jingang baozuo, mostra dell'arco d'ingresso (foto G. Béguin).

fig. 276 - Collines parfumées, Biyun si, Jingang baozuo, détail de l'arc au dessus de la porte d'entrée (cl. G. Béguin).

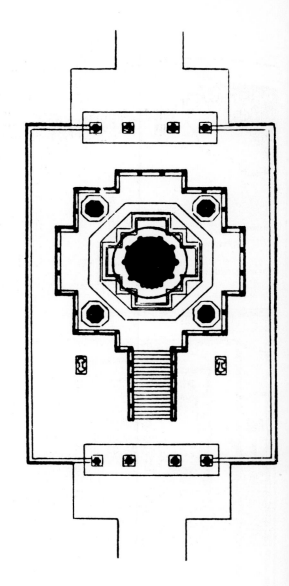

fig. 277 - Pechino, Huang si (Tempio giallo), chörten in marmo 1780: vue (Tokiwa, Sekino, 1938); pianta (P. Mortari Vergara, 1982).

fig. 277 - Pékin, Huang si (Temple jaune), chörten de marbre, 1780: vue (Tokiwa, Sekino, 1938); plan (P. Mortari Vergara, 1982).

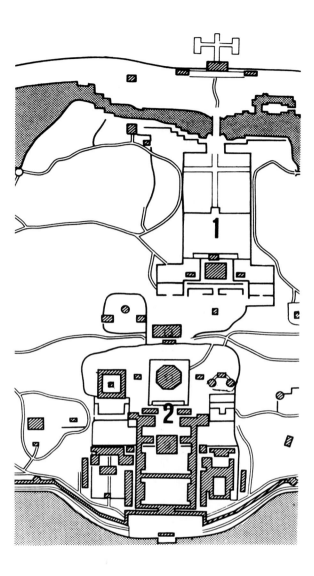

fig. 278 - Pechino, Yihe yuan (Palazzo d'estate), Wanshou shan (collina della longevità millenaria) pianta schematica, 1) pendice settentrionale; 2 pendice meridionale (P. Mortari Vergara, A. Mortari).

fig. 278 - Pékin, Yihe yuan (Palais d'été), Wanshou shan (Colline de la longévité millénaire) Plan schématique: 1, versant Nord; 2, versant Sud (P. Mortari Vergara, A. Mortari).

fig. 279 - Pechino, Yihe yuan, Wanshou shan, pendice nord nel 1973 prima del restauro (foto P. Mortari Vergara); nel 1979 dopo il restauro (foto G. Béguin).

fig. 279 - Pékin, Yihe yuan, Wanshou shan, versant Nord; en 1973, avant restauration (cl. P. Mortari Vergara); après restauration en 1979 (cl. G. Béguin).

SECTION XIII

L'ARCHITECTURE DE STYLE TIBETAIN EN CHINE. EPOQUE QING (1627-1911)

Paola Mortari Vergara

Les empereurs mandchous (manzhu) firent édifier des monuments bouddhiques (monastères, temples et chörten) et même des fortifications plus ou moins inspirés de l'architecture tibétaine. Ces constructions sont particulièrement nombreuses près de leurs résidences (Mukden, Pékin et Jehol, aujourd'hui Chengde). Ces réalisations constituent les exemples les plus accomplis de l'architecture éclectique sino-tibétaine qui, dans l'empire, avait déjà près de quatre siècles d'existence (Sections XI, XII).

Les textes chinois anciens (inscriptions, ouvrages historiques et littéraires) donnent de précieux renseignements sur ces monuments de style tibétain en Chine à l'époque des Qing[1]. Des sources étrangères existent également: références dans les textes tibétains[2], descriptions d'ambassadeurs, de missionnaires, de voyageurs et de spécialistes occidentaux[3]. A propos de Jehol (Chengde), il convient d'ajouter de nombreux écrits japonais[4] remontant à l'époque du Mandchoukouo (Manzhuguo) (1933-45).

L'intérêt pour Jehol s'est ravivé ces dernières décennies. La revue chinoise Wen wu (1956;1974) a mis l'accent sur l'éclectisme de cette architecture lié à la politique de pacification multinationale de l'empire des Qing. Deux amples monographies sur Chengde, publiées l'une en 1980 par l'Université de Pékin et l'autre en 1982 par l'Université de Tianjin, offrent une ample documentation[5].

Parallèlement, P. Mortari Vergara (1982) soulignait l'importance et retraçait l'évolution de l'architecture de «style tibétain» à l'époque Qing, mettant en évidence les antécédents, les limites et les différences de ces types de bâtiments par rapport à leurs modèles tibétains.

A propos de Jehol, A. Chayet (1985) précise cette conception, attirant l'attention sur le rôle d'intermédiaire que jouèrent les peintures d'architectures (voir Introduction).

Des raisons politiques incitèrent les empereurs mandchous à utiliser un langage architectural différent de la tradition monumentale chinoise qu'ils avaient par ailleurs adoptée[6]. La nouvelle dynastie tentait par l'intermédiaire du Lamaïsme de pacifier deux importants peuples non Han, les Mongols et les Tibétains. Cette politique prenait pour modèle le patronage religieux des Yuan, autre dynastie d'origine étrangère, et recréait sous une forme nouvelle les liens étroits qui unissaient la dynastie mongole aux Sakyapa. Qianlong, cependant, précise les limites de ce choix. Il n'est pas question de rétablir la suprématie dont avait joui le Bouddhisme tibétain à l'époque Yuan[7]. Le but avoué était d'attirer les Mongols dans l'orbite mandchoue, entre autres en desserrant les liens religieux et politiques qu'ils entretenaient avec le clergé tibétain, et parallèlement d'augmenter l'efficacité du protectorat chinois sur le Tibet même[8]. Ces intérêts strictement nationaux se répercutent dans le lexique architectural. Les complexes sino-tibétains édifiés par les Qing posséderont des plans d'ensemble purement chinois, même s'ils font référence aux sanctuaires tibétains les plus fameux, tels Samye, le Potala ou Tashilhunpo.

Il convient de rappeler que les Qing financèrent de nombreuses fondations bouddhiques en territoire mongol[9]. Ce mécénat a peut-être favorisé des emprunts réciproques et des échanges de main-d'oeuvre. les monuments «sino-tibétains» en Chine même étaient autant destinés aux princes mongols et à leur suite qu'aux pontifes tibétains; il n'est donc pas étonnant de retrouver dans ces architectures éclectiques certains traits communs avec les constructions mongoles de la même époque: axe Sud-Nord, enfilade de cours, édifices de style chinois au centre des complexes, courtines de maçonnerie édifiées selond des techniques chinoises mais possèdant un aspect tibétain, utilisation de la céramique vernissée. Ces rapports multiples

472

inciteraient à définir ce style particulier d'architecture comme «sino-mongolo-tibétain». L'absence d'un réel intérêt pour la culture tibétaine explique pourquoi les empereurs mandchous, à la différence des Mongols, n'édifièrent pas des monuments dans la pure tradition tibétaine.

Parallèlement ces fondations peuvent être rapprochées des autres adaptations d'architectures étrangères, par exemple occidentales, édifiées pour les empereurs mandchous. Leur emplacement par rapport aux résidences impériales, leur situation dans le paysage et même leur structure leur confèrent un aspect pittoresque, équivalent des créations rococo européennes de la même époque. Elle obéissent de plus aux fluctuations politiques de la cour et au goût des souverains. Elle peuvent ainsi être réparties en plusieurs phases.

LE TRADITIONALISME DE TAIZONG (1627-43) ET DE SHUNZHI (1644-61)

Les deux premiers empereurs mandchous copiaient dans leur première capitale Mukden (Shenyang), puis à partir de 1644 à Pékin, les modèles proposés par l'architecture monumentale des Ming[10]. Mais, obéissant à une coutume qui datait maintenant de plusieurs siècles en Chine même, ils édifièrent également des chörten, particulièrement à l'occasion de la visite de hauts dignitaires lamaïques.

Les quatre chörten de Mukden

fig. 257

Taizong, à l'occasion de l'ambassade menée par Ilauqiqsan Qutuqtu[11], fit construire quatre chörten à Mukden, hors de la ville, aux quatre points cardinaux, recréant ainsi le schéma d'un mandala[12].

Ces chörten présentent une typologie qui deviendra habituelle durant toute la période Qing: l'anda se resserre fortement à la base, donnant un profil élancé d'une grande élégance, accentué par un pinacle haut et étroit. Une niche (Yanguang men, Porte de la lumière des yeux), tournée vers le Sud, souvent polylobée, se contracture dans la partie inférieure. La corniche est sculptée avec finesse. Cette forme de chörten se retrouve à la même époque dans certains centres importants du Bouddhisme tibétain, du Ladakh à la Mongolie[13].

Il est probable que ce type nouveau soit antérieur à l'avénement de la dynastie et ait été conçu à une époque plus ancienne dans le monde lamaïque, peut-être suos l'influence de modèles portatifs[14].

Bai ta du Beihai, Pékin

fig. 258

Ce fut à l'occasion de la visite du Grand Ve (1652-1653), que l'empereur Shunzhi fit édifier des 1651 à Pékin un chörten blanc colossal sur l'Ile des hortensias (Qionghua dao) du lac Beihai. Cette construction possède presque les mêmes caractéristiques que les pagodes de Mukden, mais sa silhouette est encore plus élancée. Cette Baita est précédée d'un petit édifice recouvert de céramiques vernissées (Shanyin si) dédié à Yamantaka Mahâvajrabhairava, la divinité tutélaire (yidam) des Gelugpa et du Dalaïlama. Suivant les conceptions lamaïques, Pékin entière devenait ainsi le mandala de ce yidam[15].

Huang si, Pékin

La visite du Grand Ve donna lieu à d'autres aménagements. Ainsi, Shunzhi reconstruit le Huang si, au Nord de Pékin. L'enfilade des cours selon un axe Sud-Nord et la morphologie classique des pavillons (dian) s'inscrivent dans la pure tradition chinoise. Cependant la disposition particulière de deux pavillons latéraux, quoique fidèle à la planimétrie chinoise, peut évoquer un second axe Est-Ouest tel qu'on peut le trouver dans certains complexes mongols, comme celui d'Erdeni-Zuu (Sect. XIV).

Même pour l'édification de sanctuaires lamaïques, les deux premiers empereurs mandchous utiliseront de préférence le lexique architectural chinois. Seuls les chörten, suivront la tradition tibétaine.

DE L'ECLETISME DE KANGXI (1662-1722) A L'APOGEE DU STYLE TIBETAIN SOUS LE REGNE DE QIANLONG (1736-1785)

fig. 259

Kangxi le premier expérimenta des solutions architecturales nouvelles et variées dans sa résidence d'été de Jehol (Chengde), fondée en 1703.

Pushan si, Jehol

En 1713, on édifia le Pushan si (Temple de la bonté universelle), aujourd'hui ruiné. Malgré son plan typiquement chinois composé de quatre cours quadrangulaires se succédant selon un axe Sud-Nord, certaines descriptions anciennes mentionnent la présence d'éléments architecturaux tibétains mais sans les décrire précisément [16].

Kangxi qui restaura de nombreux temples bouddhiques à Pékin fit également construire des complexes lamaïques en territoire mongol, pour les Qalqa (Khalkha) à Dolon nur et pour les Aoqan (Aokhan) au Zhili. Les maîtres d'oeuvre chinois employés à ces programmes eurent ainsi connaissance des tendances éclectiques de l'architecture mongole (Sect. XIV). Ces contacts durent favoriser l'emploi d'éléments étrangers dans les chantiers impériaux en Chine même.

Son successeur Yongzheng continua cette politique de fondations monumentales. En particulier, il fit construire le monastère de Gonlung dans l'Amdo (Sect. X). Dans cette région proche de la Chine, certains bâtiments présentaient déjà un assemblage d'éléments architecturaux tibétains et chinois [17].

De tous les monarques mandchous, Qianlong fut celui qui édifia le plus de monuments de style «tibétisant» dans ses diverses capitales. Cette activité de bâtisseur coïncide exactement avec la succession des ambassades venant de Mongolie et du Tibet. Le voyage du Panchenlama en 1780 [18] marque l'apogée de cette politique concernant les Mongols et les Tibétains.

Puning si, Jehol

Le Puning si (Temple de la paix éternelle) fut édifié dans les années 1755-1756, pour fêter la trève temporaire établie en Zungarie et la visite des princes Oïrati [19].

Ce premier monument que Qianlong édifia à Chengde, sa résidence d'été, fait référence à un modèle tibétain précis, Samye, le sanctuaire le plus ancien et le plus vénéré du monde Tibétain. Cette fondation illustre avait déjà inspiré certains sanctuaires plus anciens, tant au Tibet qu'en Mongolie. La plupart conserve l'aspect éclectique de Samye dont les étages renvoient à des traditions architecturales différentes (Sect. V).

Le plan du Puning si présente des caractères purement chinois. Citons par exemple l'axe Sud-Nord, sur lequel s'articulent les trois cours principales et la disposition symétrique des édifices secondaires et des cours latérales. Seule la partie Nord de l'enceinte, au plan en demi cercle et ondulée, évoquent à la fois la muraille extérieure de Samye [20] et certains murs décoratifs des jardins chinois.

Dans les deux premières cours, les pavillons d'entrée, les tours du tambour et de la cloche, le pavillon de la stèle ont une disposition et un aspect purement chinois. Les constructions d'inspiration tibétaine ne se rencontrent que dans la troisième cour, évoquant certains des bâtiments de Samye. Citons par exemple les petits édifices à deux étages (bai tai), les temples du soleil et de la lune, les quatre chörten de différentes couleurs situés aux angles du Dasheng ge (Pavillon du grand véhicule), imposant édifice au centre du complexe inspiré de l'Utse de Samye.

fig. 260

Le Dasheng ge diffère cependant profondément de son modèle: l'axe qui commande l'ensemble de l'édifice est perpendiculaire à la direction générale Est-Ouest du temple tibétain. Le terrain légèrement en pente donne à l'étage inférieur un niveau asymétrique. Le plan et la morphologie de la construction sont différents.

Le plan de Dansheng ge n'est pas centré en mandala à la manière de Samye mais, comme un «ge» chinois traditionnel, est de forme rectangulaire. Seule la colonnade en bois en saillie sur la façade Sud et les deux avant-corps massifs de type «tibétain» à l'Est et à l'Ouest rappellent la forme en croix du modèle. Même si les étages inférieurs des façades Est et Ouest présentent une maçonnerie à la manière tibétaine, les deux autres côtés et les structures portantes en bois sont typiquement chinois, les murs tibétains ne jouant qu'un rôle décoratif. De plus tout l'édifice repose sur un podium cerné d'une balustrade selon les habitudes chinoises.

La différenciation typologique des étages du Samye a ici presque disparu. Les murs tibétains latéraux et la disposition en quinconce des toitures surmontées de pinacles renflés traditionnels en Chine, sont les seuls éléments qui renvoient à cette particularité fondamentale de l'Utse de Samye.

A Samye, le temple principal est entouré de bâtiments secondaires, répartis assez irrégulièrement en cercle. Les constructeurs chinois n'ont pas suivi cette disposition. Les édifices annexes sont disposés symétriquement par rapport au sanctuaire central. La face courbe de l'autel de la lune reprend la forme de l'édifice équivalent à Samye. D'autres présentent les mêmes distorsions de leurs façades latérales que leurs représentations dessinées [21] (voir Introduction). La couverture en terrasse des architectures tibétaines évoquait pour les Chinois des podiums (tai), d'où le terme «baitai», «podium (ou terrasse) blanc» par lequel ils désignent la plupart de ces édifices. Certains présentent un pavillon chinois par dessus leur terrasse tibétaine utilisée comme des soubassements colossaux.

fig. 261

Les chörten situés aux quatre angles du Dasheng ge, par leurs formes hétérodoxes pleines de fantaisie et par leurs décorations en céramique vernissée, renvoient au style rococo des Qing. Leurs soubassements cependant munis de porte à arcatures les rapprochent plus de certaines constructions de l'époque Yuan (Sect. XI) que des chörten-portes tibétains.

Anyuan miao, Jehol

Paradoxalement, parmi tous les temples édifiés par Qianlong à Chengde, celui qui ressemble le plus a certains modèles éclectiques du Tibet central est celui du Anyuan miao (Temple de la paix lointaine), édifié dans les années 1764-1765 sur le modèle d'un temple de Kulja. Ce dernier bâtiment, fondé au XVIème siècle dans la région de l'Ili, fut détruit par les Mandchous en 1756 lors d'un conflit avec les Dzungari [22]. Il n'existe aucune documentation sur ce dernier bâtiment mais il est certain que l'édifice principal du Anyuan miao, le Putu dian, par son plan carré orienté selon les points cardinaux et sa position au centre d'une cour entourée de trois murailles concentriques, reprend le schéma d'un mandala. Son axe Est-Ouest et la morphologie de son enceinte intérieure qui présentait des «murs habités» renvoient aux anciens modèles tibétains du type de Samye. Les deux étages inférieurs du temple central sont purement tibétains. Ils possèdent des murs à fruit caractéristiques mais qui n'assurent aucune fonction portante, ce rôle étant dévolu à des colonnes de bois englobées dans la maçonnerie. Cette solution purement chinoise se rencontrait déjà au deuxième niveau de Shalu (Sect. VII). De même l'articulation entre la maçonnerie, la charpente et la toiture est, dans ces deux édifices, comparable.

fig. 262

Les parties hautes du Putu dian sont purement chinoises. Cette juxtaposition formelle entre des étages inférieurs massifs à la tibétaine et un pavillon chinois se retrouve jusqu'à aujourd'hui dans les architectures mongoles de style «sino-tibétain». Songeons, par exemple, à l'édifice principal du complexe de Ganden, près d'Ulan Bator (Sect. XIV). Des rapports avec l'architecture des Yuan (Section XI) sont décelables dans certains accès monumentaux decorés en «porte de la victoire».

Putuo zongcheng miao, Jehol

Qianlong édifia le Putuo zongcheng miao, «Temple de l'école du Potala», de 1767 à 1771, sur le modèle du palais-monastère du Potala de Lhasa. La stèle d'entrée explique ses raisons:
«A l'occasion du soixantième anniversaire de ma naissance, du quatre-vingtième anniversaire de notre vénérable mère, l'Impératrice douairière, les princes mongols Khalkha du Kokonor et des tribus soumises sont venus en masse prêter hommage. J'ai ordonné la construction de cet édifice en témoignage de ma satisfaction» [23].

fig. 263
fig. 264

Le Potala de Lhasa épouse les formes de la colline du Marpori. Ici le temple s'étage sur plusieurs terrasses. D'ailleurs le terme général par lequel on désigne en chinois le bâtiment majeur (Dahong tai, la Grande terrasse ou podium rouge) indique bien la transposition opérée par les constructeurs chinois. A l'opposé du Potala, le soubassement n'est pas praticable mais est orné de fenêtres décoratives en trompe l'oeil. Le Palais rouge du Potala est lui-même transcrit par une grande enceinte géométrique aveugle, décorée également de fausses fenêtres et limitant une cour intérieure. Le Pavillon d'or (Wanfagui), exemple caractéristique de l'architecture Qing, en occupe le centre. Des galeries, aujourd'hui détruites, faisaient le tour de la cour, rappelant des dispositifs analogues au Tibet...
Sul le côté Est, une aile crépie en blanc, s'inspire du «Palais blanc» du Potala. Comme lui, elle est de plus petite taille que le «Palais rouge» et légèrement en retrait. La cour qui donne accès à ce bâtiment est située au Sud et non à l'Est comme à Lhasa. Sur le côté de l'entrée, un édifice qui devait servir aux représentations sacrées porte le nom de Xitai, «Pavillon du théâtre».
Plusieurs détails copient assez librement certains caractères du Potala. Citons par exemple les escaliers d'accès parallèles à la façade ou la superposition des rabsal, transcrits à Chengde par des «niches» de

fig. 265

céramique ornées de statues d'Amitâyus et surmontées d'un auvent chinois. Le bandeau d'attique est rendu par une série de niches en céramique. La tour ronde semi-circulaire (Chagril), à l'Ouest du Potala, est transformée ici en deux tambours superposés de taille décroissante. Les tours carrées aux angles de l'enceinte et les petits édifices «de style tibétain» (baitai) qui s'étagent sur la colline, veulent rappeler le village de Shöl au pied du Potala. Des portes monumentales (Dongfang wuta baita, Xifang wuta baita)

fig. 266

présentent un aspect singulier. Même, si elles se réfèrent au langage architectural des Qing, elle reprennent une ancienne typologie tibétaine et sont pourvues de cinq chörten alignés sur un même soubassement, renvoyant tout à la fois au complexe de Rabgyeling (Section VI) et à la porte Guoje ta (Section XI).
L'agencement des deux premières cours obéit à un axe Sud-Nord alors que toute symétrie est absente du complexe de Shöl. Cette symétrie rigoureuse s'arrête dans la partie intermédiaire, équivalent au Potala de la pente Sud de la colline du Marpori. Un chemin sinueux, à la manière des sentiers des jardins, conduit au temple principal. Son tracé irrégulier transcrit, dans ce contexte de villégiature impériale, les escaliers colossaux qui desservent le Potala de Lhasa.

Xumi fushou miao, Jehol

L'édification du Xumi fushou miao, «Temple du bonheur et de la longévité au mont Sumeru», dernier grand ensemble de style tibétain à Chengde, coïncida avec le voyage en Chine en 1780 du sixième Panchenlama (1738-1780).
Ce complexe est inspiré du monastère de Tashilhunpo, résidence traditionnelle des Panchenlama au Tibet méridional. L'inscription sur la stèle, à l'entrée du complexe, est explicite sur ce point:
«J'ai édifié ce temple en l'honneur du Panchen Erdeni qui vient me rendre visite. Il a été construit sur le modèle du temple de Tashilhunpo afin qu'il puisse également méditer intensément» [24].

fig. 267

Tout comme au Anyuan miao, la première cour répond aux canons traditionnels chinois. L'entrée principale (Shanmen), le pavillon de la stèle, les portails (Pailou) sont tous alignés le long d'un axe Sud-Nord. Une rocaille au fond de ce premier espace sert de transition avec la cour suivante. Cet élément emprunté à l'art des jardins souligne l'aspect volontairement pittoresque des temples de Jehol.

fig. 268

La seconde cour présente de nombreux éléments asymétriques et de taille différente. L'édifice central qui porte le même nom (Dahongtai, La terrasse rouge) que le temple majeur du Putuo zongchen miao, possède sa propre cour intérieure. Mais contrairement à cette imitation du Potala les façades sont animées par trois rangées de vraies fenêtres, à l'exception de quatre massifs de maçonnerie, dans les angles, invisibles de l'extérieur.

La cour centrale, présente un dispositif analogue à celui du Putuo zongchen miao, mais en plus complexe. Le portique qui fait le tour de la cour dessert une suite de pièces ouvrant sur l'extérieur par des fenêtres. Une deuxième construction de même type que la première mais légèrement plus petite, est accolée au côté Est du massif principal. Elle présente également un escalier monumental situé parallèlement à la façade. Les fenêtres tibétaines, trapézoïdales, abritées par des auvents, sont ici rendues par des ouvertures élégantes surmontées d'une toiture en céramique vernissée de style chinois. En haut des murs, des larmiers et des corniches rappellent des prototypes tibétains. Il en est de même de l'appareil de construction composé dans la partie inférieure, de pierre équarries et, au dessus, de briques crépies.

fig. 269

fig. 270

La juxtaposition des deux bâtiments principaux, l'aspect asymétrique de l'un par rapport à l'autre rappellent l'alignement légèrement irrégulier des temples de Tashilhunpo (Sect. IX). L'étroitesse des cours centrales entourées de portiques en bois à plusieurs étages est un autre emprunt aux traditions architecturales tibétaines. Le pavillon central, le Miaogao zhuangyuan dian, «Salle imposante et merveilleuse», n'est pas superposé à une terrasse comme les gyaphib tibétains mais repose directement au centre de la cour sur un podium selon les canons traditionnels chinois. Les dragons qui décorent les arêtes de la toiture du Miaogao zhuangyoan dian présentent une transposition chinoise des acrotères tibétains. La partie Nord du complexe redevient symétrique et ordonnée, confirmant ainsi le caractère étranger de l'ajout central, formé par le Duhongtai et ses annexes. Cette troisième grande cour comporte plusieurs Baitai et Dian. Dans l'axe du complexe se dresse une pagode chinoise de type classique en céramique vernissée (Liuli ta).

Le Xumi fushou miao représente peut-être un moment privilégié du goût pittoresque pour le style tibétain chez les architectes de Qianlong. Ce monument constitue l'un des temples les plus harmonieux de Jehol. L'ordre et le sens de l'espace se fondent ici d'une manière exemplaire. Cette perfection provient peut-être de la combinaison habile du plan traditionnel chinois constitué de cours successives et de l'asymétrie, de la majesté et de la sobriété ces éléments tibétains. De subtiles transitions permettent de fondre dans un ensemble homogène des éléments architecturaux a priori disparates.

Yonghe gong, Pekin

fig. 271

Le Yonghe gong est la construction bouddhique la plus importante réalisée par Qianlong à Pékin. Ce site était à l'origine la demeure de son père Yonghzeng avant que celui-ci ne devienne empereur. Il fut transformé en l'an 1745 en lieu de culte lamaïque [25]. Ce choix montre l'importance que Qianlong accordait au Bouddhisme tibétain. La présence d'un temple lamaïque, le Yuhua ge (Pavillon de la pluie de fleurs) dans l'enceinte du Palais impérial confirme également cette sollicitude impériale.

fig. 272

Dans la capitale, tous les bâtiments obéissaient aux normes chinoises traditionnelles. Qianlong n'y réalisa aucune construction copiée littéralement de l'architecture tibétaine. Le Yonghe gong ne déroge pas à cette règle et s'organise selon un plan de type chinois. Néanmoins la dernière cour présente deux alignements composés chacun de trois pavillons selon des axes Est-Ouest. Il convient également de mentionner les passerelles qui unissent le Wanfu ge (Pavillon des dix mille bénédictions) à deux annexes latérales qui s'inspirent de dispositifs analogues au Tibet et au Bhutan. Il en est de même des réductions d'édifice qui garnissent la ligne faîtière de la partie centrale du Falun dian (Salle de la roue de la Loi) qui renvoient aux gyaphib des monuments tibétains. Le même dispositif se retrouve, dans l'enceinte du Palais impérial, au Yuhua ge [26].

Les édifices de style tibétain des Collines Parfumées (Hsiang shan), Pekin

Les résidences d'été de la cour font apparaître une plus grande liberté dans leurs aménagements. La tradition tibétaine y est présente parallèlement à d'autres styles architecturaux «exotiques».

fig. 273

Le temple de Zhao miao peut se rattacher aux solutions architecturales qui avaient déjà été adoptées à Jehol. Il fut édifié pour accueillir en 1780 le sixième Panchenlama. Il imite lui aussi Tashilhunpo, mais n'est en fait qu'une copie simplifiée et de dimensions en peu plus réduites du Xumi fushou miao de Chengde.

Le Fang zhao (le Temple carré) et le Yuan zhao (le Temple rond) ressemblent davantage aux modèles du Tibet central, mais modifiés par le goût mongol. Les édifices principaux présentent des murs à fruit, des oriels et des fenêtres tibétaines mais le plan de l'ensemble de ces complexes est symétrique et ordonné selon les règles chinoises. Le Yuan zhao possède cependant une enceinte circulaire [27].

fig. 274
fig. 275

Il convient de citer également la Pagode du trône de diamant (Jingang baozuo ta) (1749) qui domine l'enfilade des cours du Temple des Nuages azurées (Biyun si). Cette construction est la réplique du temple de la Mahâbodhi à Bodhgayâ, comme certains édifices de l'époque Ming. La Jingang baozu ta possède un aspect encore plus chinois que le Wuta si (Sect. XII). Elle reprend cependant fidèlement de nombreux éléments

fig. 276

décoratifs tel l'arc au dessus de la porte d'entrée. Les cinq chörten et les pagodes de la terrasse sont plus élancés cependant que ceux du Wuta si. L'ensemble possède ainsi un aspect élancé, plus proche des shikara de la Mahâbodhi.

Les constructions édifiées près de Pékin qui sont le plus langage architectural tibétain, ne sont pas des complexes religieux mais des édifices militaires, série de fortifications et de tours dans le Parc des Collines Parfumées. Ces bâtiments furent édifiés pour entraîner les soldats à l'assaut des fortifications des marches occidentales. L'empereur explique dans une inscription les raisons tactiques d'un tel choix. Ces tours, caractéristiques du Tibet oriental (Sect. X), furent édifiées en partie par quatre-vingt prisonniers de guerre tibétains qui les utilisaient aussi comme logements [28]. Elles présentent des murs porteurs massifs et à fruit, sans décor, rythmés seulement par les encadrements trapézoïdaux des ouvertures.

Grand chörten en marbre du Huang si (Temple Jaune), Pekin

Ce cénotaphe, édifié en 1780 par Qianlong pour abriter les reliques du sixième Panchenlama, décédé à Pékin lors de sa visite à l'empereur [29]. Il se compose d'un grand chörten en marbre blanc flanqué de quatre

fig. 277

pagodes latérales de style chinois aux corps polygonaux, situées en quinconce sur un podium. G. Combaz nous signale la ressemblance de ce monument avec les anciens modèles indiens [30]. Il s'agit en effet d'une copie des prototypes bouddhiques que les Tibétains avaient empruntée à l'Inde et que l'on rencontre en Chine dès l'époque Yuan (Sect. XI). Le grand chörten central rompt avec le profil traditionnel de ce type de monument et tend vers une forme moins arrondie, plus verticale et plus géométrique. Les passages abrupts entre des surfaces planes, des panneaux sculptés avec vigueur et des corniches fortement en saillie ne manquent pas d'élégance. Les chörten allongés et anguleux de la terrasse de la Pagode du trône de diamant (Jingang baozuo ta) sont les antécédents directs de cette construction.

LA STAGNATION A L'EPOQUE DE CIXI (1835-1908)

Le déclin de la politique expansionniste des Qing qui s'exprimait également dans le domaine architectural, commença dès la mort de Qianlong.

Au XIXe s., contrairement à Kangxi et à Qianlong, l'impératrice Cixi n'accordera plus au style architectural tibétain la même valeur politique. La venue en 1908 du treizième Dalaïlama, n'engendra pas une grande activité de construction. On restaura cependant à cette occasion le Huang si, résidence traditionnelle des dalaïlama lors de leurs visites à Pékin.

Les constructions de style tibétain ne seront plus qu'une des composantes de l'éclectisme rococo des Qing et feront partie intégrante du langage architectural des palais d'agrément.

Wanshou shan, Pékin

fig. 278

fig. 279

La restauration ordonnée par l'impératrice Cixi vers 1888 du complexe tibétain édifié par Qianlong sur le côté Nord de la Colline de la longévité (Wanshou shan) [31] est caractéristique de la période. Les petites constructions de type baitai et les chörten aux formes pleines de fantaisie, renvoient aux édifices mineurs des temples extérieurs de Chengde. Malgré leur aspect, ils s'inscrivent dans des plans purement chinois.

Il faut cependant noter que les édifices tibétains occupent le versant Nord de la colline qui était considéré comme funeste et d'importance secondaire. Sur le flanc Sud, face au lac, des constructions de style chinois occupent une position privilégiée. Cette hiérarchisation des styles est symptomatique de l'attitude ambiguë des souverains mandchous pour les architectures «barbares», même adoptées [32] Tous les édifices de style tibétain, élevés à l'époque Mandchous obéissent aux règles strictes de l'ordonnancement de l'espace chinois. Leur caractère «exotique», rarement architectonique, parallèlement à leur fonction politique, n'est conservé qu'à des fins pittoresques.

SECTION XIII - NOTES

1 Qing shilu, ed. 1937; Qing shigao, ed. 1977; Yuzhi Bishushanzhuang, 1741; Qinding rehe zhi, 1781, 1980.

2 CHAYET, 1985, p. 18.

3 FRANKE, 1891, 1902; FRANKE, LAUFER, 1914; VAN OBERGEN, 1931-32; HEDIN, 1932; ECKE, 1933; FISCHER, 1940; LESSING, 1942; HUMMEL, 1955; BOYD, 1962; MALONE, 1966.

4 SEKINO, TAKESHIMA, 1934; SEKINO, 1935; MURATA, 1944; HONDA, CEADEL, 1955.

5 Chengde Bishushanzhuang, 1980; Chengde guijanzhu, 1982.

6 MORTARI VERGARA, 1978, p. 184.

7 MORTARI VERGARA, 1982, pp. 8-9, p. 33.

8 JAGCHID, 1980, p. 99.

9 CHAYET, 1985, p. 78-79.

10 MORTARI VERGARA, 1982, p. 9-10.

11 ROCKHILL, 1910; KOLMAŠ, 1967, p. 35.

12 MORTARI VERGARA, 1982, p. 13.

13 MORTARI VERGARA, 1982, p. 35.

14 DIEUX ET DEMONS DE L'HIMALAYA, 1977, p. 274, fig. 353.

15 LESSING, 1956; MORTARI VERGARA, 1982, p. 13.

16 MORTARI VERGARA, 1984, p. 15.

17 MORTARI VERGARA, 1976, p. 235.

18 ROCKHILL, 1910, p. 41; KOLMAŠ, 1967.

19 HEDIN, 1932, p. 80-82.

20 CHAYET, 1985, p. 29.

21 CHAYET, 1985, p. 95.

22 FRAN KE, 1902; VAN OBERGEN, 1931-32; HEDIN, 1932, p. 67-72; ECKE, 1933; SEKINO, 1935; FISHER, 1940; WEI CHIN, LI KUNG, 1974; Chengde Bishushanzhuang, 1980; Chengde gujanzhu, 1982; MORTARI VERGARA, 1982, p. 19; CHAYET, 1985, p. 35-39.

23 HOLMES, 1805, p. 154; FRANKE, 1902, p. 54; COMBAZ, 1912, p. 94-97; BOERSCHMANN, 1926, p. 38; VAN OBERGEN, 1931-32; HEDIN, 1932; ECKE, 1933; SEKINO, 1935; FISCHER, 1940; HUMMEL, 1955, p. 44 segg.; WEI CHIN, LI KUNG, 1974; Chengde Bishushanzhuang, 1980; Chengde guijanzhu, 1982; MORTARI VERGARA, 1982, p. 19-21; CHAYET, 1985; p. 41-46.

24 FRANKE, 1902; COMBAZ, 1912; VAN OBERGEN, 1931-32; HEDIN, 1932; ECKE, 1933; SEKINO, 1935; FISCHER, 1940; HUMMEL, 1955; p. 44 segg.; WEN WU, 1959 n. 7, p. 20-22; WEI CHIN, LI KUNG, 1974; Chengde Bishushanzhuang, 1980; Chengde gujanzhu, 1982; MORTARI VERGARA, 1982, p. 21-24; CHAYET, 1985, p. 48-50.

[25] BOUILLARD, 1931; LESSING, 1942; HUMMEL, 1955; MORTARI VERGARA, 1982, p. 24-25.

[26] MORTARI VERGARA, 1982, p. 25.

[27] MALONE, 1966, p. 131; MORTARI VERGARA, 1982, p. 26.

[28] MALONE, 1966, p. 128-131; MORTARI VERGARA, 1982, p. 26.

[29] COMBAZ, 1912, p. 104; BOERSHMANN, 1925, rev. 335, 1926, p. 12; TOKIWA, SEKINO, 1926-38, vol. V, t. 145; COMBAZ, 1932-33; HUMMEL, 1954, p. 3-32, abb. 4; MORTARI VERGARA, 1982, p. 26-27.

[30] COMBAZ, 1932-33, p. 287.

[31] FAVIER, 1897, p. 10, 15; MALONE, 1966, p. 109-124, p. 233-240; MORTARI VERGARA, 1982, p. 29-30.

[32] MORTARI VERGARA, 1982, p. 30, 47, n. 173, 174.

OUVRAGES GENERAUX

BOERSHMANN 1925, 1926; BOYD, 1962; CHAYET, 1985; Chengde Bishushanzhuang, 1980; Chengde gujianzhu, 1982; HEDIN, 1932; HUMMEL, 1955; LESSING, 1942; MALONE, 1966; MORTARI VERGARA, 1982; MURATA, 1944; SEKINO TAKESHIMA, 1934; SEKIN0, 1935; WEI CHIN LI KUNG, 1974; Qinding rehe zhi, 1781, 1830; Qing shigao, 1977; Qing shilu, 1937; Yuzhi bishushanzhuang shi, 1741.

SEZIONE XIV

L'ARCHITETTURA DI STILE TIBETANO IN MONGOLIA (XVI-XX SEC.)

Egly Alexandre

La storia dell'architettura mongola è ancora poco conosciuta e la problematica della sua evoluzione cronologica è difficile da studiare per molteplici ragioni: i rari viaggiatori dei secoli passati, che ci hanno lasciato le relazioni dei loro viaggi, hanno generalmente trascurato questo aspetto della cultura mongola. Per i ricercatori occidentali non si può negare d'altronde il problema della barriera linguistica: la maggior parte dei documenti esistenti sono in mongolo o in russo, e gli archivi dei monasteri superstiti sono generalmente inaccessibili. Bisogna inoltre tener conto della distruzione quasi totale dei monumenti religiosi e dei palazzi, in particolare all'inizio del nostro secolo durante il periodo dei grandi disordini che avrebbero diviso in due la Mongolia, politicamente se non culturalmente, con il risultato della creazione nel 1924 di una Repubblica Popolare per le zone settentrionali, e di una provincia autonoma cinese per la Mongolia chiamata, da allora, «Interna». Prima del 1918 esistevano in Mongolia 2.500 edifici religiosi e 30.000 lama; nel 1937 l'architetto Maidar contava un totale di 737 costruzioni nella Repubblica Popolare della Mongolia dove soltanto 5 monasteri lamaisti — di cui uno in funzione — sussistono al giorno d'oggi. Questo vasto territorio di 1.565.000 kmq. — tre volte la Francia — e popolato da 1.800.000 abitanti, confina a nord con l'Urss per 3.000 km., e a sud e ad est con la Cina e il Tibet per 4.600 km.. La diversità delle etnie che vi si sono susseguite da più di due millenni non ha impedito l'unificazione di queste zone in un solo stato, la Mongolia, che, attraverso i secoli, avrebbe allacciato inevitabili rapporti con le culture limitrofe.

fig. 280

Bisogna anche ricordare che l'architettura peculiare di queste popolazioni nomadi di pastori dell'Asia centrale non poteva essere che mobile. La iurta (ger), tenda rotonda, smontabile, con una armatura in legno ricoperta di feltro, è la sola tradizione architettonica propria dei Mongoli.

In questa relazione, che ha lo scopo di dimostrare l'influenza del Tibet sull'architettura mongola, potrebbe sembrare inopportuno ricordare quest'elemento esclusivamente locale. Ma nell'architettura mongola posteriore, sedentaria, che si svilupperà a partire dal XVI sec., gli architetti mongoli non dimenticheranno quella tradizione architettonica del loro passato turco-mongolo.

Lo studio dell'architettura in Mongolia sarà dunque legato alle vicende politiche, economiche, religiose e sociali della sua lunga e complessa storia.

Le prime tracce di architettura sedentaria riguardanti l'«urbanizzazione» sono le rovine di città fortificate, a partire dall'VIII sec.: una popolazione di prototurchi, gli Uiguri, aveva costruito una «città», Qara Balgasun (Khara-Balgasun), non lontano dal luogo in cui, quattro secoli più tardi, dopo l'unificazione degli «Imperi delle steppe» nel XIII sec., sarebbe nata la prima capitale dell'Impero Mongolo, Qaraqorum (Kharakhorum) di cui restano soltanto rovine. Non si può però descrivere dettagliatamente l'urbanistica in Mongolia se non dopo il XVI sec., allorquando l'architettura costruita sarà sufficientemente documentata con lo sviluppo dell'architettura religiosa. Infatti è intorno ai monasteri che inizialmente si costituiranno i grandi centri urbani.

I grandi momenti della storia della Mongolia sono quelli dei contatti diretti e delle reciproche influenze che ne derivano con i suoi due potenti vicini, il Tibet e la Cina.

Nel XIII sec., Činggis Qan (Gengis Khan) fonda l'Impero Mongolo, uno dei più grandi che il mondo abbia mai conosciuto. Suo nipote, Qubilai Qan (Kubilai Khan), conquisterà la Cina nel 1279 e vi fonderà la dinastia degli Yuan (Sez. XI). Un primo contatto si stabilisce fin da allora tra i Mongoli e il Tibet quando l'Imperatore invita a Corte il grande abate dei Sakya, Phagpa, e si converte con tutta la Corte, proclamando il lamaismo una delle religioni ufficiali della Cina. Ma gli Yuan ne verranno scacciati, meno di un secolo dopo, e questa prima introduzione de «La religione» avrà un impatto relativo sui territori dell'antico Impero Mongolo, diviso e lacerato da lotte fratricide.

Lo sviluppo di una architettura sedentaria mongola, che sarà quasi esclusivamente religiosa, inizierà effettivamente soltanto nel XVI sec., quando, nel 1577, un principe dei Tushetü, Altan Qan (Altan Khan), si convertì al lamaismo con tutto il suo popolo, dopo la visita del capo religioso dei Gelugpa, Sönam Gyamtso, venuto dal Tibet. Da allora, ai legami già esistenti con la Cina — che si erano mantenuti nonostante i ripetuti scontri con i successori degli Yuan, i Ming — si aggiungeranno rapporti politici e religiosi stretti e durevoli con il Tibet; e questa nuova introduzione del lamaismo, che si sarebbe poi diffuso in tutta la Mongolia, sarà all'origine di un grande sviluppo delle costruzioni religiose sedentarie. Dal XVI al XX sec. si moltiplicheranno i templi e monasteri, che diventeranno vere e proprie città, in possesso di grandi ricchezze, unici centri culturali ed economici del paese. Poi, dal XVII sec., nel 1644 con l'avvento al trono di Cina dei Manzhu (Manciù) — questi «cugini» dei mongoli che sarebbero divenuti loro signori — i legami tra i due stati si rafforzano nuovamente. Gli Imperatori Manzhu privilegiano il feudalesimo e la potente Chiesa Lamaista per mantenere politicamente dipendente un paese impoverito da due secoli di guerra, e finanziano con i loro fondi la costruzione di numerosi monasteri. Agli architetti, scultori e pittori mongoli e tibetani, si aggiungeranno gli artisti cinesi.Questa convergenza di apporti diversi avrebbe paradossalmente dato luogo ad una architettura specificamente mongola, la cui originalità risiede nella capacità di integrare influenze straniere ad antiche forme nazionali. Questa «architettura composita» sarà una caratteristica mongola, sconosciuta ad alcune popolazioni nelle altre zone dell'Asia del nord. Nel loro insieme, dal XVI al XX sec., le costruzioni architettoniche degli inizi di questa architettura sedentaria, si perpetueranno, con immutata continuità, sia nella concezione religiosa dei monumenti, che negli stili. Quindi è molto difficile ricostruire l'evoluzione cronologica tanto più che, durante quei secoli, i restauri raccomandati nei testi religiosi — già nel Kanjur tibetano — impediscono spesso una datazione precisa e che gli annali dei monasteri sono molto spesso scomparsi nella bufera delle guerre.

* * *

Ma prima di accostarci più in dettaglio ai monumenti religiosi, sono necessarie alcune indicazioni di carattere generale, comuni a tutti i monasteri della Mongolia, senza considerare le frontiere politiche.

1 — I monasteri lamaisti sono di tre tipi: i «Kürij-e», i «Süme» ed i «Kejid». Ognuno di essi è denominato in funzione della sua destinazione:

- nei «Kürij-e», spesso a pianta circolare — ricordo delle orde, gli accampamenti del passato nomade — poi, in seguito quadrata, circondati da un recinto si raggruppano intorno al tempio principale centrale le abitazioni permanenti dei lama ed i vari edifici di culto e di servizio (cucine, magazzini e collegi per l'insegnamento di varie discipline).

- Nei «Süme», termine che significa «tempio per un idolo», i monaci nomadi delle steppe non abitano sempre, ma si riuniscono in determinati periodi per celebrare il culto della divinità.

- Il «Kejid» è il luogo di residenza dei monaci-eremiti che vivono in contemplazione.

In realtà, con il tempo queste denominazioni originali sono state confuse e A.M. Pozdneiev [1] lo annota nel suo diario di viaggio del 1878-1879.

2 — Generalmente i complessi monastici, come nelle tradizioni tibetane della stessa epoca, sono situati su delle alture; al contrario i Kürij-e sono costruiti su di un terreno piano quando la loro pianta è costituita da una superficie circolare o quadrata racchiusa in un recinto di mattoni cotti. In questo caso, il tempio principale si trova al centro, con la facciata rivolta a sud, come voleva l'antica tradizione per le iurte.

Ma, se l'orientamento verso sud fa effettivamente parte delle antiche tradizioni della Mongolia, non è sempre stato così in questi territori. All'epoca dei Tu Jue, (T'u-chüeh) nel VII sec., l'orientamento simbolico era ad est. E' solo dopo l'840 che gli Uiguri adottarono l'orientamento a sud per le loro costruzioni, influenza questa forse venuta dalla Cina [2].

Più numerosi sono i monasteri costruiti sul pendìo di una montagna, solitari, generalmente inseriti in una natura selvaggia. Il tempio principale, consacrato alla divinità tutelare, si trova allora sulla sommità, gli altri templi, le abitazioni dei lama e le costruzioni di servizio sono scaglionati verso il basso. Se il pendìo è troppo ripido, le costruzioni sono poste su di una terrazza artificiale di pietra.

3 — La pianta di questi complessi monastici è generalmente di due tipi:

- ispirata al modello tibetano: il tempio principale posto al centro, e gli altri edifici di culto, le abitazioni ed i servizi disposti in modo asimmetrico all'interno del recinto sacro, o su un terreno piatto oppure su un pendìo; come, ad esempio, il grande monastero di Wudang Zhao nella Mongolia Interna.

- Derivata dalle piante dell'architettura cinese: gruppi di edifici separati da cortili in successione, secondo un orientamento sud-nord, come il complesso intorno ai templi di Abatai Qan a Erdeni-Zuu.

Tutti i Monasteri hanno un tempio principale (gol süme); dove si svolgono gli uffici religiosi, ed un'ampia sala di riunione per i monaci (cogcin). Talvolta questi due edifici si confondono e, uniti, assumono l'aspetto di un grande tempio. Lo spazio interno dei templi è diviso da colonne in tre o cinque navate. Sul muro di fondo, di fronte all'ingresso, troneggiano le statue delle divinità principali, di bronzo dorato, di cartapesta ricoperta di pittura laccata o di terracotta dipinta e talvolta dorata.

Bisogna segnalare l'assenza, in generale, di soffitti veri e propri, sconosciuti nella tradizione mongola. Quando la presenza di un soffitto si rendeva necessaria, venivano utilizzati dei tralicci ricoperti di carta o di tessuto e di gesso, disposti a cassettoni dipinti e decorati.

4 — La costruzione dei monumenti religiosi obbedisce a regole precise, nello stesso tempo imposte dalla dottrina buddhista e dalle disposizioni politiche, promulgate più tardi dall'Imperatore Manzhu.

Come in India nel passato, trattati rigorosi, di composizione, di geometria e di iconometria, fissavano gli schemi formali, sia per la costruzione di un monumento che per le tecniche e il suo aspetto estetico. Il severo rispetto di queste leggi era stato codificato in Mongolia da trattati, generalmente tradotti o derivati dai testi sacri indiani o dal Kanjur tibetano. A questo proposito, possiamo brevemente ricordare, tra le altre, le opere del Khombo Ichbajir (1704-1788) che scrisse un trattato sui rapporti delle proporzioni degli edifici e del corpo umano; di Agvantseran (1785-1849), i cui lavori si basano in larga misura sui «Metodi di costruzione e di restauro dei templi». Quest'opera tratta, con la medesima attenzione, della scelta del luogo della costruzione dei templi, di quella dei materiali, delle regole di costruzione, delle più piccole particolarità tecniche e di altri dettagli, fino a stabilire la funzione di ogni monumento e ad esigere restauri regolari in quanto i templi devono essere «eterni»[3].

Bisogna anche parlare del cerimoniale che accompagna la fondazione e la costruzione degli edifici di culto.

Come nel Tibet il ruolo dei rituali, poi quello della consacrazione dei templi, sono parte integrante di questa architettura. I riti che precedono l'elevazione di un tempio iniziano almeno un anno prima della posa della prima pietra[4]. Una delegazione di monaci viene mandata alla capitale, Urga, dal Khombo, affinchè gli astrologi decidano il luogo della costruzione. A volte questi ultimi preferiscono decidere in situ, con preghiere e divinazioni.

Il luogo sacro verrà scelto in funzione dell'ambiente naturale: collina, steppa, corsi d'acqua ed altri elementi. Si pensi alla pratica millenaria della geomanzìa cinese, il feng shui. I monaci dovevano far fronte ad una duplice esigenza, quella di non irritare gli spiriti della natura, ma anche quella di stabilirsi vicino a pascoli, indispensabili per le loro ricche mandrie. Dopo nuovi rituali e sacrifici, si stabilisce il luogo, anche se distante, dove si troveranno i materiali «predestinati». Allora i lama, con nuove offerte compiono la consacrazione del terreno. Poi, il più anziano di essi traccia la pianta dei muri di cinta servendosi del corno di una specie di muflone, l'orongo; al centro viene seppellito un recipiente d'oro, d'argento o di rame, contenente gemme e metalli preziosi, preghiere magiche e aromi per conciliarsi gli spiriti della terra. Il capomastro può allora iniziare la costruzione dell'edificio.

Ma, all'epoca della dominazione dei Manzhu, c'era un'altra regola laica da rispettare: quella di non erigere un monastero in luoghi in cui avrebbe potuto danneggiare i campi coltivati.

In effetti, i monasteri mongoli avevano origini differenti. Il finanziamento per la loro costruzione proveniva sia dai Qutuqtu, i grandi abati reincarnati dei monasteri, sia dalle donazioni di ricchi signori feudali, sia da collette effettuate fra la popolazione — pratica già menzionata dal Padre Huc a metà circa del XIX secolo — [5], ma anche, l'abbiamo visto, dai fondi dell'imperatore della Cina. Queste diverse provenienze avrebbero influito sugli stili architettonici. I capomastri mongoli, custodi delle loro tradizioni, collaborando con gli architetti cinesi e tibetani, avrebbero creato, in una felice sintesi di apporti stranieri, una architettura composita, che si può definire «mongola». Anche se grazie alle elargizioni dell'Imperatore della Cina, l'architettura di stile cinese avrebbe prevalso, nondimeno l'influenza del Tibet doveva svolgere un ruolo importante. Si possono distinguere tre stili, utilizzati dai mongoli.

fig. 281

1 - Quello puramente «tibetano».

2 - Quello «mongolo-tibetano» che abbina ai monumenti di stile tibetano il ricordo dell'architettura mobile, peculiare del passato mongolo, la iurta.

3 - Quello «sino-tibetano» che unisce stile tibetano ed apporti cinesi.

1 - I MONUMENTI DI «STILE TIBETANO»

Sono stati quasi tutti distrutti. Hanno fatto proprie le caratteristiche di questo stile straniero: monumentalità, aspetto severo di quelle architetture dalle mura massicce a scarpa, a due o tre piani, con tetti piatti terrazzati. La facciata è tripartita, asimmetrica, la parte centrale rientrante o aggettante. Le aperture sono strette finestre allungate, bordate da un riquadro di legno nero. Il fregio che sormonta il tempio è anch'esso di legno, formato da fasci di arbusti posti di taglio e pareggiati, come nel Tibet. Quanto ai muri, gli architetti mongoli talvolta li costruivano con travi di legno, secondo la loro antica tradizione, ma li ricoprivano di strati di gesso e li imbiancavano a calce per imitare la pietra. In realtà, utilizzavano anche la pietra, che i tibetani gli avevano fatto adottare ed anche i mattoni. Ma negli edifici mongoli, i mattoni saranno cotti, secondo la tradizione locale confermata dai forni per la cottura ritrovati vicino ad Erdeni-Zuu (XVI sec.). Sappiamo che nel Tibet venivano generalmemte usati i mattoni crudi.

fig. 282

Il più antico monumento di questo stile costruito in Mongolia è forse il tempio di *Ikhe-dugun* (1644) nel monastero di *Breven-Kejid*, ora distrutto. Il *Labrang* che esiste ancora oggi, palazzo ed edificio di culto del Bogdo Gegen, fu costruito verso la metà del XVIII sec. poi sopraelevato di due piani nel 1785. Esso è sito nel monastero di *Erdeni-Zuu*, uno dei primi — forse il primo — complesso monastico di quest'epoca in Mongolia, fondato nel 1586 non lontano da Qaraqorum, da Abatai Qan.

fig. 283

Come tutti i grandi monasteri, Erdeni-Zuu è circondato da un recinto quadrato di 400 metri di lato. Costruito originariamente in terra e ghiaia (1743), fu ricostruito con mattoni cotti imbiancati a calce nel 1804 e punteggiato da 108 piccoli suburgan di pietra. Questa pianta quadrata è di tradizione mongola. In effetti, dopo una pianta circolare originaria la iurta-tempio mobile, quando diventerà tempio sedentario ed in legno, adotterà una pianta quadrata che diventerà poi frequente nella architettura sedentaria per tutti i grandi Kürij-e. A Erdeni-Zuu, quattro porte ai quattro punti cardinali, consentono l'accesso all'area sacra. Numerosissimi templi vi furono edificati per più di tre secoli. Rimangono ora soltanto i tre templi di Abatai Qan, di stile cinese (1586); il tempio del Dalailama, di stile sino-tibetano (1765); il Labrang (XVII sec.); il Bodhi-Suburgan (XVIII sec.); i due suburgan-tombe di Abatai Qan e di suo figlio (XVII sec.). Gli edifici di servizio, di riunione per i monaci, «università», e le abitazioni dei monaci, sono oggi scomparsi.

fig. 284, 285

Templi di stile tibetano costellavano i territori dell'antica Mongolia, da una parte e dall'altra delle frontiere attuali tra le due Repubbliche, Mongola e Cinese. Prendiamo ad esempio il grande complesso monastico di *Wudang zhao* fondato nel 1749) sotto il regno di Qianlong, nella Mongolia Interna, a circa 60 Km. a nord-ovest di Baotou: esso raggruppa un insieme di edifici di stile puramente tibetano, disposti sul dolce pendio di una collina a fianco della valle. Sull'asse centrale si susseguono dal basso in alto i templi consacrati alle divinità principali. Shakyamuni, Yamantaka e alla sommità Tsongkhapa. Questi tepli sono decorati con dipinti murali sulla parte centrale rientrante della facciata tripartita, e all'interno. Da una parte e dall'altra sono disseminate senza ordine le abitazioni dei monaci, tra cui quella del «Buddha vivente», edifici di servizio, collegi e persino la prigione per i religiosi indisciplinati.

2 - I MONUMENTI DI STILE «MONGOLO-TIBETANO»

fig. 286

Il tempio di Maidari distrutto nel 1938, sorgeva nel *monastero* di *Kürij-e*, residenza nomade del Bogdo Gegen dal 1651, prima che fosse stabilita sulle rive della Tola e diventasse il primo centro urbano, Urga, la futura Ulan-Bator. Eretto inizialmente in stile «cinese», di legno, dal lama Agvaanxaidav, nel 1834, crollò subito. La leggenda vuole che il Dalailama informasse la delegazione di monaci mongoli che si erano recati nel Tibet per scoprirne le cause, che Maidari voleva essere venerato soltanto in un tempio di «stile tibetano». Il tempio fu quindi ricostruito, tra il 1855 e il 1869, in stile «mongolo tibetano». Questa forma architettonica di edifici apparsa, sembra, all'inizio del XIX sec., o forse un po' prima, ospitava fino alla sua recente distruzione la statua colossale del Buddha del futuro. Su di un massiccio corpo «tibetano» — in travi di legno, secondo l'antica tradizione mongola, ma imbiancate a calce per imitare la pietra — un tetto piatto era sormontato da una sovrastruttura di legno dipinto, a forma di iurta, ricordo del passato architettonico nazionale.

I templi di questo stile sono i meno diffusi. Possiamo tuttavia menzionare, nella provincia del Gobi del sud, quello di Maidari, nel *monastero di Kürij-e Kejid* (distrutto).

3 - I MONUMENTI DI STILE «SINO-TIBETANO»

fig. 287

Il tempio del Dalailama nel monastero di *Erdeni-Zuu* fu eretto nel 1675. Esempio di questa architettura composita, di stile «sino-tibetano», splendente di rosso mattone e d'oro, si eleva su di un piccolo basamento di pietra. Il corpo dell'edificio, costruito con pietre, come nel Tibet, e con mattoni cotti, è a pianta quadrangolare, con una copertura a terrazza. Ma su questo coronamento piatto, sorge un «padiglione cinese» a tetto incurvato a quattro falde che poggia su dodici colonnine rotonde. Un immenso kürdü di rame dorato brilla al di sopra della piccola tettoia posta sopra all'ingresso della facciata principale.

fig. 288

Il tempio Gungir-datsan (XVIII sec.?). Ora distrutto, fu eretto nel *monastero di Zaja-jin Kürij-e* — forse uno dei primi monumenti costruiti nello stile «sino-tibetano» — tecnica esemplare dei capomastri mongoli che, come abbiamo visto, utilizzavano i mattoni cotti, imbiancati a calce, per la costruzione del muro della parte inferiore, leggermente a scarpa. Il portico centrale di legno, sulla facciata principale, è particolarmente colorato e riccamente decorato. Le finestre, alte e strette, si aprono a poca altezza dal suolo.

fig. 289

Il tempio principale (gol süme) (XVIII sec.), di stile «sino-tibetano», del *monastero di Manzusri-Kejid* fondato nel 1733 sul versante sud del monte sacro, il Bogdo-Ula, è ora distrutto. Le mura del corpo inferiore, «tibetano», erano di travi di legno ricoperte di argilla, imbiancate ad imitazione della pietra. Si eleva su di una terrazza di roccia erratica integrandosi perfettamente con il paesaggio pietroso della montagna. Il «padiglione cinese» sopraelevazione su di un tetto piatto, è un'aggiunta recente. Due ganzir, cilindri di rame dorato di derivazione tibetana, contenenti preghiere e formule magiche, erano fissati sul tetto, al disopra del portico della facciata principale.

fig. 290

Il piccolo *tempio «sino-tibetano» recente* (XX sec.), che racchiude gli archivi dell'antica *residenza estiva del Bagdo Gegen a Ulan-Bator* — palazzi e luoghi di culto edificati in un recinto, costruiti nel 1832 — ricorda la continuità degli stili nel tempo e di conseguenza l'impossibilità di ricostruire una cronologia precisa.

I suburgan mongoli sono gli eredi diretti dei chörten tibetani, depositari di oggetti sacri e di reliquie di santi, o loro tombe, monumenti venerati quanto il loro primo capostipite, lo stûpa indiano.

fig. 291

La forma architettonica che si incontra più di frequente è quella del *Bodhi-Suburgan,* Suburgan sacro — chiamato Stûpa d'oro — edificato nell'area sacra del Monastero di Erdeni-Zuû nel 1799, in occasione del giubileo del quarto Bogdo Gegen. Costruito con pietre, dipinto di bianco, alto dieci metri, si erge su di una terrazza, ed è riccamente decorato con dorature e medaglioni di terra smaltata. Su di uno di essi, un leone mitico, ispirato alle ornamentazioni dei chörten tibetani, che si ritrova nel Ladakh sul grande chörten all'entrata di Leh o nel Monastero di Lamayuru. Sulla sua sommità si trova anche il monogramma mistico del Buddhismo tantrico, sormontato dalla luna, dal sole e da una fiamma. Si dice racchiuda la mummia dorata di un grande lama, usan-

fig. 292

za questa di origine tibetana.

Di diversa concezione sono i suburgan-tombe di Abatai Qan e di suo figlio, a Erdeni-Zuu (XVII sec.). Questo genere architettonico, presente nel Tibet, che si incontra nel Ladakh e già nella Cina dei Tang (VII sec.), sembra essere stato poco apprezzato in Mongolia: il corpo della costruzione, quasi cubico, leggermente a scarpa, di pietra, dipinto di bianco sorregge, su di una piattaforma una sovrastruttura simile, in miniatura, con tetto spiovente ricoperto di tegole smaltate, sormontato da un ganzir di rame dorato.

Questa relazione, troppo breve ed orientata in una particolare direzione, non può non essere lacunosa, ma vorrebbe ricordare che, nonostante le forti influenze tibetane, il merito degli architetti mongoli è di aver saputo creare, assimilando apporti stranieri, tibetani e cinesi, innestati su tradizioni nazionali, una felice sintesi e, pur sottolineando i contrasti, un'unità estetica ed un'originalità che permettono di denominare quest'architettura, «mongola». Già a metà del XIX sec. Padre Huc osservava queste specificità nella relazione del suo viaggio: «Sarebbe difficile dire a quale ordine architettonico conosciuto possano ricollegarsi i templi buddhisti della Tartaria».

NOTE DELLA SEZIONE XIV

[1] POZDNEIEV, 1962, p. 28, (traduzione inglese).
[2] PRITSAK, 1954, p. 376-383.
[3] MAIDAR e PIOURVEIEV, 1982, pp. 117 a 19.
[4] POZDNEIEV, 1978, pp. 49 a 53, (traduzione inglese).
[5] HUC, 1962, p. 76.
[6] HUC, 1962, p. 177.

BIBLIOGRAFIA GENERALE

ALEXANDRE, 1979; DARS, 1972; GADJIN, 1980; JOUGDER, 1962; KISSELIEV, 1965; KOZLOV, 1947; MAIDAR, DARSUREN, 1970, 1981; MAIDAR, DARSUREN, 1976; MAIDAR et PIOURVEIEV, 1982; MILLER, 1959; nei mongu gu jan zhu, 1959; PALLADIUS, 1894; POZDNEIEV, 1961, 1977, 1978; PERLEE, 1972; PRIP-MØLLER, 1937; STEIN, 1957; UNDRAH, 1972; WADDEL, 1978.

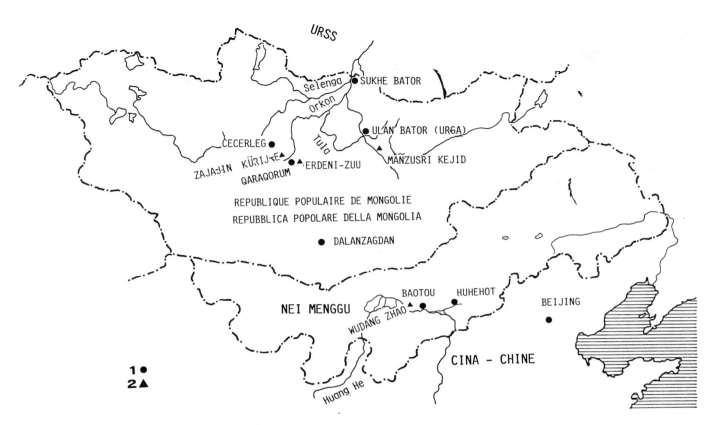

fig. 280 - Carta della Republica Popolare Mongola e della regione autonoma della Mongolia interna: 1, città; 2, monasteri (E. Alexandre, R. Astolfi).

fig. 280 - Carte de la Répubblique Populaire de Mongolie, et de la région autonome de Mongolie intérieure: 1, villes; 2, monastères (E. Alexandre, R. Astolfi).

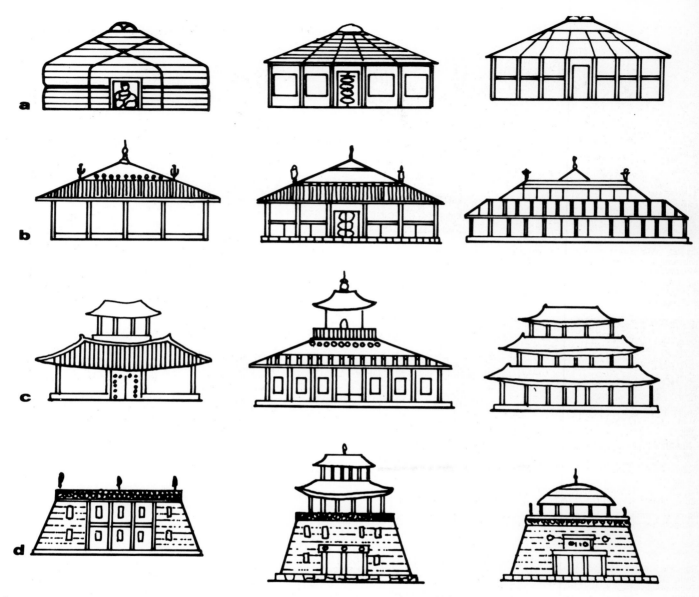

fig. 281 - Evoluzione degli stili architettonici mongoli: *a*, yurta (ger); *b*, stile mongolo; *c*, stile sino-mongolico; *d*, stile tibetano, sino-tibetano e tibeto-mongolico; (R. Astolfi da Maidar 1980).

fig. 281 - Evolution des styles architecturaux mongols: *a*, yurt (ger); *b*, style mongol; *c*, style sino-mongol; *d*, style tibétain, sino-tibetain et tibeto-mongol; (R. Astolfi d'après Maidar 1980).

fig. 282 - Monastero di Erdeni-Zuu (Provincia di Öbür qang ai, R.P.M.), Labrang, veduta della facciata sud, XVIII sec., stato del 1980 (foto E. Alexandre).

fig. 282 - Monastère de Erdeni-Zuu (Province de Öbür qang ai, R.P.M.), Labrang, vue de la façade Sud, XVIIIème siécle, Etat 1980 (cl. E. Alexandre).

fig. 284 - Monastero di Wudang zhao (Batugar Süme), (provincia della Mongolia Interna, R.P.C.), 1749, veduta generale (foto E. Alexandre).

fig. 284 - Monastère de Wudang zhao (Batugar Süme), (Province de Mongolie Intérieure, R.P.C.), 1749, vue générale (cl. E. Alexandre).

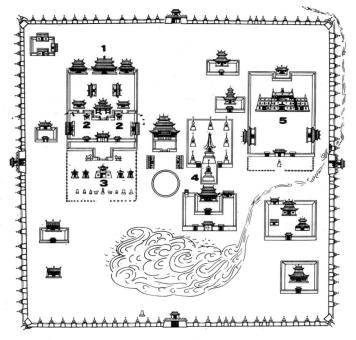

fig. 283 - Monastero di Erdeni-Zuu (R.P.M.), pianta antica: 1, i tre templi di Abatai Qan; 2, Suburgan-tomba di Abatai Qan e di suo figlio; 3, Tempio del Dalailama; 4, Bodhi-Suburgan; 5, Labrang, palazzo del Bagdo Gegen edificio di culto (Maidar 1973, fig. 110).

fig. 283 - Monastère de Erdeni-Zuu (R.P.M.), plan ancien: 1, le trois temples de Abatai Qan; 2, Suburgan-tombeaux de Abatai Qan et de son fils; 3, Temple du Dalailama; 4, Bodhi-Suburgan; 5, Labrang, palais du Bogdo Gegen et édifice de culte (Maidar 1973, fig. 110).

fig. 285 - Monastero di Wudang zhao (Batugar-Süme), Tempio-sala di assemblea dei monaci: a, sezione, b c, piante, d, alzato (R. Astolfi da Narain 1980, fig. 12).

fig. 285 - Monastère de Wudang zhao (Batugar-Süme), Temple-salle d'assemblée des moines: a, coupe, b c, plans, d, vue laterale (R. Astolfi d'après Narain 1980, fig. 12).

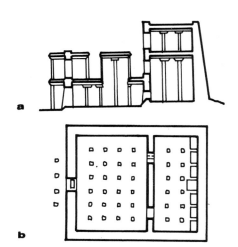

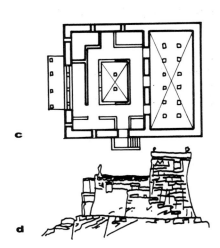

fig. 286 - Urga (antica Ulan-Bator, R.P.M.), monastero di Da Kürij-e, Tempio di Maidari, veduta della facciata sud tra il 1855 e il 1868, distrutto nel 1938 (Maidar 1973 fig. 63).

fig. 286 - Urga (ancien Ulan-Bator, R.P.M.), Monastère de Da-Kürij-e, Temple de Maidari, vue de la façade Sud entre 1855 et 1868, détruit en 1938 (Maidar 1973 fig. 63).

fig. 287 - Monastero di Erdeni-Zuu (provincia di Öbür qang ai, R.P.M.), tempio dei Dalailama, veduta della facciata sud, 1675 (foto E. Alexandre).

fig. 287 - Monastère de Erdeni-Zuu, (province de Öbür qang ai, R.P.M.), temple due Dalailama, vue de la façade Sud, 1675 (cl. E. Alexandre).

fig. 288 - Monastero di Zaja-jin Kürij-e (provincia di Gan ai, R.P.M.), tempio di Gungir-datsan, veduta della facciata sud, XVIII sec., distrutto nel 1932 (Maidar 1973 fig. 81).

fig. 288 - Monastère de Zaja-jin Kürij-e (Province de Gan ai, R.P.M.), temple de Gungir-datsan, vue de la façade sud, XVIIIème siècle, détruit en 1932 (Maidar 1973 fig. 81).

fig. 289 - Monastero di Manzusri Kejid, fondato nel 1733 (provincia di Töb, R.P.M.) Gol Süme (Tempio principale), veduta della facciata sud e del muro ovest, XVIII sec., attualmente distrutto (Maidar 1973).

fig. 289 - Monastère de Manzusri Kjid, fondé en 1733 (province de Töb, R.P.M.) Gol Süme (Temple principal), vue de la façade Sud et du mur Ouest, XVIIIème siècle, actuellement détruit (Maidur 1973).

fig. 290 - Tsagan-Süme, (Urga, R.P.M.), Palazzo d'estate del Bogdo Gegen, costruzione che racchiude gli archivi del Palazzo-Museo, veduta della facciata sud, inizi del XX sec., (foto E. Alexandre).

fig. 290 - Tsagan-Süme (Urga, R.P.M.), Palais d'été du Bogdo Gegen, bâtiment renfermant les archives du Palais-Musée, vue de la façade sud, début XXème siècle (cl. E. Alexandre).

fig. 291 - Monastero di Erdeni-Zuu, Bodhi-Suburgan (chiamato lo Stupa d'oro), veduta generale, 1799 (foto E. Alexandre).

fig. 291 - Monastère de Erdeni-Zuu, Bodhi-Suburgan (appelé le Stupa d'or), vue générale, 1799 (cl. E. Alexandre).

fig. 292 - Monastero di Erdeni-Zuu, Suburgan-tomba di Abatai qan, XVI sec. (foto E. Alexandre).

fig. 292 - Monastère de Erdeni-Zuu, Suburgan-tombeau de Abatai qan, XVIème siècle (cl. E. Alexandre).

SECTION XIV

L'ARCHITECTURE DE STYLE TIBETAIN EN MONGOLIE (XVIEME - XXEME SIECLE)

Egly Alexandre

L'histoire de l'Architecture mongole est encore peu connue et la problématique de son évolution chronologique reste difficile à étudier, pour de multiples raisons: les voyageurs peu nombreux des siècles passés, qui nous ont laissé les relations de leurs périples, ont généralement négligé cet aspect de la culture mongole. La barrière linguistique ne peut, d'autre part, être niée pour les chercheurs occidentaux: la plupart des documents existants sont en mongol ou en russe, et les archives des monastères qui subsistent encore demeurent généralement inaccessibles. Enfin, il faut également prendre en compte la destruction quasi totale des monuments religieux et palatiaux, particulièrement au début de notre siècle, durant la période des grands troubles qui allaient scinder en deux la Mongolie, politiquement sinon culturellement, fondant en 1924 une République Populaire pour les zones septentrionales, et une province autonome chinoise pour la Mongolie dite, dès lors, «Intérieure». On comptait, avant 1918, 2.500 édifices religieux et 30.000 lamas en Mongolie; en 1937, l'architecte Maidar dénombrait au total 737 constructions en République Populaire de Mongolie, où seuls 5 monastères lamaïques ont été conservés de nos jours, dont un en exercice. Ce vaste

fig. 280

territoire de 1.565.000 km^2 — trois fois grand comme la France et peuplé de 1.800.000 habitants — borde au nord l'U.R.S.S. sur 3.000 km, et au sud et à l'est, la Chine et le Tibet sur 4.600 km. La diversité des ethnies qui s'y sont succédées depuis plus de deux millénaires n'a pas empêché l'unification de ces zones en un seul état, la Mongolie, qui, à travers les siècles, devait nouer d'inéluctables liens intermittents avec les cultures limitrophes.

Il convient également de rappeler que l'architecture spécifique de ces populations nomades de pasteurs de la Haute-Asie, ne pouvait être que mobile. La yourte (ger), tente ronde, démontable, de feutre recouvrant une carcasse de lamelles de bois, est la seule tradition architecturale propre aux Mongols. Dans cet exposé, dont le but est de démontrer l'influence du Tibet sur l'Architecture mongole, il pourrait sembler inopportun d'évoquer cette conception purement locale. Mais dans l'Architecture mongole ultérieure, sédentaire, qui se développera à partir du XVIe siècle, les architectes mongols n'oublieront pas cette tradition architectonique de leur passé turco-mongol.

L'étude de l'architecture en Mongolie sera donc liée aux déroulements politiques, religieux, économiques et sociaux de sa longue et complexe histoire.

Les premières traces d'architecture sédentaire concernant l'«urbanisation» sont les ruines de cités fortifiées, dès le VIIIe siècle: une population de Proto-Turcs, les Uïgurs, avait bâti une «ville», Qara balgasun, (Khara Balgasun) non loin du lieu même où, quatre siècles plus tard, après l'unification des «Empires des steppes» au XIIIe siècle, allait voir le jour la première capitale de l'Empire Mongol, Qaraqorum, (Khara Khorum) dont seules des ruines subsistent. On ne peut donc évoquer l'urbanisme en Mongolie qu'après le XVIe siècle, lorsque l'architecture construite aura droit de cité avec le développement de l'architecture religieuse. C'est en effet autour des monastères que les grands centres urbains vont se constituer à l'origine.

Les grandes heures de l'histoire de la Mongolie sont celles des contacts directs et des interinfluences qui en découlent, avec ses deux puissants voisins, le Tibet et la Chine. Au XIIIe siècle, Činggis Qan (Gengis Khan) fonde l'Empire Mongol, l'un des plus vastes que le monde ait jamais connus. Son petit-fils, Qubilaï Qan (Khubilai Khan), fera la conquête de la Chine en 1279 et y fondera la dynastie des Yuan (Section XI). Un premier contact s'établit dès lors entre les Mongols et le Tibet lorsque l'Empereur invite à sa Cour le grand abbé des Sakya, Phagpa, et se convertit avec toute sa Cour, décrétant le Lamaïsme l'une des religions officielles de la Chine. Mais les Yuan en seront chassés, moins d'un siècle plus tard, et cette première introduction de «La Religion» n'aura que peu d'impact sur les territoires de l'ancien Empire Mongol, morcelé et déchiré par des luttes fratricides.

Le développement d'une architecture sédentaire mongole — qui sera presque essentiellement religieuse — ne débutera véritablement qu'avec le XVIe siècle lorsque, en 1577, un prince du Tushetü, Altan Qan, (Altan Khan) se convertit au Lamaïsme avec tout son peuple, après la visite du Chef religieux des Gelugpa Sönam Gymtso, venu du Tibet. Dès lors, aux liens déjà existants avec la Chine — qui s'étaient maintenus en dépit des affrontements répétés avec les successeurs des Yuan, les Ming — vont s'adjoindre del relations politiques et religieuses proches et suivies avec le Tibet; et cette nouvelle introduction du Lamaïsme, qui devait envahir toute la Mongolie, sera à l'origine d'un vaste déploiement de constructions religieuses sédentaires. Monastères et temples vont se multiplier du XVIe au XXe siècles, qui deviendront de véritables cités, détenteurs de grandes richesses, seuls centres culturels et économiques du pays. Puis, dès le XVIIe siècle, en 1644, avec l'accession au trône de Chine des Manzhu (Mandchou) — ces «cousins» des Mongols qui allaient devenir leurs maîtres — les liens se resserrent à nouveau entre les deux états. Les Empereurs Manzhu privilégient les féodaux et la puissante Eglise Lamaïque pour maintenir sous leur dépendance politique un pays appauvri par deux siècles de guerre, et financent de leurs propres deniers la construction de nombreux monastères. Aux maîtres architectes, sculpteurs et peintres mongols et tibétains, viendront s'ajouter les artistes chinois. Cette convergence d'apports divers devait paradoxalement donner naissance à une architecture spécifiquement mongole, dont l'originalité émane de cette capacité d'assimilation des influences étrangères, à des formes anciennes nationales. Cette «architecture mêlée» sera une conception mongole, inconnue pour certaines populations dans les autres zones de Haute-Asie.

Dans leur ensemble, du XVIe au XXe siècles, les constructions architectoniques des débuts de cette architecture sédentaire vont se perpétuer avec une continuité immuable, tant dans la conception religieuse des monuments que dans les styles. Ainsi, toute évolution chronologique paraît d'autant plus difficile à suivre que, durant ces siècles, les restaurations préconisées dans les textes religieux — déjà dans le Kanjur tibétain — empêchent souvent une datation précise, et que les annales des monastères ont très souvent disparu dans la tourmente des guerres.

Mais avant l'approche plus particulière de monuments religieux, quelques généralités s'imposent, communes à tous les monastères de Mongolie, sans tenir compte des frontières politiques.

1 - Les monastères lamaïques sont de trois sortes: les «Kürij-e», les «Süme» et les «Kejid». Chacun d'eux est désigné en fonction de sa destination:

- Dans les «Kürij-e», souvent de plan circulaire — souvenir des hordes, campements du passé nomade —, puis plus tard carré, cernés d'une enceinte, se groupent, autour du temple principal, central, les habitations permanentes des lamas, ainsi que les divers bâtiments de culte et de service (cuisines, magasins et collèges enseignant diverses disciplines).

- Dans les «Süme», dont la signification est «temple pour une idole», les moines nomades de la steppe n'habitent pas en permanence mais s'y rassemblent à des périodes déterminées, pour célébrer le culte de la divinité.

- Le «Kejid» est le lieu de résidence des moines-ermites vivant en contemplation.

En fait, ces appellations d'origine ont été confondues avec le temps, et A.M. Pozdneiev[1] le note dans son journal de voyage dès 1878-1879.

2 - Les complexes monastiques sont généralement, à l'instar des traditions tibétaines de la même époque, situés sur des hauteurs; mais il arrive que les Kürij-e se construisent sur un terrain plat lorsque leur plan est une surface circulaire ou carrée cernée par une enceinte de briques cuites. Dans ce cas, le temple principal se trouve au centre, face au sud, selon la tradition ancienne, pour les yourtes. Mais si l'orientation vers le sud fait effectivement partie des traditions anciennes de la Mongolie, il n'en a pas toujours été ainsi sur ces territoires. A l'époque des Tu Jue (Tu Chüeh), au VIIe siècle, l'orientation symbolique était à l'est. Ce n'est

qu'après 840 que les Uïgurs adoptèrent l'orientation au sud pour leurs constructions, influence peut-être venue de la Chine[2].

Plus nombreux sont les monastères construits sur la pente d'une montagne, solitaires, généralement, encaissés dans une nature sauvage. Le temple principal, dédié à la divinité tutélaire, se trouve alors au sommet, les autres temples, les habitations des lamas et les constructions de service s'étageant vers le bas. Si la pente est trop abrupte, les constructions s'élèvent sur une terrasse artificielle de pierre.

3 - Le plan de ces ensembles monastiques est généralement de deux types:

    - inspiré du modèle tibétain: le temple principal situé au centre, et les autres édifices du culte, ainsi que les bâtiments d'habitation et de service, disposés de manière assymétrique dans l'enceinte sacrée, aussi bien sur un terrain plat que sur une pente; ainsi, par exemple, le grand monastère de Wudang zhao, en Mongolie Intérieure.

    - émanant des plans de l'architecture chinoise: groupes de bâtiments séparés par des cours successives dans l'axe sud-nord, tel l'ensemble autour des temples de Abatai Qan à Erdeni-Zuu.

Tous les monastères possèdent un temple principal (gol süme), où se déroulent les offices religieux, et une vaste salle d'assemblée des moines (cogcin). Parfois, ces deux édifices se confondent et, réunis, prennent l'aspect d'un grand temple.

L'espace intérieur des temples est divisé en trois ou cinq nefs par des colonnes. Sur le mur du fond, face à l'entrée, trônent les statues des divinités principales, de bronze doré, de papier mâché recouvert de peinture laquée ou de terre cuite peinte et parfois dorée.

Il faut signaler l'absence, en général, de véritables plafonds, inconnus dans la tradition mongole. Lorsque la présence d'un plafond s'imposait, on utilisait des grillages recouverts de papier ou de tissu et de plâtre, disposés en caissons peints et ornementés.

4 - La construction des monuments religieux obéit à des règles strictes, à la fois à celles imposées par la doctrine bouddhique, et à celles, politiques, édictées plus tard par l'Empereur manzhu.

Comme dans le passé de l'Inde, des traités rigoureux, de composition, de géométrie et d'iconométrie, fixaient les conceptions formelles, tant pour l'édification d'un monument que pour les techniques et son aspect esthétique. L'observation sévère de ces lois avait été fixée en Mongolie par des traités, généralement traduits ou inspirés des textes sacrés indiens ou du Kanjur tibétain. A cet égard, on peut rappeler brièvement, parmi d'autres, les oeuvres du Khombo Ichbajir (1704-1788), qui écrivit un traité sur les rapports, des proportions des édifices et du corps humain, et celles d'Agvantseran (1785-1849), qui fait largement état des «Méthodes de construction et de restauration des temples». Ce dernier ouvrage traite, avec une importance égale, du choix du lieu de l'édification des temples, de celui des matériaux, des règles de construction, des particularités techniques les plus infimes, ainsi que d'autres points de détail, jusqu'à déterminer la fonction de chacun des monuments et exiger des restaurations régulières puisque les temples doivent être «éternels»[3].

Il faut également mentionner le cérémonial qui accompagne la fondation et la construction des bâtiments de culte. Comme au Tibet le rôle des rituels, puis celui de la consécration des temples, font partie intégrante de cette architecture. Les rites précédant l'élévation d'un temple débutent au moins un an avant la pose de la première pierre[4]. Une délégation de moines est envoyée à la capitale, Urga, par le Khombo, afin que les astrologues déterminent le lieu de construction. Parfois ces derniers préfèrent en décider in situ, par des prières et des divinations. Le lieu sacré sera choisi en fonction de l'environnement, collines, steppe, situation des eaux de rivière et autres conditions. On songe à la pratique millénaire de la géomancie chinoise, le feng shui. Les moines étaient confrontés à une double exigence: celle de ne pas irriter les esprits de la nature et celle de se situer près de pâturages, indispensables pour leurs riches troupeaux. Après de nouveaux rituels et sacrifices, on détermine le lieu, même éloigné, où se trouveront les matériaux «prédestinés», et le jour où les travaux pourront commencer. Les lamas accomplissent alors, par de nouvelles offrandes, la consécration du terrain. Puis le plus âgé d'entre eux trace le plan des murs de l'enceinte à l'aide de la corne d'une sorte de moufflon, l'orongo; et l'on enterre au centre un récipient d'or, d'argent ou de cuivre, contenant des joyaux et métaux précieux, des prières magiques et des aromates, afin de se concilier les esprits de la terre. Le maître d'oeuvre peut alors commencer la construction du bâtiment. Mais une autre règle, laïque, est à respecter à l'époque de la domination des Manzhu: celle de ne pas élever un monastère sur des lieux qui pourraient occasionner des dommages aux champs cultivés.

En effet, les monastères mongol avaient des origines différentes. Le financement de leur construction provenait soit des Qutuqtu, les grands abbés réincarnés des monastères, soit des donations de riches seigneurs féodaux, soit de collectes effectuées parmi la population — pratique déjà mentionnée par le Père Huc vers le milieu du XIXe siècle — [5], mais aussi, on l'a vu, des deniers de l'Empereur de Chine. Ces diverses provenances allaient influer sur les styles architectoniques. Les maîtres-d'oeuvre mongols gardiens de leurs traditions, collaborant avec les architectes chinois et tibétains, devaient créer, en une heureuse synthèse des apports étrangers, une architecture mêlée, que l'on peut qualifier de «mongole».

Si, en raison des largesses de l'Empereur de Chine, l'architecture de style chinois allait prévaloir, il n'en reste pas moins que l'influence du Tibet allait jouer un rôle important. On peut différencier trois styles crées par les Mongols, s'y référant:

fig. 281

1 - Celui purement «tibétain»,

2 - Celui «mongolo-tibétain», qui associe aux monuments de style tibétain le souvenir de l'architecture mobile spécifique du passé mongol, la yourte,

3 - Celui «sino-tibétain», qui allie le style tibétain à des rajouts chinois.

1 - LES MONUMENTS DE «STYLE TIBETAIN»

Ils ont presque tous été détruits. Ils s'approprient les caractéristiques de ce style étranger: monumentalité, aspect sévère de ces architectures massives à fruit, à toit plat en terrasse, généralement à deux ou trois étages. La façade est tripartite, assymétrique, la partie centrale en creux ou en saillie. Les ouvertures sont des fenêtres étroites allongées, bordées d'un encadrement de bois noir. La frise qui couronne le temple est également en bois, constituée de tiges entassées et accolées, comme au Tibet. Quant aux murs, si les architectes mongols les construisaient parfois encore en poutres de bois, selon leur ancienne tradition, ils les recouvraient de couches de plâtre et les blanchissaient à la chaux pour imiter la pierre. En effet, ils utilisaient également la pierre, que les Tibétains leur avaient fait adopter, ainsi que la brique. Mais dans les édifices mongols, la brique sera cuite, selon la tradition locale, confirmée par les fours de cuisson retrouvés près de Erdeni-Zuu (XVIe siècle). On sait qu'au Tibet c'était la brique crue qui était d'un usage généralisé.

fig. 282

Le monument le plus ancien de ce style édifié en Mongolie serait peut-être *le temple de Ikhe-dugun* (1644) dans *le monastère de Breven-Kejid*, actuellement détruit. *Le Labrang* qui subsiste encore de nos jours, palais et édifice de culte du Bogdo Gegen, fut construit vers le milieu du XVIIIe siècle, puis surélevé de deux étages en 1785, *dans le monastère de Erdeni-Zuu*, l'un des premiers — peut-être même le premier — complexes monastiques de cette époque en Mongolie, fondé en 1586, non loin de Qaraqorum, par Abatai Qan.

fig. 283

Comme tous les grands monastères, Erdeni-Zuu est cerné d'une enceinte de 400 mètres de côte. Elevée en terre et gravier à l'origine (1743), elle fut reconstruite en briques cuites blanchies à la chaux, en 1804, et ponctuée de 108 petits suburgan de pierre. Ce plan carré est de tradition mongole. En effet, après un plan circulaire originel, la yourte-temple mobile, quand elle deviendra temple sédentaire et de bois, adoptera un plan carré qui deviendra fréquent ultérieurement dans l'architecture sédentaire pour tous les grands Kürij-e. A Erdeni-Zuu, quatre portes aux quatre orients permettent l'entrée dans l'aire sacrée. De très nombreux temples y furent érigés pendant plus de trois siècles. Seuls subsistent actuellement les trois temples de Abatai Qan, de style chinois, (1586); le temple du Dalaï Lama, de style sino-tibétain, (1765) le Labrang (XVIIIe siècle), ainsi que le Bodhi-Suburgan (XVIIIe siècle) et les deux suburgan-tombeaux de Abatai Qan et de son fils (XVIIe siècle). Les bâtiments de service, d'assemblée de moines, d'«universités», et les habitations des moines, ont disparu de nos jours.

fig. 284, 285

Des temples de style tibétain parsemaient les territoires de l'ancienne Mongolie, de part et d'autre des frontières actuelles entre les deux Républiques, Mongole et Chinoise. Ainsi, le vaste complexe monastique de *Wudang zhao*, fondé en 1749 sous le règne de Qianlong, en Mongolie Intérieure, à environ 60 kilomètres au nord-ouest de Baotou, groupe un ensemble d'édifices de style purement tibétain, étagés sur la pente douce d'une colline qui borde la vallée. Dans l'axe central, se succèdent de bas en haut les temples dédiés aux divinités principales, ornés de peintures murales sur la partie centrale, en creux, de la façade tripartite, et à l'intérieur: à Shakyamuni dans le bas, puis en surélévation à Yamantaka, et au sommet à Tsongkhapa. De part et d'autre, disséminées sans ordre, les habitations des moines, dont celle du «Bouddha vivant», des bâtiments de service, des collèges et même de la prison pour les religieux récalcitrants.

2 - LES MONUMENTS DE STYLE «MONGOLO-TIBETAIN»

fig. 286

Le *temple de Maidari*, détruit en 1938, sélevait dans le *monastère de Da Kürij-e*, résidence nomade du Bogdo-Gegen dès 1651, avant de venir se fixer au bord de la Tola en 1799 et devenir le premier centre urbain, Urga, le futur Ulan-Bator. Elevé primitivement en style «chinois» en bois, par le lama Agvaanxaidav, en 1834, il s'écroula aussitôt. La légende veut que le Dalaïlama informa la délégation de moines mongols qui s'étaient rendus au Tibet pour en découvrir la cause, que Maidari exigeait de n'être vénéré que dans un temple de «style tibétain». Le temple fut donc reconstruit entre 1855 et 1868, en style «tibéto-mongol». Cette forme architectonique d'édifices, apparue semble-t-il au début du XIXe siècle, ou peut-être un peu plus tôt, abritait effectivement jusqu'à sa destruction récente, la statue colossale du Bouddha du futur. Sur un corps massif «tibétain» — en poutres de bois, selon l'ancienne tradition mongole, mais blanchies à la chaux imitant la pierre — un toit plat était couronné d'une superstructure en bois peint, en forme de yourte, souvenir du passé architectural national.

Les temples de ces tyle sont le moins répandus. On peut cependant citer, dans la province du Gobi du Sud, celui de *Maidari*, dans le *monastère de Kürij-e Kejid* (détruit).

3 - LES MONUMENTS DE STYLE «SINO-TIBETAIN»

fig. 287

Le *temple du Dalailama* dans le *monastère de Erdeni-Zuu* fut érigé en 1675. Modèle de cette «architecture mêlée», de style «sino-tibétain», rutilant de rouge brique et d'ors, il se dresse sur un peit soubassement de pierre. Le corps de l'édifice, bâti en pierres, comme au Tibet, et en briques cuites, est de plan quadrangulaire, avec une couverture en terrasse. Mais sur ce couronnement plat, s'élève un «pavillon chinois», à toit retroussé à quatre plans, reposant sur douze colonnettes rondes. Un immense kürdü de cuivre doré brille au-dessus du petit auvent qui surmonte l'entrée de la façade principale.

fig. 288

Le *temple Gungir-datsan* (XVIII siècle ?). Actuellement détruit, il fut élevé dans le *monastère de Zaja-jin Kürij-e* — peut-être l'un des premier monuments érigés dans le style «sino-tibétain» — technique exemplaire des maitres d'oeuvre mongols qui, on l'a vu, utilisaient la brique cuite, blanchie à la chaux, pour la construction du mur de la partie inférieure, légèrement à fruit. Le portique de bois central, sur la façade principale, est particulièrement coloré et richement décoré. Les fenêtre hautes et étroites s'élèvent à faible hauteur.

fig. 289

Le *temple principal (gol-süme)* (XVIIIe siècle), de style «sino-tibétain», du *monastère de Manzusri Kejid* fondé en 1733 sur la pente sud du mont sacré, le Bodgo-Ula, est actuellement détruit. Les murs du corp inférieur, «tibétain», étaient en poutres de bois enduites de glaise, blanchies, imitant la pierre. Dressé sur une terrasse en roches erratiques, il s'intègrait parfaitement au paysage rocailleux de la montagne. Le «pavillon chinois», superstructure sur un toit plat, était une adjonction ultérieure. Deux ganzir, cylindres de cuivre doré empruntés aux Tibétains, contenant des prières et des formules magiques, étaient plantés sur le toit, au-dussus du portique de la façade principale.

fig. 290

Le petit *temple «sino-tibétain» récent* (XXe siècle), qui renferme les archives de l'ancienne *résidence d'été du Bogdo Gegen à Ulan Bator* — palais et lieux de culte élevés dans une enceinte, construits en 1832 — évoque la pérennité des styles dans le temps, et rappelle donc l'impossibilité d'établir une chronologie précise.

Les suburgan mongols sont les héritiers directs des chörten tibétains, détenteurs des reliques de saints personnages, ou leur rombeau, monuments vénérés tout autant que leur premier ancêtre, le stûpa de l'Inde.

fig. 291

La forme architecturale le plus fréquemment rencontrée est celle du *Bodhi-Suburgan,*Suburgan sacré — dit Stupa d'Or — érigé dans l'aire sacrée du monastèr de Erdeni-Zuu en 1799, à l'occasion du jubilé du quatrième Bogdo Gegen. Bâti de pierres, peint en blanc, haut de dix mètres, il s'élève sur une terrasse, richement décoré de dorures et de médaillons de terre vernissée. Sur l'un de ceux-ci, un lion mythique est emprunté à l'ornamentation des chörten tibétains, que l'on retrouve au Laddak sur le grand chörten à l'entrée de Leh ou dans le monastère de Lamayuru. A son sommet est accolé le monogramme mystique du Bouddhisme tantrique, surmonté de la lune, du soliell et d'une flamme. Il renfermerait, dit-on, la momie dorée d'un grand lama, usage venu du Tibet.

De conception différente sont les suburgan-tombeaux de Abatai Qan et de son fils à Erdeni-Zuu (XVIIe siècle).

fig. 292

Ce type architectonique, qui se rencontre au Tibet, au Laddak et déjà dans la Chine des Tang (VIIe siècle), semble avoir été peu apprécié en Mongolie: le corps de la construction, presque cubique, légèrement à fruit, en pierre, peint en blanc, supporte sur une plateforme une superstructure similaire, en réduction, au toit à pentes recouvert de tuiles vernissées, surmonté d'un ganzir de cuivre doré.

Cet exposé, trop bref, et orienté dans une direction particulière, ne peut être que lacunaire. Mais il voudrait rappeler que, en dépit des fortes influences tibétaines, le mérite des architectes mongols est d'avoir su créer, avec cet assemblage d'apports étrangers, tibétains et chinois greffés sur des traditions nationales, une heureuse synthèse et, tout en mettant l'accent sur les contrastes, une unité esthétique et une originalité qui permettent de qualifier cette architecture, de «mongole». Déjà, au milieu du XIXe siècle, le Père Huc signalait cette spécificité dans la relation de son voyage: «Il serait difficile de dire à quel ordre d'architecture connu peuvent se rattacher les temples bouddhiques de la Tartarie.» [6]

SECTION XIV - NOTES

[1] POZDNEIEV, 1962, p. 28, (traduction anglaise).

[2] PRITSAK, 1954, p. 376-383.

[3] MAIDAR et PIOURVEIEV, 1982, pp. 117 à119.

[4] POZDNEIEV, 1978, pp. 49 à 53, (traduction anglaise).

[5] HUC, 1962, p. 76.

[6] HUC, 1962, p. 177.

OUVRAGES GENERAUX

ALEXANDRE, 1979; DARS, 1972; GADJIN, 1980; JOUGDER, 1962; KISSELIEV, 1965; KOZLOV, 1947; MAIDAR, 1970, 1981; MAIDAR et DAR-SUREN, 1976; MAIDAR et PIOURVEIEV, 1982; MILLER, 1959; nei mongu gu jan zhu, 1959; PALLADIUS, 1894; POZDNEIEV, 1961, 1977, 1978; PERLEE, 1972; PRIP-MØLLER, 1937; STEIN, 1957; UNDRAH, 1972; WADDEL, 1978.

SEZIONE XV

BHUTAN
Chantal Massonaud

fig. 293

Gli incendi che distrussero la stamperia di Sonagachi nel 1828, Punakha nel 1832, il terremoto del 1896 e vari altri sismi, nel devastare la maggior parte degli edifici, hanno distrutto archivi e cronache che avrebbero apportato un prezioso contributo alla conoscenza dell'architettura del Bhutan. Soltanto le stampe realizzate sulla base dei disegni eseguiti dagli artisti che accompagnavano le spedizioni europee, ad esempio quella di Turner, consentono di rendersi conto dello stato originale dei monumenti che vediamo oggi.

La conoscenza degli antichi edifici del Bhutan può palesarcisi soltanto parzialmente. Lo spirito tradizionale proprio di questo paese ci lascia supporre tuttavia che i metodi ed i progetti di costruzione si sono poco modificati nel corso dei secoli. Lo studio di frammenti di dati storici oggi conosciuti dagli occidentali confermano l'antichità delle tradizioni architettoniche.

I primi monumenti accertati: Kyerchu lhakhang nella valle di Paro e Champa lhakhang ad ovest dell'attuale dzong di Chakar nella valle di Bumthang furono costruiti tra il 640 e il 660.

Secondo il Mani kambum, questi templi sarebbero due elementi di uno schema disegnato dal re Songtsen Gampo che ordinò la costruzione di dodici edifici Buddhisti con una funzione simile a dei pali il cui compito era quello di fissare al suolo un mitico demone femminile del paese.

Questi due templi segnano, secondo la tradizione, l'ingresso del buddhismo nel Bhutan e l'inizio di una storia il cui filo, talvolta, si spezza.

Nell'VIII sec. Padmasambhava visità Bumthang; convertì il re Sindhu Raja al Buddhismo e meditò a Tagtsang sotto la forma di Dorje Drolö. Un tempio ricorda la sua visita. Secondo una cronaca posteriore, il re Sindhu Raja risiedeva vicino a Bumthang in un palazzo-fortezza di nove piani chiamato Chagkhar gome (il palazzo-fortezza senza porta).

A partire da questo periodo l'attività del buddhismo non si è mai affievolita; Gyelwa Lhanangwa nel 1153 piantò lo stendardo dei Lhapa; nel XIII sec. Phajo Dugom Shigpo e cinque compagni costruirono un piccolo dzong sul Wongchu e introdussero il buddhismo Dugpa Kagyu che darà il nome al paese (il Bhutan si chiama Dug yul, paese del drago). Numerosi maestri nyingmapa fondarono dei monasteri nel XIV sec. intorno a Paro. Nel 1361 un lama gelugpa ne edificò a Thimbu ed a Punakha. Thangtong Gyelpo (1385-1464), il celebre costruttore di ponti, fu anche artefice di edifici religiosi.

Sembra che una grande attività dei buddhisti continuasse fino all'arrivo, nel 1616, di Shabdung Ngawang Namgyel (1594-1651), incarnazione di Pema Karpo, capo spirituale della scuola Dugpa. Shabdung pacificò il paese, stabilì le sue strutture, impose la sua autorità politica, nonché religiosa. L'avvento della dinastia Wangchu nel 1907 trasformò l'aspetto politico, ma lasciò intatto l'aspetto spirituale di queste riforme.

Il Lho'i chöjung (Storia della religione nel paese del sud), scritto tra il 1731 ed il 1759, fornisce numerose informazioni sulle gesta e le attività di edificatore di Shabdung.

Le descrizioni dei viaggiatori europei tra i quali per primi i Cacella e Cabral che furono invitati da Shabdung nel 1627, e in seguito George Bogle nel 1774-1775, Samuel Turner nel 1783, Pamberton e Eden nel 1864, White, che compì due spedizioni nel Bhutan nel 1905 e nel 1907, ci chiariscono alcuni punti.

Samuel Turner era accompagnato da un luogotenente dell'esercito del Bengala che aveva il compito di disegnare; alcune delle sue opere, pubblicate da M. Aris, rappresentano una preziosa testimonianza dell'architettura del Bhutan nel 1783 e fungono da termini di paragone.

L'architettura è rappresentata dagli edifici religiosi: dzong, monasteri, templi (lhakhang), chörten; dalle costruzioni civili e dalle opere d'arte, come i ponti, che, in questo paese di fiumi, hanno una grande importanza.

Quest'architettura si conforma molto alle condizioni climatiche e si concentra nella zona mediana del paese, sulle alture del Medio Himâlaya.

Gli abitanti del Bhutan vivono in casali o villaggi, vicino al loro bestiame ed alle loro coltivazioni, in fondo alle valli o sui pendii delle montagne. Due agglomerati si sviluppano molto rapidamente: Thimbu, la capitale, e Phuntsoling grande centro commerciale della regione dei Duar e città di frontiera.

LE CASE

La casa del Bhutan rappresenta una sintesi armoniosa di muratura e di legno. Le mura, che hanno alla base uno spessore di quasi un metro, poggiano su fondamenta di pietra sormontate da due strati di tavole. I muri, leggermente inclinati, sono formati da blocchi di argilla compressa (gyang), talvolta imbiancati a calce, precedentemente battuti e calpestati dalle donne del luogo che compiono questo lavoro cantando motivi tradizionali.

Gli uomini hanno il compito, con l'aiuto di accette e piccole asce, di tagliare e piallare i tronchi di pino destinato ai pavimenti, ai soffitti ed ai piani superiori. La pietra sostituisce l'argilla compressa, nell'est del paese.

La casa si trova all'estremità di un cortile cinto di mura. Il pianoterra è destinato al bestiame. Per entrare in questa casa bisogna salire una scala, tagliata in un solo pezzo di legno, che porta ad una piattaforma di bambù posta davanti alla porta d'ingresso del primo piano, privo di finestre e destinato all'immagazzinamento delle provviste. Un'altra scala conduce, attraverso una botola, al secondo piano, riservato all'abitazione e diviso in vani quadrati o rettangolari. Il focolare si trova nella stanza principale che, di sera, diventa dormitorio. Gli ospiti di riguardo vengono alloggiati in una piccola stanza adiacente sul cui prolungamento si trova una cappella separata da pilastri che sostengono la trave principale del tetto. A questo piano, i muri esterni sono in parte costituiti da un'intelaiatura di legno, leggermente aggettante, riempita da sottili pannelli le cui aperture trilobate lasciano passare la luce; persiane scorrevoli permettono di oscurarle dall'interno.

Quest'archetipo si modifica per quanto riguarda le dimensioni. Le case patrizie sono molto più grandi, non c'è bestiame al pianoterra, ricche decorazioni interne ed esterne ornate di simboli buddhisti sottolineano i dettagli architettonici; al pianoterra vi sono porte e finestre, il pavimento del primo piano è composto di tavole di legno che poggiano su travi a vista; queste sostengono dei correnti orizzontali sui quali poggia un'armatura di legno; finestre trilobate si alternano a montanti che sostengono i pavimenti di terra.

Qualunque siano le dimensioni della casa, il principio architettonico rimane lo stesso; l'ultimo piano è sormontato da una struttura costituita da travi poste a ventaglio a partire dagli angoli.

La sommità della casa è piatta. Questa superficie, agli angoli, sostiene dei piloni in muratura che sorreggono i montanti di una pesante armatura di legno i cui elementi verticali e orizzontali sono assemblati a tenone e mortasa; il tetto, a doppio spiovente, ricorda l'architettura alpina.

Questo tetto è formato da correnti alternati ad arcarecci che poggiano su monaci rinforzati da catene. È poggiato, come un'appendice estranea, sui montanti suddetti. Quest'armatura sostiene una copertura di assicelle rette da pietre. Sotto il tetto si trova un fienile, aperto ai lati, impiegato per l'immagazzinamento della legna da ardere e del foraggio.

Questo prototipo originario si ritrova in molte occasioni: piccoli chorten a forma di parallelepipedo, ripari per mulini da preghiera azionati da una corrente d'acqua, estremità di un ponte, come quello di Paro, costruito da Thangtong Gyelpo. Talvolta aumentato in altezza, segna il passaggio di una strada strategica e funge al tempo stesso da posto di osservazione.

La tradizione dell'architettura civile si perpetua oggi nelle case e le botteghe che sono state costruite a Thimbu nel corso dell'ultimo decennio.

499

TEMPLI E MONASTERI (chökhang e gompa)

fig. 294

fig. 295

I templi sono sparsi in tutto il paese; a volte sono isolati, a volte raggruppati, circondati da alcuni edifici destinati ai monaci. Molti di essi si presentano sotto l'aspetto di un tempio costruito a forma di blocco, situato in fondo ad un cortile i cui tre altri lati sono destinati alle abitazioni (Tamshing lhakhang).

Molti santuari, tra i più venerati presentano alcune varianti a questo modello classico, per esempio Tamgo, non lontano da Thimbu, luogo di meditazione di Shabdung; Kyerchu lhakhang e Champa lhakhang di cui abbiamo già parlato; Chari, prima sede di Shabdung nel Bhutan, Dechen Chöling vicino a Paro, sarebbe impossibile citarli tutti.

Alcuni di questi templi-monasteri sono oggetto di un culto particolare; ad esempio Tagtsang o «il covo della tigre» consacrato a Padmasambhava, situato sulla china di un dirupo nella valle di Paro, a dominare uno strapiombo di 300 m. È formato da parecchi edifici abbarbicati al terreno, e dà un'idea vertiginosa dell'audacia dei suoi realizzatori.

Ph. Denwood descrive il monastero di Tabo, vicino a Punakha, che fu una residenza di Shabdung: situato su di uno sperone roccioso, dotato di una vista magnifica e di possibilità di difesa, costruito a forma di tempio-blocco e munito di un cortile.

Un portale a pilastri porta a questo cortile attraverso delle scale; due piani costruiti lo fiancheggiano su tre lati al disopra di un passaggio aperto sostenuto da colonne che si ritrovano al piano superiore. Quest'ultimo è occupato da piccole cappelle (lhakhang), mentre il pianoterra è riservato ai monaci, (la lingua tibetana viene regolarmente impiegata per tradurre termini religiosi).

Alcuni scalini portano al tempio principale edificato su un gradone. Il tempio ha tre piani, ognuno dei quali è diviso in tre stanze. Lo spazio centrale del pianoterra è occupato da un ingresso (gokhang) e da una scala. Le stanze adiacenti contengono le scorte di provviste (lagcho khang) e servono da camere per gli invitati e per il personale del tempio (gron khang, könyer). Le stanze degli altri piani sono esclusivamente cappelle, la principale si trova al centro del piano superiore, racchiude le rappresentazioni della maggior parte delle reincarnazioni di Shabdung e serve come sala di riunione (dükhang). Il tempio blocco, nonché gli edifici che costituiscono gli altri tre lati del cortile, sono coperti da un tetto supplementare alla maniera delle dimore laiche. Un terzo tetto molto più piccolo sormonta il tempio. La facciata del tempio è abbellita da finestre aperte su balconi a tre aperture di dimensioni decrescenti.

I muri di argilla compressa poggiano su fondazioni di pietra. Questo dettaglio avvicina le architetture laiche e religiose.

Le decorazioni sono diverse, i muri esterni, imbiancati a calce hanno in cima una striscia rossa che ricorda il parapetto di sterpi posto sui tetti piatti delle case tibetane che diventò molto presto un elemento decorativo, ripreso per gli edifici religiosi e trasmesso al Bhutan.

I tetti sono ornati, alla maniera tibetana, da bandiere di vittoria (gyeltsen); l'impiego di colonne e di pilastri che sorreggono le coperture dei templi non si ritrova nell'architettura laica. Queste colonne sembrano ispirate all'India e all'Iran, le troviamo anche nel Tibet. Seguono un ordine rigoroso. Spesso a sezione quadrata, leggermente scanalate e rastremate alla sommità. Sono sormontate da capitelli che si estendono in larghezza, da mensole e da supporti di trabeazione nonché da vari ripiani di modiglioni. L'insieme è dipinto con motivi buddhisti dai colori sgargianti.

GLI DZONG

Gli dzong costituiscono l'elemento più spettacolare dell'architettura del Bhutan. Monasteri-fortezze, sono una creazione assolutamente originale.

Fin dal suo arrivo nel 1616, Ngawang Namgyel, il futuro Shabdung, che temeva un'invasione dal Tibet, si affrettò a costruire delle fortificazioni che collocò agli incroci delle strade strategiche, su speroni rocciosi che dominavano l'orizzonte. Queste opere di difesa dovevano parallelamente essere dei monasteri di tipo completamente diverso da quelli che non avevano alcun ruolo politico.

fig. 296

Lo dzong ha spesso la forma di un parallelogramma, i suoi muri, contrariamente a quelli delle case, sono per lo più di pietra e danno un'impressione di massiccia solidità. Questa fortezza, alla quale in genere è possibile accedere attraverso una sola porta stretta, è disposta intorno a cortili a livelli diversi, poiché il ruolo difensivo dello dzong fa sì che sia posto, nella maggior parte dei casi, su di un terreno scosceso alla maniera delle roccaforti europee. All'interno questi cortili sono dominati da una costruzione di cinque piani occupata soltanto da cappelle consacrate a personaggi storici divinizzati, come Shabdung, o a una precisa divinità. Il gokhang racchiude le immagini delle divinità segrete protettrici della regione o del paese.

Le costruzioni esterne sono occupate dai servizi amministrativi, dalle abitazioni dei monaci, da altre cappelle, da sale per l'insegnamento, da biblioteche. Delle gallerie sormontate da verande circondano i lati. I santuari più importanti sono a più piani ed hanno alti pilastri che sostengono il tetto. Ritroviamo l'armoniosa sintesi del legno dipinto e della muratura spoglia. All'esterno, le finestre, strette ai piani inferiori, si allargano ai piani superiori e si aprono su balconi di legno. Sotto le coperture corre una striscia rossa identica a quella dei templi. I tetti, talvolta, sono doppi, come quelli dei templi e delle case, sostenuti da mensole; i primi sono più larghi dell'edificio, i secondi, leggermente rientranti. La costruzione più alta, sormontata da un lucernario, ha in cima, dei motivi di rame. Gli architetti del Bhutan si vantano di non usare il più piccolo chiodo e di non disegnare un solo progetto preliminare.

Una mappa esauriente degli dzong, fornita da Karan, ne annovera 29. È interessante, quando i documenti lo consentono, mettere a confronto l'architettura contemporanea con gli stessi monumenti disegnati nei sec. XVIII e XIX.

fig. 297

Lo dzong di Paro, ad esempio, chiamato anche Rinpung, costruito da Drungdrung nel XV sec., modificato da Shabdung nel 1645, distrutto da un incendio all'inizio del XX sec., fu ricostruito secondo lo stesso progetto. Il suo aspetto attuale non è diverso dalla descrizione che ne dà Eden nel 1864. Vicino a questo dzong, come a quello di Tongsa, si trova un fortino tondeggiante, situato a qualche centinaio di metri più in alto. Utilizzato un tempo come arsenale, il Tadzong di Paro è oggi un museo a cinque piani elicoidali.

Tashi chödzong, a Thimbu, occupa l'area di un monastero fondato da Phajo nel XIII sec., modificato da Shabdung nel 1641, ingrandito nel 1755, incendiato nel 1869, restaurato nel 1870: Samuel Davis ci ha lasciato l'immagine di uno dzong accostabile per molti versi a quello di Paro, anche se di dimensioni maggiori. Bogle ci precisa che ospita 3.000 uomini. Lo dzong attuale, realizzato secondo le direttive del re Jigme Dorje Wangchuk,

fig. 298

secondo le regole di un'architettura tradizionale e terminato nel 1969, è di proporzioni maestose. Ha più di cento stanze. Il monastero centrale, residenza estiva di Je Khenpo, capo religioso del Bhutan, è la sola testimonianza del passato. Sede del governo, dell'assemblea nazionale e sede religiosa ad un tempo, è concepito per assolvere a questa triplice funzione. Il cortile principale è teatro, una volta all'anno, del festival di danze religiose.

fig. 299

Lo dzong più antico, Semthokha, costruito nel 1627, è molto interessante in quanto è rimasto al suo stato originario, sia per quanto riguarda l'architettura che la decorazione. È costituito da un'imponente costruzione centrale e da locali annessi collocati lungo un bastione.

Punakha fu edificato da Shabdung tra il 1636 e il 1637 a alla confluenza del Parochu con il Mochu; lungo circa 180 m, largo 72, il suo cortile centrale ha a sud una torre rettangolare di sei piani che ospita le cappelle mortuarie dei primi capi religiosi dello dzong: i Gyeltsab.

fig. 300

Tongsa, culla della famiglia reale, costruito nel 1648 da Shabdung, restaurato dal re Ugyen Wangchuk all'inizio del XX sec., è caratterizzato da una grande irregolarità del livello dei tetti, che corrisponde ai livelli dei tre cortili interni. L'unica strada che collegava un tempo l'ovest e l'est del paese attraversava lo dzong, conferendogli una primaria importanza strategica.

fig. 301

A Wangdüphodang, costruito tra il 1638 e il 1639, situato come Punakha tra due fiumi, fu aggiunto in seguito un tetto dorato. In origine era collegato alla riva opposta da uno dei più bei ponti fortificati del Bhutan, oggi distrutto, ma immortalato dalla matita di S. Davis. Lo vediamo preceduto da un ingresso fortificato, fiancheggiato da bastioni forati da rare feritoie e sormontato da una torre di guardia.

Questi ponti a schiena d'asino erano sostenuti alle estremità da travi di legno poste in aggetto le une sopra le altre, uscenti da una spalla in muratura; una piattaforma di legno scendeva in due pendenze da una parte e dall'altra della parte mediana orizzontale.

Molti di questi ponti a «cantilever» di legno esistono ancora. Sono di vari tipi: ridotti alla loro più semplice espressione, senza nessuna spalletta, o, al contrario con una copertura a doppio spiovente inserita ad ogni estremità in una costruzione alta e stretta, una specie di ingresso, come a Paro; un solido parapetto ne rende sicuro l'attraversamento.

Non è possibile citare queste opere che dobbiamo al genio civile senza ricordare i ponti di catene costruiti da Thangton Gyelpo, descritti da Turner. Cinque catene sostengono una piattaforma di assi di legno che dondola al vento.

Questi ponti, facilmente danneggiati dalle piene provocate dalle piogge, sono pian piano sostituiti da strutture di cemento costruite su travi rinforzate di ferro.

fig. 302 Il capitolo sugli dzong non può chiudersi senza aver menzionato: Chakar, nella valle di Bumthang, circondato da un muro lungo più di un chilometro, la sua torre principale è alta più di cinquanta metri; Ha, feudo della famiglia Dorje; Lhuntse, Tashigang, a picco sul fiume Manas; Dugyel dzong costruito nel 1649 da Shabdung per commemorare la sua vittoria sui tibetani e per difendere la strada dalle invasioni venute da Phari, nel Tibet. Questo dzong era difeso da tre torri rotonde collegate da un doppio muro. Ad est, un grande serbatoio di acqua permetteva di sostenere un assedio. Il forte, di disegno molto irregolare, si elevava a picco su tre lati di una collina. Incendiato nel 1950, non ne rimangono che splendide rovine.

CHÖRTEN

Simbolo buddhista per eccellenza, il chörten è presente fin nei luoghi più remoti.

La sua origine, secondo la tradizione, risale agli otto stûpa edificati per raccogliere le ceneri di Buddha. Questi otto modelli di disegno diverso, diffusisi contemporaneamente alla dottrina, hanno ispirato nel corso del tempo innumerevoli costruzioni.

I chörten, talvolta monumenti funerari quando racchiudono le ceneri di santi, possono essere commemorativi o proteggere alcuni luoghi dagli spiriti malvagi.

Il secondo deb raja fece costruire gli otto modelli di stûpa all'interno dello dzong di Punakha. Furono distrutti dal fuoco. La nonna dell'attuale sovrano li fece riprodurre in un monastero situato nei dintorni di Phuntsoling.

Il modello più diffuso nel Bhutan non si accosta a nessuno di questi prototipi. È chiamato «Khangteg» (il chörten casa).

fig. 303 A base quadrata, posto su di un podio, è sormontato da una copertura che imita quella dell'architettura civile con la differenza che non vi sono spazi tra il corpo dell'edificio, in muratura imbiancata a calce, e l'armatura della sovrastruttura. Questo modello, sommariamente realizzato nelle campagne, ha il suo archetipo nei quattro chörten di Paro, posti su di una base comune a gradini. Tre di essi, di forma cubica, sono coperti su tutti e quattro i lati da una tettoia le cui assicelle sono identiche a quelle che ricoprono i tetti e delle case e degli edifici sacri. Ad un piano superiore troviamo una costruzione che riproduce la forma del monumento in dimensioni ridotte; una copertura a quattro spioventi con al centro un motivo di bronzo sovrasta l'insieme. Una striscia rossa corre lungo la sommità di ogni livello. Questo tipo di chörten appartiene alla più pura tradizione del Bhutan.

Un secondo tipo, relativamente diffuso, mostra un'influenza nepalese e si accosta allo stûpa di Bodhnath; a pianta quadrata dentellata, tre piani decrescenti sorreggono una cupola sormontata da occhi appaiati e da tredici parasoli. Questo modello è rappresentato a Camkharchu, vicino a Tongsa e a Kora, nell'est del Bhutan.

fig. 304 Un terzo tipo, simile al secondo, ma senza occhi ha un'anda a bulbo su una base quadrata, come a Chendebi. È di questo tipo il chörten eretto alla memoria del re Jigme Wangchuk a Thimbu.

fig. 305 Di aspetto molto particolare, il Dumtse lhakhang di Paro, costruito nel 1430 circa, restaurato nel XIV e poi nel XIX sec., si ispira ai Kumbum del Tibet centrale della stessa epoca. La piattaforma del livello inferiore ha la forma di un mandala; un pilone centrale, a sezione circolare, attraversa l'insieme della costruzione per tre piani i cui muri sono interamente ricoperti di dipinti di grande interesse iconografico. Thangtong Gyelpo avrebbe costruito questo stûpa in questo luogo per allontanare alcune divinità demoniache.

Il chörten di Thimbu ha anch'esso una cavità all'interno, occupata da una scala che gira intorno ad una rappresentazione del Monte Meru, dimora di divinità.

L'architettura del Bhutan ha delle caratteristiche proprie che la distinguono da quelle dei paesi vicini: Cina, Tibet, India, Nepal.

Considerando il grande impulso dato da Shabdung allo sviluppo economico e religioso del paese, è sorprendente constatare che l'influenza tibetana è molto attenuata.

Certo, i materiali sono gli stessi: pietre o mattoni che sorreggono tetti piatti costituiti da intelaiature e sostenuti da colonne di legno. Questa similarità può essere spiegata da una parentela geografica che impone gli stessi materiali. Le coperture molto particolari del Bhutan si possono tuttavia ritrovare nel Kham.

Se le architetture dei due paesi hanno dei punti in comune, presentano nondimeno molte differenze.

I templi-fortezza, di cui il Potala è l'esempio più completo, esistono nel Tibet sotto forme diverse. Le vestigia di monumenti molto antichi risalenti all'epoca reale provano che esistevano castelli di difesa muniti di torri, situati in posti scoscesi, ma la particolare associazione fortezza-monastero-edificio amministrativo tipica del Bhutan.

Tutti gli dzong sono posti su speroni rocciosi, a dominare e controllare le valli.

Vi sono procedimenti architettonici diversi da un paese all'altro. Il Bhutan impiega più spesso del Tibet le tettoie, i claustra ed i portici a più piani. Questi ultimi conferiscono ai cortili interni un'organizzazione più unitaria che nella maggior parte dei monasteri tibetani. Gli edifici del Bhutan hanno un'organizzazione più sistematica delle piante e delle masse architettoniche. Il contrasto tra gli esterni, massicci e con rare aperture, e gli interni, circondati da portici, è più accentuato. I cortili, come a Paro ed a Tongsa, possono essere situati a livelli diversi, collegati da gradini. I portici a più piani, dalle forme e dai colori rituali, conferiscono unità all'insieme.

Nel Tibet, si osserva al contrario, una tendenza a interruzioni di ritmi più accentuate che sottolineano l'aspetto monumentale delle costruzioni, anche nelle parti residenziali dei monasteri che ricordano complessi urbani. Queste «città monastiche» sono sconosciute nel Bhutan; i vari servizi necessari alla comunità si fondono in uno stesso monumento, dalle forme per lo più regolari e simmetriche, con gallerie aperte che agevolano la circolazione.

Parallelamente, si osserva la presenza di edifici di piccole dimensioni, come Tagtsang, dalle forme complesse, legate alla configurazione tormentata del terreno. Senza ignorare gli imperativi religiosi legati a questo tipo di luoghi sacri, l'impianto ed i modi di queste architetture denotano una certa ricerca del pittoresco.

Le facciate tibetane volte all'esterno degli edifici hanno pochi balconi e conservano per lo più un aspetto sobrio e spoglio; al contrario, l'architettura del Bhutan fa volentieri uso di verande e balconi aggettanti.

La lavorazione delle colonne, in tutti i paesi dell'Himâlaya, ricorda l'architettura dell'India gupta: nel Bhutan, la parte alta del fusto, più stretta, è spesso ornata di motivi perlati o formati di vasi e di fiori; sopra al capitello, una trabeazione ha per lo più motivi scolpiti e dipinti, molto più ricchi che nella tradizione indiana e talvolta mutuati attraverso il Tibet dal vocabolario decorativo cinese.

Malgrado indiscutibili affinità nella scelta dei materiali, le tecniche di costruzione e le destinazioni degli edifici, l'architettura del Bhutan ha saputo sviluppare, nei confronti del Tibet, uno stile originale. Mentre nel Tibet la giustapposizione di uno stesso volume cubico consentirà una modulazione quasi infinita di spazi architettonici, nel Bhutan un'evoluzione parallela sfocierà nella creazione di insiemi architettonici spesso rigorosamente geometrici.

BIBLIOGRAFIA GENERALE

ARIS, 1979, 1983; BURNIER, 1982; COELHO, 1967; DAS, 1974; DENWOOD, 1974, 1971; DHONDUP, 1977; EDEN PEMBERTON GRIFFITH, 1972; HOOKER, 1954; JEST, STEIN, 1981; KARAN, 1967; LAUF, 1975; MARKS, 1977; MASSONAUD, 1982; MEHRA, 1974; OLSCHAK, 1979; PETECH, 1970 a RONALDSHAY, 1923; SINGH, 1968; SNELLGROVE, RICHRDSON, 1968; STEIN, 1972; BSTASI DZIN CHOS-RGYAL s.d.; TOFFIN, BARR, JEST, 1981; TURNER, 1800; WATSON, 1976, WHITE, 1909.

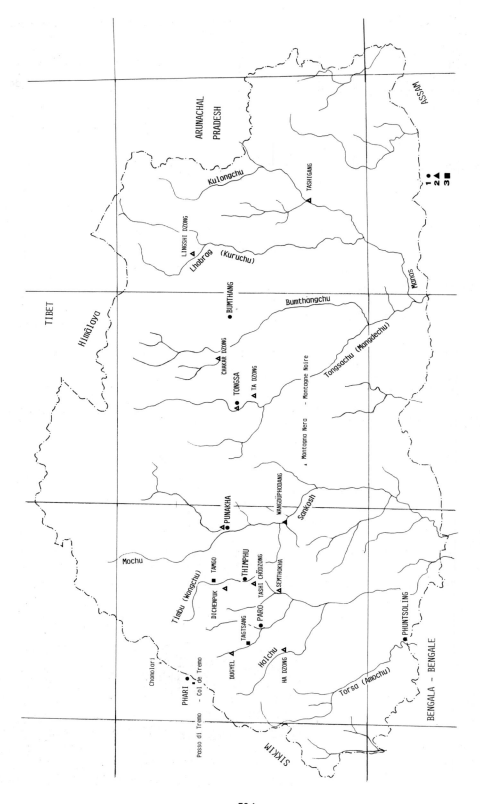

fig. 293 - Carta del Bhutan: 1, città e località; 2, dzong; 3, templi (Ch. Massonaud, R. Astolfi).
fig. 293 - Carte du Bhutan: 1, villes et localités; 2, dzong; 3, temples (Ch. Massonaud, R. Astolfi).

504

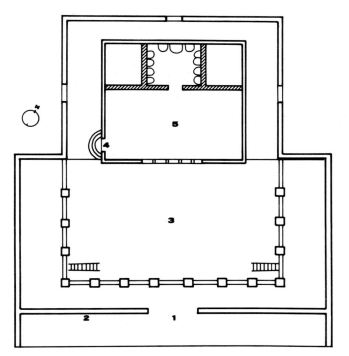

fig. 294 - Tamshing lhakhang, pianta: 1, ingresso al cortile interno, 2, vestibolo; 3, atrio porticato; 4, ingresso al tempio; 5, santuario (R. Astolfi da Lauf, 1975. fig. 4).

fig. 294 - Tamshing lhakhang, plan: 1, Accés à la cour intérieure, 2, vestibule; 3, cour entourée de portiques; 4, entrée du temple; 5, sanctuaire (R. Astolfi d'après Lauf, 1975, fig. 4).

fig. 295 - Champa lhakhang, pianta: 1, ingresso; 2, chorten; 3, cortile interno; 4, santuario principale (R. Astolfi da Lauf 1975, fig. 2).

fig. 295 - Champa, lhakhang, plan: 1, entrée; 2, chorten; 3, cour intérieure; 4, santuaire principal (R. Astolfi d'après Lauf 1975, fig. 2).

fig. 296 - Paro, dzong (foto Ch. Massonaud).

fig. 296 - Paro dzong (cl. Ch. Massonaud).

505

fig. 297 - Thimbu, Tashi chödzong, nel 1968 (foto Ch. Massonaud 1968).
fig. 297 - Thimbu, Tashi chödzong, état 1968 (cl. Ch. Massonaud 1968).

fig. 299 - Semthokha dzong (foto P. Rosselli).
fig. 299 - Semthokha dzong (cl. P. Rosselli).

fig. 298 - Thimbu, Tashi, chödzong, nel 1974 dopo il riammodernamento (foto Ch. Massonadu).
fig. 298 - Thimbu, Tashi, chödzong, en 1974 après sa rénovation (cl. Ch. Massonaud).

fig. 301 - Wangdüphodang, Dzong (foto P. Rosselli).
fig. 301 - Wangdüphodang, dzong (cl. P. Rosselli).

fig. 300 - Tongsa dzong (foto J.P. Boisseau).
fig. 300 - Tongsa dzong (cl. J.P. Boisseau).

fig. 302 - Chakar dzong, cortile interno (foto J. P. Boisseau).
fig. 302 - Chakar dzong, cour intérieure (cl. J. P. Boisseau).

fig. 303 - Paro, chörten (foto Ch. Massonaud).
fig. 303 - Paro, chörten (cl. Ch. Massonaud).

fig. 304 - Chendebi, chörten (cl. J. P. Boisseau).
fig. 304 - Chendebi, chörten (foto J. P. Boisseau).

fig. 305 - Paro, Dumtse lhakhang (foto Ch. Massonaud).
fig. 305 - Paro, Dumtse lhakhang (cl. Ch. Massonaud).

SECTION XV

BHUTAN

Chantal Massonaud

fig. 293

Les incendies qui détruisirent l'imprimerie de Sonagachi en 1828, Punakha en 1832, le tremblement de terre de 1896 et divers séismes, en ravageant la plupart des bâtiments ont détruit archives et chroniques qui auraient apporté une précieuse contribution à la connaissance de l'architecture bhutanaise. Seules les gravures réalisées d'après les dessins et aquarelles exécutés par les artistes qui accompagnaient les expéditions européennes, par exemple celle de Turner, permettent de réaliser l'état original des monuments que nous voyons aujourd'hui.

La connaissance des édifices anciens du Bhutan ne peut nous être révélée que de manière partielle. L'esprit de tradition qui caractérise ce pays permet cependant de supposer que les méthodes et les plans de construction ont peu évolué au cours des siècles. L'étude des bribes de références historiques connues aujourd'hui des Occidentaux confirment l'ancienneté des traditions architecturales.

Les premiers monuments attestés: Kyerchu lhakhang de Paro et Champa lhakhang à l'Ouest de l'actuel dzong de Chakar dans la vallée de Bumthang furent construits entre 640 et 660. D'après le Mani kambum ces temples seraient deux éléments d'un diagramme dessiné par le roi Songtsen Gampo. Il ordonna la construction de douze édifices bouddhiques qui sont autant de pieux destinés à fixer au sol la démone ennemie de la religion.

Ces deux temples marquent, d'après la tradition, l'arrivée du Bouddhisme au Bhutan et le début d'une histoire dont le fil se rompt parfois.

Au VIII° siècle, Padmasambhava visita Bumthang; il convertit le roi Sindhu Raja au Bouddhisme et médita à Tagtsang sous la forme Dorje Drolö. Un temple commémore sa visite. Selon une chronique postérieure, le roi Sindhu Raja demeurait près de Bumthang dans un palais-forteresse de neuf étages appelé Chagkhar gome (Le palais-forteresse sans porte).

L'activité du Bouddhisme ne s'est jamais relâchée depuis cette période; Gyelwa Lhanangwa en 1153 planta l'étendard des Lhapa. Au XIII siècle, Phajo Dugom Shigpo et cinq compagnons construisirent un petit dzong sur le Wongchu, ils introduisirent le Bouddhisme Dugpa Kagyu qui donnera son nom au pays (Le Bhutan s'appelle Dug yul: Pays du dragon). Plusieurs maîtres nyingmapa fondèrent des monastères au XIV siècle autour de Paro. En 1361 un lama gelugpa en construisit à Thimbu et à Punakha. Thangtong Gyelpo (1385-1464), le célèbre constructeur de ponts, fut aussi l'auteur d'édifices religieux.

Il apparait qu'une grande activité des Bouddhistes se serait poursuivie jusqu'à l'arrivée en 1616 de Shabdung Ngawang Namgyel (1594-1651), incarnation de Pema Karpo chef spirituel de l'école Dugpa. Shabdung pacifia le pays, établit ses structures, imposa son autorité politique aussi bien que religieuse. L'avènement de la dynastie Wangchu en 1907 transforma l'aspect politique mais laissa intact l'aspect spirituel de ces réformes.

Le Lho'i chöjung (Histoire de la religion dans le pays du Sud) écrit entre 1731 et 1759 donne de nombreux renseignements sur les hauts faits et les activités de bâtisseur de Shabdung.

Les descriptions dues aux voyageurs européens dont les premiers: Cacella et Cabral furent les invités de Shabdung en 1627, George Bogle en 1774-1775, Samuel Turner en 1783, Pamberton et Eden en 1864. White qui accomplit deux missions au Bhutan en 1905 et 1907 nous éclairent sur certains points.

Samuel Turner était accompagné d'un lieutenant de l'armée du Bengale qui avait pour mission de dessiner; quelques unes de ses oeuvres publiées par M. Aris sont un témoignage précieux de l'architecture bhutanaise en 1783 et servent de points de comparaison.

L'architecture s'illustre par les édifices religieux: dzong, monastéres, temples (lhakhang), chörten, par les constructions civiles et par les ouvrages d'art tels les ponts qui jouent un grand rôle dans ce pays de rivières.

Cette architecture est remarquablement adaptée aux conditions climatiques, elle est concentrée dans la zone médiane du pays sur les hauteurs du Moyen-Himâlaya.

Les Bhutanais vivent dans des hameaux ou des villages près de leur bétail et de leurs cultures, au fond des vallées ou sur les pentes montagneuses. Deux agglomérations se développent très rapidement: Thimbu la capitale et Phuntsoling, grand centre commercial de la région des Duars et ville-frontière.

LES MAISONS

La maison bhutanaise représente un mélange harmonieux de maçonnerie et de bois. Les murs, qui ont presque un mètre d'épaisseur à la base, reposent sur des fondations de pierres. Ces murs ont un léger fruit et sont composés de blocs de pisé (gyang) parfois blanchis à la chaux, préalablement tassés par les piétinements des Bhutanaises qui s'acquittent de cette tache en chantant des airs traditionnels.

Les hommes ont pour mission, au moyen de haches et d'herminettes de tailler et de raboter les troncs de pins destinés aux sols, aux plafonds et aux étages supérieurs. La pierre remplace le pisé dans l'Est du pays.

La maison se trouve au fond d'une cour bordée de murs. Le rez-de-chaussée est réservé au bétail. Il faut pour pénétrer dans cette demeure gravir une échelle taillée dans un seul morceau de bois qui mène à une plate-forme de bambous placée en avant de la porte d'entrée du premier étage. Celui-ci qui ne comporte aucune fenêtre est consacré au magasinage des provisions; une autre échelle conduit par une trappe au deuxième étage réservé à l'habitation, divisé en pièces carrées ou rectangulaires. L'âtre se trouve dans la pièce principale qui, le soir venu, se transforme en dortoir. Les hôtes de marque sont logés, dans une petite chambre adjacente prolongée par une chapelle dont elle est séparée par des piliers qui supportent la poutre principale du toit. A cet étage, les murs extérieurs sont en partie constitués par un chassis de bois, légèrement en saillie, rempli de minces panneaux dont le ouvertures trifloliées laissent passer la lumière; des volets à glissières permettent de les obturer de l'intérieur.

Cet archétype évolue dans ses dimensions. Les maisons patriciennes sont de taille beaucoup plus importante, le rez-de-chaussée n'abrite aucun bétail, une riche ornementation intérieure et extérieure agrémentée de symbole bouddhiques souligne les détails architecturaux. Le rez-de-chaussée comporte des portes et de fenêtres, le plancher du premier étage est composé de lames de parquet reposant sur des solives apparentes que soutiennent des sablières de volée sur lesquelles s'appuie une armature de bois, fenêtres trifoliées alternant avec des poteaux qui soutiendront les hourdis de terre.

Quelle que soit la dimension de la maison, le principe architectural demeure; le dernier étage est surmonté d'un appareil constitué de solives disposées en éventail dans les angles.

Le sommet de la maison est plat. Cette surface supporte dans les angles des piles de maçonnerie qui se dressent, soutenant les poteaux d'une lourde charpente dont les éléments verticaux et horizontaux sont assemblés à tenons et mortaises; le toit à double pente n'est pas sans évoquer l'architecture alpine.

Le toit est formé de solives intercalées de pannes reposant sur des poinçons moisés soutenus par des entraits retroussés en moise. Il est posé, tel un appendice étranger, sur les poteaux précités.

Cette armature supporte une couverture de bardeaux maintenus par des pierres.

Ce toit abrite un grenier, ouvert sur ses côtés, utilisé pour le stockage du bois de chauffage et du fourrage.

Ce prototype initial se retrouve en maintes occasions: petits chörten en forme de parallélogrammes, abris pour des moulins à prières actionnés par un courant d'eau. Départ et arrivée d'un pont construit, tel celui de Paro, par Thangton Gyelpo. Parfois étirée en hauteur, elle marque le passage d'une route stratégique et en même temps sert de poste d'observation.

La tradition de l'architecture civile se perpétue aujourd'hui dans les maisons et les échoppes qui furent construites à Thimbu au cours de la dernière décennie.

TEMPLES ET MONASTERES (chökhang e gompa)

Les temples parsèment le pays; ils sont parfois isolés, parfois groupés, entourés de quelques édifices destinés aux moines. Nombre d'entre eux se présentent sous la forme d'un temple élevé, en forme de bloc, situé au fond d'une cour dont les trois autres côtés sont réservés aux habitations (Tamshing lhakhang).

De nombreux sanctuaires, parmi les plus vénérés, présentent des variations sur ce modèle classique, par exemple Tamgo, non loin de Thimbu, qui abrita les méditations de Shabdung; Kyerchu lhakhang; Champa lhakhang déjà cité; Chari, premier siège de Shabdung au Bhutan et Dechen Chöling près de Paro; il serait vain de vouloir les nommer tous. Au Bhutan la langue tibétaine et régulièrement utilisée pour traduire des termes religieux et la plupart des termes d'architecture.

fig. 294

fig. 295

Certains des temples-monastères sont l'objet d'une ferveur particulière, par exemple Tagtsang ou «le nid du tigre», consacré à Padmasambhava, niché à flan de falaise dans la vallée de Paro, dominant un à pic de 300 mètres. Il se compose de plusieurs bâtiments accrochés au terrain, donnant un aperçu vertigineux de l'audace de ses réalisateurs.

Ph. Denwood décrit le monastère de Tabo près de Punakha qui fut une demeure de Shabdung: sis sur un éperon rocheux, doté d'une vue magnifique et de possibilités de défense, construit sous la forme d'un temple-bloc assorti d'une cour. Un porche à piliers mène à cette cour par des escaliers; deux étages construits la bordent sur trois côtés au-dessus d'un passage ouvert soutenu par des colonnes qui se retrouvent à l'étage supérieur. Ce dernier est consacré à de petites chapelles (lhakhang) alors que le rez-de-chaussée est réservé aux moines.

Quelques marches conduisent au temple principal élevé sur un gradin. Le temple comporte trois étages, chacun se répartit en trois pièces. L'espace central du rez-de-chaussée est occupé par un hall d'entrée (gokhang) et un escalier. Les pièces adjacentes contiennent les réserves de biens de consommation (lagcho khang) et servent de chambres aux invités et au personnel du temple (gron khang, könyer). Les pièces des étages sont exclusivement des chapelles, la principale se trouve au centre de l'étage supérieur. Elle renferme les représentations de la plupart des réincarnations de Shabdung et sert de salle de réunion (dükhang). Le temple-bloc ainsi que les bâtiments qui constituent les trois autres côtés de la cour sont coiffés d'un toit supplémentaire à la manière des demeures laïques. Un troisième toit très réduit couronne le temple. La façade s'orne de fenêtre ouvertes sur des balcons à triples baies de tailles décroissantes.

Les murs de pisé reposent sur des fondations de pierres. Ce détail rapproche les architectures religieuse et laïque.

La décoration diffère, les murs extérieurs blanchis à la chaux comportent une bande rouge à leur sommet; cette bande rouge rappelle le parapet de brousailles placé sur les toits plats des maisons tibétaines qui devint très vite un élément décoratif repris sur les édifices religieux et transmis au Bhutan.

Les toits sont ornés, à la manière tibétaine de bannières de victoire (gyeltsen); l'utilisation des colonnes et des piliers qui portent les toitures des temples ne se retrouvent pas dans l'architecture laïque. Ces colonnes semblement inspirées de l'Inde, nous les trouvons aussi au Tibet. Elles suivent un ordre rigoureux. Fréquemment de section carrée, légèrement cannelées, resserrées au sommet, elles sont surmontées de chapiteaux qui s'étirent en largeur, de console et de soutiens d'entablement ainsi que de plusieurs étages de modillons. L'ensemble est peint de motifs bouddhiques aux couleurs éclatantes.

LES DZONG

Les dzong représentent le thème le plus spectaculaire de l'architecture bhutanaise. Monastères-forteresses, ils sont une création tout à fait originale.

Dès son arrivée en 1616, Ngawang Namgyel, le futur Shabdung, qui redoutait une invasion venue du Tibet s'empressa de construire des défenses, il les plaça aux carrefours des routes stratégiques, sur des éperons rocheux dominant l'horizon. Ces ouvrages défensifs devaient parallèlement être des monastères d'un type tout à fait différent de ceux qui ne jouaient aucun rôle politique.

Le dzong revêt souvent la forme d'un parallélogramme. Contrairement à ceux des maisons, ses murs sont le plus souvent constitués de pierres offrant un aspect de solidité massive. Cette forteresse généralement accessible par une seule porte étroite, s'ordonne autour de cours de niveaux différents car le rôle défensif du dzong le plante dans la plupart des cas sur un terrain escarpé à la manière des châteaux-forts européens. L'intérieur de ces cours est dominé par une construction haute de cinq niveaux qui ne comporte que des chapelles dédiées à des personnages historiques divinisés, tel Shabdung ou à une divinité précise. Le gokhang renferme les images des divinités secrètes protectrices de la région ou du pays.

Les bâtiments extérieurs renferment les services administratifs, les habitations des moines, d'autres chapelles, des salles d'enseignement, des bibliothèques. Des galeries surmontées de loggias entourent les cours. Les sanctuaires les plus importants s'élèvent sur plusieurs étages et comportent de hauts piliers qui portent le toit. Nous retrouvons l'harmonieuse alliance du bois peint et de la maçonnerie dépouillée. A l'extérieur, les fenêtres aux étages inférieurs s'élargissent vers les étages supérieurs et s'ouvrent sur des balcons de bois. Sous les toitures court une bande rouge identique à celle des temples. Les toits sont parfois doubles, de la même manière que ceux des temples et des maisons, soutenus par des consoles; les premiers débordent l'édifice, les seconds sont légèrement en retrait. Le bâtiment le plus élevé surmonté d'un lanterneau est coiffé de motifs de cuivre. Les architectes bhutanais se targuent de ne pas utiliser le moindre clou et de ne pas dessiner un seul plan préparatoire.

Une carte exhaustive des dzong donné par Karan en dénombre 29. Il est intéressant lorsque les documents s'y prêtent de comparer l'architecture contemporaine et les mêmes monuments dessinés aux XVIII et XIX siècles.

fig. 296 Le dzong de Paro par exemple, appelé aussi Rinpung, construit par Drungdrung au XV siècle, transformé par Shabdung en 1645, détruit par un incendie au début du XX siècle, fut reconstruit selon le même plan. Son aspect actuel ne diffère pas de la description qu'en donne Eden en 1864. Ce dzong comme celui de Tongsa est accompagné d'une redoute arrondie située à quelques centaines de mètres plus haut. Utilisé jadis comme arsenal, le Tadzong de Paro aux cinq étages hélicoïdaux est aujourd'hui transformé en musée.

fig. 297 Tashi chödzong, à Thimbu, occupe l'emplacement d'un monastère fondé par Phajo au XIII siècle, transformé par Shabdung en 1641, agrandi en 1755, incendié en 1689 restauré en 1870. Samuel Davis nous a légué l'image d'un dzong très comparable à celui de Paro mais de taille plus importante. Bogle nous précise qu'il abrite *fig. 298* 3.000 hommes. Le dzong actuel, conçu selon les directives du roi Jigme Dorje Wangchuk ('Jigs med rdo rje dbang phyug) selon les règles d'une architecture traditionnelle, terminé en 1969, est de proportions majestueuses. Il comporte plus de cent pièces. Le monastère central, résidence d'été de Je Khenpo, chef religieux du Bhutan est le seul vestige du passé. A la fois siège du gouvernement, de l'assemblée nationale et siège religieux, il est conçu dans ce triple but. La cour principale est le théâtre, une fois par an, du festival de danses religieuses.

fig. 299 Le dzong le plus ancien Semthokha, construit en 1627, présente l'intérêt de demeurer en son état initial, aussi bien architectural que décoratif. Il est constitué d'une imposante construction centrale et de locaux annexes disposés le long d'un rempart.

Punakha fut élevé par Shabdung entre 1636 et 1637 au confluent du Parochu et du Mochu; long d'environ 180 mètres, large de 72 mètres, sa cour centrale comporte au Sud une tour rectangulaire de six étages qui abrite les chapelles mortuaires des premiers chefs religieux du dzong: les Gyeltsab.

fig. 300 Tongsa, berceau de la famille royale bâti en 1648 par Shabdung, restauré par le roi Ugyen Wangchuk au début du XX siècle, est caractérisé par une grande irrégularité du niveau des toits qui correspond aux niveaux des trois cours intérieures. L'unique chemin qui reliait autrefois l'Ouest à l'Est du pays traversait le dzong, lui donnant une importance stratégique de premier plan.

fig. 301 Wangdüphodang construit entre 1638 et 1639, situé comme Punakha entre deux fleuves, reçut par la suite l'adjonction d'un toit doré. Il était à l'origine relié à la rive opposée par l'un des plus beaux ponts fortifiés du Bhutan, détruit aujourd'hui mais fixé par le crayon de S. Davis. Nous le voyons précédé d'une entrée fortifiée flanquée de bastillons percés de rares meurtrières et surélevée d'une tour de guet.

Ces ponts en dos d'âne étaient soutenus en leurs extrémités par des poutres de bois projetées les unes au dessus des autres en ressaut, issues de culées maçonnées; un tablier de charpente descendait en deux pentes de part et d'autre de la partie médiane horizontale.

Ces ponts «cantilever» en charpente existent encore en nombreux exemplaires, ils sont de plusiers types: réduits à leur plus simple expression sans le moindre garde-fou ou au contraire couverts d'une toiture à double pente qui s'inscrit à chaque extrémité dans une construction haute et étroite, sorte de vestibule comme à Paro, un parapet solide en rend la traversée rassurante.

L'évocation de ces ouvrages dus au génie civil ne peut omettre les ponts de chaines construits par Thangtong Gyelpo décrits par Turner. Cinq chaines supportent une plate-forme de lattes de bois qui se balance au gré du vent.

Ces ponts, vulnérables aux crues provoquées par les pluies sont peu à peu remplacés par des ouvrages de ciment construits sur poutres armées.

fig. 302

Le chapitre des dzong ne doit pas se clore sans mentionner Chakar dans la vallée de Bumthang, entouré d'un mur qui mesure plus d'un kilomètre; sa tour principale dépasse cinquante mètres en hauteur. Ha, fief de la famille Dorje, Lhuntse, Tashigang à pic sur la rivière Manas et Dugyel dzong bâti en 1649 par Shabdung afin de commémorer sa victoire sur les tibétains et pour protéger la route des invasions venues de Phari au Tibet. Ce dzong était défendu par trois tours rondes réunies par un double mur. A l'Est, un grand réservoir d'eau permettait de soutenir un siège. Le fort, d'un dessin très irrégulier s'élevait à pic sur trois côtés d'une colline. Incendié en 1950, il n'en subsiste que des ruines prestigieuses.

CHÖRTEN

Symbole bouddhique par excellence, le chörten est présent jusque dans les lieux les plus reculés.

Son origine, selon la tradition, remonte aux huit stûpa qui furent édifiés pour recueillir les cendres du Bouddha. Ces huit modèles de dessins différents répandus en même temps que la doctrine ont inspiré au cours des âges d'innombrables constructions.

Les chörten, parfois monuments funéraires lorsqu'ils renferment les cendres de saints personnages peuvent commémorer ou protéger certains lieux des mauvais esprits.

Le second deb raja fit construire les huit types de stûpa à l'intérieur du dzong de Punakha. Ils furent détruits par le feu. La grand-mère du souverain actuel les fit reproduire dans un monastère sis aux environs de Phuntsoling.

Le modèle le plus répandu au Bhutan ne se rattache à aucun de ces huit prototypes. Il est appelé «Khangteg» (le chörten-maison). De base carrée, placé sur un podium, il est surmonté d'une toiture qui imite celle de l'architecture civile à cette différence près qu'il ne subsiste aucun espace entre le corps du bâtiment constitué de maçonnerie blanchie à la chaux et la charpente de la superstructure. Ce modèle, traité

fig. 303

sommairement dans les campagnes trouve son archétype avec les cinq chörten de Paro posés sur une base commune à gradins. Trois d'entre eux, de forme cubique sont couverts sur les quatre côtés d'un auvent dont les bardeaux sont identiques à ceux qui recouvrent les toits aussi bien des maisons que des édifices sacrés. Un étage reprend en réduction la forme du monument; une toiture à quatre pentes centrée d'un motif de bronze couronne l'ensemble. Une bande rouge court au sommet de chaque niveau. Ce type de chörten est dans la pure tradition bhutanaise.

Un second type, relativement rare démontre une influence népalaise et se rattache au stûpa de Bodhnath; de section carrée à redents, trois étages dégressifs supportent une coupole surmontée de paires d'yeux et de treize parasols. Ce modèle est illustré à Camkharchu près de Tongsa et à Kora dans l'est du Bhutan.

fig. 304

Un troisième type proche du second mais sans yeux présente un tronc bulbeux sur une base carrée comme à Chendebi. C'est dans cette ligne que s'inscrit le chörten érigé à la mémoire du roi Jigme Wangchu à Thimbu.

fig. 305

D'un aspect très particulier le Dumtse lhakhang de Paro construit aux environs de 1430, restauré au XIV puis au XIX siécle s'inspire des Kumbum du Tibet central de la même époque. La plateforme du niveau inférieur revêt la forme d'un mandala. Une pile centrale de section circulaire traverse l'ensemble de la construction sur trois étages dont les murs sont entièrement revêtus de peintures d'un grand intérêt iconographique. Thangtong gyelpo aurait construit ce stûpa en ce lieu pour écarter certaines divinités démoniaques.

La chörten de Thimbu comporte lui aussi une cavité intérieure occupée par un escalier qui tourne autour d'une représentation du Mont Meru, demeure de divinités.

L'architecture bhutanaise fait apparaître une originalité évidente qui la distingue de celles des pays voisins: Chine, Tibet, Inde, Népal.

Compte tenu de la grande impulsion donnée par Shabdung au développement économique et religieux du pays, il est étonnant de constater que l'influence tibétaine demeure très atténuée.

Certes, les matériaux sont les mêmes: pierres ou briques qui supportent des toits plats constitués de charpentes, soutenus par des colonnes de bois. Cette similarité peut s'expliquer par une parenté géographique qui impose les mêmes matériaux. La couverture très particulière du Bhutan semble néanmoins se retrouver au Kham.

Si les architectures des deux pays ont des points communs, elles ont néanmoins beaucoup de dissemblances. Les temples-forteresses dont le Potala est l'exemple le plus abouti, existent sous une forme différente au Tibet. Les vestiges de monuments très anciens remontant à l'époque royale prouvent qu'il existait des châteaux défensifs dotés de tours, situés en des lieux escarpés, mais cette association particulière forteresse-monastère-bâtiment administratif ne se rencontre qu'au Bhutan.

Des procédés architectoniques diffèrent d'un pays à l'autre. Le Bhutan utilise plus fréquemment que le Tibet les auvents, les claustra et les portiques à étages. Ces derniers donnent aux cours intérieures une organisation plus unifiée que dans la plupart des monastères tibétains. Les bâtiments bhutanais sont plus systématiques dans leurs plans et dans l'organisation de leur masse architecturale. Le contraste entre les extérieurs massifs aux rares ouvertures et les intérieurs entourés de portiques est plus accentué.

Les cours comme à Paro et à Tongsa peuvent être situées à des niveaux différents reliés par des degrés. Les portiques à étages aux formes et aux couleurs rituelles confèrent une unité à l'ensemble. Au Tibet, on note au contraire une tendance à des ruptures de rythmes plus marquées qui accentuent l'aspect monumental des constructions, même dans les parties résidentielles des monastères qui évoquent des ensembles urbains. Ces «cités monastiques» sont inconnues au Bhutan; les divers services nécessaires à la communauté se fondent en un même monument unifié, aux formes de préférence régulières et symétriques, les galeries ouvertes facilitant la circulation.

Parallèlement, on constate la présence de bâtiments de petite taille tel Tagtsang, aux formes complexes, liées à la configuration tourmentée du terrain. Sans ignorer les impératifs religieux attachés à ce type de hauts lieux, l'implantation et le traitement de ces architectures dénotent une certaine recherche du pittoresque.

Les façades tibétaines tournées vers l'extérieur des édifices sont ponctuées avec parcimonie de balcons et conservent le plus souvent un aspect sobre et dépouillé; au contraire, l'architecture bhutanaise utilise volontiers les loggias et les balcons en saillie et en encorbellement.

Le traitement des colonnes, dans tous les pays de l'Himâlaya, évoque l'architecture de l'Inde gupta; ainsi, au Bhutan, le haut du fût, toujours resserré, est souvent orné de perlages ou d'un motif formé de vase et de fleurs; au-dessus du chapiteau, un soutien d'entablement porte le plus souvent des motifs sculptés et peints, beaucoup plus riches que dans la tradition indienne, et empruntant parfois ses motifs décoratifs à la stylistique chinoise.

Malgré des parentés indiscutables dans le choix des matériaux, les techniques de construction et la finalité des bâtiments, l'architecture bhutanaise sut développer, face au Tibet, un style original. Alors qu'au Tibet la juxtaposition d'un même volume cubique permettra une modulation presque infinie des espaces architecturaux, au Bhutan, une évolution parallèle aboutira à la création d'ensembles architecturaux unifiés, d'une rigoureuse géométrie.

OUVRAGES GENERAUX

ARIS, 1979, 1983; BURNIER, 1982; COELHO, 1967; DAS, 1974; DENWOOD, 1974, 1971; DHONDUP, 1977; EDEN PEMBERTON GRIFFITH, 1972; HOOKER, 1954; JEST ET STUN, 1981; KARAN, 1967; LAUF, 1975; MARKS, 1977; MASSONAUD, 1982; MEHRA, 1974; OLSCHAK, 1979; PETECH, 1970; RONALDSHAY, 1923; SINGH, 1968; SNELLGROVE ET RICHARDSON, 1968; STEIN, 1972; GSTAN' DZIN CHOS-RGYAL s.d.; TOFFIN, BARRE, JEST, 1981; TURNER, 1800; WATSON, 1976, WHITE, 1909.

SEZIONE XVI

SIKKIM

Chantal Massonaud

fig. 306

Fatta eccezione per alcuni utensili neolitici, nel Sikkim non è stata ritrovata nessuna testimonianza umana anteriore al XV sec.. Numerose etnie si sono insediate senza lasciare tracce. Una tradizione fa risalire l'arrivo dei Lepcha al VI sec. a. C.. Sono probabilmente venuti dall'est, dalle vicine regioni dell'Assam e della Birmania, forse anche dalla Mongolia. L'arrivo dei Magar, Tsong e Limbu, originari del Tibet e del Nepal è molto più recente. Nel XIII sec. l'insediamento dei Bhotiya scesi dal Minyag, segna una svolta nella storia del Sikkim.

Khye Bumsag, devoto buddhista, antenato dei Namgyel, sposato con una figlia del gerarca di Sakya, fu accolto da The Kong Tek, capo dei Lepcha. Questi praticavano una religione animista; i due capi compirono un rito per legare i loro popoli in modo indissolubile. Da allora, l'animismo è rimasto un elemento sotterraneo nelle credenze popolari, mentre il buddhismo impregna nei minimi dettagli la vita del paese.

Un discendente di Khye Bumsag, Phuntshog (1604-1670) fu incoronato re nel 1641 da tre lama venuti dal Tibet: ricevette allora il nome di Namgyel (rNam-rGyal: sovrano del cielo) che divenne quello della sua dinastia.

L'ordine religioso dei tre lama apriva la strada a molte scuole Sakyapa e Nyingmapa. Ad esempio. Lhatsun chenpo era di tradizione Dzogchenpa, Sempa chenpo di tradizione Kathogpa e Rigdzin chenpo di tradizione Nadagpa. Essi conferirono a Phuntshog Namgyel l'investitura religiosa che gli dava l'autorità spirituale e temporale sul paese. Ricevette il titolo di chögyel (re secondo la religione). Le più antiche testimonianze artistiche che ci rimangono sono posteriori a questa data. Il monastero di Dubde e quello di Silnon furono edificati nel 1644, Khachö Pelri nel 1682, Melli e Tashiding alla fine del XVII sec. e Namtse nel 1731.

L'architettura tradizionale è ancor oggi fortemente influenzata dal Tibet donde sono venuti i Bhotiya. I Namgyel vi ricercavano frequentemente le loro alleanze, anche matrimoniali e legami privilegiati univano i monasteri del Sikkim e quelli del Tibet. Non era raro che artisti tibetani fossero invitati nel Sikkim per dirigere l'edificazione e la decorazione di un monastero. Così fu, nel 1928, per l'edificazione del tempio del palazzo a Gangtok.

Tuttavia, i Lepcha, insediatisi principalmente nelle regioni delimitate dalla confluenza della Tista e della Dikchu e quella della Tista e della Lachung, conservano tradizioni architettoniche originali. Le loro abitazioni sono costruite su di un pendio. Il muro posteriore, di pietra, poggia sul fianco della collina. Un passaggio circonda la casa. Una scala, da un lato, porta ad un ballatoio di legno sostenuto da due o tre colonne formate con

fig. 307

tronchi squadrati. L'ingresso della casa si apre sul ballatoio la cui balaustra è composta di pannelli; gli interstizi sono riempiti da frammenti di bambù. La casa prende luce da un'apertura traforata, con traverse simili a quelle dei monasteri e da finestre trilobate a trifora, dietro le quali scorrono delle persiane di legno.

Il corpo dell'edificio è formato da blocchi squadrati posati a secco. Nella parte anteriore, il pianoterra è o completamente costruito o aperto, e ciò comporta l'impiego di pali di sostegno di legno o di pilastri di pietra. Il tetto, coperto di paglia, poggiato su di un'intelaiatura di bambù, è diviso in tre sezioni: due falde lievemente inclinate separate da un mezzo colmo arrotondato.

All'interno, una grande cucina occupa, sul retro, tutta la larghezza della casa. Tramezzi dividono il resto dello spazio in un numero variabile di stanze. Una di esse è talvolta riservata al culto di divinità, come nelle case tibetane nelle quali una cappella è consacrata alle immagini buddhiste.

I soffitti sono fatti di bambù; per mezzo di una scala si può accedere al piano superiore destinato alle provviste. Il bestiame è sistemato a livello del suolo, sotto al piano destinato all'abitazione.

La casa bhotiya a pianta rettangolare, è costruita su pilastri di pietra. Il primo piano è molto più largo delle fondazioni sulle quali poggia. La casa è fatta di muri di bambù, tenuti insieme da cordami, gli spazi sono riempiti con argilla. I maiali ed il bestiame sono sistemati al pianoterra. Capanne recintate da steccati di bambù sono talvolta costruite nelle immediate vicinanze per vacche, capre o pollame. Una scala posta sul fianco della casa porta al primo piano attraverso una specie di veranda. Questo piano è diviso da un tramezzo mediano. Da un lato si trova la stanza principale, soggiorno, cucina, camera da pranzo, camera da letto; una parte è occupata dal focolare intorno al quale si riunisce la famiglia, come nelle case tibetane. Dall'altro lato del tramezzo si trovano la stanza riservata alle persone più anziane ed una cappella consacrata al culto buddhista. Le provviste sono custodite in un ripostiglio. Da lì, una scala porta alla soffitta, sormontata dal tetto, generalmente di bambù, fatta eccezione per le valli di Lachen e di Lachung, dove è fatto di assicelle. La lamiera dipinta sostituisce sempre più spesso questi tetti di bambù o di assicelle. Nel Sikkim al contrario del vicinissimo Bhutan, non vi è alcuno spazio tra il soffitto dell'ultimo piano e la copertura. Sono i pignoni a sostenere le travi orizzontali.

L'architettura religiosa è rappresentata dai monasteri, dai templi e dai chörten (stûpa).

Nel Sikkim esistono sessantasette monasteri il più antico dei quali, Humri, costruito all'inizio del XV sec. da un lama tibetano fu completamente rimaneggiato nel 1955. Nessun monastero anteriore al XX sec. esiste oggi nella sua forma originaria, sono stati tutti rimaneggiati ad eccezione di Silnon.

fig. 308

I più importanti per ruolo e dimensioni si trovano nella parte ovest del paese: Pemayangtse e Tashiding. Il primo, ricostruito una cinquantina di anni fa, fu edificato dal re Chagdor Namgyel sul modello del monastero di Mindöling nel Tibet; è la casa madre di tutti i monasteri nyingmapa del Sikkim.

Tashiding situato su di un promontorio alla confluenza dei fiumi Rangit e Ralung, di tendenza nadagpa, fu edificato alla fine del XVII sec. La sua posizione geografica, unita all'ampiezza delle costruzioni, ne fa un complesso sorprendente menzionato da tutti i viaggiatori dei secoli scorsi. Comprende un mendong — lungo muro di pietre sulle quali sono scolpite formule rituali —, un mani lhakhang circondato da mulini di preghiere, e tre templi (il Guru lhakhang, il Gyelkhang e il Chögyel lhakhang). Dirimpetto ad essi si trovano le costruzioni lunghe e basse destinate ai monaci. Di seguito, più in basso, si stende una foresta di chörten. Questi templi sono rappresentativi dell'architettura religiosa del Sikkim, a pianta quadrata o rettangolare, fatta eccezione

fig. 309

per il Chögyel lhakhang, unico santuario a pianta cruciforme del paese. Il monastero di Enchey, vicino a Gangtok, rappresenta un'altra eccezione. La sua costruzione centrale, di tre piani su pianta quadrata, è fiancheggiata da quattro torri quadrate. L'ingresso dei templi è ad est, preceduto da un gomgor, specie di vesti-

fig. 310

bolo, chiuso talvolta da un claustra. Il visitatore entra nel dükhang, sala di riunione, sui muri della quale sono dipinte scene religiose. Un altare, all'estremità della sala, sostiene le rappresentazioni scolpite di divinità. Delle colonne, il cui numero varia in funzione del volume di questa sala, sostengono il soffitto. Al primo piano si trovano una biblioteca ed altre cappelle nonché il santuario propriamente detto (lhakhang). Una di queste cappelle è talvolta consacrata, come a Namtse, al paradiso di Padmasambhava, enorme riproduzione in scala ridotta di un edificio. Alcuni templi di piccole dimensioni, come Humri, hanno soltanto un pianoterra. I templi a due livelli sono i più numerosi, il piano superiore è o del tutto indipendente, o fatto a loggia, come a Silnon, dove la parte centrale del pianoterra giunge fino al soffitto del primo piano, sostenuto da alti pilastri. I templi più importanti non superano i tre livelli, come Pemayangtse.

I muri di queste costruzioni sono fatti di pietre poste verticalmente, gli interstizi tra i grossi blocchi sono riempiti con ciottoli. Questi muri, talvolta imbiancati, sono fortemente a scarpa e la loro estremità superiore è dipinta di rosso mattone, nello stile tibetano. La demarcazione è sottolineata da una fila di modiglioni. I soffitti sono a travi a vista. I tetti, di assicelle o di bambù, spesso di lamiera dipinta, sono talvolta molto semplici come a Namtse: due lati formano un tetto a capanna in direzione est-ovest completato da due tettoie in direzione nord-sud. Un altro tipo che ritroviamo nel monastero del palazzo è costituito da una copertura a quattro spioventi poco inclinati, al primo piano, che si ripete, rientrante, al secondo livello, dominato a sua volta da un lucernario il cui modello ricorre particolarmente a Tashiding, a Lachen e a Lachung.

Questi tetti, molto sporgenti, richiedono talvolta l'impiego di travi in contropendenza. L'uso del legno abbellisce molto l'aspetto austero delle costruzioni.

A Pemayangtse, ad esempio, la veranda del primo piano è sostenuta da pilastri che formano un portico, sormontati a loro volta da un cornicione, da un fregio di mensole incurvate nello stile di quelle cinesi e da una

fig. 311

cornice di modiglioni. Peristilii e verande, chiusi da claustra molto particolari nel Sikkim, come testimoniano Silnon e Tashiding, potrebbero aver subito l'influenza della Cina dei Qing. Sono formati da pannelli giustapposti di legno, traforati, colorati e variamente arabescati.

Le architravi delle finestre a travi aggettanti sono sormontate da beccatelli sui quali poggia una tettoia. I pilastri aggettanti, paragonabili a quelli del Bhutan per l'ispirazione indiana della forma, sono sormontati da un capitello, da due mensole applicate, a volute, e da una trabeazione leggermente sporgente.

fig. 312

Ogni aggiunta di legno è motivo di ornamento; gli stipiti delle porte sono guarniti con una grande varietà di motivi geometrici e vegetali, alcuni dei quali ispirati al Tibet centrale, altri all'India Gupta.

I chörten o «ricettacolo di offerte» sono innumerevoli e di varie forme, costruiti in muratura piena, hanno talvolta un rivestimento bianco e sono sormontati da ornamenti rituali in metallo dorato. Tra gli otto tipi di chörten della tradizione tibetana, due ricorrono più di frequente: il chörten della «discesa dal cielo» formato da una base cubica sulla quale poggia una costruzione a forma di campana, sormontata da un reliquiario decorato con due occhi. Lachung ne possiede parecchi esempi.

Il secondo tipo, ancora più frequente, che evoca l'Illuminazione suprema, consta anch'esso di un basamento cubico sul quale poggia una costruzione bombata, più larga alla sommità che alla base. Questo modello s'incontra in particolare a Yoksam, un tempo capitale del Sikkim. Commemora l'incoronazione del primo chögyel. Lo si trova anche a Pemayangtse ed a Tashiding. Il Thongwarang, il primo stûpa di quest'ultimo sito, è consacrato a Gatsun nagpo, guru di Lhatsun Namkhe Jigme, uno dei principali tertön del Sikkim. La strada che conduce a Tashiding è indicata da numerosi chörten. Troviamo vicini i tipi più classici e quelli dalle forme più disparate, a pianta quadrata, rettangolare, di forma conica, piramidale.

fig. 313

Sono in muratura a secco formata da blocchi sbozzati, ciottoli e larghe pietre piatte. Il chörten fa parte del consueto paesaggio del Sikkim: appare in cima ad una salita, alla svolta di un sentiero. Alla confluenza del Rachang e del Rangit, otto piccoli chörten a bulbo formano un circolo per proteggere il paese dagli invasori.

Le architetture amministrative e religiose contemporanee sono fedeli alla tradizione tibetana, come nel complesso del palazzo di Gangtok, il padiglione per la preghiera, l'istituto di tibetologia, sulla cui facciata corre un peristilio tra due blocchi a forma di parallelepipedo, dalle finestre lunghe e strette; la segreteria, edificio a tre corpi dalle ali ad angolo retto, la facciata riprende il tema della veranda. I pilastri sono di legno lavorato e dipinto, ispirati a quelli dei templi. Le finestre, larghe ed alte, decorate da traverse di legno dipinto, rappresentano un adattamento dell'architettura tibetana.

I tetti di lamiera, gialli o azzurri, sono incurvati nello stile dei templi cinesi. Dei fastigi a ciascuna estremità dei colmi, segnano l'ubicazione degli arcarecci di colmo.

Se l'architettura vernacolare continua una tradizione locale ereditata dai Lepcha, l'architettura amministrativa e religiosa dimostra una ferma volontà di restare vicina all'ideale tibetano. Con il passare degli anni vi sono state più aperture, i materiali si sono evoluti, ma il buddhismo, religione di stato fino al 1977, produce un conservatorismo i cui punti di riferimento sono tibetani. La costruzione del monastero di Rumtek, realizzata per accogliere il gerarca Karmapa, ne dà un lampante esempio.

BIBLIOGRAFIA GENERALE

BEAUVOIR, STOCK, 1975: GHANJA, 1948; HOOKER, 1854; KARAN E JENKINS, 1963; MACAULAY, 1977; MASSONAUD; 1982; OL-SCHAK, WANGYAL, 1973; RISLEY, 1972; RONALDSHAY, 1923; SINGH, 1968; THUTOB E YESHEA; WADDELL, 1975, 1978; WHITE, 1971.

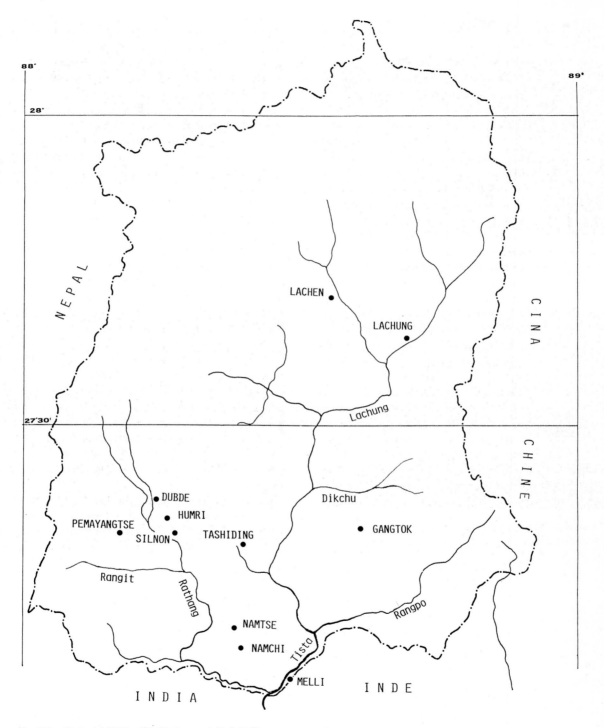

fig. 306 - Carta del Sikkim (Ch. Massonaud, R. Astolfi).

fig. 306 - Carte du Sikkim (Ch. Massonaud, R. Astolfi).

518

fig. 308 - Pemayangtse, Tempio (foto X, 1910).
fig. 308 - Temple de Pemayangtse (cl. X, 1910).

fig. 307 - Tashiding, casa lepcha (foto Ch. Massonaud).
fig. 307 - Tashiding, maison lepcha (cl. Ch. Massonaud).

fig. 309 - Tashiding, Chögyel lhakhang (foto Ch. Massonaud).
fig. 309 - Tashiding, Chögyel lhakhang (cl. Ch. Massonaud).

fig. 310 - Tashiding, Guru lhakhang, ingresso (foto Ch. Massonaud).
fig. 310 - Tashiding, Guru lhakhang, entrée(cl. Ch. Massonaud).

fig. 312 - Tashiding, Gyelkhang, motivi ornamentali (foto Ch. Massonaud).

fig. 312 - Tashiding, Gyelkhang, motifs ornementaux (cl. Ch. Massonaud).

fig. 311 - Tashiding, Gyelkhang, pilastro (foto Ch. Massonaud).

fig. 311 - Tashiding, Gyelkhang pilier (cl. Ch. Massonaud).

fig. 313 - Chörten che segnala la strada dal villagio di Tashiding al monastero (foto Ch. Massonaud).

fig. 313 - Chörten marquant la route qui mène du village de Tashiding
au monastére (cl. Ch. Massonaud).

SECTION XVI

SIKKIM

Chantal Massonaud

fig. 306

A l'exception de quelques outils néolitiques, aucun témoignage humain antérieur au XV° siècle n'a été retrouvé au Sikkim. Plusieurs ethnies se sont implantées sans laisser de vestiges. Une tradition situe l'arrivée des Lepchas au VI° siècle avant notre ère. Ils sont probablement venus de l'Est, des régions proches de l'Assam et de la Birmanie, peut-être même de Mongolie. L'arrivée des Magars, Tsongs et Limbus, originaires du Tibet et du Népal, est beaucoup plus récente. Au XIII° siècle, l'implantation des Bhotiyas descendus du Minyag, marque un tournant dans l'histoire du Sikkim.

Ainsi, Khye Bumsag, pieux bouddhiste, ancêtre des Namgyel, marié à une fille du hiérarque de Sakya, fut accueilli par The Kong Tek chef des Lepchas. Ces derniers pratiquaient une religion animiste; les deux chefs effectuèrent un rite afin de lier leurs peuples d'une manière indissoluble. Depuis lors, l'animisme demeure sous-jacent dans les croyances populaires alors que le bouddhisme imprègne dans les moindres détails la vie du pays.

Un descendant de Khye Bumsag, Phuntshog (1604-1670), fut intronisé roi en 1641 par trois lama venus du Tibet, il reçut alors le nom de Namgyel (rNam-rGyal: souverain du ciel) qui devint celui de sa dynastie.

L'obédience religieuse des trois lama ouvrait plusieurs perspectives sectaires sakyapa et niyingmapa. Ainsi Lhatsun chenpo était de tradition Dzogchenpa, Sempa chenpo de tradition Kathogpa, Rigdzin chenpo de tradition Nadagpa. Ils conférèrent à Phuntshog Namgyel l'investiture religieuse qui lui donnait l'autorité spirituelle aussi bien que temporelle sur le pays. Il reçut le titre de chögyel (roi selon la religion).

Les plus anciens témoignages artistiques subsistant sont postérieurs à cette date. Le monastère de Dubde et celui de Silnon furent construits en 1644, Khachö Pelri en 1682, Melli et Tashiding à la fin du XVII° siècle et Namtse en 1731.

L'architecture traditionnelle est encore aujourd'hui fortement influencée par le Tibet d'où sont venus les Bhotiyas. Les Namgyel y recherchaient fréquemment leurs alliances, des liens priviligiés unissaient les monastères du Sikkim et ceux du Tibet. Il n'était pas rare que des artistes tibétains soient invités au Sikkim pour diriger l'édification et la décoration d'un monastère. Ce fut le cas en 1928 pour l'édification du temple du palais à Gangtok.

Néanmoins, les Lepchas installés principalement dans les régions délimitées par le confluent de la Tista et de la Dikchu et celui de la Tista et de la Lachung, conservent des traditions architecturales originales. Leurs habitations sont bâties sur une déclivité. Le mur arrière en pierres, s'appuie sur le flanc de la colline. Un passage contourne la maison. Un escalier, sur le côté conduit à une galerie de bois soutenue par deux ou

fig. 307

trois colonnes formées à partir de troncs équarris. L'entrée de la maison ouvre sur la galerie dont la balustrade est constituée de panneaux; leurs interstices sont comblés par des éclats de bambous. La maison est éclairée par un oriel ajouré de croisillons, comparables à ceux des monastères, et de baies trilobées à trois formes derrière lesquelles glissent des volets de bois.

Le corps du bâtiment est réalisé en moellons équarris posés à sec. A l'avant, le rez-de-chaussée est soit complètement construit, soit ouvert, ce qui implique l'utilisation de pilotis de bois ou de piliers de pierres. Le toit, couvert de chaume, posé sur une charpente de bambous, est divisé en trois sections: deux versants à pente douce séparés par une demie croupe arrondie.

Intérieurement, une grande cuisine occupe, à l'arrière, toute la largeur de la maison. Des cloisons divisent le reste de l'espace en un nombre variable de pièces. L'une d'elles est parfois réservée au culte des divinités comme dans les maisons tibétaines où une chapelle est consacrée aux images bouddhiques.

Les plafonds sont constitués de bambous, il est possible d'accéder par une échelle à l'étage supérieur consacré aux réserves. Le bétail est installé au niveau du sol, sous l'étage dévolu à l'habitation.

La maison bhotiya de plan rectangulaire, est construite sur des piliers de pierre. Le premier étage surplombe largement les fondations sur lesquelles il repose. La maison elle-même est constituée de cloisons réalisées en bambous, reliés par des lanières, les espaces étant colmatés avec de l'argile. Les porcs et le bétail sont installés au rez-de-chaussée. Des huttes entourées de barrières de bambous sont parfois construites dans les environs immédiats pour abriter des vaches, des chèvres ou des volailles. Un escalier placé sur le flanc de la maison conduit à l'étage par une sorte de loggia. Cet étage est divisé par une cloison médiane. D'un côté se trouve la pièce principale, lieu de séjour, cuisine, salle-à-manger, dortoir, le foyer en occupe l'un des panneaux, la famille se réunit autour de lui comme dans les maisons tibétaines. Derrière la cloison se trouvent la pièce réservée aux personnes les plus âgées ainsi qu'une chapelle consacrée au culte bouddhique. Les provisions sont entreposées dans un réduit. De là, une échelle conduit au grenier que surmonte le toit. Celui-ci est généralement fait de bambous, mais, dans les vallées de Lachen et de Lachung, il est constitué de bardeaux. Les tôles peintes remplacent de plus en plus souvent ces toits de bambous ou de bardeaux.

Au Sikkim, à l'opposé du Bhutan tout proche, il n'y a pas d'espace entre le plafond du dernier étage et la couverture. Ce sont les murs pignons qui supportent les sablières.

L'architecture religieuse est illustrée par les monastères, les temples et les chörten (stûpa).

Le Sikkim compte soixante-sept monastères, le plus ancien: Humri, construit au début du XV° siècle par un lama tibétain, fut totalement rénové en 1955. Aucun monastère antérieur au XX° siècle n'existe aujourd'hui sous leur forme première. A l'exception de Silnon, tous les autres furent rénovés.

fig. 308

Les plus importants par leur taille et leur rôle sont à l'ouest du pays: Pemayangtse et Tashiding. Le premier, reconstruit il y a une cinquantaine d'années fut fondé par le roi Chagdor Namgyel sur le modèle du monastère de Mindöling au Tibet; il supervise tous le monastères nyingmapa du Sikkim.

Tashiding, situé sur un promontoire au confluent des rivières Rangit et Ralung, de tendance nadagpa, fut fondé à la fin du XVII° siècle. Sa situation géographique jointe à l'ampleur des constructions en fait un ensemble saisissant relaté par tous les voyageurs des siècles derniers. Il comprend un mendong: long mur de pierres gravées de formules rituelles, un mani lhakhang entouré de moulins à prières, et trois temples (le Guru lhakhang, le Gyelkhang et le Chögyel lhakhang). Les bâtiments longs et bas réservés aux moines leur font vis-à-vis. En prolongement et en contre-bas s'étale une forêt de chörten. Ces temples sont représentatifs de l'architecture religieuse du Sikkim, construits sur plan carré ou barlong à l'exception du Chögyel lha-khang, unique sanctuaire de plan cruciforme du pays avec le monastère d'Enchey près de Gangtok dont le bâtiment central, de trois étages sur plan carré, est flanqué de quatre tours carrées.

fig. 309

L'ouverture des temples est à l'Est, précédée d'un gomgor, sorte de vestibule, fermé parfois par un claustra.

fig. 310

Le visiteur pénètre dans le dükhang, salle de réunion sur les murs de laquelle sont peintes des scènes religieuses. Un autel, au fond de la pièce supporte les représentations sculptées de saints personnages. Des colonnes dont le nombre varie en fonction du volume de cette salle soutiennent le plafond. Un premier étage comporte une bibliothèque et d'autres chapelles ainsi que le sanctuaire proprement dit (lhakhang). L'une de ces chapelles est parfois consacrée comme à Namtse au paradis de Padmasambhava, gigantesque réduction d'édifice.

Certains temples de petite taille, tel Humri, ne comportent qu'un rez-de-chaussée. Les temples à deux niveaux sont les plus nombreux, l'étage supérieur est soit tout à fait indépendant, soit traité en loggia comme à Sinon lorsque le centre du rez-de-chaussée s'élève jusqu'au plafond du premier étage, soutenu par de hauts piliers. Les temples les plus importants ne dépassent pas trois niveaux, tel Pemayangtse.

Les murs de ces constructions sont réalisés en pierres posées de champ, les interstices qui séparent les gros moellons sont bouchés par des cailloux. Ces murs, parfois blanchis, ont un fruit accentué vers le haut dont l'extrémité supérieure est peinte en rouge brique à la manière tibétaine. La démarcation est soulignée

522

par une ligne de modillons. Les plafonds sont à solives apparentes. Les toits constitués de bardeaux ou de bambous, souvent de tôle peinte, sont parfois très simples comme à Namtse: deux côtés forment un toit en bâtière en Est-Ouest complété de deux appentis en Nord-Sud.

Un autre type, illustré par le monastère du palais, comprend une toiture à quatre pentes douces sur le premier étage qui se répète en retrait au second niveau, lui-même dominé d'un lanterneau dont le modèle se retrouve notamment à Tashiding ainsi qu'à Lachen et à Lachung.

Ces toits, très débordants, requièrent parfois l'utilisation de poutres à contre-pente. L'usage du bois agrémente l'aspect austère des constructions.

fig. 311

A Pemayangtse, par exemple, la loggia du premier étage est soutenue par des piliers formant porche, eux-même surmontés d'un bandeau, d'une frise de consoles à bras traitées dans l'esprit de leurs homologues chinoises et d'une corniche à modillons. Péristyles et loggias sont fermés par des claustra particuliers au Sikkim, comme en témoignent Silnon et Tashiding. Ils pourraient être influencés par la Chine des Qing. Ils sont formés de panneaux juxtaposés en bois, ajourés, colorés, aux entrelacs divers.

Les linteaux des fenêtres à solives saillantes sont surmontés de corbeaux sur lesquels repose un auvent. Les piliers à ressauts comparables à ceux du Bhutan par l'inspiration indienne de leur forme sont surmontés d'un chapiteau, de deux consoles apposées à volutes et d'une entablement en léger surplomb.

fig. 312

Toute adjonction de bois est prétexte à ornementation. Les chambranles des portes sont garnis d'une grande variété de motifs géométriques et végétaux dont l'inspiration découle pour certains du Tibet central, pour d'autres de l'Inde gupta.

Les chörten ou «supports d'offrandes» sont innombrables et de formes diverses. Construits de maçonnerie pleine, ils sont parfois couverts d'un enduit blanc et surmontés d'ornements rituels en métal doré. Parmi les huit types de chörten de la tradition tibétaine, deux sont plus fréquemment reproduits: le chörten de la descente du ciel, formé d'une base cubique sur laquelle repose une construction en forme de cloche, surmontée elle-même d'un reliquaire orné de deux yeux. Lachung en possède plusieurs exemples.

Le deuxiéme type encore plus fréquent, qui évoque l'illumination suprême, comprend lui aussi une base cubique sur laquelle repose une construction bombée plus large au sommet qu'à la base. Ce modèle se rencontre notamment à Yoksam, autrefois capitale du Sikkim. Il commémore le couronnement du premier chögyel. On le rencontre aussi à Pemayangtse et à Tashiding. Le Thongwarang, le premier stûpa de ce dernier site, est consacré à Gatsun nagpo, guru de Lhatsun Namkhe Jigme, l'un des premiers tertön du Sikkim. Le chemin qui accède à Tashiding est indiqué par plusieurs chörten. Les types les plus classiques côtoient des formes diverses: carrées, côniques, barlongues, pyramidales. Ils sont en maçonnerie de pierres sèches constituées de moellons ébauchées, de cailloux et de larges pierres plates.

fig. 313

Le chörten fait partie du paysage familier du Sikkim, il apparaît au sommet d'une pente, au tournant d'un chemin. Au confluent de la Rathang et de la Rangit, huit petits chörten bulbeux forment un cercle pour protéger le pays des envahisseurs.

Les architectures administratives et religieuses contemporaines demeurent dans la tradition tibétaine, il en est ainsi du pavillon de prières de Gangtok, dans l'enclave du palais, de l'Institut de tibétologie, sur la façade duquel court un péristyle entre deux massifs en forme de parallélépipède aux fenêtres longues et étroites, du secrétariat, bâtiment à trois corps aux ailes en retour d'équerre, la façade centrale reprend le thème de la loggia. Les piliers sont en bois travaillé et peint, inspirés de ceux des temples. Les fenêtres larges et hautes, décorées de croisillons de bois peint représentent une adaptation de l'architecture tibétaine. Les toits de tôle, colorés en jaune ou en bleu sont incurvés dans l'esprit des temples chinois. Des épis de faîtage, à chaque extrémité des crêtes marquent l'emplacement des pannes faîtières.

Si l'architecture vernaculaire poursuit une tradition locale héritée du fond lepcha, les architectures administrative et religieuse prouvent une volonté délibérée de rester proches de l'idéal tibétain. Avec les années, les ouvertures se sont élargies, les matériaux ont évolué, mais le Bouddhisme qui fut jusqu'en 1977 religion d'état entraine vers un conservatisme dont les références sont tibétaines. La construction du monastère de Rumtek réalisée pour recevoir le hiérarque karmapa en donne un exemple éclatant.

OUVRAGES GENERAUX

BEAUVOIR, STOCK, 1975: GHANJA, 1948; HOOKER, 1854; KARAN ET JENKINS, 1963; MACAULAY, 1977; MASSONAUD; 1982; OL-SCHAK, WANGYAL, 1973; RISLEY, 1972; RONALDSHAY, 1923; SINGH, 1968; THUTOB ET YESHEA; WADDELL, 1975, 1978; WHITE, 1971.

SEZIONE XVII
XX SECOLO

Gilles Béguin, Corneille Jest, Fernand Meyer
Paola Mortari Vergara

fig. 314

Nel Tibet, le costruzioni della prima metà del XX secolo, proseguono i modelli tradizionali (Tempio di Maitreya, 1914, nella parte ovest del monastero di Tashilhunpo). Le realizzazioni più caratteristiche di questo periodo, come gli appartamenti del XIII Dalailama o la sua cappella funeraria (1934) nel Potala, denotano un'assenza di rigore nelle masse architettoniche ed una sovrabbondanza di decorazioni. A Norbu Lingkha si può osservare l'introduzione di materiali moderni come cemento e travi metalliche.

fig. 315
fig. 316

Persino in Cina le tradizioni eclettiche dell'epoca Qing si perpetuano sotto i vari regimi, talvolta nelle costruzioni più incongrue. Così, nel 1937, l'ospedale Zhung shan di Shanghai sembra ispirarsi abbastanza liberamente all'Anyuan miao di Jehol. A Pechino, il Palazzo delle culture delle nazionalità (1959) presenta nella torre centrale numerosi elementi tibetani (finestre sovrapposte incorniciate da elementi aggettanti, edicole d'angolo che ricordano Samye, doppio tetto centrale copiato da un gyaphib tibetano). La facciata della stazione di Pechino (1959) possiede un cornicione alla tibetana (Mortari Vergara, 1980).

fig. 317

Accadde lo stesso in Mongolia. Il Teatro drammatico (1951) di Ulan Bator gistappone un atrio, un cornicione ed un coronamento tibetano ad un colonnato neoclassico.

Gli sconvolgimenti culturali senza precedenti provocati dall'annessione del Tibet da parte della Repubblica Popolare Cinese, le distruzioni della Rivoluzione Culturale, lo sviluppo del Buddhismo Tibetano in Occidente sono all'origine di situazioni nuove. Esamineremo brevemente le numerose ricostruzioni in territorio tibetano nello stile tradizionale ed i recuperi di antichi monumenti. Vanno anche ricordate le architetture di stile tibetano edificate all'estero.

RICOSTRUZIONI E COSTRUZIONI TRADIZIONALI

Il Bhutan costituisce un esempio molto interessante di conservazione dei modelli architettonici tradizionali. Occorre sottolineare la volontà del governo di conservare gli elementi essenziali di ciò che è «bhutanese» nella costruzione di edifici ufficiali. Così, il Tashichodzong, edificio che ospita i ministri nella capitale Thimphu, è stato ampliato nello stesso identico stile nel 1960. L'ospedale di medicina tradizionale a Thimphu è un altro esempio di questa continuità. Anche se nella sua struttura osserviamo un adattamento a nuove funzioni (sale per l'accettazioni, per le cure, per la preparazioni dei farmaci), il mantenimento della tradizione si manifesta nella conservazione di elementi della struttura in legno a vista, con decorazioni colorate, e al piano superiore, nella esistenza di una grande cappella che racchiude le statue del Buddha nella Medicina.

fig. 318

La biblioteca nazionale, costruita nel 1983, è stata collocata in un «edificio-torre» di tipo utse: una struttura di cemento rinforza l'interno, ma la facciata conserva la forma e le decorazioni tradizionali. Un edificio a pianta rettangolare, su due livelli, serve da sala di lettura.

Nell'area di cultura tibetana in territorio cinese, gli attuali problemi di edilizia sono fortemente influenzati da profonde lacerazioni che, da alcuni decenni, colpiscono sia l'economia che la società.

Nel Tibet, a partire dal 1951, si sviluppa un programma di edilizia e di urbanistica moderna che ha provocato non pochi inconvenienti per la conservazione del contesto storico ed ecologico.

Gli edifici contemporanei e le numerose installazioni militari in tutto il paese hanno favorito l'impiego di nuovi materiali da costruzione che non mancano d'influenzare l'architettura tradizionale. Il cemento ed il calce-struzzo hanno consentito di realizzare edifici più grandi e più solidi; il vetro, di dare più luce in una regione in cui è importante avere spazi soleggiati. La convivialità dell'habitat si è trasformata, il genere «habitat-grotta» scompare.

I cambiamenti nel tessuto urbano danno origine oggi ad un nuovi tipo di edificio, più regolare, più grande ma con decorazioni più stereotipate. Quartieri nuovi, come nel resto della Cina Popolare, segnano ormai profon-damente l'aspetto dei grandi centri quali Lhasa, Shigatse o Gyantse. Sono stati edificati principalmente alla periferia delle antiche città, persino nei paraggi delle grandi fondazioni religiose. A Lhasa ciò è particolar-mente evidente, in quanto la città nuova tende ad inglobare i monumenti principali in un tessuto urbano forte-mente strutturato e impostato. La presenza di questo spazio costruito trasforma radicalmente la visione di an-tichi edifici come il Potala.

fig. 319
fig. 320

Questa unione stridente di quartieri nuovi e città antica non poteva soddisfare una nuova volontà politica desi-derosa al tempo stesso di assimilare le minoranze nazionali, pur tollerando le loro particolarità culturali. A Lhasa, la sistemazione di una piazza simmetrica di concezione cinese (1983-1985), ma circondata da edifici nello stile locale, avrebbe potuto creare uno spazio di transizione indispensabile. Purtroppo, questi lavori so-no stati eseguiti a scapito del quartiere storico ad ovest del Jokhang, sfigurando per sempre l'antico tessuto urbano ed il simbolismo che ad esso è collegato. Gruppi di case antiche, costruite in modo libero ed organico intorno al santuario e collegate tra loro da vicoli non rettilinei, sono stati sostituiti da strutture che riflettono un'altra ideologia ed un'altra concezione dello spazio e della sua utilizzazione sociale. Occorre anche vedere la volontà di costituire uno «scenario» per i turisti al fine di impressionarli con la simmetria di una piazza assia-le.

Con lo stesso spirito, a Gyantse, viene spostata la porta monumentale del Recinto sacro e sul suo asse è sta-to tracciato un viale, fiancheggiato da edifici, imitazioni delle abitazioni tradizionali.

fig. 321, 322

Da circa sei anni, assistiamo in tutto il Tibet al desiderio di cancellare le distruzioni della Rivoluzione Culturale e di ricostruire la maggior parte dei monumenti distrutti, come Yumbu Lakhar, al fine di conservare una sicura identità culturale. Queste attività si sono notevolmente sviluppare, e così, alla fine del 1985 si potevano conta-re numerosi cantieri, sia nel Tibet centrale, sia nei distretti più popolati dell'est.

fig. 323, 324
fig. 325

Il monastero di Ganden è stato interamente distrutto nel 1966; la sua ricostruzione è cominciata nel 1981. At-tualmente, più di dieci templi e residenze di religiosi sono ristrutturati, in particolare il grande tempio d'as-semblea in cui si trova il chörten-reliquiario di Tsongkhapa.

A Shelkar, in un sito unico, all'interno di una cinta fortificata che circonda gran parte delle pendici di una mon-tagna, il Thubchen lhakhang dell'ordine gelugpa è stato ricostruito dagli abitanti nel 1985.

L'esiguo numero dei novizi, oggi autorizzato dal governo, rende difficile resuscitare su così vasta scala gli in-sediamenti monastici tradizionali. Queste ricostruzioni che dimostrano la vitalità della cultura tibetana non so-no tuttavia in grado di sostituire da un punto di vista artistico gli edifici distrutti. Le dimensioni e l'importanza dei pochi monumenti superstiti dovrebbero piuttosto dare un impulso allo sviluppo di autentiche campagne di restauri scientifici.

RESTAURI

La manutenzione, il restauro e la ricostruzione fedele sono, nel Tibet, un'attività tradizionale, sostenuta dalla certezza che essa contribuisca all'accumulazione dei meriti, benefica per ogni credente. La struttura delle costruzioni consente peraltro di sostituire alcune parti con relativa facilità.

A Sakya le riparazioni e le trasformazioni effettuate nel 1945 sono state notevoli; a seguito del cedimento di uno dei pilastri della sala d'asssemblea, le riparazioni furono eseguite da trenta operai durante nove mesi per un lasso di tempo di cinque anni. Le basi dei pilastri furono tagliate e sostituite da basamenti di pietra. L'atrio esterno fu ristrutturato e si approfittò dell'occasione per modificare il cortile interno aprendovi grandi finestre e sormontando le sue mure con un cornicione rispondente al gusto dell'epoca. Il portico che precede la sala d'assemblea, con i suoi pilastri monoliti che sembrano molto antichi, poiché la maggior parte degli altri esempi conosciuti di scultura monumentale in pietra risalgono all'epoca reale, è in realtà del periodo di questa campagna di restauro.

Più recentemente ed in nome della preservazione dell'eredità culturale, i responsabili cinesi dell'ufficio del Patrimonio hanno iniziato dei lavori di restauro al Potala a partire dal 1961.

È soprattutto a partire dal 1978 che è stato stabilito un importante programma di restauro. I monumenti più importanti sono considerati musei, anche se sono stati ufficialmente resi al culto nel 1980, come il Jokhang di Lhasa, i monasteri di Depung, Sera, Gyantse, Tashilhunpo e ancora Kumbum e Labrang. Considerazioni di ordine politico e turistico sono state senz'altro determinanti per l'esecuzioni di simili lavori, grazie ai quali ci si aspetta per la regione un flusso crescente di visitatori stranieri.

Le autorità, ma anche le comunità, hanno iniziato a restaurare un certo numero di altri templi e di monasteri. Questi lavori possono essere intrapresi sotto la direzione dell'amministrazione della provincia del Tibet che li finanzia in parte o totalmente (come a Ganden) e dalle comunità dei villaggi.

fig. 326

A Lhasa e nelle vicine località i templi di Ramoche e di Nethang sono stati restaurati esattamente come i monasteri di Depung e Sera i cui edifici, a lungo disabitati, avevano duramente sofferto per la mancaza di manutenzione (cedimento dei tetti, danni dovuti all'umidità, ecc.). A Shigatse-Tashilhunpo, è in corso la ricostruzione del mausoleo del Primo Panchenlama. Il monastero di Shalu verrà presto restaurato. Nel Tibet Orientale i restauri proseguono a Labrang, Kandze e Derge.

Nell'area culturale tibetana si sta sviluppando, da una decina d'anni a questa parte, una sempre maggiore consapevolezza del valore dell'eredità di cui è importante curare la manutenzione e la conservazione. Lo stesso accade in Ladakh, in Bhutan e in Nepal, dove vengono organizzate campagne di restauri.

In Ladakh, distretto dello stato indiano di Jammu e Kashmir, il Dipartimento Archeologico dell'India ha consolidato e protetto il gruppo di templi d'Alchi (XI-XII secolo). Il palazzo di Leh (inizio XII secolo) deve essere restaurato con l'aiuto di una fondazione indiana (Jest, Sanday 1981).

Nel Bhutan, dove i monasteri e gli dzong sono sempre in funzione, è ugualmente in corso una campagna di restauri. In Nepal, il dipartimento archeologico ha stabilito, con l'aiuto dell'UNESCO, un piano di restauro dei templi del nord del paese (Jest, 1981).

La maggior parte di questi restauri richiede alcune osservazioni. Gli sconvolgimenti storici e la conservazione aleatoria delle tecniche tradizionali in culture in piena mutazione economica e sociale, dovrebbero spingere ad una netta distinzione tra ricostruzioni in stile locale e restauri dei monumenti antichi, anche se il concetto non fa parte della tradizione del Tibet.

Nel contesto tibetano sembra tuttavia giustificabile il completare i monumenti parzialmente distrutti in seguito alla Rivoluzione Culturale con delle restituzioni. Le parti alte del monastero di Nechung, vicino a Depung, offrono un buon esempio di questo tipo d'intervento.

I lavori nelle parti antiche devono tuttavia obbedire a metodi più scientifici: mantenimento in loco il più possibile di strutture portanti, assenza di elementi nuovi, anche decorativi, su parti antiche, rispetto dei materiali tradizionali. Quando delle aggiunte si rendono necessarie, esse devono essere rese visibili, ma il loro aspetto deve fondersi nell'insieme. Allo stesso modo, le moderne attrezzature (elettricità, dispositivi antincendio) devono obbedire a severissime misure di sicurezza, essere reversibili ed esteticamente discrete.

La buona conservazione dei dipinti murali pone un problema particolarmente delicato. La precarietà del supporto di terra e l'impossibilità nella maggior parte dei casi della rimozione delle parti dipinte, la fragilità della superficie pittorica, dopo la ripulitura, la tendenza degli artisti locali a ridipingere completamente le pareti danneggiate sono altrettanti punti che richiedono una seria riflessione e la concertazione di specialisti.

I restauri a Lamayuru ed a Shey (Ladakh) di un'associazione svizzera, la Förderkreis zur Entwicklung der Kulturdenkmäler Ladakhs, fondata nel 1983, possono costituire un interessante punto di riferimento.

DIFFUSIONE DELL'ARCHITETTURA TIBETANA

India e Nepal

A partire dal 1951, molti tibetani si sono rifugiati in India e in Nepal. Erano 100.000 nel 1960. Questi profughi si sono trovati a contatto con società completamente diverse, indiane ed occidentali. Cambiamenti sono subentrati anche in società come quelle del Ladakh, e del paese Sherpa in cui la poliandria scompare a beneficio della famiglia nucleare, modificando lo spazio sociale.

I tibetani in esilio, nonostante il crollo della loro struttura sociale, hanno tuttavia la volontà di preservare il loro patrimonio. Questi profughi sono stati costretti a costruire un nuovo habitat con materiali diversi da quelli impiegati in Tibet, subendo particolari limitazioni di ordine economico.

Si possono distinguere due periodi:
— un'architettura d'emergenza tra il 1960 ed il 1970;
— un ritorno a modelli tradizionali con una migliore padronanza delle nuove tecniche di costruzione a partire dal 1970.

Nuovi imperativi sociali, inesistenti nel Tibet tradizionale, si sono aggiungi negli ultimi anni (scuole, villaggi per bambini, dispensari, centri di artigianato) per realizzare i quali sono stati consultati architetti stranieri.

fig. 327

Così, a «Happy valley» (Mussoorie, Utar Pradesh), le case di un villaggio di bambini profughi si ispirano a certi dipinti di architetture tibetane. Le costruzioni sono provviste di grandi finestre e sono adattate all'ambiente con buone condizioni igieniche.

In seguito agli sconvolgimenti politici sopravvenuti in Tibet nel 1959, intere comunità si sono rifugiate in India del nord, in Bhutan ed in Nepal. Il Nepal è un caso molto interessante poiché mentre nel 1960 esistevano nella

fig. 328

Valle di Kâthmându tre piccoli monasteri buddistici, nel 1985 se ne contano più di venti di cui cinque ospitano una sessantina di religiosi. Le piante impiegate s'ispirano a quelle del Tibet. Sono state tuttavia apportate delle modifiche, ad esempio il centro religioso costruito dalla comunità Manangi (etnia di lingua tibetana del Nepal del nord) comprende un tempio, una sala di riunione in cui si celebrano i matrimoni, una foresteria per accogliere le persone di passaggio. Gli Sherpa hanno costruito un centro identico a Bodhnath.

Nel distretto di Khumbu (Nepal del nord-ovest), il monastero di Tengboche è stato costruito a 4.000 metri d'altitudine in un luogo di eccezionale bellezza. È stato a lungo il centro di educazione religiosa della regione e il capo della comunità monastica ha creato un «centro di stile sherpa» nelle vicinanze del monastero. Un edificio di stile sherpa costruito con fondi locali e donazioni dall'estero ospita oggi una biblioteca ed un piccolo museo.

Questi esempi si ricollegano al problema dell'identità dell'architettura contemporanea nello stesso Tibet. È in effetti difficile trovare una reale omogeneità stilistica tra gli edifici moderni costruiti questi ultimi anni. L'abbandono più o meno parziale dei materiali tradizionali comporta una frattura sempre più profonda tra la struttura delle costruzioni ed il loro aspetto: alcuni edifici moderni non conservano che pochi elementi del vocabolario architettonico tibetano con scopi decorativi. Questa estrema mutazione nei grandi centri, tocca poco l'architettura tradizionale che perpetua, nei secoli, la sobria grandezza dell'arte della costruzione nella regione tibetana.

Europa e America

fig. 329

La presenza nell'impero russo di minoranze buriate e kalmucche che praticavano il buddhismo tibetano diede luogo all'edificazione a Pietroburgo, nel 1905, di un tempio lamaistico (Hummel 1955). La sua facciata, che si ispira ai monumenti mongoli di stile tibetano, presenta tuttavia degl oculi, delle modanature e delle difformità di proporzioni di tradizione occidentale.

fig. 330

Negli Stati Uniti, il Jacques Marchais Center of Tibetan Art (Staten Island, New York), terminato nel 1947, è uno dei primi esempi in America di costruzione edilizia ispirata dall'architettura tibetana, in particolare per quanto riguarda i volumi esterni, la struttura muraria ed i riquadri delle finestre.

fig. 331

L'esilio di importanti dignitari ecclesiastici tibetani ha comportanto in Occidente la fondazione di centri religiosi, destinati al tempo stesso ai profughi ed agli occidentali. Molti sono caratterizzati dall'edificazione di chörten nelle loro vicinanze come quello dell'Istituto Lama Tsongkhapa a Pomaia (Italia). Alcuni hanno richiesto la costruzione di edifici nuovi. Questo movimento è in piena espansione.

fig. 332-334

Il Centro Labsum Shedrab Ling, a Washington (New Jeersy), fondato fin dal 1958, ha la pianta di un lhakhang tradizionale, ma il suo tipo di costruzione resta occidentale.

Alcune costruzioni sono copiate dall'architettura himalayana. In questa categoria rientra Kagyin Ling, che, sito nel castello di Plaige in Borgogna, si ispira fedelmente ad un tempio bhutanese.

fig. 335

Un esempio riuscito di perfetta integrazione delle tradizioni architettoniche tibetane ed occidentali contemporanee è offerto dall'elegante complesso di Rikon in Svizzera.

* * *

Queste riflessioni sulla storia recente dell'architettura tibetana pongono in evidenza due necessità primarie; l'urgenza, da un lato, dell'attuazione di una vera politica di restauro e conservazione e la necessità, dall'altro, di mantenere intatte le caratteristiche proprie e peculiari dell'architettura nazionale. Ci auguriamo che le esigenze di sviluppo e modernizzazione riescano ad assimilare ed utilizzare il passato in modo da perpetuare una delle forme di espressione più originale del genio tibetano: le dimore umane e i santuari divini.

BIBLIOGRAFIA GENERALE

HUMMEL, 1955; JEST, 1981; JEST, SANDAY, 1981; MORTARI VERGARA, 1980.

fig. 314 - Lhasa (Ü), Norbu Lingkha, Tagten Migyur Phodang, 1953-56 (foto C.B. Levenson).

fig. 314 - Lhasa (Ü), Norbu Lingkha, Tagten Migyur Phodang, 1953-56 (cl. C.B. Levenson).

fig. 315 - Shangai, Ospedale Zhung Shan, 1937 (Willetts, 1958).

fig. 315 - Shangai, Hôspital Zhung Shan 1937 (Willetts, 1958).

fig. 316 - Pechino, Palazzo delle Culture delle Nazionalità, 1959 (foto P. Mortari Vergara).

fig. 316 - Pékin, Palais des Cultures des Nationalités, 1959 (cl. P. Mortari Vergara).

fig. 317 - Ulan Bator, Teatro drammatico, 1951 (foto P. Mortari Vergara).

fig. 317 - Ulan Bator, Théatre dramatique, 1951 (cl. P. Mortari Vergara).

fig. 318 - Thinphu (Bhutan), Biblioteca Nazionale, 1983 (foto C. Jest).

fig. 318 - Thinphu (Bhutan), Bibliothéque Nationale, 1983 (cl. C. Jest).

fig. 319 - Lhasa, piazza d'accesso al Jokhang costruita sul sito di antiche abitazioni, 1982-83 (foto C. Jest).

fig. 319 - Lhasa, place donnant accés au Jokhang construite sur l'emplacement des maisons anciennes, 1982-83 (cl. C. Jest).

fig. 320 - Lhasa, edificio moderno in prossimità del Jokhang, 1983 (foto C. Jest).

fig. 320 - Lhasa, batiment de facture moderne en proximité du Jokhang, 1983 (cl. C. Jest).

fig. 321 - Yumbu lakhar (valle dello Yarlung), demolizione avvenuta durante la Rivoluzione Culturale (foto D.R.).

fig. 321 - Yumbu lakhar (vallée du Yarlung), démolitions de la Rivolution Culturelle (cl. D.R.).

fig. 322 - Yumbu lakhar, ricostruzione del 1986 (foto H. Stoddard).

fig. 322 - Yumbu lakhar, la réconstruction en 1986 (cl. H. Stoddard).

fig. 323 - Ganden (Ü), il monastero, 1959 (foto H. Richardson di Geshe Sonam Chanchub).

fig. 323 - Ganden (Ü), le monastére, état 1959 (cl. H. Richardson, propriété de Geshe Sonam Chanchub).

fig. 324 - Ganden, il monastero dopo la distruzione del 1966 (foto D.R.).

fig. 324 - Ganden, monastére, les démolition du 1966 (cl. D.R.).

fig. 325 - Ganden, monastero, le ricostruzioni attuali (foto C. Jest).

fig. 325 - Ganden, monastére, les réconstructions actuelles (cl C. Jest)

fig. 326 - Shigatse (Tsang), monastero di Tashilhumpo, ricostruzione del tempio funerario del I Panchenlama, ottobre 1985 (foto C. Jest).

fig. 326 - Shigatse (Tsang), monastére de Tashilhumpo, reconstruction de la chapelle funeraire du Ier Panchelnama, octobre 1985 (cl. C. Jest).

fig. 327 - Missoorie (Utar Pradesh), Happy Valley, villaggio dei figli profughi tibetani (foto O. Villette).

fig. 327 - Missoorie (Utar prdesh), Happy Valley, village d'enfants de réfugés tibétains (cl. O. Villette).

fig. 328 - Bodhnat (Nepal), Tempio dell'ordine Nyingmapa, 1983 (foto F. Meyer).

fig. 328 - Bodhnat (Nepal), Temple de l'ordre Nyingmapa, 1983 (cl. F. Meyer).

fig. 329 - Leningrado (U.R.S.S.), Tempio dei Lama, 1905 (Hummel, 1955, fig. 75).

fig. 329 - Leningrad (U.R.S.S), Temple des Lamas, 1905 (Hummel, 1955).

fig. 330 - New York, Staten Island, Jacques Marchais Center of Tibetan Art, 1947 (foto A. Mortari).

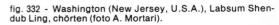
fig. 330 - New York, Staten Island, Jacques Marchais Center of Tibetan Art, 1947 (cl. A. Mortari).

fig. 332 - Washington (New Jersey, U.S.A.), Labsum Shen-dub Ling, chörten (foto A. Mortari).

fig. 332 - Washington (New Jersey, U.S.A.), Labsum Shen-dub Ling, chörten (cl. A. Mortari).

fig. 331 - Pomaia (Firenze, Italia), chörten, 1986 (foto Acaya Tubten Jampa).

fig. 331 - Pomaia (Florence, Italie), chörten, 19896 (cl. Acarya Tubten Jampa).

fig. 333 - Washington, Labsum Shendub Ling, facciata esterna (foto A. Mortari).

fig. 333 - Washington, Labsum Shendub Ling, façade (cl. A. Mortari).

fig. 334 - Washington, Labsum Shendub Ling, ingresso del Tempio all'interno del cortile (foto A. Mortari).

fig. 334 - Washington, Labsum Shendub Ling, entrée du Temple dans la cour (cl. A. Mortari).

fig. 335 - Zurigo (Svizzera), Rikon gompa (foto A. Mastroianni).

fig. 335 - Zürich (Suisse), Rikon gompa (cl. A. Mastroianni).

SECTION XVII

XXÈME SIÈCLE

Gilles Béguin, Corneille Jest, Fernand Meyer
Paola Mortari Vergara

fig. 314

fig. 315

fig. 316

fig. 317

Au Tibet, l'architecture, dans la première moitié du XXème siècle, prolonge la tradition (Temple de Maitreya, 1914, dans la partie Ouest du monastère de Tashilunpo). Les réalisations les plus caractéristiques de cette période comme les appartements du XIIIème Dalaîlama ou sa chapelle funéraire (1934) au Potala dénotent une absence de rigueur dans les masses architecturales et une forte sucharge décorative. Au Norbu Lingkha, on remarque l'introduction de matériaux modernes tels le ciment et des poutrelles métalliques.

En Chine même, les traditions èclectiques de l'époque Qing se perpétuent sous les différents régimes parfois dans les bâtiments les plus incongrus. Ainsi, en 1937, l'Hôpital Zhung shan de Shanghai s'inspire assez librement du Anyuan miao de Jehol. A Pekin, le Palais des cultures nationales (1959) présente dans sa tour centrale plusieurs éléments tibétains (baies superposées encadrées par des contreforts, édicules d'angle évoquant Samye, double toiture centrale copiée d'un gyaphib tibétain). La façade de la Gare de Pékin (1959) possède un bandeau d'attique à la tibétaine (Mortari Vergara, 1980).

Il en est de même en Mongolie. Le Théâtre dramatique (1951) d'Ulan-Bator juxtapose un porche, un bandeau d'attique et un couronnement tibétain à une colonnade néoclassique.

Les bouleversements culturels sans précédent provoqués par l'annexion du Tibet par la République Populaire de Chine, les destructions de la Révolution Culturelle, le développement du Bouddhisme tibétain en Occident sont à l'origine de situations nouvelles. Citons les nombreuses reconstructions en pays tibétain dans le style traditionnel et les restaurations de monuments anciens. Il convient également d'évoquer les architectures de style tibétain édifiées à l'étranger.

RECONSTRUCTIONS ET CONSTRUCTIONS TRADITIONNELLES

fig. 318

Le Bhutan est un exemple très intéressant de conservation des modèles traditionnels en architecture. Il faut souligner la volonté du gouvernement de conserver les éléments essentiels de ce qui est «bhoutanais» dans la construction des bâtiments officiels. Ainsi, le Tashichodzong, édifice abritant les ministères dans la capitale Thimphu, a été agrandi à l'identique en 1960. L'hôpital de médecine traditionnelle, à Thimphu, est un autre exemple de cette continuité. Si dans sa structure on remarque une adaptation à de nouvelles fonctions (salles d'accueil, salle de soins, salle de préparation des médicaments), un maintien de la tradition se manifeste dans la conservation d'éléments du bâti en bois apparent, avec décor en couleurs, et, à l'étage supérieur, l'existence d'une grande chapelle contenant les statues du Buddha de Médecine. La bibliothéque nationale, construite en 1983, a été aménagée dans un «bâtiment - tour» de type utse. Une structure en béton renforce l'intérieur mais la façade conserve la forme et le décor traditionnels. Un bâtiment sur plan rectangulaire à deux niveaux sert de salle de lecture.

Dans l'aire de culture tibétaine en territoire chinois, les problèmes actuels de construction sont fortement influencés par des ruptures profondes qui depuis quelques décennies affectent aussi bien l'économie que la société. Au Tibet se développe à partir de 1951 un programme de construction et d'urbanisation moderne qui n'a pas été sans inconvénients pour la conservation du cadre historique et écologique.

Les bâtiments contemporains et les nombreux aménagements militaires dans tout le pays favorisent l'emploi de nouveaux matériaux de construction qui ne furent pas sans influencer l'architecture traditionnelle. Le ciment et le béton ont permis de réaliser des édifices plus grands et plus solides; le verre, de donner plus de lumière dans une région où l'ensoleillement est important. La convivialité de l'habitat s'est transformée, le caractère «habitat-grotte» disparaît.

Le changement dans le tissu urbain conditionne aujourd'hui un nouveau type de bâtiment, plus régulier, plus grand mais avec une ornementation plus figée. Des quartiers neufs, comme dans le reste de la Chine Populaire, marquent désormais profondément l'aspect des grands centres comme Lhasa, Shigatse ou Gyantse. Ces aménagements ont été principalement édifiés à la périphérie des villes anciennes, même aux abords des grandes fondations religieuses. A Lhasa, ce point est particulièrement manifeste, la ville nouvelle ayant tendance à englober les principaux monuments dans un tissu urbain fortement structuré et axé. La présence de cet espace bâti transforme radicalement la vision d'édifices anciens comme le Potala.

fig. 319
fig. 320

Cette juxtaposition abrupte entre quartiers neufs et ville ancienne ne pouvait satisfaire une nouvelle volonté politique, désireuse tout à la fois d'assimiler les minorités nationales tout en tolérant leurs particularismes culturels. A Lhasa, l'aménagement d'une place à ordonnance de conception chinoise (1983-1985), mais entourée de bâtiments dans le style local, aurait pu créer un espace de transition indispensable. Malheureusement, ces travaux se sont faits au détriment du quartier historique à l'Ouest du Jokhang, défigurant à tout jamais l'ancien tissu urbain et le symbolisme qui y est attaché. Des groupes de maisons anciennes construites de façon libre et organique autour du sanctuaire et reliées entre eux par des ruelles non rectilignes, ont été remplacés par un bâti qui reflète une autre idéologie et une autre conception de l'espace et de son usage social. Il faut aussi voir la volonté de dresser un «décor» pour les touristes afin de les impressionner par la symétrie d'une place à ordonnance.

Dans le même esprit, à Gyantse, on déplaça la porte monumentale de l'Enceinte sacrée et dans son axe on traça une avenue bordée d'immeubles, pastiches des habitations traditionnelles.

fig. 321, 322

Depuis six ans environ, on assiste dans tout le Tibet au désir d'effacer les destructions de la Révolution Culturelle et de reconstruire la plus grande partie des monuments démolis, tel Yumbu Lakhar, afin de conserver une certaine identité culturelle. Ces activités se sont considérablement développées, ainsi, à la fin de l'année 1985, on pouvait recenser des chantiers aussi bien dans le Tibet central que dans les districts plus peuplés de l'Est.

fig. 323, 324
fig. 325

Le monastère de Ganden a été entièrement détruit en 1966; sa reconstruction a commencé en 1981. Aujourd'hui plus de dix temples et résidences de religieux sont en état, en particulier la grande salle d'assemblée où se trouve le chörten-reliquaire de Tsongkhapa.

A Shelkar, dans un site unique, à l'intérieur d'une enceinte fortifiée qui entoure un grand pan de montagne, le temple de Thubchen lhakhang de l'ordre gelugpa a été reconstruit par les habitants en 1985.

La faible quota des novices encore autorisé par le gouvernement rend difficile cette volonté de ressusciter sur une aussi grande échelle les implantations monastiques traditionnelles. Ces reconstructions qui montrent la vitalité de la culture tibétaine ne sauraient cependant remplacer d'un point de vue artistique les édifices détruits. La taille et l'importance des quelques monuments préservés devraient plutôt inciter à développer de véritables campagnes de restaurations scientifiques.

RESTAURATION

L'entretien, la restauration ou la reconstruction à l'identique sont, au Tibet, une activité traditionnelle, soutenue par la certitude qu'elle contribue à l'accumulation des mérites, bénéfique à tout croyant. La structure des constructions permet d'ailleurs de remplacer certaines parties du bâti avec une relative facilité. A Sakya les réparations et transformations entreprises en 1945 ont été conséquentes; l'un des piliers de la salle d'assemblée ayant cédé les réparations furent menées par trente ouvries pendant neuf mois sur une période de cinq ans. Les bases des piliers furent coupées et remplacées par des socles en pierre. Le porche extérieur fut rénové et l'on profita de l'occasion pour modifier la cour intérieure en y ouvrant de grandes fenêtres et en couronnant ses murs d'un entablement répondant au goût de l'époque. Le portique qui précède la salle d'assemblée, avec ses piliers monolithes qui semblent très anciens puisque la plupart des autres exemples connus de sculptures monumentales en pierre remontent à l'époque royale, date en fait de cette campagne de restauration.

Plus récemment et au nom de la préservation de l'héritage culturel, les Chinois du Bureau du Patrimoine ont commencé des travaux de réfection au Potala à partir de 1961.

C'est surtout depuis 1978 qu'un important programme de restauration a été mis en place. Les monuments les plus importants sont considérés comme des musées même s'ils ont été officiellement rendus au culte comme en 1980 le Jokhang de Lhasa, les monastère de Depung, Sera, Gyantse, Tashilhunpo ou encore Kumbum et Labrang. Des considérations d'ordre politique et touristique ont été certainement déterminantes dans l'exécution de tels travaux dont on espère pour la région un afflux accru de visiteurs étrangers.

Les autorités mais aussi les communautés ont commencé à restaurer un certain nombre d'autres temples et monastères. Ces travaux peuvent être entrepris sous la direction de l'administration de la province du Tibet qui finance partie ou totalité des travaux (ainsi à Ganden) et par les communautés villageoises.

fig. 326

A Lhasa et dans les localités voisines les temples de Ramoche et de Nethang ont été remis en état tout comme les monastère de Drepung et de Sera dont les bâtiments longtemps inoccupés avaient cruellement souffert du manque d'entretien (effondrement des toitures, dégradations dues à l'humidité, etc.). A Shigatse-Tashilhunpo, le mausolée du Premier Panchen Lama est en cours de reconstruction. Le monastère de Shalu doit être rénové sous peu. Dans le Tibet de l'Est les réfections se poursuivent à Labrang, Kandze et à Derge.

Dans l'aire culturelle tibétaine se développe depuis une dizaine d'années une conscience de plus en plus claire de la valeur de l'héritage qu'il importe d'entretenir et de conserver. Il en est ainsi au Ladakh, au Bhutan comme au Népal où des campagnes de restaurations planifiées s'organisent

Au Ladakh, district de l'état Indien de Jammu et Cachemire, le Département d'Archéologie de l'Inde a consolidé et protégé le groupe de temples d'Alchi (XI-XIIème siècles). Le palais de Leh (début XVIIème siècle) doit être remis en état avec l'aide d'une fondation indienne (Jest, Sanday 1981).

Au Bhutan, où les monastères et les dzongs sont toujours en activité, une restauration à l'identique est en cours.

Au Népal, le département d'Archéologie a établi, avec l'aide de l'UNESCO, un plan de réfection des temples du Nord du pays (Jest, 1981).

La plupart de ces restauration appellent quelques remarques.

Les bouleversements historiques et la conservation aléatoire des techniques traditionnelle dans des cultures en pleine mutation économique et sociale, devraient désormais inciter à bien distinguer les reconstructions dans le style local des restaurations de monuments anciens, même si ce concept ne fait pas partie de la tradition du Tibet.

Dans le contexte tibétain, il semble néanmoins justifiable de compléter les monuments en partie détruits à la suite de la Révolution Culturelle par des restitutions. Les parties hautes du monastère de Nechung, près de Depung, fournit un bon exemple de ce type d'intervention.

Il serait souhaîtable que les travaux dans les parties anciennes obéissent à des méthodes plus scientifiques: maintien sur place le plus longtemps possible de structures portantes, absence d'éléments nouveaux, même décoratifs, sur des parties anciennes, respect des matériaux traditionnels. Lorsque des ajouts sont nécessaires, il conviendrait de les rendre visibles mais leur aspect devrait se fondre dans l'ensemble. De même. les équipements modernes (électricité, dispositif anti-incendie) doivent obéir aux règles les plus sévères de sécurité (électricité sous tube), tout en étant réversibles et esthétiquement discrets.

La bonne conservation des peintures murales pose un problème particulièrement délicat. La précarité du support en terre et l'impossibilité dans la plupart des cas de la dépose des parties peintes, la fragilité de la surface picturale après décrassage, la tendance des artistes locaux à repeindre totalement les parois endommagées sont autant de points qui appellent une véritable réflexion et la concertation de spécialistes.

Les restaurations à Lamayuru et à Shey (Ladakh) d'une association suisse, la Förderkreis zur Entwicklung der Kulturdenkmähler Ladakhs, fondée en 1983, sont exemplaires.

DIFFUSION DE L'ARCHITECTURE TIBETAINE

Inde et Népal

A partir de 1951, de nombreux Tibétains se sont réfugiés en Inde et au Népal. Ils étaient près de 100.000 en 1960. Ces réfugiés se sont trouvés en contact de sociétés entièrement différentes, indiennes et occidentales. Le changement est intervenu aussi dans des sociétés comme celles du Ladakh et du pays Sherpa où la polyandrie diparaît au profit de la famille nucléaire, modifiant l'espace social.

Les Tibétains en exil, malgré l'effondrement de leur structure sociale, eurent cependant volonté de préserver leur patrimoine. Ces réfugiés ont été obligés de construire un nouvel habitat avec des matériaux différents de ceux utilisés au Tibet, subissant des contraintes économiques particulières. On peut distinguer deux périodes:

— une architecture d'urgence entre 1960 et 1970,

— un retour à des modèles traditionnels avec une meilleure maitrise des nouvelles techniques de construction à partir de 1970.

De nouveaux impératifs sociaux, inexistants au Tibet traditionnel, se sont ajoutés dans les dernières années (écoles, villages pour enfants, dispensaires, centres d'artisanat) pour la réalisation desquels des architectes étrangers ont été consultés. Ainsi, à «Happy valley» (Mussoorie, Utar Pradesh), les maisons d'un village d'enfants réfugiés s'inspirent de certaines peintures d'architectures tibétaines. Les constructions sont munies de grandes fenêtre et sont adaptées au milieu et aux conditions d'hygiène.

A la suite des bouleversements politiques survenus au Tibet en 1959 des communautés entières se sont réfugiées en Inde du Nord, au Bhutant et au Népal. Le Népal est un cas très intéressant car on comptait, dans la vallée de Kâthmându trois petits monastères bouddhiques tibétains en 1960 alors qu'il y en a plus de vingt en 1985 dont cinq abritent une soixantaine de religieux. Leurs plans s'inspirent de ceux du Tibet. Des transformations ont cependant été apportées, ainsi le centre religieux construit par la communauté Manangi (ethnie de langue tibétaine du Nord du Népal) comprend un temple, une salle de réunion où l'on célèbre les mariages, une hôtellerie accueillant les gens de passage. Les Sherpas ont construit un centre identique à Bodhnath.

Dans le district de Khumbu (Nord-ouest du Népal), le monastère de Tengboche a été construit à 4.000 mètres d'altitude dans un site d'une beauté exceptionnelle. Il a été longtemps le centre d'éducation religieuse de la région et le chef de la communauté monastique a créé un «centre culturel sherpa» à proximité du monastère. Un bâtiment de style sherpa construit avec des fonds locaux et des dons de l'étranger abrite aujourd'hui une bibliothèque et un petit musée.

Ces exemples ne sont pas sans poser le problème de l'identité de l'architecture contemporaine tibétaine elle-même. Il est en effet difficile de trouver une réelle homogénéité stylique entre tous les édifices modernes construits ces dernières années. L'abandon plus ou moins partiel des matériaux traditionnels entraîne de plus en plus un hiatus entre la structure des bâtiments et leur aspect, certaines constructions ne conservant que quelques éléments du vocabulaire architectural tibétain à des fins décoratifs. Cette ultime mutation dans les grands centres touche peu l'architecture traditionnelle qui perpétue, par delà les siècles, la sobre grandeur de l'art de bâtir en pays tibétain.

Europe et Amérique

fig. 329

La présence dans l'empire russe de minorités buriates et kalmuks pratiquant le Bouddhisme tibétain explique qu'un temple lamaïque fut édifié en 1905 à St. Petersbourg (Hummel 1955). Sa façade, inspirée de monuments mongols de style tibétain, présente cependant des oculi, des moulurations et des distorsions de proportions de tradition occidentale.

fig. 330

Aux Etats-Unis, le Jacques Marchais Center of Tibetan Art (Staten Island, New-York), achevé en 1947, est l'un

fig. 327

fig. 328

des premiers exemples en Amérique de construction inspirée par l'architecture tibétaine, en particulier pour les volumes extérieurs, l'appareil et les encadrements des fenêtres.

A partir des années cinquante l'exil d'importants dignitaires ecclésiastiques tibétains entraîna en Occident la fondation de centres religieux, destinés tout à la fois aux réfugiés et aux Occidentaux. Beaucoup sont caractérisés par l'édification de chörten à leurs abords tel celui de l'Institut Lama Tsongkhapa à Pomaia (Italie). Certains nécessitèrent la construction de bâtiments nouveaux. Ce mouvement est en pleine expansion.

fig. 331

Le Centre Labsun Shedrab Ling, à Washington (New-Jersey), fondé dès 1958, présente la plan d'un lhakhang traditionnel mais son mode de construction reste occidental.

fig. 332-334

Certains établissements sont copiés de l'architecture himâlayenne. Dans cette catégorie, Kagyiu Ling, au château de Plaige en Bourgogne, s'inspire fidèlement d'un temple bhoutanais.

Un exemple réussi de parfaite intégration des traditions architecturales tibétaines et occidentales contemporaines est fourni par l'élégant complexe de Rikon en Suisse.

fig. 335

* * *

Ces réflexions concernant l'histoire récente de l'architecture tibétaine mettent en évidence deux impératifs: l'urgence du développement d'une véritable politique concertée de restauration et la nécessité de maintenir les caractères propres de l'architecture nationale. Il faut esperer que le développement saura assimiler le passé afin de perpétuer l'une des formes d'expression les plus originales du génie tibétain: les demeures des hommes et les sanctuaires des dieux.

OUVRAGES GENERAUX

HUMMEL, 1955; JEST, 1981; JEST, SANDAY, 1981; MORTARI VERGARA, 1980.

TAVOLA SINOTTICA

	INDIA DEL NORD		NEPAL
600			**600**
	606 - 647 Harsa del Kanauj	605 - 621	Amshuvarman: restaurazione dei Lic-chavi
	631 - 855 Dinastia Kârkota del Kashmir		
	643 Ambasciata cinese	640 - 642	Narendradeva
	629 - 645 Il monaco cinese Xuanzong in India	648	Ambasciatore cinese inviato dagli Harsa del Kanauj, insultato, ottiene l'aiuto del Tibet e del Nepal
	671 - 685 Il monaco cinese Yijing in India		
700			**700**
	VIIIe - XIIe sec. Dinastie Pâla e Sena del Bengala	713 - 733	Jayadeva II. Ultima menzione epigrafica dei Licchavi
	733 - 769 Lalitâditya Muktâpida re del Kashmir		
800			**800**
	800 circa Dharmapâla fonda l'università buddhista di Vikramashîla	20 octobre 879	Inizio dell'era nepalese
		879 - 1200	Periodo intermedio detto «dei Thâkuri»
900			**900**
	982 circa Nascita di Atîsha		
1000			**1000**
	1013 - 1014 Ultimo Shâhî Trilocanapâla espulso dal suo regno	1040	Soggiorno di Atîsha in viaggio per il Tibet. Introduzione nel Nepal del Buddhismo tantrico
	1021 Il Panjab fa parte dei domini ghaznavidi		
1100			**1100**
	1173 Mohammad de Ghor penetra in India	1147	Bhaktapur, sede prefenziale del potere reale. La Corte vi risiederà fino al XV sec.
1200			**1200**
	circa 1200 I Mussulmani conquistano l'India del Nord. Distruzione delle università buddhiste del Bihâr	1200 - 1216	Ari malla
		1275 - 1308	Ananta malla
1300			**1300**
	1320 Un tibetano Rinchen (Riñcana) sul trono del Kashmir	1349 circa	Raid del sultano del Bengala Shams ud-dîn Ilyas
	1339 Dinastia mussulmana nel Kashmir fondata da Shah Mîr	1382 - 1395	Jayasthiti malla
1400			**1400**
	Suddivisione del dominio mussulmano in India	1428 - 1482	Yaksa malla
		1482	Suddivisione della valle di Kâthmându
		1482 - 1520	Ratna malla a Kâthmându
1500			**1500**
	1526 Babur, sultano di Delhi, imperatore dell'India	1560 - 1574	Mahendra malla di Kâthmându
	1530 - 1556 Humayun. Sher Shah regna su Delhi (1540-1545)		
	1556 - 1605 Akbar		
1600			**1600**
	1605 - 1627 Jahangîr	1620 - 1661	Siddhinarasimha malla di Patan
	1628 - 1658 Shah Jahan	1641 - 1674	Pratâpa malla di Kâthmându
	1658 - 1707 Aurangzeb	1662	Visita a Kâthmându dei gesuiti Johann Grüber e Albert d'Orville di ritorno dal Tibet
1700			**1700**
	1739 Nadir shah, re di Persia, saccheggia Delhi	1696 - 1722	Bhûpatîndra malla di Bhaktapur
		1768 - 1769	Prithivi Narayan (1722-1775) conquista la valle di Kâthmându
	1772 - 1785 Warren Hastings, governatore generale del Bengala	1789	Occupazione del Sikkim
	1798 - 1805 Lord Richard Wellesley: supremazia inglese		
1800			**1800**
	1857 Rivolta dei Sipâhî	1814 - 1816	Guerra con gli Inglesi. Trattati di Segolie
	1858 Abolizione dell'impero Moghul. L'India sotto la corona britannica	1845 - 1877	Jang Bahadur Rana, primo ministro
1900			**1900**
	1947 Indipendenza dell'India. La suddivisione	1951	Presa di potere del re Tribhuvana Bir Bikram (1906-1955)

	TIBET			CINA E MONGOLIA	
600	600 circa	Namri Songtsen, principe di Yarlung, re del Tibet	618 - 907	Dinastia Tang	**600**
	610 - 649 circa	Songtsen Gampo	651	Prima ambasciata nepalese in Cina	
	641	Songtsen Gampo sposa la principessa cinese Wencheng	690 - 704	Imperatrice Wu	
700	755 - 797	Thisong Detsen	755 - 763	Rivolta di An Lushan	**700**
		Buddhismo, religione di Stato	763	Raid tibetano su Changan	
800			787 - 848	Dunhuang sotto il dominio tibetano	**800**
	838	Assassinio di Repachen	822 - 823	Trattato con il Tibet	
	842	Assassinio di Langdarma	843 - 845	Persecuzione contro il Buddhismo e le altre religioni straniere	
900		Regno del Tibet occidentale	907 - 960	Epoca delle Cinque Dinastie	**900**
		«Seconda diffusione del Buddhismo	960 - 1278	Dinastia Song	
	verso il 1000	Yesheö, re di Guge			
	958 - 1055	Rinchen Zangpo, traduttore e costrutto-re			
1000	1042 - 1054	Atïsha nel Tibet	907 - 1125	Dinastia Liao	**1000**
	1073	Fondazione del monastero di Sakya	960 - 1127	Song del Nord	
	1040 - 1123	Milarepa	982 - 1227	Nel nord-ovest: Regno degli Xixia	
1100	1175 - 1185	Fondazione dei monasteri e delle scuo-le Kagyupa	1101 - 1127	Huizong	**1100**
			1125	Gli Jürchen conquistano il nord della Ci-na. Regno dei Jin (1125-1234)	
			1127 - 1279	Song del Sud	
1200	1244	Il principe mongolo Goden invita l'abate dei Sakya al suo accampamento	1261 - 1368	Dinastia Yuan	**1200**
			1261 - 1294	Qûbilai Qan, imperatore della Cina	
	1249	Sakya Pandita riceva la supremazia sul Tibet dai Mongoli	1271 - 1295	Viaggi di Marco Polo	
	1253	Phagpa alla corte di Qubilai		Lo scultore newar Anige (1245-1306) in Cina	
1300	1302 - 1373	Changchub Gyeltsen, principe di Phag-modu	Metà XIV sec.	Rivolta contro i Mongoli	**1300**
	1349 - 1354	Changchub Gyeltsen stabilisce il suo dominio sul Tibet	1368 - 1644	Dinastia Ming	
1400	1357 - 1419	Tsongkhapa	1403 - 1424	Yongle	**1400**
	1409	Fondazione di Ganden	1426 - 1436	Xuande	
	1445 circa	Dominazione del prefetto di Rinpung			
1500		Conflitto tra i Karmapa e i Gelugpa e guerra tra Ü e Tsang	1568	Fondazione di Erdeni-zuu in Mongolia	**1500**
	1578	Altan Qan conferisce a Sönam Gyantso (1543-1588) il titolo di Dalaï			
1600	1617 - 1682	V Dalaïlama	1639	Urga (Ulan Bator): residenza dei Qutuq-tu mongoli	**1600**
	1661	Johann Grüber e Albert d'Orville a Lha-sa	1644 - 1911	Dinastia Qing	
			1652	Visita dei V Dalaïlama a Pechino	
			1662 - 1722	Kangxi	
			1691	Accordo di Dolön-nôr. Sottomissione dei principi mongoli alla Cina	
1700	1715-1721	Ippolito Desideri nel Tibet	1736 - 1796	Qianlong	**1700**
	1720	Corpo di spedizione cinese a Lhasa	1780	Visita del VI Panchenlama	
	1745	Chiusura della missione cristiana a Lha-sa			
	1790 e 1791	Invasione Gurkha			
	1792	L'esercito di Qianlong respinge i Gurk-ha			
1800	1876 - 1933	XIII Dalaïlama	1839 - 1842	Prima guerra dell'oppio	**1800**
			1848 - 1864	Rivolta dei Taiping	
1900	1904	Spedizione Younghusband	1900	Rivolta dei Boxers	**1900**
	1913	I cinesi lasciano il Tibet	1911 - 1912	Caduta dei Qing. Proclamazione della Repubblica del Guomindang	
	1951	Le truppe cinesi nel Tibet			
	1959	Il XIV Dalaïlama fugge in India	1924	Repubblica Popolare Mongola	
	1965	Il Tibet diviene una Regione autonoma della Repubblica Popolare Cinese	1933 - 1945	Conflitto sino-giapponese	
			1949	Repubblica Popolare Cinese	
			1965 - 1968	«Rivoluzione Culturale»	

TABLEAU SYNOPTIQUE

	INDE DU NORD		NEPAL
600			**600**
606 - 647	Harsa del Kanauj	605 - 621	Amshuvarman: restauration des Licchavi
631 - 855	Dynastie Kârkota du Kashmir	640 - 642	Narendradeva
643	Ambassade chinoise	648	Ambassadeur chinois envoyé à Harsa de Kanauj, insulté, obtient l'aide du Tibet et du Nepal
629 - 645	Le moine chinois Xuanzong en Inde		
671 - 685	Le moine chinois Yijing en Inde		
700			**700**
VIIIe - XIIe s.	Dynasties Pâla et Sena au Bengale	7,3 - 733	Jayadeva II. Dernière mention épigraphique des Licchavi
733 - 769	Lalitâditya Muktâpida roi du Kashmir		
800			**800**
vers 800	Dharmapâla fonde l'université bouddhique de Vikramashîla	20 octobre 879	Début de l'ère népalaise
		879 - 1200	Période intermédiaire dite «des Thâkuri»
900			**900**
vers 982	Naissance d'Atîsha		
1000			**1000**
1013 - 1014	Le dernier Shâhî Trilocanapâla quitte son royaume	1040	Séjour d'Atîsha en route pour le Tibet. Introduction au Népal du Bouddhisme tantrique
1021	Le Panjab sous domination ghaznavide		
1100			**1100**
1173	Mohammad de Ghor en Inde	1147	Bhaktapur, siège prefentiel du pouvoir royal. La cour y résidera jusqu'au XVe s.
1200			**1200**
vers 1200	Les Musulmans conquièrent l'Inde du Nord. Destruction des universités buddhiques du Bihâr	1200 - 1216	Ari malla
		1275 - 1308	Ananta malla
1300			**1300**
1320	Le tibétain Rinchen (Riñcana) sur le trône du Kashmir	vers 1349	Raid du sultan du Bengale Shams ud-dîn Ilyas
1339	Dynastie musulmane au Kashmir fondée par Shah Mîr	1382 - 1395	Jayasthiti malla
1400			**1400**
	Morcellement du domaine musulman en Inde	1428 - 1482	Yaksa malla
		1482	Partage de la vallée de Kâthmându
		1482 - 1520	Ratna malla à Kâthmându
1500			**1500**
1526	Babur, maître de Delhi, empereur de l'Inde	1560 - 1574	Mahendra malla de Kâthmându
1530 - 1556	Humayun. Sher Shah règne sur Delhi (1540-1545)		
1556 - 1605	Akbar		
1600			**1600**
1605 - 1627	Jahangîr	1620 - 1661	Siddhinarasimha malla de Patan
1628 - 1658	Shah Jahan	1641 - 1674	Pratâpa malla de Kâthmându
1658 - 1707	Aurangzeb	1662	Visite à Kâthmându des jésuites Johann Grüber et Albert d'Orville de retour du Tibet
1700			**1700**
1739	Nadir shah, roi de Perse, pille Delhi	1969 - 1722	Bhûpatîndra malla de Bhaktapur
1772 - 1785	Warren Hastings, gouverneur general du Bengale	1768 - 1769	Prithivi Narayan (1722-1775) conquiert la vallée de Kâthmându
1798 - 1805	Lord Richard Wellesley: suprématie anglaise	1789	Annexion du Sikkim
1800			**1800**
1857	Révolte des Cipâyes	1814 - 1816	Guerre avec les Britanniques. Traité de Ségolie
1858	Abolition de l'Empire Moghol. L'Inde sous la couronne britannique	1845 - 1877	Jang Bahadur Rana, premier ministre
1900			**1900**
1947	Indépendance de l'Inde. La partition	1951	Prise de pouvoire par le roi Tribhuvana Bir Bikram (1906-1955)

	TIBET			CHINE ET MONGOLIE	
600	vers 600	Namri Songtsen, prince du Yarlung, roi du Tibet	618 - 907	Dynastie Tang	**600**
			651	Première ambassade népalaise en Chine	
	vers 610 - 649	Songtsen Gampo			
	641	Songtsen Gampo épouse la princesse chinoise Wencheng	690 - 704	Impératrice Wu	
700	755 - 797	Thisong Detsen	755 - 763	Révolte d'An Lushan	**700**
		Buddhisme, religion d'Etat	763	Raid tibétain sur Changan	
800			777 - 848	Dunhuang sous domination tibétaine	**800**
	838	Meurtre de Repachen	822 - 823	Traité avec le Tibet	
	842	Meurtre de Langdarma	843 - 845	Persécution contre le Bouddhisme et les autres religions etrangères	
900		Royaume du Tibet occidental	907 - 960	Epoque des Cinq Dynasties	**900**
		«Seconde diffusion» du Bouddhisme	960 - 1278	Dynastie Song	
	vers 1000	Yesheö, roi de Guge			
	958 - 1055	Rinchen Zangpo, traducteur et bâtisseur			
1000	1042 - 1054	Atîsha au Tibet	907 - 1125	Dynastie Liao	**1000**
	1073	Fondation du monastère di Sakya	960 - 1127	Song du Nord	
	1040 - 1123	Milarepa	982 - 1227	Dans le nord-ouest: Royaume des Xixia	
1100	1175 - 1185	Fondation des monastères des écoles Kagyupa	1101 - 1127	Huizong	**1100**
			1125	Les Jürchen conquièrent le nord de la Chine	
			1125 - 1234	Royaume des Jin	
			1127 - 1279	Song du Sud	
1200	1244	Le prince mongol Goden invite l'abbé de Sakya à son camp	1261 - 1368	Dynastie Yuan	**1200**
			1261 - 1294	Qubilai Qan, empereur de Chine	
	1249	Sakya Pandita reçoit la suprématie du Tibet par les Mongols	1271 - 1295	Voyage de Marco Polo	
				Le sculpteur néware Anige (1245-1306)	
	1253	Phagpa à la cour de Qubilai		en Chine	
1300	1302 - 1373	Changchub Gyeltsen, prince de Phagmodu	Milieu XIVè s.	Révolte contre les Mongols	**1300**
			1368 - 1644	Dynastie Ming	
	1349 - 1354	Domination de Changchub Gyeltsen sur le Tibet			
1400	1357 - 1419	Tsongkhapa			**1400**
	1409	Fondation de Ganden	1403 - 1424	Yongle	
	vers 1445	Domination du préfet de Rinpung	1426 - 1436	Xuande	
1500		Conflit entre Karmapa et Gelugpa et guerre entre le Ü et le Tsang	1586	Fondation d'Erdeni-zuu en Mongolie	**1500**
	1578	Altan Qan confère a Sönam Gyantso (1543-1588) le titre de Dalaï			
1600	1617 - 1682	Le Ve Dalaïlama	1639	Urga (Ulan Bator): résidence des Qutuqtu mongols	**1600**
	1661	Johann Grüber et Albert d'Orville à Lhasa	1644 - 1911	Dynastie Qing	
			1652	Visite du V Dalaïlama à Pékin	
			1662 - 1722	Kangxi	
			1691	Accord de Dolôn-nôr. Soumission des princes mongols à la Chine	
1700	1715-1721	Ippolito Desideri au Tibet	1736 - 1796	Qianlong	**1700**
	1720	Corps expéditionnaire chinois à Lhasa	1780	Visite del VIe Panchenlama	
	1745	Fermeture de la mission chrétienne à Lhasa			
	1790 et 1791	Invasion Gurkha			
	1792	Armée de Qianlong répousse les Gurkha			
1800	1876 - 1933	le XIII Dalaïlama	1839 - 1842	Première guerre de l'opium	**1800**
			1848 - 1864	Révolte de Taiping	
1900	1904	Expédition Younghusband	1900	Révolte des Boxers	**1900**
	1913	Les Chinois hors du Tibet	1911 - 1912	Chute des Qing. Proclamation de la République. Le Guomindang	
	1951	Les troupes chinoises au Tibet			
	1959	Le XIV Dalaïlama s'enfuit en Inde	1924	République Populaire de Mongolie	
	1965	Le Tibet devient une région autonome dans le cadre de la République Populaire de Chine	1933 - 1945	Guerre sino-japonaise	
			1949	République Populaire de Chine	
			1965 - 1968	«La Révolution Culturelle»	

GLOSSARIO
DEI TERMINI ARCHITETTONICI
ASIATICI

(C: cinese; N: newari, nepalese; S: sanscrito; T: tibetano; M: mongolo)

amalaka — pinnacolo latiforme.

***and**a* **(S)** — parte centrale emisferica di uno stûpa.

ang (C) — mensola a braccio di leva.

aenpa (N) — tegola di terracotta.

âgama (S, N) — santuario.

âgama chem (N) — santuario delle divinità ancestrali. cf. kulaghora.

appa (N) — mattone.

arka (T) — agglomerato di pietre.

***âvara**na* **(S)** — piccolo santuario shivaita.

ba (T) — tenda. cf. gur.

bab (T) — beccatello, modiglione.

babkum (T) — beccatello o modiglione rientrato.

babkyang (T) — beccatello o modiglione aggettante.

baga (T) — scarico. cf. ojo, wa.

bahâ (N) — uno dei tre tipi di monasteri buddisti nella valle di Kâthmându.

bahâ-bahî (N) — uno dei tre tipi di monasteri buddisti nella valle di Kâthmându.

bahî (N) — uno dei tre tipi di monasteri buddisti nella valle di Kâthmându.

baiga (N) — attico.

baita (C) — pagoda o stûpa bianco.

baitai (C) — podio (o terrazza) bianco; per derivazione nome dato a numerosi edifici di stile sino-tibetano.

banag (T) — tenda nera di pelo di yak. cf. droggur.

barkhang (T) — «stanza del mezzo», primo piano della casa tibetana.

barkhor (T) — «circuito intermedio di circumambulazione».

barthog (T) — «piano intermedio», secondo piano della casa tibetana.

belog (T) — cf. benlog, shuthung.

benlog (T) — «arco corto», parte del supporto di trabeazione che poggia sul capitello. cf. shuthung.

bhazan (N) — stanza per la musica e lo studio nei monasteri di tipo bahâ.

buglam (T) — passaggio coperto.

caitya (S, N) — piccolo stûpa commemorativo. cf. udeshika.

capâta (N) — portico multipiano fiancheggiato da sale.

chagphor (T) — «ciotola di ferro» (picchiotto di porta).

chagri (T) — muro di cinta.

chaksam (T) — «ponte di ferro», ponte sospeso mediante catene di ferro.

cham (T) — trave corrente.

chamne (T) — estremità di corrente. cf. chamtse.

chamra (T) — cortile.

chamtse (T) — estremità di corrente. cf. chamne.

chattra (S) — parasole.

chayab (T) — tendaggio.

chhapa jhya (N) — finestra a più aperture.

chikan appa (N) — mattone cotto.

chingbu sophag (T) — mattone smaltato.

chuku (N) — perno di legno.

chödze (T) — acroterio.

chog (T) — torre, struttura fortificata, dimora di divinità protettrice.

chogril (T) — torre rotonda.

chökhang (T) — cappella domestica.

chökhor ridag.

phomo (T) — acroterio dei santuari buddisti a forma di ruota della legge fiancheggiato da due gazzelle (mongolo: kürdü).

chönphur (T) — picchetto. cf. phurpa.

chönthag (T) — tirante.

chöra (T)	luogo per dispute teologiche.	**dochal** (T)	grande cortile pavimentato.
chörten (T)	equivalente tibetano dello stûpa indiano. Tumulo-reliquiario, monumento fondamentale del buddhismo.	**dochen** (T)	pietra quadrangolare. cf. phodo.
chörten-porta (T)	tipo di stûpa caratteristico dell'area di cultura tibetana. Un passaggio è ricavato nel suo basamento.	**doleb** (T)	lastra. cf. modo, lebcha.
		domkyor (T)	parapetto.
chötseg (T)	accatastamento di Legge religiosa (elemento decorativo).	**doring** (T)	«pietra lunga», menhir, pilastro commemorativo.
chukheb (T)	piccola tettoia.	**dougong** (C)	sistema mensolare.
chura (T)	sala d'acqua.	**droggur** (T)	tenda nera dei nomadi di pelo di yak. cf. banag.
chuyam (T)	tegola, ardesia.	**dukhang** (T)	dispensa per granaglie. cf. dzöphug, norkhang.
cogcin (M)	sala d'assemblea.		
cok (N)	cortile.	**dükhang** (T)	sala di assemblea dei monaci.
cota (N)	piano più alto.	**dükhang chenmo** (T)	sala di assemblea monastica principale. cf. tshogchen.
cûdamani (N)	harmikâ.		
daldo (T)	piccole pietre piatte impiegate per la costruzione del soffitto.	**dükhung** (T)	foro per il fumo.
		dung (T)	trave.
dalma (T)	trave. cf. tingril.	**dungden** (T)	«supporto di trave», supporto della parte, incastrata nel muro, di una trabeazione; anche, tavola collocata sotto la trave.
darbar (N)	palazzo reale.		
dashag (T)	cella monastica.		
datsang (T)	collegio monastico.	**dungkheb** (T)	«copritrave», tavola posta al disopra della trave.
dayab (T)	tettoia.		
de (T)	fondazione monastica.	**dungkya** (T)	striscia orizzontale di pittura bianca a calce sulla parte alta dei muri. cf. ketha.
debshal (T)	intonaco.		
dechen (T)	«grande moggio», specie di mensola.		
dechung (T)	«piccolo moggio», specie di mensola.	**dyochem** (N)	santuario urbano. cf. deochem.
dedo (T)	blocco di pietra.		
dedong (T)	«muso di scimmia» (motivo decorativo).	**dza** (T)	terracotta.
dega (N)	tipo di tempio nepalese a tetti sovrapposti.	**dzabub** (T)	«vaso rovesciato» (picchiotto di porta).
		dzö (T)	dispensa, ripostiglio. cf. nyertsang.
degcha (T)	basamento. cf. peden.		
		dzöden (T)	pinnacolo. cf. gandzira.
dekyog (T)	«moggio ricurvo», specie di mensola.		
delsam (T)	passerella.	**dzong** (T)	fortezza.
demä (T)	parte bassa del capitello.	**dzöphug** (T)	dispensa. cf. norkhang, dukhang.
densa (T)	monastero «casa madre».		
deochem (N)	santuario urbano (in opposizione a pîta, santuario rurale). cf. dyochem.	**gagpang** (T)	«tavoletta di chiusura» tra i modiglioni.
		gâhiñ (N)	fontana all'aperto. cf. gaihridhâra.
depung (T)	«ammasso di moggi», specie di mensola.	**gaihridhâra** (N)	fontana all'aperto. cf. gâhitî.
detö (T)	parte alta del capitello.		
deyang (T)	cortile pavimentato. cf. khyam, dochal, chenmo.	**gandzira** (T)	pinnacolo, acrotero a forma di parasole. cf. dzöden (mongolo: ganzir).
dhalin (N)	corrente.	**ganzir** (M)	acrotero metallico di forma cilindrica contenente oggetti sacri. cf. gandzira.
dian (C)	padiglione.		
ditsang khang (T)	cappella principale.		

garbhagriha (S)	«matrice», cella di un tempio.		edifici sacri.
ge (C)	padiglione rettangolare a più piani.	**kapung** (T)	pilastro composito.
ger (M)	tenda mongola a pianta circolare.	**kara** (T)	palo.
gochor (T)	atrio ipostilo.		cf. kagyug.
gokhang (T)	edificio d'ingresso.	**karing** (T)	«pilastri lunghi». Pilastri che salgono per
gokyor (T)	muro-schermo.		due piani, sorreggendo ad esempio i
goleg	sbarra che chiude la porta.		lucernari delle sale d'assemblea.
gol süme (M)	tempio principale.	**karkhung** (T)	apertura zenitale, finestra.
gonpa (T)	monastero.	**karma** (T)	«stelle», fregio dei medaglioni scolpiti in
gönkhang (T)	cappella consacrata alle divinità		una bacchetta. Designa anche il collarino
	protettrici.		dei pilastri in cui questo motivo è in
gope (T)	costruzione d'ingresso.		genere rappresentato.
goshen (T)	ferramenta.	**karnes appa** (N)	mattone da decorazione forgiato in rilievo.
goten	fermo della porta.	**kashen** (T)	cerchio metallico che regge i fusti di un
granthakûta (S, N)	cella preceduta da un atrio e coperta da		pilastro composito.
	un tetto a shikhara.	**kateg** (T)	pietra piatta che serve da basamento ad
günsa (T)	accampamento d'inverno - cucina		un pilastro.
	d'inverno.		cf. kaden.
gur (T)	tenda.	**kathung** (T)	«pilastro corto», pilastro che sostiene il
	cf. ba.		piano immediatamente superiore.
gursa (T)	terreno d'accampamento.	**kawa** (T)	pilastro.
gyeltsen (T)	acroterio a forma di «stendardo di vittoria».	**kejid** (M)	eremo.
gyang (T)	muro di argilla compressa, pisé.	**kerim** (T)	rampa d'accesso.
gyangdeb (T)	rivestimento murale.	**ketha** (T)	«collo stretto», striscia orizzontale di
gyaphib (T)	tetto «alla cinese».		pittura bianca a calce sulla parte alta dei
gyathong (T)	apertura zenitale.		muri.
	cf. khyamthong, thongkhung, namyang.		cf. dungkya
harmikâ (S)	parte cubica al disopra dell'*anda* dello	**khang** (T)	casa, edificio.
	stûpa.	**khangchung** (T)	«piccola casa», casa o stanza aggiunta.
	cf. cûdâmani.	**khangpä** (T)	parapetto.
		khangtsen (T)	residenza monastica.
inâra (N)	pozzo.	**khashing** (T)	«legno di copertura».
	cf. tuna.	**khyam** (T)	cortile pavimentato, passaggio.
			cf. deyong, dochal, chenmo.
jag (N)	fondamenta.	**khyamkhor** (T)	galleria formante deambulatorio, portico.
jahrû (N)	fontana coperta.	**khyamra** (T)	cortile circondato da edifici e da portici.
	cf. tu*t*edhâra.	**khyamtö** (T)	terrazza.
jhya (N)	finestra.	**khyamthong** (T)	apertura zenitale.
jimtse (T)	beccatello.		cf. gyathong, thongkhung, namyang.
		khyim (T)	casa.
kabug (T)	atrio nell'opera muraria.	**kôchujhyâ** (N)	griglia.
kachi appa (N)	mattone crudo.		cf. pâkhâ.
kadag (T)	intercolunnio, arcata.	**korkhang** (T)	deambulatorio.
kaden (T)	pietra piatta fungente da basamento per	**korkyikyam** (T)	cortile.
	un pilastro.	**korten** (T)	gancio al quale è attaccato un bastone per
	cf. kateg.		bloccare le porte.
kagyug (T)	palo.	**kowedumbu** (T)	correggia appesa al battente di una porta.
	cf. kara.	**kukhar** (T)	castello reale.
kalasa (S)	vaso dell'immortalità, pinnacolo degli	**kulaghara** (N)	santuario di divinità di lignaggio.

	cf. âgama chen.	
kumbha (S)	«tamburo», piano cilindrico di alcuni chörten.	
kumbum (T)	«diecimila immagini», tipo particolare di chörten colossale con numerose cappelle nei suoi basamenti.	
	cf. tashi gomang.	
kürdü (M)	pinnacolo.	
	cf. chökhor ridag phomo.	
kürij-e (M)	monastero.	
kyam (T)	passaggio.	
kyangkhang (T)	capanna di zolle d'erba.	
kyilka (T)	pilastro centrale.	
labrang (T)	residenza abbaziale.	
lagchokhang (T)	dispense.	
langna dekyog (T)	«mensola ricurva a forma di proboscide», mensola.	
lanke (T)	balaustra.	
lasung (T)	maniglia di porta.	
latse (T)	cumulo di pietre rituale (mongolo: obo).	
lebcha (T)	lastre.	
	cf. doleb.	
lhabab chörten (T)	tipo di stûpa simboleggiante la discesa di Buddha dal cielo. Possiede una scala al centro di ognuno dei quattro lati del suo basamento.	
lhakhang (T)	tempio.	
lingkhor (T)	«circuito di circumambulazione esterno».	
lobur (T)	parte di edificio in aggetto, avancorpo.	
logshal (T)	intonaco.	
lukha (N)	porta.	
lungdo karkhung (T)	bocca d'aerazione.	
madu (N)	atrio con pilastri.	
	cf. mandapa.	
mahâvihâra (S)	grande monastero.	
mandapa (S, N)	atrio con pilastri.	
	cf. madu.	
mang (T)	fondamenta.	
mangdo (T)	pietra per fondamenta.	
mâtâ (N)	primo piano.	
math (N)	dimora comunitaria di un gruppo di bramini.	
mathem (T)	soglia.	
modo (T)	pietra piatta.	
	cf. doleb.	
mulcok (N)	cortile davanti al santuario di	

	Mahisamardini.	
musin (N)	capriata.	
nal (N)	camera.	
namkhung (T)	«foro del cielo», botola d'accesso alla terrazza delle abitazioni, foro per il fumo.	
nampang (T)	cassettone di soffitto.	
namyang (T)	apertura zenitale.	
	cf. gyathong, khyamthong, thongkhung.	
namser	sbarra verticale con funzione di chiusura.	
nangkhor (T)	«circuito interno di circumambulazione».	
nani (N)	cortile aggiunto ad alcuni bahâ, circondato dalle abitazioni delle famiglie dei monaci.	
nas (N)	corrente orizzontale.	
ngomshing (T)	architrave.	
norkhang (T)	dispensa.	
	cf. dukhang, dzöphug.	
nyagyab (T)	«dorso di pesce», colmo di parapetto.	
	cf. pushu.	
nyertsang (T)	dispensa, ripostiglio.	
	cf. dzö	
ogkhang (T)	«abitazione di sotto», pianterreno della casa tibetana.	
obo (M)	cumulo di pietre.	
	cf. latse.	
ojo (M)	scarico.	
	cf. baga, wa.	
pailou (C)	portale.	
pâkhâ (N)	griglia.	
	cf. kôchujhyâ.	
pañcâyatana (S)	tempio costituito da un santuario fiancheggiato da quattro cappelle o coperto da cinque tetti a quinconce.	
pangphub (T)	capanna di zolle d'erba.	
	cf. kyangkhang.	
pâti (S, N)	portico a pianta rettangolare aperto su tre lati.	
	cf. phale, phaleca.	
pau (N)	tetto.	
peden (T)	basamento.	
	cf. degcha.	
pedzün (T)	«falso bordo», cornicione di attico che orna le costruzioni civili.	
pema (T)	«loto», elemento decorativo.	
penchen (T)	«grande fregio vegetale», cornicione d'attico.	
penchung (T)	«piccolo fregio vegetale», cornicione	

	d'attico.	sangchö (T)	gabinetti.
penpe (T)	cornicione d'attico.	saphag (T)	mattone crudo.
pepu (T)	beccatello, modiglione.	sathig (T)	tracciato sul terreno prima
	cf. bab.		dell'edificazione di un edificio.
phagna dekyog (T)	«mensola ricurva a forma di grugno di		cf. sabta.
	maiale», mensole a bracci di leva di tipo	sattal (N)	portico multipiano.
	cinese.	sengdom (T)	fila di leoni, elemento decorativo.
	cf. ang.	senglag (T)	«zampa di leone», elemento decorativo.
phalacâ (N)	atrio fungente da sala di ricevimento nei	sengyab (T)	lucernario.
	monasteri di tipo bahâ.	serdong (T)	monumento funerario.
phale (N)	portico.	serthog (T)	«tetto dorato».
	cf. pâtî, phalacâ.	shagkhor (T)	fila di celle di monaci.
phodang (T)	palazzo.		cf. dashag.
phodo (T)	pietra quadrangolare.	shanmen (C)	ingresso principale.
	cf. dochen.	shika (T)	castello.
phodomodo	struttura muraria composta da grandi	shikara (S, N)	torre a profilo curvilineo.
	lastre separate da strati di pietre più	shu (T)	«arco», supporto di trabeazione.
	piccole alternate.	shung gope (T)	torre fortificata centrale.
phugka (T)	pilastro di cucina, sala comune	shunggo (T)	porta centrale.
	dell'architettura domestica.	shuring (T)	«arco lungo», parte superiore del supporto
phugpa (T)	grotta.		di trabeazione.
phurpa (T)	picchetto.	shuthung (T)	«arco corto», parte del supporto di
	cf. chönpur.		trabeazione che poggia sul capitello.
pîtha (S, N)	«seggio», santuario rurale.		cf. benlog.
pokhang (T)	casa di monaci.	silkhang (T)	padiglione poggiato sul tetto di un
	cf. spongkhang.		edificio.
pokhâri (N)	serbatoio.	stambha (S)	montante di balaustra.
	cf. pukhû.	stûpa (S)	tumulo-reliquiario, monumento
pradaksinâ (S)	circumambulazione rituale.		fondamentale del buddhismo.
prâsâda (S)	«palazzo», tipo di tempio con tetto a	suburgan (M)	stûpa.
	gradoni.	süme (M)	«tempio per un idolo». Monastero mongolo
pukhû (N)	serbatoio.		abitato per certi determinati periodi.
	cf. pokhâri.	sundaricok (N)	cortile del bagno.
pushu (T)	colmo di parapetto.	sunsha (N)	sala d'assemblea nei monasteri di tipo
	cf. nyagyab.		bahâ.
rabsal (T)	grande finestra, loggia, loggetta, oriel.	ta (C)	pagoda, stûpa.
rawa (T)	muretto.	tagtha (T)	sbarra.
regur (T)	tenda di cotone.	tai (C)	podio, terrazza.
rushi (T)	infissi, telaio.	tashi gomang (T)	«felice stûpa dalle molte porte», tipo
			particolare di chörten colossale con
saböl (T)	malta di terra.		numerose cappelle nei suoi basamenti.
sabta (T)	tracciato sul terreno prima della		cf. kumbum.
	edificazione di una casa.	taso (T)	«dente di cavallo», sporgenza del muro.
	cf. sathig.	temke (T)	scala.
sadig (T)	premontaggio all'esterno della struttura	teng (T)	«il sopra», 2° piano della casa tibetana,
	interna di legno di un edificio in		tetto terrazza.
	costruzione.	thabsa (T)	cucina-sala comune.
sangdö (T)	passaggio.		cf. thabtsong.

thabtsong (T)	«nido del focolare», cucina - sala comune. cf. thabsa.	tsuglagkhang (T)	Grande Tempio.
thama (T)	griglia.	tsogchen (T)	sala d'assemblea liturgica principale. cf. dükhang chenmo, tsogkhang.
than (N)	monaco centrale.	tuna (N)	pozzo.
themke (T)	soglia. cf. thempa.		cf. inâra.
thempa (T)	soglia. cf. themke.	tunâla (N)	puntelli.
		tutedhâra (N)	fontana coperta. cf. jahrû.
theng gor (T)	collarino.		
thengwa (T)	motivo a forma di ghirlanda, designa anche il collarino di un pilastro.	udeshika (S, N)	piccole stûpa commemorative.
thog (T)	copertura piatta, piano.	utse (T)	edificio centrale più alto di un complesso religioso.
thogcham (T)	travi correnti di soffitto.	ua (T)	scarico.
thogsa (T)	fango spesso, usato per il rivestimento del suolo, pavimento dei piani.	uthok (T)	copertura del tetto o piano sopraelevato.
thongkhung (T)	apertura zenitale. cf. gyathong, khyamthong, namyang.	vihâra (S)	monastero.
thu (T)	cubito.	wa (T)	scarico. cf. baga, ojo.
thug (T)	acroterio formato da un cilindro nero in crine di yak, supporto delle divinità protettrici.		
		xieshanding (C)	tipo di tetto cinese a due spioventi completati inferiormente da altri due spioventi che nascono da sotto i pignoni.
tima (N)	pozzo. cf. inâra.		
tingril (T)	trave. cf. dalma.	yab (T)	tettoia.
titsangkhang (T)	cappella maggiore.	yabthang (T)	cortile interno al primo piano.
tol (N)	quartiere.	yampa (T)	gocciolatoio di tegole, ardesia. cf. chuyam.
torana (S, N)	timpano, porta.		
treten (T)	traversa.	yarsa (T)	accampamento d'estate, cucina d'estate.
tselhakhang (T)	cappella alla sommità di un complesso.	yangmi (T)	battente circolare.
tsig gyang (T)	intonaco.	yathem (T)	architrave.
tsigmang (T)	muro. cf. tsigshi.	yurta (M)	tenda mongola a pianta circolare.
		yugukamkha (T)	bastone per bloccare le porte.
tsigshi (T)	muro. cf. tsigmang.		
		zimchung (T)	camera, appartamento.
tsogkhang (T)	grande sala d'assemblea. cf. dükhang chenmo, tsogchen.	zimphug (T)	camera in fondo ad un appartamento.
		zungshug (T)	deposito di consacrazione.
tsomchen (T)	sala di ricevimento, sala di riunione.	zurchang rabsal (T)	finestra d'angolo.
tsomkhang (T)	sala di ricevimento.	zurdo (T)	pietra d'angolo.

GLOSSAIRE
DES TERMES ASIATIQUES
ARCHITECTURAUX

(C: chinois; N: newari, nepali; S: sanskrit; T: tibetain; M: mongol)

amalaka — pinnacle en forme de lotus.

anda (S) — partie centrale hémisphérique d'un stûpa.

ang (C) — console à bras de levier.

aenpa (N) — tuile de terre cuite.

âgama (S, N) — sanctuaire.

âgama chem (N) — sanctuaire de divinité de lignage. cf. kulaghora.

appa (N) — brique.

arka (T) — aggloméré de pierres.

âvarana (S) — petit sanctuaire çivaïte en forme de tétrapyle.

ba (T) — tente. cf. gur.

bab (T) — corbeau, modillon.

babkum (T) — corbeau ou modillon rétracté.

babkyang (T) — corbeau ou modillon en extension.

baga (T) — dégorgeoir. cf. ojo, wa.

bahâ (N) — l'un des trois types de monastères bouddhiques dans la vallée de Kâthmându.

bahâ-bahî (N) — l'un des trois types de monastères bouddhiques dans la vallée de Kâthmându.

bahî (N) — l'un des trois types de monastères bouddhiques dans la vallée de Kâthmându.

baiga (N) — attique.

baita (C) — pagode ou stûpa blanc.

baitai (C) — podium (ou terrasse) blanc par dérivation nom donné à plusieurs bâtiments de style sino-tibétain.

banag (T) — tente noire en poil de yak. cf. droggur.

barkhang (T) — «pièce du milieu», 1er étage de la maison tibétaine.

barkhor (T) — «circuit intermédiaire de circumambulation».

barthog (T) — «étage intermédiaire», 2ème niveau de la maison tibétaine.

belog (T) — cf. benlog, shuthung.

benlog (T) — «arc court», partie du soutien d'entablement reposant sur le chapiteau. cf. shuthung.

bhazan (N) — chambre de musique et d'étude dans les monastères de type bahâ.

buglam (T) — passage couvert.

caitya (S, N) — petit stûpa commémoratif. cf. udeshika.

capâta (N) — portique à étage bordé de salles.

chagphor (T) — «bol en fer» (heurtoir de porte).

chagri (T) — mur d'enceinte.

chaksam (T) — «pont de fer», pont suspendu par des chaînes de fer.

cham (T) — solive.

chamne (T) — extrémité de solive. cf. chamtse.

chamra (T) — cour.

chamtse (T) — extrémité de solive. cf. chamne.

chattra (S) — parasol.

chayab (T) — velum.

chhapa jhya (N) — fenêtre aux ouvertures multiples.

chikan appa (N) — brique cuite.

chingbu sophag (T) — brique vernissée.

chuku (N) — cheville de bois.

chödze (T) — acrotère.

chog (T) — tour, structure fortifiée, demeure de divinité protectrice.

chogril (T) — tour ronde.

chökhang (T) — chapelle domestique.

chökhor ridag

phomo (T) — acrotère des sanctuaires bouddhiques en forme de roue de la loi encadrée de deux

	gazelles (mongol: kürdü).		cf. khyam, dochal, chenmo.
chönphur (T)	piquet.	dhalin (N)	solive.
	cf. phurpa.	dian (C)	pavillon.
chönthag (T)	tendeur.	ditsang khang (T)	cella principale.
chöra (T)	aire de disputation théologique.	dochal (T)	grande cour dallée.
chörten (T)	équivalent tibétain du stûpa indien.	dochen (T)	moellon quadrangulaire.
	Tumulus - reliquaire, monument essentiel		cf. phodo.
	du Bouddhisme.	doleb (T)	pierre plate, dalle.
chörten-porte (T)	type de stûpa original à l'aire de culture		cf. modo, lebcha.
	tibétaine. Un passage est aménagé dans	domkyor (T)	garde-corps balustrade.
	son soubassement.	doring (T)	«longue pierre», menhir, pilier
chötseg (T)	empilement de Loi Religieuse (élément		commémoratif.
	décoratif).	dougong (C)	consoles.
chukheb (T)	petit auvent.	droggur (T)	tente noire de nomade en poil de yak.
chura (T)	salle d'eau.		cf. banag.
chuyam (T)	lause, ardoise.	dukhang (T)	réserve à grains.
cogcin (M)	salle d'assemblée.		cf. dzöphug, norkhang.
cok (N)	cour.	dükhang (T)	salle d'assemblée liturgique.
cota (N)	étage le plus élevé.	dükhang chenmo	
cûdamani (N)	harmikâ.	(T)	salle d'assemblée liturgique principale.
			cf. tshogchen.
daldo (T)	petites pierres plates entrant dans la	dükhung (T)	trou de fumée.
	constitution du plafond.	dung (T)	poutre.
dalma (T)	lambourde.	dungden (T)	«support de poutre», support de la partie
	cf. tingril.		engagée dans le mur d'un entablement,
darbar (N)	palais royal.		également planche placée sous la poutre.
dashag (T)	cellule monastique.	dungkheb (T)	«couvre-poutre», planche placée au-
datsang (T)	collège monastique.		dessus de la poutre.
dayab (T)	auvent.	dungkya (T)	bande horizontale de badigeon blanc à la
de (T)	fondation monastique.		partie haute des murs.
debshal (T)	enduit.		cf ketha.
dechen (T)	«grand boisseau», sorte de console.	dyochem (N)	sanctuaire urbain.
dechung (T)	«petit boisseau», sorte de console.		cf. deochem.
dedo (T)	bloc de pierre.	dza (T)	terre cuite.
dedong (T)	«face de singe» (motif décoratif).	dzabub (T)	«pot retourné» (heurtoir de porte).
dega (N)	type de temple népalais à toitures	dzö (T)	réserve, resserre.
	étagées.		cf. nyertsang.
degcha (T)	soubassement.	dzöden (T)	pinacle.
	cf. peden.		cf. gandzira.
dekyog (T)	«boisseau courbe», sorte de console.	dzong (T)	forteresse.
delsam (T)	passerelle.	dzöphug (T)	réserve.
demä (T)	partie basse du chapiteau.		cf. norkhang, dukhang.
densa (T)	monastère «maison-mère».		
deochem (N)	sanctuaire urbain (par opposition à pîtha,	gagpang (T)	«planchette de fermeture» entre deux
	sanctuaire agreste).		modillons.
	cf. dyochem.	gâhiñ (N)	fontaine à l'air libre.
depung (T)	«amas de boisseaux», sorte de console.		cf. gaihridhâra.
detö (T)	partie haute du chapiteau.	gaihridhâra (N)	fontaine à l'air libre.
deyang (T)	cour dallée.		cf. gâhiñ.

gandzira (T)	pinacle, acrotère en forme de parasol.
	cf. dzödan (mongol: ganzir).
ganzir (M)	acrotère métallique de forme cylindrique
	contenant des objets sacrés.
	cf. gandzira.
garbhagriha (S)	«matrice», cella d'un temple.
ge (C)	pavillon rectangulaire à plusieurs étages.
ger (M)	tente mongole de plan circulaire.
gochor (T)	porche hypostyle.
gokhang (T)	bâtiment d'entrée.
gokyor (T)	mur-écran.
goleg	poutre qui ferme la porte.
gol süme (M)	temple principal.
gonpa (T)	monastère.
gönkhang (T)	chapelle consacrée aux divinités
	protectrices.
gope (T)	ouvrage d'entrée.
goshen (T)	ferrures.
goten	blocage de la porte.
granthakûta (S, N)	cella précédée d'un porche et couverte
	par une tour à shikhara.
günsa (T)	campement d'hiver-cuisine d'hiver.
gur (T)	tente.
	cf. ba.
gursa (T)	terrain de campement.
gyeltsen (T)	acrotère en forme de «bannière de
	victoire».
gyang (T)	pisé.
gyangdeb (T)	revêtement mural.
gyaphib (T)	toiture «à la chinoise».
gyathong (T)	ouverture zénithale.
	cf. khyamthong, thongkhung, namyang.
harmikâ (S)	partie cubique au-dessus de l'anda du
	stûpa.
	cf. cûdâmani.
inâra (N)	puit.
	cf. tuna.
jag (N)	fondation.
jahrû (N)	fontaine couverte.
	cf. tutedhâra.
jhya (N)	fenêtre.
jimtse (T)	corbeau.
kabug (T)	porche dans l'oeuvre.
kachi appa (N)	brique crue.
kadag (T)	entrecolonnement, travée.
kaden (T)	pierre plate servant de socle à un pilier.
	cf. kateg.

kagyug (T)	mât.
	cf. kara.
kalasa (S)	vase d'immortalité, pinnacle des édifices
	sacrés.
kapung (T)	pilier composé.
kara (T)	mât.
	cf. kagyug.
karing (T)	«piliers longs». Pilier de bois qui montent
	sur 2 étages, supportant par exemple les
	lanteneaux des salles d'assemblée.
karkhung (T)	ouverture zénithale, fenêtre.
karma (T)	«étoiles», frise des médaillons sculptés
	dans une baguette. Désigne aussi les
	gorgeron des piliers où ce motif est
	généralement représenté.
karnes appa (N)	brique à décor moulé en relief.
kashen (T)	cerclage métallique retenant les fûts d'un
	pilier composé.
kateg (T)	pierre plate servant de socle à un pilier.
	cf. kaden.
kathung (T)	«pilier court», pilier qui supporte l'étage
	immédiatement supérieur.
kawa (T)	pilier.
kejid (M)	ermitage.
kerim (T)	rampe d'accès.
ketha (T)	«cou étroit», bande horizontale de
	badigeon blanc à la partie haute des
	murs.
	cf. dungkya
khang (T)	maison, bâtiment.
khangchung (T)	«petite maison», maison ou pièce annexe.
khangpä (T)	parapet.
khangtsen (T)	résidence monastique.
khashing (T)	«bois de couverture».
khyam (T)	cour dallée, passage.
	cf. deyong, dochal, chenmo.
khyamkhor (T)	galerie formant déambulatoire, portique.
khyamra (T)	cour entourée de bâtiments et de
	portiques.
khyamtö (T)	terrasse.
khyamthong (T)	ouverture zénithale.
	cf. gyathong, thongkhung, namyang.
khyim (T)	maison.
kôchujhyâ (N)	claustra.
	cf pâkhâ.
korkhang (T)	déambulatoire.
korkyikyam (T)	cour.
korten (T)	patte à laquelle est attaché un bâton pour
	bloquer les portes.

kowedumbu (T)	lanière suspendue au battant d'une porte.	modo (T)	pierre plate.
kukhar (T)	château royal.		cf. doleb.
kulaghara (N)	sanctuaire de divinité de lignage.	mulcok (N)	cour devant le sanctuaire de
	cf. âgama chem.		Mahisasuramardinî.
kumbha (S)	«tambour», étage cylindrique de certains	musin (N)	chevron.
	chörten.	nal (N)	chambre.
kumbum (T)	«dix mille images», type particulier de	namkhung (T)	«trou du ciel», trappe d'accès à la terrasse
	chörten colossal abritant de multiples		des habitations, trou de fumée.
	chapelles dans ses soubassements.	nampang (T)	caisson de plafond.
	cf. tashi gomang.	namyang (T)	ouverture zénitale.
kürdü (M)	pinnacle.		cf. gyathong, khyamthong, thongkhung.
	cf. chökhor ridag phomo.	namser	barre verticale servant à la fermeture.
kürij-e (M)	monastère.	nangkhor (T)	«circuit interne de circumambulation».
kyangkhang (T)	hutte en mottes de gazon.	nani (N)	cour annexe à certains bahâ, entourée par
kyilka (T)	pilier central.		les habitations des familles des moines.
		nas (N)	sablière.
labrang (T)	résidence abbatiale.	ngomshing (T)	linteau.
lagchokhang (T)	réserves.	norkhang (T)	réserve.
langna dekyog (T)	«console courbe à trompe d'éléphant»,		cf. dukhang, dzöphug.
	console.	nyagyab (T)	«dos de poisson», faîte de parapet.
lanke (T)	balustrade.		cf. pushu.
lasug (T)	poignée de porte.	nyertsang (T)	réserve, resserre.
latse (T)	amas rituel de pierres (mongol: obo).		cf. dzö
lebcha (T)	dalles.		
	cf. doleb.	ogkhang (T)	«habitation du dessous», rez-de-chaussée
lhabab chörten (T)	type de stûpa symbolisant la descente du		de la maison tibétaine.
	ciel du Buddha. Il possède un escalier au	obo (M)	amoncellement de pierres.
	milieu de chacun des quatre côtés de son		cf. latse.
	soubassement.	ojo (M)	dégorgeoir.
lhakhang (T)	temple.		cf. baga, wa.
lingkhor (T)	«circuit de circumambulation externe».		
lobur (T)	partie d'édifice en saillie, avant-corps.	pailou (C)	portail.
logshal (T)	enduit.	pâkhâ (N)	claustra.
lukha (N)	porte.		cf. köchujhyâ.
lungdo karkhung		pañcâyatana (S)	temple constitué d'un sanctuaire flanqué
(T)	bouche d'aération.		de quatre chapelles ou couvert de cinq
			toitures à quinconce.
madu (N)	hall à piliers.	pangphub (T)	hutte en mottes de gazon.
	cf. mandapa.		cf. kyangkhang.
mahâvihâra (S)	grand monastère.	pâti (S, N)	portique de plan rectangulaire ouvert sur
mandapa (S, N)	hall à piliers.		trois côtés.
	cf. madu.		cf. phale, phaleca.
mang (T)	fondations.	pau (N)	toit.
mangdo (T)	pierre de fondation.	peden (T)	soubassement.
mâtâ (N)	premier étage.		cf. degcha.
math (N)	demeure communautaire d'un groupe de	pedzün (T)	«fausse bordure», bandeau d'attique
	brahmanes.		décorant les constructions civiles.
mathem (T)	seuil.	pema (T)	«lotus», élément décoratif.

penchen (T)	«grande frise végétale», bandeau d'attique.
penchung (T)	«petite frise végétale», bandeau d'attique.
penpe (T)	bandeau d'attique.
pepu (T)	corbeau, modillon. cf. bab.
phagna dekyog (T)	«console courbe à groin de porc», consoles à bras de levier de type chinois. cf. ang.
phalacâ (N)	porche servant de salle de réception dans les monastères de type bahâ.
phale (N)	portique. cf. pâtï, phalacâ.
phodang (T)	palais.
phodo (T)	moellon quadrangulaire. cf. dochen.
phodomodo	appareil composé de couches alternées de grandes dalles et de pierres plus petites.
phugka (T)	pilier de la cuisine, salle commune de l'architecture domestique.
phugpa (T)	grotte.
phurpa (T)	piquet. cf. chönpur.
pîtha (S, N)	«siège», sanctuaire agreste.
pokhang (T)	maison de moines. cf. spongkhang.
pokhâri (N)	réservoir. cf. pukhû.
pradak*sinâ* (S)	circumambulation rituelle.
prâsâda (S)	«palais», type de temple à toiture en gradins.
pukhû (N)	réservoir. cf. pokhâri.
pushu (T)	faîte de parapet. cf. nyagyab.
rabsal (T)	grande baie, loggia, logette, oriel.
rawa (T)	muret.
regur (T)	tente de coton.
rushi (T)	huisserie, cadre.
saböl (T)	mortier de terre.
sabta (T)	tracé au sol avant l'élévation d'un bâtiment. cf. sathig.
sadig (T)	pré-montage à l'extérieur de la structure interne en bois d'un bâtiment en construction.
sangdö (T)	passage.
sangchö (T)	toilettes.
saphag (T)	brique crue.
sathig (T)	tracé au sol avant l'élévation d'un bâtiment. cf. sabta.
sattal (N)	portique à étage.
sengdom (T)	rangée de lions, élément décoratif.
senglag (T)	«patte de lion», élément décoratif.
sengyab (T)	lanterneau.
serdong (T)	monument funéraire.
serthog (T)	«toit doré».
shagkhor (T)	rangée de cellules de moines. cf. dashag.
shanmen (C)	entrée principale.
shika (T)	manoir.
shikara (S, N)	tour curviligne.
shu (T)	«arc», soutien d'entablement.
shung gope (T)	tour fortifiée centrale.
shunggo (T)	porte centrale.
shuring (T)	«arc long», partie supérieure du soutien d'entablement.
shuthung (T)	«arc court», partie du soutien d'entablement reposant sur le chapiteau. cf. benlog.
silkhang (T)	pavillon posé sur le toit d'un édifice.
stambha (S)	montant de balustrade.
stûpa (S)	tumulus-reliquaire, monument essentiel du Bouddhisme.
suburgan (M)	stûpa.
süme (M)	«temple pour une idole». Monastère en Mongolie habité à certaines périodes déterminées.
sundaricok (N)	cour du bain.
sunsha (N)	salle d'assemblée dans les monastères de type bahâ.
ta (C)	pagode, stûpa.
tagtha (T)	barreau.
tai (C)	podium, terrasse.
tashi gomang (T)	«heureux stûpa aux nombreuses portes», type particulier de chörten colossal abritant de multiples chapelles dans ses soubassements. cf. kumbum.
taso (T)	«dent de cheval», redent de mur.
temke (T)	escalier.
teng (T)	«le dessus», 3ème niveau de la maison tibétaine, toit terrasse.

thabsa (T)	cuisine-salle commune.
	cf. thabtsong.
thabtsang (T)	«nid du foyer», cuisine - salle commune.
	cf. thabsa.
thama (T)	claustra.
than (N)	poinçon central.
themke (T)	seuil.
	cf. thempa.
thempa (T)	seuil.
	cf. themké.
theng gor (T)	gorgeron.
thengwa (T)	motif en guirlande, désigne aussi le gorgeron d'un pilier.
thog (T)	couverture plate, étage.
thogcham (T)	solives de plafond.
thogsa (T)	boue épaisse servant de revêtement de sol, sol des étages.
thongkhung (T)	ouverture zénithale.
	cf. gyathong, khyamthong, namyang.
thu (T)	coudée.
thug (T)	acrotère formé d'un cylindre noir, crin de yak, support des divinités protectrices.
tima (N)	puit.
	cf. inâra.
tingril (T)	lambourde.
	cf. dalma.
titsangkhang (T)	chapelle majeure.
tol (N)	quartier.
torana (S, N)	tympan, porte.
treten (T)	traverse.
tselhakhang (T)	chapelle au sommet d'un complexe.
tsig gyang (T)	enduit.
tsigmang (T)	mur.
	cf tsigshi.
tsigshi (T)	mur.
	cf. tsigmang.
tsogkhang (T)	grande salle d'assemblée.
	cf. dükhang chenmo, tsogchen.
tsomchen (T)	salle de réception, salle de réunion.
tsomkhang (T)	salle de réception.

tsuglagkhang (T)	Grand Temple.
tsogchen (T)	salle d'assemblée liturgique principale.
	cf. dükhang chenmo, tsogkhang.
tuna (N)	puit.
	cf. inâra.
tunâla (N)	étais.
tutedhâra (N)	fontaine couverte.
	cf. jahrû.
udeshika (S, N)	petit stûpa commémoratif.
utse (T)	bâtiment central le plus élevé d'un complexe religieux.
ua (T)	dégorgeoir.
uthok (T)	couverture du toit ou étage surélevé.
vihâra (S)	monastère.
wa (T)	dégorgeoin.
	cf. baga, ojo.
xieshanding (C)	type de toiture chinoise à deux pentes complétées en dessous par deux versants latéraux naissant sous les pignons.
yab (T)	auvent.
yabthang (T)	cour intérieure à l'étage.
yampa (T)	larmier en lauses, ardoise.
	cf. chuyam.
yarsa (T)	campement d'été, cuisine d'été.
yanmi (T)	battant circulaire.
yathem (T)	linteau.
yurta (M)	tente mongole de plan circulaire.
yugukamkha (T)	bâton servant à bloquer les portes.
zimchung (T)	chambre, appartement.
zimphug (T)	chambre au fond d'un appartement.
zungshug (T)	dépôt de consécration.
zurchang rabsal (T)	baie d'angle.
zurdo (T)	pierre d'angle.

TRASCRIZIONI DEI NOMI TIBETANI

TRANSCRIPTIONS DES NOMS TIBETAINS

Alchi	A-lci	bug	sbug
ama'i nyesa	a-ma'i nyal-sa	buglam	bug-lam
Amdo	A-mdo	bumpa	'bum-pa
Amnye Machen	A-mnyes rMa-chen	Bumthang	'Bum-thang?
arka	ar-ka	Butön	Bu-ston
artön	ar-ston		
Azha	A-zha	chadab	bya-'dab
		Chador Namgyel	Phyag-rdor rNam-rgyal
ba	sbra	chadgzö	phyag-mdzod
bab	bab	Chagkhar gome	Lcags-mkhar sgo-med
babkum	bab-bskum	Chagphor	lcags-phor
babkyang	bab-brkyangs	chagri	lgas-ri
bagde	bab-bre	chagsowa	lcags-bzo-ba
bagshing	bag-shin	Chakar	Bya-dkar
banag	sbra-nag	Chaksam	lCags-zam
bangdzölha	bang-mdzod-lha	Chala	Cha-la
bangso	bang-so	cham	lcam/'phyams
bangwa	bang-ba	chamdel	lcam-dral
bar khyam	bar-khyams	Chamdo	Chab-mdo
barkhang	bar-khang	Chamkarchu	lCam-khar-chu
barkhor	bar-'khor	chamma dung	lcam-ma-gdung
barthog	bar-thog	chamne	lcam-sne
bartön	bar-ston	Champa lhakhang	Byams-pa lha-khang
Basgo	Ba-sgo	Champe	byams-pa'i
Batang	'Ba'-thang	chamra	'cham-rva
bechung	bad-cung	chamtse	lcam-rtse
belong	'be-log/'be'u-log/sbe-log	Changchen	
belra	bal-ra	Tharlam	Byang-chen Thar-lam
benlog	'ben-log?	Changchub	
bewar	bad-bar	gyeltsen	Byang-chub rgyal-mtshan
Bodong lama		changling	lcang-gling
Chogle Namgyel	Bo-dong bla-ma 'Phyogs-las rNam-rgyal	changma	lcang-ma
bogdo	bog-rdo	Changthang	Byang-thang
Bön	Bon	chänsa	can-sa?
Bönpo	Bon-po	Chansel Phödang	sPyang-gsal Pho-brang
Brusha	'Bru-zha	chayab	bya-gyab

Che	lCe
Chendebi	sPian-ldan-sbis
Chetsun Sherab	lCe-btsun Shes-rab
chidar	phyi-dar
Chigtan	sPyi-btan
chinang	sphynang
Chinga Tagtse	'Phying-ba sTag-rtse
chingbui sophag	mching-bu'i so-phag
chisowa	spyi-gso-ba
chöda	chos-grva
chöde	chos-sde
chödze	mchod-rdzas
chog	lcog
chogril	lcog-ril
chogyel	chos-rgyal
chökhagn	mchod-khang
chökhor	chos-'khor
Chökhor chenpo	Chos-'khor chen-po
Chökhor ridag phomo	Chos-'khor ri-dvags pho-mo
Chokhorgyel	Chos-'khor-rgyal
Chölodo	Cho-blo-gros
Chone	Cho-ne
Chongye	'Phyong-rgyas
chonphur	chon-phur
chonthag	chon-thag
chöpa	chos-pa
chöra	chos-rva
chörten	mchod-rten
chöshi	chos-gzhi
chötseg	chos-brtsegs
chugra	phyugs-ra
chukheb	chu-khebs
chura	chu-rva
churi	chu-ris
chutsog	bcu-tshogs
Chuwori	Chu-bo-ri
chuyam	chu-gyam
dadar	mda'-dar
Dagbumde	Grags-'bum-lde
Dagkhar	Brag-mkhar
Daglha Lubug	Brag-lha kLu sbug
Dagpa gyeltsen	Graps-pa rgyal-mtshan
Dagpo	Dvags-po
Dagpo chenpo	bDag-po chen-po
daldo	dral-rdo
dalha	dgra-lha
dalma	gral-ma / dral-ma

dambag	'dam-bag
Danang	Grwa-nang
Danma	lDan-ma
Dapa	Grwa-pa
darchog	dar-lcog
Dargyepa	Dar-rgyas-pa
Dartsedo	Dar-rtse-mdo
dashag	grva-shag
datsang	grva-tshang
Dawadzong	Zla-ba-rdzong
dayab	md'a-gyab
de	sde
debshal	ldebs-zhal
dechen	bre-chen
Dechen Choling	bDe-chen Chos-gling
dechung	bre-chung
dedo	'bras-rdo
dedong	spre-gdong
degcha	'degs-cha
dekar	'dre-dkar
dekyog	bre-kyog
Delden Namgyel	bDe-ldan rNam-rgyal
delsam	sbrel-zam
demâ	bre-smad
Demchog	bDe-mchog
densa	gdan-san
depung	bre-spung
Depung.	'Bras-spungs
Derge	sDe-dge
desi	sde-srid
detö	bre-stod
deyang	bde-yangs
Deyangnub	bDe-yangs-nub
Deyangshar	bDe-yangs-shar
Digum	Gru-gum / Gri-khum
Digung Rinpoche	'Bri-gung Rin-po-che
Digungpa	'Bri-gung-pa
Digungthil	'Bri-gung mthil
ditsangkhang	dri-gtsang-khang
do	mdo
dobu	gdos-bu
dochel	rdo-gcal
dochel chenmo	rdo-gcal chen-mo
dochen	rdo-chen
docung	rdo-chung
dog	'dogs
Dogzangma	mDog-bzang-ma
dol	'grol
doleb	rdo-leb

doltön	grol-ston	Dzarong	rDza-rong
domkyor	sgrom-skyor	dzö	mdzod
Domtön	'Brom-ston	dzöden	mdzod-ldan
Domtön chung		Dzogchen	rDzogs-chen
lhakhang	'Brom-ston chung lha-khang	Dzogchenpa	rDzogs-chen-pa
Domtön lhakhang	'Brom-ston lha-khang	dzong	rdzong
dönkhang	mgron-khang	dzongnyer	rdzong-gnyer
dorampa	rdo-rams-pa	dzongpön	rdzong-dpon
doring	rdo-ring	dzöphug	mdzod-phug
Dorjie drolo	rDo-rje gro-lod	dzugtön	'dzug-ston
dosowa	rdo-bzo-ba		
Draya	Brag-gyab	Ewam Phuntsog	
Drichu	'Bri-chu	Dökhyil	E-wam Phun-tshogs 'Dod-'khyil
drog ngowa	'brog ngo-ba		
drogche	'brog-che	gagpang	dgag-spang/kha-spang
droggur	'brog-gur	Ganden	dGa'-ldan
drogpa	'brog-pa	Ganden Khangsar	dGa'-ldan Khang-gsar
drongming	grong-ming	Ganden Phodang	dGa'-ladan-Pho-brang
drongpa	grong-pa	gandzira	ganydzi-ra/gan-ji-ra
Drungdrung	Drung-drung	ganye	dga'-nye
drushisangwa	gru-bzhi-bzang-ba	Gar	mGar
dü	dud	Gartsün nagpo	dGa'-btsun nag-po
dubda	sgrub-grva	gechö	dge-spyod
Dubde	sGrub-sde	Gedün gyamtso	dGe-'dun rgya-mtsho
dubkhang	sgrub-khang	Gedundub	dGe-'dun-grub
düchung	dud-chung	gegtor	dgegs-gtor
Dugpa	'Brug-pa	Gelugpa	dGe-lugs-pa
Dugpa Kagyu	'Brug-pa bKa-brgyud	gerpa	sger-pa
Dugyel dzong	'Brug-rgyal rdzong	Ghyang	rGhyang
dükha	dud-kha	gi	gi?
dükhang	'du-khang	ginang	gi-nang ?
Dukhorpa	Dus-'khor-pa	gobug	sgo-sbug
dükhung	dud-khung	gochor	sgo-mchor/sgo-'byor
Dukkar	sdug-dkar	godar	sgo-dar
dulwa	'dul-ba	gokang	sgo-khang
Dumtse lhakhang	Zlum-rtse lha-khang	gokham	sgo-kham
dung	gdung	gokhyam	sgo-khyam
düngdan	gdung-gdan/gdung-rten	goku	sgo-sku
dungkheb	gdung-khebs	gokyor	sgo-skyor
dungkya	dung-skya	goleg	sgo-glegs/sgo-legs
dungrten	gdung-rten	Golok	mGo-log
dungsham	gdung-sham	gomang	sgo-mang
Dunkar	Dung-dkar?	gompa	dgon-pa
dur Bön	'dur Bon	Gongpa Rabsel	dGons-pa Rab-gsal
dushi	gru-bzhi	gönkhang	mgon-khang
duwa'i thel	dud-ba'i khral	gönlag	dgon-lag
dza	rdza	Gönglung	dGon-lung
dzabub	rdza-sbubs	gönshi	dgon-gzhi
Dzachu	rDza-chu	gope	sgo-spe

gora	sgo-ra	kadag	ka-dbrag
goshen	sgo-shan	Kadampa	bKa'-gdams-pa
goten	sgo-gtan	kaden	ka-gdan
grushisangwa	gru-bzi-bzang-ba	kadom	ka-sdom
Guge	Gu-ge	kagyug	ka-rgyug
Gungthang	Gung-thang	Kagyupa	bKa'-brgyud-pa
gunsa	dgun-sa	kakhung	ka-khung
gur	gur	Kalden Sherab	sKal-dan Shes-rab
gursa	gur-sa	kalön	bka'-blon
guthog	dgu-thog	Kandze	dKar-mdzes
gutseg	dgu-rtseg	Kanjur	bK'a-'gyur
Gyaltsan Thonpo	rGyal-mtshan mThon-po	kapung	ka-spungs
Gyane	rGya-gnas	kara	ka-ra
gyang	gyang	karchag	dkar-chag
gyangdeb	gyang-ldebs	Karchung	sKar-chung
gyangshing	gyang-shing	karing	ka-ring
Gyantse	rGyal-rtse	karkhung	dkar-khung / skar-khung
Gyantse dzong	rGyal-rtse rdzong	karma	skar-ma C
Gyapagpa'i		Karmapa	Karma-pa
lhakhang	rGya-dpag-pa'i lha-khang	karthig	dkar-thig
gyaphib	rgya-phibs	kartsi	dkar-rtsi
gyaphib khorma	rgya-phibs 'khor-ma	kashen	ka-shan
gyaphug	rgya-phugs	kateg	ka-bstegs
Gyarong	rGya-rong	Kathogpa	Ka'-thog-pa
gyathong	rgya-mthongs	kathung	ka-thung
Gyel lhakhang	rGyal lha-khang	Katse	Ka-tshal
Gyelthang	rGyal-thang	kawa	ka-ba
gyeltsen	rgyal-mtshan	kawa shi	ka-ba bzhi
Gyelwa	rGyal-ba	Kelsang gyamtso	bsKal-bzang rgya-mtsho
Gyelwa Lhanangwa	rGyal-ba Lha-nang-ba	kerim	skas-rim
gyerni nyiö	gyer-mi nyi-'od	ketha	ske-phra ?
Gyurme Namgyel	'Gyur-med rNam-rgyal	Khachö Pelri	mKha'-spyod dPal-ri
		Kham	Khams
Hemis	He-mis	Kham Riwoche	Khams Ri-bo-che
hordü (chung)	hor-dud (chung)	khampa	khams-pa
Humri	Hum-ri	khang	**khang**
		khangchung	khang-chung
Jamyang Chöje	'Jam-dbyang Chos-rje	khangog	khang-'og
Jamyang Zheba	'Jam-dbyangs bZhad-pa	khangpä	khang-pad
Jekhenpo	rJe-khen-po	khangpön	khang-dpon
jimtse	'jim-rtse	khangshing	khang-zhing
Jokhang	Jo-khang	khangtsen	khang-mtshan
Jonang	Jo-nang	khar	mkhar
Jonangpa	Jo-nang-pa	Khar rabsal	mKhar rab-gsal
Jowo	Jo-bo	khashing	kha-tshing
Jyekundo	sKye-rgu-mdo	khenpo	mkhan-po
		Khön	'Khon
kabug	ka-sbug	khorkyikhyams	'khor-kyi-khyams
kacupa	ka-bcu-pa	khorten	'khor-gtan

khyam	khyams	Khyil	Bla brang bKra-shis' dKyil ('Khyil)
khyamkhor	khyams-'khor	Labrang Thapa	bLa-brang mTha'-pa
khyamra	khyams-rva	Lachen	La-chen
khyamthong	khyams-mthongs	Lachung	La-chung
khyamtö	khyams-stod	Ladakh	La-dvags
khyem	khyem	ladze	la-rdzas
Khyentse	mKhyen-brtse	lagyog	lag-gyog
khyim	khyim	lama	bla-ma
khyimgyü	khyim-rgyud	Lang	Rlang
khyimlha	khyim-lha	Langdarma	Glang-dar-ma
khyina	khyi-sna	langna	glang-sna
Khyung	Khyung	langna dekyog	glang-sna bre-kyog
Kirti	Kirti?	lanke	lan-kan
Konchog Gyelpo	dKon-mchog rGyal-po	lasung	lag-bzung
Kongpo	rKong-po	latse	la-btsas
Kongthul	Kong-sprul	lebcha	leb-cha
könyer	dkon-gnyer	Lechen palkhar	gLe-chen dPal-mkhar
korkhang	skor-khang	Leh	gLeh
korlam	skor-lam	lekyile	las-kyi-slas / las-kyi-bslas
kowedumbu	ko ba'i dum bu	lenke	lan-kan
Koza	sKor-za	lhabab chorten	lha-babs mchod-rten
kudag	sku-drag	lhadiwa	lha-bris-pa
kudung	sku-gdung	Lhaje Gewabum	Lha-rje dGe-ba-'bum
kukhar	sku-mkhar	lhakhang	lha-khang
Kumbum	sKu-'bum	Lhakhang Chenpo	Lha-khang Chen-po
kunga Nyingpo	Kun-dga' Snying-po	Lhakhang Karpo	Lha-khang dKar-po
Kunga Rinchen	Kun-dga' Rin-chen	Lhakhang Marpo	Lha-khang dMar-po
Kunga Zangpo	Kun-dga' bZang-po	Lhakhang Soma	Lha-khang So-ma
Kunkhyen		Lharje Chöchung	Lha-rje Chos-byung
Tshonawa	Kun-mkhyen mTsho-sna-ba	Lhasa	Lha-sa
Kuzang	sKu-bzang	lhashing	lha-zhing
Kuzang Dagpa		Lhatse	Lha-rtse
gyeltsen	sKu-bzang Grags-pa rgyal-mtshan	Lhatsüng chenpo	Lha-btsun chen-po
Kyabngön	sKyabs-mgon	Lhatsün Namke	
Kyachu	Kya-chu	Jigme	Lha-btsun rNam-kha'i Jigs-me
kyakhang	skyag-khang	Lho'i chöjung	Lho'i-chos-sbyung
kyangkhang	rkyang-khang	Lhodag	Lho-brag
Kyangphu gömpa	rKyang-phu dgon-pa	Lhoka	Lho-ka
Kyerchulhakhang	sKyer-chu lha-khang	Lhuntse	Lhun-rtse
Kyichu	sKyid-chu	Li lug	Li-lugs
kyidug	skyid-sdug	Likir	Li-kyir
kyilka	dkyil-ka	ling	gling
Kyilkhang	dKyil-khang	lingkha	gling-kha
kyimphug	khyim-phug	Lingkhor	gLing-'khor
kyimtsang	khyim-tshang	Litang	Li-thang
Kyishö	sKyid-shod	Lo mantang	gLo-sman-thang
		Lobsang Chökyi	
Labrang	bla-brang	Gieltsen	Blo-bzang Chos-kyi rGyal-mtshan
Labrang Tashi		Lobsang Gyamtso	Blo-bzang rGya-mtsho

lobur	glo-'bur
logshal	logs-zhal
lönpo chenpo	blon-po chen-po
Lo-tsa-ba lha-khang	Lo-tsa-ba lha-khang
lu	klu
lungdö karkhung	rlung-'gro'i skar-khung
lushe	glu-gzhas/glu-bshad
Machu	rMa-chu
Maldo	Mal-gro
mang	rmang
mangdo	rmang-do
Manggyu	Mang-rgyu
Mani kambum	Ma-ni bka'-'bum
Marpa	Mar-pa
Marpori	dMar-po-ri
Martshangdrag	dMar-tshang-brag
Maryul	Mar-yul
mathem	ma-them
Matön Sidzin	rMa-ston Srid-'dzin
Matro	Ma-spro
medog	me-tog
Melli	Mel-li
mewa	me-ba
Milarepa	Mi-la-ras-pa
mimang	mi-dmang
Mindoling	sMin-grol-gling
Minyag Gongkar	Mi-nyag Gong-dkar
Minyag	Mi-nyag
Minyang Gomring	Mi-nyang sGom-rings
miser	mi-ser
mitshangche	mi-tshang-che
modo	mo-rdo
Mönlam	sMon-lam
Mönlam Chenmo	sMon-lam Chen-mo
mopön	mo-dpon
morang	mo-rang
mu	dmu
Muli	Mu-li
nagchug	nag-byug
nagtsi	nag-rtsi (p. 10)
Nako	Na-go
Namchi	rNam-rtse
namgo	gnam-sgo
Namgyel	rNam-rgyal
Namgyel Datsang	rNam-rgyal Grava-tshang
Namgyel Tsemo	rNam-rgyal rTse-mo
Namkha Senge	Nam-mkha' Seng-ge

namkhung	gnam-khung
nampang	gnam-pang
Namri Songtsen	gNam-ri Srong-btsang
namser	gnam-gzer
namthong	gham-mthongs
namyang	gnam-g. yang/gnam-yangs
namyöl	gnam-yol
nangkhor	nang-'khor
Nangzhig	sNang-zhig
Narthang	sNar-thang
Nechung	gNas-chung
Nesar	gNas-gsar
Nethang	sNye-thang
Neudong	sNe'u-dong
Ngaba	rNga-pa
Ngachu	rNga-chu
Ngadagpa	mNga-bdag-pa
ngagpa	snags-pa
ngangyer	ngang-yer ?
Ngari	mNga'-ris
Ngawang Namgyal	Ngag-dbang rNam-rgyal
Ngepo	Ngas-po
Ngomchu	rNgom-chu
ngomshing	rngom-shing ?
Ngulchu	dNgul-chu
Nöjin	gNod-sbyin
Norbulingkha	Nor-bu gling-kha
Norling Kalsang Phodang	Nor-gling sKal-bzang Pho-brang
Norling Khamsum Silnön	Nor-gling Khams-gsum Zil-gnon
Norzang	Nor-bzang
nyagyab	nya-rgyab
Nyandag Zangpopel	sNyan-grags bZang-po-pal
Nyangchung	Myang-chung
Nyarma	Myar-ma
Nyathi tsenpo	Nya-khri-btsan-po
nyendub	bsnyen-sgrub
nyerpa	gnyer-pa
nyertsang	gnyer-tshang
nyesa	nyal-sa
Nyethang	sNye-thang
nyingmapa	rnying-ma-pa
ogkhang	'og-khang
Panchen Rinpoche	Pan-chen Rin-po-che
pango	spang-go

Pangong Tshotsa	? mTsho-tshva
pangphub	spang-phub
Paro	sPa-gro
peden	pad-gdan
pedzün	pad-rdzun
Pelkhor chöde	dPal-'khor chos-sde
Peltul Jampel Lodö	dPal-sprul 'Jam-dpal Blo-gros
pema	pad-ma
Pemakarpo	Pad-ma dkar-po
pemashing	pad-ma shing
Pemayangtse	Padma-gyang-rtse
penchen	spen-chen
penchung	spen-chung
penpe	spen-pad
Phagdu	Phag-gru
Phagdupa	Phag-gru-pa
Phagmodupa	Phag-mo-gru-pa
phagna dekyog	phag-sna-bre-kyog
Phagpa	'Phags-pa
phajo	pha-jo
Phajo Dugom	
Shigpo	Pha-jo 'Brug-sgom Zhig-po
Phalese	Pha-lha'i-sras
phalha	pha-lha
phapün	pha-spun
Phiyang	Phyi-dbang
phodang	pho-brang
Phodang marpo	Pho-brang dmar-po
phodo	pho-rdo
phodomodo	pho-rdo-mo-rdo
Pholhane Sönam	
Tobgye	Pho-lha-nas bSod-nams sTobs-rgyas
phug	phug
phugka	phug-ka
phuglha	phug-lha
phugpa	phug-pa
Phüntshog	
Namgyel	Phun-tshogs rNam-rgyal
Phüntshog Dülam	Phun-tshogs 'Du-lam
phurpa	phur-pa
pokar	spos-dkar
ponchen	dpon-chen
pongkhang	spong-khang
porthangtsi	spor-thang-rtsis
pose	spo-se
pukdo katse	phug-do ka-tse
Punakha	sPu-na-kha
Purang	sPu-rangs
pushu	pu-shu(d)
ra	ra/rva
Rabgyeling	Rab-rgyas-gling
rabne	rab-gnas
rabsal	rab-gsal
Rabten Kunzang	
Phagpa	Rab-brtan Kun-bzang Phags-pa
Ragya	Ra-rgya
Rangdum	Rang-'dum
rawa	ra-ba
Rebkong	Reb-skong
Rechung phug	Ras-chung phug
Repachen	Ral-pa-can
Reting	Rva-sgreng
Rigdzin chenpo	Rig-'dzin chen-po
rigrü	rigs-rus
Rinchen Zangpo	Rin-chen bZang-po
Rinpung	Rin-spungs
rithöpa	ri-khrod-pa
rongpa	rong-pa
Rongta Lobsang	
Damchö Gyamtso	Rong-tha Blo-bzang Dam-chos Rgya-mtsho
rushi	ru-bzhi
sa tagche	sa rtags-dpyad
sa'i nyingpo	sa'i-snying-po
saböl	sa-sbol
sabta	sa-bkra
sache	sa-dpyad
sadag	sa-bdag
sadig	sa-sgrig
sadül	sa-'dul
sago namgo gag	sa-sgo gnam-sgo'gag
sajang	sa-sbyang
sakar	sa-dkar
Sakya	Sa-skya
Sakya pandita	Sa-skya pandita
Sakyapa	Sa-skya-pa
salang	sa-bslang
Samada	Sa-ma-nda'
samadog	sa-ma-'brog
samadrog	sa-ma-'brog
Samye	bSam-yas
sang	bsang
sangbum	bsang-bum
sangchö	gsang-gcod/gsang-spyod
sangdö	srang-gdod
Sanggye gyamtso	Sangs-rgyas rgya-mtsho
sangkhang	bsang-khang
sangkhung	bsang-khung

sangsowa	zangs-bzo-ba	shinyer	gzhis-gnyer
sangthab	bsang-thab	Shithog labrang	gZhi-thog bla-brang
saphag	sa-phag	Shöl	Zhol
sasung	sa-bsrung	Shöl doring	Zhol rdo-ring
satag	sa-brtag	shu	gzhu
sathig	sa-thig	shugpa	shug-pa
sekhar	gsas-mkhar	shung gope	gzhung sgo-spe
Sekhar guthog	Sras-mkhar dgu-thog	shunggo	gzhung-sgo
sempa chenpo	Sems-dpa'chen-po	shuring	gzhu-ring
Semthokha	Sems-rtog-kha	shuthung	gzhu-thung
sengdenggo	seng-ldeng-sgo	silkhang	bsil-khang
sengdom	seng-sgrom	Silnön	Zil-gnon
Senge	Seng-ge	singdo	sring-rdo
Senge Namgyel	Seng-ge rNam-rgyal	Sinpo	Srin-po
Sengegang	Seng-ge-sgang	Sishi Phüntsog	Srid-zhi Phun-tshogs
senglag	seng-lag	sokhang	bzo-khang
sengyab	gseng-g. yab	sole	bzo-las
Sera	Se-ra	Sönam gyamtso	bSod-nams-rgya-mtsho
serdong	gser-gdung	Sönam palsang	bSod-nams dpal-bzang
Serkhang	gSer-khang	Sönamtashi	bSod-nams-bkra-shis
serkhyim gönpa	ser-khyim dgon-pa	Songtsen Gampo	Srong-btsan sGam-po
serthog	gser-thog	sorig	bzo-rig
Shabdung		Spiti	sPi-ti
Ngawang Namgyel	Zhabs-drung Ngag-dbang rNam-rgyal	Spituk	dPe-thub
shagkhor	shag-'khor	Stakna	sTag-sna
Shakya Zangpo	Sha-kya bZang-po	Sumtsek	gSum-brtseg
Shalu	Zha-lu	sungbum	gsung-'bum
Shangshung	Zhang-zhung		
Sharchen Chog	Shar-chen Chog	Tadzong	rTag-rdzong
Shashur	Zhwa-shur	Tabo	lTa-bo/rTa-bo
She lhakhang	zhva'i lha-khang	Tadug	Khara-'brug
Shedra	bShad-sgra	Tagten Migyur	
Shelkar chöde	Shel-dkar chos-sde	Phödang	rTag-brtan Mi-'gyur Pho-brang
shelpön	zhal-dpon	tagtha	stag-khra
shelsowa	zhal-bzo-ba	Tagtsang	sTag-tshang
Shen	gShen	Tagtsang gormo	sTag-tshang sgor-mo
Shengyi phodang	Gshen-gyi pho-brang	Tagtsang Repa	sTag-tshang Ras-pa
shentsül	bzhengs-tshul	Tamgo	rTam-go
Sherab Gyeltsen		Tashi Gomang	bKra-shis sGo-mang
Palzangpo	Shes-rab rGyal-mtshan dPal-bzang-po	Tashi Namgyel	bKra-shis rNam-rgyal
Shey	Shel	Tashichödzong	bKra-shis chos-rdzong
Shigatse	gZhis-ka-rtse	Tashiding	bKra-shis-sding
shigön	gzhis-dgon	Tashigang	bKra-shis-sgang
shika	gzhis-ka	Tashilhunpo	bKra-shis-lhun-po
shimi	gzhi-mi	tashipa	bkra-shis-pa
shingpa	shing-pa	taso	rta-so
shingso kyuma	shing-bzo-dkyus-ma	temke	them-skas
shingsowa	shing-bzo-ba	ten	rten
shingtseg	shing-brtsegs	Tendzin gyamtso	bsTan-'dzin rgya-mtsho

teng	steng	Tongsa	Krong-sar
Tengan	lTas-ngan	torma	gtor-ma
tenkhar	rten-mkhar	treten	'phred-gtan
Tenma	brTan-ma	trochen	khro-chen
tenshug	brtan-gzhugs	tsag	btsag
tensum	rten-gsum	Tsaidam	Tshva'i-'dam
terchen gyi bumpa	gter-chen gyi bum-pa	tsakhang	tshva-khang
terma	gter-ma	tsamkhang	mtshams-khang
tertön	gter-ston	tsampa	rtsam-pa
thabka	thab-ka	Tsang	gTsang
thabsa	thab-sa	Tsangpo	gTsang-po
thabsang	thab-bsang	tsangthig	tshang-thig
thabtsang	thab-tshang	Tsangyang	
thama	khra-ma	gyamtso	Tshangs-dbyangs rgya-mtsho
thangshing	thang-shing	Tsaparang	rTsa-pa-brang
Thangtong Gyelpo	Thang-stong rGyal-po	tsatsa	tsha-tsha
thel	khral	tsawa'i lama	rtsa-ba'i bla-ma
thelpa	khral-pa	tse	rtse
themke	them-skas	Tselhakhang	rTse-lha-khang
thempa	them-pa	Tselobda	rTse-slob-grva
theng gor	'phreng-sgor	Tselpa	Tshal-pa
thengwa	'phreng-ba	tsen	btsen
thide Songtsen	Khri-lde Srong-btsan	tsen	tshan
thigtse	thig-tshad	tsenkhang	btsan-khang
Thil	mThil	tsenpo	btsan-po
thinle	phrin-las	Tsepame lhakhang	Tshe-dpag-med lha-khang
thipa	khri-pa	Tse'ü	rTse-dbus
Thisong Detsen	Khri-srong LDe-btsan	tsig gyang	rtsig-gyang
tho	khro	tsigmang	rtsig-rmang
thog	thog	tsigpön	rtsig-dpon
thogcham	thog-lcam	tsigshi	rtsig-gzhi
thogsa	thog-sa	tsipa	rtsid-pa
thogtön	thog-ston	tsogchen	rshogs-chen
Tholing	Tho-ling / mTho-lding	Tsogkhang	Tshogs-khang
thongkhung	mthongs-khung	tsomchen	tshoms-chen
thongwarang	thong-dba-rang	Tsomchennub	Tshoms-chen-nub
Thophu	Khro-phu	Tsomchenshar	Tshoms-chen-shar
Thotho Rinyantsen	Tho-tho Ri-gnyan btsan	tsomkhang	tshoms-khang
thu	khru	Tsongkha	Tsong-kha
Thubten gyamtso	Thub-bstan rgya-mtsho	Tsongkhapa	Tsong-kha-pa
thug	thug	Tsongön	mTsho-sngon
Tiktse	Khrig-rtse	tsuglagkhang	gtsug-lag-khang
tingril	gting-ril?	Tsurphu	mTshur-phu
titsangkhang	dri-gtsang-khang	tülkü	sprul-sku
tö	stod		
toche tagpa	lto-'phye brtag-pa	Ü	dBus
togtse	tog-tse	uchen	dbu-chen
Togtsen	sTog-tshan	uchenmo	dbu-chen-mo
Tönggyu	sTong-rgyud	uchung	dbu-chung

ulmi	'ulmi	Zungchu	Zung-chu
Ushangdo	U-shang-rdo	zungshug	gzungs-gzhug
Uthog	dBu-thog	zur	zur
Utse	dBu-rtse	zurchang rabsal	zur-'phyangs rab-gsal
		zurdo	zur-rdo

wa	wa
Wangdüphodang	dBang-'dus-pho-brang
wongön	dbon-dgon

yab	g.yab
yabthang	g.yab-thang
Yamdrog Tso	Yar-'brog mTsho
yampa	g.yam-pa
yang	g.yang
yang ma shor	g.yang-ma-shor
yanggug	g.yang-'gug
yangkhang	g.yang-khang
yanglen	g.yang-len
yangmi	yang-mig
yangshi	g.yang-gzhi
yangteng	yang-steng
yangthog	yang-thog
Yarlung	Yar-klungs
yarpa	dbyar-pa
yarsa	dbyar-sa
yathem	ya-them
Yatse	Ya-rtse
yawa	ya-ba
Yemar	g.Ye-dmar
Yerpa	Yer-pa
Yesheö	Ye-shes-'od
Yeshepa	Ye-shes-pa
Yidam	Yi-dam
yikhang	yig-khang
yolkha	yol-kha
Yonten gyamtso	Yon-tan rgya-mtsho
yugukamkha	dbyug-gu-skam-kha
yulkha	yul-kha
yulsa	g.yul-sa
Yumbu lakhar	
(lagang)	Yum-bu bla-mkhar (bla-sgang)
Yungdung köleg	g. Yung-drung bkod-legs

Zangskar	Zangs-dkar
zi	gzi
zimbug	gzim-sbug
zimchung	gzim-chung
zimphug	gzim-phug
zugngu	zug-rngu

BIBLIOGRAFIA

BIBLIOGRAPHIE

ACHARYA P.K., 1927, *Mânâsara on architecture and Sculpture*. 3 vol., Allahabad.

AGARWAL A., 1981, *Batir en terre: le potentiel des matériaux à la base de terre pour l'habitation du Tiers monde*, London.

AGRAWALA P.K., 1981, *Gupta temple Architecture*, Varanasi.

AHMAD Z., 1970, *Sino-Tibetan relations in the seventeenth century* (Serie Orientale Roma, XI), Roma.

ALEXANDRE E., 1979, *Un monastère lamaïque du XVIe siècle en Mongolie*, In: *Etudes Mongoles et Sibériennes*, n. 10, pp. 7-32, Paris.

ALLCHIN F.R., 1980, *A note on the «Asokan» stûpas of Pâtan*, In: *The stûpa. Its religious, historical and architectural significance*, Ed. Anna Libera Dallapiccola, Stephanie Zingel-avé Lallemont, Wiesbaden, p. 147-155, Ill.

AN XU, 1982, *Xizang zizhiqu*, Wenwu, 8, p. 1-5.

ANANTHALWAR M.A., REA A., 1980, *Indian Architecture*, 3 vol., Delhi.

Ancient Chinese Architecture, 1982, Hong Kong: Chinese Academy of Architecture.

ANDRADE A., 1626, *Novo descobrimento do gran Cathayo ou Reinos de Tibet*, Lisboa.

THE ARCHEOLOGICAL TEAM OF THE YUAN CAPITAL TATU, IAAS AND CPAM OF THE CITY OF PEKING, 1973, *The Yuan Dynasty Remains at Hsi-t'ao-hu t'ing and Hou-yao-yuan*, In: *Kaoku*, 5, p. 279-285.

Des architectures de terre ou l'avenir d'une tradition millenaire, 1981, Paris, Centre G. Pompidou.

ARGAN G.C., 1968, *Storia dell'Arte Italiana*, vol. 3, Roma.

ARIS M., 1979, *Bhutan, the early history of an himalayan Kingdom*, Aris and Phillips, Warminster, England.

— 1982, *Views of medieval Bhutan; the diary and drawings of Samuel Davis 1783*, Serindia publications London, Smithsonian institution press, Washington D.C.

AUER G., GUTSCHOW N., 1974, *Bhaktapur: Gestalt, Funktionen und religiöse symbolikeiner nepalischen stadt im Vorindustriellen entwicklungstadium*, Darmstadt, Technische Hochschule.

— 1977, *Domestic architecture of Nepal*, In: *Aarp*, vol. 12, p. 64-69, Ill.

AUFSCHNAITER P., 1956-57, *Prehistoric sites discovered in inhabited regions of Tibet*, In: *East and West*, vol. VIII, p. 74-88.

AZIZ B.N., 1978, *Tibetan Frontier Families*, New-Delhi.

BACOT J., 1909, *Dans les marches tibétaines*, Paris.

— 1937, *La vie de Marpa le «traducteur»*, Paris.

— 1971, *Milarépa*, Paris.

BACOT J., Thomas F.W., TOUSSAINT G.Ch., 1940, *Documents de Touen-huang relatifs à l'histoire du Tibet*, Paris.

BAIPAKOV K.N., 1968, *Sur l'emplacement des villes du nord-est du Semiretchie*, In: *Vestnik de l'Academie des Sciences du Kazakhstan*, n. 7.

BANERJEE N.R., 1980, *Nepalese architecture*, Delhi, Agam Kala Prakashan.

BANERJI, R.D., 1933, *Eastern Indian School of Medieval Sculpture*, Archaelogical Survey of India, New Imperial Series 47, Calcutta.

BAREAU A., 1960, *La construction et le culte des stûpa d'apres le Vinayapitaka*, In: *Bullettin de l'Ecole Française d'Extrême Orient*, 50, p. 229-274.

BARRE V., BERGE P., FEVEILE L., TOFFIN G., 1981, *Panauti: une ville au Népal*, Paris, Berger-Levrault (Collection Architectures).

BEAUVOIR-STOCK C. DE, 1975, *Folklore and Customs of the Lap-chas of Sikkim*, Cosmo Publications, Delhi.

BECKER-RITTESPACH R.O.A., 1985, *Some design aspects on the Nepalese Dega with ambulatory surronnding the cella*, In: *Heritage of the Kathmandu Valley*, International Conference, Lübech, June, p. 1-12, pl. I-VI.

BECKWITH Ch. I, 1977, *Tibet and the early medieval florissance in Eurasia*, In: *Central Asiatic Journal*, 21, 89-104.

BEGUIN G., DRILHON F., 1984, *Virûpâksa, le gardien au regard torve*, In: *Arts Asiatiques* XXXIX, p. 78-86.

BELL Ch., 1928, *The People of Tibet*, Oxford.

— 1931, *The Religion of Tibet*, Oxford.

— 1946, *Portrait of the XIII Dalai Lama*, London.

BENEVOLO L., 1973, *Storia dell'architettura moderna*, Roma-Bari, Laterza.

BERNIER R.M., 1970, *The temples of Nepal: an introductory survey*, Kathmandu, Voice of Nepal (Pvt) Ltd.

— 1977, *Wooden windows of Nepal. An illustrated analysis*, In: *Artibus Asiae*, vol. XXXIX, fasc. 3/4, p. 251-267, Ill.

— 1978, *Survival of wooden Art in Nepal*, In: *Ancient Nepal*, n.

46-48, June-Nov., p. 1-8.

— 1979, *The Nepalese pagoda: origins and style*, New-Delhi, S. Chand and Company L.t.d.

— 1982, *Vajrayana in art of Ladakh and Bhutan, some clues*, In: *Himalayan research bullettin*, vol. II, n. 3.

BISTA S.D., 1982, *Fort in Ancient Nepal*, In: *Nepal, the Himalayan kingdom*, oct., p. 71-84.

BLACKS S.M., 1972, *A mediaeval Nepalese temple of Visnu-Nârâyana*, In: *Oriental Art*, New series, Vol. XVIII, n. 2, p. 163-165.

BLEISCHTEINER R., 1950, *L'Eglise Jaune*, Paris.

BLONDEAU A.M., 1976, *Les religions du Tibet*, Histoire des Religions, vol. III, Paris, trad. It., Tibet e Sud-Est asiatico, Bari 1978.

BODON PANCHEN, 1969, *Phyags las rnam rgyal* In: *Encyclopedia Tibetica, The collected works of Bodon Panchen*, 2 vol., New-Delhi.

BOERSCHMANN E., 1911, *Die Baukunst und religiöse Kultur des Chinesen*, vol. I: *P'u-t'o schan*, Berlin.

— 1923, *Baukunst und Landschaft in China*, Berlin.

— 1925, *Chinesische Architektur*, 2 vol., Berlin.

— 1927, *Chinesische Baukeramik*, Berlin.

— 1931, *Chinesischen Pagoden*, Berlin.

— 1957, *Die grosse Gebetsmühle im Kloster Ta Yüan si auf dem Wu Tai Shan*, In: *Sinica-sonderausgabe, Forke Festschrift*, I, p. 35-43.

BOGOSLOVSKIJ V.A., 1972, *Essai sur l'histoire du peuple tibétain*, Paris.

BOUILLARD G., 1922-25, *Pékin et ses environs*, 15 fasc., Pékin.

— 1931, *Le Temple des Lamas, Temple lamaïste du Yung Ho Kung à Péking*, Pékin.

BOYD A., 1962, *Chinese Architecture and townplanning 1500 BC. A.D. 1911*, London, Alec Tiranti and the University Chicago Press.

BRAUEN M., 1980, *Feste in Ladakh*, Graz.

— 1983, *Peter Aufschnaiter, sein Leben in Tibet*, Innsbruch.

BRETSCHNEIDER E., 1879, *Recherches Archeologiques et Historiques sur Pekin*, Paris.

BROWN P., 1965 [V], *Indian Architecture (Buddhist and Hindu)*, Bombay.

BUFFETRILLE K., 1986, *Un rituel de mariage tibétain*, In: *L'ethnographie*, Paris.

BUSH S., 1971, *The Chinese Literati on Painting: Su Shih-to Tung Ch'i-ch'ang*, Harward, Yenching Institute Studies.

BUSHELL J.W., 1880, *The early history of Tibet from chinese sources*, In: *Journal of the Royal Asiatic Society*, p. 435-541.

BUSSAGLI M., 1973, *Architettura orientale*, Milano.

— 1984, *L'arte del Gandhâra*, Torino.

CARRASCO P., 1959, *Land and Polity in Tibet*, Seattle.

CASSINELLI C. and EKVALL R.B., 1969, *A Tibetan Principality: the Political System of Sa-skya*, Ithaca, New York.

CHAB-SPEL TSHE-BRTAN PHUN-TSHOGS, 1982, *Lha-sa gtsug-lag-khang gi lo-rgyus rags bshad*, In: *Bod-ljongs zhib 'jug*, 2ème mois, Lhasa.

CHANDRA L., ed. 1961, *The Samye Monestery*, Delhi.

— 1963, *Materials for a History of Tibetan Literature*, 2 vol., New-Delhi.

CHANDRA P., 1970, *A Vamana Temple at Marhia and some reflections on Gupta Architecture*, In: *Artibus Asiae*, XXXI, p. 125-145.

CHANG D.H.S., 1981, *The Vegetation Zonation of the Tibetan Plateau*, In: *Mountain Research and Development*, vol. 1, n. 1, pp. 29-48.

CHAPMAN F.S., 1938, *Lhasa, the Holy City*, London.

CHATTERJI B.R., 1940, *Tholing Monastery in Western Tibet*, In: *Journal of the Uttar Pradesh Historical Society*, XIII, 2, p. 30-34.

CHATTOPADHYAYA A., 1967, *Atisa and Tibet*, Calcutta.

CHAYET A., 1985, *Les temples de Jehol et leurs modèles tibétains*, Paris.

CHAYET A., MEYER F., 1983, *La chapelle de Srong-btsan sgampo au Potala*, In: *Arts Asiatiques*, XXXVIII, pp. 82-85.

CHENG Z., 1982, *Sajia*, In: *Wenwu*, n. 10, p. 87-89, 96.

Chengde Bishushanzhuang, 1980, Beijing.

Chengde Gujianzhu, 1982, Beijing-Hongkong.

CHOEPHEL G., 1978, *The Withe Annals (Deb-ther-dkar-po)*, tr. Samten Norboo, Dharamsala.

COELHO V.R., 1967, *Sikkim and Bhutan, Indian council for cultural relations*, New-Delhi.

COMBAZ G., 1932-33, *L'evolution du stûpa en Asia*, In: *Mélanges Chinois et bouddhiques*, vol. I, p. 94-144, vol. IV, p. 1-125.

COMOLLI G.T.Y., 1984, *Sanctuaries boudhiques du Ladakh*, Paris.

CORLIN C., 1980, *The symbolism of the House in Rgyal-thang*, In: *Tibetan Studies in Honour of Hugh Richardson*, (Ed.) M. Aris and Aung San Sunkyi, pp. 87-92, Warminster.

CPAM, XIZANG, 1985, *Reconnaissance of the Tombstone of Chidesongzan*, In: *Wenwu*, 9, p. 73-76.

CUNNINGHAM A., 1854, *Ladakh, Physical, Historical and Statistical*, London.

CUTTING S., 1947, *The fire ox and other years*, London.

DA FANO D., 1952-56, *Breve relazione del regno del Tibet*, 1713, In: PETECH L., 1952-56, III, p. 3-37.

DAFFINA' P., 1982, *Il nomadismo centrasiatico*, Roma.

DAI ERQIAN, 1972, *Une squelette à Nyelam*, In: *Kaogu*, I.

DAINELLI G., 1924, *Le condizioni delle Genti*, In: *Spedizione Italiana De Filippi*, Serie II, vol. VII.

— 1925, *I tipi umani*, Idem, Serie II, vol. IX, Bologna.

— 1932, *Il mio viaggio nel Tibet Occidentale*, Milano.

DARGYAY E.K., 1982, *Tibetan Village Communities*, New-Delhi.

DARS S., 1972, *L'architecture mongole ancienne*, In: *Etudes Mongoles et Sibériennes*, n. 3, pp. 159-223, Paris.

DAS N., 1974, *The dragon country the general history of Bhutan*, Orient Longman, New-Delhi.

DAS S. CH., 1889, *Life of Sum-pa Khan-po*, In: *Journal of the Asiatic Society of Bengal*, p. 37-84.

— 1902 [a] , *A Journey to Lhasa and Central Tibet*, London.

— 1902 [b] , *Tibetan-English Dictionnary*, Calcutta.

— ed. 1908, *Pag Sam Jon Zang by Sumpa mkhanpo*, 2 vol., Calcutta.

Deb-ther dmar-po (The red annals), 1961, *Gangtok, Sikkim*.

DE FILIPPI, 1924, *An account of Tibet - The travele of I. Desideri of Pistoia, 1712-1727*, London.

DE FUSCO R., 1978, *Segni, storia e progetto dell'architettura*, Bari, Laterza.

— 1979, *Storia dell'architettura contemporanea*, Bari, Laterza.

DEMIEVILLE P., 1952, *Le councile de Lhasa*, I, Bibliothèque de l'Institut des Hautes Etudes Chinoises, 7, Paris.

DENWOOD P., 1971 [a] , *Forts and Castles - An aspect of Tibetan Architecture*, In: *Shambhala occasional papers of the Institute of Tibetan Studies*, N. 1, pp. 7-17, Tring.

— 1971 [b] , *Bhutanese architecture*, In: *Asian affairs*, vol. 58, n. 1.

— 1972, *The Tibetan Temple-art in its Architectural setting*, In: WATSON W., 1972, p. 42-55.

— 1974, *Bhutan and its Architecture*, In: *Objets et Mondes*, Vol. XIV, 4, pp. 337-346.

— 1975, *Brackets in the Architecture of Buddhist Central Asia*, In: *Art and Archaeology Research Papers*, London, 7 june, p. 56-63.

— 1980, *Introduction to Tibetan Architecture*, In: *Tibet News Review*, Vol. 1, n. 2, pp. 3-12.

DEO S.B., 1968-69, *Glimpses of Nepal Woodwork*, In: *The Journal of the Indian Society of Oriental Art*, New series, vol. III.

DESHPANDE M.N., 1973, *Buddhist Art of Ajanta and Tabo*, In: *Bullettin of Tibetology*, vol. X, 3, p. 32-44.

DESIDERI I., 1952-56, *Notizie istoriche del Thibet, 1712-33*, In: PETECH L., 1952-56, V, p. 117-219, VI, p. 1-310.

DHONDUP K., 1977, *Tibet's influence in Ladakh and Bhutan*, In: *The Tibet Journal*, vol. 2, n. 2, Summer.

Dieux et demons de l'Himalâya. Art du Bouddhisme lamaique, *1977*, Paris.

DISERENS H., 1981, *Six unpublished anthropomorphic wooden sculptures at Gazan (Kulu)*, In: *Central Asiatic Journal*, vol. XXV, n. 3-4, p. 163-173, ill.

DJAMIANG NORBOU, 1981, *Un cavalier dans la neige*, Paris.

DOLLFUS P., 1986, *La maison des villageois bouddhistes du Ladakh Central*, In: *Architecture, milieu et société*, CNRS Paris.

DUNCAN M.H., 1964, *Customs and Superstitions of Tibetans*, London.

DURRANS B., KNOX R., 1982, *India Past and Present*, London.

ECKE G., 1933, *Zur Architektur der Ländhauser in der Kaiserlischen Gärten von Jehol*, In: *Sonderdruck aus Architektura*, I, 6, p. 3-12.

ECKVALL R.B., 1954, *Some Differences in Tibetan Land Tenure and Utilizazion*, In: *Sinologica*, Vol. IV, n. 1.

— 1968, *«Fieds on the Hoof»*, Holt, Rinehart and Winston, U.S.A.

ECO U., 1967, *Proposte per una semiologia dell'architettura*, In: *Marcatre*, n. 34-36, p. 56-76.

EDEN A., PEMBERTON R.B., GRIFFITH W., 1972, *Political missions to Bootan*, New-Delhi.

ESTEVES PEREIRA F.M., 1921, *O Discobrimento do Tibet pelo P. Antonio de Andrade*, Coimbra.

EVANS-WENTZ W.Y., 1973, *Milarépa ou Jetsun-Kahbum*, Paris.

FEILBERG C.G., 1944, *La tente noire*, Copenhaguen.

FERGUSSON J., 1876 [I] , *History of Indian and eastern Architecture*, Delhi, 1967 [II].

FERRARI A., 1958, *mK'yen brtse's guide to the holy places of central Tibet*, Roma.

FILCHNER W., 1933, *Kumbum Dschamba Ling*, Leipzig.

FISCHER E.S., 1940, *Jehol*, In: *Journal of the China Branch of the Royal Asiatic Society*, LXXI, p. 80-87.

FRANCKE A.H., 1905, *A History of Western Tibet*, London.

— 1906, *The Dards at Khalatse in Western Tibet*, In: *Memoirs of Asiatic Society of Bengal*, vol. I, p. 413-19.

— 1907, *Historische Dokumente von Khalatse in West Tibet*, In: *Zeitschrift der Deutschen Morgenländischen Geselleschaft*, p. 583-614.

— 1914-26 [I] , *Antiquities of Indian Tibet*, 2 vol., New-Delhi, Calcutta, 1972 [II].

— 1923, *Tibetische Hochwzeitslieder*, Hagen i.W. und Darmstadt.

FRANKE H., 1981, *Tibetans in Yüan China*, In: LANGLOIS J.D. Jr., 1981, p. 296-328.

FRANKE O., 1891, *Eine Reise in den Jehol-Distrikt*, In: *Das Ausland*, XXXVII-XXXIX.

— 1902, *Besreibung des Jehol Gebiets*, Leipzig.

FRANKE O., LAUFER B., 1914, *Epigraphische Denkmäler aus China: Erste Tell. Lamaistische Kloster-Inschriften aus Peking, Jehol und Si-ngan*, Berlin.

FRIEDL W., 1983, *Gesellschaft, Wirtschaft und materielle Kultur in Zanskar (Ladakh)*, Sankt Augustin.

FÜRER-HAIMENDORF C. Von, 1964, *The Sherpas of Nepal*, London.

GADJIN N., 1980, *The architectural Tradition in Buddhist Monasticism*, In: *Studies in History of Buddhism*, Delhi.

GAIL A.J., 1983, *Temple in Nepal; Ikonographie hinduistischer Pagoden in Pâtan (Kathmandutal)*. Graz: Akademische Druck - u

Verlagsanstalt.

GALDIERI E., 1982, *Le meraviglie dell'architettura in terra cruda*, Bari, Laterza.

GENNA G., 1956, *Old Skeletal Remains from Tibet (Lhasa)*, In: *East and West*, VII, 1, IsMeo, Rome, 89-95.

GENOUD C., 1982, *Buddhist Wall Painting of Ladakh*, Geneve.

GHANJA C.K., 1948, *Mystic Tibet and the Himalaya*, Gilbert and c° Darjeeling.

GILL W., 1880, *The River of Golden Sand*, London, Murray, 2 vol.

GIORGI A.A., 1762, *Alphabetum Tibetanum*, Romae.

GIORGI M.L., 1985, *L'architettura del Tibet nelle fonti cinesi contemporanee*, Tesi di Laurea, Univ. di Roma «La Sapienza».

GIUSEPPE father, 1807, *Account of the Kingdom of Nepal*, In: *Asiatic Researches*, Vol. II, p. 307-322.

GOEPPER R., 1982, *Alchi: Buddhas, Göttinnen, Mandalas: Wandmalerein in einem Himalaya-Kloster*, Köln.

GOETZ H., 1965, *Pala Sena Scuole*, In: *Enciclopedia Universale dell'Arte*, vol. X., p. 398-416, Roma.

GOLDSTEIN M.C., 1971, *Taxation and Structure of a Tibetan Village*, In: *Central Asiatic Journal*, Vol. XV.

— 1974, *Tibetan Speaking Agro-Pastoralists of Limi*, In: *Objets et Mondes*, Vol. 14, fasc. 4, pp. 259-268.

— 1985, *Tibetan Buddhist Monasticism: Social, psychological and cultural implications*, In: *The Tibet Journal*, Vol. X, n. 1, p. 14-31.

GOTAMI GOVINDA L., 1979, *Tibet in pictures*, 2 vol., Berkeley.

GOVERNMENT OF SIKKIM, s.d., *Sikkim: a concise Chronicle*, Calcutta.

GOVINDA A., 1976, *Psyco-Cosmic Symbolisme of the Buddhist Stupa*, Emeryville.

GRANET M., 1934[I], *La pensée chinoise*, Paris, 1968[II].

GRENARD F., 1974 (réédition), *Tibet The Country and its Inhabitants*, New-Delhi.

GROPP G., 1974, *Archäologische Funde aus Khotan Chinesisch Ostturkestan*, Bremen, Gremen, Friedrich Röver.

GROUSSET R., 1965[IV], *L'Empire des steppes*, Paris.

GRÜNWEDEL A., 1919, *Die Tempel von Lhasa*, Sitrungsberichte der Heidelberger Akademia der Wissenshaften. Phil. Hist. Klasse n. 14, Heidelberg.

GUTSCHOW N., 1976[a], *The Pujahari Math: a survey of Newar building techniques and restoration methods in the Valley of Kathmandu*, In: *East and West*, Vol. 26, n. 1-2, p. 191-194, III.

— 1976[b], *The restoration of the Cyâsilim Mandap in Bhaktapur*, In: *Kailash*, vol. IV, n. 3, p. 227-236, III.

— 1979, *Kathmandu: historical development, spatial structure, social and ritual topography*, In: *Kumbu Himal*, band 13, Lieferung 3, p. 247-251.

— 1980[a], *Functions of squares in Bhaktapur*, In: *Aarp*, Vol. 17, p. 57-64, III.

— 1980[b], *The urban context of the stûpa in Bhaktapur / Nepal*, In: *The stûpa. Its religious, historical, and architectural signifiance*, Ed. A. Libera Dallapiccola, S. Zingel, Wiesbaden, Franz Steiner Verlag, p. 137-146, III. IX/1 - IX/9.

GUTSCHOW N., BAJRACHARYA M., 1977, *Ritual as mediator of space in Kathmandu*, In: *Journal of the Nepal Research Centre*, Vol. 1, p. 1-10, III.

GUTSCHOW N., KÖLVER B., 1975, *Bhaktapur: ordered space concepts and functions in a town of Nepal*, Wiesbaden: Frantz Steiner, Verlag.

GUTSCHOW N., SHAKYA H., 1980, *The monasteries (bâhâ and bahi) of Patan. A contribution toward the cultural topography of a newar town*, In: *Journal of the Nepal research centre*, Vol. 4, p. 161-174.

GYATSO T.L., 1979, *Gateway to the temple*, Kathmandu.

HAARH E., 1968, *The Zhang-zhung language*, In: *Acta jutlandica-XL: 1, Skifter fra Aarhus Universitet*.

— 1969, *The Yar-lung dynasty*, Copenaghen.

HAGNER J., 1930, *I tempel och Mogoltält*, Stockholm.

HALLADE M., COURTOIS L., GAULIER S., 1982, *Mission Paul Pelliot IV: Koutcha Temples construits Douldour-âqour et Soubachi*, Paris, Editions recherche sur les Civilisations A.D.P.F.

HANEDA T., 1957, *Recueil des oeuvres posthumes*, I., Kyoto.

HANSON G.A., *Yandritsev's Mongolian Expedition of 1889*, In: *The Canada-Mongolia Review*, vol. 3, n. 1, Saskatchewan University.

HARRER H., 1953, *Meine Tibet-Bilder*, Zürich.

— 1955, *Seven Years in Tibet*, London.

HEDIN S., 1922, *Transhimalaya, 1909- Southern Tibet*, IX, Stockholm IV.

— 1932, *Jehol, City of the Emperor*, London.

— 1943, *The Sino-Swedish Expedition 1927-1935*, part II, vol. 24.

HEIM A., 1933, *Minya Gongkar*, Berlin.

HENSS M., 1981, *Tibet. Die Kulturdenkmäler*, Zürich.

HERMANNS M., 1949, *Die Nomaden von Tibet*, Wien.

HOFFMANN H., 1943, *La religione Bon Tibetana*, Roma.

— 1950, *Die Gräber der tibetischen Konige un Distrikt'Phionsrgyas*, In: *Nächrichten der Akademie der Wissenschaften in Gottingen*, I, Phil.-hits. Klasse.

HONDA M., CEADEL E.B., 1955, *A Survey of Japanese Contributions to Manchurian Studies*, In: *Asia Maior*, 9, 5, p. 59-105.

HOOKER J.D., 1854, *Himalayan Journal*, 2 vol., London.

HOSTEN H., 1925, *A letter of Father Francisco Godinho, S.J. from Western Tibet (Tsaparang, August 16, 1626)*, In: *J.P.A.S.B.*, 21, p. 70.

HOU CHIN-LANG, PIRAZZOLI M., *Les Chasses d'automne de l'empereur Qiamlong à Mulan*, «T'oung Pao», vol. LXV, 1-3, 1979. *Hou han shu*, ed. I-wên ying shu kuan, Taipei.

HUC R.E., 1962, *Souvenirs d'un voyage dans la Tartarie pendant* les années 1844, 1845 et 1846, Paris.

HUMMEL S., 1965, *Die Steinreihem des Tibetischen Megalithihums un die Ge-sar Sage,* In: *Anthropos,* 60, p. 833-8.

— 1951, *Die Lamapagode als psychologische Diagramm,* In: *Psyche,* p. 628-631.

— 1953 [a], *Beitrage zu einer Baugeschichte der Lamapagode,* In: *Artibus Asiae,* 16, p. 111-168.

— 1953 [b], *Geschichte der Tibetischen Kunst,* Leipzig.

— 1955, *Die Lamaistische Kunst in der Umwelt von Tibet,* Leipzig.

— 1956, *Wen Waren die Erbauer der Tibetischen Burgen,* In: *Paideuma,* VI, 4, p. 205-9.

— 1960, *Der Bauplatz der Kathedrale von Lhasa und seine Kosmologische Bedeutung,* In: *Kairos,* p. 240-244.

— 1963-64, *Tibetische Architektur,* In: *Bullettin der Schweizerischen Gesellschaft für Anthropologie und Ethnologie,* 40, p. 62-95.

— 1965, *Die Kathedrale von Lhasa,* In: *Antaios,* VII, 3, p. 280-290.

HUNTINGTON J.C., 1972, *Gu-ge bris: a stylistic amalgam,* In: PAL P., p. 105-117.

HVANG ZILEN BLO-BZANG TSHE-DBANG, DPAL-MANG SPRUL-SKU 'JIGS-MED TSHUL-KHRIM RNAM-RGYAL, 1946, *Commemorative volume on the death of the Fifth Jamyang Zheba (1915-1946),* Nanjing.

JACKSON D.P., 1976, *The early history of Lo (Mustang) and Ngari,* In: *INAS Journal Contributions to Nepalese Studies,* vol. 4, n. 1, dec., p. 39-56.

JACKSON D.P. and J.A., 1984, *Tibetan Thangka Painting,* London.

JAGCHID S., 1972, *Buddhism in Mongolia after the Collapse of the Yüan Dynasty,* In: J. Melikoff, *traditions religeuses et para religieuses des peuples altaïques,* Paris.

—1974, *The Manchu Ch'ing Policy Towards Mongolian Lamism,* Paper presented at the meeting of the American Oriental Society, Santa Barbara.

— 1980, *The Rise and Fall of Buddhism in Inner Mongolia,* In: A.K. Narain, *Studies in History of Buddhism,* Delhi.

JAGCHID S., HYER P., 1979, *Mongolia's Culture and Society,* Boulder Colorado.

JEST C., 1975, *Dolpo, communautés de langue tibétaine du Népal,* Paris.

— 1981 [a], *Monuments of Northern Nepal,* Paris.

— 1981 [b], *Monuments of Northern Nepal, Second phase,* Paris.

JEST C., SANDAY J., 1982, *The Palace of Leh in Ladakh an example of Himalayan Architecture in need of conservation,* In: *Monumentum,* vol. 25, n. 3, p. 179-198.

— 1983, *The Palace of Leh in Ladakh, an example of Himalayan Architecture in need of preservation,* In: *Mountain Research and Development,* vol. 3, n. 1.

JEST C., STEIN A., 1977, *Dynamics of development and tradition: the Architecture of Ladakh and Bhutan in Himalaya,* In: *Himalaya Ecologia et Ethnologia,* C.N.R.S., Paris.

— 1981, *Architecture in Bhutan and Ladaks,* In: *The Himalaya aspects of change,* J. S. Lall, Oxford University Press, Delhi.

JIGMEI N.N. et autres, 1982, *Le Tibet,* Paris.

JISL L., SIS V., VANIŠ J., 1958, *L'Art Tibétain,* Paris.

JOSEPH M., 1971, *The Vihâras of the Kathmandu Valley: reliquaries of Buddhist culture,* In: *Oriental Art,* Vol. XVII, n. 2, p. 121-143, III.

JOUGDER Tch., 1962, La dure lutte contre le poison du Lamaïsme, In: *La seconde Epopée mongole, Démocratie nouvelle,* octobre, pp. 52-56.

KAK R.C., 1933 [I], *Ancient Monuments of Kashmir,* Delhi, 1971 [II].

KANAKURA Y., YAMADA R., TODA T., HANO H., 1953, *A Catalogue of the Tohoku University Collection of Tibetan Works on Buddhism,* Sendai.

KAPLANIAN P., 1981, *Les Ladakhi du Cachemire,* Paris.

KARAN P.P., 1967, *Bhutan a physical and cultural geography,* Lexongton, University of Kentucky Press.

KARAN P., JENKINS W., 1963, *The Himalayan Kingdoms: Bhutan, Sikkim, Nepal,* D. van Nostrand Co., Princeton.

KARMAY H., 1975, *Early Sino-Tibetan Art,* Warminster.

KARMAY S.G., 1972, *The Treasury of Good Sayings: A Tibetan History of Bon, London Oriental Series,* Vol. 26, London.

KAWAGUCHI E., 1909, *Three years in Tibet,* Benares and London.

KHOSLA R., 1979, *Buddhist Monasteries in the Western Himalaya,* Biblioteca Himalayca series, III vol., 13, Kathmandu.

KISSELIEV S.V., 1965, *Drevnie Mongolskie goroda,* Moscow.

KLIMBURG-SALTER D., 1982, *The Silk Route and the Diamond Path,* Los Angels.

KOLMAŠ J., 1967, *Tibet and imperial China,* Camberra.

KOOIJ K.R. van, 1977, *The iconography of the Buddhist woodcarvings in a Newar monastery in Kathmandu (Cgusya-Bâhâ),* In: *Journal of the Nepal Research Centre,* Vol. I, p. 39-82, III.

KORN W., 1976, *The traditional architecture of the Kathmandu Valley,* Kathmandu: Ratna Pustak Bhandar.

KOZLOV P.K., 1923 [I], *Mongolia i Amdo i mertvii gorod Khara-Koto (1907-1909),* Petrograd, Moscow, 1947 [II].

— 1947, *Mongolia i Kam, 1899-1901,* Moscow.

KUCZERA S., 1970, *Mongols and Tibet under Chinggis khan and his successors,* p. 255-270, In: *Tataro Mongoly v Azii i Europe: sbornik statej,* Moscow, Nauka.

KVAERNE P., 1974, *The Canon of the Tibetan Bonpos,* In: *Indo-Iranian Journal,* Vol. XVI, part I.

LALOU M., 1939, 1950, 1961, *Inventaire des manuscrits tibétains de Touenhouang conservés à la Bibliothèque Nationale (Fonds Pelliot tibétains)* I, II, III, Paris.

— 1952, *Rituel bon-po des funerailles royales*, In: *Journal Asiatique*, CCXL, 3, p. 339-62.

LAMB A., 1960, *Britain and Chinese Central Asia: the road to Lhasa 1767 to 1905*, London.

— 1966, *The MacMahon line, a study in the relations between India, China and Tibet 1904 to 1914*, 2 voll., London.

LANDON P., 1905, *Lhasa*, London.

LANGLOIS J.D. Jr., 1981, *China under Mongol Rule*, Princeton, New Jersey.

LAUF D.I., 1973, *Vorläugiger Bericht über die Geschichte und Kunst einiger lamaistischer tempel und klöster in Bhutan*, In: *Ethnologische Zeitschrift*, Zurich.

LE PORT M., 1981, *Des constructions traditionnelles néwar de la vallée de Kathmandu*, In: *L'homme et la maison en Himalaya*, Paris: C.N.R.S., p. 39-132, III.

LESSING F.D., 1942, *Yong Ho Kung: An Iconography of the Lamaist Cathedral in Peking*, Stochkolm.

— 1956, *The Topographical identification of Peking with Yamantaka*, In: *Central Asiatic Journal*, vol. II, n. 2, p. 140-141.

— 1976, *Ritual and Symbol. Collected Essays on Lamaism and Chinese Symbolism*, Taipei.

LEVINE N., 1977, *The Nyimba: Population and Social Structure in a Polyandrous Society*, Thèse Ph. D. Univ. of Rochester.

LI ANCHE, 1947, *Dege: A Study of Tibetan Population*, In: *Southwestern Journal of Anthropology*, Vol. 3, n. 4, pp. 279-293.

— 1984, *Labrang. A Study in the Field*, Tokyo, éd. Chie Nakane.

LI FANG-HUEI, 1956, *The inscription of the Sino-tibetan treaty of 821-822*, In: *T'oung Pao*, p. 1-99.

LI ZHIWU, LIU LIZHONG, 1982, *Taer Si. (Taer Si Monastery)*, Beijing, Cultural Relics Publishing House.

LIANG SU-CHENG, 1984, *A Pictural History of Chinese Architecture*, Cambridge (Mass.).

LIGETI L., 1978, *Le mérite d'ériger un stûpa et l'istoire de l'elephant d'or*, In: Ligeti L., ed., *Proceedings of the Csoma de Körös Memorial Symposium*, Budapest, p. 223-284.

LIN YU-T'ANG, 1967, *The Chinese Theory of Art*, London, William Heinemann.

LIU DUNZHEN, 1980, *La Maison Chinoise. Architectures*, Paris, Berger-Levroult.

— 1983, *Zhongguo gudai jianzhu shi, Yuan Ming Qing shiqi de jianzhu*, Beijing, Zhongguo Jianzhu gongye chubanshe.

LIU YISI, 1957, *Xizang fojiao yishu*, Peking.

MACAULAY C., 1977, *Report of a Mission to Sikkim*, Ratna Pustak Bhandar Katmandu.

MACDONALD A., 1970, *Le Dhangakataka de Ma lungs guru*, In: *Bulletin de l'Ecole Française d'Extrême Orient*, 57, p. 169-213.

— 1971, *Une lecture des P.T. 1286, 1287, 1047 et 1290. Essai sur la formation et l'emploi des mythes politiques dans la religion royale de Srong-btsan sgam-po*, In: *Etudes tibétaines dédiées à la mémoire de Marcelle Lalou*, pp. 190-391, Paris.

MACDONALD A.W., 1953, *Une note sur les mégalithes tibétains*, In: *Journal Asiatique*, CCXLI, p. 63-76.

MACDONALD A.W., VERGATI STAHL A., 1979, *Newar art: Nepalese art during the Malla period.*, Warminster: Aris and Phillips Ltd.

MAIDAR D., 1970, 1972, *Arkitektura i gratcoctroitelstevo Mongolii*, Ocerki po Istorii, I Moscow, II, Ulan-Bator.

— 1981, *Pamiatniki istorii i Kulturi Mongolii*, Moscow.

MAIDAR D., DARSUREN L., 1976, *Ger*, Ulan-Bator.

MAIDAR D., PIOURVEIEV D., 1982, *Ot Kocevoi do mobilnoi arkitekturi*, Moscow.

MAILLARD M., 1983, *Grottes et monuments d'Asie Centrale*, Paris, Librairie d'Amérique et d'Orient.

MALONE C.B., 1966, *History of the Peking Summer Palaces under the Ch'ing Dynasty*, II ed., New York.

MANGILI G., 1956, *On Two Herbivore Teeth from Diggings in Lhasa Country*, In: *East and West*, IsMeo Rome, 96-97.

MARÉCHAUX P., 1981, *Deux maisoins en milieu de culture tibétaine*, In: *L'Homme et la maison en Himalaya, Ecologie du Népal*, G. Toffin, C. Jest et L. Barré (Ed.), Paris, pp. 242-253.

MARKS THOMAS A., 1977, *Historical observations on Buddhism in Bhutan*, In: *The Tibet Journal*, vol. 2, n. 2, summer.

MASSONAUD C., 1982, *Le Bhoutan*, In: *Les royaumes de l'Himalaya*, Imprimerie nationale, Paris.

— 1982, *Le Sikkim*, In: *Les royaumes de l'Himalaya*, Imprimerie nationale, Paris.

MEHRA N., 1974, *Bhutan, land of the peaceful dragon*, Vikas, New-Delhi.

MEHRA P., 1976, *Tibetan policy 1904-1937, the conflict between the 13th Dalai-Lama and the 9th Pan-c'en Lama*, Wiesbaden.

MELE P.F., 1969, *Tibet*, Geneva.

MEYER F., 1981, *Le système médical tibétain*, Paris.

— 1983 [a], *Les conceptions tibétaines du milieu naturel (I)*, In: *La Nouvelle Revue Tibétaine*, n. 5, pp. 32-60.

— 1983 [b], *Les conceptions tibétaines du milieu naturel (II)*, In: *La Nouvelle Revue Tibétaine*, n. 6, pp. 40-58.

MILLER J.R., 1959, *Monasteries and Cultural change in Inner Mongolia*, Wiesbaden.

MILLIET-MONDO C., 1982, *Certain aspects of housing in Nepal*, In: *The House in East and Southeast Asia: Anthropological and Architectural Aspects*. Ed. K.G. Izikowitz, P. Sørensen, London, Malmö: Curzon Press, p. 152-167, (Scandinavian Institute of Asian Studies Monograph Series n. 30).

MITRA D., 1971, *Buddhist munoments*, Calcutta.

MOOKER JEE M., 1947, *Two Illuminated maniscripts in The Asutosh Museum of Indian Art*, In: *Journal of the Indian Society of Oriental Art*, vol. XV, p. 23-99.

MOORCROFT W., TREBECK G., 1841 [I], *Travels in the Himalayan*

Provinces of Hindustan and Panjab, in Ladakh and Kashjmir, In: *Peshawar, Kunduz and Bokhara,* London, 1971 [II].

MORTARI VERGARA CAFFARELLI, P. 1968 [a], *Eclettismo,* In: Dizionario Encilopedico di Architettura e Urbanistica, vol. 1, Roma.

— 1968 [b], *Cina,* In: Dizionario Enciclopedico di Architettura e Urbanistica, vol. 1, Roma.

— 1976, *Il linguaggio architettonico tibetano e la sua diffusione nell'Asia Orientale, parte prima: Caratteristiche permanenti e Storia evolutiva,* In: *Rivista di Studi Orientali,* vol. L, p. 197-240.

— 1978, *Cina, Tibet,* In: *Nuove Conoscenze e Prospettive nel mondo dell'arte,* Roma, p. 155-193.

— 1979, *Un prototipo dell'eclettismo architettonico buddhista: il dBu-rtse di bSam-yas,* In: *Rivista di Studi Orientali,* vol. LIII, p. 71-104.

— 1980, *Presenza dello stile tibetano in alcune correnti architettoniche della Cina contemporanea,* In: *Cina,* 16, p. 305-315.

— 1981, *L'arte cinese al tempo di Marco Polo,* In: *Marco Polo Venezia e l'Oriente,* Milano, p. 227-280.

— 1982, *Architettura in «stile tibetano» dei Ch'ing,* Roma.

— *Le cinte templari abitate,* in pubbl., sous presse.

MÜLLER K., RAUNIG W., 1982, *Der Weg zum dach der Welt,* Pinguin-Verlag, Innsbruck.

MURATA J., 1944, *Manshü no shiseki,* Tokyo.

MURATA J., FUJEDA A., 1955, *Chü yung kuan,* Kyoto.

MURDOCH P., 1981, *Vernacular house form in Ladakh,* In: *L'Homme et la maison en Himalaya, Ecologie du Népal,* G. Toffin, C. Jest et L. Barré (Ed.), Paris, pp. 261-278.

NAGAO G., 1980, *The Architectural Tradiction in Buddhist Monasticism,* In: A. Narain ed., *Studies in History of Buddhism,* Delhi.

NAKANE CH. (Ed.), 1982, *Labrang, A Study in the Field by Li Anche,* Tokyo.

NEBESKY-WOJKOWITZ R. de, 1956, *Oracles and demons of Tibet,* Den Haag.

Nei mong gu gu jian zhu, 1959, Beijing.

NORBU T.J., TURNBULL C., 1968 [I], *Tibet. Its History, Religion and People,* Penguin, London 1976 [II] tr.fr. 1969.

OBERMILLER E., 1931-32, *History of Buddhism by Bu-ston,* 2 vol., Materialen zur Kunde des Buddhismus, 19, Heidelberg.

OLDENBURG S., 1914, *Russkaja Turkestankaya ekspedicija 1909-10,* S. Petersburg.

OLLONE H.D'., 1911, *Les Derniers Barbares. Chine. Tibet. Mongolie.,* Paris, Lafitte.

OLSCHAK B., 1979, *Ancient Bhutan,* Swiss Foundation der Alpine Research, Zürich.

OLSCHAK B., GESHÉ THUPTEN WANGYAL, 1973, *Mystic art of ancient Tibet,* George Allen and Unwin, London.

OPPITZ M., 1968, *Geschichte und Socialordnung der Sherpa,* Innsbrüch-München.

PAL P. ed., 1972, *Aspects of Indian Art,* Leiden.

— 1982, *A Buddhist Paradise, The Murals of Alchi,* New-Delhi.

— 1983, *Art of Tibet,* Los Angeles.

PALADIUS, 1894, *Deux traversées en Mongolie, 1847-1859,* Paris.

PALDAN T., 1976, *A Brief Guide to the Buddhist Monasteries and Royal Castles of Ladakh,* Nanjangud, Karnataka.

PALTUL J.L., s.d., *Bod na bzhugs pa'i rnying ma'i dgon deb. (Record of Nyingma monasteries in Tibet),* Dalhousie.

PANGLUNG J.L., 1983, *Die Ueberreste des Klosters Ñar-ma in Ladakh,* In: *Contributions on Tibetan and Buddhist religion and philosophy,* I, Wien, p. 281-288.

PEISSEL M., 1970, *Mustang, royaume tibétain interdit,* Paris.

PELLIOT P., 1923, *Les statues en lacque séche dans l'ancien art chonois,* In: *Journal Asiatique,* avril-juin.

— 1961, *Histoire ancienne du Tibet,* Oeuvres posthumes de P. Pelliot, 5, Paris.

PERLEE X., 1972, *Erdeni-Zu sum Musei,* Ulan-Bator.

PETECH L., 1939, *A study on the chronicles of Ladakh,* Calcutta.

— 1950, *China and Tibet in the early 18th century,* Leiden.

— 1952-56, *I missionari Italiani nel Tibet e nel Nepal* (Nuovo Ramusio, II), 7 vol., Roma.

— 1959, *The Dalai-Lamas and regents of Tibet: a chronological study,* In: *T'oung Pao,* XLVII, 368-394.

— 1972 [a], *The rulers of Bhutan,* In: *Oriens Extremus,* 19, 1-2.

— 1972 [b], *China and Tibet in the early XVIII century* (Monographies du T'oung Pao, I), 2ª ed., Leiden.

— 1973, *Aristocracy and Government in Tibet 1728-1959* (Serie Orientale Roma, XLV), Roma.

— 1977, *The kingdom of Ladakh* (Serie Orientale Roma, LI), Roma.

1978, *The 'Bri-gun-pa Sect in Western Tibet and Ladakh,* In: *Csoma de Körös Memorial Symposium,* Budapest, 8, p. 313-325.

— 1980 [a], *Ya-ts'e, Gu-ge, Pu-ran: a new study,* In: *Cental Asiatic Journal,* 24, p. 85-III.

— 1980 [b], *Sang-ko Tibetan Stateman in Yüan China,* In: *Acta Orientalia Hungarica,* vol. 34.

— 1983, *Tibetan Relations with Sung China and with the Mongols,* In: Rossabi M., ed., *China among Equals,* Berkeley and Los Angeles, p. 173-203.

PIASSETSKY P., 1883, *Voyage à travers la Mongolie et la Chine, 1873-1874,* Paris.

PIRAZZOLI t'SERSTEVENS, M., 1970, *China,* Paris, ingl. tr., *China Living Architecture,* London, 1971.

POLO M., 1980, *Le divisment du monde,* version française de Hambis L., Paris.

POMMARET-IMAEDA F., 1980, *The Construction of Ladakhi Houses in the Indus Valley,* In: *Tibetan Studies in Honour of Hugh Richardson,* Aris M. and Aung San Sun Kyi (Ed.), London.

The Potala Palace of Tibet, 1982, Hong Kong.

POWELL R., 1977, *Tibetan houses in Ladakh*, In: *Aarp*, 12, London, pp. 55-63.

POZDNEIEV A.M., 1887, *Religion and ritual in society: Lamaist Buddhism in late XIX th century in Mongolia*, Saint-Petersbourg, ingl. trad., Bloomington, 1978.

— 1892-93, *Mongolia i Mongolii*, Saint-Petersbourg, 2 vol., ingl. trad., *Mongolia and the Mongols*, Bloomington, 1961 I, 1977 II.

PREJEVALSKY N., 1876 I, *Mongolia, the Tangut country and the solidudes of northern Tibet*, 2 vol., London, 1968 II.

PRIP-MOLLER J., 1937, *Chinese buddhist monasteries; their plan and its function as a setting for Buddhist monasteries*, Copenhagen-London.

PRITSAK O., 1954, *Orienterung und Farbsymbolic zu den Farbenzeischnungen in den altaïschen Völkenamen*, In: *Seculum*, Bd. 5, pp. 376-383.

PRUSCHA C., 1975, (Coordination and production), *Kathmandu Valley: The préservation of physical environment and cultural heritage. A protective inventory*, 2 vol., Vienna, Anton Schroll and Co. publishers.

Qing shigao, 1977, Pekin.

Qing shilu, 1937, Tokyo.

QUXI LUOSANG HUADAN LONGRI JIACOU (CHOS GZHI BLO-BZANG DPAL-LDAN LUNG-RI RGYA-MTSHO), 1982, *Daer Si zhi-lüe*, Académie des Sciences Sociales de Qinghai, Bureau de traduction d'oeuvres tibétaines de Kumbum.

RAHUL R., 1970, *The himalayan borderland*, Vikas, New-Delhi.

RAPOPORT A., 1972, *Pour une anthropologie de la maison*, Paris, Dunod.

RATCHNEVSKY P., 1954, *Die Mongolische Grosskhane und die buddhistische Kirche*, In: *Asiatica, Festschrift Weller*, Leipzig, p. 489-504.

RAU H., 1979, *On the origin of the pagoda style in Nepal*, In: *South Asia Archeology*, Ed. Herbert Härtel, Berlin, Dietrich Reimer Verlag, p. 513-520, III.

RAY A., 1973, *Art of Nepal*, New-Delhi, Indian Council for Cultural Relations.

REGMI D.R., 1965-1966, *Medieval Nepal*, Calcutta, Firma K.L. Mukhopadhyay, 3 vol.

RICHARDSON H., 1949, *Three ancient inscriptions from Tibet*, In: *Journal of Royal Asiatic Society of Bengal*, Letters, XV, I.

— 1952, *Ancient historical edicts at Lhasa*, London.

— 1953, *Tibetan inscriptions at Zva-hi Lhakhang*, In: *Journal of the Royal Asiatic Society*, oct. 1952, april.

— 1957, *A tibetan inscription from Rgyal Lha-khang and note on tibetan chronology from A.D. 841 to A.D. 1042*, In: *Journal of the Royal Asiatic Society*, p. 55-78.

— 1958, *The Karma-pa Sect. A Historical Note*, In: *Journal of the Royal Asiatic Society*, p. 149.

— 1962, *Tibet and its history*, London.

— 1963, *Early burial Grounds in Tibet*, In: *Cental Asiatic Journal*, VII, 2.

— 1964, *A new inscription of Khri Srong Lde Brtsan*, In: *Journal of the Asiatic Royal Society of Creat Britain and Ireland*.

— 1969, *The inscription at the tomb of Khri Lde Srong Brtsan*, In: *Journal of the Royal Asiatic Society*.

— 1972, *The rkhang-po inscription*, In: *ibidem*.

1973, *The Skar-cung inscription*, In: *ibidem*.

— 1977, *The Jo-khang »Cathedral» of Lhasa*, In: *Essais sur l'art du Tibet*, Paris.

RINCHEN L., 1926, *We Tibetans*, London.

RISLEY H.H., 1972, *Gazetteer of Sikkim*, Manjusri Publ. House, New-Delhi.

ROCK J.F., 1956, *The Amnye Ma-chhen and Adjacent Regions*, Roma, IsMeo.

ROCKHILL W.W., 1891 a, *The land of the Lamas*, London.

— 1891 b, *Tibet, a geographical, ethnographical and historical sketch, derived from chinese sources*, In: *Journal of the Royal Asiatic Society*.

— 1894, *Journey Through Mongolia & Tibet (1891-1892)*, Washington, Smithsonian Institute.

— 1895, *Notes on the ethnology of Tibet*.

ROERICH G. de, 1928, *La Joie de l'art: l'age de pierre. A travers le Thibet*, Paris.

— 1930, *The Animal Style among the nomad tribes of Northern Tibet*, In: *Skithica*, 3, Pague, In: *Seminarium Kondakovianum*, Moscow, 1967 II.

— 1931, *Trails to Innermost Asia*, Yale.

— 1933, *Sur les pistes de l'Asie Centrale*, Paris.

— 1942, *The Epic of King Kesar of Ling*, In: *Journal of the Royal Asiatic Society of Bengal*, vol. VIII, Calcutta 1942, p. 277-312.

— 1943, *Problems of Tibetan Archeology*, In: *Urusvati*, vol. I, n. 1, p. 27-34.

— 1949-53, *The Blue Annals*, 2 vol., Calcutta.

RONALDSHAY (Earl of), 1923, *Land of the Thunderbolt: Sikkim, Chumbi and Bhutan*, London.

RONA-TAS A., 1963, *Preliminary report on a study of the dwellings of the Altaic Peoples in Aspects of Altaic Civilization*, In: *Uralic and Altaic series*, 23, La Haye, pp. 47-56.

RONGE V., 1982, *Das Handwerktum*, In: *Der Weg zum Dach der Welt, Katalog der Ausstellung des Staatlichen Museums für Völkerkunde München 9. July 1982-31 März 1983*, Müller C. und Raunig W. (Ed.), Innsbruch, pp. 153-201.

ROUSSEAU P., 1927, *L'Art du Tibet, L'Architecture*, In: *Revue des Arts Asiatiques*, IV, 2, p. 83-97.

ROUX J.P., 1984, *La religion des Turcs et des Mongols*, Paris.

ROWLAND B., 1953 I, *The Art and Architecure of India Buddhist Hindu Jain*, Harmondsworth, 1967 II.

RUBROUCK G. de, 1985, *Voyage dans l'Empire Mongol (1253-1255)*, tr. Kappler C.R., Paris.

SANDAY J., 1974, *The Hanuman Dhoka royal palace Kathmandu: Building conservation and local traditional crafts*, London, Aarp.

— 1978, *Building conservation in Nepal: A handbook of principles and techniques*, Paris, Unesco.

— 1979, *Monuments of the Kathmandu Valley*, Paris, Unesco.

SANKRITYANA R., 1935, 37, 38, *Sanskrit palm-leaf mss*, In: *Tibet journal of the Bihar and Orissa Research Society XXI, XXIII, XXIV*.

SANYAL B.C., 1969, *Journey to Ki and Tabo monasteries Spiti Valley*, In: *Roopa Lekha*, vol. 38, n. 1-2, p. 139-152.

SARASWATI K., 1976, *Architecture of Bengal*, I, Calcutta.

SARKAR H., 1966, *Studies in early Buddhist Architecture of India*, Delhi.

SCARCIA G., 1981, *I mongoli e l'Iran*, In: *Marco Polo, Venezia e l'Oriente*, Milano, p. 159-172.

SCHLAGINTWEIT E., 1968, *Buddhism in Tibet*, Delhi.

SCHROEDER U. Von, 1981, *Indo-Tibetan Bronzes*, Hong Kong.

SCHUH D., 1973 a, *Die Darlegungen des Tibetischen Enzyklopädisten Kong-sprul blo-gros mth'a-yas über osttibetische Hochzeitsbräuche*, In: *Serta Tibeto-Mongolica, Festchrift W. Heissig*, pp. 295-349.

— 1973 b, *Untersuchungen zur Geschichte der tibetischen Kalenderrechnung*, Verzeichnis der orientalischen Handschriften in Deutschland, Supplementband 16, Wiesbaden.

SCHULEMANN G., 1958, *Die Geschichte der Dalai-Lamas*, 2ª ed., Laipzig.

SEGALEN V., 1972, *Chine, la grande statuarie*, Paris.

SEKIN T., 1935, *Jehol, Summer Palaces and Lama Temples*, Tokyo.

SEKINO T., TAKESHIMA T., 1934, *Jehol the most glorious and monumental relics in Manchukuo*, Tokyo.

SERRUYS H., 1963, *Early Lamaism in Mongolia*, In: *Oriens Extremus*, p. 165-216.

— 1966, *Additional Note on the origin of Lamaism in Mongolia*, In: *Oriens Extremus*, p. 165-173.

SESTINI V., SOMIGLI E., 1978, *L'architecture Sherpa*, Paris Unesco.

SHAKABPA W.D., 1967, *Tibet: A Political History*, New Haven, London.

— 1976, *Bod kyi srid don rgyal rabs*, Kalimpong.

— 1982, *Lha-ldan rva-sa 'phrul-snang gtsug-lag khang gi dkarchag, Guide to the central temple of Lhasa*, Kalimpong.

SHI LI, 1961, *Gannan Zangzu siyuan jianzhu*, In: *Wenwu*, vol. 4, p. 49-56.

SICKMAN L., SOPER A., 1956, *The art and the architecture of China*, Harmondsworth, trad. it., *L'arte e l'architettura cinese*, Torino, 1959.

SINGH M., 1968, *L'art de l'Himalaya*, UNESCO.

SIREN O., 1924, *The Walls and gates of Peking*, London.

— 1926, *Les palais impeiaux de Pékin*, Paris-Bruxelles.

SIS V., VANIS J., 1956, *Der Weg nach Lhasa*, Prag.

SLUSSER M.S., 1975, *The Saugal-tol Temple of Patan*, In: *Contributions to Nepalese studies*, Vol. 2, n. 1, p. 39-45.

— 1979, *Indreśvara Mahâdeva, a thirteenth-century Nepalese shrine*, In: *Artibus Asiae*, vol. XLI, fasc. 2/3, p. 185-225, III.

— 1980, *Nepalese Caitya as mirrors of mediaeval architecture*, In: *The Stûpa. Its religious, historical and architectural significance*, Ed. A. Libera Dallapiccola, S. Zingel-ave' Lallemont, Wiesbaden, Franz Steiner Verlag, 1980, p. 157-165.

— 1982, *Nepal Mandala*, 2 vol., Princeton, Princeton University Press, 1982.

SLUSSER M.S., VAJRÂCÂRYA G., 1974, *Two mediaeval Nepalese buildings: An architectural and cultural study*, In: *Artibus Asiae*, Vol. XXXVI, fasc. 3, p. 169-218, III.

SNELLGROVE D.L., 1957, *Buddhist Himalaya*, Oxford.

— 1961, *Shrines and Temples of Nepal*, In: *Arts Asiatiques*, Tome VIII, 1961, fasc. 1, p. 3-10, fasc. 2, p. 93-120, III.

SNELLGROVE D., RICHARDSON H., 1958 I, *A cultural history of Tibet*, London; Builder, Colorado, 1980 II.

SNELLGROVE D.L., SKORUPSKI T., 1977-80, *The Cultural Heritage of Ladakh*, 2 vol., London.

SPEISER W., 1965, *Architettura in Oriente*, Novara.

STEIN M.A., 1907, *Ancient Khotan*, Oxford.

— 1912, *Ruins of desert Cathay. Personal narrative of explorations in central Asia et Westernmost China*, London.

— 1921, *Serindia*, Oxford.

STEIN R.A., 1957 a, *L'habitat, le monde et le corps humain en Extrême Orient et en Haute Asie*, In: *Journal Asiatique*, CCXLV, fasc. 1, pp. 37-74.

— 1957 b, *Architecture et pensée religieuse en Extrême Orient*, In: *Arts Asiatiques*, Tome IV, n. 3, pp. 163-186.

— 1957-58, *Les K'iang des marches sino-tibétaines*, In: *E.P.H.E., IVe section*, p. 4.

— 1961 a, *Une chronique ancienne de bSam-yas: sBa-bzed*, Paris.

— 1961 b, *Les tribus anciennes des marches sino-tibétaines*, Bibliothèque de l'Institut des Hautes Etudes chinoises, XV, Paris.

— 1962 I, *La civilisation Tibétaine*, Paris, 1981 II.

— 1972, *Vie et chants de 'Brug-pa Kun-legs le yogin*, Maisonneuve et Larose, Paris.

STOTZNER W., 1924, *Ins unerforschte Tibet*, Leipzig.

STUBEL H., 1958, *The Mewu Fantzu*, New-Haven.

SU BAI, 1964, *The Lamaist mc'od-rten astride the main road at Chü Yung Kuan Pass near Peking*, In: *Wenwu*, n. 4, p. 13-29.

SSU G., 1964, *Chinese Architecture past and contemporary*, Hong Kong, The Sin Poh Amalgamated Limited.

SULLIVAN M., 1974, *The Three Perfections: Chinese Painting, Poetry and Calligraphy*, London, Thames & Hudson.

SUOLANG WANGDU, HOU S., 1985, *Reconnaissance of the Tombs at Lieshan in Langxlan, Xizang*, In: *Wenwu*, 9, p. 32.

SUZUKI D.T., 1962, *The Tibetan Tripitaka*, Tokyo, Peking edition, Kept in the Otani University, Kyoto.

TACHIKAWA M., 1983, *A Catalogue of the United States Library of Congress Collection of Tibetan Literature in microfiche*, Bibliographia Philologica Buddhica (Serie Maior III), Tokyo.

TAFEL A., 1914, *Mein Tibetreise*, Stuttgart, 2 vol.

TALBOT-RICE T., 1958, *The Scythians*, London, tr. it., *Gli scîti*, Milano, 1958.

bsTAN 'DZIN CHOS-RGYAL, *Lho'i chos byung. Xylographie de 151 folios.*

TARING D.J., 1979, *Lha-sa gtsug-lag-khag gi sa-bkra dang dkar-chag*, Rayput.

TAUBE M., 1966, *Tibetische Handschriften und Blochdrucke*, vol. IV, (1-4 vol.), Wiesbaden.

TEICHMAN E., 1922, *Travels of a Consular Officer in Eastern Tibet. Together with a History of the relations between China, Tibet and India*, Cambridge.

THAPA R.J., 1968: *Kashthamandapa*, In: *Ancient Nepal (Journal of the Department of Archaeology)*, n. 3, avril 1968, p. 41-43, III.

THOMAS F.W., 1953, *Tibetan literary text, and documents concerning chinese Turkestan*, I, London.

THOUBTEN JIGME NORBOU W. NORBU T.J.

THUBTEN L.G., 1979, *Gateway to the Temple. Manuel of Tibetan Monastic Customs, Art, Building and Celebrations*, trad. Jackson D.P., Kathmandu, Ratna Pustak Bhandar.

THUTOB N., YESHE D., *Bras ljongs lung bstan gsal ba'i me long*, la traduction anglaise, manuscrite de cet ouvrage est conservée au British Museum.

Le Tibet d'Alexandra David-Néel, 1979, Plon, Paris.

TOFFIN G., 1981, *Espace urbain et religion: A propos des villes néwar*, In: *L'homme et la maison en Himalaya*, Paris, C.N.R.S., 1981, p. 81-91, III.

— 1985, *Societé et religion chez la Néwar du Népal*, Paris, C.N.R.S.

TOFFIN G., BARRE V., BERGER L., BERGER P., 1981, *La maison des pode, caste de pécheurs-balayeurs néwar*, In: *L'homme et la maison en Himalaya*, Paris, p. 134-146, III.

TOFFIN G., BARRE L., JEST C., 1981, *L'homme et la maison en Himalaya*, éditions du Centre National de la Recherche Scientifique, Paris.

TOSCANO A., 1951 [I], *La prima missione cattolica nel Tibet*, Hong Kong; *Alla scoperta del Tibet*, Bologna, 1977 [II].

TOUSSAINT G.C., 1933, *Le dict de Padma*, Paris.

Tresor d'orient, 1973, *Bibliothèque Nationale*, Paris.

TSERING PEMA, 1978, *rÑim ma pa Lamas am Yüan Kaiserhof*, In: *Csoma de Körös Memorial Symposium*, Budapest, p. 511-540.

TU SHUNGENG, 1983, *Architecture in Tibet*, In: *China Building Selection*, p. 1-10.

TUCCI G., 1932-41, *Indo-Tibetica*, 4 vol., 7 parti, Roma.

— 1937 [I], *Santi e briganti nel Tibet ignoto*, Milano; *Tibet ignoto*, Roma 1978 [II].

— 1938, *La capitale del Tibet occidentale Ghianze e il suo tempio terrificante*, In: *Le vie del Mondo*, Agosto, p. 911-937.

— 1940, *Un principato indipendente nel cuore del Tibet: Sachia*, In: *Asiatica*, n. 6, p. 353-360.

— 1947 [I], *The validity of Tibetan historical tradition*, In: *India Antiqua*, J. Ph. Voguel Memorial Volume, Leyden, p. 309-322.

— 1948, *Prehistoria Tibetana*, In: *Rivista Antropologica*, vol. XXVI, p. 265-268.

— 1949 [Ia], *Tibetan Painted Scrolls*, 2 voll., Roma, Kyoto 1981 [II].

— 1949 [b], *Tibetan Notes*, In: *Harward Journal of Asiatic Studies*, 12, 1949, p. 477-496.

— 1950 [a], *The tombs of the Tibetan kings*, Serie Orientale Roma, I, Roma.

— 1950 [Ib], *A Lhasa e oltre*, Roma 1950 [I], 1980 [II].

— 1952, *Teoria e pratica al mandala*, Roma, trad. fr., Paris, 1974.

— 1955, *The social character of the kings of ancient Tibet*, In: *East and West*, 4, 1955, p. 197-205.

1956 [a], *The Symbolism of the Temples of bSam-yas*, In: «East and West», VI, 4, p. 279-281.

— 1956 [b], *Preliminary Repart on two scientific expeditions in Nepal*, Roma.

— 1956 [c], *A Lhasa e oltre*, Roma.

— 1958, *Minor Buddhist Texts*, Roma.

— 1966, *Tibetan Folk Songs from Gyantse and Western Tibet*, Ascona.

— 1967, *Tibet, The Land of snows*, London 1967. It. *Tibet paese delle nevi*, Novara, 1968.

— 1970, *La Letteratura del Tibet*, In: Pisani V., Mishra D.P., *Le Letterature dell'India*, Milano.

— 1973, *Tibet*, Genève.

TUCCI G., GHERSI E., 1934, *Cronaca della missione scientifica Tucci nel Tibet Occidentale (1933)*, Roma, ingl. tr., Glasgow and London 1935.

TUCCI G., HEISSIG W., 1970, *Die Religionen Tibets*, Stuttgart; tr. fr., *Les religions du Tibet et de la Mongolie*, Paris, 1973; tr. it., *Le religioni del Tibet*, Roma 1976.

TUG R.J., 1980, *A Portrait of lost Tibet*, London.

TURNER S., 1800, *Ambassade au Tibet et au Bhoutan*, 2 vol., F. Buisson, Paris.

UGYEN GYATSO, 1915-1922, *Records of the Survey of India*, vol.

VIII, Dehra Dun.

UNDRAH D., 1972, *Bod Khani Ordon Musei,* Ulan-Bator.

URAY G., 1960, *The four horns of Tibet according to the Royal Annals,* In: *Acta Orientalia Hungarica,* 10, 31-57.

— 1975, *L'annalistique et la pratique bureaucratique au Tibet ancien,* In: *Journal Asiatique,* 157-170.

VAN OBERGEN J., 1911, *Deux illustres pagodes impériales de Jehol,* In: *Anthropos,* p. 594.

— 1931-32, *Jehol, son palais et ses temples,* In: *Mélanges chinois et bouddhiques,* I, pp. 323-342.

VASILYEV G., 1895, *Geografiya Tibeta,* St,. Peterburg.

VIDYÂBHUSANA S.C., 1905, *On Certain Tibetan scrolls and Images Lately Brought from Gyantse,* In: *Memories of the Asiatic Society of Bengal,* I, p. 1-23.

VIENNOT O., 1964, *Les Divinites fluviales Ganga et Yamuna aux portes des sanctuares de l'Inde,* Paris.

— 1976, *Temples de l'Inde Centrale et Occidentale,* Paris.

VILLETTE O., 1984, *Un village de réfugiés tibétains dans la vallée de Kulu,* Diplôme d'architecture, Unité Pédagogique d'Architecture, n. 1, Paris.

VOLWAHSEN A., 1968, *Architettura Indiana,* Milano.

WADDEL L.A., 1895, *The Buddhism of Tibet or Lemaism,* London, 1978 II.

— 1905, *Lhasa and its mysteries,* London.

— 1975 II, *Lamaism in Sikkim,* Manjusri Publ. House.

— 1978 II, *Among the Himalayas,* Ratna Pustak Bhandar, Kathmandu.

WALSH E.H.C., 1938, *The image of Buddha in the Jo-wo khang temple at Lhasa,* In: *Journal of the Royal Asiatic Society.*

— 1946, *Lhasa,* In: *ibidem,* p. 27-30.

WANG SHIREN, YANG KONG, s.d., *Xizang jianzhu,* Beijing Zhongguo Jianzhu gongye chubanshe.

WANG Y., 1960, 1961, *Xizang wenwu jianwen ji,* In: *Wenwu,* 1960, n. 6, p. 42-48, 51; 1960, n. 8-9, p. 52-65; 1961, n. 1, p. 43-53; 1961, n. 3, p. 29, 38-46; 1961, n. 4-5, p. 81-87; 1961, n. 6, p. 44, 55-63.

WATSON D., BERTAUD A. and A., 1976, *Indigenous Architecture as the Basis of House Design in Developing Countries: A Case Study Evaluation of Traditional Housing in Bhutan,* In: *An International Journal,* Vol. I, n. 3/4, pp. 207-217, Pergamon Press.

WATSON W., 1972, *Mayanist art after A.D. 900,* London.

WEI CHIN-LI KUNG, 1974, *Historical Evidence of the Consolidation and Development of China as Multinational Unified Country a Summer resort and eight Temples in Ch'eng teh,* In: *Wenwu,* 12, p. 1 segg.

WESSELS C., 1924, *Early Jesuit travellers in Central Asia 1603-1721,* The Hague.

WHITE J.C., 1971, *Sikkim and Bhutan,* New-Delhi.

WIESNER U., 1978, *Nepalese temple architecure,* Leiden E.J. Brill.

— 1980, *Nepalese votive stupas of the Licchavi period, The empty niche,* In: *The stûpa, Its religious, historical and architectural significance,* Ed. A. Libera Dallapiccola, S. Zingel-ave' Lallemont, Wiesbaden, Franz Steiner Verlag, p. 166-174, III.

WILLETTS W., 1958, *Chinese art,* London, trad. it., Arte cinese, Firenze, 1963.

WULSIN F.R., 1923, *Photos of the Wulsin Expedition to North-West China in 1923,* éd. M.E. Alonso, Harvard.

WYLIE T.V., 1962, *The geography of Tibet according to the 'dzam gling rgyas bshad,* Roma.

— 1963, *O-Ide spu-rgyal and the introduction of Bon to Tibet,* In: *Central Asiatic Journal,* VIII, 2, p. 93-103.

— 1964, *Mar-pa's Tower, Notes on local Hegemons in Tibet,* In: *History of religions,* vol. 3, n. 2, p. 278.

— 1977, *The first Mongol conquest of Tibet reinterpreted,* In: *Harward Journal of the Asiatic Studies,* XXXVII, p. 103-135.

YAMAGUCHI Z., 1969, 1970, *Matrimonial relationship between the T'u-fan and the T'ang dynasties,* In: *Memoirs of the Tôyô Bunko,* 27, 141-166 e 28, 59-100.

— 1970, *Catalogue of the Toyo Bunko Colection of Tibetan Works on History,* Tokyo.

YOUNG G.M., 1919, *A Journey to Toling and Tsaparang in Western Tibet,* In: *Journal of the Panjab Historical Society,* VII, p. 177-199.

g. *Yung drung las rnam par dag pa'i rgyud,* r. Gyer-mi nyi-'od, XIIe s.

ZANGHERI L., 1981, *L'Architettura di alcuni templi tibetani,* In: *Antichità viva,,* anno XX, n. 3, p. 32-38.

ZEVI B., 1973, *Il Linguaggio moderno dell'architettura, guida al codice anticlassico,* Torino, Einaudi.

— 1974, *Architettura e storiografia,* Torino.

ZHANG FOGUI, 1935, *Chinese Architecture of the Ch'ing Dynasty,* Peking.

ZHANG S., 1981, *Le Tibet préhistorique,* In: *La Chine en construction,* janvier, p. 64-66.

Zhongguo gudai jianzhu shi, 1980 I Beijing, 1983 II.

Zhongguo gujianzhu, 1982 Beijing-Hongkong.

Zhongguo gujianzhu xinshan jishu, 1983 Beijing.

ZIMMER H., 1952, *Die Lama Pagode als psicologisches Diagramm,* In: *Psiche.*

— 1960, *The Art of Indian Asia. Its Mytology and Transformations,* Bollingen Series, 39, New York.

ZWOLF W., 1981, *Heritage of Tibet,* London.

INDICE

TABLE DES MATIERES

IL BAGATTO - Università di Roma Soc. Coop. Editoriale e Libraria a r.l.
Piazza dei Sanniti, 30 - 00185 ROMA - tel. 490250

Fotocomposizione e impaginazione: PRIMA PAGINA, Via A. Raimondi 23/25 - 00176 ROMA
Stampa: Tip. Ariete - Via Anagnina 492b - ROMA